ISBN 978-0-331-97686-1
PIBN 11028316

Die Kinderfehler.

Zeitschrift für Kinderforschung

mit besonderer Berücksichtigung

der pädagogischen Pathologie.

Im Verein mit

Medizinalrat Dr. J. L. A. Koch,
Irrenanstaltsdirektor a. D. in Cannstatt

herausgegeben von

J. Trüper, und Chr. Ufer,
Direktor des Erziehungsheimes und Kinder-
sanatoriums auf der Sophienhöhe bei Jena
    Rektor der Mädchenmittelschule in
Elberfeld.

Zehnter Jahrgang.

Langensalza
Hermann Beyer und Söhne
(Beyer & Mann)
Herzogl. Sächs. Hofbuchhändler
1905

Inhalt.

A. Abhandlungen.

1. Zur Psychologie der Eltern- und Kindesliebe.

Von

Schulrat Prof. Dr. **F. M. Wendt** in Troppau (österr. Schlesien).

Den Erfolg der elterlichen Erziehung bestimmt, wenn auch nicht einzig, so doch wesentlich, das Gemütsverhältnis zwischen Eltern und Kindern, für welches man vielfach den Ausdruck »Eltern- und Kindesliebe« gebraucht. Dieses Verhältnis, insofern es wirklich »Liebe« genannt werden kann, vom psychologischen Standpunkte aus etwas näher zu beleuchten, ist der Zweck der folgenden Darlegungen.

Obwohl der Begriff »Liebe« zu den häufigst gebrauchten Begriffen des täglichen Lebens gehört, so ist er seinem Inhalte nach doch bei der Mehrzahl der Menschen ein äußerst verschwommener Begriff. Diese Verschwommenheit wird wesentlich dadurch verschuldet, daß man einen im Liebeserleben mitgegebenen Zustand starker Betonung, das sogenannte Liebesgefühl, also etwas, was sich nicht definieren läßt, in den Begriff der Liebe mit einbeziehen will. Gerade der Versuch, den mitunter lyrische Dichter machen, das Liebesgefühl, also etwas Undefinierbares, pathetisch mit Worten auszudrücken, obendrein in der Meinung, dadurch den veranlassenden Zustand, die Liebe selbst, klar gemacht zu haben, steigert die Verschwommenheit des Begriffes »Liebe«.

Daß Liebe ein besonderer Zustand der Aktivität unserer psychischen Kräfte, richtiger der Kräfte unseres Willens, (unserer Seele) ist, wird wohl jenen klar, welche von der Stärke, der Macht oder

gar direkt von der Kraft der Liebe reden, welche die Affekt-
Explosionen der durch Hindernisse aufs höchste gespannten Liebes-
kräfte, oder die Allgewalt der großartigen Leistungen der zur Leiden-
schaft gesteigerten Liebe bewundern, obwohl auch hierbei noch vielfach das Wesen der Liebe in den stets unablösbar mitgegebenen, in
solchen Fällen besonders starken Liebesgefühlen gesucht wird.

Alle psychischen Kräfte sind Willenskräfte, weil überhaupt
jede Kraft Wille ist. Kraft ist aber wieder nur Kraft, wenn sie
sich betätigen kann. Daher befindet sich alles Wollen, überhaupt
jede Kraft im Zustande des Strebens nach Betätigung. Mit allen
Willenswirkungen ist aber je nach dem Maß des betätigten Strebens
und der wirklichen Betätigung ein Lust- oder Unlustgefühl verbunden.

Alle Dinge und Wesen, mit welchen wir in Wechselverkehr
treten, wodurch Willenszustände ausgelöst werden, alle Tätigkeiten
und Zustände, durch welche unser Wille wirksam wird, alle Eigenschaften, aller Besitz, welchen wir dabei erwerben, schließen solche
Lust- oder Unlustzustände ein. Die Lustzustände werden erstrebt,
den Unlustzuständen wird widerstrebt.

Das Streben richtet sich stets auf die Forterhaltung, Steigerung
oder Wiederholung angenehmer Erlebnisse, das Widerstreben auf Beendigung, Herabminderung oder Vermeidung solcher Erlebniszustände,
welche unsere psychischen Kräfte (unseren Willen) in Unlustzustände
versetzen. Nach dieser Lust oder Unlust erzeugenden Modifikation
unserer psychischen Kräfte beurteilen wir alle Erlebnisse. Es wäre
Einbildung, wenn jemand behaupten wollte, es gebe bei irgend einem
Menschen in seiner Lebenspraxis eine objektive Bewertung der
Gegenstände oder Zustände. Diese Bewertungen sind immer subjektiv, wenn sie auch von sogenannten objektiven Gesichtspunkten
aus sich leiten lassen. Aber erst, wenn diese objektiven Gesichtspunkte subjektiv wirksam werden, haben sie in der Lebenspraxis des
einzelnen Gültigkeit erlangt, was alle die Schwierigkeiten, ja scheinbaren Unmöglichkeiten erklärt, welche die Erziehung, Bildung und
Besserung des Menschen in sich schließen. Nach dieser vorbereitenden Einleitung gehen wir zum Gegenstande, zur Liebe selbst über.

Liebe ist die aus der Schätzung des Genusses, den uns ein
Wesen, ein Ding, eine Tätigkeit oder ein Zustand (eine Eigenschaft)
zu gewähren vermag, hervorgegangene kontinuierliche Richtung des
Willens oder das dauernde Streben, sich diese realen oder idealen,
wirklichen oder eingebildeten Güter oder Genüsse zu verschaffen.
Dies kann durch den Besitz dieser Dinge und Wesen, d. h. durch

den damit gesicherten Verkehr und Anblick, überhaupt durch das Leben mit ihnen, oder durch Ausübung, der betreffenden Tätigkeit, die Erreichung der genußbietenden Zustände, die Erwerbung der Lust gewährenden Eigenschaften geschehen, auf welche dann unsere Neigung sich richtet.[1]) Es ist selbstverständlich, daß die Liebe auch nach dem Verluste des teuren Gutes oder Wesens (z. B. nach dessen Tode) in der Form der Erinnerung oder der Sehnsucht nach dem Verlorenen fortbestehen kann. Das Liebesgefühl wird dann zur Wehmut, d. h. zum Schwanken zwischen dem beglückenden Erinnerungsgefühl an den einstigen Besitz und dem schmerzlichen Empfinden des Verlustes.

Der subjektive Charakter des Liebesprozesses leuchtet dabei sofort ein. Was dem einen Genuß gewährt, kann den andern gleichgültig lassen, ja kann ihm Unbehagen bereiten, weil es zu seinen psychischen Kräften in einem Mißverhältnisse steht. Andrerseits kann wieder eine und dieselbe Sache oder Person vielen, ja einer eminenten Menge den gleichen Genuß bereiten,[2]) zumal wenn dieser Genußwert in allgemein gültigen sogenannten naturgesetzlichen Verhältnissen des psychischen Lebens, d. h. naturgesetzlichen Beziehungen unserer Willenstätigkeit wurzelt. Daß es sich dabei auch um sogenannte intellektuelle Genußwerte handelt, sollte eigentlich keiner Erwähnung bedürfen, da ja alle intellektuelle Erlebnisse auch Willenstätigkeiten sind, welche sich aus der Wechselwirkung zwischen den uns beeinflussenden äußeren Reizkräften und der ihnen anziehend oder abstoßend entgenwirkenden Willenskräften sich ergebenden Modifikationen unserer psychischen Kräfte entstehen.

Vorstellungen, Gedanken, Entschlüsse, die irgendwo in einem psychischen Raume als etwas von unserem unmittelbaren psychischen Wirken Abgelöstes schweben oder sich herumtummeln, gibt es nicht. Alles psychische Erleben sind stets momentan in unserer zentralen psychischen Einheit oder Seele sich vollziehende Prozesse unserer Willenskräfte. Dies gilt für alle Bewußtseins-, Gefühls- oder Handlungsakte, bei welchen unter allen Umständen unser Organismus den Willen beeinflussend oder vom Willen beeinflußt, mitbeteiligt ist.

Die Liebe zwischen Eltern und Kindern ist nun aus dem allgemeinen Begriffe der Liebe als Art derselben zu spezifizieren.

---

[1]) Die Beschränkung des Liebesbegriffes auf lebende Wesen oder gar nur auf Menschen und dogmatisch geglaubte höhere Wesen ist psychologisch ungerechtfertigt.

[2]) Z. B. das Anhören der Kunstleistungen eines großen Virtuosen, das Lesen eines schön geschriebenen interessanten Briefes.

Da die Liebe in der Wertschätzung des geliebten Gegenstandes beruht, als eines Objektes, das für uns einen gewissen Genußwert besitzt, so ergibt sich für die Kindesliebe folgendes:

Je mehr auf die Entstehung kindlicher Freude durch Darbietung von Gelegenheiten zu freier Betätigung aller kindlichen Kräfte geachtet wird, desto reicher ist der Anlaß zur Entwicklung der Liebe der Kinder zu den Eltern. Kleine oder größere zeitweilige Beschränkungen der kindlichen Freiheit kommen dabei nicht in Betracht, wenn sie durch andere Gelegenheiten zur Willensbetätigung seitens der Kinder reichlich aufgewogen werden. Das angenehme Gesamtverhältnis der Kinder zu den Eltern wird bei einer gehörigen Erziehung durch die von den Kindern wohl erkannte Abhängigkeit und durch seine im Schutztriebe und dessen spezieller Äußerung, im Geselligkeitstriebe liegende Anhänglichkeit gesteigert.

Dies geschieht um so mehr, als durch die Gewohnheit sich sehr starke Schätzungen alles dessen entwickeln, was in jedem individuellen Familienkreise als spezielles Schätzungsgebiet liegt, welches alle Besonderheiten des Familienlebens und Familienbesitzes in sich schließt.

Daß auch dies alles zunächst subjektiv ist, ergibt sich wieder von selbst. Trotzdem ist die Beeinflussung durch objektive Normen natürlich nicht ausgeschlossen, als welche frühzeitig die Gebiete des Wahren, Guten, Schönen und Zweckmäßigen, des eigenen und des fremden Wohles und des Wertes der religiösen Güter sich geltend machen sollen.

Die rechte pädagogische Liebe wird also diejenige sein, welche die Kinder nach ihrem edelsten Werte schätzt und deshalb dem Genusse des Verkehrs mit ihnen sich hingibt und das Wirken für sie als schönste Lebensaufgabe auffaßt.

Man hat oft von einer instinktiven Liebe der Eltern zu den Kindern gesprochen. Wenn Instinkt ein Name für den mit großer Kraft und Stärke und außerordentlicher Sicherheit in der Richtung hervorbrechenden Willen ist, dann gibt es allerdings einen Instinkt der Liebe überhaupt und einen solchen der Liebe zu den Kindern.

Unsere Kinder als Teil unseres Selbst, als köstlichste Frucht unseres organischen Schaffens, als das wesentlichste Mittel zur Erweiterung und dauernden Erhaltung unserer Eigenart und als geeignet zur Erweiterung unserer Wirkungssphäre, diese unsere Kinder erscheinen uns naturgemäß als ein hohes Gut, ja in gewissem Sinne höchstes Gut. Nur ein stumpfer, schwacher, entnervter Wille hat für die eigenen Kinder nicht die naturgemäße zunächst freilich ganz subjektive Schätzung. Diese natürliche Schätzung der Kinder als eines Gutes entsteht vor allem in der Mutter, weil die Kinder nicht nur die grundlegende Bildung ihres Organismus dem Mutterorganismus verdanken, sondern weil der Kinderorganismus auch weiterhin in seiner Entfaltung und Erhaltung vorzugsweise das Werk der Mutter ist. Diese unmittelbar das Kind als Erweiterung des mütterlichen Selbst erfassende spontan hervorbrechende und in diesem Sinne instinktive Mutterliebe, muß als psychologisches Phänomen zunächst gewürdigt werden. Diese natürliche Mutterliebe ist zwar nicht die alleinige, aber sie ist die wesentliche Grundlage aller edleren Formen der Mutterliebe, und wo diese Grundlage fehlt wie bei der Stiefmutter, bleibt in der Liebe der Mutter eine Lücke. Eine eigentümliche Macht reißt die Stiefmutter zu den eigenen Kindern, und bringt die Stiefmutter fast naturnotwendig in eine gewisse feindliche Stellung zu den Kindern der ersten Mutter, weil deren Kinder gewissermaßen die Stiefmutter an der ganzen Entfaltung ihrer natürlichen Liebe zu den eigenen Kindern hindern. Die scheinbar ungerechtfertigte Bevorzugung der eigenen Kinder ist als naturgesetzliche Erscheinung nicht in Bausch und Bogen zu verurteilen, sondern sie ist nur so zu beeinflussen, daß auch die verständige Schätzung der Stiefkinder neben der Naturgewalt der Liebe zu den eigenen Kindern sich geltend macht. Der Stiefvater hat es leichter, und seine Gerechtigkeit gegen die Stiefkinder hat nicht so energische Naturhindernisse zu überwinden. Beim Manne wurzelt das Verhältnis zu den Kindern mehr in der Idee, daß die Kinder überhaupt ein Teil des Familienbesitzes also auch ein Gut des Vaters und damit auch des Stiefvaters sind. Die volkstümliche Eingenommenheit gegen Stiefmütter ist erklärlich, weil sie eine natürliche Folge der allgemeinen Erfahrung ist und auf der Erkenntnis beruht, daß in Familien, wo die Kinder zwei Müttern entstammen, die Stiefmutter eine unparteiische Liebe zu den Stiefkindern nicht ohne sittliche Kämpfe durchführt. Die Erscheinung, daß ein Weib zur Stiefmutter im üblen Sinne sich erst entwickelt, wenn sie selbst Kinder bekommt, bestätigt dies.

Auch im Kinde macht bei seinem Verhalten die naturgemäße Anziehung sich geltend. Der Kinderorganismus fühlt sich noch als Teil des Mutterorganismus, und der natürliche Schutztrieb unterstützt diese Willensrichtung, wenn dieselbe nicht durch ein naturwidriges Verhalten, nämlich Ernährung und Pflege seitens Fremder und durch Überlassung der Kinder an Ammen und Wärterinnen in falsche Bahnen gelenkt wird. Wenn die Mütter erwägten, wie sehr

ein Umgehen der natürlichen Verhältnisse bei Erfüllung der
Mutterpflichten der Grundwillensrichtung des Kindes schadet, so
würden sie nur in Fällen dringendster Not die natürliche und psychologische und darum auch ganz pädagogische Anschmiegung des
kindlichen Willens an den mütterlichen zerstören. Jeder Familienorganismus ist psychisch und physisch eine Besonderheit. Die
Impfung fremder Eigentümlichkeiten in den Familienorganismus,
wie sie bei dem Ammengeschäfte und bei der vollständigen Überlassung der Pflege des Kindes an Wärterinnen Platz greift, ist zunächst unnatürlich. Diese Impfung des Fremden kann zwar unter
zwei Übeln das kleinere sein, wenn z. B. die eigene Mutter mit
einer übertragungsfähigen Krankheit behaftet ist, oder wenn
sie zu schwach ist, ihre Mutterpflicht zu erfüllen; aber die psychologische Schädigung ist fast immer vorhanden, nämlich die Abschwächung der natürlichen Anschmiegung der Willensrichtung des Kindes an den mütterlichen Willen, oder des Verhältnisses der Liebe zwischen Mutter und Kind.[1]) Es ist nämlich dies
wichtige Element der Erziehung ein individuelles, welches sich, weil
in dem Naturverhältnisse der Organismen begründet, durch nichts
ersetzen läßt, weshalb die elterliche, speziell die mütterliche Gewalt
selbst durch gute Erzieher nicht so leicht ausgeübt werden kann.
Wie aber alles Naturgemäße erst zur gedeihlichen Entwicklung durch
kulturelle Veredlung gelangt, so soll es auch mit der natürlichen
zwischen Mutter und Kind bestehenden Liebe sein.

Liebe zu Personen äußert sich fast immer durch das Streben
nach Verkehr in der Form der Annäherung an den geliebten
Gegenstand und möglichster Beharrung in der Gesellschaft desselben. Je kräftiger die Wertschätzung ist, desto kräftiger ist das
Streben; daher sind sogenannte geborene Erzieher auch willens-
starke die Kinder schätzende und umgekehrt durch ihr Wesen
die Kinder anziehende Menschen. Durch die Ehrfurcht vor der
Mutter wird die ungezügelte Liebe geregelt, durch die Furcht vor
der Willenskraft des Vaters werden die Ausartungen ungeord-
neten Strebens und Handelns der Kinder verhütet. Die Liebe der
Eltern und der Erzieher zu den Kindern muß immer auf dieser
Schätzung des Wertes der Zöglinge und Hochhaltung des Eigen-

---

[1]) Die gesundheitliche Schädigung durch Versäumung der Mutterpflicht ergibt folgende kurze Sterblichkeitsstatistik. Von 100 durch die Mutter genährten
Säuglingen sterben durchschnittlich 10%, von den durch Ammen genährten 30%,
von künstlich genährten Kindern 60%.

tumsrechtes an den Kindern beruhen. Die Gegenliebe der Kinder
muß immer in der Schätzung der Eltern wurzeln, aber stets soll
der Sturm des Begehrens, d. h. die sich oft heftig äußernde Zärtlichkeit durch Ehrfurcht gemildert sein. Eine sogenannte heilsame
Furcht muß immer wie eine Art von Zurückhaltung in der Annäherung der Zöglinge bedingen. Diese heilsame Furcht ist ja nichts
anderes als die Überzeugung, der Erzieher wende seinem auf das
Gute, und in diesem Sinne auch auf das Wohl der Kinder gerichteten Wollen in jedem Falle Geltung verschaffen, eine Umgehung
oder eine Übertretung also entsprechend zu ahnden wissen. Die
Liebe der Erzieher gleicht in ihrem Wirken dem Magnete; sie übt
eine anziehende Kraft aus; jedoch nur in dem Sinne, daß die
Hauptrichtung der aufeinander wirkenden Willen die gleiche wird,
so daß sich an den Nordpol des einen Wirkens der Südpol des
anderen schließt;[1]) auf diese Weise ist die Anziehung hergestellt,
andernfalls findet Abstoßung statt. Wie aber ein starker Magnet
einen kleinen, der sich in der Abstoßrichtung zu ihm befindet,
zwingt, in die Anziehungslage zu kommen, d. h. wie der starke
Magnet die Richtung des schwächeren Magneten umkehrt, so ist es
auch mit der starken Liebe des willenskräftigen Erziehers. Er
gibt dem Willen des widerstrebenden Zöglings eben eine andere,
d. h. die für die gegenseitige Anziehung förderliche Richtung.
Es gibt Familien, in denen die natürliche Liebe die Glieder so fest
zusammenhält, daß dadurch jeder auf Trennung gerichtete Einfluß
mißlingt. Das leibliche und geistige Glück der Kinder, ebenso das
der Eltern liegt in gleicher Weise wechselseitig in dieser Vereinigung
der einander zustrebenden Willen. Diese echte Familienliebe der
Eltern zeigt sich nie schwach, sondern immer stark; stark auch
im Verhängen und Auferlegen von Strafen. Sie hält an den unver-
äußerlichen Rechten beider Parteien, der Eltern und der Zöglinge fest.

Das Verhältnis der Pietät leidet durch diese Achtung des gegenseitigen Rechtsstandpunktes nicht, weil alle Gefahr einer Trennung der
Willensrichtungen ausgeschlossen ist, und zwar 1. durch die natürliche
Einheit derselben und 2. durch die Festigung derselben in der un-
verletzlichen Überzeugung von dem Wohlwollen der Eltern gegen
die Kinder, auch wenn sie mit strammer Zucht die jugendlich un-
bändige Natur der Kinder zügelt. Schon im allgemeinen moralischen

---

[1]) In diesem Falle ist nämlich die sogenannte Stromrichtung des Magnetismus
in beiden einanderhaftenden Magneten gleich.

Volksbewußtsein wurzelt das Gefühl, daß das schmählichste Vergehen der Eltern gegen die Kinder Lieblosigkeit, und die unver-
zeihlichste Sünde der letzteren gegen die Eltern Undankbarkeit sei.

Das natürliche Verhältnis zwischen Eltern und Kindern wird
durch die Bildung des Verständnisses und Veredlung des
Herzens verfeinert und vertieft. Die weiche, zarte, tiefempfundene
Teilnahme der Eltern für alles, was das Herz des Kindes bewegt,
und umgekehrt die dem kindlichen Verständnisse oft weit voraus
eilende Aufmerksamkeit der Söhne und Töchter auf alles, was das
Gemüt der Eltern erregt, ist die Frucht dieser kulturellen Veredlung, des Naturverhältnisses zwischen Eltern und Kindern.
Unglücklich ist jene Familie, wo diese verfeinerte Elternliebe den
Kindern und im Wechselverhältnisse dazu die zarte Pietät der Kinder
den Eltern nicht entgegenkommt. Den Kindern kann in vielen
Fällen die feinfühlige Wertschätzung der Lehrer und Lehrerinnen
in der Schule einen gewissen wertvollen Ersatz bieten, aber den
Eltern kann die fehlende Pietät der Kinder, wenn sie durch schädlichen Einfluß oder nachteilige Umstände verloren gegangen ist, kaum
ersetzt werden.

Also nicht in übergroßer Zärtlichkeit oder in schwächlicher
Nachgiebigkeit der Eltern, welche zur Verzärtelung und zum Eigen-
sinne oder zu kluger Ausnutzung der elterlichen Nachgiebigkeit der
Eltern seitens der Kinder führt, bekundet sich die Liebe der Eltern.
Wo Anmaßung, Rechthaberei, wo Auflehnung gegen die elterliche
Autorität bei den Kindern sich zeigt, da fehlt entweder die natürliche
Grundlage der Familienverhältnisse, oder es mangelt an der Verfeine-
rung und Veredlung des natürlichen Lebensverhältnisses. Im wohl-
wollenden, fürsorglichen Eingehen auf das Denken und Handeln der
Zöglinge äußert sich die Eltern- und Erzieherliebe. Nicht im blinden
Gehorsam, im Zittern vor dem Zorne der befehlenden Eltern liegt
die Pietät der Kinder, sondern in der freudigen, pflichttreuen Folgsamkeit. Das Verhältnis zwischen Eltern und Kindern muß wechselseitig eine Quelle lauterster Freude, also eines echten Genusses sein.
Nicht widerstandslose Hingabe an das Abhängigkeitsverhältnis
gegenüber den Eltern bei den Knaben, nicht Schmeichelkatzen-
manier bei den Mädchen sind gesunde Äußerungen der Kindesliebe, sondern in der starken aus innerer Triebkraft heraus-
wachsenden Anpassung an die Bestrebungen des Elternhauses und
in der feinfühligen Vervollkommnung der Gemütsharmonie des Elternhauses durch die Kinder äußert sich das Pietätsverhältnis. Wo die
Eltern- und Kindesliebe in der geschilderten Naturbegründung und

zugleich in ihrer kulturellen Veredlung sich entwickelt haben, da wird sich ihre gegenseitige beglückende Kraft in unerschöpflicher Weise in der Familie äußern.

2. Prüfung der zur Volksschule angemeldeten Kinder, besonders im Gesange.

Von

Dr. phil. **Franz Nietzold,** Direktor der 10. Bezirksschule in Dresden.

Die Prüfung der Neulinge habe ich seit zwei Jahren selbst vorgenommen gleich bei der Vorführung derselben von seiten der Eltern zwecks der Anmeldung. Sie ist zweierlei Art. Erstens erstreckt sie sich auf die Ausfüllung der Beilage zum Aufnahmebogen, in welcher die Befunde über die gesundheitlichen Verhältnisse der einzelnen Schulkinder einzutragen sind.[1] Hierbei benutze ich eine Anzahl der SCHUBERTschen Fragen über die leibliche Entwicklung des Kindes, z. B. Wann lernte es gehen, sprechen? Welche Krankheiten hat es durchgemacht? Wie ist das Schlafbedürfnis des Kindes? Wie ist die Nahrungsaufnahme?

Daran schließe ich eine zweite Prüfung und folge darin den Anregungen, die ein Elementarlehrer meiner Schule, Herr LIPPOLD, in einem Konferenzvortrag gab (abgedruckt in Nr. 5 der Sächsischen Schulzeitung 1903). Es soll darnach durch diese Prüfung nicht das Wissensquantum des Kindes in HARTMANNscher Art erforscht werden, sondern seine »Geistesqualität«.

Da zwischen Geistes- und Sprachbildung innige Kongruenz herrscht, so gilt es, um jene zu erkennen, die Kinder zum Reden zu bringen. Dieses habe ich anfangs an der Hand von Münchner Bilderbogen getan, die eine leicht verständliche heitere Handlung darstellen (Die naschhafte Katze, Der hinterlistige Heinrich usw.). Dieses Jahr habe ich große Anschauungsbilder von MEINHOLD benutzt (Die Wohnstube. Der Weihnachtsmarkt usw.). Die Menge der auf den Bildern vereinigten Anschauungsobjekte, für den Klassenunterricht wenig empfehlenswert, war mir für meine Prüfungszwecke hochwillkommen. Aus der Art und Weise, wie das Kind Personen und Gegenstände auffaßte, wie es die Worte wählte und stellte, wie es Sätze baute

---

[1] Ihr Inhalt ist: 1. Größe. 2. Körperliche und geistige Gebrechen. 3. Gesicht. 4. Gehör. 5. Hautkrankheiten. 6. Besondere Bemerkungen. — Bemerkungen des Schularztes.

oder verband, offenbarte sich seine Sprachgewandtheit oder -unbe-
holfenheit, manche Warumfrage gab mir Aufschluß über seine Denkfähigkeit, und alles dies bildete die Unterlage meines Urteils über
die »geistige Befähigung« des Kindes.

Da es weiter für den Unterricht in den ersten Wochen höchst
wichtig ist, daß der Elementarlehrer von ·Anfang an genau weiß,
welche Kinder beim Sprechen und Lesen, beim Rechnen und Schreiben
besonders aufs Korn zu nehmen sind, und auf welche er minder
scharf zu achten hat, so nahm ich noch folgende Prüfung vor: ich
sagte dem Kinde

1. einzelne Wörter und Sätze mit schwierigen Lautverbindungen
zum Nachsprechen vor, ließ

2. ein Häufchen Bohnen zählend auf einen andern Platz legen und

3. auf ein Quartblatt etwas malen.

Hierauf mußte mir jedes Kind nach eigner Wahl ein Liedchen
vorsingen; ich begleitete, wenn nötig, den Gesang mit der Geige,
stimmte das Lied auch mit höherem Tone an, um das Gehör und den
Stimmumfang des Kindes zu prüfen. Mit jedem Kinde beschäftigte
ich mich durchschnittlich 20 Minuten, so daß in der Stunde ungefähr
3 Kinder geprüft wurden. Ich konnte 187 Kinder durchnehmen, da
die amtlichen Aufforderungen des Dresdner Schulamts die Anmelde-
frist nicht mehr auf den Anfang Januar beschränkten, und die Eltern
ihre Kleinen schon bei Beginn des Dezembers brachten, weil dieselben durch ihre älteren Kinder auf Veranlassung der Klassenlehrer
dazu ermuntert worden waren.

Über die Zeichnungen der Neulinge Ostern 1903 hat Herr Lehrer
Max Naumann an der 10. Bezirksschule einen höchst interessanten
Konferenzvortrag gehalten, der auch mit Abbildung einiger solcher
Zeichnungen in Nr. 28 der Sächsischen Schulzeitung 1903 abgedruckt
wurde. In demselben wies er nach, daß diese freien Kinderzeichnungen nicht wert- und kunstlos sind, sondern einen tiefen Einblick
in das kindliche Seelenleben tun lassen, sie sind ein Beschreiben,
ein Erzählen mit der Schreiblinie, sind ein sinnlich wahrnehmbares
Mittel für die Äußerung von etwas Inwendigem, Geistigem. Der in
dem Aufsatze gegebenen Übersicht[1]) der Zeichnungen von 1903
stelle ich die von 1904 gegenüber.

---

[1]) Bemerken will ich dazu, daß eine Anzahl Kinder nicht bloß eine Person
oder einen Gegenstand zeichneten, sondern zwei und mehrere.

Es stellten

	1903 %	1904 %
die menschliche Gestalt dar . . .	40,20	35,48
das Mond- oder Gesichtsschema .	14,77	3,22
Tiere	3,97	3,75
Häuser	21,58	17,20
ihnen vertraute Gegenstände ihrer Umgebung, z. B. den Tisch, den Stuhl, die Kommode usw. . . .	12,50	52,15
Bäume (Weihnachtsbaum)	1,70	3,75
Ornamente (Einfluß des Kindergartens)	2,27	1,61
mehr oder weniger schlechte Buchstaben und Ziffern, Kritzeleien .	14,20	16,66

Zu folgenden Ergebnissen führten die Untersuchungen der Malereien der Neulinge:

a) Die Kinderzeichnungen liefern den klaren Beweis, daß die schematische Darstellung der menschlichen Gestalt, der Häuser usw. meist als ein selbstschöpferisches Werk, nicht aber als ein Produkt der Nachahmung anzusehen ist.

b) Der Schreibunterricht der Elementarklasse muß, um die Leichtigkeit der Hand zu erhalten, von der die Zeichnungen Zeugnis ablegen, die Schriftformen groß und ohne Hilfe der Doppellinien einüben.

c) Es ist dahin zu streben, daß in der Elementarklasse das Malbuch mit seiner Bilderschrift das Schreibheft ersetzt, dessen Buchstaben nur Zeichen sind, die von den Dingen der Welt nichts an sich haben.

Hieran schließe ich die Erfahrungen, welche ich mit der Prüfung im Gesange gemacht habe. Daß ich überhaupt eine solche vornahm, hängt mit dem hohen Werte zusammen, den ich dem Gesangunterricht unter den Lehrgegenständen beimesse.

Unser Zeitalter ist das des gewaltigen Fortschrittes in Bezug auf Erfindungen und Entdeckungen. Alles schlägt der Verstand in seine Fessel, und Ausbildung des Verstandes erscheint als das sicherste Mittel vorwärts zu kommen. Auch die Schule hat mit den Anforderungen des Lebens Schritt gehalten, viele neue Fächer hat sie in den Kreis ihrer Lehrtätigkeit gezogen, und die einzelnen Spezialpläne zeigen eine erstaunliche Menge Stoff für das kindliche Gehirn. Die Pflege und Ausbildung des Gefühls ist in den Hintergrund gedrängt.

Scharfblickende Schulmänner haben deshalb zur Umkehr gemahnt, da mit der Größe des Wissens die Gemütsarmut Schritt gehalten. Sie wollen durch größere Pflege des Gemüts den Sinn für das Ideale fördern und damit die rechte Pietät gegen alles Hohe, Heilige und Schöne. Es steht nun kein Unterrichtsgegenstand zu dem Gefühle in einer so eigentümlich innigen Beziehung als die schöne Kunst. Die Beschäftigung mit der Kunst verfeinert den Sinn und veredelt das Gefühl und macht das Individuum empfänglicher für die höchste, die sittliche Schönheit. Aus dem weiten Kreise der Kunst ist es neben der Poesie nur die Musik, welche der frühen Jugend ohne besondere Schwierigkeiten zugänglich gemacht werden kann, und aus dem umfangreichen Gebiete der Musik eignet sich nichts besser zum Klassenunterricht als der Gesang. Es gibt keine ergiebigere und reinere Quelle der Freude und keine edlere, schönere Form der Gefühlskundgabe als den Gesang. Je öfter kunstgerechte Tonverhältnisse und Tonverbindungen auf den Schüler einwirken, desto sicherer werden in seinem Gefühlsleben die Farben der Freude die Oberhand behalten, und desto wahrscheinlicher wird seine Gemütsstimmung zu einer frohen und heiteren werden. Mit einer solchen aber ist eine der bedeutsamsten Voraussetzungen für die Entwicklung des Interesses und für die Bildung des Willens gegeben. Der Gesang und die Gesangeskunst muß deshalb in der Schule die liebevollste Pflege erfahren.

Ich wollte durch meine Prüfungen nun erforschen

1. wie singen die Kleinen bereits, wenn sie der Schule zugeführt werden?

2. von wem haben sie das Singen gelernt?

3. welche Lieder singen sie am liebsten?

1. **Wie sangen die Kleinen, die in der 10. Bezirksschule angemeldet wurden?**

Von den 187 Kindern sangen

103 Kinder, und zwar 31 Knaben und 72 Mädchen, mit frischer, klarer Stimme ihr Liedchen rein auch von dem höheren Tone aus, der mit der Violine angegeben wurde. 4 Knaben und 9 Mädchen gingen mit ihrer Stimme über $\overline{\overline{d}}$ hinaus. Ein Mädchen, eine geborene Münchnerin, sang in dem Liede: »Fuchs, du hast die Gans gestohlen« bis zum hohen $\overline{\overline{a}}$. Ein Knabe ging bei den Tönen über $\overline{d}$ in die Oktave herab. Ein Mädchen sang bis zum $\overline{e}$ herauf, traf aber das $\overline{f}$ nicht mehr, da es die Fistelstimme nicht gebrauchen konnte, statt des hohen $\overline{\overline{a}}$ nahm es das ihm bequemer liegende $\overline{a}$ in der Oktave. Ein Mädchen sang das Lied: »Mir schlug

ein Mutterherz« mit vielem Ausdruck in der Art und Betonung des Volkes. Einem andern Mädchen standen in dem Liede: »Schön Hannchen in der Mühle« bei den Worten: »Hab keine Mutter mehr« die Tränen in den Augen. Einem Knaben, der kein Lied konnte, der aber sehr begabt war, sagte ich immer einen Vers vor, spielte ihm die Melodie mit der Geige, und er sang prompt und richtig nach. Ein anderer Knabe hatte während des Wartens in meinem Zimmer das ihm unbekannte Lied: »Hänschen klein« einige Male singen gehört und sang es mir dann ganz hübsch vor. 9 Kinder (3 Knaben und 6 Mädchen) sangen ihr Liedchen vollständig richtig, schlossen sich auch der Geige schön an, vermochten aber die höheren Töne über $\overline{a}$ nicht zu treffen.

38 Kinder, und zwar 16 Knaben und 22 Mädchen, konnten zwar ein Lied ganz oder ziemlich richtig singen, vermochten aber wenig oder gar nicht dem Tone der Violine zu folgen. Wenn das Kind sich Abweichungen von der Melodie gestattet, so ist das nicht immer von den natürlichen Anlagen desselben für Musik abhängig zu machen, es kann dies auch auf die Quelle zurückzuführen sein, aus der das Kind schöpfte.

24 Kinder, 13 Knaben und 11 Mädchen, befriedigten wenig, und zwar:

10 Kinder (4 Knaben und 6 Mädchen) sangen ziemlich monoton und trafen nur die Töne zwischen $\overline{d}$ und $\overline{f}$.

5 Kinder (1 Knabe und 4 Mädchen) kannten zwar etwas Melodie irgend eines Liedes, es fehlten ihnen aber die Texte.

5 Kinder (4 Knaben und 1 Mädchen) kannten zwar Liedertexte, waren aber mehr oder minder unsicher in der Melodie.

4 Kinder (4 Knaben) sprachen nur Texte, vermochten aber nicht zu singen.

22 Kinder, 10 Knaben und 12 Mädchen, waren überhaupt nicht zum Singen zu bewegen, und zwar war darunter

1 Kind (Knabe), 9 Jahre alt, vollständig körperlich und geistig zurückgeblieben, so daß er von Jahr zu Jahr vom Schulunterricht befreit worden war ¦und Ostern 1904 sofort der Nachhilfeschule zugeführt wurde.

3 Kinder (2 Knaben und 1 Mädchen) waren infolge Rhachitis und Kinderkrankheiten noch sehr weit in der körperlichen und geistigen Entwicklung zurückgeblieben (das Mädchen hatte erst mit 5 Jahren sprechen gelernt).

2 Kinder (Mädchen) waren außerordentlich nervös und leicht zum Weinen geneigt.

5 Kinder (2 Knaben und 3 Mädchen) zeigten überhaupt schwache Befähigung; ihre Anschauungen waren mangelhaft und unklar, die Sprache fehlerhaft und unausgebildet, und sie vermochten nur unsicher und mit Nachhilfe bis 10 zu zählen.

6 Kinder (2 Knaben und 4 Mädchen) zeigten gute Beanlagung, hatten hübsche Anschauungen, sprachen deutlich, zählten sicher bis 10, waren aber nicht zum Singen zu bewegen. Es schien Schüchternheit vorzuliegen, da sie nach Aussage der Eltern zu Hause viel sängen. Das eine Mädchen war daheim fast immer allein und kam wenig mit andern Kindern zusammen.

3 Kinder (2 Knaben und 1 Mädchen) zeigten sich trotzköpfig. Der eine Knabe sprach einige Worte sehr hübsch nach, hörte dann plötzlich auf und machte den Eindruck eines durch und durch eigenwilligen Kindes. Der andere Knabe mußte zu jeder Antwort, obgleich er sie geben konnte, gedrängt und getrieben werden, zum Singen war er überhaupt nicht zu bewegen. Das Mädchen wollte nicht malen und singen, wehrte sich gegen die Mutter, die es zum Malen auf den Stuhl setzen wollte, und schrie laut.

2 Kinder (1 Knabe und 1 Mädchen) waren von der Mutter auf das Land in Pflege gegeben worden und bis vor kurzem dort sich selbst überlassen gewesen, so daß die Anschauungen fehlten, die Sprachfertigkeit unvollkommen war, und die Kinder gar nicht zählen konnten. Es ließ sich nicht feststellen, ob die ungenügenden Leistungen Folge der Vernachlässigung waren oder ihren Grund in mangelnder Beanlagung hatten.

Würde man die Kinder nach ihren Leistungen zensieren, so würden

103 Kinder	(31 Knaben,		72 Mädchen)		mit	I,	
38 „	(16 „		22	„	) „	II,	
24 „	(13 „		11	„	) „	III,	
22 „	(10 „		12	„	) „	IV	

beurteilt werden, nach Prozenten ausgerechnet von allen Kindern

$$55\,\%\ \text{die I,}$$
$$20\,\%\ \text{„ II,}$$
$$13\,\%\ \text{„ III,}$$
$$12\,\%\ \text{„ IV}$$

erhalten können.

Auf die Knaben kämen 44 % mit I,

$$23\,\%\ \text{„ II,}$$
$$19\,\%\ \text{„ III,}$$
$$14\,\%\ \text{„ IV,}$$

auf die Mädchen kämen 61% mit I,
            18% „ II,
             9% „ III,
            10% „ IV.

Diese Statistik zeigt einen bedeutend größeren Prozentsatz guter Sänger bei den Mädchen, als bei den Knaben. Dies weist zunächst darauf hin, daß ein Unterschied zwischen Knaben- und Mädchenstimme besteht. Zwar behaupten die Ärzte, daß kein anatomischer oder physiologischer Unterschied in den Stimmbändern der Knaben und Mädchen herrsche, aber jeder Lehrer weiß aus Erfahrung, daß die Mädchenstimmen bedeutend von den Knabenstimmen schon im frühesten Alter abweichen. Daß die Knabenstimmen runder, voller, metallischer und stärker sind, daß die Mädchenstimmen höher, schärfer und nicht so verdeckt klingen, daß die Knaben, um hoch zu singen, die Stimme forcieren müssen und deshalb die Qualität des Tons beeinträchtigen, daß die Stimmorgane von Knaben infolge der erweiterten Brusthöhle kräftigere Töne erzeugen, ist wohl nicht abzustreiten.

Auch die wissenschaftlichen Untersuchungen der Kinderstimmen haben Unterschiede zwischen Knaben- und Mädchenstimmen festgestellt. Nach Professor VIERORDT umfaßt bei Knaben vom 8.—14. Jahre die Bruststimme durchschnittlich $7\frac{1}{2}$—9 musikalisch verwertbare Töne. Sämtlichen Altersklassen sind die Töne $\overline{c}$—gis gemeinsam, als tiefster Brustton wurde gis, als höchster $\overline{d}$—$\overline{\overline{dis}}$ gefunden. Bei Mädchen beträgt der Stimmumfang (Brust- und Fistelton) im 6. Jahre 9 Töne, und es gewinnt derselbe bis zum 13. Jahre nach unten 4, nach oben 2 Töne. Die den Mädchen aller Altersklassen gemeinschaftlichen Töne sind $\overline{e}$—$\overline{\overline{c}}$.

Bei seinen Untersuchungen über Stimmumfang 6 jähriger Kinder, die der dänische Arzt ED. ENGEL an 1315 Kindern dieses Alters, nämlich 624 Knaben und 691 Mädchen anstellte, kam er zu folgenden Resultaten: Der Stimmumfang der Knaben war für die 4 Töne $\overline{c}$—$\overline{f}$, sowie für 6 $\overline{c}$—$\overline{a}$ am höchsten; bei den Mädchen war der Stimmumfang 5 Töne, $\overline{c}$—$\overline{g}$, und zeigte bei der Oktave $\overline{c}$—$\overline{\overline{c}}$ sich am größten. Wie weit der Stimmumfang in den Schuljahren zunimmt, ist aus den Untersuchungen nicht ersichtlich.

VIERORDT verlangt nun, daß bei den 6—7 jährigen Kindern nicht unter $\overline{d}$ hinab und nicht über $\overline{\overline{e}}$ hinaufgegangen werde. ENGEL hält für die Knaben das Brustregister das richtige, während Mädchen unbeschadet der Erhaltung ihrer Stimme beide Register nicht nur anwenden können, sondern sogar anwenden sollen. Warum Knaben

von dem Gebrauch der Fistelstimme ausgeschlossen sein sollen, ist
nicht recht ersichtlich, da nach den verschiedensten Untersuchungen
auch die Knaben in der Elementarklasse die Fistelstimme mühelos gebrauchen lernen (FICHTNER: 50% Knaben und 75% Mädchen). Zu
beachten ist aber folgendes: Die Knabenstimmen werden vor der
Schulzeit schon häufig für immer verdorben, indem niemand davon
Notiz nimmt, welchem Mißbrauche die Knaben ihre Stimmen unterwerfen. Auf dem Spielplatze singen sie nicht, sondern schreien ihre
Lieder herunter. Im besten Falle bedienen sie sich mehr einer Art
von Sprechsingen, das sich in den Tönen des Brustregisters bewegt.
In diesem Umfange sind sie zu Hause und legen sie auch ordentlich los.
Sobald sie einmal über die gewöhnliche Höhe anstimmen und über
den gewohnten Umfang hinauf üben, kommt entweder ein widerliches
Geschrei zu stande, oder die Sänger verstummen, weil sie selbst
merken, daß es so nicht weiter gehen kann. Diese höheren Regionen
der Töne (aber nur bis $\overline{d}$) ihnen zugänglich zu machen, das ist eine
Aufgabe des Gesanglehres.

2. Von wem hatten die Kinder die Lieder gelernt?

Nur in 11 Fällen hatten die Kinder von den Eltern Lieder gehört und gelernt und zwar 1 Kind vom Vater: »Weißt du, wieviel
Sternlein stehen?« Von der Mutter hatten 7 Kinder folgende Schullieder gelernt: »Hänschen klein« (2 Kinder), »O Tannenbaum«, Kommt
ein Vogel«, »Fuchs, du hast die Gans gestohlen«, »Ihr Kinderlein
kommet«, »Wer hat die schönsten Schäfchen«. Ferner hatten Kinder
von ihrer Mutter gelehrt bekommen: »Das Elterngrab« und »Das
Mutterherz«. Ein Mädchen sang: »Ein Walzer mit dir allein, das
muß doch wirklich reizend sein«, und »Ruck, ruck, ruck an meine
grüne Seite«. Dazu tanzte die Kleine und schwang kokett ihr Röckchen. Die Mutter, welche ihr das Lied gelehrt, jetzt Schneiderin,
war früher Chansonettesängerin gewesen. Einige Kinder hatten Lieder
im Kindergottesdienste und dem Gottesdienste separierter Religions-
gemeinschaften gelernt, andere hatten in der Spielschule, in der
Kinderbewahranstalt und im Kindergarten Lieder gehört und gelernt.
Für die meisten aber waren die älteren Geschwister oder die Gespielen die Lehrmeister gewesen. In einem Falle sang ein Mädchen
zum Klavierspiel der größeren Schwester, in einem andern Falle ein
Knabe zum Violinspiel des größern Bruders.

Ein ernstes Zeitbild tritt uns insofern entgegen, als nur 10 Mütter
von 187 ein Lied mit ihrem Kinde gesungen haben. Nicht nur die
Kraft des Mannes wird absorbiert durch die Pflichten des Berufs,
sondern auch die Frau verzehrt sich außer ihren hauswirtschaftlichen

Sorgen in der Lohnarbeit. Während einst Pestalozzi, tief ergriffen von der hohen Reinheit, Stärke und Innigkeit der Mutterliebe, ausrief: »Ich lege die Erziehung der Menschheit in die Hand der Mutter!« findet die Arbeiterfrau der Großstadt nicht die Stimmung, dem Jüngsten das Schlafliedchen zu singen, das sich in seine Träume verwebt, nicht die Muße, dem Größeren das liebliche Kinderliedchen vom Reiterlein, Schäflein und Kuckuck zu lehren, gar nicht zu denken des Morgens- und Abendchorals, mit dem in früherer Zeit die ganze Familie dem lieben Gott sein Lob- und Dankopfer darbrachte.

Welche dürftige Spuren ferner von etwas Hausmusik! Man halte sich dagegen das liebliche Bild von Rosenthal, welches uns in das Haus von Sebastian Bach hineinführt. Da sitzt Vater Bach spielend am Klavier, seine ganze Familie ist um ihn gruppiert; vor ihm sein ältester Sohn Wilhelm Friedemann, den Gesang mit der Violine begleitend, neben und hinter dem großen Tonmeister die andern Kinder, 4 Söhne und 3 Töchter, nebst der Mutter, welche die äußere Ordnung aufrecht zu erhalten scheint, während der etwas zur Seite blickende Vater auf die Stimme eines Teils der kleinen Kinder horcht. Ähnliche Bilder von Hausmusik boten die früheren Jahrhunderte gar häufig!

Die älteren Geschwister und die Spielgefährten sind hauptsächlich diejenigen, von denen unsere Kleinen besonders auch das Singen lernen. Die älteren Geschwister stehen ihnen als Vorbilder und Spielgenossen helfend und fördernd zur Seite, bevormunden und leiten sie, ja vertreten die Mutterstelle bei ihnen.

Einen großenteils wenig günstigen Einfluß habe ich von seiten der Schulkameraden auf die Kleinen bemerkt.

Der eigentümliche Zauber der persönlichen Einwirkung findet in besonders hohem Grade bei der Jugend statt, die noch nicht in dem gefestigten Eigenwesen ein Hemmnis und Schutzmittel besitzt, wenn das Kind mit andern Kindern unsauberer Sinnesweise in Berührung kommt. Daß nach dieser Seite die Ansteckungsgefahr größer ist, als nach der guten, deutet schon das Sprichwort an, wenn es die schädliche Wirkung der bösen Beispiele hervorhebt und nicht der guten gedenkt. Alle die später aufgeführten Gassenlieder (Wir sind die Sänger von Finsterwalde usw.) hatten die Neulinge von ihren Spielgenossen gehört und gelernt.

3. Welche Lieder sangen die angemeldeten Kinder?

Nach der Hauptquelle, aus welcher die Kinder schöpften, konnten es meist nur Schullieder sein, und zwar sangen:

Hänschen klein	79	Kinder
Kommt ein Vogel geflogen	11	„
Ihr Kinderlein, kommet	10	„
O Tannenbaum	8	„
Stille Nacht, heilige Nacht	7	„
Fuchs, du hast die Gans gestohlen . . .	4	„
O du fröhliche, o du selige	4	„
Du lieber, frommer, heil'ger Christ . . .	2	„
Es geht durch alle Lande	2	„
Weißt du, wieviel Sternlein stehen . . .	2	„
Wer hat die Blumen nur erdacht . . .	2	„
Schlaf, Kindchen, schlaf	1	Kind
Alle Jahre wieder kommt	1	„
Wer hat die schönsten Schäfchen . . .	1	„
Hinaus in die Ferne	1	„
Es ist ein Reis entsprungen	1	„
Alle Vögel sind schon da	1	„
Ich hatt' einen Kameraden	1	„
Komm, lieber Mai, und mache	1	„
Morgen, Kinder, wird's was geben . . .	1	„
Soviel der Mai auch Blümlein beut . .	1	„
Wer will unter die Soldaten	1	„
Tannenbäumchen	1	„
Es kann ja nicht immer so bleiben . . .	1	„
Müde bin ich, geh' zur Ruh	1	„
O, wie wohl ist mir am Abend	1	„
Als ich gestern Abend schlief	1	„
	147	Kinder

Spiellieder:

Hänschen und Gretchen spielen im Städtchen	1	Kind (aus [Berlin)
Schön Hannchen in der Mühle	2	Kinder
Im Sommer, da geht man spazieren. . .	1	Kind
Auf einem hohen Berge, da liegt ein großer Stein.	1	„
Wir winden dir den Jungfernkranz . . .	1	„
Unten am Karolasee, wo die Fischlein schwimmen[1])	1	„
Ringel, Rosenkranz	1	„
	8	Kinder

---

[1]) Ein Lied der Dresdner Kinder (Karolasee ist im Großen Garten von Dresden).

Lieder aus Spielschule, Kindergarten, Kinderbewahranstalt:[1])

Wenn Weihnachten ist	1 Kind
Meine Blümchen haben Durst.	1 „
Im Winter, wenn es friert	1 „
Die Spatzen schrei'n in ihrem Nest . .	1 „
Winter ist es	1 „
O wie kalt ist doch der Wintertag . . .	1 „
Mütterchen, wie lange noch währet . . .	1 „
	7 Kinder

Coupletts, Volksgesänge, Gassenlieder:

Auf dem Baume, da hängt eine Pflaume .	5 Kinder
Wir sind die Sänger von Finsterwalde (Fortsetzung: Und wenn mer heeme kumm, da schimpft die Alte)	4 „
Elterngrab (Refrain: Den schönsten Platz, den ich auf Erden hab', das ist die Rasenbank am Elterngrab)	1 Kind
Mir schlug ein Mutterherz	1 „
Ich bin der kleine Postillon	1 „
Put, put, put, mein Hühnchen	1 „
Ruck, ruck, ruck an meine grüne Seite .	1 „
Ein Walzer nur mit dir allein	1 „
	15 Kinder

Religiöse Lieder:

Weil ich Jesu Schäflein bin (Kindergottes- dienst)	1 Kind
Laßt uns alle fröhlich sein, preiset Gott den Herren (separierte Gemeinde). . .	1 „
Vor vielen hundert Jahren (Zionsgemeinde)	1 „
	3 Kinder.

14 Kinder sangen 2, ein Kind 3 Lieder unaufgefordert, aus Lust
am Gesange, allerdings ohne Rücksicht darauf, ob die Lieder inhalt-
lich zusammenpaßten. So wurde mir von einem Kinde dargeboten:
»O Tannenbaum« und »Wir sind die Sänger von Finsterwalde«. Das
Kind, welches 3 Lieder sang, ließ hören: »Es ist ein Reis ent-
sprungen«, »Wir sind die Sänger« und »Put, put, put, mein Hühnchen«.

---

[1]) Unter diesen Liedern finden sich also nicht jene albernen Versuche, in
welchen nach FRÖBEL der Ball, der Würfel usw. angesungen wird, um Poesie und
Geometrie, Spielen und Denken zu vermählen.

B. Mitteilungen.

1. Der XI. Blindenlehrer-Kongress in Halle a. S.
vom 1.—5. August 1904.

Von G. Fischer, Inspektor der Blinden-Erziehungsanstalt in Braunschweig.

Seit dem Jahre 1873 ist regelmäßig alle drei Jahre ein Blindenlehrerkongreß abgehalten worden, meist auf deutschem Boden. Alle bisherigen Kongresse, auch der diesjährige in Halle, wurden von zahlreichen
Vertretern ausländischer Blindenanstalten besucht. Berufung und Leitung
der Versammlungen, Stoff und Gang der Verhandlungen unterstehen den
Bestimmungen der Frankfurter Kongreßordnung. Die Arbeiten der Blinden-
lehrer-Kongresse vollziehen sich in Plenarversammlungen und in Sektionen.
Letztere stehen unter der Leitung eines Obmannes und arbeiten in der
Zwischenzeit der Kongresse; das Ergebnis der Sektionsarbeiten wird durch
einen Referenten der Plenarversammlung zur Beschlußfassung vorgetragen.
Zur Erledigung einzelner Aufgaben sind auch häufig Kommissionen gebildet worden, so z. B. zur Bearbeitung der Kurzschrift, der Musikschrift,
des Normal-Lehrplanes, zur Beschaffung geeigneter Veranschaulichungsmittel. Die Arbeitsgebiete sind auf die 3 Sektionen folgendermaßen verteilt:
1. Sektion: Die Blindensache im allgemeinen, und zwar: Psychologie, Statistik, Gesundheitspflege, Blindenbildner, Blindenerziehung in der
Familie und in der Volksschule, allgemeine Blindenliteratur, Einrichtung
von Blindenanstalten usw.
2. Sektion: Der theoretische Unterricht der Blinden und zwar: die
Schulgegenstände nach Methode, Lehrmitteln, Lehrzielen, Lehrplan der
Vorschulen, Hauptanstalten und der Fortbildungsklassen.
3. Sektion: Die technische Ausbildung der Blinden in den verschiedenen Handwerken. Werkstätten, Werkzeuge, Materialien für die
Handarbeiten, Fürsorge für Entlassene usw.
Auf jedem Kongreß hält der »Verein zur Förderung der Blindenbildung« eine Generalversammlung ab. Dieser Verein bezweckt die Beschaffung von Lehr- und Veranschaulichungsmitteln, besonders von Büchern
in Blindenschrift und von Reliefkarten. Zur Mitgliedschaft berechtigt ein
jährlicher Beitrag von mindestens 3 M. Der Verein erhält namhafte Zu-
wendungen von Behörden und Wohltätern. Mit den Mitteln des Vereins
werden die hohen Herstellungskosten der Lehrmittel, besonders der Bücher,
zum Teil gedeckt, so daß dieselben zu einem ermäßigten Preise an die
Blinden und an die Anstalten abgegeben werden können. Dem Verein
wäre im Interesse der Blinden eine beständige Zunahme seiner Mitglieder-
zahl und seiner Kapitalien dringend nötig, da die Preise der Bücher für
viele Blinde noch unerschwinglich sind, so z. B. kostet Schiller's Wilhelm
Tell 5 M, während dieses Drama bekanntlich bei Reclam für Sehende zu
60 Pf. gebunden zu haben ist. Um auch dem unbemittelten Blinden den
Genuß guter Lektüre zu ermöglichen, wird die Gründung einer Zentral-

Leihbibliothek für Blinde beabsichtigt, wie solche in Frankreich schon seit längerer Zeit besteht. Der Hamburger Blindenanstalt sind bereits durch Privatwohltätigkeit beträchtliche Kapitalien zu diesem Zwecke zur Verfügung gestellt. Eine Ermäßigung der Portokosten bei Versendung der Bücher der Zentral-Leihbibliothek für Blinde (10 Pf. für das 5 Kilo-Paket) ist vom Kongreß in Halle beantragt worden. Da die Postbehörden schon seit Jahren die Briefe der Blinden zum Drucksachentarif befördern, so ist zu hoffen, daß sie auch diesem Kongreßantrage Folge geben werden.

In der Generalversammlung des Vereins zur Förderung der Blindenbildung in Halle wurde nach dem Antrage des Vorstandes für die nächste Druckperiode eine Vermehrung des Bücherbestandes um etwa 20 Schriften in Blindendruck beschlossen.[1]

Wie bei früheren Kongressen so war auch diesmal in Halle in der Aula der »Städtischen höheren Mädchenschule« eine Ausstellung von Lern-, Lehr- und Beschäftigungsmitteln für Blinde veranstaltet worden. Die Ausstellung war sehr reichhaltig und umfaßte 20 Gruppen mit ca. 250 verschiedenartigen Gegenständen.

In der Vermehrung und Vervollkommnung der Lehrmittel usw. für Blinde herrscht in der Blindenlehrerwelt ein eifriges Streben, wie auch diese Ausstellung wieder bezeugte. Heute steht den Blindenschulen schon eine so große Zahl von geeigneten Veranschaulichungsmitteln zur Verfügung, daß das Prinzip der Anschauung zur Geltung kommen kann. In früheren Jahrzehnten noch fehlte es an dem notwendigsten, dem Tastsinne entsprechenden Anschauungsmaterial, und der Unterricht mußte leider auf die Grundlage aller Erkenntnis, die Anschauung, sehr häufig verzichten.

Den Kongreßteilnehmern war in Halle Gelegenheit geboten, eine Blindenanstalt kennen zu lernen, die kaum noch etwas zu wünschen übrig läßt. Die am 1. Februar 1858 in Barby gegründete Blindenanstalt für die Provinz Sachsen wurde, weil die Räume nicht mehr genügten, im Jahre 1898 nach Halle verlegt. Die Anstalt beherbergt in einer Vorschule, Hauptanstalt mit 6 Klassen und Beschäftigungsanstalt 187 Blinde, 124 Kinder und 63 Erwachsene. Mit dieser Anstalt steht in enger Verbindung die Anstalt in Barby, in welcher 36 Pfleglinge und 26 später Erblindete sich zur Zeit befinden, und die Anstalt des Hilfsvereins für Erblindete in der Provinz Sachsen, welche in einem Mädchenheim 27 und einem Gesellenheim 26 Pfleglinge enthält. Zusammen sind also 300 Blinde in der Pflege der Anstalten, welche in einheitlicher Leitung dem Direktor der Hauptanstalt in Halle unterstehen. Die Einrichtungen und Erfolge der Blindenfürsorge in der Provinz Sachsen können als mustergültig bezeichnet werden.

Folgen wir nunmehr an der Hand des Programms dem Verlaufe des Kongresses: In einer Vorversammlung am 1. August abends 6 Uhr wurde der Kongreß im Saale der »Vereinigten Berggesellschaft« vom Ober-

---

[1] Der Verein zur Förderung der Blindenbildung hat seinen Sitz in Hannover; Vorsitzender desselben ist der Direktor der Blindenanstalt in Hannover-Kleefeld, J. Mohr.

präsidenten der Provinz Sachsen, Staatsminister a. D. Exz. v. Bötticher, vom Landeshauptmann der Provinz Sachsen, Geh. Ober-Reg.-Rat Bartels und vom Geh. Regierungs- und Landesrat Schede mit herzlichen Ansprachen begrüßt. Es folgte die Wahl des Kongreßpräsidiums: Geh. Regierungs- und Landesrat Schede erhielt das Ehrenpräsidium, Direktor Mey-Halle das Präsidium. Dann wurde das Programm entsprechend der vom Ortsausschuß vorgeschlagenen Anordnung festgesetzt und die Kommission für die Wahl des nächsten Kongreßortes gebildet.

Die Hauptversammlung am Dienstag den 2. August, zu der sich etwa 200 Teilnehmer, Damen und Herren, eingefunden hatten, wurde begrüßt von den Herren v. Holly, Bürgermeister der Stadt Halle, Geh. Reg.-Rat Professor Lindner, Rektor der Universität Halle, Geh. Reg.-Rat Friese-Magdeburg namens der Provinzial-Schulaufsichtsbehörde, Konsistorialrat Göbel-Halle im Auftrage des Kgl. Konsistoriums der Provinz Sachsen, Geh. Reg.-Rat v. Gräfe namens des Kgl. Kultusministeriums, Landeshauptmann Geh. Ober-Reg.-Rat Bartels-Merseburg und Geh. Regierungs- und Landesrat Schede namens der Kommunalverwaltung der Provinz Sachsen, Stadtschulrat Brendel-Halle, Ober-Reg.-Rat v. Terpitz im Auftrage des Regierungspräsidenten Freiherrn v. d. Recke-Merseburg, Reg.-Rat. Mell-Wien für das österreichische Ministerium für Kultus und Unterricht. (Generalsuperintendent Holtzheuer-Magdeburg, am ersten Verhandlungstage am Erscheinen verhindert, begrüßte die Versammlung am folgenden Tage.)

Direktor Froneberg-Neuwied überbrachte die Grüße und Glückwünsche I. M. der Königin von Rumänien, welche sich ganz besonders für die Blinden betätigt, indem sie in ihrem Schlosse eine eigene Druckerei für Blindenschriften, die sie an Blindenanstalten und einzelne Blinde verschenkt, unterhält und demnächst in Bukarest eine Blindenanstalt gründen wird.

Direktor Merle-Hamburg dankte den Behörden für das diesem Kongreß entgegengebrachte Interesse und Wohlwollen. Begrüßungstelegramme, auch vom Auslande, waren in großer Zahl eingegangen. Den Absendern und der Königin von Rumänien wurde der Dank des Kongresses telegraphisch übermittelt. Auch wurde ein Huldigungstelegramm an S. M. den Deutschen Kaiser abgesandt.

Sodann hielt Direktor Kunz-Illzach seinen Vortrag: Rückblick, Umblick und Ausblick. Redner berichtet im Rückblick ausführlich über den Entwicklungsgang des Blindenwesens von der vorchristlichen Zeit an bis jetzt. In der allgemeinen Nächstenliebe, die schon das Judentum forderte, liegen auch die Wurzeln der Blindenfürsorge. (5. Mos. 27, Verflucht sei, wer einen Blinden irren macht auf dem Wege.) Gerade 100 Jahre sind seit Gründung der ersten deutschen Unterrichtsanstalt für Blinde — 1804 in Wien — verflossen. Das deutsche Blindenbildungswesen ruht also auf einer 100jährigen geschichtlichen Entwicklung.

In einem ebenso ausführlichen Umblick auf den heutigen Stand des Blindenbildungs- und Versorgungswesens beleuchtet der Referent die

Blindeninstitute verschiedener Kulturländer nach Umfang des jährlichen Etats, nach der Frequenzziffer, der Vermögenslage usw. Auf dem Erdenrund befinden sich zur Zeit 400 Erziehungs- bezw. Beschäftigungs- und Verpflegungsanstalten. Das deutsche Reich zählt gegenwärtig 35 Blindenbildungsanstalten mit 2500 Zöglingen und 26 Blindenheime mit 1100 Arbeitern resp. Pfleglingen, 165 Lehrkräften, 123 Werkmeistern und Werkgehilfen. Die jährlichen Aufwendungen belaufen sich auf 2600000 M, von welchen 1200000 M aus Privatquellen fließen. Österreich besitzt heute 11 Lehranstalten und 11 Versorgungsanstalten oder Heime, erstere mit ca. 700 Zöglingen, letztere mit ca. 400 Insassen. In Europa befinden sich 180 Blindenbildungsanstalten und 140 Versorgungsanstalten. Der Vortragende gab sodann ein Bild von dem heutigen Stande der Methodik, der Lehrmittel und des Blindendruckes und wies auf die große Entwicklung gegen frühere Jahrzehnte hin. Auch die Fortschritte in der Blindenfrage, welcher in Deutschland große Aufmerksamkeit zugewandt wird, wurden vom Redner eingehend erörtert. In seinem Ausblick fordert Redner als Ziel jeder Blindenbildung die Erziehung zu wirtschaftlicher und sittlicher Selbständigkeit, eine glückliche Lösung der Fürsorgefrage und endlich die allgemeine Einführung des Schulzwanges für Blinde, welcher zur Zeit nur in wenigen Staaten besteht. »Das Ziel ist hoch, doch wer hoch zielt, schießt weit.« Wird die Selbständigkeit für alle erstrebt, so wird sie für viele erreicht.

Den folgenden Vortrag hielt Geh. Medizinalrat Prof. Dr. Schmidt-Rimpler-Halle über »Die Erblindung Erwachsener«. Die meisten Erblindungen finden in den ersten Lebensjahren statt. Von der Geburt bis zum 5. Lebensjahre erblinden 3,5 von 10000, später sinkt diese Zahl auf 1; vom 20.—25. Lebensjahre steigt sie wieder über 1, vom 50. Jahre ab auf über 2. Die Ursachen der Erblindungen im späteren Alter sind in der Hauptsache durch Geschlechtskrankheiten herbeigeführte Atrophie der Sehnerven, böswillige und unabsichtliche Verletzungen, wie Werfen mit Steinen, Bolzenschießen, verirrte Schrotkörner, ferner Blindschießen durch Selbstmordversuche, Sprengung in Bergwerken, Spritzen von Metallen in Gießereien, sowie von Chemikalien, namentlich auch von Kalk und Mörtel bei Maurerarbeiten ohne Schutzbrille. kleine Verletzungen durch Steinchen und Ähren, die bei Landleuten infolge der bei ihnen häufigen eigentümlichen Erkrankungen des Tränensackes oftmals eine Entzündung der Netzhaut und bei Nichtbeachtung und mangelnder ärztlicher Hilfe häufig eine Vernichtung derselben hervorrufen. Erblindung tritt auch häufig ein nach der Operation hochgradiger Kurzsichtigkeit; man pflegt daher heute in solchen Fällen nur ein Auge zu operieren. Die häufigsten Ursachen der Erblindung im späteren Lebensalter sind grauer Star und Erkrankungen der Netzhaut. In jungen Lebensjahren Erblindete finden sich ziemlich leicht in ihr Schicksal, nicht aber die Spätererblindeten. Diesen fällt es oft sehr schwer, sich mit den veränderten Lebensbedingungen vertraut zu machen. Daher verdienen die Bestrebungen ganz besondere Anerkennung, die den in späteren Jahren Erblindeten Lebensbedingungen zu schaffen suchen, in denen sie sich wohl fühlen und wieder Freude am Leben gewinnen können. Redner wünscht daher den Blindenlehrern recht segensreiche Erfolge ihrer Arbeit.

In der dem Vortrage folgenden Debatte wurde die Frage erörtert, ob man einen Augenkranken, der mit Sicherheit der Erblindung entgegengeht, in seiner trügerischen Hoffnung auf Genesung belassen oder über den wahren Zustand seines Leidens offen aufklären solle, damit er beizeiten sich auf einen Blindenberuf vorbereiten könne.

Der Vortragende war der Ansicht, man könne diese Frage nicht generell beantworten, sondern man müsse auch hier individualisieren; mancher ertrüge die Erkenntnis seines hoffnungslosen Zustandes nicht und schreite zum Selbstmord, wie die Erfahrung bestätige.

Es sprach nun Direktor Heller-Wien über »Entwicklungs-Phänomene im Seelenleben der Blinden und ihre Konsequenzen für die Blindenbildung«. Als Entwicklungsphänomene der Blinden, auf welche die Blindenschule ganz besonders zu achten hat, nennt Heller folgende:

1. Zunächst das Überwiegen der Gehörvorstellungen über die Tastvorstellungen bei Blinden. Dieses ist durch den Unterricht dahin auszugleichen, daß die Tastwahrnehmungen zu ihrem Rechte kommen. Die Blindenpädagogik darf wohl zugeben, daß der Blinde die Tastwahrnehmungen in den Gehörraum einordnet, nicht aber, daß er die ersteren dem letzteren unterordnet. Er fordert das Tasthören als innige Vereinigung der Wahrnehmungen beider Sinnesgebiete, welches den Blinden befähigt, die durch das Tasten erworbenen Erkenntnisse des Stoffes, der Dimension, der Form, der Zahl usw. durch das Gehör wieder zu erkennen. Das Tasten als der vornehmste Raumsinn soll für das geistige Leben des Blinden beherrschend und richtunggebend werden.

Ein zweites Entwicklungsphänomen liegt in der Umwandlung der bei Blinden vorherrschenden passiven Phantasietätigkeit in die aktive, welche sich in der Seele des Blinden schwerer und anders vollzieht als in der des Sehenden. In dieser Umwandlung liegt die Schaffens- und Schöpferkraft des Blinden. Die Umwandlung wird am wirkungsvollsten gefördert durch das unbeeinflußte Spiel des Blinden, welches Vorgänge und Geschehnisse in Natur und Leben bei freier Wahl die Mittel darstellt, wobei man den Blinden nur mit Stoff und Werkzeug versieht, die Wahl des Erzeugnisses und der Herstellungsmethode aber seiner Erfindung überläßt. Also statt der passiven, traumhaften Phantasie die aktive als spekulative Tätigkeit.

Als 3. Phänomen ist zu beachten, daß die Hand des Blinden nicht nur das Werkzeug der Erkenntnis, sondern auch der Gestaltung ist. Wenn beide Qualitäten gleichmäßig in steter Vereinigung gebildet und die verschiedenen Zweige der Gestaltlehre auf geometrische Grundlagen aufgebaut werden, dann läßt sich die manuelle Leistungsfähigkeit auf das Höchste steigern und ausbilden. »In der Nacht der Blindheit schlummern die wunderbarsten Kräfte, deren Erweckung und Ausgestaltung den Blinden emporheben kann zum Lichte.«

Der Nachmittag des ersten Tages galt der Besichtigung der

Friedrich-Wilhelm-Provinzial-Blindenanstalt in Halle. In der geräumigen Aula der Anstalt versammelten sich die vollzählig erschienenen Kongreßteilnehmer zu einer Feier, welche der Anstaltsdirektor Mey mit einer Ansprache eröffnete. Es folgte ein Vokal- und Instrumentalkonzert der Zöglinge und Pfleglinge. Die vorzüglichen Leistungen fanden den vollen Beifall der Versammlung; besonders gefielen die Vorträge des vom Inspektor Schwannecke vortrefflich geschulten gemischten Anstaltschores. Im Namen des Kongresses dankt Geheimrat Friese-Magdeburg den Lehrern und Schülern für die vollendeten Vorträge. Unter der Führung des Direktors Mey und der übrigen Herren des Lehrerkollegiums erfolgte nunmehr ein Rundgang durch die Anstalt, an den sich eine festliche Bewirtung der Gäste im Anstaltsgarten anschloß.

(Schluß folgt.)

2. Die Gründung eines Hilfsschulverbandes in England.

Auf dem 4. deutschen Hilfsschulverbandstage in Mainz konnte der Vorsitzende mitteilen, daß nach einem Schreiben des Professors Dr. Lloyd-Liverpool im Frühjahr 1903 in England eine von ca. 30 Städten beschickte Versammlung von Hilfsschulvertretern stattgefunden habe und von dieser in Nachfolge des von der Schweiz und Deutschland gegebenen Beispiels die Abhaltung einer umfassenderen Versammlung und die Gründung eines Verbandes beschlossen sei. Ein provisorischer Ausschuß ließ darauf im August 1903 durch seinen Schriftführer Ms. James-Liverpool eine bezügliche Einladung für den 9. und 10. Okt. nach Manchester ergehen, aus der ersichtlich wurde, daß es sich hier um ein wesentlich weitergehendes Arbeitsfeld handeln sollte, als es die deutschen Verbandstage beschäftigt hat. Es wurden eingeladen alle an Spezialschuleinrichtungen für gebrechliche Kinder jeder Art wirkenden und für die Behandlung und Erziehung dieser Kinder sich interessierenden Personen. Eine sehr herzliche und dringende Einladung erging auch an den Vorsitzenden des deutschen Hilfsschulverbandes und wurde von diesem auf einstimmigen Wunsch des gesamten Vorstandes angenommen. Die Versammlung, an der etwa 200 Personen vorwiegend Damen,[1] teilnahmen, hielt am 1. Tage 3 Sitzungen von $10-12^1/_2$, von $2-5$ und von $7-9^1/_2$ Uhr ab. Am 2. Tage wurde gleichzeitig in 2 Abteilungen von $10-12^1/_2$ und von $2-5$ Uhr verhandelt. Die Zeitungsberichte der Tage sind einig darin, daß den Beratungen große Bedeutung beizumessen sei im Hinblick darauf, daß man bezüglich des in Frage stehenden Gebiets noch ganz im Zeichen des Experiments stehe. Die eine meint, daß im Gegensatz zu der außerordentlichen Aufmerksamkeit, welche man den Geistesschwachen in den letzten Jahren zugewandt habe, die körperlich Gebrechlichen etwas zu

---

[1] In England unterrichten an den Hilfsschulen nur Damen. Erst seit Ostern 1904 sind in London auf Betreiben des Ministerialdezernenten Inspektor Dr. Eichholz auch einige männliche Lehrkräfte beschäftigt.

kurz gekommen seien. Ein gedruckter Bericht über die Verhandlungen erschien gegen Ostern 1904.[1])

Die 1. Sitzung eröffnete als Vorsitzender Sir James Hoy, Vorsitzender der Schulkommission von Manchester mit einem Hinweise auf das in M. bereits Getane. Er wies darauf hin, daß nach behördlichen Ermittelungen über 1 % aller Schulkinder besonderer Schuleinrichtungen bedürfen. Es seien nach Erlaß des Hilfsschulgesetzes von 1899 von der Stadt 2 Schulen für je 20 geistig geschwächte Kinder eingerichtet; andere seien in Vorbereitung, die aus freiwilligen Beiträgen von einzelnen Personen und Vereinen begründet würden. Diese sollten den Kindern ein volles Heim bieten, da man sich sage, daß die Schulstunden allein nicht ausreichten, um manche Kinder in ausreichender Weise unter die Aufsicht der Lehrer zu stellen, und da vielen es auch an genügender Nahrung und Kleidung fehle. Ferner beschäftigten die Stadtschulverwaltung zur Zeit auch die Einrichtung einer Anstalt und Schule für 30 epileptische Kinder sowie Veranstaltungen für körperlich gebrechliche Kinder. — Darauf begrüßte Stadtschulrat Dr. Wehrhahn-Hannover die Versammlung, überbrachte Grüße und Wünsche des deutschen Hilfsschulverbandes und betonte, daß in Bestrebungen edelster Humanität wie die vorliegenden alle Nationen sich einig wissen müßten, daß darin geradezu ein Mittel zur Annäherung und zu gegenseitigem Verständnis der Völker liege.

Alsdann sprach Dr. Fletcher Beach-London über »Die Typen des Schwachsinns.« Er unterschied deren 13: Angeborener Schwachsinn ohne größere Abnormitäten des Schädels und der Gliedmaßen, aber doch mit mancherlei Eigentümlichkeiten im Gesichtsausdruck und mangelhafter Funktion der Sinne und Sprache; mongolischer Typus, oft bei letztgeborenen Kindern, mit kleinem, breitem Gesicht, schiefen Augen, platter Nase, kurzen breiten Händen und Füßen; Cretins; Mikrocephalen; Hydrocephalen; Hypertrophie; traumatischer Typus, hervorgerufen durch Schlag oder Fall auf den Kopf oder Verletzung desselben bei der Geburt; ein weiterer Typus, hervorgerufen durch Eklampsie in den ersten Kindesjahren; epileptischer Typus; ein Typus als Folge von Fieber bei Masern, Keuchhusten, Scharlach, Typhus; der skaphocephale Typus und endlich der einen geringeren Schwächegrad darstellende Typus des Schwachbegabtseins. Jeder einzelne Typus wurde durch Photographien demonstriert. Dann folgte ein Vortrag von Ms. Statham, Leiterin der Hilfsschule in Derby über die Fürsorge für Hilfsschulkinder, welchem sie ihre persönlichen Erfahrungen zu Grunde legte: Viele Kinder stammen aus traurigen häuslichen Verhältnissen, entbehren einer ausreichenden elterlichen Fürsorge. So werden sie entweder gleichgültig gegen die Außenwelt oder zu einem wahren Ismael, sie gegen alle, alle gegen sie. Die Hilfsschulen sind ein bedeutsamer Schritt zur Hilfe, die Gründung von Vereinen zur

---

[1]) Im nachstehenden sind der Kürze wegen unter dem Ausdruck »Hilfschulen« vielfach alle Schuleinrichtungen für gebrechliche Kinder jeder Art zusammengefaßt. Zu weiterer Orientierung verweise ich auf die Arbeit von A. Schenk-Breslau im Jahrgang 7 der »Kinderfehler« S. 276 ff.

Fürsorge für das nachschulpflichtige Alter ist ein zweiter, aber es bedarf auch noch besonderer Einrichtungen für jene Kinder während der Schulzeit neben den Hilfsschulen, wo sie zu nützlicher Arbeit angehalten und gegen die gerade ihnen vor allem drohenden Gefahren der Versuchung zum Bösen geschützt sind. Solche Anstalten würden die Aufgabe haben, die Kinder physisch und moralisch gesund zu erhalten. Körperliche Gesundheit beeinflußt oft überraschend das moralische Verhalten und den geistigen Fortschritt, und durch richtige körperliche Behandlung kann man gar oft geistigen und sittlichen Defekten vorbeugen. Die häusliche Ernährung ist vielfach nicht ausreichend oder gänzlich verkehrt; daher wäre eine Mittagsspeisung im Schulhause überaus wünschenswert. Bezüglich der Moral muß die Fürsorge vor allem dahin streben, die Kinder vor Versuchung zu bewahren, daneben sind sie mit einigen wenigen Grundsätzen von Gut und Böse bekannt und in ihrer Ausübung sicher zu machen. Gute Manieren können auch geistig schwachen Kindern anerzogen werden. Da die Hilfsschulkinder durchweg zur Zärtlichkeit neigende Naturen sind, benutze man diesen Umstand als Erziehungshilfsmittel. Bei der geistigen Förderung ist jede Langeweile sorgsam zu meiden. Bei allem erstrebe man Veranschaulichung, Darstellung seitens der Kinder, Beschränkung auf das Notwendigste und meide Überbürdung. Nach den bisherigen Erfahrungen kann es keinem Zweifel unterliegen, daß die meisten Kinder, welche durch die Hilfsschulen gegangen sind, sich wenigstens einigermaßen später in der Welt werden zurechtfinden können. —

Mrs. Pinsent, Mitglied des Vereins zur Fürsorge für die schulentlassene Jugend in Birmingham, sprach mit großem Beifall über die Fürsorge für Geistesschwache nach der Schulzeit: Erst in neuerer Zeit hat man durch die Einrichtung von Hilfsschulen für geistig geschwächte Kinder die große Zahl derselben und die Gefahren, welche der Gesellschaft hieraus erwachsen können, kennen gelernt. Ca. 1 % aller Schulkinder — also in London 9000, Manchester 1200, Birmingham 800 usw. — fallen in das Gebiet vom Idioten aufwärts bis zur Schwelle der Normalität. Unwillkürlich drängt sich die Frage auf: Wie wird ihr künftiges Geschick sich gestalten? Viele von den Mädchen werden gar bald in einem Frauenspital wiederzufinden sein; sie werden wieder idiotische Kinder gebären, die ihr Leben in der Gosse verbringen, bis sie schließlich der Armenversorgung anheimfallen; gar mancher von den Knaben wird bald mit der Polizei in Konflikt geraten, zum Verbrecher werden und vielleicht die Hälfte seines im übrigen für die Welt völlig nutzlosen Lebens im Kerker zubringen. Es genügt nicht, diese Kinder vom 7. bis 16. Jahre mit größerem Kostenaufwand als andere aufzuerziehen, man muß auch noch weiter sorgen. Oft besuchen sie die Hilfsschule nur kurze Zeit, einige Jahre oder gar nur Monate, weil die Eltern nach Orten ohne Hilfsschule verziehen. Alle bisherige Arbeit und Kosten sind dann nutzlos geworden. Von 44 Kindern der Hilfsschule in B. sind 21 verzogen, nur 2 haben bis zum 16.,[1] nur 6 bis zum 14. Jahre ausgehalten, 31

---

[1] So weit reicht in England die gesetzlich festgelegte Zeit der Schulpflicht.

sind völlig aus dem Gesichtskreis der Schule entschwunden. Es sind
deshalb, um dauernde Resultate zu erzielen, Anstalten nötig, in denen die
Kinder völlige Unterkunft finden und regelmäßig und dauernd beeinflußt
werden können. Die Hilfsschule allein ist bei vielen Kindern unzureichend,
denn 1. genügt oft die häusliche Ernährung nicht, 2. fehlt oft die nötige
elterliche Aufsicht und Pflege, 3. können die moralisch Schwachsinnigen
nur in Anstalten von jeder Gelegenheit zu Vergebungen fern gehalten
werden, 4. kann nur durch sie fortgesetzten unbegründeten Versäumnissen
vorgebeugt werden, mag nun die Schuld bei Eltern oder Kindern liegen.
Aber selbst beim Vorhandensein solcher Einrichtungen würde sich immer
noch die Frage aufdrängen: Wie viele der Hilfsschulzöglinge werden zu
wirklicher Selbständigkeit und Erwerbsfähigkeit im späteren Leben gelangen? Gar manche von ihnen werden lebenslänglichen Schutzes bedürfen, um vor Laster und Elend bewahrt zu bleiben. Vereinigte man
diese in Kolonien unter geeigneter Aufsicht, so würden sie wenigstens
einigermaßen nützlich und einträglich zu beschäftigen sein und nicht völlig
der menschlichen Gesellschaft in Armenhäusern und Gefängnissen zusammen
mit ihren gleichfalls schwachsinnigen Kindern zur Last fallen. Es wäre grausam, sie in dem gefährlichen Alter von 16 Jahren aus einer Anstalt, die
sie bislang von der Welt abschloß, plötzlich in diese und auf eigene Füße
stellen zu wollen. — Die Vortragende begründete dann in packender Weise
ihre Vorschläge durch die Ergebnisse von Untersuchungen ihres Vereins,
auf Grund deren in Birmingham die Einrichtung von 2 sogenannten
boarding schools beschlossen und ferner die von geeigneten Kolonien und
Asylen ins Auge gefaßt wurde. 2 Gründe, fuhr sie dann fort, werden
vielleicht gegen obige Ausführungen geltend gemacht werden: 1. die Kosten
und 2. die Beschränkung der persönlichen Freiheit. Allerdings werden
die geforderten Anstalten und Kolonien zunächst bedeutende Kosten verursachen, aber es ist weise Sparsamkeit, bei Zeiten etwas aufzuwenden,
um kommenden Generationen das Doppelte zu ersparen. Die Insassen
der Gefängnisse, Zuchthäuser und Armenhäuser kommen sehr teuer (40
bezw. 20 £ p. a.), während die der Kolonie einträgliche Arbeit leisten
werden. Bezüglich des 2. Grundes läuft man Gefahr, in ein widersinniges
Extrem zu verfallen. Früher oder später ist man doch gezwungen, gegen
antisoziale und gemeingefährliche Individuen vorzugehen; je eher man geeignete Schritte für die Geistesschwachen tut, um so besser ist es für diese
und die menschliche Gesellschaft. Selbst wenn einmal ein Versehen in
der Auswahl unterliefe — was ja bei Unterbringung in Irrenanstalten und
Hilfsschulen auch geschehen kann —, so würde das nur ganz minimal
ins Gewicht fallen gegenüber dem erschreckenden Maße von Elend und
Verbrechen, das entsteht, wenn man Personen in Freiheit läßt, welche
stetig die Reihen der Armen, Prostituierten und Verbrecher vermehren.
Bei genügender Sorgfalt aber werden Irrtümer selten sein, da meist die
Prognose völlig klar ist. Um unserm Ziele uns zu nähern, ist eifrige
Arbeit nötig; es gilt das Publikum und vor allem die Gesetzgebung in
unserm Sinne zu beeinflussen. Dann aber dürfen wir auch hoffen, daß wie
auf vielen anderen Gebieten auch hier zunächst vereinzelte private Wohl-

tätigkeit schließlich zur allgemeinen öffentlichen Ausübung derselben führen wird. In der Debatte bezeichnete es Ms. Dendy-Birmingham als äußerst töricht, daß die Ausführung des Schulgesetzes über die Hilfsschulen von 1899 dem Belieben der Kommunen überlassen sei. Sie fordert für die Kinder möglichst wechselvolle Arbeit und rät zur Anlage von Kolonien für erwachsene Geistesschwache im Osten Englands mit seinen vielen unkultivierten Ländereien. Sie weist darauf hin, daß das englische Armengesetz Handhaben biete, Schwachsinnige vom 16. bis 21. Jahre in Arbeitsschulen festzuhalten. Sie fordert, daß den Geistesschwachen gesetzlich das Heiraten untersagt werde. Die leichteren Fälle der Epilepsie, meint sie, könnten ohne Bedenken den geistesschwachen Kindern zugesellt werden. Für die epileptischen Kinder trat auch Ms. Melley-Liverpool ein, da sie bei richtiger Behandlung reichen Erfolg versprächen. Mrs. Burgwin, Inspektorin der Londoner Hilfsschulen, hob hervor, daß man in der Fürsorge für die Geistesschwachen um 40 Jahr hinter Deutschlamd zurück sei. — Allgemein stimmte man der Vortragenden zu und brachte Beispiele dafür vor, daß Hilfsschulen allein nicht genügten.

Die methodische Seite der Behandlung geistesschwacher Kinder behandelte Ms. Burdett, Leiterin der Schulen des König Albert Asyls in Lancaster: Die für geistesschwache Kinder nach allgemeiner Erfahrung sowohl für die körperliche wie geistige Entwicklung nötige sorgsame Überwachung ist weit besser in Anstalten mit steter ärztlicher Beaufsichtigung auszuüben als durch eine arme, überarbeitete, oft auch sorglose und unwissende Mutter. Ein ungepflegtes Kind, schlecht genährt und gekleidet, das mehr Roheit als Güte erfuhr, ist schlecht zu lehren; schlechter häuslicher Einfluß wirkt stets stärker als die Schule. Geistesschwache Kinder führen oft ein einsames, unglückliches Leben. Den Eltern fehlt es an Geschick und Zeit, ein solches Kind zu einfachen Handreichungen, den Geschwistern an Geduld, es zum Spielen anzuleiten. So muß es zum Unglück für seine körperliche und geistige Entwicklung meinen, daß es nichts leisten, daß nichts von ihm erwartet werden kann. In Anstalten unter seinesgleichen wird das Kind sich seines Fehlers weniger bewußt; dort wird nichts von ihm verlangt, was es nicht leisten kann; ja es lernt vielleicht sogar Schwächern helfen. Auch unter den Schwachen wird man noch wieder nach Graden der Schwäche trennen müssen. Wichtig ist, daß das Kind zu Anfang nicht zu hoch eingeschätzt, einer zu hohen Stufe überwiesen wird und nun gleich an seiner Leistungsfähigkeit verzagen muß. Eher möge das Gegenteil eintreten. Die Schule sei für das schwache Kind mehr ein Palast der Glückseligkeit als ein Tempel des Wissens. Das Kind muß den Lehrer als Freund betrachten, voll Vertrauens, es werde nichts seine Kräfte Übersteigendes von ihm gefordert werden. Für die Tiefstehenden tritt die Wärterin an Stelle der Lehrerin. Diese sollten nur je eine Stunde vormittags und nachmittags mit alle 10 Minuten eintretendem Wechsel unterrichtet werden. Darauf sollten Spaziergänge und Spiel folgen. Man benutze das Formenbrett, eine große Puppe zum Erlernen von Knöpfen und Binden, Tiernachbildungen, auch bewegliche, Modelle von Schiffen, Eisenbahnen usw. Musik wirkt mächtig ein; manche Kinder können kein Wort sprechen, wohl aber eine Melodie summen. Mit den etwas höher stehenden Kindern verfahre man nach dem Kindergartensystem, wenigstens nach den Prinzipien desselben; das System an sich bedarf noch des Zuschnittes für die besonderen hier vorliegenden Zwecke. Man kann auf diese Kinder nur durch die Sinne wirken. Letztere sind aber oft mangelhaft entwickelt; es bedarf daher der Unterweisung im Gebrauch der verschiedenen Sinne. Mangelhafte Sprache muß systematisch gebessert werden. Stets gilt es zu bedenken, daß vieles, was normalen Kindern ohne weiteres zufällt, hier große Mühe bereitet. Lesen und Schreiben kann, richtig betrieben, den Kindern mannigfache Freude bereiten. Rechnen erweist sich stets als ein Stein des Anstoßes; man beschränke daher den Stoff auf das Nötigste und suche den Unterricht durch Verwendnng von Pappmünzen, durch fingierten Kauf und Verkauf interessant zu machen. Mitteilung von geschichtlichen Erzählungen und Tagesereignissen erweckt die Wißbegierde und regt zum Denken an. Auf den höheren Stufen lasse man täglich auf einer Tafel Tag, Datum, Windrichtung und Wetter angeben. Die Kinder lieben Blumen; es interessiert sie daher sehr, solche zu säen, zu pflanzen, zu pflegen und sich entwickeln zu sehen. Das Zeichnen ist überaus wertvoll. Die Vortragende läßt die Kleinen mit Fingern oder Stäbchen in Sand, später mit weißer oder farbiger Kreide auf braunem Papier und zuletzt mit dem Stift im Hefte zeichnen und zwar in einfachster Form möglichst nach Gegenständen und nach dem Leben. Sie läßt darstellen, was im sonstigen Unterricht behandelt ist, und fordert, daß jeder Hilfsschullehrer gut zeichnen könne, vor allem in Entwerfen von Skizzen an der Wandtafel geschickt sei. Im Aufsatzunterricht läßt sie z. B. die Darstellungen auf Ansichtspostkarten beschreiben. Sie findet das besser, als das in Amerika übliche Illustrieren von Aufsätzen durch Zeichnungen am Rande. Strafen sind auch bei solchen Kindern nicht zu vermeiden; sie seien stets dem Vergehen angepaßt. Körperliche Übungen sind in ausgiebigstem Maße vorzunehmen. Da in der Anstalt die Schularbeit nur die Hälfte der Zeit beansprucht, so können die Mädchen in allerlei Haus- und Küchenarbeiten sowie im Waschen, Nähen, Sticken und Stopfen, die Knaben in allerlei nützlichen Handarbeiten ausgebildet werden. Für die geistig Schwächsten ihrer Anstalt hat die Vortragende eine besondere Klasse zur Ausbildung in den einfachsten Hausarbeiten eingerichtet.

In der 2. Versammlung führte der Dekan Dr. Maclure den Vorsitz. Er betonte einleitend, daß die Kommunen, welche bisher die geistesschwachen Kinder gröblich vernachlässigt hätten, nunmehr begännen, die Unterlassung wieder gut zu machen. Manchester zähle zwar nicht zu den Bahnbrechern in der Bewegung, habe aber doch letzthin das Möglichste getan, dem bestehenden Bedürfnisse zu begegnen. Nach seiner Ansicht seien Anstalten mit steter Beaufsichtigung der Kinder, wie man sie in Manchester neuerdings eingerichtet habe, die beste Lösung des die Versammlung beschäftigenden Problems.

Dr. Hamilton Hall-London sprach dann in sehr eingehender Weise über das Thema: Wie soll eine Hilfschullehrerin beschaffen sein? Sie muß eigentlich für ihren Beruf geboren sein, doch kann sie bei gutem, festem

Willen, wenn nicht gerade völliges natürliches Ungeschick vorliegt, auch ohne diese Voraussetzung schließlich zu befriedigenden Resultaten gelangen. Zum Unterricht der Schwachen, wie der Kinder überhaupt, sind Frauen am geeignetsten. Von Hilfschullehrerinnen sind noch mehr als von andern Lehrpersonen als Eigenschaften zu fordern ausgesprochene Zuneigung zu den Kindern, unermüdliche Geduld mit schwer zu Lenkenden, Selbstvertrauen, Erkenntnis der wahren Ziele, Willigkeit zu lernen, Anpassungsfähigkeit, Beobachtungsgabe, stete Aufmerksamkeit auf die Kinder, Willigkeit in allen Dingen, Frohsinn, Pflichtgefühl, also vorwiegend Charaktereigenschaften (deren Bedeutung im einzelnen der Vortragende weiter ausführt). Bezüglich intellektueller Begabung genügt das Durchschnittsmaß vollauf. An geeignetem Lehrermaterial wird es in England schon nicht fehlen; es fragt sich nur, worin und wann die Betreffenden für ihren Beruf vorzubereiten sind. Als Grenzen für den Beginn der Ausbildung sind das 18. und 23. Jahr anzusehen, weil da nach der einen Seite hin die angehende Lehrerin die Welt bereits genügend kennen gelernt hat, nach der andern aber sich nicht von Anschauungen frei zu machen braucht, die bereits zu sehr bei ihr ausgereift sind. Sie braucht manches nicht lernen, was sonst für nötig gehalten wird; vor allem ist nicht erforderlich, daß sie wie die Volksschullehrerinnen von allem etwas lerne und lehre. Sie muß das Wesen der Kinder erforschen und sie zu dem Zwecke völlig frei von vorgefaßten dogmatisierenden Neigungen beobachten lernen. Um aber das zu können, lerne sie zunächst den eigenen Geist beobachten, mache ihn quasi zum Gegenstand des Experiments. Der Vortragende erörtert dann des weiteren von realistischem Standpunkte aus, daß der Geist nur als Gehirnfunktion aufzufassen sei; es sei deshalb Aufgabe der Lehrerin, die Gehirnfunktionen kennen und kontrollieren zu lernen. Ihre Phantasie muß die Lehrerin entwickeln bezw. zügeln lernen. Die richtige Ausbildung dieser Seite des Geistes ist nötig, um die Äußerungen des Kindes sich erklären zu können. Bücher haben als direkte Unterlage für den Unterricht nur sehr beschränkten Wert. Von der Lehrerin ist ferner zu fordern genaue Beachtung der ihr gewordenen Vorschriften. Sie soll zwar auch die Gründe für dieselben kennen; aber in erster Linie muß sie wissen, was man von ihr fordert und nicht, warum man das tut. Sie muß stets Mäßigung beweisen, sich vor jeder Übereilung hüten; es ist viel besser in langsamem Vorgehen nur kleine Erfolge zu erzielen, als sich resultatlos anzustrengen. Sie besitze ferner die nötige Beharrlichkeit und sei im stande, ihre eigene Arbeit zu beurteilen und zu kritisieren. Nicht glänzende Examen und Begabung sind in erster Linie zu fordern, sondern Herzlichkeit, gesunder Menschenverstand, peinliche Aufmerksamkeit und Geduld. Der Unterricht der Schwachen an sich ist nicht schwerer wie jeder andere. Es ist Wert darauf zu legen, daß bei den Kindern ein gutes Durchschnittsresultat, nicht etwa nur einige glänzende Leistungen erzielt werden. Jede Hilfsschullehrerin prüfe sich sorgsam, ehe sie ans Werk geht, ob auch ihre Kräfte und Fähigkeiten für die von ihr geforderten Anstrengungen ausreichen; ist das der Fall und die Betreffende macht sich dann doch durch übermäßige Anstrengung, die ja niemand von ihr fordert, krank und schwach, so ist das eigene Schuld. (Schluß folgt.)

3. Neubegründete Heilerziehungsheime.

1. Das medizinisch-pädagogische Institut in de Bilt b. Utrecht von J. A. Schreuder.

Der Oberschulrat und Professor der Pädagogik Herr Dr. J. H. Günning in Amsterdam lernte während seines zweijährigen Aufenthalts in Jena unser Erziehungsheim näher kennen und bildete im Verein mit Herrn Professor Dr. H. Jelgersma in Leiden ein Comité, um eine ähnliche Heilerziehungsanstalt in Holland ins Leben zu rufen. Für die Leitung wurde unser Mitarbeiter, damals Schuldirektor im Haag, J. A. Schreuder ausersehen. Obgleich er sich schon längere Zeit mit pädagogisch-pathologischen und kinderpsychologischen Studien, wie auch praktisch mit Erziehung abnormer Kinder beschäftigt hatte, widmete er doch noch ein volles Jahr der Vorbereitung für seine Aufgabe, und zwar durch eine Studienreise nach mehreren ähnlichen Anstalten. Die längste Zeit, fast $3/4$ Jahr, war er bei uns auf der Sophienhöhe. Die Anstalt ist nun am 1. Mai v. Js. in de Bilt b. Utrecht eröffnet, wo ihm unser früherer, langjähriger Berater, Herr Professor Dr. Ziehen, bis zu seinem Fortgange von Utrecht auch als Ratgeber zur Seite stand, die Neuaufgenommen körperlich und geistig untersuchte und mit dem Leiter den ausführlichen Behandlungsplan festsetzte, während als Hausarzt Dr. P. H. Lamberts fungiert.

Für die Anstalt ist die reizend gelegene Villa Aprica — d. h. in der Sonne liegend — mit einem 30 a großen Garten und Spielplatz gewählt, und was an Heilfaktoren hier nicht geboten werden kann, das bietet, wie bei uns die Universität Jena, so dort die Universität Utrecht.

Die Anstalt hat wie die unsere eine Schule für Knaben und Mädchen, für welche aus irgend einem Grunde die gewöhnlichen Schulen nicht geeignet sind oder bei deren häuslicher Erziehung man auf besondere Schwierigkeiten stößt und welche darum zeitweise oder dauernd einer medizinisch- oder hygienisch-pädagogischen Behandlung bedürfen.

Das ist der Fall:

1. bei zurückbleibenden Kindern, d. h. bei solchen, deren geistige Entwicklung zu langsam fortschreitet, als daß sie mit den gewöhnlichen Unterricht Schritt halten könnten; (Schreuder und ich fassen den Ausdruck also nicht wie den häufig gebrauchten »geistig zurückgeblieben«, der nur eine mildere Bezeichnung für ausgesprochene Geistesschwäche und Idiotie sein soll),

2. bei Kindern, welche mit einem Sprach- oder Gehörfehler behaftet sind,

3. bei nervös veranlagten Kindern, bei welchen die Anstrengung des gewöhnlichen Schullebens zu geistiger Überanstrengung führt, welche sich nicht nur auf intellektuellem, sondern auch auf körperlichem und nicht selten auf moralischem Gebiete offenbart.

Wie wir, so schließt auch er ausgesprochen idiotische, epileptische oder moralisch entartete Kinder aus, und in einzelnen Fällen, wenn zu befürchten wäre, ein Schüler könne einen verderblichen Einfluß auf andere ausüben, findet eine vorläufige abgesonderte Behandlung statt, damit Neueintretende nicht nachteilig auf die Vorhandenen einwirken.

Die Schreudersche Anstalt bildet zunächst ein kleines Internat und hat den Charakter einer christlichen Familie. Sie kann nur bis zu 14 Zöglingen aufnehmen.

Der Unterricht soll sich wie bei uns in der Regel auf die gewöhnlichen Schulfächer erstrecken und das Pensum vom Kindergarten bis etwa zur Obertertia eines Realgymnasiums umfassen. Nach Schreuders Programm soll derselbe wie bei uns selbstverständlich den nötigen heilerzieherischen Modifikationen unterworfen sein und besondere Sorgfalt verwendet werden auf rhythmische Gymnastik, auf Handfertigkeitsunterricht mit Einschluß von Gartenarbeiten, auf Artikulationsunterricht und in den unteren Klassen auf Kenntnis von Formen und Farben. Es soll damit in den Vordergrund die Bildung für das praktische Leben gestellt werden.

Alles weitere über die erziehliche, unterrichtliche wie heilpflegerische Behandlung ist aus dem Prospekte der Anstalt zu sehen, die unentgeltlich und postfrei zu beziehen sind.

Schreuders Anstalt kann als Privatanstalt auch leider nur für Kinder wohlhabender Eltern dienen. Ich bin aber überzeugt, daß er nach wie vor mit uns alles tun wird, die Erfahrungen und Beobachtungen, welche wir an einem kleinen Kreise von Schülern intensiver machen und betreiben müssen, als das in größeren öffentlichen Anstalten möglich ist, in den Dienst der Öffentlichkeit zu stellen und so mit dazu beizutragen, daß die öffentliche Fürsorge um alle abnormen Kinder eine zweckmäßigere und bessere werde.

Es ist mir von Anfang an hart gewesen, nur Kinder begüterter Eltern aufnehmen zu können, aber eine Privatanstalt kann aus eigenen Mitteln nur dann lebenskräftig existieren. Nimmt sie aber Unterstützungen vom Staate oder sonst aus öffentlicher Hand, dann — und das sind allgemeine Erfahrungen — muß sie ihre freie Seele und damit ihre ideale Aufgabe dem Bureaukratismus opfern, gegen den ich auch im Staate von Goethe und Schiller mich habe zeitweilig trotzalledem noch kräftiglich zur Wehre setzen müssen. Holland ist, wie ich durch ein eingehenderes Studium der Schulverhältnisse in Enschede beobachtet habe, in dieser Beziehung ein viel freieres Land, und die Schreudersche Anstalt ist von einem freien Komité unter der Führung des eben so freiheitlich wie christlich gesinnten und pädagogisch einsichtsvollen Dr. Günning ins Leben gerufen worden; d. h. von einem obersten Staatsschulbeamten wurde eine Privatanstalt ins Leben gerufen! Auch waren die drei holländischen Landesschulinspektoren um dieser Schreuderschen Anstalt willen zum Studium deutscher Anstalten ausgeschickt worden. Dieses Interesse für eine Privatanstalt kennt das deutsche Privatschulwesen leider nicht, obgleich gerade in Deutschland die Privatanstalten seit je Bahnbrecher und Pfadfinder auf pädagogischem Gebiete waren. Vielleicht darf man auch hoffen, daß jenes Komité seine Aufgabe im obengenannten Sinne erweitern und auch eine öffentliche heilerzieherische Musteranstalt ins Leben rufen wird. Mögen aber auch in Deutschland sich nach diesem Muster Komités bilden für eine Aufgabe, deren Bedeutung ich am Schlusse meines Vortrages über »Abnorme Erscheinungen im kindlichen Seelenleben« (Altenburg, Oskar Bonde) näher gekennzeichnet habe.   Tr.

---

4. Pferdepädagogik.

Ein Herr v. Osten in Berlin hat unter jahrelangen Bemühungen ein Pferd, den »klugen Hans«, nicht etwa dressiert, sondern »erzogen« und erweckt gegenwärtig durch die Vorführung des Tieres das Interesse der weitesten Kreise, vom gewöhnlichen Neugierigen und Pferdeliebhaber bis zum Universitätsprofessor und zum Kultusminister. Die Ansichten sind sehr geteilt, und es wird im allgemeinen das Urteil einer wissenschaftlichen Kommission abzuwarten sein, die demnächst ihr Gutachten abgeben soll. Auch Professor Häckel will das Wundertier besichtigen und hegt schon im voraus günstige Erwartungen. Wir kommen vielleicht noch einmal auf die Sache zurück, glauben aber jetzt schon ein Schreiben des Afrikareisenden Schillings als ein überaus spaßhaftes Dokument der Pferdepsychologie bezeichnen zu dürfen, obwohl es ganz ernst gemeint ist. Nach der K. Volksztg. hat Herr Schillings an den Zoologenkongreß in Bern folgenden Brief gerichtet: »Den Mitgliedern des Zoologenkongresses in Bern erlaubt sich der Unterzeichnete folgende Mitteilung zu machen: Dem konsequenten und methodischen Unterricht eines bereits bejahrten Herrn v. Osten in Berlin ist es gelungen, nach pädagogischen Prinzipien und durch eine in genialer Weise von ihm erdachte Methode einen jetzt neunjährigen russischen Traberhengst (mit Beimischung von etwas englischem Vollblut) in vielen Elementarfächern des Wissens auf die Stufe eines etwa zwölf- bis vierzehnjährigen Kindes zu bringen. Das Tier liest perfekt, rechnet ausgezeichnet, beherrscht die einfache Bruchrechnung und erhebt Zahlen bis zur dritten Potenz, unterscheidet eine große Reihe von Farben, kennt den Wert der deutschen Münzen, den Wert der Spielkarten, erkennt Personen nach Photographien, selbst sehr kleinen und nicht einmal sehr ähnlichen (!), versteht die deutsche Sprache und hat sich überhaupt eine Summe von Begriffen und Vorstellungen angeeignet, die unsern bisherigen Ansichten über die Psyche der Equiden in keiner Weise entsprechen. Das Tier ist heute fähig, beispielsweise militärische Meldungen, wie ,Brücke und Weg sind vom Feinde besetzt', nach 24 Stunden noch fehlerlos zu wiederholen, und zwar mittels einer genial erdachten Zeichensprache. Der Hengst unterscheidet aber auch angenehm, unangenehm, schön, häßlich, warm, kalt und viele andere Begriffe. Er kennt Melodien und bezeichnet sie richtig, gibt den Takt an, in welchem Musikstücke geschrieben sind, kennt die einzelnen Töne und ist fähig, bis zu fünf ihm auf einer Klarinette zu gleicher Zeit vorgeblasene Töne im einzelnen zu bezeichnen und anzugeben, welche davon ausgeschaltet werden müssen, damit aus der Dissonanz ein Wohlklang werde. Es ist vollkommen unmöglich, dies alles im einzelnen durch Worte zu schildern; da ich es aber übernommen habe, auch in Abwesenheit seines Besitzers das Tier zu examinieren, so bin ich heute mit einer Anzahl befreundeter Gelehrten vollkommen überzeugt, daß der Hengst selbständig denkt, kombiniert, Schlüsse zieht und danach handelt. Das Wort »Dressur« kann nur insofern hier angewandt werden, als dann auch menschliches Wissen nichts als Dressur ist. Da sich alle seine Leistungen nur auf den einfachsten Grundbegriffen methodisch aufbauen, so richte ich an alle Mitglieder des Zoologenkongresses die Bitte, sich mit mir in Verbindung zu setzen, um sich von dem hier Gesagten zu überzeugen. Von den in Bern anwesenden Gelehrten, die sich mit mir von den angeführten Tatsachen überzeugt haben, darf ich die Herren Dr. Ludwig Heck und Herrn Professor T. Matschie nennen, die gewiß bereit sein werden, den interessierten Herren Gelehrten nähere Auskunft zu geben. C. G. Schillings, Weiherhof Gürzenich bei Düren, Rheinland, zur Zeit Hotel Monopol, Friedrichstraße 100, Berlin.« — Die Herren in Bern sollen für den Ernst des Herrn Schillings wenig Verständnis gehabt haben. U.

---

5. Zur Frage eines Kongresses für Kinderpsychologie und Heilerziehung.

Unser Aufruf: »An die Vereinigungen für Kinderpsychologie und Heilpädagogik und Freunde dieser Wissenschaften« hat fast überall freudige Zustimmung gefunden, und nach der Drucklegung des letzten Heftes dieser Zeitschrift sind uns noch eine lange Reihe von Unterschriften und Erklärungen zugegangen. Bis jetzt sind es folgende Unterschriften:

Dr. phil. Wilhelm Ament - Würzburg. Otto Binswanger - Jena. Dr. Boodstein, Stadtschulrat in Elberfeld. Brandi, Wirkl. Geheimer Ober-Reg.-Rat in Berlin, Georg Büttner - Worms. Dehmel, Pastor in Polkwitz (Schlesien). J. Delitsch, Hilfsschulleiter in Plauen. J. Erhard, Kgl. Inspektor in München. G. Fischer, Direktor der Blindenanstalt in Braunschweig. Dr. P. v. Gizycki, Stadt- und Kreisschulinspektor in Berlin. Hermann Gutzmann - Berlin. P. Martin Hennig, Direktor am Rauhen Hause in Horn bei Hamburg. O. Heubner - Berlin. H. Jarand - Weißenfels. Dr. J. Jaeger, Strafanstaltspfarrer in Amberg (Bayern). Dr. Kerschensteiner, Schulrat in München. Rich. Kirstein, Pastor, Herausgeber des »Rettungshausboten« in Templin. Chr. J. Klumker - Frankfurt. J. L. A. Koch - Cannstatt. Dr. Joh. Kretzschmar - Leipzig, Vors. der Vereinigung zur Pflege exakter Pädagogik im Leipziger Lehrervereine. K. Kroiß, Vorstand der Taubstummenanstalt - - Würzburg. Dr. Krukenberg - Liegnitz. Professor Dr. Leubuscher - Meiningen. B. Maennel - Halle a/S. Prof. H. Oppenheim - Berlin. Dr. J. Petersen, Direktor des städt. Waisenhauses in Hamburg. H. Piper - Dalldorf. W. Rein - Jena. Karl Richter - Leipzig. M. Roth - Groß - Rosen.

3*

Rühle, Pastor in Moritzburg (Kgr. Sachsen). Dir. W. Schröter-Dresden. Stadtschulrat Dr. Sickinger-Mannheim. Prof. Dr. Sommer-Gießen. M. Sonnenberger, Redakteur der Zeitschrift »Kinderarzt« in Worms. Dr. Alfred Spitzner-Leipzig. Dr. Stadelmann-Würzburg. Schulrat Stötzner-Dresden. Dr. med. Taube-Leipzig. J. Trüper-Jena, Sophienhöhe. Uellner-Zeitz. Walther, Direktor der Kgl. Taubstummenanstalt, Schulrat, in Berlin. J. Weichert-Leschnitz. Theobald Ziegler-Straßburg. Th. Ziehen-Berlin.

Einstimmige Annahme fand unser Vorschlag in der Konferenz für Idiotenwesen in Stettin.

Aus den Zuschriften heben wir folgendes hervor:

Herr Dr. J. Petersen, Direktor des städtischen Waisenhauses in Hamburg, schreibt uns:

»Indem ich für Übersendung des Aufrufs betreffend Schaffung eines Kongresses, in welchem die für Kinderforschung, Rettungshauswesen, Hilfsschulwesen usw. bestehenden verschiedenartigen Bestrebungen sich zu gemeinsamer Aktion zusammenschließen, bestens danke, erkläre ich mich gern bereit, mich an den Vorarbeiten zu beteiligen.

Ich glaube nur auf einen Punkt, der in dem Aufruf nicht besonders betont wird, hinweisen zu müssen. Wenn der Kongreß nutzbringend arbeiten soll, dann muß er dahin streben, das, was die Theorie erkannt hat, in die Praxis überzuführen, das was in Vorträgen und Diskussionen den einzelnen Mitgliedern an Anregung und Belehrung zufließt, ins Leben zu bringen. Er müßte nach meiner Ansicht also mit einem Programm auftreten, in welchem die Praxis der Jugendfürsorge als die Hauptsache bezeichnet wird. Er muß von vornherein suchen, durch seine Satzungen deutlich zum Ausdruck zu bringen, daß es sich nicht in erster Linie um wissenschaftliche Bestrebungen handelt, sondern daß der Kongreß gerade die Ergebnisse der Wissenschaft sich nutzbar machen will. Kurz gesagt, der Kongreß muß so eingerichtet werden, daß die auf die Ausübung der Jugendfürsorge in jeder Gestalt — mag es sich um moralisch oder geistig oder körperlich minderwertige Kinder handeln — besonderen Einfluß übenden Persönlichkeiten und Behörden sich an dem Kongreß beteiligen. Und das ist nur zu erwarten, wenn nicht die wissenschaftliche, sondern die praktische Seite der Jugendfürsorge in den Vordergrund gestellt wird. Für eine wissenschaftliche Untersuchung und Behandlung der Probleme eignen sich auch mehr kleinere Sektionen und Gruppen, nicht große Versammlungen. Hebt man »Heilpädagogik« und »Kinderpsychologie« zu sehr hervor, dann werden zweifellos z. B. Verwaltungsbeamte von dem Kongreß nicht viel erwarten und schwer für die Sache zu haben sein.

Vielleicht läßt sich die Angelegenheit am praktischsten so einrichten, daß man der Veranstaltung den Namen »Kongreß für die Theorie und Praxis der Jugendfürsorge« gibt und dann, wie bereits in dem versandten Aufruf gesagt, einzelne Sektionen bildet, in denen, je nach der Beteiligung, bis ins kleinste detail gegliedert werden kann. Mir schwebt da z. B. die Organisation des Deutschen Vereins der Naturforscher und Ärzte als Muster vor. In dieser Vereinigung finden sich die heterogensten Bestrebungen und Personen zusammen, durch ein gemeinsames Interesse verbunden. Die Jahresversammlungen zeigen, wie fruchtbar gearbeitet wird, in Hauptversammlungen behandelt man allgemein interessierende Themata, in Sektionssitzungen kommen alle Einzelbestrebungen zu ihrem Rechte.

Es ist ja fraglich, ob die Zusammenstellung aller auf dem Gebiet der Jugendfürsorge arbeitenden Personen und Vereine in eine große Vereinigung jemals die Bedeutung gewinnen wird, die der Naturforscher- und Ärztekongreß gewonnen hat. Aber man kann sich trotzdem die Organisation zum Muster nehmen.

Weit umfassend muß das Programm sein, soweit wie möglich müssen die Türen zum Hause geöffnet werden; bei allen Einzelbestrebungen, die dem Einzelnen besonders am Herzen liegen, gibt es für die auf verschiedenen Gebieten Arbeitenden doch ein großes gemeinsames Interesse: das Wohl der Jugend. In dem weit offenen Hause findet jeder auch sein Kämmerchen, in dem ihm am wohlsten ist.

Eine Veranstaltung, die wirksam sein soll, die nicht nur hinter verschlossenen Türen tagen, sondern weithin gehört werden will, muß von vornherein sich auf eine breite Grundlage stellen.

Deshalb muß, wie gesagt, im Namen und im Programm der Vereinigung zum Ausdruck kommen, daß die gesamten wissenschaftlichen und praktischen Bestrebungen zur Förderung der Jugend — natürlich unter Ausschluß der bereits in lebhaft arbeitenden Vereinigungen vertretenen allgemein pädagogischen und künstlerischen Bestrebungen — in ihr eine Stätte finden sollen.«

Herr Wirkl. Geh. Ober-Reg.-Rat Dr. Brandi-Berlin:

».... Hoffentlich fördert diese Bestrebung den Zusammenschluß von Schulmännern und Ärzten im Interesse der armen rückständigen Kinder!«

Herr Stadtschulrat Dr. Boodstein-Elberfeld:

».... Ich erkläre mich gern bereit, Ihrem Aufrufe zur Abhaltung regelmäßiger Kongresse im Interesse der Heilpädagogik beizutreten, da mir nicht nur diese, sondern auch ihre Grundlage, die Kinderpsychologie, so warm am Herzen liegt, daß ich mich ihr gern ausschließlich gewidmet hätte, wenn nicht mein — der Verwaltung eines sehr ausgiebig gegliederten städtischen Schulwesens gewidmetes — Amt meine Kraft und mein Interesse noch für recht viele andere Aufgaben in Anspruch genommen hätte und fürs erste noch in Anspruch nähme. Aber gerade die Nötigung dazu hat mir die Überzeugung beigebracht bezw. bestärkt, daß auch in den Anstalten für sogenannte normalbeanlagte junge Menschen und den Bildungsanstalten für Lehranwärter noch recht vieles zu bessern sei und daß sogar die gelehrten

Schulen keinen Grund hätten, sich gegen die Ergebnisse unserer Forschungen und Erfahrungen spröde zu verschließen. Meine bald fünf-
undvierzigjährigen Beobachtungen in den verschiedensten Lehr- und
Verwaltungsstellungen haben mich doch oft genug belehrt, daß wir
es noch lange nicht soweit gebracht haben, wie wir uns wohl hin
und wieder gern dessen rühmen hören. Also nur immer weiter forschen, sichten, probieren! Ich will gern mittun.‹

Herr Schulrat Dr. Georg Kerschensteiner-München:

›.... Mit den Bestrebungen an sich, einen gemeinsamen Kongreß ins Leben zu rufen, bin ich völlig einverstanden. Es wäre
eine große Vereinfachung, wenn es dann gelänge, daß alle speziellen
Vereine gleichzeitig mit ihre Jahreskongresse hielten, ähnlich wie bei
den Naturwissenschaften. Man könnte zu dem Zwecke den Aufruf
dahin abändern, daß ein solcher gemeinsamer Kongreß alle 3
oder 4 Jahre stattfinden soll, und während in den Zwischenjahren
die einzelnen Vereine für heilpädagogische Bestrebungen oder Kinderpsychologie für sich tagen, sollen im Jahre des gemeinsamen Kongresses alle Teilkongresse ausfallen.

In diesem Falle würden auch wir Schulverwaltungsbeamte, die
so viele Interessen fördern müssen, eher Veranlassung haben am
Hauptkongreß teilzunehmen.‹

Herr Sanitätsrat Dr. Taube-Leipzig:

›Der Aufruf war mir von großer Wichtigkeit, da ich schon seit
einiger Zeit mit mehreren Herren die Absicht hatte, einen angrenzenden
Verein in das Leben zu rufen, welcher aber einen rein Gemeinde-
pflegecharakter tragen sollte, das heißt die Versorgung und Überwachung der Gemeinde- und unehelichen Kinder durch Staat und Gemeinden zu regeln, eine Gleichmäßigkeit zu erstreben und die gewonnenen Erfahrungen auszutauschen. Wir werden aber jetzt warten, um
den Kongreß nicht zu zersplittern, da ich denselben für äußerst wichtig
halte und mit großer Freude begrüße. Ich möchte mir aber schon
jetzt erlauben, darauf aufmerksam zu machen, ob es besonders zum
ersten Male nicht praktischer sein dürfte, die große Zersplitterung
durch Sektionen zu vermeiden und nach dem Vorbilde unserer medizinischen und chirurgischen Kongresse lieber einen Tag länger zu
bleiben und allgemeine Tagesordnung einzuführen; die Anwesenden
stehen ja ziemlich auf dem gleichen Boden. Nürnberg war doch ein
warnendes Beispiel.‹

Demgegenüber ist zu betonen, daß der Kongreß die Selbständigkeit
der bestehenden Vereine und Konferenzen unter keinen Umständen beeinträchtigen darf. In den Spezialfragen sind sie leistungsfähiger als ein
großer Kongreß. Dieser kann aber wiederum durch Ausstellungen, durch
Einwirkung auf die Öffentlichkeit in praktischen Fragen, durch Gewinnung
hervorragender Persönlichkeiten zu Vorträgen usw. Bedeutsameres leisten.
Allerdings wurden auch sonst entgegengesetzte Stimmen laut:

›Ihr Rundschreiben unterzeichne ich gern; die Sache ist mir sehr
sympathisch. Es wäre ein wahrer Segen, wenn die zweijährige

. . . .-Konferenz, die entsetzlich einseitig arbeitet, aufflöge und ein gemeinsamer Kongreß ins Leben gerufen würde.«

Und wieder ein anderer:

>Es ist in dem Anschreiben auch die Rede von schon bestehenden Vereinen. Ich bin kein sehr großer Freund von Vereinen, ich bin mit der Zeit immer mehr davon abgekommen, weil ich nicht sehr befriedigt wurde. Hier aber, bei dem Bestreben der verschiedenen innerlich verwandten Zweige und bei dem noch gänzlichen Mangel übereinstimmender Organisation an Schulen, die vielfach mit Abnormitäten zu rechnen haben, ist ein Zusammenschluß sehr geboten.«

Auch vom Auslande her erfolgten lebhafte Zustimmungen, über die ich im Zusammenhange im nächsten Hefte berichten werde.

Weitere Beitrittserklärungen oder Wünsche zu dem Programme wolle man an den Unterzeichneten richten.

Jena.   Trüper.

---

6. VI. Versammlung des Vereins für Kinderforschung am 14.—16. Oktober 1904 in den Gesellschaftssälen des Centraltheaters am Thomasring zu Leipzig.

Tagesordnung.

Freitag, den 14. Oktober abends 7 $\frac{1}{2}$ Uhr.

1. Eröffnung durch den Vorsitzenden.
2. Begrüßungsansprache des Herrn Schulrat Prof. Dr. D. G. Müller-Leipzig.
3. Pastor O. Flügel-Wansleben: Über das Verhältnis des Gefühls zum Intellekt in der Kindheit des Individuums wie der Völker.
4. Geschäftliches, u. a. Antrag Heubner, Piper, Trüper, Ziehen, betr. Kongreß für Kinderpsychologie und Heilpädagogik. (Siehe Heft VI u. I der Zeitschrift für Kinderforschung), Rechnungsablage, Wahl der Vorstandsmitglieder für das nächste Jahr.

Darnach geselliges Beisammensein.

Sonnabend, den 15. Oktober 8—11 $\frac{1}{2}$ Uhr.

Besichtigung von Anstalten, Schulen und Einrichtungen für Kinderfürsorge.[1]

12 Uhr Beginn der Verhandlungen:

1. Geh. Medizinalrat Prof. Dr. Binswanger-Jena: Über den Begriff des moralischen Schwachsinns.
2. Direktor Polligkeit-Frankfurt: Strafrechtsreform und Jugendfürsorge.
3. Rektor Hemprich-Freyburg: Die Ergebnisse der Kinderforschung in ihrer Bedeutung für Unterricht und Erziehung.

Nachmittags: Gemeinsamer Ausflug nach Vereinbarung.

---

[1] Näheres wird am Freitag Abend wie durch Anschlag im Vereinslokal bekannt gegeben.

Sonntag, den 16. Oktober 11 Uhr Beginn der Verhandlungen:

1. Rektor Schubert-Altenburg: Einige Aufgaben der Kinderforschung auf dem Gebiete der künstlerischen Erziehung.
2. Oberlehrer Dr. Pappenheim-Berlin: Die Beeinflussung des Kunstsinnes durch den Unterricht in der Naturkunde. Mit Lichtbildern.
3. Dr. med. Julius Moses, Arzt in Mannheim: Die Gliederung der Schuljugend nach ihrer seelischen Veranlagung und das Mannheimer Schulsystem.
4. Rektor Dr. Männel-Halle: Korreferat.

Gemeinschaftliches Essen 2$^1/_2$ Uhr im Vereinslokole. (Preis M 2,— ohne Getränke.)

Empfehlenswerte Hotels werden durch Herrn Dr. Spitzner-Leipzig-Gohlis, Stallbaumstr. 4 bekannt gegeben.

Alle, welche sich für die normale wie abnorme Entwicklung der Kindheit und Jugend interessieren, insbesondere Eltern, Lehrer, Ärzte, Seelsorger, Juristen und Verwaltungsbeamte, sind zur Teilnahme an den Verhandlungen ergebenst eingeladen.

Mitgliedskarten sind in dem Vereinslokale in Empfang zu nehmen. Gäste haben freien Zutritt, aber kein Recht der Abstimmung. Den Vereinsbericht erhalten dieselben gegen Erstattung der Druckkosten von M 1,—. Frühere Vereinsberichte sind im Vereinslokal zum Preise von 50 Pf. zu haben.

Der Vorstand des Vereins für Kinderforschung:
Gymn.-Dir. Dr. Altenburg-Glogau, Geh. Med.-Rat Prof. Dr. Binswanger-Jena, Prof. Dr. Ebbinghaus-Breslau, Reg.- u. Med.-Rat Prof. Dr. Leubuscher-Meiningen, Prof. Dr. Oppenheim-Berlin, Prof. Dr. Rein-Jena, Anstaltsdirektor Trüper-Jena-Sophienhöhe, Prof. Dr. Ziehen-Berlin. Die Schriftführer: Dr. med. Strohmayer-Jena, Anstaltslehrer Stukenberg-Jena-Sophienhöhe.

7. An die Freunde und Mitglieder des Vereins für Kinderforschung.

Wie bereits bekannt gegeben ist, soll die bevorstehende 6. Versammlung des Vereins für Kinderforschung vom 14.—16. Oktober d. J. in Leipzig stattfinden.

Die Unterzeichneten begrüßen den jungen, bedeutungsvollen Verein mit Freuden und heißen ihn im Sachsenlande und insbesondere in seiner ehrwürdigen Universitätsstadt mit herzlichem Glückauf willkommen.

Sie hoffen, daß Leipzig seine bewährte Anziehungskraft auch in diesem Falle ausüben wird, und richten an alle Mitglieder des Vereins, wie überhaupt an alle Freunde des Kindes und des Studiums seiner Eigenart die Bitte, der Einladung zu folgen und sich an der diesjährigen Tagung des Vereins für Kinderforschung recht zahlreich zu beteiligen.

Die Erforschung der Kindesnatur, die wissenschaftliche Ergründung ihrer Entwicklung sowohl in allgemeiner wie individueller, normaler wie pathologischer Hinsicht ist ein noch zu neues gemeinsames Arbeitsfeld psychologischer und physiologischer, pädagogischer, psychiatrischer und soziologischer Erfahrung und Untersuchung, um schon das Stadium allgemeinster Beachtung und Unterstützung aller beteiligten Kreise und den Höhepunkt abgeklärter Durchbildung der Methoden und Ergebnisse erreicht zu haben. Eine Vereinigung zum Zwecke der Kinderforschung hat darum heute noch vornehmlich die Bedeutung, daß durch ihre Tätigkeit weitere Kreise von der Wichtigkeit der planvollen, mit exakten Mitteln betriebenen Erforschung des Kindes überzeugt und zur Mitarbeit bei der Lösung und Klärung der einschlägigen Fragen gewonnen werden.

In welch hohem Maße die hieraus entspringenden Aufgaben von dem im Jahre 1897 anläßlich der akademischen Ferienkurse zu Jena begründeten Vereine von Anfang an gepflegt wurden, lehrt ein Blick in seine Arbeitsberichte. Nicht nur, daß er — wie die Liste seines engeren und weiteren Vorstandes und das im raschen Anwachsen begriffene Verzeichnis seiner Mitglieder zeigen — in der Tat eine Stätte des Zusammenschlusses der verschiedenen beteiligten Kreise geworden ist, sondern daß er auch alle Seiten der Kinderforschung in sachkundige Beleuchtung rückt. Hiervon legt die reiche und interessante Tagesordnung, die in Leipzig erledigt werden soll, wieder Zeugnis ab.

Nach der Begrüßungsansprache durch den Herrn Schulrat Professor Dr. D. G. Müller, Kgl. Bezirksschulinspektor zu Leipzig, wird zunächst Herr Pastor O. Flügel aus Wansleben die Aufmerksamkeit auf die Erscheinungen des normalen Seelenlebens lenken. Er gedenkt, das Verhältnis des Gefühls zum Intellekt in der Kindheit des Individuums wie der Völker zu behandeln, eine schwierige psychologische Streitfrage, zu deren Lösung die vergleichende Kinder- und völkerpsychologische Forschung sicher höchst wertvolle Beiträge zu liefern berufen ist. Dieser Punkt wird alsdann nach der Seite der pathologischen Erscheinungen hin am zweiten Tage noch weiter verfolgt werden.

Alsdann folgen am Freitag Abend noch allerlei geschäftliche Verhandlungen, u. a. wird über einen sehr wichtigen Antrag von Heubner, Piper, Trüper, Ziehen u. a. entschieden werden. Er bezweckt die Vereinigung aller psychologischen, pädagogischen und medizinischen Fürsorgebestrebungen für die abnorme Jugend zu einem gemeinsamen Kongresse.

Am zweiten Tage wird zunächst Herr Geh. Medizinalrat Prof. Dr. Binswanger-Jena über den Begriff des moralischen Schwachsinns sprechen und somit eine Frage zur erneuten Erörterung bringen, die den Verein wiederholt beschäftigt hat und jedenfalls ein großes allgemeines Interesse erheischt: die Frage nach dem Wesen und dem Ursprung des jugendlichen Verbrechertums. Die praktischen Konsequenzen, welche eine wissenschaftliche Lösung dieser Frage für die pädagogischen, die psychiatrischen und die strafrechtlichen Behandlungsformen der betreffenden Individuen haben, lassen es im hohen Grade wichtig erscheinen, daß dieselbe auch vom Standpunkte des Juristen aus aufgefaßt werden soll. Herr Direktor Polligkeit, dem juristischen Mitleiter der einzigartigen »Zentrale für private Fürsorge« in Frankfurt a. M., hat es in dankenswerter Weise übernommen, dies mit einem Vortrag über Strafrechtsreform und Jugendfürsorge zu tun.

Als dritten Redner des Tages wird endlich Herr Rektor Hemprich aus Freyburg einen orientierenden Gesamtblick auf die bisherigen Ergebnisse der Kinderforschung in ihrer Bedeutung für Unterricht und Erziehung bieten, womit er eine gewiß nicht leichte, aber höchst dankbare Aufgabe verfolgt.

Aber auch die Vorträge des letzten Tages nehmen den Faden der Betrachtung über das kindliche Gefühlsleben wieder auf, insofern in zwei Vorträgen die Frage der kinderpsychologischen Begründung einer gegenwärtig mit vielem Eifer betriebenen Reform der ästhetischen Erziehung untersucht werden soll. Herr Rektor Schubert aus Altenburg hat sich zum Thema gesetzt: »Einige Aufgaben der Kinderforschung auf dem Gebiete der künstlerischen Erziehung« und als Korreferent wird Herr Oberlehrer Dr. Pappenheim aus Großlichterfelde über »Die Beeinflussung des Kunstsinns durch den Unterricht in der Naturkunde« sprechen und in Lichtbildern Kinderzeichnungen und Formarbeiten vorführen als Grundlage für die vielerörterte Streitfrage, ob die heute üblichen Unterrichtsmethoden die künstlerische Eigenart des Kindes wirklich dauernd schädigen können.

Herr Dr. med. Julius Moses, Arzt in Mannheim, wird endlich in einem Referate über die Gliederung der Schuljugend nach ihrer seelischen Veranlagung und das Mannheimer System die wichtigsten organisatorischen Konsequenzen der Tatsache individueller Begabungsunterschiede an der Hand bestimmter Erfahrungen demonstrieren, während Rektor Dr. Maennel aus Halle vom Standpunkte des Schulmannes aus das Korreferat liefern wird.

Die Herren Referenten dürfen sicher darauf rechnen, in Leipzig einem allgemeinen Interesse zu begegnen, hier, wo die neueren Methoden der psychologischen Forschung ihren Ausgang genommen haben, wo die pädagogische Pathologie ihre erste systematische Bearbeitung gefunden hat, wo neuerdings eine umfassende vergleichende historische und pädagogische Erforschung der psychisch-kulturellen Einzel- und Gesamtentwicklung angebahnt wird, wo zahlreiche pädagogische Vereinigungen eine rührige wissenschaftliche Tätigkeit entfalten, wo durch staatliche, städtische und private Fürsorge für die Jugend Einrichtungen geschaffen worden sind, die sich würdig dem Besten anreihen, was in Deutschland für die öffentliche Jugenderziehung geleistet worden ist.

Als ein Ausdruck dieses Interesses möge es angesehen werden, wenn sich die unterzeichneten Vertreter derjenigen Kreise Leipzigs, denen das Kind ein Gegenstand des Studiums und der Fürsorge ist, zum gastlichen Empfang des Vereins für Kinderforschung vereinigt haben.

Die Vereinigung zur Pflege exakter Pädagogik im Leipziger Lehrervereine, welche den kinderpsychologischen Aufgaben und Grundlagen der Pädagogik ihre besondere Aufmerksamkeit widmet, hat sich einmütig und gern in den Dienst der Aufgaben eines geschäftsführenden Ortsausschusses gestellt und bittet, etwaige Anfragen in betreff der Wohnung u. dergl. an Herrn Dr. Alfred Spitzner, Leipzig-Gohlis, Stallbaumstr. 4, zu richten.

Die Versammlungen finden in den angenehmen Gesellschaftssälen des neuen Zentraltheaters am Thomasring statt. Es ist geplant, daselbst nach Beendigung der Verhandlungen am Sonntag, den 16. Oktober, ein gemeinsames Mahl einzunehmen, das Couvert zu M 2,—. Meldungen dazu werden ebenfalls an die genannte Adresse erbeten. Das Programm der Führungen wird in der ersten Versammlung bekannt gegeben werden. Etwaige Wünsche für dieselben werden mit Dank entgegengenommen.

Nochmals willkommen denn in Leipzig! Möge aus den zu erwartenden lehrreichen Referaten und Verhandlungen der 6. Tagung des Vereins für Kinderforschung eine ersprießliche Förderung der von ihm gepflegten hochwichtigen Angelegenheit zum Segen für unsere gesamte vaterländische Jugend erwachsen!

Das Ortscomité der VI. Versammlung des Vereins für Kinderforschung in Leipzig.

Der Ehrenausschuß.

Dir. Dr. O. W. Beyer, Leiter der Ferienbeschäftigungen Leipziger Schulkinder, veranstaltet von der Leipziger Ortsgruppe des deutschen Vereins für Volkshygiene, Oberlehrerin Rosalie Büttner, Vorsitzende des Leipziger Lehrerinnenvereins, Geh. Medizinalrat Prof. Dr. Flechsig, Frau L. Franke-Augustin, Vorsitzende des Vereins der Kinderfreunde (f. Kinderschutz), Paul Friedemann, Vorsitzender des Leipziger Lehrervereins, Seminardirektor Prof. Dr. Gaudig, Frau Henriette Goldschmidt, Vorsitzende des Vereins für Volks- und Familienerziehung, Schuldirektor Dr. M. Jahn, Vorsitzender der Pädagogischen Gesellschaft, K. Krause, Direktor der Blindenanstalt, Schuldirektor Dr. F. Kießling, Schriftleiter der Allgem. Deutschen Lehrerzeitung, Schuldirektor Linge, Kgl. Bezirksschulinspektor Schulrat Prof. Dr. O. Müller, Dr. Pabst, Direktor des Handfertigkeitsseminars, Syndikus Herm. Pilz, Vorsitzender des Leipziger Fröbelvereins, Studiendirektor Professor H. Raydt, Lehrer E. Stöckel, Vorsitzender des Herbartvereins, Sanitätsrat Dr. Taube, Schulrat Robert Voigt, Direktor der Taubstummenanstalt, Dr. Johannes Volkelt, Prof. an der Universität, Dr. Karl Weule, Prof. an der Universität.

Die Vereinigung zur Pflege exakter Pädagogik im Leipziger Lehrerverein als geschäftsführender Ausschuß.

I. A.:

Dr. Johannes Kretzschmar, Dr. Alfred Spitzner, Rudolf Hänsch, Curt Tittel.

8. Vorläufige Tagesordnung für den 5. Verbandstag der Hilfsschulen Deutschlands in Bremen, Ostern 1905.

I. Vorversammlung am 25. April (Dienstag) abends.
   1. Begrüßung durch den 1. Vorsitzenden.
   2. Vortrag: Die schriftlichen Arbeiten in der Hilfsschule. Referent Hilfsschulleiter **Frenzel-Stolp**.
   3. Geschäftliches: a) Rechnungsablage.
                      b) Vorstandswahlen.
II. Hauptversammlung am 26. April (Mittwoch) vormittags.
   1. Begrüßungen.
   2. Genehmigung der Beschlüsse der Vorversammlung.
   3. Vorträge:
      a) Über moralische Anästhesie und deren Diagnose im Kindesalter. Referent Direktor Dr. **Scholz-Bremen**.
      b) Die Berücksichtigung der Schwachsinnigen im Strafrecht des Deutschen Reiches. Referent Oberamtsrichter **Nolte-Braunschweig**.
      c) Über den gegenwärtigen Stand der Fürsorge für die aus den Hilfsschulen entlassenen Kinder in unterrichtlicher und praktischer Beziehung. Referent Hauptlehrer **Schenk-Breslau**.
   4. Geschäftliches.

Wir bitten alle Verbandsmitglieder und alle Freunde unserer Bestrebungen und des Hilfsschulwesens freundlichst, von vorstehender Tagesordnung Kenntnis zu nehmen, die einzelnen Verhandlungsgegenstände in engerem und weiterem Kreise in reifliche Erwägung zu ziehen und etwa gewünschte Veränderungen und Ergänzungen des Programms uns mitteilen zu wollen.

Der Vorstand des Verbandes der Hilfsschulen Deutschlands.

Dr. Wehrhahn-Hannover, Kielhorn-Braunschweig, Grote-Hannover,
Henze-Hannover, Basedow-Hannover, Bock-Braunschweig,
Wintermann-Bremen.

C. Literatur.

Sickinger, Dr. A., Stadtschulrat in Mannheim, Organisation großer Volksschulkörper nach der natürlichen Leistungsfähigkeit der Kinder. Vortrag gehalten auf dem I. internationalen Kongreß für Schulhygiene in Nürnberg am 7. April 1904. I. Bensheimer, Mannheim. Preis 0,80 M.

Moses, Dr. med. **Julius**, Arzt in Mannheim. Das Sonderklassensystem der Mannheimer Volksschule. Ein Beitrag zur Hygiene des Unterrichts. Nach einem auf dem I. internationalen Kongresse für Schulhygiene in Nürnberg erstatteten Referate. I. Bensheimer, Mannheim. Preis 0,80 M.

Im Vordergrunde des Interesses auf dem schulhygienischen Kongresse in Nürnberg standen die Vorträge von Stadtschulrat Dr. Sickinger mit dem Korreferat von Dr. Julius Moses. Beide Referate sind in obigen Sonderausgaben erschienen und ich möchte sie der Beachtung unserer Leser angelegentlichst empfehlen.

Meine Ansicht zu der Bestrebung habe ich bereits in eingehender Weise im Jahre 1899, in Nr. 11 des Evang. Schulblattes, in dem Artikel »Eine Bankerott-erklärung des modernen Schulkasernentums« näher dargelegt. Ich vermißte damals noch manches an der Neuorganisation. Ich möchte jetzt betonen, daß beide Herren die von mir angeregten Gedanken zustimmend aufgenommen haben. Anfangs berief sich die Gegnerschaft unter den badischen Lehrern unter Führung von Herrn Röder, dem Herausgeber der badischen Schulzeitung, auf meine damaligen Ausstellungen. Da war es mir doppelt interessant, daß in Nürnberg als Erster in der Debatte Herr Röder mit vollen Brustton der Überzeugung für Sickingers Ideen eintrat. Ich wies damals darauf hin, daß vor allem die Theorielosigkeit und Reformbedürftigkeit der Lehrpläne schuld an diesem Bankerott der Schulkasernen sei, daß der didaktische Materialismus dort über Gebühr sich geltend mache und daß man vor allem mit der Reform des ersten Schuljahres beginnen müsse.

Herr Dr. Moses findet auch vom medizinischen Standpunkte meine darauf bezüglichen Ausführungen »sehr interessant« und er gibt das Folgende wörtlich wieder, das zum weitern Nachdenken auch über die Schulverhältnisse, auf die das Mannheimer System nicht ohne weiteres anwendbar bleibt, schließlich auch hier Platz finden mag.

»Ich frage aufs neue: Brauchen Lehrer, Schularzt und Schulinspektor zwei Jahre, um Schwachsinn oder andere psychopathische Minderwertigkeiten bei Schülern festzustellen? Das von Herrn Stadtschulrat Dr. Sickinger unangetastet gebliebene erste Schuljahr sollte meines Erachtens in aller erster Linie einer ganz gründlichen Reform unterzogen werden. Ich kann hier nicht weiter eingehen auf die dringliche Reform des Lehrplans für das erste Schuljahr.[1]) Ich will aber darauf hinweisen, daß, wenn irgendwo die Leistungsfähigkeit der Schüler verschieden ist, so ist sie es bereits im ersten Schuljahr, ohne daß damit gesagt ist, daß diese Verschiedenheit im Laufe der Schulzeit durch ein schnelleres oder langsameres geistiges Wachstum nicht wieder ausgeglichen werden kann. Von diesem Gesichtspunkte aus, halte ich es für notwendig, daß bei großen Schulsystemen in unsern sogenannten Schulkasernen die Kinder gleich beim Eintritt in die Schule in 2 Gruppen geteilt werden. In die eine Gruppe sind die zu bringen, die ungefähr reif sind, das hergebrachte Pensum des ersten Schuljahrs in geistbildender und nutzbringender Weise zu bewältigen. Das wird etwa nur die Hälfte der Eingetretenen sein. Diese bekämen dann von vorneherein gegenüber den andern Schülern einen Vorsprung von einem Jahr und würden so schon von Anfang an für die erweiterte Schule prädestiniert sein. Die andere Gruppe halte ich für vollständig unfähig, ohne Verkrüppelung ihres Intellekts, ihres Gefühls- und Willenslebens in der landesüblichen Weise nach dem Lehrplan des ersten Schuljahres unterrichtet zu werden. Für sie wäre ein Vorkursus notwendig, dessen Plan und Methode mehr dem Kindergarten zu entnehmen wäre und der den Wort- und Buchstaben-Unterricht gänzlich zurückstellte. Unter diesen Kindern würden sich im Laufe des Jahres manche, die im Hause arg vernachlässigt worden sind, dermaßen kräftigen, daß

---

[1]) Es ist zum Teil und zumeist in meinem Sinne inzwischen in Heft I v. J. von Schulze geschehen.

vielleicht eine Versetzung in die erste Abteilung stattfinden könnte. Die Schwächsten und vor allen Dingen auch diejenigen, welche man volle zwei Jahre in der untersten Klasse ohne Erfolg sitzen lassen will, würden dann auf keinen Fall mehr in der Schule weiter geistig verkrüppeln, sondern es würde schon bei einer so verbesserten Lehrmethode auch ihnen verdauliche Geistesnahrung zum Wachstum, ja vielleicht zur Gesundung geboten werden.«   Tr.

Rausch, Friedr., Lauttafeln zum Gebrauch beim deutschen und fremd-
sprachlichen Sprech-, Schreib-, Leseunterricht nach phonetischen
Grundsätzen. Nordhausen, Photographie und Verlag von R. Schiewek.

Durch den Gebrauch der Lauttafeln soll normalen, taubstummen, mit Sprach-gebrechen behafteten, geistig zurückgebliebenen Kindern schneller zu einer schönen Sprache und zu richtigem Schreiben und Lesen verholfen werden. Die Tafeln — 20 an der Zahl — sind künstlerisch ausgeführt und geben in der 4fachen Dar-stellung der Laute in Vorderansicht, Seitenansicht, schematischer Darstellung und Durchschnitt der Mundstellungen ein getreues Bild der Organstellungen.

Durch Anschauen und Nachahmen der Lautdarstellungen sollen die genannten Zwecke erreicht werden. Prüfen wir nun einmal, ob das angängig ist.

»Es genügt nicht, die Sprache dem Klange nach und durch das Ohr auf-zufassen und zu verbessern, sondern es erheischt in allen Schulen zur Veredelung der Sprache ein Zurückgehen auf die Regeln der Lautbildung.« Rausch will dem Kinde, welches zum Beispiel Hirte schlecht spricht, die Lauttafeln der 5 Laute des Wortes zeigen und sagen: Das »H« bildet man so, das »i« so usw., oder, wenn das Kind das alles schon weiß, soll es sich die Regeln der Lautbildung ins Gedächt-nis zurückrufen. Ich glaube nicht, daß dadurch das Kind viel deutlicher spricht, vielleicht spricht es das »i« besser, die andern wohl kaum. Die Kinder überhaupt »mit dem Bau und der Tätigkeit der Sprechwerkzeuge, d. i. mit der lautphysio-logischen Darstellung der Sprache« bekannt zu machen und zu verlangen, daß sie »hiermit ebenso vertraut« sein sollen wie mit der »schriftlichen Darstellung« halte ich für grundfalsch. Welcher Erwachsene weiß, wie er den Gaumen, die Zunge, die Lippen, die Zähne einstellt, wenn er sprechen will! Mithin müßten sie alle unschön sprechen, falsch schreiben und schlecht lesen. Dem ist aber nicht so. Eben nur darum, weil keiner weiß, wie er seine Sprechwerkzeuge einstellen muß, weil keiner die Kompliziertheit des Sprachapparates kennt. Kußmaul sagt mit Recht: »Alle die Mechanismen wirken um so sicherer, je weniger man sich um sie kümmert und je weniger man sie kennt.« Das Kind, welches mit allem diesen unnötigen Ballast beschwert ist, muß, wenn es ordentlich sprechen will, d. h. nicht nur schön, lautrein, sondern auch fließend, erst schnell alle Regeln und Vorder-ansichten und Seitenansichten und schematischen Darstellungen und Durchschnitte vergessen, dann geht es.

Die Lauttafeln zum Sebststudium der Lehrer. Sehr gut.
Die Lauttafeln in dem Lehrerseminar. Durchaus nötig.
Die Lauttafeln beim ersten Leseunterrichte?
Rausch hängt die Lauttafeln »sch« hin und sagt nichts. Auf einmal tönt das »sch« durch die ganze Klasse. Mag sein. Ich hänge das »h« hin. Ertönt etwas? oder gar »ng«? Was macht man nun mit »tz«, x, qu usw., da setzt man 2 Tafeln zusammen. Niemals wird ein Kind dadurch die Laute lernen. Man muß sie einfach vorsprechen. Rausch klagt, daß bisher beim ersten Leseunterricht »das Band fehlt zwischen Gehörsvorstellung vom Laute und Gesichtsvorstellung vom Buch-staben«. Er hat das Band gefunden in den Lauttafeln. Leider sind nun aber die

Buchstaben nicht die graphischen Darstellungen der Mundstellungen oder der Laut-bilder, also fehlt das Band noch genau so wie früher. Es wird sich wohl niemals ein solches finden lassen, oder doch nur auf Grund eines entsprechenden, neuen Alphabetes. Die Lauttafeln erfüllen also ihren Zweck beim ersten Leseunterricht nicht, mithin braucht man sie nicht. Die einzelnen Vokalstellungen, die das Kind allenfalls ablesen kann, sieht es ebenso gut am Munde des Lehrers, und spricht er, so hört es dieselben sogar noch. Dies Verfahren hat also den Vorzug. Die Laut-tafeln der Konsonanten sind, da sie den ganzen komplizierten Sprachapparat auf-decken, äußerst schädlich und gehören erst recht nicht in die Schule.

Die Lauttafeln beim Rechtschreibeunterricht. Soll das Kind richtig schreiben lernen, so muß es die Worte zerlegen können. Bei dieser Zergliederung können aber die Tafeln nichts helfen, man müßte sonst alle zu einem Worte nötigen Lauttafeln aufhängen und das Kind schreibt dann ab. Dadurch kann wohl unmöglich die Rechtschreibung eine Unterstützung erfahren.

Die Lauttafeln beim Sprachheilunterricht. Hier gilt auch das oben schon Erwähnte. Niemals darf man einem Stotterer Regeln für die Einstellung der Sprechorgane, noch deren Abbildungen geben. Er, der nervöse Patient, würde schier verzweifeln an dem Gelingen seiner Sprech-versuche, wenn er diese Schwierigkeiten im Bilde vor sich hat. Und was nützen Bilder dem Stammler? Der Stammler kann einzelne Laute und Lautverbindungen nicht sprechen, teils weil er organische Fehler hat, Abnormitäten der Lippen, der Zunge, der Zähne und Kiefer, des harten und weichen Gaumens, der Nasen-und Rachenhöhle, des Kehlkopfes und des Gehörs, in seltenen Fällen auch des Schädels (Mikro- und Makrocephalie), teils weil er mit zu geringer Aufmerksamkeit seine Sprache und die seiner Umgebung verfolgt. Die Lauttafeln können weder das motorische noch das sensorische Stammeln in irgend einer Weise günstig beeinflussen; denn Organfehler werden dadurch nicht aus der Welt geschafft und Aufmerksam-keit können sie auch nicht erwecken.

Die Lauttafeln in der Hilfsschule. »Die Pädagogik muß darauf sinnen, den geistig Minderwertigen oder Zurück-gebliebenen den Unterricht so leicht und anschaulich wie möglich zu gestalten.« Rausch. Durch den Gebrauch der Lauttafeln erleichtert man den Kleinen keines-wegs das Lesen und Schreiben, können sie ja nicht einmal in der Normalschule er-folgreich benutzt werden. Viel natürlicher und leichter ist es, wenn die Kinder, die in den Tätigkeitsübungen mit Stäbchen arbeiten, mit denselben Stäbchen anfangen Wörter zu legen in Initialschrift. Dann ist tatsächlich der Unterricht leicht und die Kinder lernen freudig und schnell Lesen.

Die Lauttafeln in der Taubstummenschule und beim Sprechlese-unterricht. Hierüber will ich mir als Laie kein Urteil erlauben.

Aus diesen Darlegungen ist deutlich ersichtlich, daß die Lauttafeln nicht in die Schule gehören, wohl aber ins Studierzimmer der Pädagogen und ins Lehrer-seminar.

Sophienhöhe b/Jena.   Major.

Groos, Prof. Dr. **Karl,** Das Seelenleben des Kindes. Ausgewählte Vor-lesungen. Berlin, Reuther & Reichard, 1904. 8°. 229 S. Preis 3 M.
Das Buch besteht aus Vorlesungen, die Professor Groos in einem Fortbildungs-kurse für Lehrer gehalten hat. Leider bietet es keine abgerundete Darstellung des Gegenstandes. Das Gefühlsleben ist gar nicht berücksichtigt. Der erste Haupt-abschnitt enthält fünf Vorlesungen: I. Begriffliche Orientierung. II. Die Aufgaben der Kinderpsychologie. III. Die Methoden der Beobachtung. IV. Die Einteilung des

kindlichen Seelenlebens. V. Ererbte und erworbene Reaktionen. VI. Das Spiel als die natürliche Selbstausbildung des Kindes. Der letztere Abschnitt wird besonders diejenigen interessieren, die des gleichen Verfassers Werke über die Spiele der Tiere und die Spiele der Menschen kennen, da er sich hier mit einzelnen Kritikern auseinandersetzt. Der zweite Hauptabschnitt behandelt zunächst die Reproduktion und ihre Wirkungen und sodann das Erkennen.

Die Darstellungsweise zeigt alle Vorzüge, die wir bei Groos gewöhnt sind. Das Buch gewährt eine lehrreiche und interessante Lektüre, wenngleich wir es nicht gerade mit einem Werke ersten Ranges zu tun haben.   Ufer.

Wehmer, Dr. R., Regierungs- und Medizinalrat zu Berlin, **Enzyklopädisches Handbuch der Schulhygiene.** Erste Abteilung. Leipzig und Wien, Pichlers Wwe. & Sohn, 1903. Preis?

Nach dem vorliegenden Teile zu schließen, haben wir ein gutes Werk zu erwarten. Die einzelnen Artikel werden von hervorragenden Gelehrten, Technikern und Pädagogen des In- und Auslandes bearbeitet. Allerdings muß gesagt werden, daß in dem ersten Teile nicht alle Artikel befriedigen. So sind beispielsweise die Ausführungen des Herausgebers über die »Linkshändigkeit« ziemlich dürftig ausgefallen.   Ufer.

Bösbauer, H., Miklas, L., Schiner, H., Handbuch der Schwachsinnigen-fürsorge. Wien, Karl Gräser & Co., 1905. 173 Seiten.

Die Schrift behandelt folgende Fragen: 1. Ursachen des Schwachsinns, 2. Symptome des Schwachsinns, 3. Einteilung und Namengebung des Schwachsinns, 4. Erziehung und Unterricht, 5. Persönlichkeit des Erziehers, 6. Fürsorge für die aus der Schule Entlassenen, 7. Geschichtliches, 8. Statistik, 9. Literatur.

Mit möglichster Kürze behandeln die Verfasser in diesen Abschnitten alle bedeutsamen bei dem Studium und der Erziehung der Schwachsinnigen, d. h. für die Verfasser schlechthin abnorm Minderwertigen. Wenn man auch über einzelne Auffassungen mit den Verfassern streiten mag, so bieten sie doch eine gewisse und auch fast überall zuverlässige Orientierung über das fragliche Gebiet. Wertvoll ist vor allem auch die 35 Seiten lange Zusammenstellung der einschlägigen Literatur und das mit großem Fleiß zusammengestellte Sachregister.

Wer sich rasch über das fragliche Gebiet orientieren will, dem sei die Schrift bestens empfohlen.   Tr.

Druck von Hermann Beyer & Söhne (Beyer & Mann) in Langensalza.

A. Abhandlungen.

Einige Aufgaben der Kinderforschung auf dem Gebiete der künstlerischen Erziehung.

Vortrag, gehalten auf dem VI. Kongreß für Kinderforschung in Leipzig 1904.

Von

Conrad Schubert, Rektor der Gebrüder Reichenbach-Schulen in Altenburg.

Wenn ich es heute unternehme vor Ihnen von künstlerischer Erziehung zu sprechen, so will es vielleicht scheinen, als ob dies ein Unterfangen wäre, das schon von der Zeit überholt ist. Es ist angesichts der Fülle von literarischen Erscheinungen auf diesem Gebiete bei manchem ein Gefühl der Übersättigung eingetreten; auf den Kunsterziehungstagen in Dresden und Weimar hat man genügend darüber debattiert; man hat eine Menge schöner Bilder von Voigtländer, Teubner, Breitkopf & Härtel zum Aufhängen in den Schulen. Wenn nur die Laienbehörden, die Magistrate und Schulvorstände das nötige Geld bewilligen, dann ist die Frage der künstlerischen Erziehung erledigt. Wir können nun in unserer schnelllebigen Zeit andere neue Erziehungsfragen in Angriff nehmen. Die künstlerische Erziehung des deutschen Volkes ist einstweilen in schönster Ordnung.

Meine Damen und Herren! Wer sich so leichten Herzens beruhigt, der hat freilich die Tragweite des ganzen Problems der künstlerischen .Erziehung noch nicht genügend tief erfaßt. Hier handelt es sich letzten Endes um ein Prinzip, das bestimmt ist, unsern ganzen Unterricht nicht von Grund aus umzugestalten, wie die Hamburger meinen, aber ihn zu befruchten und zu modifizieren, es ist das künstlerische Prinzip der Stoffgestaltung, sowohl in uns Lehrern, wie im Zögling. Wie können wir die gestaltende Kraft im Zögling hervorrufen? Der Lehrer muß mit Goethe ausrufen:

> Ach, daß die innere Schöpfungskraft
> Durch meinen Sinn erschölle!

Der Lehrer — ein psychologischer Künstler, in dem selbst gestaltende Kraft lebt, der ein tieferes Verständnis für die Wachstümlichkeit der Seele besitzt, der, auf dem wissenschaftlichen Grunde einer weit angelegten und tief fundamentierten Kinderforschung stehend, mit künstlerischem Verständnis eine neue Welt in der Seele des Kindes aufbauen hilft und erstehen sieht, der ein innerliches Miterleben im Kinde zu erzeugen vermag — das ist das Ideal.

Was schon der Praeceptor Germaniae RUDOLF HILDEBRAND hier in Leipzig immer und immer wieder für den deutschen Unterricht forderte, das soll für den ganzen Unterricht wahr werden. Den künstlerischen Vorstellungstrieb des Kindes in die rechten Bahnen zu lenken, die Dinge im lebendigen Zusammenhange gefühlserfüllt zu schauen, das anschauungsarme abstrakte Denken zu Grunde eines innigeren Verhältnisses zur Natur und Kunst zu beschränken, die Lust am Schönen zu wecken, sein Empfindungsleben voll und stark zu verraten, — das alles sind Richtlinien, die sich aus der ganzen Bewegung der künstlerischen Erziehung mit Notwendigkeit ergeben. Freilich sind das zunächst noch curae et viae posteriores. Denn die Erforschung der eigentlichen psychologischen Tatsache des künstlerischen Erlebens im Kinde ist überhaupt kaum in Angriff genommen. Ja, die ästhetische Wissenschaft ringt noch nach Klarheit bezüglich des ästhetischen Vorgangs im Erwachsenen und ist hierin vorerst noch nicht zum Abschluß gekommen.

Meines Erachtens sind wir auch in der Schule erst im Anfange der ganzen Bewegung. Das kann nicht anders sein. Wir Lehrer haben zum großen Teil jetzt erst mit unserer künstlerischen Kultur begonnen und beschäftigen uns noch viel zu wenig mit den neueren ästhetischen wissenschaftlichen Forschungen. Hier gilt es festen Boden unter den Füßen zu bekommen. Mit der Herbart-Zimmermannschen Formalästhetik kommen wir freilich nicht mehr aus. Wir müssen fortschreiten über den Herbartianer SIEBECK, der eine bemerkenswerte Etappe bildet zu Friedrich Theodor Vischer, Konrad Lange, Karl Groos, Lipps, Schmarsow und Volkelt.

Andrerseits werden wir Lehrer uns selbst erst vielfach zu ästhetischer Genußfähigkeit erziehen müssen, indem wir mit der bloßen Bücherweisheit nicht alles getan zu haben glauben, sondern zu Natur und Kunst in ein immer innigeres persönliches Verhältnis zu kommen versuchen. Viele werden auf diesem Gebiete Männern wie Avenarius, Lichtwark, Schultze-Naumburg, Max Klinger, Adolf Hildebrand, Hermann Grimm, Ludwig Volkmann, Henry Thode zu größtem Danke verpflichtet sein. Und trotzdem von der Kritik auf dem Weimarer Kunsterziehungstage vielleicht hier und da dem Lehrerstande unrecht getan wurde, so heißt es doch: semper aliquid haeret, und wir Schulmeister haben bisweilen recht nötig, daß uns der Pedantismus mit dem Bakel ausgetrieben wird. Wir verlernen zu leicht im Einerlei des Schulbetriebes, selbst künstlerisch zu genießen. Wie entsetzlich ist es, wenn etwa ein Gymnasialprofessor durch 20 Jahre hindurch jedes Jahr den Tasso in der Prima behandelt, da muß doch alle Fähigkeit des Selbstgenießens zu Grunde gehen. Und die Gefahr des Ver-Intellektualisierens und Ver-Moralisierens der Kunst haben wir auch in der Volksschule nicht immer vermieden.

Unweigerlich steht fest, daß nur der Erzieher künstlerisch beeinflussen kann, der selbst eigene ästhetische Innenerfahrungen, Innenerlebnisse gehabt hat und noch hat. Deshalb werden vorzugsweise die künstlerisch gebildeten Zeichen- und Gesanglehrer, die sich, wenn auch nur in einem kleinen Gebiete der Kunst, selbständig versucht haben, die Träger der künstlerischen Erziehung in der Schule sein müssen. Sie haben es leichter, das künstlerische Schaffen zu verstehen. Sie müssen sich aber durch beständiges Kunstgenießen, durch immer neues Schauen und Hören die sinnliche Frische und die Gefühls- und Aufnahmefähigkeit zu erhalten suchen. Goethe in seiner allseitigen Empfänglichkeit kann uns hier als Erzieher der Erzieher gelten, er arbeitete täglich bis in sein hohes Alter an seiner eigenen inneren künstlerischen Erziehung.[1]

Es kann nun nicht meine Aufgabe sein, im Rahmen eines kurzen Vortrags die ganze Frage der künstlerischen Erziehung erschöpfen zu wollen, aber ich halte es für nötig, zuerst kurz über das Wesen des Künstlerischen einiges zur Grundlegung vorauszuschicken.

Ich schließe mich dabei im wesentlichen an Konrad Lange[2] an, weil er die rein psychologische Seite in seiner realistischen Kunstlehre am einfachsten heraushebt: Kunst ist jede Tätigkeit des Menschen, durch die er sich und andern ein von praktischen Interessen

---

[1] Vergl. Rektor C. Schubert, Die Werke der bildenden Kunst in der Erziehungsschule. Dresden, Bleyl & Kaemmerer (O. Schambach), 1903. Von demselben Verfasser Abschnitt »Kunstpflege« in Prof. W. Rein, Erstes Schuljahr. Leipzig, Bredt, 1904. 7. Aufl. Man beachte auch die ausgezeichneten Darlegungen von Professor Dr. W. Rein, Bildende Kunst und Schule. Dresden, Haendtke, 1902.

[2] Konrad Lange, Wesen der Kunst. Berlin, Grote, 1901. 2 Bde.

losgelöstes, auf einer bewußten Selbsttäuschung beruhendes Vergnügen
bereitet und durch Erzeugung einer Anschauungs-, Gefühls- oder
Kraftvorstellung zur Erweiterung und Vertiefung seines geistigen
und körperlichen Lebens und dadurch zur Erhaltung und Vervollkommnung der Gattung beiträgt.

Also der unmittelbare Zweck ist die Lust,[1]) die die Kunst er-
erzeugt. Neben ihrem Lustcharakter ist ein wesentliches Kennzeichen
die praktische, ethische und wissenschaftliche Zwecklosigkeit derselben.
Auch die frühere Ästhetik sprach von »interesselosem Wohlgefallen«,
vom »Anschauen ohne zu begehren«, von einem »Gefühl für subjektive Zweckmäßigkeit ohne objektiven Zweck«, von einem »Schweigen
des Willens«. Ihr weiteres Kennzeichen ist die Freiwilligkeit; sowohl
ihr Betrieb wie ihr Genuß setzt die Freiwilligkeit voraus. Also
Lustcharakter, Zwecklosigkeit und Freiwilligkeit sind die
wichtigsten Kennzeichen der Kunst. Darüber aber gewissermaßen
gibt es noch einen höheren, biologischen Zweck derselben, die Erhaltung des Individuums und der Gattung. Auch das Ästhetische
wird in einem Grundbedürfnis der menschlichen Natur seinen Ursprung und seine Berechtigung haben.

Künstlerisches Schaffen aber und künstlerisches Genießen ,be-
ruhen auf der psychologischen Tatsache der bewußten Selbsttäuschung,
des Hin- und Heroscillierens zwischen Schein und Wirklichkeit, einer
Art Doppelheit des Bewußtseins.

Man könnte auch mit KÜLPE sagen: »Der Genuß eines Kunstwerks besteht aus 2 Variabeln, der äußeren, durch die sinnfälligen
Eigenschaften bestimmten Erscheinung, und dann alles dessen, was
unsere Erfahrung, unsere Einbildungskraft geschäftig hinzubringt.«
FECHNER unterscheidet ähnlich zwischen einem direkten und einem
assoziativen Faktor, GROOS spricht von der ästhetischen Verwachsung
von sinnlichen und reproduktiven Faktoren. Durch diese Zweiheit
der Vorstellungs- und Gefühlsreihen, in der die eine von der andern
fortwährend durchkreuzt oder korrigiert wird, verschaffen wir uns
einen Genuß, ein Gefühl der psychischen Freiheit, der geistigen Überlegenheit, der Loslösung von den Interessen des Lebens und den
Fesseln der Wirklichkeit, wie wir es auf andere Weise nicht erleben
können.

»Der Eindruck sämtlicher Kunstwerke ist von der Gewißheit

---

[1]) Auch VOLKELT sagt in seinem System der Ästhetik I, 345: »Wohl wird
man erfordern dürfen, daß das Endergebnis des ästhetischen Betrachtens Befriedigung
und Genuß sei«, aber eben nur als Ziel und Gesamtergebnis, nicht als Ausgangs-
prinzip.

begleitet, daß uns die in ihnen dargestellten Menschen, Tiere, Pflanzen, unorganischen Dinge und künstlichen Erzeugnisse nicht in ihrer Wirklichkeit, sondern nur als Schein dargeboten werden. Es mag diese Art der Kunstschein heißen. Selbst wo es sich um die aller- leibhaftigste Verkörperung handelt, wie in der Bildnerei und in der Schauspielkunst, verläßt den Betrachter die Gewißheit doch keinen Augenblick, daß der auf der Bühne sprechende Wallenstein nur ein Schein-Wallenstein und der in Marmor geformte Schiller samt Be- kleidung und Kranz nur Schiller, Bekleidung, Kranz im Abbilde ist. Natürlich tritt diese Gewißheit von der Scheinhaftigkeit des Dar- gestellten keineswegs notwendig als ausdrücklich bewußtes Wissen auf. In der Regel hat diese Gewißheit vielmehr den Charakter des gefühlsmäßig Eingeschmolzenen. Es ist eine Gewißheit, die nicht für sich bewußt ist, sondern nur als gefühlsmäßige Voraussetzung dem Eindruck vom Kunstwerk innewohnt« (VOLKELT). Dieses Zusammen- sein von Schein und Wirklichkeit ist etwas wesentlich Ästhetisches und muß psychologisch analysiert werden. Ob die Bewußtheit des Scheincharakters, wie KONRAD LANGE meint, jederzeit vorhanden ist oder nach VOLKELT die gefühlsmäßige Voraussetzung ist, wird je nach Individualität des Betrachters oder nach der Eigenart des Kunst- werkes sich richten; es werden hier gewiß verschiedene Stufen der Klarheit des Bewußtseins zu konstatieren sein.

Die Ästhetik ist also unbestritten ein Teil der Psychologie, denn alle ästhetischen Gegenstände fallen sowohl nach ihrer sinnlichen Wahr- nehmung wie auch durch die Verarbeitung in unserm Bewußtsein ins seelische Gebiet. Die metaphysischen Fragen sind vorerst auszuscheiden.[1]

---

[1] KONRAD LANGE I, S. 18. »Die Ästhetik dreht sich jetzt vorwiegend um die Ermittlung des psychischen Vorgangs, den wir Kunstanschauung nennen. Mag man diesen nun als Einfühlung oder Assoziation, als Resonanz oder innere Nachahmung, als ästhetischen Schein oder Symbol, als künstlerische Illusion oder bewußte Selbsttäuschung auffassen, immer handelt es sich um etwas rein Psychisches, Subjektives, um einen Bewußtseinsvorgang, der ermittelt werden muß, wenn man die Gesetze der Kunst erkennen will.« — »Man muß sich dabei klar machen, daß die Voraussetzung dieses psychischen Vorgangs ja nicht ein so und so beschaffener Inhalt und auch nicht eine so und so beschaffene Form ist, sondern ein bestimmtes Verhältnis zwischen der Form und dem Inhalt einerseits und gewissen im Bewußt- sein des Genießenden vorhandenen Vorstellungen andrerseits. Ein Klassizist und ein Naturalist genießen die Kunst keineswegs in verschiedener Weise, sondern sie bringen nur zum Kunstgenuß einen verschiedenen Bewußtseinsinhalt hinzu, indem der eine diese, der andere jene Vorstellung von der Natur hat.« »Bei zwei Ver- hältnissen können die Glieder ganz gut verschieden sein, ohne daß darum das Ver- hältnis selbst verschieden zu sein braucht.«

HERBART [1]) sagt ähnlich: »Alles Schöne existiert im Zuschauer. Außerhalb der Vorstellung gibt es kein Schönes. Wenn ich sage: dieses Bild ist schön, so ist die Schönheit hiermit nicht der Leinwand, nicht den Pigmenten, nicht den Lichtstrahlen, sondern nur meiner Vorstellung, in der sich die Auffassungen aller Teile des Bildes vereinigen, zugesprochen.«

So spricht auch VOLKELT, der die verschiedenen Arten der Illusionen psychologisch fein und sauber scheidet, doch von einem allen Arten Gemeinsamen: »Es liegt überall eine gewisse Gespaltenheit des Bewußtseins, eine gewisse Reibung zwischen zwei Bewußtseinsvorgängen vor. Einmal besteht eine Gewißheit des Inhalts, daß irgend eine Erscheinung, die den Eindruck des Wirklichen macht, tatsächlich nur Schein ist. Sodann aber hält sich hiergegen doch die unmittelbare naive Gewißheit aufrecht, daß jene Erscheinung eben doch mehr als Schein sei. Trotz jener kritischen Gewißheit besteht doch in uns Hingabe an den Wirklichkeitsglauben. Die Illusion ist nichts anderes, als das widerstreitende und in seinem Widerstreit gehemmte und beruhigte Spiel zwischen einer kritischen, auf Verneinung und Auflösung gerichteten Gewißheit und einer naiven Wirklichkeitsgewißheit. Dieser Wirklichkeitsglaube wird in gewissem Grade durch jene kritische Gewißheit gestört, angegriffen, ins Wanken gebracht, aber doch nicht aufgelöst und zersetzt. Die Störung des Wirklichkeitsglaubens darf nur soweit gehen, daß er sich trotz jener Störung mühelos und fröhlich erhält.«

Wir leben nur selten in dieser Welt des Kunstscheins, nur selten genießen wir diese ästhetischen Höhepunkte. So ist es erst recht in der Jugend. Aus den kurz skizzierten Grundzügen erhellt ohne weiteres, daß Kunstschaffen und Kunstgenießen nur einen kleinen Raum in der Erziehung des Kindes und in unsrer Schule beanspruchen können. Nach der Ergänzungstheorie ist die Kunst nur ein notwendiger Ersatz der Wirklichkeit. Diesen Ersatz hat das Individuum nötig, um sich bei der Lückenhaftigkeit des menschlichen Daseins Ersatzvorstellungen und Ersatzgefühle zu verschaffen, die ihm sonst versagt sind, die aber doch zum menschlichen Wesen dazugehören.

Die Auffassung der Kunst als einer Ergänzung des Lebens bewahrt uns davor, etwa die ganze Erziehung auf eine ästhetische Spitze zu stellen. Das ästhetische Interesse ist nur eins von 6 Ge-

[1]) O. HOSTINSKY, Herbarts Ästhetik. S. 29 f. S. 34. Hamburg u. Leipzig 1891. Auch VOLKELT erkennt an, daß Herbart die ästhetischen Fragen außerordentlich vielseitig und tief erwogen hat, obgleich er keine systematische Ästhetik geschrieben hat.

schwistern; die Schule pflegt sowohl das empirische, das spekulative, das ästhetische, wie auch das sympathetische, das soziale, das religiöse Interesse. Die 3 letzteren, die der subjektiven Teilnahme, werden vor denen der objektiven Erkenntnis immer die Präponderanz haben. Denn der Wert der einzelnen Persönlichkeit und des ganzen Volkes wird in erster Linie darin beruhen, wieviel sie von sittlicher Charakterstärke besitzen; das künstlerische Interesse ist eine Zugabe zum Persönlichen. Aber freilich eine wünschenswerte. Ein ästhetisches Deutschland ist durchaus kein erstrebenswertes Ziel. Denn es würde zu noch größerer Verweichlichung und Genußsucht führen. Das Ästhetische ist nur mit Maß in die Erziehung einzufügen. Wenn es jetzt sehr hervortritt, so liegt dies nur an der Neuheit der Bewegung. Missen wollen wir das Ästhetische in der Erziehung keineswegs, das wäre kindisches Puritanertum.

Schon SCHILLER legte in seinen Briefen an den Herzog Christian von Schleswig-Holstein-Augustenburg dar, daß die ästhetische Erziehung ein wirksames Instrument der Charakterbildung, aber eben nur ein Instrument sei. Er sagte indessen auch in seiner berühmten epigrammatisch zugespitzten Antithese: »Ernst ist das Leben, heiter ist die Kunst!«

Die Beschäftigung mit der Kunst verschafft uns, so sagt die Erholungstheorie, Befreiung aus den Sorgen, Mühen und Leiden unseres Daseins, aus dem engen dumpfen Leben und aus der Angst des Irdischen, sie erlöst uns vom Alltagsleben und vom Alltagsich, sie hebt uns aus dem realen Zweckleben heraus. Wir vergessen unser heißes, unruhiges Ich. Das ästhetische Tun ist also verknüpft mit einer fühlbaren Entlastung von der Wirklichkeit des Lebens, unser Wirklichkeitsgefühl wird in einer eigentümlichen Weise herabgemindert und verändert, und dabei erscheint uns doch das Ästhetische als eine vollebendige, daseinskräftige Wirklichkeit, so daß wir von einer Illusion der Wirklichkeit[1]) sprechen können. »Je hingegebener und weihevoller das künstlerische Genießen ist, um so mehr fühlen wir uns dem Druck und Zwange des Wirklichen, der Hitze des Arbeitens und (sinnlichen) Genießens, den Beklemmungen und Zerrungen des Alltags entrückt.«

Und endlich wollen wir nicht vergessen, daß allem Ästhetischen der Charakter des Geheimnisvollen und Unergründlichen, des Rätselhaften und Unaussprechbaren, anhaftet, das wir logisch und begrifflich nie ganz durchdringen können. »Wir fühlen beim Anblick des

---

[1]) VOLKELT, Ästhetik. I. S. 309.

Schönen, daß hier ein für das Begreifenwollen nicht völlig Durch-
dringliches vorliegt, daß zwischen den logischen Netzen, und seien
sie noch so fein gesponnen, und dem einfachsten ästhetischen Gebilde eine unüberbrückbare Kluft besteht. Diese gefühlsmäßige Gewißheit des Überlogischen gibt jedem ästhetischen Gegenstand, und
sei er von allem romantischen Stile noch soweit entfernt, etwas Ge-
heimnisdunkles, etwas in unendliche Tiefe Weisendes. Und so kann
es denn geschehen, daß dem Gefühl das Dasein des Ästhetischen
zum unmittelbaren Erweise ·für das Bestehen eines überlogischen
Etwas im Weltgrunde, einer vernunftunfaßbaren Seite des Daseins
wird.« [1]

<h1 style="text-align:center">I.</h1>

Das Gebiet des Künstlerischen, wie wir es jetzt in kurzen Umrissen gezeichnet haben, ist nun auch von der Kinderforschung
in Angriff genommen worden, meines Erachtens aber noch nicht allseitig genug. Zuerst sind es besonders die ästhetischen Lustgefühle
in der produktiven Form, das künstlerische Schaffen, das in seinen
Anfängen beobachtet worden ist. Bei den Untersuchungen über die
Anfänge der Kunst stieß man sehr bald auf den Parallelismus zwischen
phylogenetischer und ontogenetischer Entwicklung.

Dabei ist zeitig in der Ästhetik erkannt worden, daß das Spiel
der Oberbegriff für das Ästhetische ist. So stellte es SCHILLER im
Anschluß an KANT in seinen ästhetischen Briefen dar, so GOETHE,
SCHLEGEL und so weiter bis auf KARL GROOS, KONRAD LANGE und OTTO
LIEBMANN. Die Kunst ist ein höheres, vergeistigtes Spiel, ein Spiel
der Phantasie, das über der Wirklichkeit schwebt. Die Kunst will
als solche keine wissenschaftliche Belehrung, keine religiöse Erhebung,
keine moralische Besserung; das alles kann mit ihr verbunden sein,
und wir können uns dessen freuen, aber wir dürfen es nicht als
Norm von der Kunst verlangen, diese anderen Zwecke liegen nicht
in ihrem Wesen begründet. Spiel und Kunst sind nur wünschenswerte
Ergänzungen der lückenhaften und kümmerlichen Wirklichkeit.

Gerade durch die fast allgemein angenommene Auffassung der
Kunst als eines Spieles ist man weiter zu eingehenden Untersuchungen
über die Spiele der Tiere und Menschen gekommen, als den wichtigsten Vorstufen des Ästhetischen, wie sie nun in den Werken von
KARL GROOS [2] abgeschlossen vor uns liegen. Er hat eine Entwick-

---

[1] JOHANNES VOLKELT, System der Ästhetik. I. S. 387.
[2] KARL GROOS, Die Spiele der Tiere. Jena, Gustav Fischer, 1896. Ders., Die
Spiele der Menschen. Ebenda 1899. Ders., Der ästhet. Genuß. Gießen, Ricker, 1902.

lungsreihe des Spielens aufgestellt, indem er als erste Stufe das
spielende Experimentieren bezeichnete: und zwar die spielende Betätigung der sensorischen Apparate, die spielende Übung der motorischen Apparate und die der höheren seelischen Anlagen. Dieser
Vorstufe des spielenden Experimentierens folgt dann die spielende
Betätigung der sogenannten Triebe zweiter Ordnung. Während das
Individuum vorher nur mit sich selbst spielte, handelt es sich auf der
zweiten Stufe darum, daß die auf das Verhalten zu andern Lebewesen
eingerichteten Triebe geübt werden, also der Kampftrieb, der sexuelle
Trieb, der Nachahmungstrieb, die Befriedigung der sozialen Bedürfnisse. Auf dieser Unterlage müßte nun die Kinderforschung weiter-
bauen. Konrad Lange[1]) und Karl Groos haben gezeigt, daß die
einzelnen Künste sich aus den Spielen entwickeln, daß diese für jene
Vorübungen und Vorahnungen sind. Die Spiele sind sozusagen die
unterästhetischen Stufen.

Es entsteht:

Aus dem akustischen Sinnesspiel die Musik
 „   „   optischen   „   die Ornamentik
 „   „   Bewegungsspiel   der Tanz
 „   „   dramatischen Spiel   die Schauspielkunst, die
                                      [Dramatik
 „   „   Bilderbuchbesehen   die Malerei
 „   „   Puppenspielen   die Plastik
 „   „   Bauspiel   die Baukunst
 „   „   Geschichtenerzählen   die Epik
 „   „   den halb sinnlos ge-
                        [sungenen Worten die Lyrik.

Wie aber diese Übergänge psychologisch sich vollziehen, darüber sind
wir noch sehr im Unklaren und es bedarf noch vieler Einzelbeobachtungen.

Ebenso wird die Kinderforschung alle diese einzelnen Gebiete
der Kunstbetätigung vornehmen müssen. Es werden sich Typen ergeben, z. B. solche Kinder, die zwar durch plastisches Formen etwas
ausdrücken, aber nicht zeichnen können. Es ist festzustellen, was
im allgemeinen das Primäre ist, ob das Modellieren oder das Zeichnen.
Die Kinderforschung ist auf einem Gebiete bereits sehr tätig gewesen,
im Sammeln von Kinderzeichnungen, ich brauche nur an Lukens,
Schreuder, James Sully, die Hamburger Ausstellung von 1898 und
neuerdings an Kerschensteiner[2]) zu erinnern. Es sind bisweilen

---

[1]) Konrad Lange, Wesen der Kunst. 2 Bde. Berlin, Grote, 1901.
[2]) Kerschensteiner machte einen Versuch mit 4500 Kindern in München.

Stufen und Perioden angenommen und Generalisierungen vorgenommen worden, die recht berechtigte Kritik, z. B. v. Benno Erdmann erfahren haben. Indessen ist ein wertvolles Material gesammelt, und die Lehrerschaft auf eine wichtige Seite des Zeichenunterrichts, das produktive Schaffen, aufmerksam gemacht worden. Es gibt doch zu denken, wenn in München ein 11jähriger Knabe, der bei einer solchen Probe sich als ein wahrer Pferde-Raffael entpuppte, im Zeichnen die Zensur 4 von seinem Zeichenlehrer erhalten hatte.

Auch die Zeichnungen der primitiven Völker wurden z. B. in Hamburg zum Vergleich herangezogen, wie ebenfalls Konrad Lange und E. Grosse[1]) oft auf den Parallelismus der Individual- und der Menschheitsentwicklung hinweisen. Jetzt ist wiederum eine größere Unternehmung dieser Art begonnen worden, die vom Leipziger Historiker Prof. Karl Lamprecht und der dortigen Vereinigung zur Pflege exakter Pädagogik ausgeht. Es besteht die Absicht, möglichst zahlreiche, von Kindern aller Altersstufen und verschiedener Nationalitäten gefertigte freie, nicht aus dem Zeichenunterrichte hervorgegangene sogenannte »Kinderzeichnungen« planmäßig zu sammeln und wissenschaftlich zu verwerten und zwar hauptsächlich für die Erforschung des Parallelismus zwischen phylogenetischer und ontogenetischer Entwicklung. Man darf auf die Ergebnisse dieses mit Recht weit und umfassend angelegten Unternehmens außerordentlich gespannt sein. Aber auch hier wird nur ein Punkt herausgegriffen, die Entwicklung der produktiven Seite der malerischen Tätigkeit. Und bei der Verwertung des Materials wird große Vorsicht angewandt werden müssen, da wirklich ganz unbeeinflußte, spontane Kinderzeichnungen nur ganz selten vorkommen werden. Die Zeichnungen werden alle konventionell beeinflußt durch Bilderbuchbesehen und das Vorzeichnen von Geschwistern und Erwachsenen. Ob ein Kind ganz von selbst, ohne es an einem Beispiel gesehen zu haben, sich durch Zeichnen auf einer Fläche eine Illusion zu schaffen versuchen würde, ist sehr fraglich (Konrad Lange, Wesen der Kunst. II. S. 33 ff.).

Wir wollen uns auch bei alledem erinnern, daß es sich nur um die allerersten Anfänge produktiven Schaffens handelt und sie deshalb nicht zu hoch einschätzen. Wenn man immer gleich hochtrabende Worte braucht und vom »Kind als Künstler« spricht, so sind das Extreme und schädigen nur das Berechtigte an der ganzen Bewegung der künstlerischen Erziehung. Von einem wirklichen künstlerischen Schaffen sollte man nicht reden, dazu gehen dem Kinde

---

[1]) E. Grosse, Die Anfänge der Kunst. Leipzig 1894.

die Vorbedingungen ab. Nur der Künstler kann vermöge seines Reichtums innerer Vorstellungen und Gefühlserlebnisse die proleptische Illusion vollziehen, die das Kunstwerk innerlich gestalten läßt. Die Keime dazu finden wir im kindlichen Geiste. Der Kinderpsycholog wird sie mit Interesse studieren und dadurch Beiträge zur Gewinnung einer Stufenfolge des ästhetischen Innenlebens nach der produktiven Seite leisten.

Die Kinderforschung wird nun gewiß nicht bei den bildenden Künsten stehen bleiben, sondern wird auch z. B. die Anfänge produktiven Schaffens in der Musik beim Kinde beobachten, seine Freude am Gleichklang und Rhythmus. Man kann z. B. fragen: Ist die Wiederholung rhythmischer, sinnloser Lautfolgen, wenn sie sich bei einem Kinde auffällig findet, ein Vorläufer besonderer dichterischer oder musikalischer Begabung? Die entwicklungsgeschichtlichen Tatsachen, wie sie bei primitiven Völkern beobachtet worden sind, werden Fingerzeige und Parallelen geben. Freilich haben solche Vergleiche stets mit der Tatsache zu rechnen, daß unsere modernen Kinder durch Vererbung und Anpassung für die Ausübung aller Künste ganz anders disponiert sind, als die Primitiven. Auch die erwachsenen Primitiven sind wiederum im Vorteil gegenüber ihren Kindern, indem sie z. B. ausgebildetere Handmuskeln haben.

Doch werden bei vorsichtiger Verwendung des Forschungsmaterials sich gewiß auch für die Kinderforschung, die mit einer analogen Rekapitulation der Menschheitsentwicklung rechnet, brauchbare Resultate ergeben.

II.

Die künstlerische Erziehung besteht aber nicht nur einseitig darin, produktives Schaffen und Ausdrucksfähigkeit anzubahnen, sondern viel umfassender ist zweitens ihre Aufgabe nach der passiven Seite hin, nach der Seite des Kunstgenießens. Gewiß ist jenes zur Erziehung eines gesunden produktiven Dilettantismus wichtig, denn was wäre eine Kunst ohne die Resonanz im Volke! Aber zu wirklichen Künstlern wachsen sich nur verschwindend wenige Auserwählte unsrer Zöglinge aus. Nur diesen wenigen sind die psychologischen Eigentümlichkeiten gegeben, an denen wir den Künstler erkennen, die gesteigerte Augensinnlichkeit, die außerordentliche Empfänglichkeit für Farben und Formen, für Töne und Worte, für Charaktere und Ereignisse, die große Illusionsfähigkeit, das Plus an Gefühlsstärke, die erhöhte Rezeptionskraft, das gesteigerte Ahnungsvermögen, das starke, vielseitige Gedächtnis für Formen, Farben, Töne,

die scharfen individuellen Vorstellungen, die Möglichkeit sich die erworbenen individuellen Erinnerungsbilder jederzeit ins Bewußtsein zu
rufen und die Tätigkeit, sich solches Nichtvorhandenes vorzustellen, was
in künstlerische Formen übersetzt, andere in Illusion versetzen kann.

Solche gottbegnadete Menschen gibt es nur wenige, und sie
werden mit oder ohne künstlerische Unterweisung ihren Weg zur
Kunst finden.

In der Schule wird aber die Erziehung zum Kunstgenuß
immer im Vordergrunde stehen. Natürlich ist der Kunstgenuß ein
vom schöpferischen Tun nur graduell verschiedenes inneres Nachschaffen. Kunstgenießer werden wir immer brauchen. Ein l'art pour
l'art ist ein Unding. Das Kunstwerk soll geschaut, gefühlt, verarbeitet,
genossen werden. Deshalb sollte auf Volksschulen und höheren Schulen
stets im Kunstunterricht, im Zeichnen und in der Musik, neben dem
Darstellungskursus ein Anschauungskursus hergehen. Der Gesanglehrer des Gymnasiums sollte den Schülern z. B. eine Sonate vor-
spielen und sie zum Nachempfinden der in ihr ausgedrückten musikalischen Stimmung anleiten.

Werden wir aber nun die Entwicklung des rezeptiven Kunstgenießens durch die Kinderforschung ergründen können, wird es
möglich sein, etwa analog den sonstigen Apperzeptionsstufen eine Art
aufsteigende ästhetische Reihe festzulegen?

Hier ist für die Psychologie des Kindes und für die Psychologie
überhaupt noch eine große Reihe ungelöster Fragen.

Experimentelle Psychologie, Selbstbeobachtung, Beobachtung
anderer, Biographien müssen dabei benutzt werden.

Der Kernpunkt für die Beobachtung scheint mir zu sein: Wann
ungefähr wird der Zeitpunkt eintreten, in dem der Übergang von
rein sinnlicher Wahrnehmung zu wirklichem ästhetischem Empfinden
stattfindet?

Zur Beantwortung dieser Frage muß man sich natürlich über
den eigentlichen ästhetischen Vorgang des Kunstgenießens klar sein.
Darauf ist hier nun noch einmal genauer einzugehen.

Das ästhetische Empfinden beim Kunstgenuß ist in der neueren
ästhetischen Literatur in verschiedener Weise psychologisch analysiert worden, man hat nach einem erschöpfenden Wort für den
psychologischen Vorgang gesucht. Folgende Ausdrücke, von denen jeder
feine Unterschiede aufweist und von ihrem Urheber genau begründet
und abgegrenzt wird, kommen bei den verschiedenen Ästhetikern vor:

Interesseloses Wohlgefallen,
Bewußte Selbsttäuschung,

durchschaute Verwechslung,
versuchte Verschmelzung,
Spiel der inneren Nachahmung,
inneres Nachschaffen,
inneres Mitmachen,
ideelles Miterleben,
eigenes inneres Erlebnis,
innerliches Wiederholen oder Nachkonstruieren,
Sympathie und Bewunderung,
positive Anteilnahme,
illusion volontaire, [1])
rein intensives Nacherleben,
volles Lebensgefühl,
unbefangene Hingebung an die Vorstellungsinhalte
        [ohne jedwede Rücksicht auf das Wirkliche,
Resonanz,
Einfühlung.

Die meisten Ästhetiker haben das Bedürfnis, das Ästhetische auf eine einzige, zentrale psychologische Grundtatsache oder eine einzige Norm zurückzuführen. Schon KANT und HERBART versuchten es; ihre Versuche, nach der psychologischen Seite das Problem zu fassen, wurden nicht fortgesetzt, weil die spekulative Ästhetik (Schelling, Hegel, Carriere) ihr ganzes Nachdenken auf das Metaphysische, die Idee des Schönen, konzentrierte. KANT leitete das Schöne aus dem freien Zusamenspiel von Verstand und Einbildungskraft her, HERBART läßt das Ästhetische dort entspringen, wo die bloße Vorstellung, das »Was« an ihr, ohne alle Rücksicht auf ihre Realität Beifall erweckt. HERDER spricht von Durchlebung, Mitempfindung, sympathischer Durchfühlung des wahrgenommenen Gegenstandes. SIEBECK [2]) sieht das Eigentümliche der ästhetischen Anschauung in der Vorstellung oder dem Gefühl des unmittelbaren Ineinander von Geistigem und Sinnlichem. Das ästhetische Verhalten ist ihm eine besondere Betätigung unserer allgemeineren Fähigkeit »Persönlichkeit in die Dinge hineinzuschauen«. Er spricht von einem Analogon der erscheinenden Persönlichkeit, d. h. das ästhetische Ding wird als Ganzes (unbewußt) so

---

[1]) JOUFFROY, Cours d'estétique, Paris 1845, S. 256 sagt (nach GROOS): »imiter en soi l'état exterieurement manifeste de la nature vivante, c'est ressentir l'effet esthétique fondamental.«

[2]) H. SIEBECK, Das Wesen der ästhetischen Anschauung. Berlin 1875. Vergl. auch BLAUERT, Mitteilungen des Vereins der Freunde Herbartischer Pädagogik, Nr. 22 u. 23. Langensalza, Hermann Beyer & Söhne (Beyer & Mann).

aufgefaßt, wie wir eine vor uns stehende charaktervolle Persönlichkeit auffassen, deren äußere leibliche Erscheinung uns als Träger des seelischen Innern erscheint. Auf SIEBECK fußt großenteils die psychologische Ästhetik. Er sagt: »Wenn es im letzten Grunde bei allem ästhetischen Genuß auf die Freude über des Erlebnis ankommt, so wird die stärkste und tiefste Gefühlswirkung da anzutreffen sein, wo uns im Sinnlichgegebenen Lebendiges entgegentritt und wo wir miterlebend an diesem Lebendigen teilnehmen. Beides, ästhetische Personifikation und Miterleben, ist im intensiven Genuß meist eng verbunden.«

JOHANNES VOLKELT ist nicht geneigt, das ästhetische Empfinden auf eine zentrale psychologische Grundtatsache zurückzuführen. Auch er konstatiert zunächst eine ästhetische Wahrnehmungsgrundlage, auf der sich dann das aufbaut, was in unserm seelischen Leben sich als ästhetischer Eindruck vollzieht. Die transsubjektive Welt hat keine ästhetischen Werte. Das Untersuchungsgebiet des Ästhetischen ist auch VOLKELT durchaus psychologischer Natur.

Er meint, daß das gesamte ästhetische Verhalten sich nicht auf ein einziges Grundbedürfnis der menschlichen Natur zurückführen lasse, und unterscheidet deshalb vier Gruppen von Seiten am ästhetischen Verhalten, weil es vier psychologische Ursprungsörter für das Hervorgehen des eigentümlich Ästhetischen gebe.

Die vier ästhetischen Quellen, die voneinander unableitbar sind, die aber in einem Ziel-Inbegriff zusammenlaufen, sind:

I. Das gefühlserfüllte Anschauen, die Einfühlung, die Verschmelzung des Gefühlsgehaltes mit der Anschauung, die Verbindung von starkem Schauen und mächtig strömendem Fühlen. Einheit von Form und Gehalt. »Der ästhetische Gegenstand ist einerseits formgewordner Gehalt, andrerseits ebensosehr gehalterfüllte oder ausdrucksvolle Form.« (Die Vorstellungen, die das Schauen begleiten, dürfen nicht in der Form des Begriffes verharren.)

II. Die Ausweitung und Erhöhung unseres fühlenden Vorstellens in der Richtung auf das Typisch-Menschliche: Der menschlich-bedeutungsvolle Gehalt ist zu fordern.

III. Die Herabsetzung des Wirklichkeitsgefühls. Wir fühlen uns erleichtert, entlastet, gereinigt, befreit, erlöst. Es herrscht relative Willenslosigkeit.[1] Dem Bewußtsein, wenn es dem ästhetischen Betrachten hingegeben ist, wird die Verbindung mit dem stofflichen Ich

---

[1] Hierin stimmen fast alle Ästhetiker überein: Kant, Schopenhauer, Hegel, Herbart, Schiller, Wilhelm v. Humboldt, Friedrich Vischer u. a.

nicht merklich fühlbar. Mit der Willenslosigkeit ist auch relative
Mühelosigkeit, Stofflosigkeit und Freiheit von Erkenntnisstrebungen
verbunden. So ist das Ästhetische die Welt des Scheines. »Alles
Ästhetische lebt und webt in dieser Illusion der Wirklichkeit. Sie
bildet den schillernden Zauberkreis, in dem sich alles ästhetische Betrachten bewegt. Sie hüllt das Ästhetische in jenen eigentümlichen
Duft, der es uns entrückt und doch zugleich lebendigst nahebringt.«
   IV. Die Steigerung der beziehenden Tätigkeit, das Einigen
und das Gliedern. Der ästhetische Gegenstand wird als organische
Einheit empfunden, es ist eine Illusion der organischen Einheit vorhanden. Das Ästhetische muß überschaubar bleiben. Diese 4. Norm ist
ein Bedürfnis der formalen Vernunft des Menschen.   (Schluß folgt.)

B. Mitteilungen.

1. Bericht über die VI. Versammlung des Vereins für Kinderforschung am 14.—16. Oktober in Leipzig.

Von Dr. med. W. Strohmayer und Anstaltslehrer W. Stukenberg in Jena.

   Mit besonderer Befriedigung können wir auf die diesjährige Tagung
unseres Vereins in Leipzig zurückblicken. Die Vereinigung zur
Pflege exakter Pädagogik im Leipziger Lehrervereine hatte
unter Führung der Herren Dr. Kretzschmar, Dr. Spitzner, Curt
Tittel und Rudolf Hänsch als geschäftsführendes Ortscomité alles
getan, um die Arbeit des Vereins recht wirksam zu gestalten. Alle drei
Sitzungen waren zahlreich besucht. Volks-, Mittel- und Hochschullehrer,
Geistliche, Ärzte und Juristen waren gleicherweise unter den Zuhörern
vertreten.
   Die Tagesordnung war außerordentlich reich, und wir müssen den Eifer
und Ernst rühmen, mit dem fast alle Teilnehmer bis zum Schlusse aushielten.
   Die Versammlung wurde am Freitag, den 14. Oktober, Abends $\frac{1}{2}$ 8 Uhr
in den prächtigen Sälen des Zentraltheaters von dem Vorsitzenden, Herrn
Direktor Trüper-Jena, durch folgende Begrüßungsansprache eröffnet:
   Hochgeehrte Damen und Herren! Unsere Bestrebungen gehen etwas
gegen den Strom der Zeit, wo der Sozialismus und die soziale Forschung
unser gesamtes öffentliche Leben zu beherrschen und zu beeinflussen
strebt. Durch den Sozialismus wurde die Gleichheit aller die Parole für
die Masse. Die Gleichmacherei soll für alle Freiheit und Brüderlichkeit,
das größte Glück der größten Menge bringen. Seine Kehrseite und sein
Irrtum liegen darin, daß er das Individuum mit seiner Eigenart nicht
zu seinem vollen Rechte kommen läßt.
   Den entgegengesetzten Weg verfolgen wir. Die Inangriffnahme des
Studiums des Kindes entsprang dem Gefühl, daß man der Eigenart der

Kinder in Erziehung und Unterricht nicht gebührend Rechnung trage und infolgedessen tausende zu Grunde gehen oder doch Schaden an Leib und Seele nehmen. Denn wie der Sozialismus im wirtschaftlichen und politischen Leben nur mit Durchschnittsleistungen ziffernmäßig rechnet, so rechnen Schule und Unterricht nicht selten nur mit einer Durchschnittsseele, einer Normalseele, bei der das Hervorragende wie das Minderwertige zu kurz kommen.

Diese schematische Behandlung der Jugend hat jedoch noch weiter zurückliegende Ursachen. Sie war der Ausfluß einer schematischen Psychologie, wie sie etwa vor hundert Jahren unsere Philosophie beherrschte.

Selbst Kant behandelte die Psyche meistens als etwas Fertiges, angeboren Fertiges. Ich erinnere nur an die angeborenen Kategorien in seiner »Kritik der reinen Vernunft«. Die Lehre von der Gleichheit aller war eigentlich nur ein Ausfluß dieser philosophischen und schematisierenden Psychologie.

Herbart hat am Anfang des letzten Jahrhunderts die Psychologie zwar in fruchtbarere Bahnen gewiesen, indem er gegenüber der schematisch-philosophischen eine empirische Psychologie erstrebte, aber für das Werden des seelischen Lebens mit all seinen leiblichen und materiellen Bedingtheiten und Verschiedenheiten fehlte auch ihm noch das volle Verständnis. Seine Briefe an Herrn von Steiger wie viele andere Stellen seiner Schriften bekunden zwar, wie psychologisch individuell er zu beobachten verstand, doch der Begriff einer genetischen Psychologie, wie wir sie erstreben, lag ihm noch fern.

Auch die aus Herbarts Anschauungen hervorgegangene pädagogische Schule arbeitete noch lange mit dieser sogenannten Normalseele, obgleich gerade innerhalb dieser Schule die Psychologie des Kindes die meiste Förderung auf deutschem Boden gefunden hat. Unter den deutschen Schulmännern sind es unbestreitbar vorwiegend Herbartianer, welche sich eifrig an den Bestrebungen für die Erforschung der Eigenart des kindlichen Seelenlebens beteiligten.

Die ersten Versuche einer eigentlichen Kinderseelenforschung reichen zurück in die Mitte des 18. Jahrhunderts. Es war der Marburger Prof. Dietrich Tiedemann, der Aufzeichnungen über die Entwicklung seines Sohnes machte und sie 1787 veröffentlichte unter dem Titel »Über die Entwicklung der Seelenfähigkeiten bei Kindern«. Dieses Schriftchen wurde gleichsam neu entdeckt, als es 1863 ins Französische übersetzt und 1881 durch Pérez weiter bekannt wurde. 1890 wurde es ins Englische übertragen und seit 1897 besitzen wir auch eine deutsche Ausgabe von Ufer.

Ein weiterer Versuch liegt vor von Löbisch aus dem Jahre 1851: »Entwicklungsgeschichte der Seele des Kindes«, und aus dem Jahre 1856 ein ähnliches Schriftchen von dem Thüringer Arzt Berthold Siegesmund »Kind und Welt«. Letzteres enthält ebenfalls Aufzeichnungen, die Siegesmund über die Entwicklung seines Sohnes gemacht hat. Auch diese Schrift wurde im Jahre 1897 von Ufer neu herausgegeben.

Siegesmund war sich voll bewußt, daß die Aufzeichnungen über seinen Sohn nicht ohne weiteres als typisch gelten konnten. Er beschloß deshalb, die Resultate seiner Beobachtungen zusammenzustellen, sie in Abschrift an mehrere Mütter zu verteilen und durch sie eine Sammlung methodischer Kinderbiographien zu erhalten, aus denen sich dann durch Induktion diejenigen Stufen der menschlichen Entwicklung ableiten ließen, über die er in Büchern vergebens Belehrung gesucht hatte. Er war damit wohl der Begründer des ersten Vereins für Kinderforschung geworden.

Aber auch Siegesmunds Arbeit fand in dem psychologischen Schematismus nicht das Verständnis, das sie verdient hatte, auch sie blieb etwa 30 Jahre fast unbeachtet, wenn ihr das Schicksal auch gerade nicht widerfahren ist, daß sie wie die Tiedemannsche Arbeit kaum in den deutschen Universitätsbibliotheken noch aufzutreiben war.

Es war der Jenenser Physiologe Preyer, der diese Arbeit fortgeführt hat. 1882 gab er ein größeres Werk heraus, »Die Seele des Kindes«, ebenfalls beruhend auf Beobachtung und Experiment, die sich auf die Entwicklung seines Sohnes bezogen. Dieses Werk Preyers wurde grundlegend für viele weitere Arbeiten auf diesem Gebiete, namentlich hat es bahnbrechend gewirkt auf die Kinderforschung im Auslande, und wie die Tiedemannsche Bestrebung, so ist uns auch die Preyersche eigentlich erst in ihrer Bedeutung vom Auslande her zum Bewußtsein gebracht worden. An der Hand des Preyerschen Buches stürzte man sich namentlich in Nordamerika mit Feuereifer auf diesen neu eingeführten Zweig der psychologischen Wissenschaft. Es war vor allem Prof. Stanley Hall, der durch seine Zeitschrift und durch seine Vorlesungen wie durch sein Laboratorium an der Clark-Universität eine außergewöhnliche Begeisterung dafür entfachte, so daß »Child study« zu einer wahren Modesache jenseits des Ozeans wurde und neben vielem Wertvollen auch sehr viel Wertloses zu Tage förderte. Die wertvollsten Arbeiten von Stanley Hall sind jetzt auch in deutscher Sprache erschienen in der verdienstlichen Sammlung von Ufer (Verlag von Oskar Bonde, Altenburg).

In England hatte Preyer bereits einen Vorgänger. Charles Darwin hatte schon 1840 Aufzeichnungen über die Entwicklung seines Sohnes gemacht, die er 1877 veröffentlichte, als Nachtrag zu dem Werke: »Der Ausdruck der Gemütsbewegung bei den Menschen und den Tieren«, während in Frankreich mit dem Erscheinen der Darwinschen Aufzeichnungen Männer wie Pérez, Compayré und Binet in mehreren Schriften, die zum Teil wiederum durch Ufer ins Deutsche übersetzt sind, sich an der Forschungsarbeit beteiligten.

In England besteht ein großer Verein »The British Child-Study Assoziation« und in den Vereinigten Staaten »The National Assoziation for the study of children«.

Unser »Verein für Kinderforschung« ist aus einem rein praktischen Bedürfnis hervorgegangen. Die Pädagogik und die pädagogische Psychologie, an den Universitäten fast noch weniger wie an Lehrer-Seminaren vertreten, fanden viele von denen, die an der Erziehung namentlich der abnormen Jugend arbeiteten, als unzulänglich, um damit irgend einen sicheren pädagogischen Schritt tun zu können. Die von Jena ausgegangenen Ferienkurse an Universitäten haben sich zuerst dieser Sache angenommen. Es wurden dort zum Teil auf meine Anregungen hin auch Vorlesungen veranstaltet für physiologische Psychologie und für pädagogische Pathologie und später auch für genetische Psychologie. Aus diesen Ferienkursen heraus ist unser Verein mit bescheidenen Anfängen hervorgegangen, nachdem Irrenanstaltsdirektor Dr. Koch, Prof. Zimmer, Rektor Ufer und ich ein Jahr zuvor unsere »Zeitschrift für Kinderforschung« begründeten. Und heute sind wir nun zum 6. Male versammelt. Da richten Sie mit Recht an uns die Frage, was wir denn eigentlich wollen.

Wir haben zunächst ein rein praktisches Bedürfnis. Uns, den Ärzten, Seelsorgern und Lehrern, ist die Jugend anvertraut, wir sollen nach bestem Wissen und Gewissen für ihr leibliches und seelisches Wohl sorgen. Da empfinden wir das Bedürfnis, ein größeres Interesse und Verständnis für die Kindheit zu gewinnen und im Hinblick auf die große Zahl derer, die unter der Verständnislosigkeit seufzt, mehr Teilnahme für das Wohl und Wehe der Jugend zu erwecken. Wir möchten dazu beitragen, daß weitere Kreise Anleitung bekommen, das Kind und seine Entwicklung richtiger zu beobachten, die leibliche Pflege, die seelische Erziehung und den Unterricht nach der methodischen Seite hin wissenschaftlich fester zu begründen und die Methode zu vervollkommnen.

Wir sind uns bewußt, daß wir mit einem so bescheidenen Programme den Männern der Wissenschaft, die nur um der Wissenschaft willen forschen, gleichviel, ob die Praxis des Lebens etwas davon profitiert oder nicht, nicht Genüge leisten. Wir wollen die rein wissenschaftliche Arbeit keineswegs verachten, im Gegenteil sie überall mit Freuden begrüßen, aber wir haben es zunächst hier mit einem Notstande zu tun. Es wird in Deutschland etwa 200 000 Lehrer geben, und die Professuren an den Universitäten, die sich mit der psychologischen Grundlage ihrer Arbeit beschäftigen, sind in ganz Deutschland an den Fingern zu zählen. Wir sind mit der Beschaffung der grundlegenden Einsicht unserer Berufsarbeit auf die freiwillige Arbeit einzelner Vereine angewiesen. Wir arbeiten zunächst für das Bedürfnis des täglichen Berufslebens. Und unser Verein soll darum die Mahnung hinausrufen, daß für den denkenden und gewissenhaften Erzieher die Unkenntnis der psychischen Funktionen der Kinderseele und ihrer leiblichen Bedingtheiten fast zum Verbrechen werden kann.

Der Erzieher wird zwar am ersten das Bedürfnis nach einer genaueren Kenntnis des kindlichen Seelenlebens empfinden, aber der Kinderarzt, der Seelsorger, der Jurist und der Verwaltungsbeamte, soweit er es mit Erziehungsfürsorge zu tun hat, und vor allen Dingen die Eltern, die schließlich das meiste Leid und die größte Last zu tragen haben, wenn die Jugend infolge von Mißverständnissen mißrät, sie alle sind an den Ergebnissen unserer Arbeit interessiert und sind auch berechtigt, die Beobachtungen in ihrem Wirkungskreis der Wissenschaft als Material zur Verfügung zu stellen.

Wir erstreben so einen mehrfachen Zusammenschluß. Und das tut not. Haben wir es doch leider in unserm deutschen Vaterland soweit gebracht, daß die Vertreter der einzelnen Schulgattungen sich fast hermetisch voneinander abschließen und das Gefühl nicht mehr aufkommen lassen, daß alle Erziehungs- und Unterrichtseinrichtungen ein einheitliches nationales Bildungswesen ausmachen sollten, in dem die einzelnen Teile lebendige organische Glieder bilden, denen es selbst auch am besten geht, je mehr sie für einander und für das Ganze sorgen. Und dabei läßt man noch mit Pathos auf allen Schulen die Phrase deklamieren von dem »einigen Volk von Brüdern«!

Gegenüber der bekannten Sucht der Deutschen, in einzelne enge Berufskreise sich einzuschließen und in Sachen der Erziehung alles der Bureaukratie und Scholarchie ruhig anheim zu geben, will unser Verein ein gemeinsames Arbeitsfeld für die verschiedenen Berufsstände darbieten, für alle, die irgendwie am körperlichen und geistigen Wohl der Jugend interessiert sind.

Unser Verein für Kinderforschung möchte auch Haus und Schule einander näher bringen. Je mehr es uns gelingt, den psychologischen Sinn unter der Lehrerschaft zu verbreiten, werden auch die Lehrer ihren Unterricht als einen Teil der Gesamterziehung der Kinder auffassen und sich als Gehilfen des Hauses fühlen und mit ihm eine Berührung suchen zur Behandlung und Förderung der Jugend.

Wenn uns das gelingt, so wird manches mißverstandene Kind richtiger verstanden, manche jugendliche Existenz gerettet werden, mancher Schmerz und mancher Kummer wird der Familie erspart bleiben und die erschreckend wachsende Zahl der jugendlichen Gesetzesübertreter, die unserm Volke schon allein an materiellen Opfern Millionen kosten, wird sich wesentlich verringern lassen.

Verehrte Damen und Herren! Mit einem solchen Arbeitsprogramm sind wir nun dieses Jahr hier nach Leipzig gekommen, weil wir für solche Strebeziele hier den besten Resonanzboden zu finden hoffen. Die Namen der Mitglieder in dem Ortsausschusse und die Vereins- oder wissenschaftlichen Bestrebungen, welche sie vertreten, sind schon ein Beweis dafür. Die Vergangenheit wie die Gegenwart war hier wie in Sachsen überhaupt unseren Bestrebungen hold.

Hier wirkte Prof. L. Strümpell, der in seinem wissenschaftlich-pädagogischen Praktikum seine zahlreichen Schüler dem pädagogischen Studium der Kindesseele zuführte, der in seiner »psychologischen« Pädagogik dieser Arbeit neue Gesichtspunkte erschloß und noch als Greis von 80 Jahren für das Studium der Fehler der Kinder ein klassisches Werk schrieb. Seine »Pädagogische Pathologie«, neu herausgegeben von unserm hiesigen Vereinsmitgliede Dr. Spitzner, ist in dieser Richtung bahnbrechend geworden.

Neben ihm wirkte Prof. Ziller hier in Leipzig. Er ist derjenige, der den Herbartischen Gedanken, daß die Pädagogik gleich der Medizin auch ihre Kliniken, will sagen ihre Seminare mit einer Übungsschule, als Versuchsfeld bedürfen, vertreten und, weil ihm keine öffentlichen Mittel zur Verfügung standen, durch private Bestrebungen zum Durchbruche verholfen hat. Er, der frühere Jurist, war selbst eine eigenartige Natur und

5*

hat mit vielem Scharfsinn manche fruchtbare und weittragende Anregung auch zur Beobachtung des kindlichen Seelenlebens gegeben. Er hat wohl auch die erste Anregung gegeben, von den Schülern Individualbilder zu entwerfen und Individuallisten zu führen, die jetzt wenigstens in Hilfsschulen die Regel geworden sind, wie denn auch im »Zillerstift« das ethisch Abnorme Gegenstand des Individualstudiums wie der Heilerziehung wurde.

Von den hiesigen Schülern Zillers gedenke ich an dieser Stelle des im letzten Jahre verstorbenen Schuldirektors Dr. Barth. Durch seine Schriften »Über den Umgang mit Kindern« und »Des Knaben Handwerksbuch« und vor allen Dingen durch seine leider eingegangene Zeitschrift »Die Erziehungsschule« wie durch die oft sehr anregenden jährlichen Berichte seiner Anstalt hat er manches beigetragen zum Studium des kindlichen Seelenlebens. Aus der leider viel zu wenig gewürdigten Individualarbeit dieses persönlich sehr bescheidenen Schulmannes sind manche Anregungen auch für weitere Kreise hervorgegangen. Unter andern schrieb der hervorragende pädagogische Forscher Prof. Otto Willmann in Prag hier als Lehrer an der Barthschen Schule seine vortrefflichen »Pädagogischen Vorträge«, die sich durch individuelle psychologische Beobachtung auszeichnen, und hier begann er die Bearbeitung der verdienstvollen Herausgabe von Herbarts Pädagogischen Schriften. Dr. Hartmann, der die »Analyse des kindlichen Gedankenkreises« bearbeitete, Dr. Lange, der in seiner »Apperzeption« in gleichem Sinne pädagogisch-psychologisch den Unterricht befruchtete, sie sind hier in Leipzig unter Strümpell und Ziller auf diese Bahnen gewiesen, von den Arbeiten der hier noch anwesenden Freunde ganz zu schweigen, wie Dr. Spitzner, Dr. Jahn und Dr. R. Seyfarth.

Aber auch sonst sind wir in Leipzig auf dem günstigsten Boden für Kinderstudium und Kinderfürsorge. Hier haben wir das vorzügliche Säuglingsheim unter Leitung des Herrn Sanitätsrats Dr. Taube, hier blühen die Bestrebungen des Kinderpsychologen und Kinderfreundes Fröbel in den Seminaren, Kindergärten und Kindergärtnerinnenvereine von Frau Dr. Henriette Goldschmidt, Fräulein Angelika Hartmann u. a. Hier erhielten die Hilfsschulen für Schwachsinnige unter Karl Richter eine führende Bedeutung. Hier lebte und wirkte Schreber, der uns die leibliche Entwicklung des Kindes und ihre Eigenart kennen und berücksichtigen lehrte und dessen Andenken und Wirken in vielen, zum Teil nach ihm benannten Vereinen seine Früchte trägt. Hier ist eine Heimstätte der für die Individualbeobachtung des Lehrers so wichtigen »Schulwanderungen«, von dem Mitgliede des Ortskomités Dr. O. W. Beyer theoretisch so vorzüglich bearbeitet wie praktisch organisiert. Hier beginnt die Universität, unserer Kinderforschung zu einer außergewöhnlichen Bedeutung zu verhelfen, indem Prof. Lamprecht als Historiker den Parallelismus der Stammesentwicklung und der Einzelentwicklung zum Gegenstande seiner Spezialforschung erhoben hat, ein Problem, das der intuitive Ziller in seiner Bedeutung ahnte und bereits, wenn auch verfrüht, es in seiner Theorie der »Kulturstufen« zur Grundlage seiner Didaktik machte.

Geradezu bahnbrechend für die genetische Psychologie ist aber Leipzig geworden durch die Lebensarbeit eines Mannes, dessen Namen ich Ihnen nur zu nennen brauche, um zu wissen, was er und seine Schule für die Entwicklung der wahrhaft empirischen, der exakten experimentellen Psychologie bedeutet. Es ist unser Wundt mitsamt seinem ebenso zahlreichen wie hervorragenden Schülerkreise. Durch Wundt und seine Schule haben wir die physiologische Voraussetzung des Seelenlebens exakter kennen gelernt, sie haben uns die experimentellen Methoden gelehrt.

So wollen wir nun hoffen, daß unsere diesjährige Versammlung hier auf dem klassischen Boden Leipzigs mehr noch als ihre voraufgegangenen dazu beitragen möge, daß das alte Wort: »Wer die Jugend hat, der hat die Zukunft« überall dahin seine Ergänzung erfahre: Wer die Jugend versteht, der nur vermag die Zukunft unseres Volkes wirksam zu beeinflussen.

In diesem Sinne heiße ich alle zur Mitarbeit herzlich willkommen.

Dann nahm Herr Schulrat Prof. Dr. D. Müller-Leipzig das Wort:

Hochgeehrte Festgäste! Wenige hundert Schritte von diesem Raume steht ein schönes Denkmal unseres großen Philosophen Leibniz. Wenn ich Sie zu diesem im Geiste hinführe, so geschieht es, um aus dem Munde dieses großen Mannes ein Motto für den heutigen Abend und die folgenden Tage Ihnen zuzurufen, nämlich: Semper ad discendum paratus. Was der unermüdliche Leibniz in diesen Worten ausgesprochen hat, das ist seitdem alten Traditionen gemäß treulich in unserem schulfreundlichen Leipzig gehalten worden. Wir Leipziger bemühen uns heute noch, dieses Spruches uns würdig zu zeigen. Auch auf dem Gebiete der Kinderforschung sind wir dazu bereit. Lipsia vult expectari, gilt hier nicht: Leipzig läßt nicht auf sich warten.

Die ersten Verhandlungen über die Kinderforschung fanden ein aufmerksames Ohr. In diesen Septembertagen sind 40 Jahre verflossen, seitdem Bornemann und Dr. Panitz auf diese Fragen aufmerksam machten und unsere heutigen Einrichtungen bauen sich auf diesen Anregungen auf. Seit jenen Tagen ist das Interesse an der Kinderforschung nicht erloschen und ich brauche nichts hinzuzufügen. Hat doch ein beredterer Mund sich eben anerkennend darüber ausgesprochen.

Ich brauche Ihnen nicht erst zu versichern, daß wir für Ihren Verein große Sympathie haben. Von ganzem Herzen freuen wir uns, daß gerade zum 1. Mal in Leipzigs Mauern und zugleich in Sachsen Sie Ihre Versammlung halten. Wir begrüßen Sie auf das Herzlichste. Wir haben den Verein für Kinderforschung aber auch notwendig. Wo wir praktisch arbeiten, da treten uns die Fragen entgegen, mit denen sich der Verein beschäftigt. Ich erinnere nur an die Schulen für Schwachsinnige. Da kommen immer neue Probleme an uns heran. Wir stehen eben bei der Frage, wie wir für schwachbefähigte Kinder besser zu sorgen, den Fortschritt zu sichern und die Fortbildung fruchtbarer zu gestalten haben. Und wenn wir jetzt an die Ausarbeitung des Lehrplanes herantreten, so sind uns die vielseitigen Erwägungen Ihrer Vereinigung von großem Werte. Wenn ich nun endlich von mir selbst reden soll, da muß ich sagen: Gerade bei den Geschäften der Verwaltung, so den Verhandlungen über die Fürsorgeerziehung, bieten die Ergebnisse Ihrer Verhandlungen brauchbare Winke, daher wir gern bereit sind, die Fragen mit beraten zu helfen.

Alle Zeit zum Lernen gern bereit, auch zum schwersten Lernen, zum Umlernen, denn neue Ergebnisse der Wissenschaft, neue Anschauungen machen die alten weichen. Im großen Schulorganismus Leipzigs greifen die Räder mächtig ineinander, und einheitliches Arbeiten nach bewährten Grundsätzen ist unbedingt nötig. Aber auch mit dem Neuesten in Verbindung zu treten und zum Umlernen, wenn nötig, bereit zu sein, gilt es, ob es auch schwer fällt. Denn gerade bei dem Umlernen geben wir sehr teure Erfahrungen und Grundsätze auf, die mit uns innig verwachsen waren.

Gerade je eifriger wir nach unserm Ziele streben, um so wichtiger halten wir das Umlernen, das sich täglich und stündlich vollziehen wird, und wir hoffen, daß reiche Früchte daraus entspringen. Wir haben neidlos die Ärzte in unsere Schulen einziehen lassen, und eine Freude ist es für uns, die Untersuchungen derselben verwerten und ausnützen zu können. Vereint bei emsiger Arbeit, besprechen nun beide Ärzte und Lehrer die wichtigen Fragen und schwierigen Fälle der Erziehung. Durch diese gemeinsame Forschung werden unsere Arbeiten bedeutend gefördert und wir haben in der Tat wertvolle Fortschritte zu verzeichnen.

Meine Damen und Herren! In stiller Abendstunde haben wir uns heute hier versammelt. In der Abendstunde eines Einsiedlers preist Pestalozzi die ausgebildete Kraft der Menschheit als die Quelle ihrer Taten und ruhigen Genießungen. Diese Kraft auch in den schwachsinnigen und wenig beanlagten Kindern zu pflegen, das wollen wir auch in diesen Verhandlungen immer mehr lernen.

So begrüße ich Sie denn auf das Herzlichste. Seien Sie überzeugt, daß wir alle bereit sind, Opfer zu bringen, zu lernen, zu hören und zu arbeiten. Und so rufe ich der ersten im Königreiche Sachsen, in Leipzig tagenden Kinderforschungsversammlung zu: Willkommen in Leipzig!

Es war auch erfreulich, daß die British Child Study - Association es nicht unterließ, dem Verein durch Herrn Dr. Levinstein-Leipzig Grüße zu übermitteln.

Herr Erziehungsinspektor Piper-Dalldorf überbrachte die Grüße des Vereins für Idioten- und Hilfsschulwesen.

Sodann gedachte der Vorsitzende der Verstorbenen, die im vergangenen Jahre dem Verein entrissen wurden, Dr. med. Schmidt-Monnard-Halle und Schulrat Prof. Dr. Wendt-Troppau. Die Versammlung ehrte sie durch Erheben von den Plätzen.   (Forts. folgt.)

2. Der XI. Blindenlehrer-Kongress in Halle a. S. vom 1.—5. August 1904.
Von G. Fischer, Inspektor der Blinden-Erziehungsanstalt in Braunschweig.
(Schluß.)

Der 2. Tag brachte zuerst den Vortrag des Blindenlehrers Bauer-Breslau: »Wie kann die Blinden-Fortbildungsschule helfen, unsere blinden Lehrlinge zu tüchtigen Handwerkern zu erziehen?« Zu den Aufgaben der Blindenanstalten gehört auch die gewerbliche Ausbildung der Zöglinge. Wie der gewerbliche Unterricht vollendete handwerksmäßige Fertigkeit erzielen soll, so ist durch eine zeitgemäße Fortbildungsschule gleichzeitig dafür zu sorgen, daß umfassende Kenntnisse, wie sie die Gegenwart von jedem Gewerbetreibenden, auch vom blinden fordert, gelehrt und angeeignet werden. Vollendete handwerksmäßige Fertigkeit und umfassende Kenntnisse sollen dem blinden Handwerker eine selbständige Existenz ermöglichen. Von der Fortbildungsschule der Blindenanstalten fordert Redner, daß sie durchaus Berufsschule sein solle, daß sie daher die Zöglinge die nötigen beruflichen Kenntnisse lehre und die Allgemeinbildung der Zöglinge — jedoch nur im Rahmen der Berufsbildung — ergänze und ihre sozialen Anschauungen kläre und fördere. Dagegen soll die Fortbildungsschule nicht etwa eine gehobene Volksschule sein, welche die Volksschulkenntnisse wiederholt, erweitert und bereit hält. Der Fortbildungsunterricht soll sich erstrecken auf Gewerbekunde, welche im Mittelpunkte steht, Deutsch, Rechnen, Buchführung, Turnen, Gesundheits- und Anstandslehre. Der gewerbliche Fortbildungsunterricht belehrt die Zöglinge über Rohmaterial, Halbfabrikate, Werkzeuge, Einrichtung eines Arbeitsraumes, Geschäftsbetrieb, geschichtliche Entwicklung des Handwerkes und dessen soziale Stellung in der Gegenwart, gesetzliche Bestimmungen, derer er in seinem Berufe und als Staatsbürger bedarf usw. Der Unterricht im Deutschen hat eine ideale (Stärkung des nationalen und sittlichen Denkens und Empfindens, Begeisterung für das Ideale innerhalb und außerhalb des Berufes) und eine praktische Seite (Gewandtheit im mündlichen und schriftlichen Gedankenausdruck und Geschäftsverkehr). Der Rechenunterricht soll den Zögling mit allen im Berufsleben vorkommenden Rechnungsarten vertraut machen. Eine geordnete Buchführung in der einfachsten Weise ist auch für den blinden Handwerker (in Braillescher Punktschrift) möglich und unerläßlich. Eine möglichst große Anzahl von Turnstunden ist erforderlich, um die meist zu sitzender Lebensweise gezwungenen Handwerker gesund zu erhalten und ihnen möglichste Gewandtheit und Selbständigkeit der Körperbewegungen zu verschaffen. Gesundheitslehre und Anstandslehre sollen über die zur Erhaltung der Gesundheit nötige Lebensweise, über anständiges und gesittetes Auftreten Aufklärung geben.

Ein Lesebuch unterstützt den Fortbildungsunterricht, indem es den Stoff aus dem Gewerbs-, Gemeinde- und Staatsleben entnimmt.

Besondere Religionsstunden sind nicht erforderlich, da im Anstaltsleben im reichen Maße Gelegenheit zu religiöser Anregung und Erbauung vorhanden ist.

Der Fortbildungsunterricht geht durch 4 Stufen bei wöchentlich 4—6 Stunden in mehreren aufsteigenden Klassen. Soweit weibliche Blinde für ein Handwerk ausgebildet werden sollen, gelten auch für diese die gleichen Forderungen.

In der dem Vortrage folgenden Debatte, an der sich auch die anwesenden Blinden lebhaft beteiligten, wurde auf die hohe Bedeutung der

Schreibmaschine als Erwerbszweig für Blinde hingewiesen. In manchen Anstalten ist das Maschinenschreiben bereits Unterrichtsfach. Einigen Blinden ist es gelungen, sich eine Existenz als Maschinenschreiber zu verschaffen.

Redner verweist im Schlußwort auf den im Druck ausliegenden Stoffverteilungsplan für das erste Unterrichtsjahr der Blinden-Fortbildungsschule.

Es folgte der Vortrag des Direktors Lembcke-Neukloster: »Die Blindenfürsorge«. Redner beantwortet zunächst ausführlich mehrere Anträge des Vereins der deutschredenden Blinden, welche sich auf gewerbliche Ausbildung und das Erwerbsleben der erwachsenen Blinden beziehen, und gibt dann einen umfassenden Überblick über die verschiedenen Formen der Blindenfürsorge. Die unentbehrlichste Grundlage für eine gedeihliche Fürsorge ist eine praktisch und theoretisch tüchtige allgemeine und berufliche Ausbildung der Zöglinge der Blindenanstalten und deren Erziehung zu selbständigen Persönlichkeiten. Das Ideal der Fürsorge ist der selbständig im Leben dastehende Entlassene. Für solche Blinden, welche dieses Ziel nicht erreichen können, schafft die Fürsorge Gesellen-, Männer-, Mädchen- und Altenheime, in welchen sie unter möglichster Wahrung ihrer persönlichen Freiheit Arbeit und Verdienst finden und den Segen der Arbeit an sich erfahren. Diese Nebenanstalten müssen mit den Erziehungsanstalten in organischer Verbindung und unter der gleichen fachmännischen Leitung stehen. Die Anstellung von Hauseltern für derartige Anstalten ist zu vermeiden. Wo diese nicht unmittelbar vom Anstaltsleiter überwacht werden können, sind sie in Stellvertretung einem Blindenlehrer (Gesellen-, Männer- und Altenheime) oder einer gebildeten weiblichen Persönlichkeit (Mädchenheime) zu unterstellen. Die erwerbsfähigen Insassen der Heime sind, wenn sie mindestens ihren Verpflichtungen gegen die Heime Genüge leisten können, wie sehende Arbeiter zu lohnen und auch in der Alters- und Invaliditäts-Versicherung zu versichern. Den nicht in dem Grade erwerbsfähigen Insassen ist eine Arbeitsprämie zu gewähren. Zu den notwendigen Formen der Blindenfürsorge gehören auch Besuchsreisen des Anstaltsleiters zu den selbständigen Blinden in deren Heimat.

Dem Vortrage folgte eine rege Debatte über die zweckmäßigsten Formen der Blindenfürsorge. Ein glückliche Lösung der Fürsorgefragen betrachten die Blindenlehrer als eine ihnen neben der Schularbeit obliegende sittliche Pflicht. Auf allen bisherigen Kongressen nahmen Fragen der Fürsorge einen großen Raum in Anspruch. Die Regelung und der Ausbau der Blindenfürsorge kann nur von dem mit der Natur der Blinden vertrauten Fachmann unter Inanspruchnahme des Wohltätigkeitssinnes der Behörden und der Bevölkerung geschehen. In vielen Gegenden Deutschlands ist in der Blindenfürsorge bereits Großes geleistet. Möchten die Fürsorgebestrebungen dahin führen, daß der unglückliche, ungebildete und erwerbsunfähige Blinde und der verkommene blinde Bettler eine immer seltenere Erscheinung werden.

Staatsrat von Nädler-Petersburg berichtet sodann über: »Die Fortschritte der Blindenfürsorge in Rußland seit 1898.« Die Blindenfürsorge ist in Rußland besser entwickelt als man glauben möchte.

Alexander I. gründete auf Anregung des Franzosen Valentin Hany, des ersten Blindenlehrers, die Blindenanstalt in Petersburg im Jahre 1807. Jetzt zählt Rußland 24 Unterrichtsanstalten mit 845 Zöglingen. In Rußland ist es der Marien-Verein, der die Blindenfürsorge übernommen und mit seinen reichen Mitteln viel geleistet hat, nicht nur in der Ausbildung jugendlicher und erwachsener Blinden, in der Beschäftigung Erwerbsfähiger und in der Versorgung Erwerbsunfähiger, sondern auch in den Maßnahmen gegen die Verbreitung der Blindheit, welche letzteren eine Gesamtausgabe von über 100000 Rubeln im Jahre 1902 verursachten. Der Marien-Verein unterhält 13 Krankenhäuser mit ungefähr 200 Ärzten.

Am Nachmittage des 2. Kongreßtages fand die schon erwähnte General-versammlung des Vereins zur Förderung der Blindenbildung statt. Der bisherige Vorstand wurde wiedergewählt; für das ausscheidende Mitglied des Ausschusses, Direktor Ferchen-Kiel, trat Direktor Merle-Hamburg ein. Zu Ehrenmitgliedern des Vereins wurden ernannt die Direktoren: Ferchen, Kunz, Moldenhawer-Kopenhagen, Riemer und Schild.

Von 8 Uhr ab gab die Stadt Halle den Teilnehmern des Kongresses einen Festabend auf der Peißnitz, einer Saaleinsel. Die Stadtverwaltung spendete in Gastfreundschaft warmes Abendbrot mit Bier.

Der 3. Verhandlungstag begann mit dem Vortrage des Direktors Zech-Königsthal: »Vorschläge für die praktische Gestaltung des An-schauungsunterrichtes in der Blindenschule.« Der Stoff des Anschauungsunterrichts sei nicht so umfangreich; nicht die Menge der Anschauungen, sondern die Intensität derselben sei für den Blinden maßgebend. Lieber wenige tiefe und klare, als viele minder deutliche Anschauungen. Der Anschauungsstoff soll das Interesse des Schülers er-regen, daher an die Apperzeptionshilfen anknüpfen; er soll ferner wert-volles Bildungsmaterial enthalten. Die Anordnung des Stoffes soll auf der Unterstufe nach räumlichen Gesichtspunkten erfolgen, auf den folgenden Stufen sich um die Begriffe Nahrung, Kleidung und Wohnung gruppieren.

Die Veranschaulichungsmittel seien — abgesehen von den-jenigen in natura — möglichst einfach und frei von unwesentlichen Teilen, leicht zu zerlegen und wieder zusammenzusetzen. Zur Methodik be-merkt Redner: der Unterricht sei Klassenunterricht; er berücksichtige gleichmäßig die Verstandes- und die Gemütsbildung und rege die Selbst-tätigkeit möglichst vielseitig an. Als Arbeitsmaterial im Anschauungs-unterrichte empfiehlt der Vortragende für den Schüler Insektentorf, der zu dem Zwecke besonders präpariert wird. Redner verweist auf die mit diesem Material hergestellten Arbeiten seiner Zöglinge in der Ausstellung.

Nun folgte der Vortrag des Blindenlehrers Watzel-Halle: »Die Bedeutung des Raumlehreunterrichtes in der Blindenschule«. Raumvorstellungen sind nicht a priori vorhanden, sondern bedürfen der unterrichtlichen Vermittelung. In der Entwicklung der Raumvorstellungen lassen sich drei Stufen erkennen:

1. Die Erzeugung typischer Gegenstandsbegriffe.
2. Die Bildung elementarer Raumformbegriffe.

3. Das spekulative Suchen von gesetzmäßigen Verhältnissen innerhalb der räumlichen Begriffe.

Diesem Stufengange entsprechend hat die Blindenschule auf der Unterstufe das Tastvermögen an rein geometrischen Körpern zu schulen, um Gegenstände von typischer Form zur Perzeption zu bringen, auf der Mittelstufe elementare Raumformbegriffe an sämtlichen regelmäßigen Körpern zu bilden und die gewonnene Erkenntnis in Beziehung zum praktischen Leben zu setzen sowie die Zweckmäßigkeit der Form durch praktische Spekulation zu begründen, auf der Oberstufe mit Hilfe der theoretischen Spekulation, unterstützt durch die Anschauung, an geteilten Körpern die Gesetzmäßigkeit der räumlichen Verhältnisse zu zeigen und bei der darauf folgenden Darstellung der Figuren auf einer Zeichentafel die gefundenen Gesetze systematisch zu ordnen. Die Inhaltsberechnungen von Flächen und Körpern bilden den Abschluß der Raumbetrachtungen. Der Vortragende zeigte zum Schluß mit einer Schülerabteilung, wie der Würfel im Raumlehre-Unterricht vielseitig verwandt werden kann.

Sodann erstattete Direktor Brandstetter-Königsberg den Bericht über die Tätigkeit der 2. Sektion. Die Lehrplanarbeit ist noch nicht vollendet worden; dieselbe wird fortgesetzt. Es wird beschlossen, ein neues gemeinsames Lesebuch für Blindenschulen herauszugeben, da das bisherige den heutigen Ansprüchen nicht mehr genüge.

Oberlehrer Conrad-Steglitz hielt darauf einen Vortrag über »Die Tafel im Blindenunterrichte«. Nach einem Rückblick auf die in früheren Zeiten gebräuchlichen Apparate und Schriftzeichen, von den ersten Versuchen an bis zu den heute benutzten Tafeln, unterzieht Redner die jetzigen Apparate für Schreiben, Lesen, Rechnen und Zeichnen einer kritischen Beleuchtung.

Es kamen nun zwei Anträge des Direktors Mohr-Hannover zur Verhandlung: Der erste, schon erwähnte Antrag betrifft die Petition an die Reichspostbehörden wegen Herabsetzung des Paketportos (5 kg 10 Pf.) für Bücher in Blindendruck. Derselbe fand die Zustimmung der Versammlung. Der 2. Antrag betreffs Stellungnahme gegen den Unfug, der durch das Hausieren mit Eintrittskarten zu sogenannten »Blindenkonzerten« getrieben wird, wurde abgelehnt, da derselbe auch den tüchtigen blinden Musiker in seinem Einkommen beeinträchtigen könne.

Der Nachmittag wurde durch einen gemeinsamen Besuch der Ausstellung ausgefüllt. Abends 8 Uhr fand das Festessen im Saale der »Vereinigten Berggesellschaft« statt.

Am 4. Verhandlungstage berichtete zunächst Regierungsrat Professor Mell-Wien über die »Grundlagen zur Darstellung einer Geschichte des Blindenwesens«. Der Vortragende, bekannt durch seine Encyklopädie des Blindenwesens, bearbeitet gegenwärtig die Geschichte des Blindenwesens. Möchte das in Aussicht gestellte, von der gesamten Blinden-Lehrerschaft mit Freuden begrüßte Werk baldiger Vollendung entgegengehen.

Direktor Mohr berichtete sodann über die Tätigkeit der Kurzschrift-Kommission. Er beantragt Abänderung der vom Münchener

Kongreß 1895 angenommenen Kurzschrift auf Grund der von ihm nach dem Häufigkeitswörterbuch der deutschen Sprache von K ä d i n g aufgestellten Tabellen. Dem Wunsche des Redners gemäß wird eine Kommission von 7 Mitgliedern mit Prüfung bezw. Einführung der Änderungen beauftragt. Zu Mitgliedern der Kommission werden gewählt: M o h r - H a n - nover, S c h n e i d e r -Potsdam, K u l l -Berlin, S c h l e u ß n e r -Nürnberg, S c h o r c h t - Dresden, H o r b a c h - D ü r e n, F i s c h e r -Braunschweig.

Blindenlehrer H a h n - N e u k l o s t e r erhielt das Wort zu seinem Vortrage: »W e l c h e E n t w i c k l u n g h a t d e r M u s i k - U n t e r r i c h t i n d e r B l i n d e n - a n s t a l t b i s h e r g e n o m m e n u n d w i e m u ß e r ,s i c h z w e c k d i e n l i c h w e i t e r g e s t a l t e n?« Redner wendet sich gegen den handwerksmäßigen Musik-Unterricht und verlangt, daß derselbe stets kunstgemäß erteilt, die Musiklehre, die musikalische Formenlehre und die Musikgeschichte gebührend berücksichtigt werde, daß ferner die Notenschrift der Blinden schon auf der Mittelstufe beginne, damit sie auf der Oberstufe von den Zöglingen beherrscht werde. Er macht einige Vorschläge zur größeren Verwendbarkeit der Notenschrift und fordert zum Schluß, daß der Musik- Unterricht in den Blindenanstalten auf der Oberstufe nur hervorragend musikalisch begabten und befähigten Blindenlehrern zu übertragen sei.

In der Debatte wurde ausgesprochen, daß auch hervorragend musikalisch befähigte Blinde zur Erteilung von Musikunterricht in den Blinden- anstalten geeignet seien und daß konservatorische Bildung der Musiklehrer an Blindenanstalten verlangt werden müsse.

Von der Kommission zur Wahl des nächsten Kongreßortes wurde für den 12. Blindenlehrerkongreß im Jahre 1907 in erster Linie Hamburg, in zweiter Linie Wien und Hannover vorgeschlagen. Nach Bildung der 3 Sektionen und Wahl der Obmänner (1. Sektion F i s c h e r -Braunschweig, 2. Sektion Z e c h -Königsthal, 3. Sektion L e m b c k e -Neukloster) schloß der Präsident den 11. Blindenlehrerkongreß.

Nicht nur eine Fülle von Anregungen tragen die Blindenlehrer vom Kongreß heim in ihre Berufsarbeit, sondern auch die angenehmsten Er- innerungen an die überaus freundliche Aufnahme des Kongresses seitens der Behörden und der Stadt Halle.

---

3. Die Gründung eines Hilfsschulverbandes in England.

(Schluß.)

Schulinspektor Dr. Eichholz, der als Vertreter der englischen Re- gierung an den 2 letzten deutschen Hilfsschultagen teilnahm, sprach so- dann über »e i n i g e G r u n d z ü g e i n d e r E r z i e h u n g d e r G e i s t e s - s c h w a c h e n«: Das Gesetz über die Erziehung gebrechlicher und epi- leptischer Kinder von 1899, obwohl nicht zwingend, ist jetzt von etwa $^1/_3$ des Landes angenommen worden. Es bestehen zur Zeit 114 Hilfsschulen, davon 64 in London; ausschließlich für Krüppel ist nur eine ge- ringe Zahl derselben bestimmt. An Anstalten für völlige Unterbringung von Kindern, die unter das Gesetz fallen, gibt es nur 4:3 für Schwach-

sinnige, 1 für Krüppel mit zusammen 71 Kindern. Es gilt daher noch
in hohem Maße, die öffentliche Meinung für unser Rettungswerk zu gewinnen. Selbst London ist nur zur Hälfte mit den erforderlichen Schulen
versehen und Anstalten fehlen noch ganz, obwohl das Bedürfnis letzterer
zweifellos feststeht. Man meint vielfach, Geistesschwäche komme nur in
den Städten vor. Das ist irrig; die fraglichen Fälle auf dem Lande
kommen nur nicht zur Kenntnis, da die unteren ländlichen Behörden auf
die gebrechlichen Kinder aller Art nur wenig acht geben. Jetzt, wo auf
Grund des Gesetzes sich auch die höheren Behörden der Sache annehmen,
dürfen auch auf dem Lande die Blinden, Tauben usw. hoffen, zu ihresgleichen zu kommen. — Für unsere Hilfsschulen werden zu sachkundiger
Prüfung meist alle Kinder angemeldet (ca. 10 % aller Kinder), die dem
Gange der Normalschule nicht zu folgen vermögen, also Kinder, die noch
in einer ihrem Alter nicht entsprechenden Klasse sitzen. Zwischen ihnen
bedarf es einer sorgsamen Auswahl, da sehr viele nur infolge schlechter
Ernährung oder Krankheit zurückgeblieben sind. Es ist damit eine weitere,
weitgehende Perspektive zu sozialer Hilfe gegeben. Nach Ausscheidung
dieser Kinder sowie der Imbecillen und Epileptiker (für letztere gibt es
im ganzen Lande noch keine gesetzlich anerkannte Anstalt, doch ist deren
baldige Einrichtung zu erwarten) bleibt etwa 1 % aller Schulkinder als
für die Hilfsschule geeignet übrig. Bei der Aufnahme sind die Kinder
durchweg 7 Jahre alt, gelegentlich kommen auch noch 12—14 jährige in
die Hilfsschule, die so lange von den Normalschulen zurückbehalten sind.
Mit den Jahren tritt der Mißerfolg der letzteren bei solchen Kindern immer
deutlicher in die Erscheinung und die Hilfsschule kann bei ihnen in der
noch verbleibenden kürzeren Zeit natürlich bedeutend weniger erreichen.
Bezüglich der aufgenommenen Kinder ist folgendes zu beachten: Haben sie
bisher im Lesen, Schreiben und Rechnen Ungenügendes geleistet, so wird
auch weiterhin ihre Stärke nicht auf diesen Gebieten liegen. Man erstrebe
daher nicht zu ausschließlich bloß hierin Erfolge. Andererseits darf man
auch nicht von vornherein annehmen, daß der Geistesschwache eine geschickte Hand besitzen müsse, und nun allen Wert auf Handarbeit legen.
Man darf nicht ganz in der eigentlichen Schularbeit aufgeben, sondern hat
hier ebenso wie in andern Schulen auch für die Charakterbildung ein
weites Feld. Es muß erzogen werden zu Sauberkeit, körperlicher Reinlichkeit, Gehorsam, Freude an der Arbeit, zum Gefühle der Verantwortlichkeit. — Zum Zweck des Lesenlernens muß zunächst das Sprechen gelehrt
werden, da fast alle Kinder an Sprachgebrechen leiden. Das Lesen ist
ziemlich ermüdend für die Kinder; man entnehme daher so bald wie nur
irgend möglich den Lese- und Schreibstoff der unterrichtlichen Behandlung
eines Gegenstandes oder eines Vorganges. — Disziplin ist ebenso leicht zu
erreichen wie zu verlieren. Der Hauptunterschied in der Arbeit der Hilfs-
und Normalschulen besteht darin, daß lange Zeit hindurch die Eindrücke
bei den Zöglingen jener so überaus flüchtig und vergänglich sind. Deshalb sind eben individueller Unterricht und kleine Klassen hier so nötig.
Es ist der größte Triumph der Hilfsschularbeit, wenn man mit fortschreiten-
dem Alter der Zöglinge zu immer leichterer Handhabung der Disziplin

gelangt. Manche Kinder beweisen allerdings den so gelernten Gehorsam nur in der Schule, was für eine dauernde Fürsorge sprechen dürfte; viele aber legen die in der Schule erworbenen Tugenden auch im öffentlichen Leben an den Tag. Darin liegt dann der schönste Lohn für die schwere und lange Lehrerarbeit. — Um die Niederlage der finstern Mächte, welche über das geistesschwache Kind Gewalt erlangen können, zu vollenden, müssen zu den Hilfsschulen noch die Fürsorgevereinigungen für die Schulentlassenen treten. In den 2 Jahren ihres Bestehens haben letztere schon 20 gewerbliche Beschäftigungen für Hilfsschüler ausfindig gemacht. Bei Inspektionen begegnet man oft Knaben, die mit 14 Jahren entlassen werden wollen, um verdienen zu können. Die Erlaubnis wird ungern erteilt und nur dann, wenn für die Knaben eine sichere Stellung mit angemessener und dauernder Arbeit nachgewiesen wird. Nur zu oft verlieren sie ihren Arbeitsplatz ebenso rasch wie sie ihn bekamen. Für Mädchen wird diese Erlaubnis weniger oft erbeten, da bei häuslicher Beschäftigung ihre Schwäche weniger leicht verborgen bleibt als bei gewerblicher Beschäftigung der Knaben. Sie bedürfen mehr Überwachung, sind Versuchungen mehr ausgesetzt, so daß die Notwendigkeit steter Fürsorge für sie bis zum 16. Jahre seitens der Schule und Eltern mehr empfunden wird. Während das normale Kind schon mit 14 Jahren ziemlich selbständig hingestellt werden kann, ist das bei Geistesschwachen noch mit 16 Jahren viel weniger der Fall, höchstens bei $1/3$—$1/2$ der Knaben, bei Mädchen noch viel weniger. — Eine nicht zu unterschätzende Bedeutung der Hilfsschule liegt auch darin, daß manche Kinder nach einigen Jahren guter Ernährung, individueller und liebevoller Behandlung sowie körperlicher Übung in die Normalschule zurückversetzt werden können. — Die so erfolgreiche Bewegung zum Besten der schwachen Kinder verdankt in England ihre Entstehung der Energie und Umsicht einiger weiblicher Bahnbrecher. Doch dürfte es sich nicht empfehlen, daß das weibliche Geschlecht dauernd die Erziehung von Knaben übernehme, deren physische und moralische Neigungen, deren Heranbildung zu gewerblicher Arbeit die Kraft und das Geschick des Mannes fordern. Hoffentlich widmen sich auch bald Männer mit gleicher Hingebung wie bisher die Frauen der Hilfsschularbeit. — Bezüglich des Rechenunterrichtes könnte wohl noch manches vereinfacht werden. Man verwendet, was man auf keinem andern Gebiete tun würde, gleichzeitig zu viel Veranschaulichungsmittel. Bis ein gewisses Zahlenverständnis erzielt ist, sollte man sich mit einem einzigen Hilfsmittel begnügen. — Alle Stunden sollten durch kurze Pausen mit körperlichen Übungen (Drill) unterbrochen werden. Einige Minuten Gehen, Laufen usw. sind besser als z. B. alle Atmungs- und Artikulationsübungen. Sie führen zu schnellem Gehorsam und guter Disziplin, bessern die Haltung der Kinder und beeinflussen vorteilhaft den ganzen Unterricht. — Zu einem Werke, wie das der Hilfsschulen in jeder Hinsicht neu, bedarf es der Anleitung und Führung. Material hierzu liefern allein die Tatsachen der Erfahrung. Diese zu sammeln und nicht der Vergessenheit anheim fallen zu lassen, muß jede Lehrperson der Hilfsschulen sich verpflichtet fühlen. So wird ein neuer Zweig der wissenschaftlichen Forschung erwachsen, die Pathologie der Erziehung. Es sind daher mit größter Sorgfalt und eingehend Personalbogen zu führen, welche u. a. berichten über Verhalten in der Schule, Geschick in Handarbeit, Gesundheit, Charakter, so daß am Ende der Schulzeit ein klares Entwicklungsbild vorliegt und entschieden werden kann, ob das Kind ins öffentliche Leben eintreten kann, oder einer Kolonie zu überweisen ist. — In der Debatte betonte man vor allem die Wichtigkeit der körperlichen Erziehung. Ein Redner sagte direkt: Sobald die Kinder angeleitet werden, Arme und Beine zu gebrauchen, werden sie auch anfangen besser zu sprechen. —

Es sprach darauf Ms. Chilton-Liverpool über die Fürsorge für Epileptiker und die Erziehung derselben und als letzte Rednerin Ms. Bennett, Leiterin der Krüppelschule zu Birmingham, über das Thema: Was ist für Beseitigung von Schwierigkeiten, welche sich in den Krüppelschulen ergeben, zu tun? Sie führte etwa aus: Krüppelschulen sind nötig, da ca. 0,3 % aller Kinder Krüppel sind. Nach einer Erhebung von 1888 gibt es deren in England 100 000. Viele können gar keine Schule besuchen und empfangen daher nur dürftigen oder gar keinen Privatunterricht. Und doch könnte vielen geholfen oder doch das Übel im Fortschritt gehemmt werden. Krüppelschulen sind sehr teuer. Sie bedürfen ganz besonderer Ausstattung mit Ruhebetten, Stühlen, Bänken, Bädern, Wärterinnen usw. Wo sie aber bestehen (London, Liverpool, Bristol, Birmingham) haben sie durch ihre Erfolge ihre Daseinsberechtigung vollauf erwiesen. Ihnen sind nach ärztlichem Befund Kinder zu überweisen, für welche nicht gerade der Aufenthalt in einem Hospital nötig ist, die aber auch in keine Normalschule passen. Hier sollen sie körperlich von Wärterinnen gepflegt, geistig von Lehrern gebildet werden. Sie erhalten gegen Bezahlung der Eltern das Mittagessen am besten in der Schule. Auch dieses bietet zu mancherlei erziehlicher Beeinflussung Gelegenheit. Die Kinder müssen mit Rücksicht auf die zum Teil weiten Wege von und zu der Schule gefahren werden, und zwar muß die Schule dafür Sorge tragen. Heime ohne Schule genügen für die Kinder nicht; neben den Schulen sind sie nur für verlassene, schlecht behandelte oder vernachlässigte Kinder am Platze. Bei krüppeligen Kindern aus guten, wenn auch armen Familien, da die Eltern an solchen Kindern meist mit noch heißerer Liebe hängen als an gesunden, würde eine Trennung grausam sein, da sind Krüppelschulen das einzige Mittel, um viele Kinder vor einem Leben in völliger Einsamkeit zu bewahren. Es gilt auch zu bedenken, daß gesundes soziales Leben die Erhaltung des Gefühls der Verantwortlichkeit für die Kinder bei den Eltern fordert. Jedes System, das dieses beseitigt, ist vom Übel für den Staat. Das Familienleben muß eine geheiligte Sphäre bleiben. Trennt man die Kinder von den Eltern, so ist sehr oft der seidene Faden der Kindesliebe bald zerrissen. Dagegen kann die Schule nicht selten durch solche Kinder das Gefühl der Verantwortlichkeit, das bessere Selbst in den Familien neu wecken und die Familienbande enger knüpfen. — Die Hauptschwierigkeit bietet die Klassifizierung der Kinder. Die verschiedensten Typen in den mannigfachsten Stadien der Entwicklung liegen vor. Es muß daher mehr individuelle als Klassenunterweisung stattfinden. In irgend einer Weise wird das Interesse jedes Kindes sich erregen lassen. Sehr schwierig gestaltet sich bei dem Fehlen jeglicher Erfahrung die Frage des Handarbeitsunterrichtes. Lesen, Singen und Zeichnen sind für die Kinder die angenehmsten Unterrichtszweige. — Jedes gesunde Kind spricht gern davon, was es einst zu werden hofft. Krüppel hört man nicht davon reden, wohl aber spielen sie oft »Krankenhaus«. — England hat zuerst mit einer gesonderten unterrichtlichen Versorgung der Krüppel begonnen, selbst Amerika ist hierin noch zurück; hoffentlich kommt einmal die Zeit, wo jede englische Stadt eine Krüppelschule besitzt. — In der Debatte wurde allgemein die Notwendigkeit der Krüppelschulen anerkannt. U. a. wurde angeführt, daß es in Manchester allein 800 an das Haus gefesselte Kinder gebe.

In der Abendsitzung konstituierte sich ein englischer Hilfsschulverband (special schools union). An der Spitze steht neben dem Vorstand ein Ausschuß von 24 Personen aus verschiedenen Städten, von denen 16 im Schuldienste stehen müssen. Dem Vorstande gehören an Sir. J. Hoy-Manchester als 1., Dr. Harrison-Liverpool und Mrs. Burgwin-London als stellvertretende Vorsitzende, Ms. James und Mr. Lucas in Liverpool als Schriftführer, Dr. Loyd-Liverpool und Mrs. Swinburne-Nottingham als Kassierer. Der 1. Vorsitzende des deutschen Hilfsschulverbandes brachte als erster Fremder dem neu gegründeten Vereine seinen Glückwunsch dar. Der Verein bezweckt die Ausgestaltung des Unterrichts und die Ausbildung von Lehrern an Hilfsschulen, die Verbereitung des Interesses für diese Schulen und für deren Lehrer, Fürsorge für die Schulentlassenen, Veranstaltung von Versammlungen. Die Gründung kleinerer Verbände wird freigestellt. Versammlungen sollen mindestens alle 3 Jahre stattfinden.

Am 2. Tage wurde in der 1. Abteilung über folgende Gegenstände verhandelt: Methoden zur Heilung von Sprachgebrechen (Referent Dr. Ashby-Manchester), das Sprechenlernen bei Tauben und Sprachgebrechlichen mit Demonstrationen an Kindern (Referent Mr. Nelson-Old-Stafford) und die Notwendigkeit einer praktischeren Gestaltung des Handfertigkeitsunterrichts (Referent Ms. Wheddon-London). Letztere führte aus: die verschiedenen in den Hilfsschulen gelehrten Zweige der Handarbeit haben den Zweck, Hand, Auge, Mund und Gehirn zu verständiger Beobachtung und zur Darstellung des Beobachteten durch Sprache und Handlung heranzubilden. Daneben sollten aber noch 2 Punkte beachtet werden, nämlich die Kinder zu häuslicher Hilfeleistung und zu teilweiser oder völliger Erwerbsfähigkeit unmittelbar zu befähigen. An einigen Orten bestehen vereinzelt zwar besondere Klassen von höchstens 10 Kindern (Knaben-, Mädchen- oder gemischte Klassen), die in Schulhäusern wöchentlich 2 Stunden im Waschen und Kochen unterwiesen werden. Die Einrichtung hat aber den Fehler, daß hierbei die Kinder zu fremden Lehrern und in eine fremde Umgebung kommen und so abgelenkt werden, auch von einer Lektion zur andern das Gelernte vergessen. Die betreffenden Lehrpersonen haben so viele derartige Klassen, daß sie die Schüler und deren häusliche Verhältnisse nicht recht kennen lernen. Auch sind die Einrichtungen so glänzend mit Hilfsmitteln ausgestattet, daß das Kind sie mit seinen dürftigen häuslichen Verhältnissen nicht in Einklang zu bringen vermag. Es sollte darum jede Hilfsschule mit einer richtigen Küche mit Gas- und Feuerherd und mit einem Waschraum versehen sein; es würden dann alle jene Nachteile fortfallen; vor allem könnte die Unterweisung täglich vielleicht zweistündig erfolgen. Viele Mädchen würden so direkt erwerbsfähig werden (den Beweis dafür liefert der Bericht von Mrs. Burgwin 1901) und vor allem würde für die ärmeren und schwächeren Kinder nahrhaftes Essen in der Schule beschafft werden können. Zweifellos ist Unterweisung im Waschen und Kochen auch für Knaben nützlich, wenn sie auch seltener z. B. als Küchenjungen oder Hausburschen gewerblich davon Gebrauch machen können. Für sie muß es daneben noch Kurse in Holzarbeit geben. Diese zielen nicht auf Vorbereitung für einen bestimmten Beruf hin, obwohl sie für einen künftigen Tischler- oder Zimmermannslehrling sehr nützlich sind. Sie umfassen Anleitung zum Gebrauch der Werkzeuge, Unterweisung über die Beschaffenheit und Verwendung der verschiedenen Holzsorten, Übung im genauen Messen und im Aufzeichnen und die Anfertigung von Gegenständen, vor allem solcher für den häuslichen Gebrauch. Es nehmen daran Knaben vom 11.—14. Jahre teil. In weiteren Kursen können die Knaben z. B. im Flechten von Körben, Rohr und Matten unterwiesen werden. Jetzt, wo die Schulzeit bis zum 16. Jahre verlängert ist, sollten die Schüler in einem bestimmten Berufe soweit ausgebildet werden, daß ihnen wenigstens in gewissem Grade der Erwerb des Unterhalts möglich ist. Es sollte darauf die Hälfte der gesamten Zeit verwandt und wenigstens an jeder größeren Schule dafür eine geeignete Person als Lehrer angestellt werden. Die deutschen Schulen haben den gesamten Handarbeitsunterricht in 3 Abteilungen gebracht: 1. Körper-, Hand- und Fingerübungen, 2. Papp- und Holzarbeit, letztere ähnlich der englischen Holzarbeit, weitergehend aber bei genügenden Fortschritten der Knaben 3. industrielle Arbeit zum Zweck der Ausbildung in Verrichtungen, die beim Verlassen der Schule direkt von produktivem Wert sind z. B. Rohr-, Korb- und Mattenflechten. Die Wahl der Industriearbeiten würde natürlich abhängig sein von dem Gebiet, in dem die Schule liegt und müßte Sache der Schulleiter und Lehrer sein. Mrs. Burgwin meint zwar in ihrem Bericht von 1901, Ziel der Handarbeit sei nicht eine berufliche Vorbildung, sondern die Ausbildung zu geschickten Männern, und es soll ja allerdings diesem Ziele möglichst zugestrebt werden. Es aber völlig zu erreichen, dazu fehlt es den Hilfsschulzöglingen an geistiger Fähigkeit. So gilt es denn, sie täglich in Tätigkeiten zu unterweisen, die sie direkt zum Erwerb befähigen. Kann sich nämlich der Knabe nicht sogleich nach der Schulzeit betätigen, so geht die mühsam erworbene Geschicklichkeit der Hand bald verloren. Auch das ist ein Grund zu sorgsamer Fürsorge und Aufsicht für die Schulentlassenen. Eine hierauf absehende Organisation müßte mit sämtlichen Hilfsschulen in Fühlung treten, von ihnen die Wohnung und Fähigkeiten der abgegangenen Kinder in Erfahrung bringen, um sie mit der für sie geeigneten Arbeit zu beschäftigen. Jede

Schule müßte daher auch einen besonderen Raum für Industriearbeit besitzen.

In der 2. Abteilung sprach zuerst Dr. Shuttleworth-Richmond über das Thema: Die Zukunft geistig geschwächter Kinder. Redner hofft, die Versammlung werde ein Markstein in der Geschichte der Fürsorge für die Schwachsinnigen werden. In einem kurzen Rückblick geht er etwas näher auf die Bestrebungen Seguins und dessen Behauptung, daß Idiotie heilbar sei, ein. Er bezeichnet Seguin als Enthusiasten. Doch müsse man auch bedenken, daß Seguin gleich geschickt als Arzt wie als Lehrer gewesen sei und daher selbst in schwierigen Fällen wohl oft noch Erfolge erzielt, auch wohl den Begriff »Idiotie« in einem von unserm Begriffe »Schwachsinn« sich nicht allzuweit entfernenden Sinne gebraucht habe. Jedenfalls habe er England und Amerika sehr beeinflußt. Seine allzu optimistische Auffassung sei gegenwärtig von einer vielfach zu pessimistischen verdrängt worden. Redner fordert, daß hochgradig Abnorme stets dauernd von der menschlichen Gesellschaft abgetrennt werden. Er will nicht auf die Wirkungen der Vererbung eingehen; bei Licht betrachtet würde kaum jemand in Hinsicht auf erbliche Belastung eine völlig reine Rechnung aufweisen können. Die Einflüsse derselben könnten, wenn auch nicht beseitigt, so doch herabgesetzt werden durch eine gesunde Umgebung. In einer solchen vermöge ganz allmählich die heilende Kraft der Natur den Zustand der Normalität wieder herbeizuführen. Er sei nicht für unterschiedslose Freiheit aller Schwachsinnigen jeden Grades, halte es aber für unklug, alle Kinder, die besonderen Unterricht bedürften, von der menschlichen Gesellschaft absondern zu wollen. Allerdings würde diese Maßnahme nach den angestellten Ermittelungen für $1/_3$ dieser Kinder im Interesse der menschlichen Gesellschaft sich empfehlen. Über die Wirkungen des Hilfsschulgesetzes von 1899 könne man noch nicht urteilen, da es erst kurze Zeit in Kraft sei, noch kein Kind die darin vorgesehene 9jährige Hilfsschulunterweisung empfangen habe. Der Wert von Vereinigungen zur Fürsorge für Schulentlassene sei sehr groß sowohl im Interesse der Kinder als auch für Beschaffung statistischen Materials. Sie würden versittlichenden Einfluß auf Kinder und Eltern ausüben, oft ungeeignete Eheschließungen verhindern können, bis die öffentliche Meinung zu einer Gesetzgebung in lezterem Sinne erzogen sei, wie sie in einigen vorgeschrittenen Staaten Nordamerikas schon bestehe. Er freue sich, daß man in London bemüht sei, den Unterricht praktischer zu gestalten und so die Kinder zu nutzbringender Arbeit geschickter zu machen. Dieselben brauchten nicht auf Holzspalten und Wassertragen beschränkt zu werden; es gebe manche, die auch zu besserer Arbeit das erforderliche Geschick besäßen. Deshalb halte er es für gut, wenn man die Kinder bis zum 21. Jahre in der Schule behielte, was allerdings zuletzt eine Trennung der Geschlechter erfordere. In London scheine man ja derartiges zu planen. Ein Zusammenschluß aller für die vorliegende Frage interessierten Personen sei sehr wichtig; vorläufig sei aber wohl viel Interesse, jedoch wenig Einigkeit vorhanden, obwohl alle das Beste wollten. Die Regierung müßte helfend eingreifen, da die in Frage stehende Angelegenheit mehr noch das ganze Land als die einzelnen Orte angehe. Sicher würden Arbeiterkolonien für einen Teil der Zöglinge gefordert werden müssen. Vor allem müsse ein Geist der Freundschaft walten zwischen allen, welche die Lage der Schwachsinnigen bessern wollen, einer müsse die Leistungen des andern ergänzen. Redner hofft es noch zu erleben, daß alle, die auf diesem Arbeitsfelde im weitesten Sinne tätig sind, sich zu Versammlungen zusammenfinden, um zu beraten, wie sie am besten am gemeinsamen Werk vereint arbeiten können.

Darauf sprach Ms. Townsend-Bristol über »Versorgung und Erziehung körperlich gebrechlicher Kinder« und zuletzt Professor Dr. Loyd-Liverpool, bekannt durch seine sprachphysiologischen Untersuchungen (durch diese kam er auf das Gebiet der Sprachheilkunde und weiter auf das der Hilfsschulen) und hervorragend verdient um das Zustandekommen des englischen Verbandes, über den Nutzen von Hilfsschulversammlungen: Nur mit großen Schwierigkeiten hat man in Liverpool die für Einrichtung von Hilfsschulen erforderlichen Kenntnisse erlangt: durch Besuche von bereits in England existierenden Schulen und durch das Studium der Berichte über die Hilfsschultagungen in der Schweiz und Deutschland. Diese boten des Wissenswerten so viel, daß man sie übersetzt ganz oder im Auszuge den Lehrpersonen zugänglich machte. Weit mehr Vorteile bietet aber doch noch die persönliche Teilnahme an einer Versammlung. Da ist Gelegenheit zur Frage, wenn etwas dunkel blieb, und zur Kritik gegeben. Die Hilfsschulpädagogik ist noch neu, daher voll von Problemen, und immer neue Probleme werden sich für sie ergeben. Es würde schlimm um sie stehen, wenn das einmal nicht mehr der Fall wäre; es würde das dafür sprechen, daß sie zur bloßen Routine herabzusinken beginne. Kein anderer Unterricht erfordert so sehr geistige Gewandtheit, denselben Scharfsinn, gleiche Erfindungsgabe. Der Hilfsschullehrer bedarf vollster Hingabe an seinen Beruf und eingehendster Kenntnis des schwachen Kindes, beides Eigenschaften ebenso wertvoll und selten wie höchste intellektuelle Schulung. Niemand sollte darum direkt in die Hilfsschularbeit treten, sondern zunächst in einer Kleinkinderschule[1]) Proben seines Geschicks ablegen, ferner vor seiner Anstellung eine Art Lehrzeit in der Hilfsschule durchmachen. Einem gut ausgewählten und ausgebildeten Lehrer sollte dann aber auch in seiner Tätigkeit möglichste persönliche Freiheit gelassen werden. Trotz alledem wird es ein schwieriges Werk bleiben, Kinder zu lehren, deren Unterweisung anderen Schulen unmöglich war, bei denen die Hilflosigkeit des Kindes an sich noch durch mancherlei Schwächen vervielfacht ist. Wie entmutigend und niederschlagend würde es in jedem andern Berufe wirken, sollte jemand ausschließlich das von allen andern abgewiesene Material verarbeiten! Im Hinblick auf die Schwierigkeit des Werkes ist gegenseitige Hilfe und Ermutigung nötig, namentlich für die an kleinen Schulen wirkenden Personen, die fast ganz

---

[1]) In England fällt diese (für Kinder von 3 bis 7 Jahren) mit in den Rahmen der Volksschulen.

auf sich angewiesen sind. Für sie sind Versammlungen wie die unsrige
ein Quell reicher Freude, Belehrung und Ermutigung. Hier herrscht
Freude am Geben und Nehmen. Der Austausch der Erfahrungen und
seien sie auch identisch, erweckt das Vertrauen, daß man auf rechtem
Wege sei. Der einzelne sieht sich in seiner Arbeit nicht mehr einsam,
ohne Freunde, fühlt sich gehoben als Glied einer machtvollen, bedeutsame
Ziele erstrebenden Vereinigung, kämpfend mit Übeln, die man früher als
hoffnungslos ansah. Und auch die übrige Welt lernt so die stille Schularbeit bewerten. Erwägungen dieser Art haben gewiß die 4 Liverpooler
Hilfsschulleiterinnen veranlaßt, im Frühjahr 1903 eine kleinere Versammlung zu berufen, die mit so vielem Erfolg tagte und von der dann die
Anregung zu dieser größeren Versammlung ausging. Daß diese aber nicht
erfolglos ist, darüber besteht wohl kein Zweifel. Sie scheint mir vor
allem bedeutungsvoll zu sein in Betreff der Fürsorge für Geistesschwache
nach der Schulzeit und der Wichtigkeit der Hilfsschule für die Kinderforschung. Es gibt keine scharfe Grenzlinie zwischen geistig schwachen
und gesunden Kindern; vielmehr lehren uns jene nur in schärferer und
leichter erkennbarer Form die Schwächen dieser kennen.

Am Nachmittag führte in der 1. Abteilung Mr. Major-Leicester
eine Schnellleselehrmethode vor; Dr. Browne sprach über das Thema:
»Der Gesichtssinn und seine Bedeutung für die Erziehung der
Kinder« und Ms. Cogau-Brighton über Ausbildung der Sinne
und Methoden derselben. — In der 2. Abteilung sprach zunächst
Ms. Ward, Hilfsschulleiterin in Cardiff, über geeignete Veranstaltungen zur Erholung für schwache Kinder. Die Vortragende
will den großen Wert der Erholung gerade für die Hilfsschulzöglinge
nachweisen und für dieselben geeignete Spiele und Spielmethoden angeben.
Der Gedankengang ihrer Ausführungen ist etwa folgender: Über die Notwendigkeit der Erholung ist man wohl allgemein einig; es wird daher
täglich ein gewisser Teil der Zeit dem Spiel gewidmet. Gebrechliche
Kinder bedürfen der Erholung noch mehr als gesunde, da sie ihren Körper
weniger beherrschen und leichter ermüden. Andererseits ist auch ihnen
der Hang zu körperlicher Tätigkeit und Übung angeboren. Endlich kann
auch das Spiel, namentlich im Freien, dazu beitragen, sie zu nützlichen
Gliedern der Menschheit heranzubilden. Beim Spiele lernt das Kind am
leichtesten, sich in eine Gemeinschaft fügen, sich des Hanges zur Einsamkeit und Absonderung entwöhnen, dem Schwächeren helfen. Normale
Kinder werden sich jederzeit spontan zum Spiel anschicken, schwache
nicht. Daher muß der Lehrer an den Spielen der letzteren tätigen Anteil
nehmen. Die meisten geistesschwachen Kinder sind sehr unruhig und
reizbar und vermögen nicht lange ihre Aufmerksamkeit auf einen Gegenstand zu konzentrieren. Dem wird am besten durch das Spiel entgegen-
gewirkt. Die normalen Kinder, selbst Geschwister, weisen die Schwachen
meist von ihren Spielen zurück. Das empfindet manches Kind schmerz-
lich; es wird ihm hohe Freude bereiten, die Spiele so zu erlernen, daß
es am Spiel seiner normalen Bekannten teilnehmen kann. Ganz besonders muß aber noch der mit dem Spiele verbundene Aufenthalt in

frischer Luft hervorgehoben werden, da zu Hause sehr viele Kinder Tag und Nacht überaus schlechte Luft einatmen zum Schaden auch ihrer geistigen Kräfte. Körperliche Übung in frischer Luft muß notwendig hinzutreten zu guter Nahrung, Bädern, Medikamenten und allem, was sonst oft in reichem Maße zur körperlichen Besserung der Kinder in den Schulen geschieht. Der »Drill« während der einzelnen Unterrichtsstunden wird dadurch nicht etwa überflüssig. Die Vortragende verwendet in der Mitte des Vor- und Nachmittages je $1/4$ und am Schlusse des Vormittages $1/2$ Stunde zum Spiel. Sie hält am geeignetsten solche Spiele, bei denen jedes Kind eine bestimmte Aufgabe zu erfüllen hat, rät dagegen solche zu meiden, die großen Lärm verursachen und die an sich schon reizbaren Kinder aufregen. Sie empfiehlt Cricket und andere Ballspiele (Fußball nur in beschränktem Maße für ältere Knaben), Seilspringen, Reifenwerfen, Kreiselschlagen, Federball, Spielen mit Murmeln, in der kalten Jahreszeit Pferdespielen. Daneben führt sie noch Spiele auf, welche einen gewissen Apparat erfordern und die Kinder in verschiedenen Berufen und Tätigkeiten Erwachsener oder als Tiere auftreten lassen. Spiele im Hause sind nicht so ersprießlich. Es wird das Ringewerfen empfohlen. Von Spielen, die am Tische, aber immer nur von einer geringen Anzahl vorgenommen werden können, werden genannt Halma, Anfertigen von Albums und Einkleben von Bildern aus alten Zeitschriften in dieselben, Ratespiele usw. Stets ist beim Spiele auf größte Einfachheit Bedacht zu nehmen, damit auch die Schwächsten sich beteiligen können. Wo größere Hallen verfügbar sind, können auch manche Kreisspiele im Hause betrieben werden. Ferner ist Schwimmen eine vorzügliche Übung, auch den Tanz pflegen manche Schüler mit gutem Erfolge. Singen macht den Kindern viel Freude; ebenso würde die Teilnahme an Konzerten und einfachen dramatischen Darstellungen, an Projektions- und bioskopischen Vorführungen ihnen gewiß viel Vergnügen bereiten.

　　Außerdem sprach in dieser Versammlung noch Ms. Brookes, Hilfsschulleiterin in Wolverhampton über das Thema: Handarbeit für geistesschwache Kinder: Die Handarbeit ist in den Hilfsschulen das Hauptmittel, die Kinder zu späterer Selbsthilfe zu befähigen und sie so davor zu bewahren, daß sie auf abschüssige Bahn geraten. Ihr Wert für die Charakterbildung kann gar nicht genug gewürdigt werden. Sie übt beruhigenden Einfluß aus. Die Kinder freuen sich, ihr Werk, wenn auch allmählich, der Vollendung nahen zu sehen und zeigen es mit Stolz. Sie bekommen Selbstvertrauen, indem sie aus eigener Kraft schaffen, was sie den Lehrer vormachen sehen; sie lernen Sorgfalt und Geduld, ihre Ungeduld zügeln. So wird vielleicht einmal von den Hilfsschulen eine wesentliche Verminderung der Vergehen und Verbrechen ausgehen, von denen ja so viele von Geistesschwachen begangen werden. Auch der unterrichtliche Wert ist groß. Schon bei den Kleinen fördert z. B. das Aufreihen von Perlen und das Bauen mit Steinen das Rechnen. Die Nachahmungskraft wird geschult, die Phantasie angeregt. Wichtig ist die Handarbeit auch für die Sinnesbildung; das Kind lernt z. B. durch das Gefühl Steine der Baukasten und Tonstücke unterscheiden, lernt die Farbe

der Bausteine, Perlen und Wolle kennen. Die Handarbeit der Kinder
muß reichen Wechsel aufweisen, sonst ermüden sie bald. Die größte
Schwierigkeit bietet die Gruppierung der Kinder nach ihren Fähigkeiten
und die Aufmerksamkeit, welche jedem einzelnen zugewandt werden muß.
Man merkt bald, daß es die Resultate wesentlich steigern würde, wenn
immer 2 oder 3 Kinder einen Lehrer haben könnten; andrerseits macht
aber der Klassenunterricht, wo er möglich ist, die Kinder gewandt und
gewöhnt sie an schnellen Gehorsam. Die Leistungen sind sehr verschieden;
einige Kinder zeigen relativ gute Auffassung, andere sind furchtbar schwerfällig. — Für die Kleineren ist fast jede nur denkbare einfache Beschäftigung geeignet, um ihre Beobachtungsgabe und Hand zu bilden; beim
Aufziehen von Perlen — für die Kurzsichtigen und besonders Schwer-
fälligen werden größere grellgefärbte von Holz verwandt — lernen sie
die Farben kennen. Ausgezeichnet sind die Tonarbeiten. Sie machen den
Kindern viel Freude, ermöglichen ihnen, allerlei im Unterricht behandelte
Gegenstände nachzubilden, da jeder Druck im Ton bleibt. Es tritt
Freude am Bilden an Stelle des Zerstörungstriebes. Plastilina ist besser
als der eigentliche Ton, welcher leicht trocken wird und reißt. Das
Ausstechen punktierten Papiers ist für die Gesichtsbildung vorteilhaft;
Bauen mit farbigen Steinen gestattet reiche Abwechlung. Schwerer ist
schon das Korbflechten und Herstellen von Pappkästchen. Zeichnen und
Kolorieren sind, so unvollkommen auch zunächst die Leistungen seien, bei
den Kindern beliebte Beschäftigungen. Für die größeren Mädchen empfehlen sich häusliche Arbeiten: Reinigen, Kochen, Waschen, Nähen,
Deckenmachen, Sticken usw., für ältere Knaben Holzarbeiten. Für Knaben
hat der Gebrauch von Werkzeugen stets großen Reiz. Auch mit Rohr-
flechten, Papparbeit und Wollstickerei können Knaben mit Vorteil beschäftigt werden. Gartenarbeit kann gar nicht genug gewürdigt werden.
— Bei aller Handarbeit ist die größle Geduld der Lehrer nötig; man
darf von vornherein nur auf ganz langsame Fortschritte hoffen und sich
durch ungenügende Resultate nicht gleich entmutigen lassen.

Henze.

---

4. Bericht über die Verhandlungen der XI. Konferenz für das Erziehungs- und Bildungswesen Geistes- schwacher am 6. bis 9. September 1904 in Stettin.

Von Franz Frenzel-Stolp i. Pom.

Einem allgemeinen Wunsche entsprechend, habe ich der Konferenz
für das Idioten- und Hilfsschulwesen die obige Bezeichnung beigelegt
und möchte empfehlen, dieselbe beizubehalten, da sie die Benennung
›Idioten‹ vermeidet, sonst aber das Gesamtgebiet der Erziehung und Bildung
Geistesschwacher umfaßt.

Auf der Vorversammlung begrüßte der Vorsitzende der X. Konferenz, Erziehungsinspektor Piper-Dalldorf, die Anwesenden und erstattete

Bericht über das verflossene Triennium. Die Berichterstattung erstreckte
sich auch auf literarische Notizen und statistische Angaben über Erziehungsanstalten für Geistesschwache und über Hilfsschulen. Um möglichst vollständige Übersichten in diesen Beziehungen zu gewinnen, würde es angebracht erscheinen, eine literarische und eine statistische Stelle im Vorstande zu schaffen. Bei der Wahl des Vorstandes wurden sämtliche
Mitglieder wiedergewählt, nur Pastor Geiger-Mosbach schied wegen Berufung in ein anderes Amt aus, an seine Stelle trat Pfarrer Stritter-
Alsterdorf. Schließlich gelangte noch der bekannte Aufruf zur Begründung
allgemeiner heilpädagogischer Kongresse zur Vorlesung, welcher die
Billigung der Versammlung fand. Zwei Mitglieder der Konferenz wurden
beauftragt, weitere Schritte in dieser Angelegenheit zu unternehmen.

Die erste Hauptversammlung wurde mit den üblichen Begrüßungen eröffnet; der Oberpräsident der Provinz Pommern, Exzellenz
Freiherr von Maltzahn-Gültz, war persönlich erschienen und richtete
herzliche Worte an die Versammlung. Leider vermißten wir einen Vertreter der Stadt Stettin unter den Begrüßenden, überhaupt war die Beteiligung seitens der Stadt bei der Konferenz eine sehr geringe; es hatte
beinahe den Anschein, als ob man uns vollständig ignorieren wollte. —
Die lange Reihe der Vorträge eröffnete Schenk-Breslau; er sprach in
interessanter Weise über die »Gewinnung dauernder Unterrichts-
ergebnisse für geistig zurückgebliebene Kinder«. Nachdem der
Redner eingehend begründet hatte, daß die praktische Tätigkeit in Hilfsschulen und Erziehungsanstalten besonderer Behandlungsmaßnahmen, besonderer Kunstgriffe, besonderer Lehr- und Lernmittel, sowie besonderer
Lehrbücher usw. bedarf, entwickelte er seine Ansichten darüber und
forderte zum Schlusse zu einer gegenseitigen Aussprache über diese Angelegenheit auf. Die Beteiligung daran war denn auch eine recht lebhafte;
leider erging man sich dabei häufig nur auf die Erörterung unwesent-
licher Gesichtspunkte und Kleinigkeiten und auf Sachen, über die bereits
in früheren Konferenzen und Verbandstagen zur Genüge verhandelt worden
war. Immerhin aber boten Aussprache und Vortrag recht viele Anregungen besonders für diejenigen, welche erst kurze Zeit im Dienste der
Schwachsinnigenbildung stehen. Die Drucklegung des Vortrages wäre sehr
erwünscht, da derselbe sich vorzüglich zur Orientierung über Veranschau-
lichungs-, Lehr- und Lernmittel für Geistesschwache eignen dürfte.

Den folgenden Vortrag hielt Dr. Gutzmann-Berlin, er behandelte
das Thema: »Die Übung der Sinne«. Zunächst gab Redner eine
historische Übersicht über die bestehenden literarischen Erscheinungen,
welche das Gebiet der Sinnesübungen darstellen. Dann sprach er über
die Art der Sinnesübungen und ihre Bedeutung für die Geistesentwicklung.
Zuletzt entwickelte er seine anregenden Ideen über die Kompensation der
Sinne und über die spezielle Übungstherapie. Die interessanten Ausführungen verdienen unsere ganze Beachtung.

Den dritten Vortrag hielt Landesversicherungsrat Hansen-Kiel über
»Die in der Provinzial-Idiotenanstalt zu Schleswig mit der Erweiterung des Handarbeitsunterrichts gemachten Erfahrungen«.

Der Vortragende hatte eine reichhaltige Ausstellung von gefertigten Sachen aus dem Handarbeitsunterrichte veranstaltet und schilderte an der Hand dieses Materials den Handfertigkeitsunterricht, wie er in der Idiotenanstalt zu Schleswig nach Einführung verschiedener Zweige aus dem Handarbeitsunterrichte der nordischen Länder betrieben wird. Er empfahl namentlich die Einführung des Webebetriebes und einer weitausgedehnten Holzarbeit für unsere Anstalten. Seine Ausführungen ließen jedoch vielfach erkennen, daß er über den Betrieb des Handarbeits- und Beschäftigungsunterrichts in unseren deutschen Anstalten nicht gehörig orientiert war; er hätte sonst wissen müssen, daß vielfach ein Handfertigkeitsunterricht gepflegt wird, der unseren Bedürfnissen und Verhältnissen ganz und gar entspricht. Eine große Unwissenheit schien auch ein zitierter Artikel des Anstaltsarztes Dr. Hopf-Potsdam aus der »Psychiatrisch-neurologischen Wochenschrift« zu bekunden, worin ausgedrückt wird, daß eigentlich bisher von den Pädagogen nicht viel auf diesem Gebiete geleistet wurde, sondern daß erst der Arzt hinzukommen müsse, um den ganzen Unterricht neu zu beleben und zweckmäßig auszugestalten. Eine Widerlegung dieser Ansichten geschah in der Debatte von verschiedenen Seiten; hoffentlich wird man in Zukunft sich besser orientieren, bevor man über eine Sache öffentlich schreibt.

Die zweite Hauptversammlung wurde mit dem Vortrage des Anstaltsdirektors Dr. Gündel-Rastenburg eröffnet, welcher über »Erziehungsanstalten für Geistesschwache« von pädagogischen Gesichtspunkten aus referierte. Aus seinen lehrreichen Ausführungen können wir nur das Wichtigste herausheben. Nachdem Redner über die Zöglinge der Erziehungsanstalt, über die Anstaltserziehung und ihr Ziel sich eingehend ausgesprochen hatte, kam er zur Beantwortung zweier vielumstrittener Tagesfragen aus dem Gebiete der Schwachsinnigenbildung, welche sich auf die Leitung der Erziehungsanstalten für Geistesschwache und auf die Gesetzgebung für diese Anstalten bezogen. Es wurden die beiden folgenden Sätze von der Versammlung angenommen: 1. Der pädagogische Charakter bedingt für die Erziehungsanstalt für Geistesschwache auch eine pädagogische Leitung. Dem Arzte liegt die hygienische Überwachung der Anstalt, die leibliche Behandlung der Pfleglinge und eine Untersuchung ihres Gesundheitszustandes bei Aufnahme und Entlassung und in regelmäßigen Zeitabschnitten zur Ergänzung des Individualitätenbildes ob. 2. Die Erziehungsanstalt für Geistesschwache ist aus dem Rahmen der Irrengesetzgebung herauszuheben und nur unter die Unterrichtsverwaltung zu stellen.

Die Debatte wurde recht lebhaft geführt, sie wird im ausführlichen Bericht recht interessant zu lesen sein.

Pastor von Lühmann-Kückenmühle sprach über den »Konfirmandenunterricht bei Geistesschwachen«. So gut gemeint seine Ausführungen auch waren, und so sehr wir ihm auch in einzelnen Punkten zustimmen müssen, so wenig entsprachen sie in anderen Beziehungen doch den Anforderungen, welche die neuere Didaktik an einen rationellen Konfirmandenunterricht stellen muß. — Wir möchten empfehlen, den Konfirmandenunterricht von dem Religionslehrer des geistesschwachen Kindes und zwar in besonderen Stunden und in besonderer Vorbereitung erteilen zu lassen. Die Geistlichen mögen vor der Konfirmation 4 bis 6 Wochen lang die Geistesschwachen mit den anderen Konfirmanden gemeinsam auf die Konfirmation vorbereiten und sie dann konfirmieren. Es ist selbstverständlich, daß wir ihnen nicht solche Kinder, die geistig unreif erscheinen, zur Konfirmation empfehlen werden. Wiederum aber können wir es den Geistlichen durchaus nicht verargen, wenn sie erst nach genauer Prüfung der vorliegenden Fälle die Einsegnung vollziehen wollen.[1])

Sehr zeitgemäß und lehrreich war der letzte Vortrag der zweiten Hauptversammlung, welchen Pastor Stritter-Alsterdorf hielt; er sprach über das Thema: Ist die Gründung von besonderen Anstalten für schwachbegabte Fürsorgezöglinge notwendig? Der Referent kam in seinen Ausführungen zu folgenden Ergebnissen:

1. Die Kombination von Rettungshaus bezw. Bewahranstalt und Idiotenanstalt hat sich im allgemeinen nicht bewährt und würde auch den vorhandenen Übelstand nicht beseitigen. In kleineren Staaten wird man sich mit der Einrichtung besonderer Häuser oder völlig abgeschlossener Abteilungen in schon bestehenden Anstalten behelfen müssen. Findet sich kein anderer Ausweg, so dürfte die Angliederung an eine Idiotenanstalt vor derjenigen an ein Rettungshaus oder an eine Irrenanstalt den Vorzug verdienen. Für größere Staaten und Provinzen kann es sich aber nur um die Gründung besonderer Erziehungsanstalten für schwachbegabte Fürsorgezöglinge handeln, deren Notwendigkeit von Pädagogen, Medizinern und Juristen längst erkannt worden ist.

2. Ihren Zweck werden am besten freie Anstalten eventuell mit staatlicher Subvention, die aber jedenfalls unter Kontrolle der Medizinal- und Schulbehörden stehen müssen, erfüllen. Sie sind unter pädagogische Leitung mit dauernder psychiatrischer Beratung zu stellen. Bei der großen Verschiedenartigkeit der Zöglinge ist auf möglichste Trennung heterogener Elemente durch Einführung eines weit ausgedehnten Gruppensystems Bedacht zu nehmen. Ebenso empfiehlt sich die Einrichtung besonderer Anstalten für Knaben und Mädchen. Daß es an einem gutgeschulten Personal und an einer nüchternen religiösen Beeinflussung nicht fehlen darf, ist selbstverständlich.

3. Wenn auch eine Heilung nur in einzelnen Fällen zu erwarten ist, namentlich da, wo der Defekt die Folge ungünstiger häuslicher Verhältnisse ist, so ist doch zu erreichen, daß derartige Kinder einerseits weniger Schaden anrichten, andrerseits selbst nicht der Verführung zum Opfer fallen und vor der Verbrecherlaufbahn bewahrt bleiben.

Es ist erfreulich, daß das Verständnis für psychopathische Erscheinungen und ihre Behandlung immer mehr erwacht und Forderungen zeitigt, die an diesem Orte bereits wiederholt gestellt wurden.

Auf den Nebenversammlungen, die im Anschlusse an die Hauptversammlungen getrennt tagten, kamen für die Vertreter der Hilfsschulen

---

[1]) Wir empfehlen unsern Lesern die monographische Bearbeitung dieser Frage durch Kielhorn angelegentlich zur Beachtung: »Der Konfirmandenunterricht in der Hilfsschule.« Beiträge zur Kinderforschung. Heft IX. Die Schriftleitung.

und der Erziehungsanstalten je 2 Vorträge zur Verhandlung. Für die
Vertreter der Erziehungsanstalten für Geistesschwache hielt Professor Dr.
Zimmer-Zehlendorf einen Vortrag über die »Heranbildung von Erzieherinnen für und durch unsere Anstalten«, während für die
Vertreter der Hilfsschulen Böttger-Leipzig über die »Zentralisation
der Hilfsklassen« sprach. Am zweiten Tage referierte Dr. Kellner-
Alsterdorf den Anstaltsvertretern über »Die Opium-Brom-Behandlung
der Epilepsie«; der Berichterstatter behandelte für die Hilfsschulvertreter
zu derselben Zeit das Thema: »Der Sach- und Sprachunterricht bei
Geistesschwachen«. Es war mir nur möglich, den Verhandlungen
der Hilfsschulfreunde beizuwohnen. Böttger forderte selbst für größere
Orte die Vereinigung einzelner Hilfsklassen in einem zentral gelegenen
Gebäude mit Hof und Garten zu einem selbständigen großen Schulorganismus. Filialklassen wären mit der Hauptschule organisch zu verbinden.
Wir meinen, daß in erster Linie bei Schulorganisationsangelegenheiten die
örtlichen Verhältnisse und Bedürfnisse maßgebend sein sollen, deshalb
können wir den Vorschlägen des Referenten weder beipflichten noch ihnen
entgegentreten; aber mit unserer Anerkennung für die gewandte Durchführung und Lösung der gestellten Aufgabe wollen wir nicht zurückhalten,
der Redner entledigte sich seines Vortrags mit großer Umsicht und mit
weitgehendem Verständnis.

Der Berichterstatter verlangte einen auf Anschauung und Konzentration basierenden Sach- und Sprachunterricht für die Geistesschwachen.
Dieser Unterricht soll den Zentralausgangspunkt aller Bildungsmaßnahmen
abgeben, den wichtigsten Unterrichtsgegenstand der unteren Stufen ausmachen und den Mittelpunkt des gesamten Unterrichts bilden. aus dem
sich allmählich die andern Disziplinen des Schulunterrichts zu entwickeln
haben, die naturgemäß aus ihm herauswachsen und in inniger Beziehung
zueinander bleiben müssen.

Mit der Konferenz waren Besuche der Kückenmühler Anstalten für
Geistesschwache und Epileptische, und der Hilfsschulen zu Stettin und
Stolp verbunden; besonders großartig gestaltete sich der Besuch der
Kückenmühler Anstalten. Es gab dort so vieles zu sehen, daß es unmöglich ist, alles aufzuzählen. Leider war uns ein Einblick in den Unter-
richtsbetrieb nicht gestattet, es wurde uns nur eine Lektion in der An-
staltskirche durch einen Kandidaten vorgeführt, der sich vorwiegend in
abstrakten Erwägungen über den II. Artikel erging.

Die nächste Konferenz soll 1907 zu Straßburg i/Els. tagen.

5. Vereinigung für Kinderforschung in Mannheim.

Am 19. Oktober trat in Mannheim eine Anzahl von Ärzten und
Pädagogen zusammen zur Begründung einer lokalen Vereinigung für
Kinderpsychologie. Nach einer einleitenden Ansprache des Herrn Dr. med.
Moses und einer kurzen Diskussion, in der allerseits das Bedürfnis nach
einem Zusammenschluß der an der Erforschung des kindlichen Seelen-
lebens im normalen und abnormen Zustande interessierten Kreise anerkannt

wurde, erfolgte die Konstituierung der Vereinigung, in deren Leitung gewählt wurden die Herren: Dr. Moses, Prof. Schellmann, Hauptlehrer Enderlin.

An diese geschäftliche Besprechung reihte sich sofort eine wissenschaftliche Sitzung, in der Herr Nervenarzt Dr. L. Mann einen Vortrag hielt. Der Vortragende machte Mitteilung über 6 Fälle kindlicher Nervenerkrankungen, von denen 4 der Hysterie zuzurechnen sind, 2 epileptische Zustände zeigten. Bei 2 Fällen handelte es sich um psychogen hervorgerufene und auf dem Wege der Psyche wieder ausgeschaltete Störungen mit frühreifer in allen Komponenten gleich guter Intelligenz. Bei den 2 andern Fällen von Hysterie war neben den motorischen — verschieden lokalisierten — Äußerungen der Hysterie ein deutliches Zurückbleiben der Intelligenz bei gleichzeitigem Überwuchern des Phantasielebens vorhanden. In einem Fall war der Einfluß der Lecture May scher Bücher von wesentlicher Bedeutung. Während bei diesem Fall wenigstens eine Konzentrationsfähigkeit in Beziehung auf die Erlebnisse der Phantasie vorhanden war, fehlte sie bei dem andern auch auf diesem Gebiet vollkommen. Dieses Kind war völlig ein Spiel wechselnder äußerer Eindrücke, auch die Erlebnisse der Phantasie waren in stetem Entstehen und Vergehen ohne untereinander enger verbunden zu werden oder haften zu bleiben. In beiden Fällen war eine symptomatisch und nicht ursächlich aufzufassende Masturbation vorhanden. Die beiden epileptoiden Kinder waren von geringer Intelligenz, heftigem Charakter, zeigten sogenannte epileptische Äquivalente (Absencen).

Bei allen 6 Fällen handelt es sich um körperlich schwächliche, blutarme Kinder von 9—14 Jahren, die erblich belastet waren. Allen gemeinsam ist eine Überschätzung der eigenen Person und Egoismus. Bei den 4 letzten Fällen: gesteigerte psychische Ermüdbarkeit, erhöhte Ablenkbarkeit, bewegliche Phantasie, Lügenhaftigkeit infolge der lebhaften Einbildungskraft, Stimmungswechsel, Unfreiheit des Willens durch Stimmungswechsel und Antriebe. Auffallend ist ferner das Unvermögen zwischen den Produkten der Phantasie und der wirklichen Welt die richtigen Beziehungen herzustellen.

Die Behandlung derartiger Zustände hat nach 3 Gesichtspunkten stattzufinden und kann natürlich nur eine relative sein. Der Arzt hat die Aufgabe, die körperlichen Störungen zu heben, die Hygiene der Psyche (Arbeit und Erholung, Schlaf usw.) zu überwachen. Für den Pädagogen ist die Aufgabe schwieriger, da es sich wohl um minderwertige, aber nicht schwachsinnige handelt. Hier ist besonders auf die zeitliche Einteilung des Lehrfaches zu achten, die schwereren Fächer müssen auf das gut ausgeruhte Individuum treffen, d. h. in den ersten Morgenstunden gelehrt werden. Das Streben hat darauf zu gehen, den Kindern eine abgerundete Bildung zu geben, ohne der Kapazität ihres Hirns zuviel zuzumuten. Am schwierigsten ist die häusliche Erziehung, die vernünftige Eltern voraussetzt und streng individualisierend sein muß. Im Rahmen eines kurzen Vortrages kann nur darauf hingewiesen werden, daß in jedem Einzelfall die Eltern den Rat des Arztes und Lehrers einholen sollten.

An diesen Vortrag schloß sich eine lebhafte Diskussion.

6. Weiteres zur Kongressfrage.

Um die Frage zu einem vorläufigen Abschlusse zu bringen, werden
die sämtlichen Unterzeichner des Antrages und die gewählten
Vertreter der einzelnen Vereine zu einer Vorbesprechung ergebenst eingeladen auf

Sonnabend, den 29. Januar 1905
Abends 7 Uhr.

Die Versammlung findet statt in dem

Hörsaal der psychiatrischen Klinik der Charité
zu Berlin (N.-W. Charitéstrafse).

Daselbst wird Stellung genommen werden zu allen angeregten
Fragen. Außerdem sollen Satzungen vorberaten und Ort und Zeit
des I. Kongresses bestimmt wie ein Ausschuß für denselben
gewählt werden.

Ein Verzeichnis der in erster Linie zur Diskussion vorgeschlagenen
Fragen wird demnächst mitgeteilt werden.

Über das Verhältnis des Kongresses zu den bestehenden Vereinen
können selbstverständlich nur die Abgeordneten dieser Vereine dort beschließen.

Über den Plan selbst sind uns noch eine lange Reihe von Zuschriften
zugegangen. Wir teilen die folgenden hier mit, weil sie Fragen aufwerfen,
über die die einzelnen Vereinsvorstände sich am besten vorher besprechen.
Auch können so diejenigen sich noch zu denselben äußern, die am Kommen
nach Berlin verhindert sind.

Herr Schreuder-de Bilt b/Utrecht:

»Gern will ich den Aufruf mit unterzeichnen und die Sache in
Holland weiterführen —, jedoch unter der ausdrücklichen Bedingung,
daß der Kongreß international sei. Dann kann er bedeutsam
werden. Holland, England und Skandinavien müssen entschieden mit
hereingezogen werden, wenn möglich Frankreich auch. In England,
wo bereits eine tüchtige nationale Organisation besteht, wurde am
7. und 8. Juli in London ein sehr gut gelungener 2 tägiger Kongreß
für Heilpädagogik und Jugendfürsorge abgehalten. — Skandinavien
ist bekanntlich auf diesem Gebiete schon sehr weit fortgeschritten.
Bei uns tagte Ostern ein 3 tägiger Kongreß für Heilpädagogik und
Jugendfürsorge, mit etwa 600 Teilnehmern. Eine internationale
Zusammenschließung aller dieser Bestrebungen halte ich
für außerordentlich wichtig.«

Herr Dr. Demoor-Brüssel meinte:

»Ich finde den Gedanken einer alle 2 Jahre stattfindenden Vereinigung aller derer, die sich für die abnormen Kinder interessieren,
ausgezeichnet. Ich unterschrieb deshalb sehr gerne Ihre Vorschläge....
Ich bin ganz gewiß, daß unsere belgische Vereinigung sich Ihrer
Idee anschließen wird und daß in kurzem ich Ihnen den Anschluß
des Schutzvereins für abnorme Kinder und — so hoffe ich — auch

den der Schutzunternehmungen für Taubstumme ankündigen kann. ...
Ende September 1905 tagt der schon lange vorbereitete internationale
Kongreß für die Erziehung und den Schutz des Kindes in der Familie.
— Wir sollten gemeinsam untersuchen, was zu tun sei. Ent-
weder würde die Vereinigung von 1905, die Sie planen, in
Lüttich bei Gelegenheit dieses Kongresses oder vorher stattfinden. ...
Der erstere Beschluß wäre vielleicht der beste. In Lüttich würden
wir dann über verschiedene Fragen diskutieren, die wir auf die
Tagesordnung gestellt hätten und für die Sie gütigst uns Referate in
Vorschlag bringen wollen. ... Wir würden hier dann auch leicht
Satzungen und Bedingungen ausarbeiten können für die weiteren Ver-
sammlungen, die später in der einen oder andern Stadt des Kontinents
abzuhalten wären.‹

In ähnlichem Sinne äußerten sich T. Jonkheere-Brüssel wie Prof.
Dr. Schuyten, Direktor des pädagogischen Laboratoriums, und
Dr. Ley in Antwerpen.

Herr Prof. Dr. Griesbach-Mülhausen:

›Die moderne Schulhygiene ist bestrebt alle zur Schulgesundheitspflege in Beziehung stehenden, insbesondere auch die kinderpsychologischen und heilpädagogischen Faktoren in einheitliche Bahnen zu
lenken und deren innigen Zusammenschluß zu bewirken. Dies wird
nach Ansicht des internationalen permanenten Komitees für Schulhygiene am besten erreicht durch die alle drei Jahre wiederkehrenden
internationalen Schulhygienekongresse und durch die internationale
Zeitschrift ›Archiv für Schulhygiene‹, deren erstes Heft noch im
Herbst ds. Js. ausgegeben wird. Beide wollen, wie es der I. Kongreß
in Nürnberg gezeigt hat, der Zersplitterung der Schul- und Unter-
richtshygiene und der heilpädagogischen Bestrebungen vorbeugen.
Der allgemeine deutsche Verein für Schulgesundheitpflege sowie
die in andern Ländern bestehenden gleichen Vereinigungen unterstützen die genannten Kongresse. Sollte es nun nicht im Interesse der Sache liegen von der Gründung immer neuer Kongresse
abzusehen? Wäre es nicht ratsamer, die für Kinderpsychologie
und Heilpädagogik in Aussicht genommenen Versammlungen mit
denen des allgemeinen deutschen Vereins für Schulgesundheitspflege
zu verschmelzen? — Je mehr Kongresse desto mehr zersplittern sich
die hervorragendsten Kräfte und Teilnehmer, desto schlechter werden
die einzelnen Kongresse besucht. Ich bin selbstverständlich bereit
unsern Verein zur Unterstützung der speziellen Richtung, welche in
den Sonderschulen und in der Heilpädagogik zum Ausdruck kommt,
zu veranlassen, möchte aber doch den Zusammenschluß aller Faktoren
dringend befürworten.‹

Herr Prof. Dr. Schuyten-Antwerpen:

›Ich habe mit Vergnügen Ihre Aufforderung an die Vereine für
das Studium des normalen und abnormen Kindes gelesen. Die weit-
greifenden Ideen, die Sie darin betonen, sind eben dieselben, die ich
im vergangenen Jahre Griesbach mitteilte, als er mir wegen seines

internationalen Schulhygiene-Kongresses schrieb. Von Anfang an gab ich ihm zu bedenken, daß letztere Benennung nicht umfassend genug sei, und daß er nach einer andern suchen müsse, wenn er das Allgemeinziel der Wissenschaft des Kindes genau charakterisieren wolle. Ich habe in Nürnberg erfahren, was er mir nie geschrieben hatte, nämlich, daß er nur die Schulhygiene im Auge hatte. »Nur Schulhygiene«, sagte der Vorstand einer Sektion. Viele Pädagogen und Nichtmediziner sind getäuscht worden und haben nicht auf dem Kongreß den Anhaltspunkt gefunden für ihre Gedanken und Arbeiten, den sie mit Recht erwarteten. Dies ist sehr bedauernswert für eine seit dem Anfang so wohlgelungene Bewegung. Ihre Aufforderung, die wahrscheinlich eine schon sehr verbreitete Idee nochmals ausspricht, beweist mir, daß ich recht hatte zu denken, daß Griesbach Gefahr liefe, sich die ungeheure Stütze der Schulmänner, der eigentlichen Pädagogen zu verscherzen. Ist es nicht traurig, sagen zu hören: Es gibt keine Psychologie — es gibt keinen Binet, keinen Meumann mehr!

Von einem internationalen Kongreß, der sich ausschließlich mit der Schule und den Kindern beschäftigt. kann man selbstverständlich nicht die Psychologie ausschließen, selbst wenn sie falsch ist, was aber den Tatsachen widerspricht. Alle Wissenschaften, welche zur genauen Kenntnis der Kindestätigkeit beitragen, müssen dort gleichmäßig berücksichtigt werden. Das ist nur bei einer allgemeinen Benennung möglich, die fähig ist, jeden guten Willen einzuschließen. Chrisman, Dissertation Jena 1896, hat einen glücklichen Ausdruck gefunden: »Paidologie«. Die »British Child Study Association« und ich selbst, mit der »allgemeen Paedologisch Gesellschap« sind die einzigen, die diese Benennung bis jetzt angenommen haben. Ich schlage Ihnen vor, Sie ebenfalls mit den andern Vereinen zusammen anzunehmen und die Versammlung des nächsten Jahres »Internationalen Kongreß für Paidologie« zu nennen. Ich denke, daß Sie auf diese Weise die meisten Anhänger vereinigen würden, besonders falls Sie, wenn nötig, einen Untertitel hinzufügen z. B. »Allgemeines Kinderstudium«. In demselben Sinne antwortete Dr. Wilh. Ament-Würzburg:

»Die Namensfrage mag man vielleicht für unwesentlich halten, ich halte sie aber für sehr wesentlich, da der Name die Flagge ist, unter welcher der Kongreß segelt. Ich glaube wohl nicht mit Unrecht das Erfordernis eines guten Namens darin zu sehen, daß er möglichst kurz möglichst viel sagt und den weitesten Kreisen, die an dem Kongresse Interesse nehmen sollen, ohne weitere Ausführungen verständlich ist.

Man hat ursprünglich von einem Kongreß für Kinderpsychologie und Heilpädagogik (später Heilerziehung) gesprochen. Warum Kinderpsychologie, wenn die Heilpädagogik auch die Heranziehung der Untersuchungen über den kindlichen Körper notwendig macht? Und warum Heilerziehung, nachdem doch die ganze Pädagogik an diesem Kongreß interessiert ist?

Unter den späteren Stimmen findet sich der Vorschlag: **Kongreß für die Theorie und Praxis der Jugendfürsorge.** Mit solchen gelehrten Titeln bleibe man doch ferne. ... Warum **Jugendfürsorge,** warum die Pädagogik allein betonen, wenn man Psychologen, Sprachforscher, Ärzte und Juristen dabei haben will?

Der sympathischste Vorschlag ist mir der Ihrige: ›**Kongreß für Pädologie** (oder Kinderkunde, Kinderforschung, Kinderstudium) und **Jugendfürsorge** (oder Kinderschutz)‹, bis auf die eben beanstandete Jugendfürsorge und das garstige Fremdwort Pädologie. Warum ein Wort, unter dem sich nicht gleich jeder alles zu denken vermag? Warum eine urdeutsche, gerade neuerdings in Deutschland wieder am ernstesten gepflegte Wissenschaft unter einem fremden noch dazu von einem Ausländer (Chrisman) stammenden Namen tagen lassen? Ein deutscher Kongreß — ein deutscher Name.

Tagen wir doch unter einem **Kongreß für Kinderkunde und Kindererziehung,** unter dessen Flagge man alles sammeln kann, was man will, d. h. alles, was Interesse hat an der Erforschung des Kindes und seiner Erziehung. ... Er entspricht allen Erfordernissen, die wir an einen brauchbaren Namen stellen müssen. ... Bemühen wir uns aber auch, daß unter seiner Flagge wirklich alle versammelt werden, die am Kinde und seiner Entwicklung irgendwie beteiligt sind. Dann werden wir wirklich einen **Kongreß für Kinderkunde und Kindererziehung** erreichen.‹

Auch Dr. **William Stern-Breslau** wünscht ›in der Fassung des Aufrufes ein wenig mehr die **Mitberücksichtigung des Normalpsychologischen** betont.‹

Med.-Rat Dr. **Baer-Berlin:**

›Auch ich erkläre mich mit dieser Bestrebung gerne und ganz einverstanden. Durch die von so vielen Gesichtspunkten aus geplante Beobachtung des kindlichen Lebens wird die Kenntnis von der Entwicklung des gesunden und kranken Geistesleben im Kindesalter eine reiche Förderung erfahren, welche den Pädagogen wie den Medizinern von gleich großem Nutzen sein wird. Ich wünschte, daß meine gesundheitlichen Verhältnisse mir eine größere Beteiligung an diesen hochwichtigen Fragen gewähren möchten.‹

Herr **Gengnagel-Nieder-Ramstedt:**

›Durch die Menge der Spezialkonferenzen wird ein solches Detail erarbeitet, daß es schwer fällt, den Überblick zu bewahren. Und wenn es eine Zeit nötig hat, bei der Vielseitigkeit die Einheit nicht aus dem Auge zu verlieren, so ist es unsere Zeit. Ich hoffe von dem Kongreß, daß er seine Teilnehmer auf eine hohe Warte stellt, die es ermöglicht, sich einen weiten, offenen Blick zu bewahren, daß er die reichen Einzelarbeiten unter großen, einheitlichen Gesichtspunkten verarbeitet, soweit dies auf unserm vielseitigen Gebiete möglich ist.‹

Herr Dr. **Theodor Heller-Wien-Grinzing:**

›Ich finde unter den Antragstellern ausschließlich Reichsdeutsche, und es ist deshalb die Frage naheliegend, ob der Kongreß einen internationalen Charakter haben soll oder nicht. Im ersteren Fall würde ich gerne die Bestrebungen des vorberatenden Komitees fördern, soviel dies in meinen Kräften steht. Auch mein Vater (Blindenanstaltsdirektor), steht den Bestrebungen der Vereinigung sehr sympathisch gegenüber. . . .

Im Jahre 1907 finden nicht weniger als drei Kongresse statt, die zur Heilpädagogik in Beziehung stehen (Blindenlehrerkonferenz, Konferenz für Idiotenheilpflege, Schulhygienekongreß). Es mußte daher meines Erachtens das Jahr 1906 als »kongreßfreies« für die Abhaltung des heilpädagogischen stattfinden.« —

Wie schon mitgeteilt, hat die »Konferenz für Idiotenwesen« als erste ihre einmütige Zustimmung erklärt und ihre beiden Vorstandsmitglieder Piper-Dalldorf und Schwenk-Idstein zu Vertretern ernannt. Dasselbe ist geschehen vom »Verein für Kinderforschung«. Er hat Prof. Dr. Ziehen-Berlin und den Unterzeichneten mit der Vertretung beauftragt.

Der Präsident des »Vereins Fürsorge für Schwachsinnige in Wien«, Herr Max Freiherr von Vittinghoff-Schell schreibt uns:

»Der Verein ‚Fürsorge für Schwachsinnige' begrüßt die geplanten allgemeinen Kongresse für Kinderpsychologie und Heilpädagogik aufs wärmste und erklärt sich bereit, soweit es nur irgend möglich ist. sich an den Vorberatungen wie an dem Kongresse selbst zu beteiligen, Als Vertreter macht er die Herren Vizepräsident Oberlehrer Hans Schiner und Schriftführer Lehrer Hans Bösbauer namhaft.«

Wir bitten alle Vereine, die sich noch nicht entschieden haben, möglichst bald uns ihre Vertreter namhaft zu machen.

Der Vorstand des »Verbandes der Hilfsschulen Deutschlands« erklärt zwar, »daß in einer derartigen Angelegenheit nur auf Beschluß einer Generalversammlung etwas geschehen könne und daß, da die nächste Versammlung des Verbandes erst Ostern 1905 stattfindet, eine Beteiligung an dem Projekt bezw. eine Stellungnahme zu demselben bis dahin nicht tunlich sei.« Da aber andere in Frage kommende Vereinigungen erst wieder 1906 tagen, so läßt sich die Sache doch nicht gut bis dahin vertagen, zumal wieder andere drängen. Die Vorberatungen sind ja keineswegs für einen Verein bindend und er kann ja auch später noch beitreten oder fernbleiben. Wir richten darum an die Vorstände solcher Vereine die Bitte, ihre Vereine, wenn auch unverbindlich, bei den Vorberatungen vertreten zu lassen, damit von vornherein deren Interessen genügend wahrgenommen werden.

Weitere Zustimmungserklärungen bezw. Unterschriften sind uns noch zugegangen von den Herren:

Dr. A. Kühner-Coburg.   Stadtschuldirektor Dr. A. Reukauf-Coburg. Dr. von Rhoden-Düsseldorf. J. Schwenk-Idstein. Dr. Paul Selter-Solingen, namens der Vereinigung niederrheinisch-westfälischer Kinderärzte. Prof. D. Dr. Zimmer-Zehlendorf. Hilfsschullehrer Hans Schober-Posen. K. Baldrian-Wien. Dr. Witry, Nervenarzt in Trier. Franz Weigl,

Hilfsschullehrer u. Red. d. Pädag. Blätter in München. Dr. Fiebig, Schularzt in Jena. Pastor Stritter, Direktor der Alsterdorfer Anstalten in Hamburg. Prof. Dr. A. Baginsky-Berlin. A. Henning, Reichs- und Landtagsabgeordneter, namens des Kirchlichen Fürsorgeerziehungs- und Rettungshaus-Verbandes der Provinz Brandenburg. Rektor Th. Fuhrmann-Breslau. Prof. Dr. C. Stumpf-Berlin. J. Vatter, Direktor der Taubstummenanstalt in Frankfurt a/M.

Weitere Mitteilungen von Wünschen wie Beitrittserklärungen von Vereinen wie von Einzelpersonen nimmt der Unterzeichnete entgegen.

Jena.   Trüper.

C. Literatur.

Shuttleworth, Les enfants anormaux au point de vue mental; leur traitement et leur éducation. Zweite Auflage aus dem Englischen ins Französische übersetzt von Dr. Ley (Antwerpen). Mit Abbildungen im Text. Brüssel, Lebègue, 1904.

Shuttleworths bekanntes Buch »Mentally deficient children«, ist kürzlich ins Französische übersetzt worden. Das Werk, dem berühmten Dr. Ed. Seguin gewidmet, behandelt im großen ganzen die geistiger Insufficienz. Nach einem kurzen geschichtlichen Überblick geht der Verfasser zunächst auf das Thema »geistig zurückgebliebener Kinder« ein, weist die Wichtigkeit ihrer Spezial-Erziehung nach und zeigt die Art und Weise wie die diesbezüglichen Untersuchungen in England gemacht worden sind. Die englischen Gesetze über die Erziehung Epileptischer und Zurückgebliebener werden sehr eingehend besprochen und ferner der gegenwärtige Stand des Spezial-Unterrichtes in Europa und Amerika gezeigt. Eine Serie von zehn Krankengeschichten illustriert diesen ersten Teil.

Hierauf folgt der eigentlich pathologische Teil. Shuttleworth beschreibt die verschiedenen pathologischen Formen geistiger Defekte: angeborene, erworbene und Entwicklungs-Fälle; Mikrocephalie, Fehlen des Corpus callosum, Hydrocephalie, Mongolismus, Skrophulose, Paralyse, Kretinismus, erbliche Neuropathie, Eclampsie und Epilepsie, Lues, Traumatismus, Folgeerscheinungen febriler Erkrankungen, heftige Gemütsbewegungen und Intoxikationen.

Er bespricht dann die Ursachen, die Prognose und Diagnose und geht hierauf zum Kapitel der Behandlung über, die er in 1. allgemeine, 2. medicale und 3. chirurgische einteilt.

Die erziehliche Behandlung ist sehr ausführlich besprochen. Dieselbe basiert auf die Ausbildung der Sinne, namentlich auch des Muskelsinnes; der günstige Einfluß der Musik auf die Bewegung ist besonders hervorgehoben.

Der Handfertigkeits-Unterricht ist sehr wichtig; er soll beginnen mit den Fröbelschen Elementen.

Die so schwierige Frage der moralischen Erziehung ist in einem besonderen Kapitel behandelt. — Die Resultate und Schlußfolgerungen verdienen die Aufmerksamkeit der Ärzte und Pädagogen, welche über die Frage der Behandlung anormaler Kinder nicht genügend orientiert sind.

Antwerpen.   Dr. Ley.

Druck von Hermann Beyer & Söhne (Beyer & Mann) in Langensalza.

A. Abhandlungen.

Einige Aufgaben der Kinderforschung auf dem Gebiete der künstlerischen Erziehung.

Vortrag, gehalten auf dem VI. Kongreß für Kinderforschung in Leipzig 1904.

Von

Conrad Schubert, Rektor der Gebrüder Reichenbach-Schulen in Altenburg.

(Schluß.)

Wann können wir einen psychischen Vorgang dieser Art wirklich als beim Kinde vorhanden annehmen?

Man ist jetzt geneigt, zuerst die physiologische und experimentelle Psychologie zu befragen.

Die physiologische Psychologie darf mit ihren Forschungen nicht unberücksichtigt bleiben. Ob es ihr aber je gelingen wird, die höheren komplizierten Vorgänge des Kunstgenusses zu analysieren, darf man bezweifeln. Sie wird immer nur die sogenannten unterästhetischen Stufen, die Vorstufen, zum Gegenstande des Experiments machen können. Selbstverständlich gibt es beim Kunstgenuß, wie bei allen Lustgefühlen physiologische Begleiterscheinungen, wie Verengerung oder Erweiterung der Blutgefäße, vasomotorische Innervation usw., die wichtig sind. Auch spielt die Abwechslung der genußerregenden Eindrücke physiologisch eine Rolle beim Kunstgenuß, es sind immer neue Emotionen nötig.[1] Wenn jemand beim Anhören des Adagio der Neunten tief aufatmet, wenn sich seine Augenbrauen

---

[1] KARL LANGE-Kopenhagen, Sinnesgenüsse und Kunstgenuß, Beiträge zu einer sensualistischen Kunstlehre, herausg. von Hans Kurella. Wiesbaden, Bergmann, 1903.

wölben und die Nüstern aufblähen, so sind das physiologische Begleiterscheinungen, die man gewiß beachten wird. Aber eben nur
solche.

Auch VOLKELT meint, daß sich nur ästhetische Vorfragen einfachster Art auf exakt-experimentellem Wege werden in Angriff
nehmen lassen. Die Physiologie vermag die Psychologie nur auf gewisse Abhängigkeitsverhältnisse zwischen Bewußtsein und Leib hinzuweisen. Von einer physiologischen Ästhetik[2]) zu sprechen, hält er
für eine gänzliche Verkennung des ästhetischen Problems. So auch
KONRAD LANGE. Es ist naiv, von einer »Physiologie der Kunst« zu
sprechen, weil die physiologischen Vorgänge im Gehirn das spezifisch
Ästhetische gar nicht erklären können, es ist falsch, das ästhetische
Empfinden mit der Annehmlichkeit gewisser Muskelbewegungen des
Auges oder des übrigen Körpers oder mit den Erschütterungen des
Trommelfells zu identifizieren. Als Begleiterscheinungen sind sie wie
überhaupt in der Psychologie zur Klarstellung des Vorganges zu be-
nutzen.

VOLKELT hält auch die Organ- und Bewegungsempfindungen
für bedeutsam beim ästhetischen Betrachten und Genießen. Eingehend hat die »imitatorischen Einstellungen« und »motorischen An-
passungen« KARL GROOS[1]) behandelt. Er spricht z. B. vom »Gepackt-
werden« und dabei wirklichen motorischen Vorgängen. Ja GROOS behauptet sogar, daß »kräftige motorische Veranlagung für die spezifisch
ästhetische Veranlagung die Voraussetzung bilde,« wogegen VOLKELT
einwendet, daß die Einfühlung in Farben und Töne ohne die Beteiligung von Bewegungsempfindungen zu stande kommt. Wahrscheinlich sind wir aber, wenn wir eine Körperform aufmerksam betrachten, zu imitatorischen Einstellungen geneigt, weil wir die Form
dadurch mehr realisieren. Immerhin wird oft auch ein ästhetischer
Genuß ohne Organempfindungen zu stande kommen. Sicher wäre es
falsch, wenn man eine rein physiologische Ästhetik aufbauen wollte.
Daß die verschiedenen Typen, Motorische, Visuelle, Akustische
auch beim ästhetischen Genießen sich verschieden verhalten werden,
wird wohl von vornherein angenommen werden müssen.

Sehr feine Beobachtungen finden wir bei VOLKELT über Bewegungsempfindungen als Verleiblichungen von Stimmungen, be-

---

[1]) VOLKELT I, 39: »Wahrhaft abschreckende Beispiele haben GEORG HIRTH
(Aufgabe der Kunstphysiologie), 2 Bde., München u. Leipzig 1891, GUSTAV NAU-
MANN (Geschlecht und Kunst, Prolegomena zu einer physiologischen Ästhetik, Leipzig
1899) und CARL LANGE (Sinnesgenüsse und Kunstgenuß, Wiesbaden 1903) geliefert.«
[2]) KARL GROOS, Der ästhetische Genuß. Gießen 1902.

sonders beim Nachempfinden lyrischer Gedichte. Z. B. bei Goethes
Gedicht: »Über allen Gipfeln ist Ruh«: leises Schweben in der Höhe,
gegen den Schluß hin: Ansatz zu leisem Herabsinken. Goethes
»Fischer«: das ganze Gedicht begleiten Gefühle des Sichauf- und -ab-
wiegens. Heines Gedicht: »Du bist wie eine Blume«: sanftes Sich-
hinwenden zur Geliebten mit der Gebärde des Segnens und Betens.
Ob es einem weit wird um die Brust oder nicht, das ist, nach dem
bekannten Worte des Bildhauers Adolf Hildebrand, eine der Hauptfragen bei der Betrachtung der Werke der Kunst.

Ganz ablehnend sprach sich über das psychologische Experiment
einst der Jenenser Philosoph Otto Liebmann in seiner Analysis der
Wirklichkeit aus, wenn er in der Abhandlung »Gehirn und Geist«
auf die Frage: Was haben Physik, Chemie, Anatomie und Physiologie
des menschlichen Gehirns zur Erklärung, zur strengen Deduktion der
geistigen Vorgänge geleistet? antwortet: »Herzlich wenig, so gut wie
gar nichts!« Dies hat auch jetzt noch Geltung, und es ist nicht unnötig, es hervorzuheben, da unsere Lehrerschaft, soweit ich es übersehen kann, sich allzuviel von der experimentellen Psychologie verspricht, wie sie überhaupt eine Vorliebe zeigt für alles, was auf
neueren naturwissenschaftlichen Methoden basiert ist.

Damit soll durchaus kein Urteil über den Wert der physiologischen oder
der experimentellen Psychologie ausgesprochen sein, das käme mir nicht zu,
aber über ihr Wertverhältnis zur Pädagogik. Es wird doch auf allen
Gebieten so sein, daß die Pädagogik erst die verbürgten Resultate
der Wissenschaften benutzen darf und immer in der schulmäßigen
Lehre einige Schritte hinter der Forschung zurückbleiben muß. Sie
kann nicht sofort alle neuen Hypothesen in der Didaktik verwerten,
sondern muß deren allseitige Durcharbeitung abwarten. So ist es in
der Bibelkritik, in den Naturwissenschaften, in der Geographie u. s. f.

Die Physiologie und die experimentelle Psychologie werden uns
also in der Forschung über das eigentliche ästhetische Empfinden
keine verwertbaren Aufschlüsse erwarten lassen, da alles, was sie
beobachten können, nur physiologische Begleiterscheinungen des
geistigen Vorgangs des Ästhetischen sind. Die Selbstbeobachtung
und ihre Übertragung auf das Kindesleben wird die Priorität bei
der Ermittelung der ästhetischen Entwicklung haben, dann die Rück-
erinnerung an die eigene Kindheit und die in Selbstbiographien vorkommenden gelegentlichen Bemerkungen. Bei letzteren werden wir
immer bedenken müssen, daß sie durch die Reflexion des Erwachsenen hindurchgegangen sind.

Die erste wichtigste kunsterzieherische Vorarbeit der Pädagogik und der Kinderforschung wird darin bestehen, das Kind an die Natur heranzuführen und es da genau zu beobachten. Auch die Schönheit des menschlichen Körpers soll das Kind sehen. Was hindert uns, unsere Knaben in der Turnhalle nackt turnen zu lassen, sie in Sonnen- und Luftbäder zu führen, sie sich gegenseitig dort oder im Schulbad beobachten zu lassen? Die Freude am eignen Körper ist etwas für das Verständnis der Plastik sehr Bedeutsames, denn die Plastik verfolgt als Hauptziel die Verherrlichung unseres eigenen organischen Leibes.

Hierauf macht SCHMARSOW (»Unser Verhältnis zu den bildenden Künsten«, Leipzig 1903) nachdrücklich aufmerksam. »Die Geschmeidigkeit aller Gliedmaßen, die Geläufigkeit aller Nervenverbindungen in den motorischen Apparat unseres Körpers hinein, sind die größten Wohltaten, die unsere Nation durch ästhetische Kultur des gesunden Leibes gewonnen werden könnten.« »Wo die mimische Organisation, die wir von Natur besitzen, verknöchert und verwahrlost liegt, da kann auch die innere Nachahmung eines Kunstwerks nicht gedeihen!« »Die künstlerische Erziehung unseres Volkes kann nur angebahnt werden, wenn wir die Ausdrucksfähigkeit des Körpers unserer geistigen Durchbildung entsprechend anzupassen versuchen.« Die Freude am nackten Menschen ist userm Volke abhanden gekommen und damit ein Teil gesunder ästhetischer Kultur. »Nicht unsre Schulzimmer sondern unsre Badeanstalten, nicht unsre Hörsäle, sondern unser Fechtboden, selbst nicht die Zeichenstunde, sondern die Erholungspausen auf dem Hof, draußen auf grünem Rasen oder glänzender Eisbahn, beim ausgelassenen Spiel unter freiem Himmel sind die wichtigsten Stätten der ästhetischen Erziehung. Gönnt dem Knaben, der nackt ins Wasser springen will, die Freude an seinem geschmeidigen Körper, weckt sie und stärkt sie ihm, diese Lust, seine Kräfte zu prüfen, sich mit andern zu messen und mit älteren Genossen zu vergleichen. Gönnt sie und verschafft sie auch den Mädchen ungescheut!« Ich bin auch dafür, jede Gelegenheit zu benutzen, den nackten Körper zu sehen. Ist es nicht ein Unding, daß der Naturgeschichtslehrer, wenn er den menschlichen Körper behandelt, sich mit einem Bild begnügt, statt ruhig einen seiner 40 Knaben in puris naturalibus vorn auf den Lehrertisch zu stellen. Ebenso soll der Zeichenunterricht den menschlichen Körper oft intensiv von allen Seiten, in allen Stellungen anschauen und skizzieren lassen. Auch die Lehrerin könnte dies ruhig mit den Mädchen tun: die weitverbreitete alberne Prüderie, über die die Ärzte klagen, würde dann eher schwinden. Selbstverständlich hat dies mit feinstem Takt, ohne jede Verletzung des Schamgefühls zu geschehen.

So muß die Illusionsunfähigkeit besonders unserer Großstadtkinder, die zu keiner ruhigen, klaren, gefühlserfüllten Anschauung mehr kommen, auf alle Weise bekämpft werden. Wir brauchen viele klare Erinnerungsbilder, klare Formen- und Farbenvorstellungen.

Die Natur wird wesentlich erfaßt auch durch das Modellieren. Dies hat Prof. REIN-Jena seit vielen Jahren gefordert und im pädagogischen Universitätsseminar praktisch ausführen lassen. Auch SCHMARSOW sagt: »Bevor wir nicht zu der Überzeugung kommen, daß auch das Formen in der Elementarschule einen Platz gewinnen muß, werden wir keine Grundlage für die künstlerische Erziehung gewinnen.«

Eine zweite wichtige Vorarbeit ist, den Kindern die Möglichkeit zum Spielen zu verschaffen und sie dabei zu beobachten. Wenn LANGE und GROOS recht haben, so sind die Spiele die direkten Vorläufer der produktiven und auch der rezeptiven Seite der ästhetischen Lustgefühle.

Die eigentliche künstlerische Erziehung aber beginnt erst, wenn wir die Kinder anleiten, daß sie nicht bloß bei der sinnlichen Wahrnehmung stehen bleiben, sondern sich gewöhnen zu fragen, was der Künstler gewollt hat, daß das Kunstwerk nach Analogie der erscheinenden Persönlichkeit aufgefaßt wird. Das bloße Bilderbesehen ist noch kein ästhetisches Tun, es beruht zumeist nur auf dem Wiedererkennen des Dargestellten.

Das Anhören von Märchen und Geschichten ist zunächst nur stoffliche Neugier. Wann wird diese Stoffgier überwunden? Wann lernt es Schein und Wirklichkeit auseinanderhalten? Natürlich nicht mit 6 Jahren, deshalb gehören die Märchen außer ins erste Schuljahr noch einmal als ästhetisches Produkt auf eine höhere Stufe. Den Kleinen bieten wir die Märchen als solches noch nicht.

Zuerst hat das Kind sicher vor jedem Kunstwerk naiven Wirklichkeitsglauben; es hält die Puppe für ein Kind, es streichelt den gemalten Hund u. s. f. Von einer Illusion, einer bewußten Selbsttäuschung kann man hier noch nicht reden. Beim Ansehen des Bilderbuches handelt es sich noch lange nur um das Wiedererkennen des Dargestellten. Dieses bloße Wiedererkennen ist sicher noch nichts Ästhetisches. Es wird dann eine dunkle Zwischenstufe kommen, in welcher sich leise der Gedanke Bahn bricht, daß eine Persönlichkeit es gewesen, die das schöne Bild, das Gedicht, das Lied geschaffen. Es regt sich das kritische Bewußtsein, zugleich aber bleibt eine ge-

wisse Hingabe an den Wirklichkeitsglauben bestehen. Wenn wir
nun hier durch genaue Beobachtung feststellen könnten, wie dies
sich äußert, so glaube ich, hätten wir etwas Wertvolles erreicht. Dann
könnten wir aller Verfrühung im Kunstgenießen entgegenwirken, die
ohne Frage jetzt z. B. in den Fächern der Literatur (besonders in
der Lyrik) und des Gesanges vorliegt.

Alle ästhetischen Regungen des Kindes sind zu studieren. Die
spontanen Gefühlsäußerungen und Gefühlsausbrüche, Andeutungen
über ästhetisches Erleben durch Mienen und Gebärden (wie z. B.
Herzklopfen, zurückgehaltenes oder hastiges Atmen, Beklemmung)
würden vom studierenden Psychologen genau zu beobachten sein.
Diese Seite des kindlichen Gefühlslebens ist wissenschaftlich noch
gar nicht erforscht. Es fehlt hier die Akribie eines Professor PREYER,
der die Anfänge des kindlichen Seelenlebens in der Kinderstube beobachtete. In den reiferen Jahren wären Beispiele, Spuren und Ansätze selbständiger, spontaner Werturteile, Aussprüche der Bewunderung zu sammeln. Ich könnte mir auch einen Versuch denken, daß
man etwa ein bestimmtes Bild Tausenden von Kindern vorlegt, es
lange (nicht bloß 3 Sekunden wie bei Külpe) anschauen und sie sich
schriftlich darüber aussprechen läßt, was sie dabei für Gedanken gehabt, was ihnen gefällt, was sie meinen, was sich der Künstler dabei
gedacht. Freilich wäre da eine Anleitung zu geben, wie vorher vom
Lehrer die Seele »einzustellen« ist, damit eine gesammelte, andächtige,
hingegebene, künstlerische Stimmung entsteht. Wir müssen in der
Familie zumal beobachten, wann und wie sich das spontane Verlangen des Kindes nach Kunstwerken kundgibt, wann es selbst Fragen
nach dem Künstler stellt, sich vielleicht in der Einsamkeit dem aus-
drucksvollen Lesen von Gedichten hingibt, gefühlvoll singt u. dergl.

Auch bei der Erforschung der Ästhetik des Kindes werden wir
aber in der Hauptsache nach den Maßstäben vorgehen, die wir uns
aus unseren eigenen ästhetischen Innenerlebnissen und aus den Mitteilungen anderer Erwachsener über die ihrige gebildet haben. Das
hat seine Nachteile, aber wir können gar nicht anders. Eine andere
Schwierigkeit liegt darin, daß es sich meist um die dunkle Welt der
Gefühle handelt, in welche die psychologische Analyse nur schwer
vordringen kann. Zwischen Anschauung und Gefühl bewegt sich ja
das ästhetische Verhalten. Daß hier noch mancherlei Aufschlüsse zu
erwarten sind, zeigen die Beobachtungen von KARL GROOS und YRJÖ
HIRN,[1]) die beide an sich und andern bemerkt zu haben glauben, daß

---

[1]) YRJÖ HIRN, The origins of art. S. 77 ff.

motorisch angelegte Menschen besonders zu ästhetischem Nacherleben befähigt seien. Die Unterschiede in dem individuellen Habitus spielen, das lehrt die tägliche Erfahrung, eine große Rolle bei dem Genuß von Dichtungen, zumal im Theater, von Bildwerken, von Naturschönheiten. Der eine läßt mehr seine Vorstellungen das Kunstwerk umspielen, ein anderer gibt sich ganz dem Gefühlseindruck hin, der eine verhält sich mehr motorisch, der andere mehr assoziativ, bei dem sind die reproduzierten Gefühle nur ganz schwache Scheingefühle, bei jenem tiefe fast den wirklichen Gefühlen des schaffenden Künstlers gleiche Gefühle.

Wir müssen die Analogien bei den Erwachsenen suchen. Der eine kann sich ungeheuer schnell durch ein Kunstwerk in bewußte Selbsttäuschung versetzen, wie mit einem Schlage sind ihm seine Lebenssorgen verschwunden. Ein anderer hat wieder im Druck des Lebens alle Fähigkeit verloren, von der Wirklichkeit loszukommen. Der Griesgram faßt alles zu ernsthaft, der Stammtischbruder alles zu philiströs auf; sie sind des heitern Spiels der Kunst ganz entwöhnt. Manche Menschen sind nicht im stande, ihr praktisches Ich auch nur kurze Zeit zum Schweigen zu bringen, sie denken immer nur an die Befriedigung ihrer Wünsche. Andere bewegen sich wieder mit Vorliebe in der Welt der Ideale, in der Scheinwelt der Kunst. So gibt es sicher unter den Kindern solche Naturen, die in schnellem Fluge der Wirklichkeit zu enteilen vermögen, es gibt aber auch kleine Griesgrame und Philister. Das hängt natürlich mit dem allgemeinen Habitus des Nervensystems zusammen, mit der größeren und geringeren Erregbarkeit, mit der längeren oder kürzeren Nachwirkung der Reize, abgesehen von dem erworbenen verschiedenen Vorstellungsvorrat.

Die Kinderforschung sollte also bestimmte Fragen stellen: Wann gibt sich das Kind nicht mehr der wirklichen, unkünstlerischen Illusion hin? Wann kommen ihm die illusionserregenden und die illusionsstörenden Momente zum Bewußtsein? Kann ein Kind vor einem architektonischen Kunstwerk etwas derart empfinden, daß ihm dieses organisch gewachsen zu sein scheint, daß eine Säule emporstrebt, daß ein Ornament eine Fläche belebt? Wann wird es vor allen Kunstwerken des ›Untermenschlichen‹ die Illusion der organischen Kraft haben?

Wann tritt die ästhetische Uninteressiertheit ein, d. h. wann tritt beim Anblick des Schönen das Besitzen- und Genießenwollen zurück, das im Leben des Kindes anfangs die Hauptrolle spielt? Auf dem Gebiet der Musik, des Liedes und des Tanzes, wird ein Zeitpunkt

kommen, in der das Kind sich dessen bewußt wird, was der Rhythmus
bedeutet, warum dies oder jenes leise gesungen wird. Empfindung
für den Rhythmus hat schon das kleine Kind, aber nur unbewußt,
denn der Ursprung des Rhythmus ist im Bau und in der Bewegung
des menschlichen Körpers zu suchen.

Ferner: Welche Farben das Kind vorzieht, das kann Sache der
experimentellen Psychologie sein, aber nicht, was der Künstler mit
den Farben hat ausdrücken wollen.

Weil der ästhetische Gegenstand eigentlich erst durch Befruchtung
von unserer Stimmung aus entsteht, so besteht eine weitere Aufgabe
darin, zu untersuchen, inwieweit das Kind schon von Stimmungen
beeinflußt wird. Die Fähigkeit des Stimmungsausdruckes und die
Verfeinerung des Stimmungslebens spielt in unserer modernen Kunst
eine besonders große Rolle. Sogenannte »Dämmerungsnaturen« unter
den Kindern sind sicher für Stimmungskunstwerke empfänglicher, als
andere. Ja VOLKELT sagt sogar, wer dem Unbestimmten, Wehenden,
Klingenden, Dämmernden im Gefühlsleben abhold sei, bringe sich im
Grunde schon hierdurch in Gegensatz zum Künstlerischen.

Eine weitere sehr wichtige Beobachtungsreihe wird sich an die
Frage knüpfen: Wann beginnt das Kind die Natur zu beseelen? Wir
operieren schon sehr früh mit dieser Naturbeseelung in den Gedichten.
Geschieht dies nicht vielleicht viel zu früh?

Erst spät tritt beim Kinde die Fähigkeit auf, die Natur als Bild,
als Kunstwerk anzuschauen. Dazu muß man eine gewisse künstlerische Apperzeptionsmasse besitzen und viele Kunstwerke gesehen
haben. Das fehlt bei den Kindern. Wir bezeichnen doch das in der
Natur als schön, was wir uns künstlerisch dargestellt denken können.
Oder man kann auch sagen, »dasjenige Naturobjekt ist das schönste,
das die Vorstellung der Kunst am stärksten erweckt, d. h. seiner
Form nach am leichtesten in Kunst umgesetzt werden kann.« So ist
es ganz natürlich, daß erst spät im Kinde das Gefühl für das Ästhetische in der Natur zu beobachten sein wird.

Immer werden wir auf die Verfrühung geführt. Es ist sicher
nicht unnötig, überhaupt vor der Verfrühung in ästhetischen Dingen
zu warnen. So sehr ich mit den Hamburger Bestrebungen, die nicht
etwa bloß aufgewärmte Semmeln sind, einverstanden bin, so sehr ich
ihre Begeisterungsfähigkeit und ihren künstlerischen Eifer bewundern
muß, so sind ihnen doch einige Übertreibungen und Verfrühungen
untergelaufen. Man hat auch von nervenärztlicher Seite (Binswanger,
Oppenheim) die Nervosität bei den Erwachsenen in nahe Beziehung
zum modernen ästhetischen Genuß gesetzt, weil dieser, statt eine Er-

holung zu sein, die Abnutzung der nervösen Kräfte nach beendeter Berufsarbeit fortsetzt, und weil der intellektuelle Gehalt der modernen Kunst mit seinen Problemen des Krankhaften und Perversen, mit seiner Atmosphäre des Schwülen und Dumpfen erst recht die angegriffenen Hirnzellen quäle und zernage. Einsichtige Erzieher werden gewiß einmal dem Kinde alle moderne Problemkunst fernhalten und dann auch alle ästhetische Verfrühung und Überanstrengung vermeiden.

Der Eintritt der Pubertät mit seiner längst festgestellten großen Umwälzung in körperlicher und geistiger Beziehung wird ferner Anlaß geben zu fragen, wie weit dieselbe das spezifisch ästhetische Empfinden beeinflußt, ob sie dasselbe vertieft, krankhaft steigert oder auch infolge des erwachenden übermächtigen Geschlechtstriebes ertötet. Willy Hellpach behauptet in der »Zukunft« (No. 29, 1902), daß überhaupt erst mit der geschlechtlichen Reife von ästhetischem Empfinden gesprochen werden könne, und meint, daß man durch Gelegenheiten des ästhetischen Genießens vorzeitig das Geschlechtliche im Kinde aufrüttele.[1]) So unbewiesen und sehr über das Ziel hinausschießend mir diese Meinung scheint, so ist sie doch ein Beweis dafür, wie sehr wir noch über die Entwicklung des Ästhetischen im Unklaren sind.

Kinder und weniger ästhetisch Gebildete trennen ferner offenbar nicht genau Schein und Wirklichkeit. Wer bei einem Theaterstück weint oder wer von den Galeriebesuchern etwa hineinredet, um den Schauspieler zu warnen, empfindet nicht ästhetisch, da er unfähig ist, die illusionsstörenden Momente neben den illusionserregenden als Gegengewicht im Bewußtsein zu erhalten. Das wichtigste Kennzeichen des Kunstgenusses ist das Festhalten der Bewußtheit der Selbsttäuschung während des Kunstgenusses. So ergibt sich eine subjektive Stufenfolge in der Entwicklung des Ästhetischen. Die unkünstlerische Illusion (Panoptikum!) ist eine niedere Stufe des ästhetischen Empfindens, ihr folgt die Enttäuschung (z. B. bei der Erkenntnis, daß der Märcheninhalt objektiv unwahr ist), dann ein allmähliches Durchringen zur bewußten Selbsttäuschung (hier wieder Genuß der Märchen möglich). Kinder und ästhetisch Ungebildete fragen

---

[1]) Schon 1844 schreibt Medizinalrat Dr. Trinks (Über Erziehung in unserer Zeit): »Die allzu frühe Erregung der Gehirntätigkeit, der vorzeitigen Anstrengung der Geistesfähigkeiten hat ferner zur unmittelbaren Wirkung, daß der Geschlechtstrieb ebenfalls vor der Zeit erwacht und seine Anforderungen geltend macht.« (Ausgeführt von Otto von Leixner, Fußnoten zu Texten des Tages. VI. 1905.)

vorm Kunstwerk nur nach dem Inhalt und vermögen nicht zu erkennen, wie der Inhalt in der Form verarbeitet, vertilgt wurde.

Unsere pädagogische Psychologie wird dafür sorgen, daß nur das
dem Kinde dargeboten wird, von dem wir annehmen dürfen, daß es
apperzipiert werden kann, daß es schon vorgestellt und gefühlt wurde.
Dabei ist verständige, vorsichtige, zarte, taktvolle Anleitung zum Kunstgenießen eine unerläßliche Aufgabe auch schon der Volksschule. Daß
man ein Kunstwerk ohne Anleitung genießen kann, ist erst das Ziel
der künstlerischen Erziehung. Man darf sich also nicht mit der
spontanen Entwicklung begnügen, wie die Künstler es bisweilen gefordert haben. Auch das ästhetische Betrachten und Genießen, die
Formensprache der Kunst will gelernt sein. Es ist so wie mit
der Entwicklung des Religiösen: die Anleitung soll mit dem im
Kinde erwachenden seelischen Bedürfnis Hand in Hand gehen, es
nicht verfrühen und forcieren wollen. So wollen wir auch versuchen
im Einklang mit der allmählich wachsenden Gefühlsstärke und dem
sich mehr und mehr erweiternden Vorstellungsvorrat im Kinde die
Richtung auf das ästhetische Erleben anzubahnen, den Willen zu ver-
stehenwollender ästhetischer Tätigkeit anzuregen, es gewöhnen vom
rein Inhaltlichen abzusehen und es hinführen zu einer Verbindung
von starkem Schauen und mächtig strömendem Fühlen. Es wäre
falsch, solche Kunstwerke den Kindern darzubieten, die auf diesem
Wege ihm große Hindernisse in den Weg legen, die eine Unmenge
Erklärungen des Dargestellten erfordern. Man würde dadurch dem
Kinde alle Lust zu ästhetischem Betrachten nehmen. So halten wir
alle symbolische, allegorische Kunst mit Recht fern. Das Kunstwerk
aber wird dem Kinde dargeboten im Kulminationspunkt des Interesses, an der richtigen Stelle im Unterricht, wenn alle Vorbedin-
gungen zum ästhetischen Genuß bereits gegeben sind, wenn die Seele
schon »eingestellt« ist, so daß vor dem Kunstwerk nicht erst eine
Menge außerästhetische Vorarbeiten geleistet werden müssen. Zum
Beispiel passen die »Kraniche des Ibykus« nicht in die Volksschule,
weil den Kindern die Kenntnis des griechischen Altertums fehlt. Die
Unmenge Erklärungen, die nötig sind, verhindern das ästhetische
Empfinden und lassen es nicht zu bewußter Selbsttäuschung kommen.
Zu ästhetischen Wert- und Verständnisurteilen werden wir nur die
reifere Jugend vorsichtig veranlassen dürfen. Mit dem wachsenden
Seeleninhalt wächst von selbst auch die Fähigkeit des ästhetischen
Empfindens und Urteilens, weil wie bekannt das Ästhetische nur im
Zuschauer, im Hörer, im Leser existiert.

Die Unterschiede in Bildungsstufe und Geistesrichtung des

ästhetischen Betrachters spielen also eine große Rolle. Das ästhetische Betrachten kann nicht von dem übrigen jeweiligen Vorstellungsvorrat und dem Durchlebthaben von Gefühlen losgelöst werden, im Gegenteil hängt der ästhetische Wert der verschiedenen Gegenstände in weitausgreifender und vielverschlungener Weise von dem Vorstellungs- und Gefühlsvorrat des ästhetischen Betrachters ab. Wenn er ein reiches, durch viele ´Erfahrungen hindurchgegangenes, bewegliches Innenleben besitzt, wird er sich leichter in alle die mannigfaltigen Gefühlserlebnisse hineinsteigern können.

Endlich werden wir auch betreffs des Kunstgenießens aus der Parallele der phylogenetischen und ontogenetischen Entwicklung einige vorsichtige Schlüsse ziehen dürfen. Es wird vielleicht gelingen, das große Aufsteigen der Menschheit in dem nachahmenden Fortschritte des Kindes zu versinnlichen. Wie in der Kindheit der Völker geringere Menschenkenntnis, unausgebildetes, nicht verfeinertes Gefühlsleben, eine noch unreife, ungeklärte Lebensauffassung dem Kunstgenießen hinderlich war, so wird es auch beim Kinde sein. Aber das Problem ist sicher eins der schwersten und kompliziertesten. Erst muß die Ästhetik »die seelischen Wandlungen der Menschheit rücksichtlich der ästhetischen Werte feststellen« (Volkelt). Wie hat sich das ästhetische Innenleben im Laufe der Zeiten entwickelt? Wie empfanden die Menschen auf den verschiedenen Stufen ihrer Entwicklung ästhetisch? Was erlebten die Griechen beim Anblick des Hermes von Praxiteles, was die Zeitgenossen Dürers, was die Shakespeares beim Anschauen und Anhören von deren Werken? Wir Menschen der Gegenwart stehen ganz anders zur Kunst vermöge unseres verfeinerten Gefühls- und Stimmungslebens, unserer ganz anders gearteten Anschauungen auf religiösem, sittlichem, sexuellem Gebiete. Uns wird daher das Hineinversetzen in Seelenzustände vergangner Zeiten stets bloß annähernd gelingen. So wird es auch nur ganz vermutungsweise möglich sein, sich in das ästhetische Empfinden der Naturvölker zu versetzen, da es sich um rohe Anfänge, um Vorstufen handelt. Wie beim Kinde, so wird beim Naturvolke noch nicht jene Uninteressiertheit des ästhetischen Genusses zu finden sein, vielmehr ist bei beiden die Vermischung des Kunstgenusses mit den realen Interessen des Lebens anzunehmen. Dann folgt ein Zwischenstadium zwischen der roh materiellen und der vergeistigten ästhetischen Auffassung der Kunst. Manche Individuen und manche Völker werden nie die höchste Stufe erreichen; bei ihnen wird sich in die ästhetische Betrachtung immer noch etwas vom Sinnlichen, von den realen Interessen einmischen. Auch im Leben der Völker gibt es gewiß eine Entwicklung vom Wirklichkeitsglauben der mythischen Zeit durch eine Periode der Kritik und der Enttäuschung bis zur Fähigkeit des ästhetischen Genusses, wie beim Kinde.

Die Kunstgeschichte lehrt, daß die Landschaftsmalerei erst sehr spät aufgekommen ist. Es ist dies ein Parallelvorgang zu dem oben erwähnten in der Individualentwicklung, der darin bestand, daß das Kind erst sehr spät das Ästhetische aus der Natur heraussieht. Bei beiden fehlen dazu die geistigen Vorbedingungen. In der Dichtkunst der alten Völker und in der der Naturvölker spielt das Schwelgen in Naturschönheit gar keine Rolle. Der ästhetische Genuß der Natur ist ein Vorrecht künstlerisch gebildeter Menschen.

Ob sich genauere Parallelen zwischen dem ästhetischen Verhalten der Naturvölker und der des Kindes ergeben werden, wird sich erst entscheiden lassen, wenn weitschichtige und tiefgehende Vergleiche angestellt worden sind, die, da es sich um Innenvorgänge handelt, besonders vorsichtig zu ziehen sind. Ebenso schwierig ist es sicher, die Anfänge ästhetischen Verhaltens im Kinde zu erforschen, wie die der Naturvölker. Das Endziel der Wissenschaft muß aber **eine genetische Ästhetik** sein, eine solche des Kindes und eine solche der Menschheit.

Ich bin am Ende meiner Ausführungen. Es konnte sich für mich nicht darum handeln, Resultate der Kinderforschung auf dem Gebiete der künstlerischen Erziehung zu geben, dazu bin ich weder psychologisch und ästhetisch gebildet genug, noch konnte bei der Neuheit der Bewegungen mit solchen hervorgetreten werden, da in diesen schwierigen Untersuchungen die allergrößte Vorsicht walten muß. Aber ich bin deshalb gern der Aufforderung gefolgt, einige Überlegungen und Anregungen darzubieten, weil ich von der Bedeutung dieser jetzt in den Vordergrund gerückten pädagogischen Provinz überzeugt bin.

Die Kunst gehört zu den großen Werten der Menschheit und tritt der Wissenschaft, der Sittlichkeit und der Religion als ein eigenartiges menschliches Wertgebiet ebenbürtig zur Seite. Die ästhetische Betätigung, die so glücklich Außenseite und Innerlichkeit des Daseins, Sinnliches und Geistiges, Schein und Wirklichkeit miteinander verknüpft, die eine Entfaltung aller wesentlichen Seiten der menschlichen Natur gleichmäßig zwanglos und spielend ermöglicht, ist von unersetzlichem Werte für unser armes Menschendasein und ist uns eine starke und eine tiefe Quelle unendlichen Glücksgefühls. So geht ein großer Strom von edler Lust durch die Kunst in unser Leben ein. »Unser Leben erhält doch erst dann wahren Wert, wenn es reich ist an Höhenpunkten, die das Innenleben erfüllen und hineinführen in die Welt der Ahnungen.«[1]) Zu solchen Höhepunkten gehört die religiöse Erhebung, das Wohlgefallen an sittlich edlen Taten andrer Menschen und an eigenem Handeln nach den Geboten reiner Menschenliebe und die Freude am Gewinn wissenschaftlicher Forschungen und technischer Errungenschaften. Und die künstlerische Erhebung gibt diesen drei nichts nach an Innerlichkeit, Kraft, Reinheit und Hoheit.

Wir Lehrer müssen die Hoheit der Kunst immer mehr würdigen lernen und ihr unsern Tribut darbringen. Wir wollen so tief fühlen und die Kunst so in uns aufnehmen, wie es HERMAN GRIMM[2]) in seinem Schwanengesang so wunderbar tut. Er sagt und damit will ich schließen: »Kunst ist, was uns entzückt, wenn wir es kennen lernen. Was uns jedesmal, wo wir es von neuem sehen oder lesen oder hören, überrascht, weil wir es nun erst zu kennen glauben. Was uns stärkt. Was keinen Spott in uns aufkommen läßt. Was uns erfreut. Uns befreit. Dessen Nähe uns glücklich macht. Das sich in unsere Erinnerung eingräbt. Dessen Herstellung sich nicht lernen läßt. Das nur bis zu einem gewissen Punkte sich erklären läßt, und dessen Unerklärbarkeit in dem Maße zunimmt, als unsere geistige Kraft wächst. Das der Mensch hervorbringt, aber das auch die Natur schafft, ohne daß wir wissen, für wen!«

B. Mitteilungen.

1. Karl Barthold †.

Der Senior des Idiotenwesens und Ehrenpräsident unserer Konferenz Karl Barthold, Direktor der Anstalt Hephata in M.-Gladbach, ist am 4. November v. Js., nachmittags 5 Uhr, infolge eines Schlaganfalles heimgerufen worden.

Karl Barthold wurde am 20. Oktober 1829 in Karlsruhe in Baden geboren. Schon im nächsten Jahre siedelten seine Eltern nach Pfullingen bei Reutlingen über. Als junger Lehrer hatte er Gelegenheit, sich in die verschiedensten Unterrichtsfächer einzuarbeiten. Den Volksschulunterricht lernte er zunächst an einer Stadtschule in Stuttgart und später an einer

---

[1]) Prof. Dr. Dr. h. c. WILHELM REIN, Bildende Kunst und Schule. Dresden, Erwin Haendcke, 1902.

[2]) HERMAN GRIMM, Raphael als Weltmächt.

einklassigen Dorfschule kennen. 1852 erhielt er einen Ruf als Lehrer an
die Anstalt für Schwachsinnige in Winterbach. Hier begann für ihn eine
neue Zeit des Lernens, galt es doch, sich in die Lehrmethode geistig abnormer Kinder einzuleben. Bald sollte er auch noch einen andern Zweig
der Heilpädagogik kennen lernen; denn schon nach 1½ jähriger Tätigkeit
verließ er Winterbach, um einer Berufung als erster Lehrer an die Taubstummenanstalt in Winnenden zu folgen. Durch den Direktor der dortigen
Irrenanstalt, Zeller, kam er als Hauslehrer an eine gräfliche Familie und
erhielt später durch den Fürsten Hohenlohe-Ohringen eine Schulstelle,
auf welcher er sich mit der jüngsten Schwester des Dr. Müller verheiratete.
Im Sommer 1858 berief ihn der Provinzialausschuß für Innere Mission für
Rheinland und Westfalen zur Leitung einer noch zu gründenden Anstalt
für blödsinnige Kinder. Im November desselben Jahres siedelte er nach
M.-Gladbach über und richtete hier die Anstalt Hephata ein, welche sich
unter seiner Leitung zu einer der bedeutendsten Idioten-Anstalten Deutschlands entwickelte.

Was Barthold in den 46 Jahren seiner Tätigkeit in M.-Gladbach
leistete, ist uns allen, die wir ihn in seiner Wirksamkeit aus Anlaß der
Elberfelder Konferenz in der Anstalt Hephata gesehen haben, zur Genüge
bekannt. Aber auch über die Grenze der Anstalt hinaus hat der Name
des Verstorbenen einen guten Klang. Barthold ist es, der mit D.
Sengelmann und Dr. Kind vor 30 Jahren die Konferenz für die Idiotenpflege ins Leben rief. Bis zu seinem Tode gehörte er dem Vorstande der
Konferenz an, erst als Vizepräsident, dann als Vorsitzender und zuletzt als
Ehrenpräsident.

Gar manches schwierige Referat vertrat er auf unseren Konferenzen
und zeigte sich nicht nur als praktischer Schulmann, sondern auch als
Mann der Wissenschaft. Wie sein hochverdienter Schwager, der verstorbene Inspektor Landenberger, suchte er als Pädagoge und Psychologe
durch eifriges Studium und genaue Beobachtung in streng wissenschaftlichem Sinne die geeignetste Methode, um den Unterricht der Schwachsinnigen zu fördern. Barthold war zwar vorwiegend Praktiker. Aber
welchem Idiotenlehrer ist nicht sein Schriftchen: »Der erste vorbereitende
Unterricht für Schwach- und Blödsinnige« bekannt?

Mit ihm hat seine ganze Familie sich um die Idioten- und Epilepti-
schenfürsorge in hervorragender Weise bemüht und den Dank nicht nur
der Schwachen, sondern auch aller Idiotenfreunde gesichert. Ich erinnere
in erster Linie an den oben erwähnten Schwager Inspektor Landenberger
in Stetten, an seinen Schwager Inspektor Dr. Müller, an seinen leider
allzufrüh verstorbenen Bruder, den ersten Leiter der Kückenmühler Anstalten, Direktor Friedrich Barthold, an den Neffen Bartholds, Direktor
Friedrich Kölle in Zürich, und an den ersten Leiter der Anstalten Bethel
bei Bielefeld, Direktor Unsöld.

Körperliche Leiden haben Direktor Barthold zur Einschränkung
seiner Tätigkeit gezwungen, und schon vor Jahren wurde ihm deshalb ein
Inspektor zur Seite gestellt. Im letzten Jahre hatte er durch den plötzlichen Tod seines erwachsenen Sohnes neben seinem schmerzhaften Gicht-

leiden auch seelische Schmerzen zu erdulden; trotzdem wurde nichts vernachlässigt, kein Aktenstück ohne seine Kenntnisnahme weggegeben. Er ist den Jungen auch in dieser Beziehung ein Vorbild.

Seine Verdienste wurden auch von Sr. Majestät durch Verleihung des Kronenordens IV. Klasse gewürdigt. Aber eine größere Anerkennung zollte ihm der Verwaltungsausschuß der Anstalt Hephata durch die Worte: »Er war ein liebevoller Vater seiner Zöglinge, unermüdlich besorgt um ihr leibliches und geistliches Wohl, ein treuer und kluger Hausvater in der Verwaltung, dem wir das Aufblühen unserer Anstalt in erster Linie verdanken, ein Vorbild und gewissenhafter Ratgeber seiner Mitarbeiter, ein in weiten Kreisen unseres Vaterlandes wertgeschätzter Vertreter und Förderer der Idiotenpflege.«

Ehre seinem Andenken!

Idstein.   Schwenk.

---

2. Bericht über die VI. Versammlung des Vereins für Kinderforschung am 14.—16. Oktober in Leipzig.

Von Dr. med. W. Strohmayer und Anstaltslehrer W. Stukenberg in Jena.

(Fortsetzung.)

Sodann ergriff Herr Pastor Flügel-Wansleben das Wort zu seinem Vortrage:

Über das Verhältnis des Gefühls und Intellekts in der Kindheit des Individuums wie der Völker.

Da der Vortrag in erweiterter Form gleichzeitig in unseren »Beiträgen« erscheint[1]), begnügen wir uns hier mit einer kurzen Inhaltsangabe. Flügel führte, durch reiche und interessante Beispiele illustrierend, in sehr anregender Weise folgendes aus:

I. Intellekt und Gefühl hängen so genau zusammen, daß man beides wohl unterscheiden aber nicht scheiden kann, es kann nur von dem Vorherrschen des einen oder des andern die Rede sein.

Das Gefühl herrscht vor in der Kindheit des Individuums, bei den Naturvölkern, in den Anfängen der Kultur, der Wissenschaft, insbesondere auch der Philosopie.

II. Warum herrscht es vor? Phylogenetisch und ontogenetisch beginnt das geistige Leben mit dem Gemeingefühl. Weil sich dieses zusammensetzt aus den sehr mannigfaltigen geistigen Eindrücken, die aus Vorgängen des leiblichen Lebens herrühren, so muß sich dies als ein Gefühl, und zwar als ein sehr dunkles, nicht als Intellekt geltend machen.

Aus ähnlichen Gründen sind infolge des verwickelten Nervenprozesses alle Sinnesempfindungen noch von etwas Gefühlsartigem, der sogenannten Betonung, begleitet.

---

[1]) Beiträge zur Kinderforschung. Heft X. Preis 0,75 M.

Man hat Grund zu der Annahme, daß bei Kindern in solchen Fällen
die Gefühle noch lebhafter sind als bei Erwachsenen.

Die intellektuellen Gefühle haften oft an nur schwachbewußten Vorstellungen. Darum die vielen Selbsttäuschungen namentlich bei Kindern.
Gefühle, die auf zu lebhafter oder mangelhafter Phantasie beruhen, bestimmen das Vorhandensein oder Fehlen der Mitgefühle.

Beim Kinde reflektiert jeder geistige Zustand in Handlung, wenn
diese nicht gehemmt wird. Daher der Tätigkeitstrieb, das schnellere
Erholungsbedürfnis, die fehlende oder mangelnde Selbstbeherrschung und
was damit zusammenhängt.

Affekten, Gemütserschütterungen sind Kinder im allgemeinen mehr
ausgesetzt, als Erwachsene. Bei Kindern irradiiert das Gefühl, d. h. es
strahlt nach allen Seiten aus, verbreitet sich für eine Zeitlang über alle
geistigen Tätigkeiten, trübt oder erheitert den ganzen geistigen Horizont.
Damit hängen die Selbstmorde in der Kindheit zusammen, ebenso aber
der schnellere Stimmungswechsel.

In der Erziehung muß es unsere Aufgabe sein, Kinder, namentlich
aber uns selbst, dahin zu bringen, weniger nach schwachbewußten, unklaren Stimmungen, als nach klar erkannten Grundsätzen zu handeln.

Reicher Beifall lohnte den Redner für seinen langen, wertvollen
Vortrag.

In der Debatte ergriff zu einer ebenso klaren als prägnanten Kritik
des Redners Herr Dr. Brahn-Leipzig das Wort. Er lobte die große
Fülle der interessanten und wissenschaftlich wertvollen Beispiele. Er
stimmte auch vollkommen mit dem Redner überein, wenn er anerkannte,
daß ihm der Beweis, daß im Kinde das Gefühl überwiege, entschieden
gelungen sei. Er hob jedoch hervor, daß Wundt zwei durchaus gleich-
berechtigte Elemente unterscheide, nämlich Empfindung und Gefühl, während
er es immer störend finde, daß das Gefühl bei Herbart auf eine
ganze Reihe von Empfindungen zurükgeführt würde. Das Gefühl sei,
wenn auch schwer zu analysieren, doch immer etwas durchaus Klares.
Gestehen ja auch die Mediziner zu, daß das Gefühl gestört, der Intellekt
dabei aber vollkommen intakt sein könne.

Herr Dr. Brahn hält es für sehr gefährlich, aus dem Tierleben
Analogieschlüsse auf den Menschen zu ziehen. Man sei hier doch noch
nicht weit genug in der Forschung. Bei der Ameise sei es gelungen,
fast alle Bewegungen als Reflexe zu erklären.

Auch er erkennt die Organgefühle als Grund der Temperamente an,
fügt jedoch hinzu, daß man schon vor Aristoteles über die Lokalisation
der Verstandestätigkeiten im Gehirn ziemlich klar gesehen habe.

Als unhaltbar bezeichnet er die Ausführungen des Vortragenden
über die Gefühlsperiode in den Wissenschaften und in der Poesie. Auch
bestreitet er, daß im Traum die Sinnesempfindungen schwächer als die
Organempfindungen seien, während es im wachen Zustande umgekehrt
sein solle. Die Möglichkeit, einen darauf bezüglichen Versuch anzustellen,
sei ganz undenkbar.

Der Satz Herbarts, daß das Gefühl aus Vorstellungen entstehe, sei in dieser allgemeinen Form nicht zu halten. Auch glaubt er, daß gar oft die Gefühle das Primitive sind. Deshalb irre man so oft in der Pubertätszeit in der Wahl der Objekte, weil hier die Gefühle das Primäre sind.

Daß Herbart die Affekte als Gleichgewichtsstörungen erkläre, sei ein Irrtum, den man ihm, der so viele hervorragende psychologische Wahrheiten gesagt habe, nicht zum Vorwurfe anrechnen dürfe.

Herr Dr. Brahn betonte nochmals, daß er mit dem Vortragenden in der Urthese übereinstimme und schloß: Der Intellektualismus ist bei Herbart nicht wegzuleugnen; die moderne, voluntaristische Psychologie stellt das Gefühl als das Primäre und Wesentlichste hin, die Vorstellung ist nur eine Folge desselben.

Herr Hilfsschullehrer Delitzsch-Plauen bemerkte:

Der Vortragende betonte das Vorherrschen des Gefühls im Kindesalter. Diese Behauptung gilt für das normale Kind. Beim anormalen dagegen finden wir oft ein zu schwaches Gefühl. Zwei Beispiele mögen das erläutern.

1. Ich denke an einen achtjährigen Schüler, der gegen Farben völlig gleichgültig ist. Sein Auge ist sehr scharf. Er bemerkt den pflügenden Bauer in überraschend großer Entfernung. Er kann auch die Farben unterscheiden, sucht gleichgefärbte Fäden richtig aus einem Bündel bunter Wolle. Aber die Bezeichnungen für die Farben merkt er nur schwer, obwohl er sehr sprachgewandt ist. Er ist nicht farbenblind, aber farbenstumm. Wie ist das zu erklären? Er findet keine Farbe schön, während er jedem singenden Vogel, jeder musikalischen Darbietung mit ausgesprochenem Wohlgefallen lauscht. Harmonische Klangempfindungen sind bei ihm von starken Lustgefühlen begleitet; der Gefühlston seiner Farbenempfindungen ist äußerst gering.

2. Vor mir steht ein zehnjähriger Schüler, dem es an moralischem Empfinden mangelt.

Ohne Scheu entnimmt er einem Schaukasten eines Ladens in Abwesenheit des Verkäufers zwei Taschenmesser und fordert seinen ihm begleitenden Kameraden zu gleichem Vergehen auf. Nach Verlassen des Ladens sagt er: »Waren wir dumm. Wir konnten uns doch Revolver nehmen. Morgen gehen wir wieder hinein.« Sie tun es, und als gleich nach dem geglückten Revolverdiebstahle die Verkäuferin in den Laden tritt, fragt unser Knabe ohne auffällige Gefühlsäußerung nach Raketen, findet diese zu teuer und geht. Dann meint er: »Nun haben wir noch keine Patronen, wir wollen unsere Messer verkaufen und für das Geld Patronen holen.« Unweit des bestohlenen Ladens bietet er auf offner Straße vorübergehenden Arbeitern die Messer an, ohne Furcht vor Entdeckung, ohne Reue. Die wohlbewaffneten Knaben töten nun in einem vor der Stadt gelegenen Garten 4 Hühner, die sie mitnehmen, während sie 2 noch lebende beim Erblicken des Besitzers wieder freigeben. Von diesem verfolgt kommen sie an einer Brauerei vorbei, sehen durch ein offnes Fenster eine Anzahl Würste. »Warte«, sagt unser Schüler zu seinem verführten Begleiter. Furchtlos geht der Flüchtling in das Haus, findet

die betreffende Tür unverschlossen und bringt eine Wurst, die sofort gekostet wird. Die Knaben werden nun festgenommen.

Das mangelhafte moralische Empfinden unseres Knabens spiegelt sich
auch in der Art seiner Geständnisse wieder. Auf die ernste Frage seines
Lehrers: Was hast du nun wieder getan? antwortet er: »Wohl das mit
dem Fahrrad? — Wohl das mit der Chokoladentafel? — Wohl das mit
den 3 Mark? —« Auf die Frage des Polizeiwachtmeisters: Da hast du
wohl auch die Bleirohre und die Eisenkugeln bei Feucht entwendet?
antwortet er: »Ja. Ich sollte Plättwäsche bezahlen. Und da hatten wir's
Geld verfressen. Und da haben wir die Bleirohre verkauft.«

Mit diesen beiden Beispielen wollte ich zu Beobachtungen von Ge-
fühlsdefekten bei Schwachsinnigen anregen.

Herr Dr. Spitzner-Leipzig hob dann noch die Verdienste Strümpells
um die moderne Psychologie hervor.

Herr Pastor Flügel dankte in seinem Schlußworte für das bewiesene
Interesse, vermochte aber den Gegensatz zwischen der modernen und der
Herbartschen Psychologie nicht auszugleichen.

Der Morgen des 15. Oktober war der Besichtigung von Anstalten,
Schulen und Einrichtungen für Kinderfürsorge gewidmet. Die Mehrzahl
der Vereinsmitglieder besuchte die Taubstummenanstalt, wo in interessanter
Weise alle Klassen der Anstalt vorgeführt wurden. Auch dem Säuglingsheim des Herrn Sanitätsrat Taube, sowie dem in der Nähe befindlichen
prächtigen Waisenhause wurde ein Besuch abgestattet. Daß die Hilfsschule
Leipzigs nicht vergessen wurde, versteht sich von selbst. Der Raum verbietet es, näher auf alles Gesehene einzugehen. Doch möchten wir her-
vorbeben, daß wohl keiner der Besucher die genannten Anstalten ohne
Befriedigung und reiche Anregung verließ.

Um 12 Uhr begannen die Verhandlungen dieses Tages.

Herr Geh. Med.-Rat Prof. Dr. Binswanger-Jena sprach zunächst

»Über den Begriff des moralischen Schwachsinns.«

Nach einer kurzen geschichtlichen Darlegung der Irrungen und Wandlungen, denen der von Prichard geprägte Begriff der »moral insanity«
im Laufe der Zeiten unterworfen war, und nach einer negativen Kritik
des bekannten Lombrososchen Standpunktes ging der Vortragende auf
die Kernfrage ein, welche Kriterien es ermöglichen, den gewöhnlichen
geborenen Verbrecher vom moralisch Schwachsinnigen zu trennen. Beiden
gemeinsam ist ein angeborener oder in Erkrankungen des frühen Kindesalters begründeter ethischer Defekt. Solange dieser ausschließlich in einer
Verkümmerung und Umkehrung der moralischen und ästhetischen Eigenschaften des Menschen besteht, ist er nur Gegenstand kriminal-psychologischer
Studien und fällt nicht in das Gebiet der Psychiatrie. Erst dann, wenn
auch Entwicklungshemmungen auf intellektuellem Gebiete oder Zeichen
einer anderen krankhaften Abänderung der psychischen Vorgänge vorhanden sind, dürfen wir von moralischem Irresein oder Schwachsinn
sprechen, wobei das Wort »moralisch« nur zur Kennzeichnung der unsitt-

lichen, sehr häufig sogar verbrecherischen Tendenzen dieser Kranken dienen soll.

Beim angeborenen Schwachsinn vermissen wir zwar den Reichtum individueller Variationen der geistigen und sittlichen Persönlichkeit des Vollsinnigen, doch sehen wir bei aufmerksamer Beobachtung zuweilen eine nicht zu unterschätzende Mannigfaltigkeit des Gefühlslebens. Selbst bei den Idioten findet sich gar nicht selten eine auffallende Inkongruenz zwischen Gefühlserregung und intellektuellem Tiefstand. Wir finden nicht nur Hunger-, Sexual- usw. Gefühle, sondern auch höhere Reaktionen (Liebe, Dankbarkeit, Mitleid usw.) In noch höherem Grade ist dies für das große Heer der Imbezillen zutreffend. Allerdings geht leider häufig genug die verkümmerte intellektuelle Entwicklung mit einer mächtigen Entfaltung perverser Gefühlserregungen einher (Grausamkeit, Sittlichkeitsdelikte usw.).

Vortragender zeichnete an der Hand eines konkreten Falles das klinische Bild der moralischen Idiotie und erörterte dabei die praktischen Wege der Behandlung und Fürsorge für dieselbe, mit dem nachdrücklichen Hinweise darauf, daß auch bei diesen Ärmsten der Armen eine rationelle Therapie und Erziehung nicht erfolglos sind.

In solchen Fällen ist es leicht, die krankhafte Natur etwaiger abnormer Handlungen darzutun. Die Schwierigkeit beginnt erst dann, wenn ein Mißverhältnis zwischen dem Grade der intellektuellen Entwicklung und der Ausbildung höherer, sittlicher Gefühlsreaktionen besteht, wenn bei leidlicher oder sogar guter intellektueller Entwicklung der Defekt der Begriffs- und Urteilsbildung ausschließlich in der Sphäre der höheren, ethischen und ästhetischen Vorstellungen gelegen ist. Hier ist es fast unmöglich, den Nachweis einer geistigen Erkrankung als Grundlage unsittlicher oder verbrecherischer Lebensführung nur aus der Art und Ausdehnung des ethischen Defektes zu erkennen. Mangelnde Erziehung, böses Beispiel, frühzeitige Gewöhnung an antisoziale Lebensführung können die gleichen Früchte zeitigen.

Bei der Prüfung des geistigen Besitzstandes ergeben sich die gleichen Schwierigkeiten. Bei der Erforschung der Intelligenz, Urteilsfähigkeit usw. bekommt man oft Antworten, die zunächst frappieren. Bei näherer Betrachtung erweist sich aber der geistige Besitz nur als eine Wiederholung eingelernter Phrasen, als Restbestände mechanisch erworbener Moralsätze, die niemals bei dem Individuum eine selbständige logische Verarbeitung erfahren haben, niemals mit dem Komplexe der Ich-Vorstellung und den normalen, auf die Zielvorstellung bestimmend einwirkenden Gefühlstönen assoziiert wurden.

Besteht nur ein Defekt auf dem Gebiete der sittlichen Vorstellungen und Gefühle, ohne daß andere Beeinträchtigungen der Begriffsbildung und Urteilsfähigkeit erkennbar sind, so ist aus der Feststellung des aktuellen geistigen Verhaltens die Unterscheidung zwischen dem geborenen Verbrecher und dem geisteskranken Moralisch-Schwachsinnigen nicht zu ermöglichen. Hier muß in erster Linie die ätiologisch-klinische Forschungsmethode in Kraft treten, die den Ursachen und Grundlagen

der krankhaften geistigen Veränderung nachspürt. Für die Frage des
moralischen Schwachsinns ist die Kenntnis der fortschreitenden erblichen
Entartung von der größten Wichtigkeit.

Vortragender weist darauf hin, daß er bereits vor 17 Jahren zu dem
Schlusse gekommen sei, daß der angeborene moralische Schwachsinn der erblich-degenerativen Geistesstörung untergeordnet
werden sollte.

Deshalb ist es unumgänglich nötig, Kenntnis zu haben von den
eigenartigen Merkmalen der progressiven erblichen Entartung, soweit
sie schon in der kindlichen Entwicklung zu Tage traten. Mit Übergehung
der in die rein ärztliche Domäne fallenden sogenannten körperlichen
Degenerationszeichen seien hier vor allem die psychischen Stigmata dege-
nerationis erwähnt, die auch für den psychologisch geschulten Pädagogen
unverkennbar sind: die auffällige Labilität der Stimmung (Launenhaftigkeit)
mit exzessiven Wut- und Zornausbrüchen, Angstaffekte, eigensinniges Verharren in bestimmten pathologischen Gemütszuständen (unzufriedene,
mürrische Stimmungslage), krankhaft gesteigerte körperliche Begleit- und
Folgeerscheinungen der gemütlichen Übererregung. Wir finden die mannigfachsten Wirkungen auf das Herz, die Blutgefäße, die Atmungs- und
Bewegungsorgane (mimische und pantomimische Bewegungen, Muskel-
zuckungen, Zittern, Ohnmachtszustände und epileptiforme Anfälle.)

Leider werden nicht selten durch ehrgeizige Eltern und übereifrige
Lehrer solche Kinder, wenn minderwertige Schulleistungen vorliegen, durch
vermehrte Anspannung der Kräfte (Nachhilfestunden, Hausaufgaben!) über
Gebühr belastet, um das Ziel zu erreichen. Außer dem gegenteiligen
Effekt, dem der Dauerermüdung, und dem hieraus resultierenden weiteren
Sinken der intellektuellen Leistungsfähigkeit, werden nur allzu oft
schlummernde oder nur gering entwickelte krankhafte Vorgänge auf
affektivem Gebiete wachgerufen oder verstärkt, die dann zu dem Bilde
der moral insanity führen können. Vortragender illustrierte diese Tatsache wiederum an einem konkreten Beispiel. Sehr häufig ist gerade
der Eintritt in die Schule der erste Anstoß zur Bekundung ethisch-per-
verser Gefühle und Handlungen; und wenn ein Kind der angedeuteten
Art nicht das richtige Verständnis der Lehrer findet, so ist der moralisch
schlechte, faule und verbrecherische Schüler bald fertig.

Weitere Hinweise auf die krankhafte Grundlage ethischer Defekte
sind gegeben durch das Bestehen einer disharmonischen intellektuellen
Entwicklung (einseitige Begabung, exzessive Phantasiewucherung), durch
das Auftreten von Zwangselementen und eine gewisse Periodizität in den
Leistungen und in der Stimmungslage, ein Schwanken, das selbst dem
Laien unverkennbar ist (»das Kind hat wieder seine schlechte Zeit«).
Nachforschungen bei den Angehörigen ergeben dann nicht selten, daß in
den schlechten Zeiten Angstzustände, Herzklopfen, Schlaf- und Ver-
dauungsstörungen usw. die Begleiterscheinungen der minderwertigen
Schulerfolge und moralischen Verfehlungen sind.

Vortragender faßt seine Ansicht dahin zusammen: Nur in den
Fällen, in denen entweder ein ausgeprägter intellektueller

Defekt oder mangels eines solchen charakteristische psychopathische Krankheitsmerkmale bei einem Individuum vorliegen,
haben wir das Recht, von einer bestehenden Geistesstörung
als Grundlage der verkümmerten ethischen Entwicklung zu
sprechen. —

(Der Vortrag erscheint in extenso in der Sammlung von Abhandlungen aus dem Gebiete der pädagogischen Psychologie und Physiologie
von Prof. Ziegler u. Ziehen.)

Daran schloß sich sofort der Vortrag des Herrn Direktor Polligkeit-
Frankfurt a/M. (juristischer Mitleiter der »Zentrale für private Fürsorge«)
über

»Strafrechtsreform und Jugendfürsorge«.

Der Vortrag wird ebenfalls gleichzeitig in den »Beiträgen« [1]) erscheinen. Wir geben deshalb an dieser Stelle nur eine knappe Zusammenfassung der gedankenreichen Arbeit:

Das Strafrecht richtet sich gegen eine Auflehnung wider die soziale
Ordnung; es dient in erster Linie der Aufrechterhaltung der Staatsautorität.
Das ist seine ethische Rechtfertigung. Antisoziale Elemente wird man
stets zur Einfügung in den sozialen Organismus zwingen oder eliminieren
müssen, aber auch nur wirklich antisoziale Elemente, nur solche, die bewußt gegen die Rechtsordnung handeln. Die aber, bei denen die Rechts-
verletzung aus einer Unfähigkeit herrührt, sich überhaupt unserer sozialen
Ordnung anzupassen, dürfen wir nicht gleichartig mit den andern als
Rechtsbrecher behandeln. Hier ist eine Lücke in unserer Gesetzgebung.

Die Pflicht der sittlichen Erziehung legt der Staat in die Hände der
Eltern. Damit verlangt er schon bei vielen normalen Kindern Unmögliches.
Wie leiden aber erst psychisch minderwertige Individuen! Hier sollte die
Tätigkeit des Staates eine beratende sein, ohne die elterlichen Rechte oder
die persönliche Freiheit zu beeinträchtigen. Der Staat muß nur darauf
bedacht sein, dem Kinde sein Recht auf Erziehung zu sichern. Die Schule
von heute ist dem Redner zu intellektualistisch. Sie gestattet keine
Individualisierung. Mit einer bloßen Strafrechtsreform kommen wir nicht
weiter. Wir brauchen vor allem eine Schulreform.

Das Kriterium zur Verurteilung eines Jugendlichen muß die Reife
der geistigen und sittlichen Entwicklung bilden. Erst wenn festgestellt
ist, daß ein sittlich vollwertiger Mensch die Tat begangen hat, darf das
Strafrecht eintreten. Daher sollen Jugendliche nicht dem Strafrichter,
sondern einem Sondergericht übergeben werden, welches den Übeltäter nach
reiflicher Prüfung seines intellektuellen und moralischen Zustandes entweder einer besonderen Erziehung oder dem Strafrichter zu überliefern
hat. Solche Jugendgerichte sind bereits in Amerika in der Form der
»Juvenile Courts« vorhanden und wirken dort höchst segensreich.

Des Redners Forderungen sind zusammengefaßt folgende:

1. Bei der Erziehung muß neben der intellektuellen Bildung auch
der Entwicklung der moralischen Persönlichkeit der ihr gebührende Raum

[1]) Heft XII. Preis 0,50 M.

gewährt werden, besonders in Rücksicht auf die vielfach vorkommenden Anomalien in sittlicher Beziehung.

2. Die Schulerziehung muß eine stärkere Individualisierung nach dem sittlichen Empfinden des Individuums und nach der Möglichkeit der sittlichen Beeinflussung vornehmen auf Grund sorgfältiger Ermittelungen von psychologisch gebildeten Lehrern und psychiatrisch geschulten Ärzten.

3. Die Begründung von Sonderschulen und Erziehungsanstalten für die verschiedenen Grade sittlicher Befähigung muß gefordert werden.

4. In der Einrichtung einer Berufsvormundschaft muß ein Organ geschaffen werden, das als zentrale Beratungs- und Auskunftstelle den Eltern in der Erziehung ihrer sittlich minder veranlagten oder entarteten Kinder ratend zur Seite steht und dem Vormundschaftsgericht als Ermittlungs- und Auskunftsorgan dient.

Über die Vorträge von Binswanger und Polligkeit wurde alsdann gemeinsam debattiert.

In der Debatte bemerkte Herr Anstaltsdirektor Pfarrer Müller-Bräunsdorf:

Sie werden mir glauben, daß ich diese beiden Vorträge mit größtem Interesse gehört habe, wenn ich Ihnen sage, daß ich an der Spitze der Königl. Sächs. Landeserziehungstalt für sittlich gefährdete Kinder stehe.

Und da wir in Sachsen staatliche Pflegeanstalten für Blöde und ebensolche Erziehungsanstalten für geistig Schwachsinnige haben, so werden Sie verstehen, daß ich das meiste Interesse für die dritte Kategorie von moralisch Schwachsinnigen habe, welche Herr Geheimrat Binswanger aufstellte, nämlich für die Kinder, welche geistig befähigt sind, den vollen Schulansprüchen genügen und doch moralischen Defekt haben, unter Zwangsvorstellungen stehen, die bei ihnen Zwangshandlungen auslösen. Wir haben in unserer Anstalt Bräunsdorf eine achtklassige Knabenschule, und haben Kinder darin, welche die höchsten Klassen erreichen und doch ganz ausgeprägte böse Neigungen zeigen, denen sie immer wieder verfallen.

So hatten wir einen Knaben, aus guter Familie, so genügend geistig begabt, daß er bei uns in eine der obersten Klassen rücken konnte, und der doch 3 mal Feuer angezündet hatte. Als ich ihn fragte, warum er das erste Mal das Feuer in der Nachbarwohnung angezündet habe, sagte er, ‚weil wir den betrunknen Mann hinausräuchern wollten'; als ich ihn fragte, warum er's dann das 2. Mal getan, antwortete er, ‚weil mir's das 1. Mal gefallen hatte'; und als ich weiter fragte, warum er dann das 3. Mal auf dem Boden des großväterlichen Hauses Feuer angezündet habe, sagte er: ‚weil's das 2. Mal nicht rausgekommen war'!

Die Kinder, zu denen dieser Knabe gehörte, welche bei guten geistigen Fähigkeiten und Leistungen doch moralisch Schwachsinnige sind, tun mir am meisten leid, denn sie werden nach dem jetzigen Strafgesetzbuch bei Rückfällen in strafbare Handlungen sicher bestraft. Wir tun zwar an unserer Anstalt, was wir können: wir halten wissenschaftliche Konferenzen und beschäftigen uns schon seit Jahren mit Versuchen über solche moralisch Schwachsinnige Klarheit zu gewinnen und die rechte Behandlung zu finden; wir haben möglichste Einrichtungen zur Individualisierung der Kinder; wir führen Personalbogen über jedes

Kind, welche bei der Zuführung desselben mit einem Eintrag über seinen sittlichen Zustand beginnen und in immer wiederholten Einträgen bis zum Schluß fortgeführt werden; ich suche, wenn ich als Zeuge vor Gericht gutachtlich mich über einen solchen moralisch Schwachsinnigen auszusprechen habe, nachdrücklich den unnormalen Zustand desselben zu betonen. Aber da das Strafgesetz nur den Unterschied ‚zurechnungsfähig‘ oder ‚unzurechnungsfähig‘ kennt, so kommt der Richter bei solchen, die geistig befähigt sind, sicher doch zur Bestrafung derselben.

Und darum meine ich — das sage ich in Rücksicht auf den zweiten Vortrag von Herrn Dir. Polligkeit —, ein Gewinn würde es doch schon sein, wenn wir bei der Reform des Strafgesetzbuches die Erhöhung der Strafmündigkeitsgrenze vom 12. auf das 14. Jahr erreichten. Wir haben ja in Sachsen das 14. Jahr als Grenze schon gehabt in unserm Kriminalgesetz von 1837, und haben damit nur vor der neuen Bestimmung des deutschen Reichsstrafgesetzbuches weichen müssen. Ein Kind, das noch in die Schule geht, gehört nicht in das Gefängnis, darüber darf kein Zweifel herrschen. Es kommt sonst daraus zurück entweder als Held, der renommiert ‚das war weiter gar nichts, das Gefängnis‘, oder als Märtyrer, der von anderen verspottet und verachtet wird. Darum müssen wir die erhöhte Strafgrenze zu errreichen suchen im allgemeinen Interesse der Kinder. Erreichen wir sie aber, so haben wir wenigstens zugleich für die moralisch Schwachsinnigen den Vorteil gewonnen, daß sie bis zum 14. Jahr unbehelligt bleiben. Ein zweiter größerer Fortschritt bleibt aber auch für die Reform des Strafgesetzbuches insofern zu erstreben, daß womöglich solche junge Menschen, welche vom Erzieher und Arzt als moralisch Schwachsinnige bezeugt werden, vom Richter bei strafbarer Handlung trotz geistiger Fähigkeiten als unzurechnungsfähig von Strafe freigesprochen und in irgend einer andern Weise behandelt resp. einer Erziehungsanstalt überwiesen werden können.

In seinem Schlußwort betonte Herr Geh. Med.-Rat Prof. Dr. Binswanger die eminente Wichtigkeit der hier zur Verhandlung gekommenen Fragen. Herr Direktor Polligkeit dankte für das ihm entgegen gebrachte Interesse und schlug eine Resolution vor, die denn auch in folgender Gestalt angenommen wurde:

Die Leipziger Jahresversammlung 1904 des Vereins für Kinderforschung tritt den Beschlüssen des 27. Deutschen Juristentages 1904, soweit diese Reformen in der strafrechtlichen Behandlung jugendlicher und geistig minderwertiger Personen empfehlen, bei, hält aber zur wirksameren Bekämpfung der Verwahrlosung und der Kriminalität der Jugendlichen den Erlaß eines Reichserziehungsgesetzes für notwendig, durch das die staatliche Überwachung der Erziehung aller Minderjährigen in ihren Grundzügen neu geregelt wird.

In diesem Gesetze ist der Überwachung der sittlichen Erziehung unter Berücksichtigung der psychischen Eigenschaften des Jugendlichen besondere Aufmerksamkeit zu schenken. Die vom Staate kraft des Obervormundschafts-

rechtes ausgeübte Fürsorge- und Aufsichtstätigkeit, die jetzt
wesentlich nur den Charakter einer Repressive gegen Mißbrauch der elterlichen Gewalt und gegen schuldhafte Gefährdung des Kindes durch den Inhaber der elterlichen Gewalt
trägt, müßte zu einer regelmäßigen, organisierten, und prä-
ventiven Überwachung ausgestaltet werden. Der aufsichts-
führenden Behörde müßte in der Einrichtung einer Berufsvormundschaft ein Organ beigegeben werden, das ihr zur
praktischen Durchführung der Aufsicht dient und als Zentral-
beratungs- und Auskunftsstelle den Eltern in der Erziehung
sittlich minder veranlagter oder entarteter Kinder zur Seite
steht.   (Schluß folgt.)

3. Ein Kongress für Kinderforschung und Jugend-
fürsorge.

Die Frage des Zustandekommens dieses Kongresses ist wiederum um
einen Schritt weiter gekommen. An der im vorigen Heft angekündigten
Versammlung in der königl. Charité zu Berlin am 28. Januar nahmen
aus allen Gegenden Deutschlands etwa 30 Vertreter teil. Andere sandten
noch telegraphische wie briefliche Zustimmungserklärungen. Nach einer
kurzen Begrüßung der Versammlung durch Herrn Professor Ziehen-Berlin
wurde dem letzteren die Leitung der Vorsprechung übertragen.

Er betonte im vorab nachdrücklich, daß die Beschlüsse nur formeller
Art sein könnten und alles Inhaltliche später dem Kongresse bezw. dem
Vorstande überlassen bleiben müsse.

Es handelte sich zunächst um Zeit und Ort des nächsten Kongresses. Um die bereits für 1905 geplanten Zusammenkünfte der ver-
wandten Einzelbestrebungen nicht störend zu beeinflussen, wurde als geeigneter Termin Ostern 1906 festgelegt. Als Versammlungsort wurden
Berlin, Leipzig und Frankfurt in Vorschlag gebracht. Von der Mehrzahl
wurde aus verschiedenen Gründen Frankfurt gewählt.

Sodann handelte es sich darum, an welchen Teilnehmerkreis man
sich wenden wolle. Mehrfach wurde betont, die Tore soweit als möglich
zu öffnen. Jeder Interessentenkreis müsse willkommen geheißen werden.
Andrerseits könne aber nur als Kongreßsprache die deutsche in Betracht kommen und es müßte darum zunächst das Deutsche Reich, Deutsch-
Österreich und die deutsch redende Schweiz ins Auge gefaßt werden.
Von anderer Seite wurde dabei betont, daß wohl auch die übrigen ger-
manischen Länder sich beteiligen würden, da die deutsche Sprache ja auch
ein Verständigungsmittel zwischen ihnen bilde. Außerdem ließe sich
noch eine gewisse Verbindung mit ähnlichen Kongressen anderer Nationen
herbeiführen.

Alsdann wurde ein geschäftsführender Ausschuß gewählt, der
dann aus seiner Mitte wieder einen sechsgliedrigen Vorstand ernennen
solle. Man wollte zunächst sich auf den Vorstand beschränken. Es ergab

sich jedoch bald, daß so verschiedenartige Interessen in Frage kommen, die eine besondere Vertretung erheischen. Es wurden nun folgende Herren gewählt: Als Vertreter der Pädagogik als Wissenschaft Professor Rein - Jena, Geh. Regierungsrat Professor Dr. Münch - Berlin, als Vertreter der Schulverwaltung Stadtschulrat Dr. Sickinger-Mannheim, als Vertreter der Heilpädagogik Direktor Trüper-Jena, der Anstalten für Schwachsinnige Inspektor Piper-Dalldorf, des Rettungshauswesens Pastor Hennig, Direktor des rauhen Hauses bei Hamburg, des Fürsorgewesens Direktor Petersen vom städt. Waisenhause in Hamburg, des Taubstummenwesens Direktor Vatter in Frankfurt, des Blindenwesens Direktor Wiedow-Frankfurt, als Vertreter der Psychologie Professor Dr. Meumann-Zürich und Dr. Ament-Würzburg, der Psychiatrie Professor Ziehen-Berlin und Professor Sommer-Gießen, der Kinderheilkunde Geh. Med.-Rat Professor Dr. Heubner und Professor Dr. A. Baginsky, beide in Berlin, als Jurist und National-Ökonom Amtgerichtsrat Dr. Köhne-Berlin und Direktor Dr. Klumker-Frankfurt. Außerdem bleibt dem Ausschusse das Recht der Zuwahl.[1]) Mit der vorläufigen weiteren Leitung wurde Professor Ziehen beauftragt.

Als Name sollte zunächst festgehalten werden »Kongreß für Kinderforschung und Jugendfürsorge.« Endgültig entscheidet auch hierüber der Kongreß selbst.

Damit war das erledigt, was man in formeller Beziehung vorläufig in der Frage tun konnte. Das weitere bleibt nun Sache des Ausschusses bezw. des Kongresses.

Es erfolgte dann noch in der Versammlung eine freie Aussprache über die etwa zu verfolgenden Zwecke und Ziele des einberufenen Kongresses. Da die Aussprache unverbindlich ist, so gebe ich sie im Zusammenhange mit den Zuschriften, die mir über die einzelnen Fragen zugegangen sind. Die Wünsche gehen je nach den praktischen wie den theoretisch-wissenschaftlichen Interessen der Einzelnen und der einzelnen Gruppen weit auseinander, zum Teil auch gegeneinander. Nicht leicht wird es sein, alle unter einen Hut zu bringen. Möglich wird das überhaupt nur sein, wenn die eine oder die andere Richtung nicht herrschen, sondern dem Kinde und der Kindheit und dem Kinderstudium wie der Jugendfürsorge hingebend dienen will. Wo in dieser Richtung ein ernster Wille ist, da wird auch immer ein Weg zu seiner Verwirklichung sich finden.

Aus den aufgeworfenen mannigfaltigen Fragen mag man zugleich ersehen, daß die Entdeckungsreisen auf dem Gebiete des Studiums über das Kind und die Kindheit noch längst nicht alle gemacht sind und eine größere umfassende Organisation hier noch ein großes und dankbares Feld der Betätigung findet, zumal es in den Lehrprogrammen unserer Universitäten so gut wie brach liegt.

Von einigen Seiten lagen bereits konkrete Vorschläge vor, für deren Drucklegung ich noch in größter Eile vor der Versammlung hatte sorgen lassen. Sie seien in der Hauptsache auch hier wiederholt:

---

[1]) Meines Erachtens fehlt noch je ein praktisch tätiger Vertreter der sogenannten Hilfsschule, der Volksschule und der höheren Schulen. **Tr.**

Herr Dr. phil. Ament-Würzburg, einer unserer besten Kenner der Literatur auf dem Gebiete der Kinderforschung meinte, in einem Aufrufe müsse etwa folgendes betont werden:

Die Kinderforschung hat, nachdem sie besonders in seelischer Hinsicht durch das Aufblühen der Erfahrungsseelenkunde in Deutschland zu Ende des 18. Jahrhunderts ins Leben gerufen, durch eine neue folgende Herrschaft spekulativer Systeme aber in den ersten zwei Dritteln des 19. Jahrhunderts bis auf wenige zerstreute Überreste wieder verdrängt worden war, durch das Bedürfnis einer neuen großen Zeit, hervorgerufen durch das bahnbrechende Vorgehen wichtiger Wissenschaften Hand in Hand mit der Praxis, wieder einen außerordentlichen und größeren Aufschwung denn je genommen. Mehrere fremde Nationen, die, praktischer gesinnt, Spekulationen weniger zugänglich gewesen waren und deshalb einen günstigeren Boden für die Wiederaufnahme der Kinderforschung bildeten, hatten mit schnellerem Verständnis den Faden wieder aufgegriffen. Nun ist ihnen in den letzten Jahren dank den Bestrebungen einzelner Persönlichkeiten wie ganzer Gruppen auch die deutsche Heimat glücklich nachgefolgt. Pädagogik, Medizin und Jurisprudenz haben aus ihren praktischen Bedürfnissen heraus vornehmlich die Anregung gegeben. Von ihnen übernahm die Psychologie die Probleme. Diese ganze Bewegung findet ihren äußeren Ausdruck in einer großen Anzahl von Vereinen, Versammlungen und Kongressen, die aber alle durch den einen Umstand charakterisiert sind, daß sie nur einer speziellen Aufgabe dienen und selbst da, wo sie die Kinderforschung im allgemeinen zu vertreten die Absicht haben, doch nur spezielle Aufgaben zu verwirklichen vermochten. So empfindet man denn heute in weiten Kreisen das lebhafte Bedürfnis nach einem universellen Zusammenschluß und Mittelpunkt für die ganze um das Kind entstandene Bewegung. Im Hinblick auf die unantastbare Selbständigkeit aller spezieller Veranstaltungen kann dieser nur in einem zwanglosen, alle paar Jahre tagenden Kongresse für Kinderkunde und Kindererziehung seine Verwirklichung finden. Sein Programm sei universell. Es umfasse Körper und Seele des Kindes wie die gesamte Erziehung und Fürsorge der Jugend in gesunden und kranken Tagen. In den Sektionen werde darnach getrachtet, daß die heterogenen Elemente der Beteiliger, soweit dies irgend möglich ist, auch innerhalb des Kongresses eine gewisse Selbständigkeit behalten.

Dementsprechend müsse sich die Vorstandschaft aus einer nach den Verhältnissen sich richtenden Anzahl der namhaftesten Vertreter der verschiedenen beteiligten Disziplinen zusammensetzen. Unter diesen führt einer den Vorsitz, einer den stellvertretenden Vorsitz, je zwei sind Schriftführer und Kassierer.

Jede Sektion habe für sich einen Vorsitzenden, einen stellvertretenden Vorsitzenden und zwei Schriftführer.

Die Tagesordnung könne sich in der Weise abwickeln, daß morgens von 9—11 die allgemeinen und von 11—2 Uhr die Sektionssitzungen stattfinden, die Nachmittage aber für Besichtigungen, Vergnügungen und sonstigen Sonderzwecken der Mitglieder frei bleiben.

Die Zeitdauer der Vorträge der allgemeinen Sitzungen sollte nicht mehr wie 30 Minuten, die der Sektionssitzungen nicht mehr wie 20 Minuten übersteigen.

Gleichzeitig mit dem Kongreß müsse eine Ausstellung von Apparaten u. a. stattfinden. Dieselben können sowohl im Zusammenhang von Vorträgen stehen als auch an sich zur Schau gestellt werden. Auch ältere Apparate sind des historischen Interesses halber hochwillkommen. Es wäre sehr wünschenswert, wenn die Ausstellung ein möglichst vollständiges Bild der experimentellen Forschung am Kind ergeben würde, ähnlich wie die mit dem Kongreß für experimentelle Psychologie in Gießen 1904 verbundene Ausstellung einen interessanten Überblick über die experimentelle Forschung der Psychologie bot.

Der Mitgliedsbeitrag zum Kongreß dürfe nicht zu hoch bemessen werden.[1] Dafür besitzen die Mitglieder das Recht, an allen Veranstaltungen desselben teilzunehmen und erhalten seinerzeit den Bericht desselben zugesandt.

Der Kongreß tage in allgemeinen Sitzungen und Sektionssitzungen. Die Sektionen können sich wie folgt giedern:

I. Sektion. Körper des Kindes (körperliche Anthropologie des Kindes).

Geschichte der körperlichen Anthropologie des Kindes. — Zelle (Cytologie). — Gewebe (Histologie). — Organe (Anatomie). — Gehirn. — Lebenserscheinungen (Physiologie): Ernährung und Wachstum. — Entstehung des Körpers: Embryologie. Altersstufen. Geschlecht. Pubertät. — Grundform und Verschiedenheit des Körpers (Morphologie). — Entartung des Körpers (Pathologie): Gebrechen. Krankheiten. — Arbeitsgebiet, Untersuchung, Darstellung und Begriff der körperlichen Anthropologie des Kindes.

II. Sektion. Seele des Kindes (Kinderseelenkunde).

Geschichte der Kinderseelenkunde. — Willenshandlung. Ausdrucksbewegung. Schreiben. Lesen. Sprache (Sprachpsychologie). — Sinneswahrnehmung (Psychophysik). — Gemütsbewegung. — Assoziation und Reproduktion, Gedächtnis. — Denken. Verstand. — Vorstellungskreis. Zahlvorstellung. Gesellschaft (Sozialpsychologie). Kunst. Recht und Sitte. — Bewußtsein. — Seelische Arbeit. Ermüdung. — Entstehung der Kinderseele (Psychogenesis). Altersstufen und Geschlecht (Sexualpsychologie). Entartung der Kinderseele (Psychopathologie). — Seelenarten (Individualpsychologie). Schulkind. Verbrecher (Kriminalpsychologie). — Ursachen der Entstehung. — Leib und Seele beim Kind. — Arbeitsgebiet, Untersuchung, Darstellung und Begriff der Kinderseelenkunde.

III. Sektion. Erziehung des normalen Kindes (Pädagogik).

[1] Professor Rein und ich sind nach unsern Erfahrungen in pädagogischen wissenschaftlichen Vereinigungen der Meinung, daß er 1 bis 2 M nicht übersteigen dürfe, wenn wir auf die Masse der Interessenten rechnen wollen und nur für diesen Fall erfüllt der Kongreß seinen Zweck. **Tr.**

IV. Sektion. Erziehung des anormalen und pathologischen
Kindes (Heilpädagogik und Jugendfürsorge).
V. Sektion. Kinderheilkunde und Schulgesundheitspflege.
Die Einteilung der III., IV. und V. Sektion in Gruppen analog der
I. und II. Sektion überlasse ich lieber den in Betracht kommenden Fach-
genossen.«

Herr Dr. W. Fürstenheim, Assistenzarzt an der Universitäts-
Kinderklinik in Berlin NW. Kgl. Charité denkt sich das Arbeitsfeld wie
folgt:

1. Hauptabteilung: Das gesunde Kind.
I. Unterabteilung: Psychologie des Kindes.

a) wissenschaftlicher Teil.
Gruppe I: für Individualpsychologie
(Beziehungen zwischen körperlicher und geistiger Entwicklung des Kindes).
Gruppe II: für Entwicklung der Psyche.
Ev. III: für Psychologie des Unterrichts usw.

b) praktischer Teil.
Gruppe I: Psychologische Fortbildung der Lehrerschaft.
 „ II: Psychologische Mitwirkung des Schularztes usw.

II. Unterabteilung: Erziehungslehre.

a) wissenschaftlicher Teil.
Gruppe I: Entwicklung der pädagogischen Theorie unter dem
 Einfluß der modernen Psychologie.
Gruppe II: Entwicklung der Unterrichtsmethode unter dem
 Einfluß der Psychologie (u. Hygiene der Psyche).
(Gruppe III: Einfluß der körperlichen Erziehung usw.)

b) praktischer Teil.
Gruppe I: Landeserziehungsheime usw.
 „ II: Schule und Elternhaus.
(„ III: Fortbildungswesen.)
(„ IV: Körperliche Erziehung.)[1]

---

[1] Der körperlichen Erziehung, welcher nur eine Gruppenstellung in vor-
stehendem Entwurf eingeräumt ist, könnte ev. auch zu einer selbständigen III. Unterabteilung in jeder Hauptabteilung gemacht werden; also neben der Kinderpsychologie eine Kindersomatologie oder Anthropologie; dementsprechend im pädagogischen
Teile: Gliederung in Erziehung der Psyche und Erziehung des Körpers. — Ebenso
in der II. Hauptabteilung: Neben der Psychopathologie eine besondere Abteilung
für die körperlichen Defekte und deren Behandlung. — Abgesehen davon, daß auch
der vorstehende Entwurf schon genügenden Spielraum zur Behandlung der einschlägigen Fragen läßt, vermeidet er absichtlich Eingriffe in das reinärztliche
Gebiet der Pädiatrie. Andrerseits sind auch — besonders deutlich ist das in der
Psychopathologie — sowohl in wissenschaftlicher wie in praktisch-therapeutischer
Hinsicht die körperlichen von den geistigen Erscheinungen kaum getrennt zu behandeln. Gerade deren gemeinsame Betrachtung in ihrer ständigen Wechselwirkung
ist ja das Signum des Kongresses!

2. Hauptabteilung: Das anormale Kind.

I. Unterabteilung: Psychologie des Kindesalters.

a) wissenschaftlicher Teil.

Stets mit Be- { Gruppe I: Idioten, Imbecille.
rücksichtigung { „ II: Minderwertige.
der Somatologie { („ III: Jugendliche Verbrecher).

b) praktischer Teil.

Gruppe I: Mitwirkung der Schule bei Beurteilung der Zurechnungsfähigkeit.

[1]) Gruppe II: Öffentliche rechtliche Stellung und gerichtliche Behandlung der Psychopathen usw. usw.

II. Unterabteilung: Heilerziehung, Jugendschutz.

a) wissenschaftlicher Teil.

Gruppe I: Heilpädagogik in Hilfsschulen.

„ II: Einzel- und Klassenunterricht bei Defekten der
Sinne usw.

Ev. Gruppe III: Übungstherapie bei körperlichen Gebrechen.

b) praktischer Teil.

Gruppe I: Fortbildung der Lehrerschaft an Taubstummen-,
Blinden- und Hilfsschulen.

Gruppe II: Staatliche, kommunale und private Jugendfürsorge.

Zu beiden Vorschlägen bemerkt Herr Dr. Fiebig, Schularzt in Jena:
»Sektion I und II (nach Ament) sind m. E. überfüllt. Die
normale und die pathologische Somatologie und Physiologie und Pädagogik und Heilpädagogik müssen getrennt werden. Das geschieht

---

[1]) Es handelt sich hier um die Stellungnahme der Lehrerschaft zu den von juristisch-
psychiatrischer Seite ausgehenden Plänen zu einem besonderen »Verwahrungsgesetz«
(vergl. auch Monatsschr. f. Kriminalpsychol. u. Strafrechtsreform I. Jahrg. I. Heft.
Heidelberg, C. Winters Buchhandlung, 1904. S. 8). Die Internat. kriminal. Vereinigung (Pfingsten 1905 zu Stuttgart), der Deutsche Juristentag (Sept. 1905 in Innsbruck) werden sich mit der Frage beschäftigen.) Man plant den Schutz der Gesellschaft vor Geisteskranken und vermindert Zurechnungsfähigen durch deren Verwahrung, ev. Überwachung schon vor Ausführung eines wirklichen Verbrechens.
Die hier in Frage kommenden Psychopathen sind nun den Lehrern bekannt, und
diese allein können ev. den Behörden über die Antecedentien Auskunft geben, ev.
gleich beim Schulbesuchabschluß sich mit den Behörden verbinden usw. — Fragen
von eminenter Bedeutung, die gerade jetzt diskutiert werden müssen, ehe entsprechende Gesetzentwürfe abgeschlossen sind!

(Auch der »Verein für Kinderforschung« hat in seinen sechs Jahresversammlungen die Frage wiederholt erörtert, in besonderen Referaten 1903 in
Halle: Trüper, Psychopathische Minderwertigkeiten als Ursache von Gesetzesverletzungen Jugendlicher (gesondert erschienen in »Beiträgen zur Kinderforschung«
Heft VIII bei Hermann Beyer & Söhne [Beyer & Mann] in Langensalza, 1904),
1904 in Leipzig: 1. Geh. Med.-Rat Prof. Dr. Binswanger, Über den Begriff
des moralischen Schwachsinns (Ztschr. für Kinderforschung 1905, Heft III) und
2. Direktor Polligkoit-Frankfurt, Strafrechtsreform und Jugendfürsorge (»Beiträge
zur Kinderforschung« Heft XII, 1905). Tr.)

ja auch in der Praxis der Universität und der Schule. Dann haben die Hörer am meisten Aussicht, daß sie speziell Interessierende zu hören und also mit möglichst viel Nutzen und Anregung dem Kongresse beizuwohnen. Statt »Kinderheilkunde und Schulgesundheitspflege« (V. Sektion Aments) möchte ich setzen: »Hygiene des Körpers der normalen und anormalen Kinder.« Das wäre in Übereinstimmung mit Aments Sektion III und IV, in denen die Hygiene der Psyche behandelt wird. »Kinderheilkunde« ist mir nämlich zu pädiatrisch und »Schulgesundheitspflege« zu beschränkt. Auch das Kind im vorschulpflichtigen Alter muß besprochen werden und gerade das. So bekommen wir die Mütter.

Demnach ergibt sich folgende Gliederung:

I. **Geschichte der körperlichen Anthropologie des Kindes.** Arbeitsgebiet, Untersuchung, Darstellung und Begriff der körperlichen Anthropologie der Kinder. **Körperbau** (Morphologie und Chemie der Zelle, Gewebe, Säfte, Organe). **Verrichtungen des Körpers** (Physiologie: Reize, Reizbarkeit, Funktion, Ernährung, Wachstum, Fortpflanzung und Vererbung). **Entwicklung des kindlichen Körpers** (Embryologie, Geschlecht, Alter, Pubertät).

II. **Minderwertigkeit und Krankheit des Kindeskörpers** (Pathologie, Morphologie und Chemie der Zelle, Gewebe, Säfte und Organe und pathologische Physiologie).

III. **Seele des normalen Kindes** (Kinderseelenkunde). Wie bei Ament.

IV. **Entartung der Kinderseele** (Psychopathologie). Verbrechertum, Ursachen und Wechselbeziehungen der körperlichen und geistig seelischen Entartung und Minderwertigkeiten.

V. **Hygiene des Geistes und Unterricht** (Pädagogik und Heilpädagogik) des normalen und anormalen Kindes.

VI. **Hygiene des Körpers des normalen und anormalen Kindes.** Jugendfürsorge. Taubstumme. Blinde. Krüppel. Epileptische usw.«

Herr Prof. Meumann-Zürich und Dr. Lay-Karlsruhe beabsichtigen eine Art Arbeitsgemeinschaft für experimentelle Pädagogik zu begründen, um namentlich die Lehrerkreise zu gemeinsamer Untersuchung pädagogischer Fragen mittels Experiments anzuregen. Sie wünschen auch die experimentelle Pädagogik berücksichtigt und damit die experimentelle Forschungsmethode: exakte Beobachtung, Statistik und Experiment.

Herr Geh.-Rat Prof. Dr. Binswanger-Jena wünscht vor allem das Alter von beginnender Pubertät bis zur Geschäfts- und Strafmündigkeit berücksichtigt.

Herr Amtsgerichtsrat Dr. Köhne-Berlin als Vertreter des »freiwilligen Erziehungsbeirates für schulentlassene Waisen«, sprach sich in der Berliner Versammlung als Jurist dahin aus: Die obigen vorläufigen Programmentwürfe werden den so überaus wichtigen Beziehungen des Staates zum Kinde nicht ganz gerecht, wie auch schon von anderer Seite bemerkt worden ist. Man meint, ein Thema wie:

›Erziehungsrecht und Erziehungspflicht der Eltern‹ könnte die großen
Schwächen des Bürgerlichen Gesetzbuchs aufdecken. Ich finde das B. G. B.
durchaus nicht schwach und glaube, daß wenn die Anwendung seinen
hohen Absichten entspricht, auch die Pädagogen und Ärzte damit zufrieden
sein können. Aber dennoch wäre ich mit Besprechung eines solchen
Themas sehr einverstanden und würde es dann in das Gebiet der staatlichen Jugendfürsorge verweisen. Aber auch abgesehen hiervon bleiben
große Gebiete des Rechtslebens übrig, welche im Interesse der von Ihnen
vertretenen Bestrebungen, der theoretischen Durchforschung und der praktischen Neugestaltung bedürfen. Ich möchte nur einige Beispiele anführen,
welche mir gerade in diesem Augenblicke einfallen. Theoretisch wäre zu
untersuchen, ob es angegezeigt ist, ein vierzehnjähriges Kind nach Belieben
seine Konfession wechseln zu lassen; ob es ein genügender Schutz für einen
Sechzehnjährigen ist, wenn ihm gestattet wird, sein Testament vor einem Notar
und 2 ihm völlig fremden Zeugen zu machen u. dergl. m. Ich möchte
aber auch noch besonders auf die Beziehungen der Strafrechtswissenschaft
und der praktischen Strafjustiz zu der Pädiatrie hinweisen. In dieses
Gebiet schlagen die großen Fragen der Strafmündigkeit, und der Zurechnungsfähigkeit. Aber auch kleinere sind von erheblichster Bedeutung.
Dahin gehört die forensische Behandlung des angeklagten Kindes. Heute
wird es völlig gleich einem Erwachsenen behandelt und in bunter Reihe
zwischen Erwachsenen abgeurteilt. Welche Eindrücke die kindliche Psyche
dort erhält, wäre wohl der Untersuchung wert. Man müßte sich an die
Vereine zur Unterstützung Strafentlassener wenden, und um Mitteilung ihrer
Erfahrungen bitten. In dem vorhin erwähnten Programme finde ich zwar das
Stichwort ›Jugendliche Verbrecher‹, aber nur im wissenschaftlichen Teile. Das
entsprechende Stichwort im praktischen Teil lautet: ›Gerichtliche Behandlung der Psychopathen.‹ Nun ist aber nicht jeder jugendliche Delinquent
ein Psychopath. Sie sehen, es eröffnen sich die weitesten Perspektiven, und
ich bitte Sie, wenn Sie auf diesem Gebiete, das uns allen am Herzen liegt,
die Probleme der Psychologie, der Pädagogik und der Psychiatrie gemeinsam bearbeiten wollen, auch die Aufgaben mit zu behandeln, welche der
Rechtsanwendung und der Rechtsfortbildung gestellt sind.

Herr Professor Ziehen veranschaulichte auf mehrfache Anfragen hin
die besonderen Aufgaben des Kongresses u. a. durch den Hinweis, daß
von den verschiedensten berufenen Seiten geplant sei, eine Übersicht der
Untersuchungsmethoden der seelischen Funktionen des gesunden und kranken
Kindes zu geben durch Vorführung und Ausstellung von Apparaten, Unter-
suchungsprotokollen und anderen Darstellungs- und Hilfsmitteln zur Anregung und Förderung jeglicher kindlicher Beeinflussung .

Leider wurde dieser höchst bedeutsame und anscheinend von ihm
schon länger vorbereitete Plan erst dargelegt, nachdem der Kongreßort
bereits bestimmt war. Sonst wäre es zur leichteren Ermöglichung dieser
Ausstellung wohl besser gewesen, wenn der erste Kongreß in eine Universitätsstadt und namentlich in eine größere verlegt worden wäre, wo
die zum Teil sehr teuren und schwer versendbaren Apparate zur Stelle
sind, so viel auch sonst gegen die Großstadt sprechen mag.

 Eine lange Erörterung knüpfte sich in Berlin an die Frage: **In welches Verhältnis wird sich die beschlossene Neugründuug zu den bereits bestehenden Organisationen stellen?**

 Wir wiederholen zunächst einige frühere Wünsche:

Unser erster Aufruf: »Zusammenschluß aller kinderpsychologischen und heilpädagogischen Bestrebungen zu einer gemeinsamen und einheitlichen Vertretung bei vollständiger Wahrung der bisherigen Selbständigkeit der einzelnen bereits bestehenden Vereinigungen.« Neben dem Zusammenschlusse zu einem Kongresse »bleibt es den einzelnen Vereinigungen unbenommen, daneben in der bisherigen Weise zu bestehen und zu tagen.«

Dr. Kerschensteiner: »Es wäre eine große Vereinfachung, wenn es gelänge, daß alle speziellen Vereine gleichzeitig mit ihre Jahreskongresse hielten.«

Dr. Taube: »Es dürfte praktischer sein, die große Zersplitterung durch Sektionen zu vermeiden und nach dem Vorbilde unserer medizinischen und chirurgischen Kongresse lieber einen Tag länger zu bleiben und allgemeine Tagesordnung einzuführen; die Anwesenden stehen ja ziemlich auf dem gleichen Boden. Nürnberg war doch ein warnendes Beispiel.«

Gengnagel: »Ich hoffe von dem Kongreß, daß er die reichen Einzelarbeiten unter großen, einheitlichen Gesichtspunkten verarbeitet, soweit dies auf unserm vielseitigen Gebiete möglich ist.«

 In der Berliner Versammlung wollten Herr Prof. Baginsky u. a. ohne besondere Berücksichtigung der bestehenden Vereinigungen ein vollständig Neues, während z. B. der Vorstand des Verbandes deutscher Hilfsschulen, vertreten durch Herrn Stadtschulrat Dr. Wehrhahn-Hannover und Hauptlehrer Kielhorn-Braunschweig, den Aufruf so aufgefaßt hatte, als wenn die bestehenden Vereinigungen in dem Kongreß aufgehen und von ihm gleichsam geleitet werden sollten und Dritte wiederum meinten, es soll der Kongreß nichts als ein Zusammentagen bestehender Vereinigungen sein.

 So kam in Berlin denn mehrfach die Sorge zum Ausdruck, daß einerseits eine lose Zusammenordnung von alten Einzelbeständen zu einer uferlosen Vereinigung führe, während andererseits das Aufgeben der Selbständigkeit von Einzelvereinen und ein Auflösen derselben in eine höhere Einheit Anforderungen an deren Leiter und Mitglieder stellen werde, die manchem zu schwer ankommen werden, sie zu erfüllen. Es war aber anscheinend der Wunsch der meisten Anwesenden, etwas Einheitliches und zwar Originelles und in seinem Dasein Berechtigtes zu schaffen mit eigenen Aufgaben. Dieses Originelle müßten jedoch Fragen sein, deren Beantwortung einer jeden bestehenden Einzelvereinigung von Bedeutung und Förderung sein werde. Nach gemeinsamer Lösung solcher allgemeinen Fragen würde es sich dann von selber zeigen, inwieweit die Bildung von Sektionen sich noch benötige. Die bestehenden Einzelvereine würden sich selber darüber schlüssig zu werden haben, ob sie zugleich als Gruppe des Kongresses tagen wollen oder nicht. Der erste Kongreß, welcher dem Bedürfnis nach Vereinheitlichung entgegenkommen will, werde schon die richtigen Fragen zu stellen wissen. Die Berliner Vorbesprechung sei nicht berufen, die Zusammenkunft im Jahre 1906 schon nach ihrem Verlaufe zu bestimmen; der gewählte Vorstand werde unter tunlichster Berücksichtigung der ihm unterbreiteten Wünsche schon einen befriedigenden Verlauf vorzubereiten wissen.

Nach meiner Auffassung ist der einheitliche Kongreß ebenso notwendig als das unabhängige Fortbestehen der bisherigen Vereinigungen auf den Spezialgebieten, wie denn der in diesem Sinne abgefaßte Aufruf ja auch von allen unterzeichnet wurde. Notwendig ist aber vor allem Freiheit für abweichende Ansichten und Bestrebungen.

Die bestehenden Vereinigungen bilden zunächst die natürlichsten Sektionen des Kongresses. Es ist sehr nützlich, wenn man wie Ament, Fürstenberg und Fiebig, sich einmal klar macht, wie umfangreich und vielgestaltig das zu bearbeitende Gebiet ist, aber wer das menschliche Leben beeinflussen will, tut gut, nicht zunächst den logischen Kategorien, sondern den jeweiligen Bedürfnissen zu folgen, wie die bisherigen Vereine es bereits in engerem Kreise wenn auch mit zum Teil ungenügenden Kräften doch erfolgreich versucht haben.   Trüper.

---

4. Rousseau als Kinderarzt.
Von Dr. Heinrich Pudor.

> „Observez la nature et suivez la route, qu'elle vous trace."
>
> Rousseau, Emile.

Wenn von der Menschheit alles das befolgt würde, was von berühmten und hervorragenden Männern ihr zu tun anempfohlen ist, so würde sie im Zustande der Vollkommenheit leben, wenngleich man auf der anderen Seite bedenken muß, daß es ganz naturnotwendig ist, daß die Praxis hinter der Theorie herhinkt und schwerfällig und ganz allmählich die Ergebnisse der Theorie sich zu eigen macht. So ist wenigstens im allgemeinen der Stand der Dinge. Auf einzelnen Gebieten freilich ist die Kluft und der Zwiespalt zwischen Theorie und Praxis gar zu auffallend und ganz ungerechtfertigt und zudem mehr oder weniger hoffnungslos. Namentlich auf dem Gebiete der Kinderaufziehung stehen die Sachen so und nicht anders. Seit Jahrhunderten wird gegen das bis heute übliche System der Kinderaufziehung in Wickelbetten geschrieben, aber in Deutschland zum mindesten entschließt man sich nicht, dem Folge zu geben. Besonders im 18. Jahrhundert (um die Mitte desselben) beschäftigte die Frage der Kinderaufziehung lebhaft die Geister. Die Haarlemer Akademie hatte auf die Lösung dieser Frage einen Preis ausgesetzt, welcher dem Genfer Ballexerd zuerteilt wurde für die Arbeit »Dissertation über die physische Erziehung der Kinder«. In Paris hatte ein berühmter Arzt, Desessarts, eine Schrift »Über die körperliche Erziehung der Kinder in den ersten Lebensjahren« erscheinen lassen. Vorher schon hatte der Naturforscher Buffon gegen das Einwickeln der Kinder in Steckkissen geschrieben und

sich zu Gunsten des Stillens der Mütter verwandt. Auch der herrliche
Michel Seigneur de Montaigne hatte in seinen 1580 erschienenen
Essays über Erziehung ähnliche Ansichten verfochten. Und nun kam —
glühend wie ein Meteor — Jean Jacques Rousseau mit seinem Emile,
in welchem er die ganze menschliche Erziehung auf natürlicher Grundlage zu errichten bestrebt ist und mit der Kleinkindererziehung sich eingehend beschäftigt. Und Rousseau erst drang durch, ward gehört und
anerkannt. Buffon selbst sagte: »Es ist wahr, gesagt haben wir das
alles, aber Rousseau allein befiehlt es und erzwingt sich Gehorsam.«

An Montaigne erinnert Rousseau namentlich da, wo er Abhärtung
statt Verweichlichung empfiehlt, denn das Montaignesche Erziehungssystem ist ähnlich wie das des 150 Jahre früher in Italien wirkenden
Vittorino de Feltre[1]) ein spartanisches. So sagt Rousseau: »Härtet
die Körper der Kinder ab gegen die Rauheiten der Jahreszeiten, der
Klimate, der Elemente, gegen den Hunger, den Durst, die Ermüdung;
taucht sie in die Wasser des Styx«.[2])

Besonders liegt es Rousseau am Herzen, die Unsitte der Wickel-
kissen dem Leser vor Augen zu führen: »Das neugeborene Kind hat das
Bedürfnis, seine Glieder auszustrecken und zu bewegen, um sie aus der
Erstarrung zu reißen, in der sie so lange Zeit, zusammengezogen zu einem
Knäuel, gelegen haben. Man streckt sie zwar aus, aber man verhindert
sie, sich zu bewegen; man steckt selbst den Kopf in Kinderhäubchen, als
ob man Furcht hätte, es könne Lust bekommen, Lebenszeichen zu geben.
Im Mutterschoße war es weniger beengt, weniger geniert, weniger zu-
sammengedrückt als in seinen Windeln; ich sehe nicht, was es mit seiner
Geburt gewonnen haben soll. Denn der einzige Erfolg ist, daß die Zirku-
lation des Blutes und der Säfte gestört wird, daß das Wachstum und
Kräftigwerden des Kindes gehindert und seine Konstitution ungünstig beeinflußt wird; in Ländern, wo man diese übertriebene Vorsicht nicht kennt,
sind die Menschen groß, stark und wohlproportioniert. Aus Furcht, daß
die Körper durch freie Bewegungen entstellt werden könnten, beeilt man
sich, sie zu entstellen, indem man sie einschnürt. Sollte nicht ein so
grausamer Zwang Einfluß ausüben auf das Gemüt sowohl, wie auf das
Temperament der Kinder? Denn ihr erstes Gefühl ist ein Gefühl des
Schmerzes; bei allen Bewegungen, die sie ausführen müssen, fühlen sie
sich beengt; unglücklicher als ein in Fesseln liegender Verbrecher, werden
sie gepeinigt, werden erregt und schreien.«

Des weiteren verbreitet sich Rousseau über Kost und Nahrung der
Ammen und bemerkt, daß die Milch, wenngleich im animalischen Körper
herangebildet, eine vegetabilische Substanz sei, und daß, ähnlich wie im
Tierreich die Milch der Grasfresser süßer und heilsamer sei als diejenige

---

[1]) Die berühmte Casa Giocosa, die noch heute eine der architektonischen
Zierden Italiens bildet, wurde dem Vittorino von Giovanni Francesco Gonzaga zu
Mantua erbaut und als Erziehungsanstalt eingerichtet.

[2]) Diese und alle folgenden Zitate sind dem 1. Buche von Rousseaus Emile
entnommen.

der Fleischfresser, die Ammen vegetabilische Nahrung einnehmen sollten. Daß die Pflanzenkost eine leichter gerinnende Milch erzeuge, sei kein Nachteil, sondern ein Vorteil, indem sie gerade durch das Gerinnen zur Ernährung des Säuglings geeigneter werde.

Rousseau kommt weiter darauf zu sprechen, daß nächst einer geeigneten Nahrung gute Luft für Kind und Amme das notwendigste Erfordernis ist. Reine Landluft sei besser als verdorbene Stadtluft für beide Teile. »Die Menschen sind nicht dazu geschaffen, in Ameisenhaufen eingepfercht zu leben, sondern ausgebreitet auf der ganzen Erde, die sie bebauen sollen. Je mehr sie sich zusammenhäufen, desto mehr richten sie sich zu Grunde, der Mensch ist von allen Wesen dasjenige, welches am wenigsten in Herden zusammenleben kann, Menschen, zusammengepfercht wie Hammel, werden sehr bald zu Grunde gehen. Der Hauch des Menschen ist tödlich für seinesgleichen. Die Städte sind der Abgrund des menschlichen Geschlechtes. Immer ist es das Land, von dem aus die Regeneration der entarteten Rassen erfolgt. Schickt also eure Kinder hinaus, dahin, wo sie inmitten der grünenden Felder die Kraft, welche man in der schlechten Luft der zu stark bevölkerten Orte der Erde verliert, wieder gewinnen können.«[1])

Was das Baden der kleinen Kinder betrifft, so erscheint Rousseau die Vorsicht, daß man das Wasser erwärmt, nicht durchaus selbstverständlich, wenngleich sie im heutigen Kulturleben ratsam sei. Aber man sollte wenigstens bestrebt sein, die Kinder allmählich an immer niedrigere Temperaturen zu gewöhnen. »Diese Sitte des Badens, einmal angenommen, darf nicht unterbrochen werden, und man tut gut, sie das ganze Leben beizubehalten. Ich sehe sie nicht nur von Seite der Reinlichkeit oder der augenscheinlichen Gesundheit, sondern ebenso als ein prophylaktisches Heilmittel an, um das Zellengewebe fester zu machen, derart, daß man es ohne Gefahr den verschiedenen Wärme- und Kältegraden aussetzen kann.«

Diese Mahnungen Rousseaus verdienen gerade heute um so mehr Beachtung, als die Säuglingssterblichkeit z. B. bei uns in Deutschland eine furchtbare ist. Bei der jüngst stattgefundenen Jahresversammlung des Vereins für öffentliche Gesundheitspflege wurde festgestellt, daß die Mehrzahl der Todesfälle Kinder der ersten beiden Lebensmonate betrifft. Und auf der ebenfalls soeben stattgehabten Versammlung deutscher Naturforscher und Ärzte wurde konstatiert, daß jeder dritte Todesfall in Deutschland auf Tuberkulose beruht, daß aber die Tuberkulose in keinem Alter so groß ist, wie im Kindesalter vom 1.—5. Jahre. Und wenn weiter als bestes Kampfmittel die peinlichste Reinhaltung des Säuglings gefordert wurde, so ist dazu zu bemerken, daß eine solche beim Wickelkissensystem unmöglich ist, hier vergiftet sich der Säugling immerfort durch die eigene Ausdünstung, und die Hautausdünstung, die gerade beim Säugling außerordentlich groß ist, wird gewaltsam unterdrückt.

---

[1]) Dieselben Gedanken finden sich fast wörtlich in Hufelands berühmter »Makrobiotik«.

Rousseau fragt nun, woher diese unvernünftige Sitte gekommen ist, und er antwortet: daher, daß die Mütter aus Bequemlichkeit ihre Kinder fremden Händen anvertrauten, die ihrerseits sich so wenig als möglich Mühe machen wollten. Ein Kind, das sich bewegen kann, würde man immerfort bewachen müssen; eingewickelt und eingebunden, wirft man es in eine Ecke, ohne sich um sein Geschrei zu kümmern. Der andere Grund für die Unsitte der Steckkissen sei der, daß man fürchtet, die ihrer Freiheit überlassenen Kinder könnten Bewegungen versuchen, die ihrer Körperausbildung schädlich wären und Mißbildungen im Gefolge haben könnten. Aber das seien nichts als hohle Redensarten, die durch die Erfahrung niemals bestätigt werden. »Die kleinen Kinder vermögen sich kaum zu rühren — wie sollten sie sich Schaden zufügen können?«

Weiter verbreitet sich Rousseau über das Stillen besoldeter Ammen. Auch diese Frage ist aktuell; in rühmenswerter Weise ist die schon erwähnte Jubelversammlung des Vereins für öffentliche Gesundheitspflege als Hauptmittel zur Verminderung der Säuglingssterblichkeit gefordert, das die Mütter ihre Pflichten den Säuglingen gegenüber erfüllen (durch Selbststillung). Allerdings scheint die Sitte des Stillens durch besoldete Ammen zu Rousseaus Zeit weit ausschließlicher geherrscht zu haben, als heute. Denn Rousseau ruft pathetisch aus: »Ein Mann, der es wagen würde, zuzulassen, daß seine Frau ihr Kind selbst stillt, wäre verloren, man würde ihn einen Mörder nennen, der sich von seinem Weibe befreien wolle.« Heute sogar stillen Fürstinnen, wie die Kaiserin von Rußland, in eigener Person. Aber leider sind das Ausnahmen.

Wenn man die Frage aufstellte, sagt Rousseau, ob es für die Kinder gleichgültig sei, ob sie mit der Milch der Mutter oder einer anderen Frau ernährt würden, so dürfe man nicht nur die physische Seite der Frage in Betracht ziehen. Die Mutterliebe, die mütterliche Sorge und Pflege könne durch nichts ersetzt werden. Entweder empfinde die Amme etwas von mütterlicher Zärtlichkeit für das ihr anvertraute Kind, dann müsse die Mutter selbst auf ihr Mutterrecht teilweise und zeitweise verzichten, und dem Kinde mute man zu, die Mutter wie ein Kleid zu wechseln. Oder aber die Amme empfinde nichts von mütterlicher Sorgfalt, dann wieder sei das Kind in schlechten Händen. Rousseau bemerkt hier scharfsinnig, daß man, wenn man im ersteren Fall die Ammen als bloße Mägde behandelt und später aus dem Hause schickt, die Kinder geradezu zur Undankbarkeit erzieht; man lehrt das Kind, diejenige, die ihm das Leben gab, eines Tages ebenso zu vernachlässigen, wie diejenige, welche es mit ihrer Milch ernährt hat. »Wollt ihr, daß jeder zu seinen ersten Pflichten zurückkehre, so beginnt mit den Müttern. Wenn einmal die Frauen wieder Mütter werden, werden auch die Männer wieder Väter und Gatten werden. Und wo keine Mutter, da kein Kind. Zwischen ihnen sind die Pflichten gegenseitig; werden sie von der einen Seite schlecht erfüllt, so werden sie von der anderen Seite vernachlässigt.«

Sehr richtig bemerkt Rousseau, daß eigentlich ein neugeborenes Kind eine Amme haben müsse, welche soeben entbunden habe. Denn nur dann habe die Milch die für den Säugling notwendige Beschaffenheit. Die junge Milch der Wöchnerinnen sei wässerig; sie müsse abführend sein, um die Reste des Meconiums, welches in den Eingeweiden des neugeborenen Kindes festsitzt, fortzuschaffen. Allmählich erst nimmt die Milch an Dichtigkeit zu und wird substantieller. Und zwar verändert die Natur bei allen tierischen Wesen die Dichtigkeit der Milch genau im Verhältnis zu dem Alter des Säuglings.

Alsdann kommt Rousseau auf die Kleidung zu sprechen: »Von dem Moment an, wo das Kind, aus seiner Umhüllung befreit, atmet, dulde man nicht, daß man ihm neue Umhüllungen gibt, welche es noch mehr beengen. Keine Kinderhäubchen, keine Wickelbänder, keine Steckkissen; nur lockere und breite Windeln, welche alle Glieder in Freiheit lassen und nicht so schwer sind, um die Bewegungen zu hindern, und nicht so erhitzend sind, um die frische Luft abhalten zu können.«

Weiter folgen einige interessante Fingerzeige: Bezüglich der Gewöhnung des Kindes an Licht, so muß man acht darauf geben, daß das Gesicht immer nach dem Lichte zu gerichtet ist, wenn man verhüten will, daß das Kind schielen lernt. Denn man kann beobachten, daß es die Augen immer nach dem Lichte wendet. — Die einzige Gewohnheit, welche man ein Kind haben lassen darf, ist die, keine zu haben; man trage es auf dem rechten Arm nicht mehr als auf dem linken; man gewöhne es weder daran, zu denselben Stunden zu essen und zu schlafen, noch des Tages oder in der Nacht nicht allein bleiben zu können.« Diese letztere Ansicht Rousseaus dürfte auch heute noch lebhaftem Widerspruch begegnen.

Ausführlich verbreitet sich Rousseau über das Schreien der Kinder. »Da der erste Zustand des Kindes Schwäche ist, so sind seine ersten Stimmen Klagen und Tränen. Das Kind fühlt seine Bedürfnisse und kann sie nicht befriedigen; es bittet um Hilfe und Unterstützung durch Geschrei; hat es Hunger oder Durst, so weint es; ist es zu kalt oder zu warm, so schreit es; hat es Bewegung nötig und man hält es in Ruhe, so schreit es; will es schlafen und man stört es, so schreit es. Entfernt von den Kindern mit der peinlichsten Gewissenhaftigkeit Dienstboten, welche sie quälen, aufregen, ungeduldig machen; sie sind ihnen hundertmal schädlicher als die Ungunst der Witterung und der Jahreszeiten. Wenn ihr aber das Hindernis nicht entfernen könnt, so bleibt ruhig ohne zu liebkosen: andernfalls wird das Kind sich erinnern, was es tun muß, um geliebkost zu werden, und wenn es einmal weiß, wie es nach seinem Willen euch beschäftigen kann, ist es schon euer Meister, und alles ist verloren.«

Rousseau ist der Ansicht, daß man die Kinder viel zu früh entwöhnt. »Die Zeit, zu der man die Kinder entwöhnen soll, ist durch den Durchbruch der Zähne angezeigt. Instinktmäßig nimmt das Kind dann alles in den Mund, was es in die Hände bekommen kann. Und man glaubt ihm das Zahnen zu erleichtern, indem man ihm harte Körper, wie Elfenbein, als Spielzeug gibt. Ich glaube, man irrt sich. Die harten Körper, weit entfernt, das Zahnfleisch zu erweichen, verhärten es und vermehren die Schmerzen beim Durchbruch der Zähne. Man kann bei jungen

Hunden beobachten, daß sie vielmehr weiche und nachgiebige Stoffe, in die sich der Zahn eindrücken kann, sich zu verschaffen suchen, als harte.«

Diese Bemerkung Rousseaus ist durchaus zutreffend. Das Beißen ist eine Tätigkeit der Zähne, wenn sie da sind. Aber das Beißen läßt sie nicht entstehen, vielmehr ist es die Saugtätigkeit, welche die Zähne entstehen läßt. Und je mehr Gelegenheit zur Saugtätigkeit gegeben wird, desto leichter kommen die Zähne. Da die Saugtätigkeit bei künstlicher Ernährung nicht so groß ist, wie an der Mutterbrust, kann man beobachten, daß im ersteren Fall die Zähne nicht so leicht kommen, wie im zweiten Falle. Grade in diesem ersteren Fall suchen aber die Kinder alsdann nach einem Ersatzmittel des Saugens und bemächtigen sich einer Zahnbürste, eines Schwammes, einer Nagelbürste, ja, man kann oft genug sehen, daß sie ihre Kleidzipfel ins Wasser tauchen, um sie danach anzusaugen. Weit später erst, wenn die Zähne vollständig zum Durchbruch gekommen sind, kann es Nutzen haben, den Kindern harte Gegenstände zur »Übung im Beißen« in die Hand zu geben.

Genauer kann man drei verschiedene, aufeinander folgende Tätigkeiten in der Zahnung unterscheiden: das Saugen, das Nagen und das Beißen. Zur Beförderung der zweiten dieser Tätigkeiten empfiehlt Rousseau, den Kindern Brotrinde und getrocknete Früchte in der betreffenden Zeit zu geben.

Was die Nahrung des Kindes betrifft, so empfiehlt Rousseau am meisten Semmelbrei, warnt dagegen vor Bouillon und Fleischsuppen.

Sehr energisch warnt Rousseau vor der Sucht, die Kinder das Gehen möglichst früh zu lernen: »Gibt es etwas Törichteres, als die Mühe, welche man sich nimmt, sie gehen zu lehren? Wie viele Leute sieht man, welche ihr ganzes Leben schlecht laufen, weil man sie im Laufen schlecht unterrichtet hat.« Das klingt vielleicht paradox, aber es ist gleichwohl richtig, denn die Kinder lernen das Laufen am besten von selbst, und eine dritte Person kann unmöglich den Zeitpunkt wissen, wenn die Beine stark genug sind; wählt man den Zeitpunkt zu früh, so sind krumme Beine die unausbleibliche Folge. Zu spät kann man aber den Zeitpunkt nicht wählen, weil die Kinder zur richtigen Zeit, wofern man ihnen Zeit läßt, das Laufen von selbst lernen. »Anstatt Emil in ungesunder Stubenluft verkümmern zu lassen, wird man ihnen täglich auf eine Wiese führen; wenn er dort hundertmal fällt, desto besser, er wird nämlich desto besser lernen, sich zu erheben. Mein Zögling wird sich oft stoßen, aber dafür wird er immer guter Dinge sein. Eure unglücklichen Kinder dagegen — das Alter des Erscheinens vergeht ihn unter Züchtigungen, Drohungen, Tränen, Knechtschaft. Menschen, seid menschlich, liebt die Kinder, begünstigt ihre Spiele, ihre Vergnügungen, ihren schönen Instinkt. Man darf ein Kind nicht zwingen, still zu sitzen, wenn es gehen will, noch zu gehen, wenn es stillsitzen will. Wenn der Wille nicht durch unsere Fehler verdorben ist, wollen sie nichts Unnützes. Es ist notwendig, daß sie springen, daß sie laufen, daß sie schreien, wenn sie nur Lust dazu haben.«

Man wird gut tun, diese Gedanken Rousseaus zu erwägen und zu überdenken, das Beste davon zu behalten und ins Leben zu übertragen. Namentlich das letztere ist notwendig, denn mehr als ein Jahrhundert gilt Rousseau nun schon als Apostel der Natur und naturgemäßen Lebensführung, aber das Wenigste erst von seinen Forderungen ist für das Leben verwertet worden. Wir schließen daher mit den Worten Montaignes: »Wer diesen Gedanken gemäß handelt, wird mehr Vorteil davon haben, als wer sie bloß liest.«

5. Aus meiner Kinderpraxis.

Von Dr. Witry, Nervenarzt, Trier.

Es kommt eigentlich selten vor, daß der Arzt von den Eltern zu Rate gezogen wird, wenn sich bei einem Kinde Affektabnormitäten zeigen. Es ist auch nur der höheren Bildung und der starken Intelligenz der betreffenden Mütter zu verdanken, daß ich die beiden folgenden Fälle zur Beobachtung bekam.

Das erste Kind stammt aus einer hochangesehenen ausländischen Familie, ist jetzt zwölf Jahre alt, gut entwickelt und körperlich gesund. Die Eltern sind intelligente gesunde Menschen. Bertha X, neigte schon von Kindheit an zu Exzessen in ihrem Gefühlsleben. Sie wurde von einer Privatlehrerin unterrichtet, zu der sie ins Haus ging. Beim Unterricht war sie anscheinend sehr aufmerksam, fixierte ständig die Lehrerin, suchte immer die Hand derselben oder auch deren Schürze zu erfassen, konnte aber am Schlusse der Stunde nicht angeben, was die Lehrerin vorgetragen hatte. In unbewachten Momenten ergriff sie die Hand des jungen Mädchens und flüsterte: »O, wie ich sie liebe, nein, Sie können es ja nicht wissen!« Manchmal ging sie stundenlang vor dem Hause des jungen Mädchens auf und ab, um sie zu erwarten. Als ihr einmal ein Kuß verweigert wurde, ging sie trotz der Winterkälte eine Stunde lang vor dem Hause spazieren, bis ihr Wunsch erfüllt war. Unter irgend einem beliebigen Vorwande ging sie öfters täglich in das Haus ihrer Lehrerin und war kaum wieder zu entfernen. Die Ausbrüche ihrer leidenschaftlichen Schwärmerei wurden immer intensiver. Ebenso groß wie ihre Liebe war auch ihre Eifersucht, die in den stärksten Haß ausarten konnte. Wenn eine ihrer Freundinnen nur ein paar liebenswürdige Reden von der Lehrerin bekam, dann wurde Bertha ungezogen und verleumdete die betreffende Freundin durch die gröbsten, offenkundigsten Lügen. Plötzlich trat auch der Umschwung ein. Bertha zeigte eine Eiseskälte gegen ihre Lehrerin. Sie war höflich und gemessen gegen sie, suchte auf der Straße auffällig nach einer Gelegenheit, nicht grüßen zu müssen, stellte sich an ein Schaufenster, wenn sie ihre Lehrerin von weitem kommen sah. Es war nämlich ein anderes Bild in ihr Liebesleben getreten. Ein Zirkus spielte am Orte, und eine Dame an der Kasse, welche auch auftrat, hatte es Bertha angetan. Nach den Unterrichtsstunden ging sie nun an die Zirkuskasse und war glücklich neben Miß Elly sitzen zu können. In leidenschaftlichen Ausbrüchen pries sie die

Schönheit Miß Ellys und behauptete alle Tage etwas anderes in Bezug auf deren angebliche hohe Abstammung. Die Verehrung ging soweit, daß sie eines Tages eine große Photographie in wertvollem Rahmen vom Schreibtische ihrer Mutter nahm und sie Miß Elly schenkte. Als der Zirkus fortzog, bekam das Kind einen Weinkrampf und nun zog mich die Mutter zu Rate. Sie erzählte mir die oben angeführten Tatsachen. Zugleich zeigte es sich, daß die Kleine sehr stark an Onychophagie (Fingernägelkauen) litt. Durch Zureden gelang es mir, das Kind zu beruhigen. Dafür aber wollte es gleich einen Kuß haben und behauptete der Mutter gegenüber der Arzt sei in es verliebt; es verlange jetzt Kleidung wie die Erwachsenen, speziell weiße Unterröcke mit Spitzenvolants. Erst nach eindringlichem Zureden verzichtete es auf diese Wünsche. Die erotische Note in seinem Benehmen dem Arzte gegenüber ist bis heute noch nicht verschwunden. Dazwischen aber kokettiert es mit allen möglichen jungen Herren. Wir haben es hier mit einer deutlichen Erotomanie im Kindesalter zu tun.

Der zweite Fall betrifft einen Knaben von zehn Jahren, der zusammen mit vier Brüdern aufgezogen wird. Es fiel nun der Mutter in letzter Zeit auf, daß öfters kleine Nippsachen im Hause zerbrochen wurden, die Bäume beschädigt, Geld gestohlen wurde. Der zehnjährige Otto beschuldigte ständig mit größter Genauigkeit seinen achtjährigen Bruder Karl, und man fand auch einigemal das Geld in den Taschen Karls. Wenn dieser nun gezüchtigt wurde, stand Otto freudestrahlend dabei und rieb sich die Hände. Als man dann eine verschärfte Aufsicht einführte, stellte es sich heraus, daß Otto selber der Missetäter war, dem Bruder das gestohlene Geld heimlich beisteckte, nur, daß dieser gezüchtigt werden sollte. Dieser Hang zur Grausamkeit wurde mir erklärlich, als ich leichte epileptoide Dämmerzustände beim Kinde konstatierte. Für die Wahl des Berufes bei Otto wird dieses Krankheitssymptom schwer in die Wage fallen.

Im Anschlusse daran sei noch eine kurze Krankengeschichte erzählt.

Als die Zeitungen vor circa einem Jahre den Fall Dippold besprachen, kam ein Krankenwärter aus einem auswärtigen Hospital zu mir. Er erzählte folgendes: ›Als Kind hatte ich in der Schule immer Freude daran, wenn die anderen geschlagen wurden. Als ich später größer wurde, kam ich in sexuelle Erregung, wenn bei einer Schlägerei einer aufs Gesäß geschlagen wurde. Diese Erregung steigerte sich am stärksten, als ich einmal sah, wie ein Mädchen auf das nackte Gesäß geprügelt wurde. Sonst war ich sexuell indifferent. Ich ward nun Krankenpfleger, habe sehr gute Zeugnisse, aber jedesmal, wenn bei einer Operation der Arzt den ersten Schnitt in den nackten Körper tut, gerate ich in die stärkste sexuelle Erregung.‹

Die Tatsache, daß zwei Brüder des Betreffenden an Epilepsie leiden, führen zum Schlusse, daß dieser visuelle Sadismus, wenn man ihn so nennen darf, ein epileptisches Äquivalent ist. Interessant ist, daß schon das Kind davon befallen war.

6. Ein musikalischer Gehörkranker.

Ostern 1898 wurde der gehörkranke Georg E. aus A. in die Taubstummenanstalt seines Bezirkes als Zögling aufgenommen. Von den eingereichten Attesten bezeugte das des zustehenden Arztes, Georg sei hochgradig schwerhörig, könne nur wenige Worte nachsprechen, besitze gute
Intelligenz und sei in der körperlichen Entwicklung zurückgeblieben. Der
sehr kleine 6 Jahre alte Knabe hatte erst in seinem vierten Lebensjahre
gehen gelernt. Nach dem Pastoralberichte beschränkte sich sein Wortschatz auf die beiden Worte »Papa« und »Mama.«

Der Eindruck, den G. auf die Lehrer der Anstalt machte, entsprach
im allgemeinen dem, was in den eingereichten Zeugnissen hervorgehoben
war. Später ergab eine genauere Untersuchung, daß das Hörvermögen des
einen Ohres vollständig fehlte. Georgs gerühmte »Intelligenz« dokumentierte sich in der ersten Zeit aber nur in einer affenartigen Geschwindig-
keit, mit der er auf Tische und Schränke kletterte, ja an seiner Lehrerin
empor, der er sich mit Vorliebe wie ein Affe auf die Schulter setzte und
dort affenartige Grimassen schnitt. Das mochten Erinnerungen aus der
Vergangenheit sein. Georgs verstorbener Vater hatte als Händler Jahr-
märkte bezogen und seinen Sohn sehr häufig mitgenommen. Sonst war
anfänglich nicht viel Intelligenz bei Georg zu bemerken. Auffallend war,
daß Georg, obgleich er augenscheinlich mehr Gehörreste besaß, als irgend
ein anderer Zögling der Anstalt, doch weiter nichts sprach, als die beiden
in dem Pastoralzeugnisse aufgeführten Worte. Diese klangen aber metal-
lisch, rein und klar, ganz wie sie von Vollsinnigen gesprochen werden.

Durch sein fremdländisches Äußeres fiel der kleine dunkelhaarige
Knirps unter den starkknochigen gelbblonden und blauaugigen übrigen
Zöglingen der Anstalt sofort auf, auch durch die schönen dunklen Augen
in dem wunderbar alten Gesichte.

Das Interesse an dem Knaben sollte bald noch wachsen. Es war
Jahrmarkt. Auf der der Anstalt nicht fernen Straße orgelte ein Leierkasten-
mann die damals noch grassierende »schöne Berta.« Georg lauschte. Als
noch ein zweiter Vers folgte, stimmte er genau in derselben Tonhöhe
mit der Drehorgel und dem Rhythmus folgend an: »M . m . ä a —
M . m . m . ě . a — M . m . U . m . — M . m . a . i.« Unverkennbar sollten es die Worte sein: »Und er hat ja — die schöne Berta — in
das Unglück — furwerkadiert.«

Ein Lied ohne Worte, aber in jeder Hinsicht so korrekt, daß ein
Kapellmeister daran seine Freude hätte haben können! Und das in einer
Taubstummenanstalt! Diesem einen Liede folgten bald andere, immer mit
einem an den Laut erinnernden Brummlaute für die unbetonten Silben
und deutlicher klaren Aussprache der Vokale in den betonten Silben. Am
auffallendsten trat der eigentümliche Singsang des Knaben etwa $^3/_4$ Jahre
später hervor. Es war in der Hauptprobe zur Weihnachtsliturgie. In der
Pause nach dem von der ganzen Schar gesprochenen Krippenliede: »Ihr
Kinderlein kommet, o kommet doch all,« stimmte Georg an und führte
in seiner Weise mit genauer Innehaltung von Melodie und Rhythmus durch:

»M . ḿ . m . m . ó . m . m . ó . m . m a
(Ihr Kinderlein kommet, o kommet doch all
M . í m . m ó . m . m é . m m a .
Zur Krippe her kommet, zu Bethlehems Stall,
M . á ., m . m . i m . m . ei . m . m . a,
Und seht, was in dieser hochheiligen Nacht
M á . m . m . i . m . m . eu . m m . a .«
Der Vater im Himmel für Freude uns macht.)

Ehe der sprachliche Bildungsgang Georgs in kurzen Zügen dargelegt wird, will ich von seinen musikalischen Fortschritten weiter berichten. Seit dem meine eigenen Kinder nach und nach fast alle ausgeflogen sind, schweigen in der Anstalt die Musikinstrumente mehr und mehr. 1 ½ Jahr nach seiner Aufnahme sprach Georg bei der Weihnachtsfeier mit seinen Gefährten das Kinderlied: »O Tannenbaum, o Tannenbaum, wie grün sind deine Blätter.« Das hatte es früher auch als Lied ohne Worte gesungen. Da ich die Artikulationsklasse nicht selbst führte, hatte ich bielang nicht daran gedacht, es von ihm jetzt, da er den Text kannte, als wirkliches Lied singen zu lassen. Nach Weihnachten machte ich damit einen Versuch. Dieser mißlang vollständig. Melodie sowohl, wie Rhythmus waren Georg augenscheinlich entfallen. Ich nahm darauf Georg mit in mein Wohnzimmer, stellte ihn ganz nahe an das Pianino und spielte das Lied, und ließ ihm sein noch etwas hörendes Ohr and die Wandung des Intrumentes legen. Mit augenscheinlichem Entzücken folgte Georg den Tönen, und als ich einen Vers vorgespielt hatte, setzte Georg beim Beginn des zweiten Verses ganz von selbst ein und sang bei der Begleitung rein und klar den ersten Vers, wiederholte ihn dann ohne Schwanken auch, als ich nicht mehr spielte. Ich habe später noch mehrmals Versuche mit dem Singen verschiedener andere, Georg bekannte Kinderliedern gemacht; der Erfolg war immer derselbe. Bei meinen vielen Berufsarbeiten kam ich später davon ab, und Georgs musikalische Gaben wurden, weder in noch außerhalb der Schulzeit, irgendwie gepflegt.

Nicht lange nach Georgs Versetzung in die von mir geführte erste Klasse machte die Anstalt einen Sommerausflug nach dem Walde. Es dunkelte schon bei der Abfahrt von dort. Georg hatte sich in dasselbe Abteil gesetzt, in dem ich mit einigen meiner Kollegen saß. Er zog eine Mundharmonika aus der Tasche, die kürzlich geschenkt war. In den Ferien hatte sie häufig ein anderer Knabe direkt an sein noch etwas hörendes Ohr gehalten und so darauf geblasen. Jetzt blies uns der Gehörkranke etwas vor, und zwar wunderbar rein. — Erst blies er »Deutschland, Deutschland über alles«, dann »Die Wacht am Rhein.« Die Melodie wurde richtig durchgeführt, und die stoßweise dazu kommende harmonische Begleitung tadellos eingesetzt. Keiner von uns Hörenden hätte es so korrekt fertig gebracht. Georg war aber mit seiner Leistung keineswegs recht zufrieden. Er hatte harmonische Unregelmäßigkeiten seiner Mundharmonika — es war gewöhnliche Jahrmarktsware — richtig herausgehört und sagte: »Ich kann nicht helfen, Harmonika macht oft brrrr.«

Bei dem außerordentlich feinen musikalischen Gehöre Georgs kann es Verwunderung erregen, daß es bei ihm vor seiner Aufnahme in die Anstalt zu einer Sprachassoziation nicht gekommen war. Die beiden Worte, die er mitgebracht hatte, waren in anbetracht seines Gehörs und seiner Begabung zu wenig. Bedenklicher war noch, daß er damals keinen Gegenstand, keinen Vorgang usw. lautsprachlich bezeichnete, noch nicht einmal so, wie es ein 1 ½ jähriges vollsinniges Kind mit selbstgemachten Lautverbindungen zu tun pflegt. [1] Das lange Ausbleiben der Lautsprachassoziation hätte Zweifel an Georgs genügender Bildungsfähigkeit erwecken können, wenn sich nicht überraschend schnell eine Assoziation zwischen Objekt und Gebärdenzeichen vollzogen hätte, anfänglich mit selbstgemachten, später mit den anderen Zöglingen abgelauschten Gebärdenzeichen. Und obgleich dieser Assoziation seitens der Schule entgegen gearbeitet wurde, so gebärdete Georg doch bald viel mehr, als die vollständig tauben Zöglinge der Anstalt. Und er tut es noch jetzt, obgleich er die Lautsprache von allen Zöglingen am meisten beherrscht, und zwar gebärdet er mit einer Eleganz und Schnelligkeit, wie kein anderer Zögling der Anstalt. Wird ihm gesagt, er solle das Gebärden lassen, er könne doch sprechen, so pflegt er zu erwidern: »Ich kann sprechen, aber wenn ich schnell spreche, verstehen mich die anderen Kinder nicht. Gebärden besser, geht schnell!«

---

[1] Hier einige Aufzeichnungen aus den letzten Ferien über den Sprachgebrauch meines jüngsten, 14 Monate alten Großkindes. Daß zuerst die Worte »Mama« und »Papa« gesprochen und richtig assoziiert wurden, ist leicht verständlich, auch, daß »Käthe« (die Magd) »Bomei« (der Vollontär Bollmeyer) und »Baï« (Barry, der große Bernhardinerhund) folgten. Von größerer Tätigkeit zeugt aber, daß der Milchfuhrmann, Vater der Magd, als »Käthepapa« von dem Kinde bezeichnet wurde, daß, wenn der Volontär, nach dem Essen aufstand, das Kind »Bomei ab!« sagte, und das Wort »ab« bald nachher auf jede von ihm beobachte vollendetete Tätigkeit bezog (Bumma, Buddel, die Milchflasche. »Bumma ab!« == ich bin satt. — »Brumm brumm« == ich will auf den Nachtstuhl. »Brumm brumm ab« == ich bin fertig usw.). Von Abstraktion zeugt folgendes: »Baï,« der Bernhardiner, »Abie,« der kleinere Hund, für dessen schwierigen Namen (Monkey) von dem Kinde keine Verstümmelung geschaffen wurde. »Mbaï,« die Kuh. »Brbai,« das Pferd. Hieraus: »Brbei ab« == der Milchwagen fährt fort.

Übrigens, ein Wink für Artikulationslehrer von Taubstummenanstalten; alles, was gesprochen wurde, waren Bezeichnungen von Wirklichkeiten, die an das Kind heran getreten waren. Es war nicht durch eine »Normalwörtermethode geführt,« zu deren Durchführung bei dem an die Hausfrau eines großen ländlichen Betriebes gestellten vielen Ansprüchen überhaupt keine Zeit vorhanden gewesen war. So weiter: »Boma Ssssss« == Bollmeyer arbeitet bei der Zentrifuge. »Boma Tschschsch« == er ist bei der Kreissäge. »Boma Rrrr« == die Schrotmühle ist in Bewegung. »Apa« (Großvater) kam während meines Besuches bald dazu, und »Apa Bbbb,« Großvater raucht. »Bbbb ab« == die Pfeife ist aus, Hans will das Streichholz ausblasen. Ob der nach meiner Abreise zum Besuch kommende Großvater väterlicherseits auch als Apa anerkannt wurde, ist mir noch nicht berichtet. Während meines und meiner Frau Dortseins, wurde übrigens aus der eigenen Mama eine »Maï« (Marie).

Wie bereits erwähnt ist, vollzog sich die Sprachassoziation bei Georg anfangs sehr langsam. Es mußte bei ihm ganz derselbe Weg eingeschlagen werden, den die Methode des deutschen Unterrichts Taubstummer vorschreibt. Die Folgezeit hat gelehrt, daß bei Georg (durch Schädigung des vordern Gehirnlappens verursachte) Aphasie nicht Schuld daran war. Naturgemäß hätte sich die Sprachassoziation bei Georg viel rascher vollziehen müssen, als bei seinen Mitschülern, denn bei seinem bessern Gehöre hätten die gesprochenen Wortzeichen in seinem Geiste weit kräftigere Spuren zurücklassen müssen, als bei Kindern mit schwächerem Gehöre, oder gar bei taubstummen Kindern. Eine Prüfung von Georgs Gehör durch die kontinuierliche Reihe (Dr. Bechold) war nicht erforderlich, denn sein feines musikalische Gehör bewies, daß in dem für die Erlernung der Wortsprache in Betracht kommenden akustischen Raume bei ihm keine Gehörlücken vorhanden waren. Später ergab sich, daß Georg zeitweilig in geschlossenem Raume bekannte Lautverbindungen bis auf 4 m Entfernung verstand, in freiem Raume allerdings auf eine weit geringere Entfernung Worte bis $\frac{1}{2}$—$\frac{3}{4}$ m.[1]) Wieviel hiervon auf das Konto des physischen, wieviel auf das des psychischen Hörens zu setzen ist, mag hier unerörtert bleiben. Daß auf letzteres Konto ein beträchtlicher Teil kommt, geht deutlich aus dem Umstande hervor, daß jetzt Georg Sprachwendungen richtig versteht und anwendet, die selten von Taubstummen (wenigstens von eigentlichen Taubstummen) gebraucht werden. Die Assoziation von einzelnen gesprochenen Lauten vollzog sich noch verhältnismäßig rasch, und die Vokale wurden von ihm rein, wie von einem Vollsinnigen gesprochen. Aber trotzdem ist es allein der Aufmerksamkeit der Artikulationslehrerin zuzuschreiben, daß auf der Unterstufe Georg nicht zurück blieb; denn die sichere Assoziation des gesprochenen Lautes mit dem Schriftzeichen war sehr mühsam zu erzielen. Ein Held der Feder ist Georg noch heute nicht und er wird es wahrscheinlich niemals werden.[2]) Seine durch das Hören unterstützte Absehfertigkeit ist dagegen eine große geworden. Aber mit Vorliebe gebraucht Georg noch heute die Gebärde — und diese, von vielen Fachleuten hart bekämpfte Eigentümlichkeit, hat ganz erklärliche Früchte getragen. Seit dieser Hörstumme in der Anstalt weilt, gebärden alle Zöglinge derselben weit mehr, als vordem.

---

[1]) Der Unterschied vom 4 m in geschlossenem, $\frac{1}{2}$ m in freiem Raume erklärt sich zum Teile dadurch, daß in freiem Raume die Schallwellen sich mehr verteilen, als im Zimmer, deshalb das noch etwas hörende Ohr Georgs von wenigen Schallwellen berührt werden, teils dadurch, daß draußen die aufmerkende Tätigkeit Georgs geringer ist, als besonders im Schulzimmer. Auf ein Rufen reagiert Georg im Garten nur höchst selten. — Das zeitweilig bessere oder schlechtere Hören Georgs oder das vollständige Fortbleiben des Hörens ist sehr leicht zu erklären, teils durch die verschiedene Fortbewegung der Schallwellen bei trockener und feuchter Luft usw., teils dadurch, daß Georg bei kühler und feuchter Luft häufig an einer Verschleimung, also teilweiser oder völlige Verstopfung der Eustachischen Röhre leidet.

[2]) Nachträgliche Bemerkung vom 13. I. 05. Fast plötzlich ist bei Georg eine auffallende Besserung in der schriftlichen Darstellung eingetreten.

Fasse ich die Ergebnisse aller Beobachtungen zusammen, so ergibt sich:

1. Durchweg nimmt Georg Töne leichter und auf weitere Entfernungen wahr, als Geräusche. Ob dieses an dem anatomischen Bau des einen Ohres liegt, mit dem er noch hört, also an einer bessern Ausbildung des cortischen Organs und der damit verbundenen anderen Hörorgane und eine größere Verderbung des häutigen Labyrinthes, bezw. der halbkreisrunden Bogengänge, kann selbstverständlich zur Zeit nicht nachgewiesen werden.

2. Was die Festhaltung, Verinnerlichung der aufgenommenen Töne betrifft, so stehen Melodien voran, sowohl hinsichtlich der Entfernung, aus der dieselben kommen, als auch hinsichtlich der Tonhöhe.

3. Bis das psychische Hören zum physischen hinzukam, ließ die Assoziation vorgesprochener deutsamer Lautverbindungen viel zu wünschen übrig, erstarkte aber nach dem Zusammentreten des physischen und psychischen Hörens in hohem Grade. Die Assoziation schriftlicher Sprachzeichen tritt dagegen weit zurück.[1]

4. Sprachschaffend ist Georg nur auf dem Gebiete vom Gebärdenzeichen, hier aber mehr als taubstumme Kinder, die ihm hinsichtlich der allgemeinen Geistesbegabung weit überlegen sind. Es ist dieses um so mehr bemerkenswert, da sich Georg jetzt mit derselben Leichtigkeit in der Wortsprache ausdrücken kann, wie ein vollsinniges Kind.

Vieles in dem Geistesleben dieses entschieden abnormen Kindes ist noch ein Rätsel; die Psychologie gibt aber einige Handhaben zur Lösung desselben. Suchen wir uns wenigstens zu erklären, wie es kommt, daß der überraschend scharfen und leichten Assoziation der musikalischen Eindrücke bei ihm in früher Jugend eine durchaus mangelhafte Sprachassoziation gegenüber gestanden hat.

Georg ist zweifellos trotz seines Gehörleidens ein musikalisches Genie. Auch bei ihm ist es zu ersehen, daß es der Geist ist, der sich den Körper schafft. Ob wir auf ihn das bekannte Wort des Malers in Emilie Galotti anwenden dürfen, das von einem ohne Arme geborenen Rafael handelt, sei dahin gestellt. Unleugbar ist sowohl bei dem Maler wie bei dem Musiker das im Geiste lebende Bild die Hauptsache, hier die im Geiste tönende Melodie und Harmonie, dort das fest dem Geiste eingeprägte Bild. In dieser Hinsicht ist Georg ein musikalisches Genie. Ehe sich bei ihm die Assoziation der beiden Worte »Papa, Mama« vollzogen hatte, hat sein Geist schon eine Anzahl von Melodien klar aufgenommen und diese so fest gehalten, als wären sie unverlierbar seinem Geiste eingeprägt. Die »schöne Berta« ist bekanntlich längst verklungen, aber es bedarf nur eines geringen Anlasses, so lebt sie in Georgs Erinnerung wieder auf. Obgleich Georgs Gehör in einer Taubstummenanstalt während 6 Jahre durch die harte unharmonische Sprache seiner Mitschüler täglich malträtiert und hinsichtlich der Pflege des musikalischen Sinnes so gut wie nichts bei ihm geschehen ist, genügte eine einfache Anweisung seitens eines Laien, um ihn zu befähigen, sich als Künstler auf einem unvollkommenen

---

[1] Siehe vorhergehende Fußnote.

und durchaus nicht leicht zu behandelnden Instrumente zu zeigen, auf
diesem die in seinem Geiste lebenden Melodien klar zum Ausdrucke zu
bringen und dabei noch Disharmonien zu fühlen, die das Gehör seiner
musikalisch gebildeten Lehrer nicht sehr beleidigten.

Doch, wäre Rafael wirklich der größte Maler geworden, wenn er ohne
Arme geboren wäre? Hinsichtlich des Denkens von Bildern und in
Bildern mag dieses zugegeben, hinsichtlich der Ausführung der vom Geiste
selbst geschaffenen Bilder muß es aber bezweifelt werden. Ich beneidete
vor vielen Jahren ein ohne Arme geborenes junges Mädchen um ihr
Zeichentalent, als es in meiner Gegenwart mit den Füßen Bleistiftskizzen
auf das Papier warf, wie ich sie, der ich doch nach dem Urteile meines
Zeichenlehrers ein Zeichner sein sollte, so leicht und gefällig nie habe
herstellen können. Aber ist diese Armlose jemals eine wahre schaffende
Künstlerin geworden? Ich habe nie wieder von ihr gehört.

So möchte es unserm Georg ergehen, wollte man seine entschieden
vorhandenen musikalische Gaben ausbilden. Ich bedauere es nicht, daß
kein Kunstmäcen vorhanden ist, Georgs musikalischen Sinn pflegen zu
lassen, weder im Interesse Georgs, noch in dem der Kunst.

Immerhin ist Georg für den Psychologen eine interessante Person.

Emden.   O. Danger.

7. Tagesordnung für den 5. Verbandstag der Hilfs- schulen Deutschlands.

(25. bis 27. April 1905 in Bremen.)

I. Vorversammlung am 25. April, abends 6 Uhr.
  a) Die Ausbildung der Hilfsschullehrer. Referent Lehrer Busch-
     Magdeburg.
  b) Die Behandlung von Sprachgebrechen in der Hilfsschule. Referent
     Dr. med. Winckler-Bremen.
  c) Geschäftliches.
II. Hauptversammlung am 26. April, morgens 9 Uhr.
  a) Über moralische Anästhesie. Referent Direktor Dr. med. Scholz-
     Bremen.
  b) Die Berücksichtigung der Schwachsinnigen im Strafrecht des
     Deutschen Reiches. Referent Oberamtsrichter Nolte-Braun-
     schweig.
  c) Über den gegenwärtigen Stand der Fürsorge für die aus den
     Hilfsschulen entlassenen Kinder in unterrichtlicher und praktischer
     Beziehung. Referent Hauptlehrer Schenk-Breslau.
  d) Geschäftliches.

Die Versammlungen werden in dem neuen Gesellschaftshause der
Union abgehalten. An die Hauptversammlung schließt sich ein Festessen
an. Nach demselben findet eine Besichtigung von Sehenswürdigkeiten der
Stadt bezw. Vorführung von Lehrmitteln usw. statt. Um 8 Uhr abends
beginnt ein Festkommers im großen Saale der Union. Für den 27. April

ist eine Dampferfahrt nach Bremerhaven und in See geplant, für die der Norddeutsche Leoyd einen Dampfer zur Verfügung gestellt hat. Am Abend des 27. April findet der Verbandstag mit einem geselligen Beisammensein im Bremer Ratskeller seinen Abschluß.

Für die von auswärts kommenden Damen hat der Ortsausschuß ein besonderes Damenkomité eingesetzt.

Hannover.   Henze.

C. Literatur.

Ufer, Chr., Die Ergebnisse und Anregungen des Kunsterziehungstages in Weimar (Deutsche Sprache und Dichtung). Eine Beurteilung. Altenburg (S.-A.) Oskar Bonde, 1904. 64 S. Preis 1 M.

Von den Verhandlungen des Weimarer Kunsterziehungstages ist in der Tagespresse sowohl wie in den pädagogischen Blättern viel die Rede gewesen, ohne daß jedoch bis jetzt eine umfassende Beurteilung erschienen wäre. Ich habe in der vorliegenden Schrift eine solche versucht, und zwar habe ich Angriffe, die ich für ungerechtfertigt halten muß und Ansichten, die mir verkehrt erscheinen, nicht nur zurückgewiesen, sondern mich auch bemüht, selbst einen Beitrag zur Methodik des deutschen Unterrichts zu geben. Dabei bin ich denn zu dem Ergebnisse gekommen, daß wir in der Pädagogik Herbarts und Zillers für die sogenannte Kunsterziehung, soweit es sich um den deutschen Unterricht handelt, die beste Grundlage und die beste Anleitung haben.

Freilich wird man mir von mancher Seite vorwerfen, daß ich allzu sehr im Banne Herbart-Zillerscher Gedanken stehe und für anderes keinen Blick habe. Bei den Lesern dieser Zeitschrift aber brauche ich eine solche Auffassung wohl nicht zu fürchten.   Ufer.

Kind und Kunst, Monatsschrift für die Pflege der Kunst im Leben des Kindes. Darmstadt, Alex. Koch. Heft I. Jährlich 12 Hefte. Preis 12 M.

Eine Monatsschrift für die Kunst im Leben des Kindes, wie sie hier ihren Anfang nimmt, mag man für ein zeitgemäßes und verdienstliches Unternehmen halten; eine große Zukunft wird man ihr aber schon um deswillen nicht voraussagen können, weil ihr wahrscheinlich schon bald der Stoff fehlen wird. Mehr Aussicht auf dauernden Erfolg würde eine Kunstzeitschrift für Kinder haben, falls sie aus berufenen Kreisen die nötige Unterstützung fände.

Das uns vorliegende I. Heft ist im allgemeinen gediegen. Der wertvollste Beitrag ist die Abhandlung von Konrad Lange »Kunst und Spiel in ihrer erzieherischen Bedeutung«. Freilich spricht hier mehr der Ästhetiker als der Pädagog. Zu dem Aufsatze von Spanier »Die praktischen Ergebnisse der kunstpädagogischen Bewegung« wolle man meine vorhin angezeigte Schrift vergleichen. — Das Heft enthält eine Reihe guter Abbildungen.   Ufer.

Sanitätsrat Dr. **Wildermuth**, Stuttgart, Schule und Nervenkrankheiten. Wiener klinische Rundschau, 1904. Nr. 40.

Verfasser hat 360 jugendliche Patienten im Alter von 6 bis 18 Jahren an Neurasthenie, Hysterie und andern funktionellen Nervenkrankheiten sowie an Psychosen behandelt. — Nur bei einer kleinen Anzahl neurasthenischer Kranker war das Leiden bestimmt auf geistige Überanstrengung zurückzuführen. Jedenfalls kommt ihr, gegenüber der Tatsache, daß bei der Mehrzahl der Kinder die nervöse Schwächlichkeit bis in die früheste Jugend zurückgeht, und sich eben bei der ersten Kraftprobe im Leben, beim Schulbesuch, geäußert hat, und bei dem Einflusse des Alkohols, zum Teil auch sexueller Verirrungen nur eine kleine Bedeutung zu. Auch bei der Neurasthenie der Erwachsenen wird der schädliche Einfluß der Arbeit weit überschätzt. — Auf Grund seiner 97 Fälle von Hysterie kann Verfasser die Erfahrung bestätigen, daß die Hysterie des kindlichen und jugendlichen Alters in schweren, alarmierenden Erscheinungen sich zu äußern pflegt: allgemeine und örtlich beschränkte Muskelkrämpfe, Kontrakturen, Lähmungen sind es, die hauptsächlich zur Beobachtung kommen. Vorübergehende psychische Störungen, Erregungszustände mit phantastischen oder ängstlichen Delirien sind nicht selten. Die Hysterie betrifft keineswegs mit Vorliebe die gebildeten Stände; sie findet sich im weltentlegenen Dorfe wie in der Großstadt. Von den 35 Knaben unter 14 Jahren besuchten 15, von den 33 Mädchen dieses Alters 20 die Volksschule, meist auf dem Lande. Auch zur Entstehung der Hysterie tragen die Schädlichkeiten der Schule, insbesondere geistige Überanstrengung, nur in ganz geringem Umfange bei. Zur Hysterie rechnet Verfasser auch einen nervösen Zustand, die Schulangst, einen schweren, akut auftretenden Angstzustand mit Herzklopfen und Atemnot, der sich ohne psychologisch begründete Ängstlichkeit einstellt, wenn die Kinder in die Schule gehen sollen — sobald das Kind auf der Schulbank sitzt, verschwindet die Angst. (»Angst vor der Funktion« nach Meinert.) — Bezüglich der Geistesstörungen, von denen Verfasser über 111 Fälle verfügt, muß er nach seinen Erfahrungen gleichfalls einen Zusammenhang zwischen Schulüberbürdung und Geisteskrankheiten im kindlichen und jugendlichen Alter bestreiten; auch nicht in einem einzigen Falle konnte er einen solchen Zusammenhang finden.

Das Wesentliche bei sämtlichen infantilen und juvenilen Neurosen und Psychosen ist die erbliche Belastung und die congenitale Anlage; für die oft behauptete »erschreckende Zunahme« dieser Erkrankungen, namentlich auch im jugendlichen Alter, fehlt jeder sichere Anhalt.

Nervenkränkliche Kinder sollten nicht vor dem 7. oder 8. Lebensjahre zur Schule kommen und in manchen Fällen ist den Eltern zu raten, auf eine Ausbildung der Kinder in höheren Schulen zu verzichten. Innerhalb der Klasse einzelne Gruppen geistig gleichwertiger Kinder zu bilden, ist nach Verfassers Ansicht ohne große Mißgriffe einstweilen nicht möglich. Für einen Teil nervöser Kinder, solche, die gut lernen, ist es geradezu heilsam, wenn sie in einen Schulverband kommen, in dem nicht zu sehr individualisiert wird, in dem ein gewisser militärischer Zug herrscht, ein Moment psychischer Abhärtung, wodurch nicht jeder subjektiven Schwankung des Befindens nachgegeben werden kann.

Hannover.   Dr. med. Spanier.

Dr. **Barth**, Prag, Neuere Ansichten über Stottern, Stammeln, Poltern und Hörstummheit. Wiener klinische Rundschau, 1904. Nr. 39 u. 40.

Verfasser schließt sich im allgemeinen den Anschauungen über Einteilung und Entstehung, Wesen und Behandlung der Sprachstörungen an, die Liebmann in seinen verschiedenen Veröffentlichungen, besonders in seinen »Vorlesungen über Sprachstörungen« niedergelegt hat, und die Arbeit des Verfassers ist eigentlich nur ein Auszug aus diesen.

Hannover.   Dr. med. Spanier.

Druck von Hermann Beyer & Söhne (Beyer & Mann) in Langensalza.

A. Abhandlungen.

1. Zur Psychologie des kranken Kindes.

Von

Dr. med. **Hermann**, Kinderarzt.

Der Kranke soll als Mensch, mit dem ganzen wirren Spiel seiner
Gedanken und Gefühle unserer Seele nahestehen, wenn wir als Arzt
heilend auf ihn einwirken wollen. Diese Forderung ergibt sich nicht
nur aus der Erfahrung, sondern auch aus der Kenntnis der seelischen
Veränderungen, die eine körperliche Erkrankung hervorzurufen im
stande ist, so gut wie umgekehrt psychische Eindrücke starke körperliche Erscheinungen (Schamröte, Angstschweiß, Krankheitsheilungen
usw.) bewirken. Es ist ein reiches Feld der interessantesten psychischen Geschehnisse, das sich hier vor den Blicken des Beobachters
auftut, zumal wenn er seinen Blick lenkt in das Kinderland. Es ergeben sich daraus, wie Sie sogleich sehen sollen, auch viele wichtige praktische Gesichtspunkte, nicht nur für den Arzt, sondern für
den Erzieher und Psychologen in gleicher Weise.

Zunächst ein Wort über die »Methode«. Die ewige Klage des
Kinderpsychologen, daß der Gedankenaustausch von Mund zu Mund
infoge der spezifisch kindlichen Zurückhaltung Erwachsenen gegenüber meistens ungenügend sei, ließ sich in meiner Spitalspraxis in
allen Fällen, wo ich es drauf absah, überwinden.

In den Jahren, wo die Sprache unfähig ist, innere Vorgänge in
Worte zu fassen, die Mimik eine so durchsichtige und unzweideutige,
etwa beabsichtigte Verstellung so haltlos ist, hat der Geübte keine
Schwierigkeiten, wenigstens die gröberen psychischen Vorgänge zu
erkennen, ja zu analysieren. Wer die Ausdrucksbewegungen kleiner

Kinder eifrig beobachtet, wird bald selbst in seiner eignen Mimik
und Gestikulation ein starkes Mittel erkennen, sich in psychische
Beziehung, selbst in einen regen Gedankenaustausch mit dem Kinde
zu setzen. Es ist eine Sache vielseitiger Übung, bei der man es zur
Erkennung von gewissen Regelmäßigkeiten und zur Routine bringen
kann, während z. B. eine Mutter meist nur ihr eignes Kind versteht.

In den späteren Jahren des sprachlichen Ausdrucksvermögens
fand ich nun — immer unter meinen günstigen Spitalsverhältnissen!
— die Kinder sehr oft mitteilsamer als Erwachsene in entsprechender
Situation. Ich hatte den Eindruck, daß aus dem Gefühl der Hilfsbedürftigkeit beim größeren Kinde ein Sehnen nach Linderung seiner
geistigen Erregung, nach Auflösung seiner geheimen Rätsel und
Fragen erwächst, wenn es überhaupt der Krankheit oder einer fremden
Lebensbedingung als etwas neuem, unheimlichem gegenübersteht.
Freilich müssen wir ihm sein angestammtes Recht lassen, bei der
Hingabe seines ganzen kleinen Herzens an den Seelenarzt mit gut
oder schlecht verhohlenem Mißtrauen vorzugehen. Wie oft muß ich
sehen, daß Kinder nicht wagen, ihre innersten Erlebnisse zu erzählen
aus Furcht, ausgelacht oder ausgescholten zu werden, oder gar das
Vertrauen noch viel bittrer büßen zu müssen! Andrerseits haben
sie ohne Zweifel einen sehr scharfen Blick oder besser ein lebhaftes
Gefühl, von wem sie eine zarte Schonung ihrer Regungen erwarten
dürfen. Wen sie sich erkoren haben, den übergießen sie mit der
ganzen Fülle ihres blinden Zutrauens, das oft ans lächerliche grenzt.
Nur sehr selten hörte ich plötzlich die etwas reuige Bitte »nichts zu
verraten«.

Es gibt eine gewisse Saite in der Kindesseele, die in schönster
Harmonie mit erklingt, wenn wir in der Nähe den Ton der reinen
Kindlichkeit anschlagen. Wie verwundert schaut das Kind auf, und
im Sturm fliegt sein Herz dir zu. Dieser Ton muß von jedem Psychologen des Schulkindes getroffen werden (vom Erzieher rede ich hier
natürlich nicht). Wie schlagen wir diesen Ton an? Du mußt mit
ihm reden in seinem, nicht in deinem Sinn! Du mußt mit ihm
fühlen in seinem Sinn, nicht gegen es fühlen in deinem Sinn! Du
mußt mit ihm spielen in seinem, nicht in deinem Sinn. Wie oft
soll ich wiederholen: »In seinem Sinn!«

Jede verdächtige Miene, jedes unkindliche Wort macht die
schwingende Saite verstummen. Leider gehören dazu alle erzieherischen Bemerkungen, alle ungebetenen Ermahnungen, die nur allzu
nah mit Schimpfen, Püffen und Ruten für unsre armen Kinder verwandt sind. In wie krassem Gegensatz stehen die Erfahrungen, die

ich sehr oft machte, daß ein einziger kleiner Verweis das mitteilsame Kinderherz ewig dem betreffenden Erwachsenen verschloß, während andrerseits Kinder nicht abließen, ausgesprochenen sogenannten Klatschbasen unter ihren Spielkameraden trotz wiederholter schlechter Erfahrungen nach wenigen Tagen von neuem die unnötigsten Sachen anzuvertrauen.

Ich glaubte, diese Worte der Methodik, die in der Kinderpsychologie eine so große Rolle spielt, widmen zu sollen. Üben kann sie nur der, der einen freien, fröhlichen Blick hat und, sagen wir es nur, etwas mimen kann. Denn daß es schwer ist, sich in die Seele eines Kindes zu »versetzen«, mit ihm, nicht für oder gegen es zu denken, ist nur zu wahr. Da hilft uns oft ein erstauntes Gesicht, ein freudiges Lächeln, um im Vertrauen des Kindes siegreich zu bestehen, wo wir unsrer Erzieherehre eine Niederlage schuldig zu sein glaubten oder wo wir keine Worte zum Herzen des Kindes finden können. Mit der Kundgebung von Mißfallen muß man ganz zurückhalten, schlimmstenfalls genügt es momentan den erzieherischen Forderungen völlig, wegzublicken, keinen Beifall, sondern Gleichgültigkeit zu zeigen. Ich sah solche Knaben die Wirkung ihrer Worte auf meine Züge scharf beobachten zu dem Zweck, um meine Treue auf die Probe zu stellen. Ich sah sie bereit, jeden Augenblick für immer Einhalt zu tun, und hörte zu — kopfschüttelnd und lächelnd.

Daß ich mit dieser selben »Methode« physiologisch verwahrloste Knaben (im Gegensatz zu den degeneranten, hysterischen, imbezillen, von denen ich hier nicht zu reden habe) derartig fesselte, daß ich sie »wie weiches Wachs in jede Form kneten konnte (SALZMANN)«, daß ich bei der Gelegenheit ihr Herz voll der edelsten Regungen und Wünsche fand, daß sie wieder den Glauben an die Liebe fanden, den sie draußen im vergeblichen Kampf mit rohen Erziehungsversuchen in schlechter Umgebung verloren hatten — davon an einem andern Orte mehr. Ich erwähne es hier nur, um die etwaigen erzieherischen Bedenken der oben geschilderten Forschungsmethode völlig zu zerstreuen. Und wenn andere mit physiologisch Verwahrlosten ähnliche gute Erfahrungen gemacht haben, wie ich, werden sie mir recht geben, was ja auch allgemein pädagogisch so »fast selbstverständlich« ist: Nicht ein wort- und tatenreiches peinlich genaues Bemäkeln und Kritisieren, sondern das auf gegenseitigem erprobtem Vertrauen fundierte »Beispiel des Erziehers« übt seine stille, veredelnde Wirkung langsam und sicher, unbekümmert um kleine Störungen und um die bestechenden momentanen Scheinwirkungen einer tyrannisierenden Zucht.

Nach diesen einleitenden und rechtfertigenden Worten wende
ich mich dazu, die Seele des kranken Kindes zu schildern.

Vor allem darf man keinerlei Gesetzmäßigkeiten erwarten, etwa:
»Die Erkrankung des Körpers führt zu einer Depression.« Sie dürften
sagen: »Sie führt zu keiner Depression« und wir hätten beide recht.
Es gibt kein krankes Kind als solches, sondern immer nur ein
krankes Karlchen, eine kranke Else u. s. f., soviele Kinder es gibt. Ein
jedes reagiert anders auf jede Art von Krankheit. Auch kann man
nicht sagen: »Hierin unterscheidet sich das Kind vom Erwachsenen.«
Bald tut es das, bald nicht. Die einzige unumstößliche Regel ist
die der absoluten Regellosigkeit. Wieviele Mißverständnisse könnten
mit einem Schlag erledigt sein, wenn man nicht vom »Kind«, sondern
von irgend »einem Kind« reden wollte. Man würde nicht sagen:
»Prügel sind nutzlos und reiner Schaden für das Kind« oder »ohne
Prügel keine Erziehung«, wobei der eine, der vielleicht gerade eines
unsrer Erziehungsbücher gelesen hat, an das pädagogische Idealkind
denkt, das von Geburt an in sachkundiger Erziehung lebt, der andere
an den verrohten trägen Großstadtjungen, der unter der Knute das
schwere Klassenziel doch noch erreicht. Beide behaupten das absolute Gegenteil, und beide haben recht!

So kann auch ich nur eine Reihe von Beobachtungen mitteilen,
deren einige sich öfter als andere wiederholen.

Körperliche Krankheiten können auf jede Form psychischen Geschehens einen Einfluß ausüben.

1. Im Gebiet des Denkens: Perzeption, Ideenassoziation, Urteilen, Gedächtnis.

2. Auf psychomotorischem Gebiet: Wollen, Handeln.

3. Im Affektleben: Gemütslage, Stimmung, Angst und Furcht,
Zorn, Launen.

Wie sehr der Ablauf der Denkprozesse unter körperlichen
Zuständen leidet, davon weiß jeder erfahrene Lehrer zu erzählen.
Wie das Kind des Armen in den ersten Wintermorgenstunden ohne
Frühstück schwerer aufpassen kann als sein Kamerad nach einem
guten Morgenkaffee und dem erfrischenden Gang durch die eisige
Luft! Und umgekehrt: Ein voller Bauch studiert nicht gern. Die
Blutarmut, die Skrophulose, die Folgen der Alkoholvergiftung oder
Übernächtigung, chronische Unterernährung, wie erschweren sie den
Ablauf der Denkprozesse beim Schulkind! Ich bin einer ganzen
Reihe von Volksschullehrern begegnet, die damit zu rechnen sich ge-
wöhnt haben, ohne Schularzt, aus eigener Anschauung. Der Lehrer
kennt auch die polypösen Wucherungen im Nasenrachenraum

(Adenoide), Schwerhörigkeit und Schwachsichtigkeit und überhaupt die durch das Darniederliegen der Sinnestätigkeit erschwerte Auffassung und Verarbeitung der Sinneseindrücke. Die Zellen der grauen Hirnrinde, an die alle psychischen Phänomene gebunden sind, stellen sehr empfindliche Organisationen dar. Oft sind sie schon durch ererbte Schwäche, oft auch durch erworbene Schädigungen minderwertig (psychopathische Minderwertigkeit Kochs, Neurasthenie, Debilität und Imbezillität), oft sind sie in Bau und Anlage fehlerhaft (Imbezillität, Idiotie). Sind sie aber auch von Hause aus gesund und funktionstüchtig, so zeigen sie sich bis ins kleinste abhängig von ihren normalen Lebensbedingungen. Ihre Arbeitsleistung, die sich nach außen hin als Entstehen einer Vorstellung, eines Willensantriebs oder eines Affekts, einer Gefühlsbetonung usw. kundgibt, ist ebenso wie die anderer Zellen (Muskelbewegung, Drüsenzellensekretion) an Oxydationsprozesse gebunden. Diese Verbrennung wird durch das mit Sauerstoff beladene arterielle Blut vermittelt. Wird die Blutzufuhr zur gesamten Hirnrinde plötzlich ungenügend durch Zirkulationsschwäche, so erlöschen unter dem bekannten Bild der Ohnmacht sofort sämtliche psychischen Prozesse, die zusammen das Bewußtsein gebildet hatten. Liegt aber, wie bei der Blutarmut, bei Hungerzuständen, ein chemisch nachweisbarer Mangel an jenem Blutfarbstoff vor, der die Aufgabe hat, den locker gebundenen Sauerstoff in die arbeitenden Gewebe zu bringen und sich mit den giftigen Reststoffen der Verbrennung beladen zur Lungenventilation zurückzubegeben, so müssen die Oxydationsprozesse ungenügend werden ebenso wie die Abschwemmung der Gift- und Ermüdungsprodukte. Auf ungenügender Blutzufuhr beruht die Denkträgheit zur Zeit der Verdauung, da sich das Blut in den weiten Bauchgefäßen anstaut. Eine Tasse Kaffee treibt es durch Anregung der Herz- und Gefäßzirkulation wieder mehr der Hirnrinde zu.

Die Denkprozesse leiden aber auch, wenn bei gutem Verbrennungsvorgang das Blut auch noch so kleine Mengen Gift mit sich führt. Daher kommt die Erschwerung der Auffassung, des Ablaufs der Denkprozesse nach Alkoholgenuß oder bei Konstitutionskrankheiten, bei denen in der Tat das Blut »vergiftet« ist: Skrophulose, Tuberkulose, Syphilis, Zuckerkrankheit. Verstopfung führt zur massenhaften Aufsaugung fauliger Stoffe aus den zurückgehaltenen Stuhlmassen in das Blut, ebenso manche Darmleiden, die mit Durchfällen einhergehen.

Was den Einfluß akuter Krankheiten anlangt, so steht er außerhalb des Interesses der Schule. Sie würden das gleiche, was sie in hundertmal schwächerer Form beim Schulunterricht an den Kranken be-

merkt haben, wiedererkennen: Dort die schwachen, chronischen Gift-
wirkungen, hier gleichzeitige Einfuhr reichlicher Giftstoffe in das Blut,
wobei sich der Körper durch Erhöhung seiner Temperatur (Fieber)
gegen die gifterzeugenden Eindringlinge (Bakterien) wehrt. Die Denkhemmung äußert sich stärker, in Gleichgültigkeit, stillem Dahinliegen,
Stupidität, Schläfrigkeit, Benommenheit, ja völliger Aufhebung bewußter Vorstellungen (Bewußtlosigkeit). Würde man solche Kranke
rechnen lassen, so bekäme man oft gar keine Antwort, oder, wenn
man sie zwingt, aufrüttelt, immer wieder fragt, eine langsame, träge,
aber richtige Antwort. Momentan tritt die Ermüdung ein.

Wenn gleichzeitig andere Zellkomplexe, besonders im Gebiet des
Wollens, sich in einer im wahrsten Sinne des Worts fieberhaften
Tätigkeit befinden, kommt dadurch jenes wirre Jagen von Gedanken,
Vorstellungen, Halluzinationen mit Auslösung von Bewegungen, be-
sonders auch Sprechbewegungen und Handlungen zu stande, das wir
als Fieberdelirium oder Phantasieren bezeichnen. Es besteht eine ge-
wisse Ideenflucht, die Ideenassoziation, das Urteil wird gestört, die
Zentren der Hemmungen gelähmt.

Daß bei planmäßigen Prüfungen der Perzeption, der Ideenassoziation,
der Ermüdung und des Gedächtnisses mittels der experimentellen Methoden
beim kranken Schulkind viel mehr herauskommt als bei monatelanger
Beobachtung im Unterricht, falls nur das Verhalten richtig, und nicht
etwa als Charakterfehler, Faulheit, Unaufmerksamkeit u. s. f. gedeutet
wird, ist mir nicht wahrscheinlich. Immerhin könnte es in einzelnen
Fällen, wo nicht bereits körperliche Symptome Klarheit geben, gelingen, die Entscheidung zwischen physiologischer Trägheit, die ich
keineswegs abstreiten will, und pathologischer Denkhemmung und
Überermüdbarkeit zu treffen.

Auch könnte man mit exakteren Methoden besser den Zeitpunkt
bestimmen, von dem an das Kind nicht mehr kann, während es in
der Klasse schon viel früher nicht mehr will. Ich werde bald
zeigen, daß man von der Energie und dem guten Willen eines derart
kranken Kindes nicht zuviel erwarten darf, denn diese sind in ähnlicher Weise wie die Denkfunktion geschwächt, oft bis zur schwersten
Willen- und Energielosigkeit.

Nun die Störungen des Wollens, Handelns und der Umsetzung der Willensantriebe in Handlungen. Die ganze
Gruppe der oben erwähnten Krankheiten führt zu Störungen auch auf
diesem Gebiet. Diese sehr zweckmäßige Einrichtung muß als natürlicher Heilfaktor angesehen werden, da für viele Krankheiten Ruhe
von ausschlaggebender Bedeutung ist. Die Neubildung des Blutfarb-

stoffs bringt man neuerdings durch wochenlange Bettruhe in Gang.
Auch Rippenfellentzündung, Tuberkulose des Bauchfells und anderer
Organe, Neurasthenie, Masturbation, Überarbeitung usw. führen automatisch zu heilsamer Willensschwäche und Schwerfälligkeit im Handeln. Nach gewissen Erfahrungen, die jeder fleißige Seminarist und
Student gemacht hat, darf man schließen: Wo diese Willensschwäche,
Müdigkeit, Energielosigkeit bemerkt wird, ist etwas nicht in Ordnung.
Jede Überwindung durch stärkere Reize (Examensangst, anregende
Mittel, geschickte Erweckung des Interesses) ist unphysiologisch und
führt damit zur Krankheit. So geschieht es aber im Reich der Kleinen
noch vielfach. Wir haben starke Mittel, diese ermüdbaren Köpfchen
wieder aufzumuntern, Mittel, die nur bei einem hohen Grad von
natürlicher Dickfelligkeit versagen. Nur vom Standpunkt der Zuchtwahl, der natürlichen Auslese der geistig besten Kräfte, läßt sich
ein solches Hetzen im Daseinskampf verstehen. Dann soll man
sich aber bewußt sein, daß man damit einen großen Schritt weiter
zur Entartung tut, indem man ein großes Stück Volksgesundheit
opfert.

Mit der Schwere der Erkrankung nimmt die Willensstörung zu.
Damit sie Ihre Schüler verstehen, betrachten Sie bitte unser schwerkrankes Scharlachkind, das tagelang kein Glied mehr rühren mag.
Aufforderungen werden schwerfällig befolgt, auch beim bravsten und
lebendigsten Kinde zeigt sich statt der Ausführung oft ein ganz ungewohntes, häßliches Gesichtverziehen mit einem matten, entrüsteten
Augenaufschlag. Leichte Handlungen, wie Mundaufmachen, Zungezeigen, geschehen noch einigermaßen, aber Handgeben, Aufsitzen läßt
sich oft durch die stärksten Antriebe nicht mehr erreichen. Durch
eine gleichzeitig oft vorhandene Verstimmung bekommt der Unerfahrene dann leicht den Eindruck der Ungezogenheit, und ich weiß
noch genau, wie ich anfing, schwerkranke Kinder zu behandeln und
mich ärgerte, daß sie so ungezogen waren. Der Versuch, sie zur
Ausführung einfacher Befehle oder selbständiger kleiner Handlungen
zu veranlassen, führte immer nur zu widerwärtigen Szenen, in denen
die Eltern das Kind nicht wiedererkannten. Von der Stunde der
Milderung der Krankheitserscheinungen wurden dieselben Kinder dann
äußerst brave, auch in den unangenehmsten Befehlen folgsame Geschöpfchen, die ich nicht wiedererkannte. So seien sie vorher auch
gewesen, meinten die Eltern.

In derselben, nur quantitativ milderen Lage befinden Sie sich
Ihren kleinen Kranken in der Klasse gegenüber. Wie mancher wäre
nach seiner Genesung ein tatenfroher, für alles zu begeisternder

frischer Junge, den Sie jetzt als in der Tat widerwärtigen, unbot-
mäßigen faulen Strick nachsitzen lassen müssen.

Sie wissen, daß Krankheiten den Charakter verändern können.
Das spielt auch beim Schulkind eine große Rolle. Hirnentzündungen,
Veitstanz, Epilepsie, Hysterie u. a. führen bei ihm häufig zu Veränderungen; sie werden lügenhaft, boshaft, jähzornig, übermütig, was
sie früher nie waren. Diese Abnormitäten werden nicht immer, aber
immerhin noch öfter in ihrer ursächlichen Beziehung erkannt als die
kleinen Verdrießlichkeiten des täglichen Lebens. Man denke nur an
einen Erwachsenen, der an Verstopfung leidet. Seine reizbare,
nörgelnde, gedrückte Stimmung weicht oft einem Löffel Ricinusöl,
der ihm den Frohsinn wiedergibt, den man sonst an ihm gewöhnt war.

Eine auffällige psychische Veränderung am Kind ist die sogenannte Maudrigkeit, und sie gilt mit Recht auch beim Laien
als das oft erste und einzige Mahnzeichen an eine beginnende
Krankheit. Doch kommen auch bei Kindern eigentümliche »Tage«
vor, an denen sie sich reizbar, mißmutig zeigen, aber ohne ausgesprochene Periodizität und die sonstigen Zeichen von Epilepsie, die
nach Kraepelin ähnliches bewirken kann.

Diese leichten Verstimmungen sind eher die Folge langen Auf-
bleibens, eines unerquicklichen Schlafes, gestörter Verdauung oder
einer jener Miseren des Lebens, deren das Kindergemüt in seiner
unergründlichen Tiefe eine Menge ausbrütet. Oft sich wiederholende
und dauernde Verstimmungen kommen besonders bei Neurasthenie
und angeborener psychopathischer Minderwertigkeit vor. Die als
Maudrigwerden bezeichnete, plötzliche Veränderung des Kindes
wird nun stets auch von der charakteristischen Abstumpfung des
Denkens, Wollens und Handelns begleitet, was für andere Verstimmungen nicht gilt. Das psychische Gleichgewicht ist derart gestört,
daß das Kind nicht mehr folgen, daß es in Ruhe gelassen sein will.
Jeder ihrem Wunsch nicht entsprechende äußere Reiz wird mit dem
Affekt des Zorns oder anderen deutlichen Kundgebungen des Miß-
muts beantwortet. Das Kind fängt an zu schlagen und zu kratzen,
macht einen sehr eigensinnigen und launenhaften Eindruck. (Über
Kinderlaunen, siehe Baginski, »Woche« 1904.) Das launenhafte Wesen
kommt auf sehr kompliziertem Wege zu stande; man könnte es als
einen auf großer Labilität der Vorstellungen und der Stimmung zu-
rückzuführenden Verlust des psychischen Gleichgewichts umschreiben.
Wie man sich als Erzieher dabei am besten verhält, darüber siehe
meine Mitteilung: Erziehung und Krankheit, Bd. 9, sechstes Heft
dieser Zeitschrift.

Die Krankheit ist weiterhin eine günstige Gelegenheit zum Studium der kindlichen Affekte. Wenn sich der Erwachsene, zitternd wie Espenlaub, von der Macht der Schmerzen getrieben, zur Duldung einer Operation entschließt, läßt er sich durch Zuspruch und seine eigne Hoffnung beruhigen. Das Kind, belogen und bange gemacht von jeher, hat nur seine märchenhaften Vorstellungen vom Leben außer ihm. Seine Angst ist maßlos, von allen körperlichen Begleiterscheinungen (Stuhl- und Urinabgang, kalter Schweiß, Zittern und Schüttelkrämpfe, Atemstillstand, ja gelegentlich Herzstillstand mit Tod!) verdeutlicht. Wir würden ähnliche Qualen am Marterpfahl der wildesten Kannibalen empfinden, wenn wir sie mit glühenden Eisen auf uns stürzen sehen. Im Interesse der Humanität wäre es sehr zu wünschen, daß man das so gewohnte und unvermeidliche ›Brüllen‹ größerer Kinder (von 3 Jahren ab) nicht von vorneherein als Ungezogenheit oder maßlosen Zorn ansehe, was es s e h r oft ja sicher ist. Daß die Angst beim Verbandwechsel oder der Schreck einer Operation als psychisches Trauma (Trauma = Verletzung) eine Geisteskrankheit oder Nervenkrankheit hervorgerufen hätte, ist mir nie vorgekommen. Es wäre interessant, wenn ärztlicherseits darauf mehr geachtet würde. Ist es doch bekannt, wie ein Schreck z. B. über einen Hund, einen Vagabunden, eine Reihe von Nervenkrankheiten auslösen kann. Bei belasteten Kindern müßte man doppelt zurückhaltend mit der Bereitung von Schmerzen sein, und, wenn sich den körperlichen und seelischen Qualen kein sehr großes Äquivalent im Sinne der Heilung gegenüberstellen läßt, lieber auf eingreifende Behandlung verzichten (z. B. Furunkel, Wundnaht, Knochenfistel). Ich kann hier diese vor das ärztliche Forum gehörige Frage leider nicht weiter ausführen.[1]

Zuweilen gelingt es, Kinder vom 4.—15. Jahre zur Einsicht der Zweckmäßigkeit des Eingriffs oder vielmehr zum Vertrauen auf das Wohlwollen des Arztes zu bringen, so daß es dann gutwillig sich ziemlich viel gefallen läßt. Andere Kinder ausgezeichneter Erziehung wirken, in der Zuversicht auf der Eltern beruhigendes Wort, durch eine Mischung von unheimlicher Angst mit stiller Folgsamkeit fast komisch. Endlich gibt es nicht wenige kleine Helden, die durch die Höhe der Schmerzen erbleichen, umsinken, während sie die Lippen zusammenbeißen und um keinen Preis ein Glied rühren. Ich fand es bereits im sechsten Lebensjahr, viel öfter bei Knaben als bei Mädchen, während es bei Erwachsenen in dieser Hinsicht umgekehrt ist. Besonders interessant ist dieses heldenhafte Verhalten bei Kindern, die durch einen übermütigen oder unerlaubten Streich sich eine Ver-

---

[1] Würde auch für die übrigen Leser d. Ztschr. von Nutzen sein. Tr.

letzung und dergl. zugezogen haben und nun (in Angst vor Vorwürfen oder Strafe) demütig still große Schmerzen ertragen, was
sonst ihre Gewohnheit nicht ist. Durch Zureden hervorrufen kann
man dieses Heldentum niemals: Es entspringt dem tiefsten Wesen
des Kindes und ist sicherlich ein gutes Zeichen für den Erzieher,
während umgekehrt Feigheit und sinnloser Widerstand kein schlechtes
zu sein braucht. Die Affekte können zumal beim Kinde ein solches
Maß erreichen, daß sie alle andern Vorstellungen, besonders von Treu
und Glauben an die Menschheit, ersticken — in hilfloser Verlassen-
heit dem bewaffneten Doktor gegenüber! So kenne ich sehr liebe,
wohlerzogene Kinder, die sich in maximaler Weise fürchten vor den
Instrumenten des Arztes, aber nicht vor seiner Person. Sie können
sehr vertraut mit ihm werden. Manche haben die deutliche Absicht,
sich gut mit ihm zu stellen. Selten sah ich Kinder, die bleich wurden
und bebten, solange der Arzt in der Nähe stand, durch Wochen hindurch. Viele haben während der Nähe des Arztes einen aufgeregten,
scheuen Blick und tun alles, was sie sonst ablehnen usw. So sah
ich ein geradezu komisches Kind, das nie Brei essen wollte. Ich
konnte es fast nicht glauben, denn ich kam nie in den Saal, ohne
daß das Kind wie wahnsinnig Brei hinunterschlang. Es war 4 jähr.,
weinerlich, eigensinnig, und war ihm nie etwas zu Leide geschehen.

　　　Viel häufiger als diese dauernde Ängstlichkeit ist jenes so oft
gepriesene, glückliche Vergessen des ganz dem Augenblick lebenden
Kindes. Ist der Schmerz vorbei, war die Angst noch so groß —
das Lächeln, die Eß- und Spiellust, die Anhänglichkeit kehrt auch
bei maximal ängstlichen Kindern oft in wenigen Minuten, ja Sekunden
ungetrübt zurück. Daß Kinder den Arzt mit Zeichen des Hasses
oder der Verachtung ansehen, kommt nach meinen Erfahrungen nicht
vor, während es bei der Prügelstrafe oft der Fall, vielleicht die Regel
ist. Und doch ist auch diese ein Moment der Furcht, auch sie
kommt dem Kind meist als ein roher Eingriff in seine Freiheit und
sein Recht vor. Die Erklärung wird wohl die sein, daß entweder
neben der Macht der Angst keine anderen Vorstellungen aufkommen
und die Kinder froh sind, wenn das Gespenst vorüber ist, oder daß
doch mildernde Vorstellungen von Zweckmäßigkeit und Zutrauen mit-
spielen. Etwas anderes habe ich häufig beobachtet: Manche Kinder
geraten über innere Schmerzen in einen Zustand der Wut, den sie
an der Umgebung so auslassen, als ob diese den Schmerz zugefügt
hätte. Es erinnert das an die Art der Affen, die den nächststehenden
Kameraden zausen und ohrfeigen, wenn sie einen Schmerz verspüren
oder von einer Kugel getroffen werden.

Die Stimmung des kranken Kindes wechselt. Sie machen trotz nachweisbar schwerer Krankheit oft einen ganz munteren Eindruck, möchten aufstehen, herumspringen, spielen, oft mit über 40⁰ Fieber. Besonders sehen wir das häufig bei Typhus und Tuberkulose. Im allgemeinen hat man den Eindruck, daß fast bei jedem Kind die eigentümliche heitere Spielstimmung im Kampf mit der Depression immer siegreich bleibt, wo es nur einigermaßen die Art der Gifteinfuhr oder der Beschwerden zuläßt. Beim Erwachsenen tritt nur zu leicht eine schwermütige Auffassung des Lebens bis zum Lebensüberdruß ein, auch bei leichten Kopfschmerzen, Katarrhen u. s. f. Darum haben manche Eltern für die entrüstete Frage des Arztes: »Wie konnten Sie die Krankheit (besonders auch Diphtherie!) solange anstehen lassen?« die ganz richtige Antwort: »Es war immer ganz munter und ist herumgesprungen.« Vergrämte, tiefsinnige Kranke wie bei Erwachsenen sieht man nicht. Sobald die »kleinen Majestäten« nicht mehr gequält auf der Nase liegen, sind sie zu Spiel und Scherz bereit.

Kinder, die jahrelang von chronischen Leiden (Lähmung, Rhachitis) heimgesucht sind, zeigen sich oft auffallend freundlich, einsichtig und brav. Ihr lebhaftes und doch schwieriger zu stillendes Interesse zwingt sie, die Umgebung anzuziehen. Sie sehen wenig anderes von der Welt, als ihre mehr oder minder liebevolle Pflege und Unterhaltung, und haben wenig Gelegenheit, böse Streiche mitzumachen. Dabei kommen sie in einsamer Stunde frühzeitig zum Nachdenken.

Ob man von einem erzieherischen Einfluß schmerzhafter Leiden reden darf, möchte ich nicht entscheiden. Auffallend reife, überlegende Kinder fand ich zwar am meisten unter denen, die wegen eines chirurgischen Leidens viele Schmerzen aushalten müssen. Andere, und das ist sehr häufig, geraten in einen dauernden Zustand von Aufgeregtheit und psychopathischer Minderwertigkeit.

Zum Schluß möchte ich noch mitteilen, daß ich mich nicht erinnere, ein wirklich aufrichtiges Mitleid mit den Leiden und Sorgen der Kameraden bei meinen kleinen Krankenhauspatienten angetroffen zu haben. Das Gegenteil öfter. Nicht selten sah ich die gesamten Saalbewohner in ausgelassenem Übermut sich über die Schmerzensschreie eines schwer leidenden Kindes belustigen, obwohl fast alle die Macht der Schmerzen am eignen Leibe erfahren hatten und eine gute (soweit man heutzutage davon reden darf) Erziehung genossen.

Wir sind am Ende des Streifzuges, der uns teils Zusammenhängendes, teils herausgegriffene Beobachtungen bieten sollte.

2. 16 Monate Kindersprache.

Von

Dr. H. Tögel.

BERTHOLD SIGISMUND schreibt in seinem bekannten Büchlein »Kind und Welt« bereits im Jahre 1856: »Wie schön wäre es doch, wenn Eltern aus allen gebildeten Nationen über die Entwicklung der kindlichen Seele genaue Beobachtungen aufzeichneten« und leitet damit den fünften Abschnitt: »Vom Sprechen des ersten Wortes bis zu dem des ersten Satzes« ein. FRITZ SCHULTZE klagt in seiner »Sprache des Kindes« 1880 immer noch über die Mangelhaftigkeit des Materials, das ihm zur Aufstellung von Sprachgesetzen zur Verfügung stehe. Auch LINDNER, »Aus dem Naturgarten der Kindersprache«, hebt 1898 die »Notwendigkeit möglichst vieler solcher Beobachtungen hervor.« Aber auch noch 1900 ist die Klage der 5. Auflage von PREYERS »Seele des Kindes«, »daß seit 1881 in Europa verhältnismäßig wenig in dieser Richtung gearbeitet worden ist.« (S. 368.) Es ist ja selbstverständlich, daß auch ein so bedeutendes Werk wie das PREYERS deshalb unvollkommen ausfallen muß, weil seine Tatsachen in der Hauptsache nur der Beobachtung eines Kindes eines deutschen Professors entstammen. In Bezug auf die Sprachentwicklung sind die individuellen Unterschiede nun sicher weit größer wie auf anderen Gebieten der kindlichen Entwicklung oder sie treten wenigstens viel deutlicher in die Erscheinung und sind weit leichter zu fassen, wie etwa die Entwicklung des Zeitsinnes oder der sympathischen Gefühle. Die Sprache des Professorenkindes, das 1000 Tage lang täglich 3mal vom Vater beobachtet wird, mit dem oft Versuche mannigfacher Art angestellt werden, entwickelt sich sicher anders als die des Arbeiterkindes, das wie eine Pflanze der freien Natur heranwächst. Das Kind des plattdeutschen Bauern lernt anders sprechen wie das des Holzhauers im bayerischen Hochgebirge. Neben Bildung und Stammesangehörigkeit der Eltern kommen außerdem auch wohl Verhältnisse mit in Betracht wie z. B. der Umstand, ob ein Kind unter einer zahlreichen Kinderschar aufwächst oder als erstes oder einziges Kind seiner Eltern, ob es gesund oder kränklich ist und anderes mehr. Bevor also durch ein umfassendes Werk in naturwissenschaftlichem Sinne sichere Gesetze über die Sprachentwicklung des Kindes aufgestellt werden können, müssen noch viele mannigfaltige Beobachtungen veröffentlicht werden. Es müssen noch viele Kärrner Baumaterial herzufahren, um ein bekanntes Wort umzukehren, ehe ein königlicher Baumeister an die Arbeit gehen kann.

Diese Erwägungen veranlassen den Verfasser dieses Aufsatzes, einige Beobachtungen in geordneter Darstellung darzubieten. Das Neue daran ist lediglich der Umstand, daß ein anderes Kind zu ihnen Gelegenheit gegeben hat. Immerhin glaubt er, manches darbieten zu können, was dem Kenner nützliches Material liefert. Vieles natürlich bestätigt lediglich, was schon als Gesetz ausgesprochen ist.

Das beobachtete Kind, ein Knabe, ist am 9. Juni 1901 geboren. Es ist körperlich kräftig entwickelt und nur einmal und zwar innerhalb der Sprechperiode vom 16. Februar bis 27. Februar 1903 krank gewesen (Lungenentzündung). Die Sinneswerkzeuge sind normal. Der Verstand ist gut entwickelt, die Phantasie tritt etwas zurück, der Wille nicht besonders stark hervor. Sein Gemüt ist sehr weich. Es neigt mehr zur Furcht als zum Mut, mehr zur Schüchternheit als zur Keckheit. Es ist in einem Vorstadtdorf der Großstadt aufgewachsen, ist aber auch infolge öfteren, im Sommer bis zu 8 Wochen dauernden Besuchs in einem Landdorf zu Hause. Es ist das einzige Kind und sprachlich in erster Linie von seinen Eltern beeinflußt. Diese sprechen Hochdeutsch in der Weise, daß sie innerhalb des akademischen Standes in keiner Weise auffallen, von Angehörigen anderer Sprachgebiete aber an Tonfall und Lautbildung meist als Angehörige der obersächsisch-meißnischen Mundart erkannt werden. Daneben kommen Dienstmädchen in Betracht, die natürlich diese Mundart in ausgeprägter Weise benutzen. Andere Einflüsse sind nur gelegentlicher Natur und dürften kaum bei der Sprachbildung des Kindes in Frage kommen.

Die Sprachentwicklung soll vom ersten Wort d. h. von der ersten artikulierten, feststehenden Lautbildung bezw. Lautverbindung, die zum dauernden Ausdruck für das geistige Leben benutzt wird, bis zur selbständigen Benutzung der Sprache in ihren üblichsten Redeteilen verfolgt werden. Der Endpunkt ist also dann gegeben, wenn das Kind einfache Sätze mit ihren gewöhnlichen Redeteilen und einfache Satzkomplexe d. h. Verbindungen von Hauptsätzen mit anderen Hauptsätzen und mit Nebensätzen einigermaßen richtig anwendet, so daß es sich nicht nur mit vertrauten Menschen, sondern mit jedem Erwachsenen innerhalb seines bescheidenen Vorstellungskreises einigermaßen verständigen kann. Schließlich ist noch eine Vorbemerkung über die Schreibweise der Wörter erforderlich. Es ist dabei die phonetische Schreibweise gewählt; doch sind dabei lediglich die Buchstaben des deutschen Alphabets gewählt, nicht etwa die neuen Zeichen der mundartlichen Forschung, da nur wenige Leser diese verstehen würden. Jeder geschriebene Buchstabe ist also genau so zu lesen, wie er geschrieben wird. Buchstaben zur Bezeichnung der Länge und Kürze, die nur orthographische Bedeutung haben, sind natürlich völlig weggelassen. Länge und Kürze wird, wo sie nicht selbstverständlich ist, durch Strich (—) und Halbrund (‿) bezeichnet, die Betonung nur dort angegeben, wo sie abweichend ist (').

I. Lautbildung.

Schon PREYER weist darauf hin, daß Kinder, die sprechen lernen, viele von den anfangs in der sprachlosen Säuglingsperiode mühelos hervorgebrachten Lauten, später neu erlernen müssen (5. Aufl. S. 300), und LINDNER betont noch stärker, daß diese höchst wechselnden, oft mehr zufällig erzeugten und schwer zu fixierenden Lautbildungen dem späteren Sprechenlernen so gut wie gar nicht zu statten kommen. (LINDNER, Beobachtungen und Bemerkungen über die Entwicklung des Kindes, Jahresbericht des Seminars zu Zschopau S. 14/15). Während bisher die mechanischen Vorgänge der Lautbildung ohne Rücksicht auf Erinnerungsbilder akustischer Art in ganz beliebiger und halb zufälliger Art erfolgten, soll der Sprachapparat nunmehr die in einem Laut-, einem Silben- oder einem Wortzentrum aufgespeicherten akustischen Vorstellungen wieder hörbar machen, und zwar soll er dies auf Befehl eines höheren intellektuellen Zentrums tun. Daraus geht klar hervor, daß es sich um eine ganz neue Tätigkeit handelt, die nur einen durch Übung geschmeidigten Sprechapparat vorfindet, bei der aber ganz andere Nervenbahnen entwickelterer Art benutzt werden. Somit muß die Lautbildung beim Erlernen der Sprache getrennt von der Lautbildung des alalischen Kindes behandelt werden und wieder von vorn beginnen. Ich berücksichtige also im folgenden das, was das Kind an Lautbildung vor dem Sprechenlernen geleistet hat, in keiner Weise und nehme auch auf das, was in den ersten Monaten des Sprechenlernens nebenbei noch in dieser Hinsicht geleistet wird, nicht Bezug.

Die Tatsachen sind nicht nach Tagen, sondern nach Sprechmonaten aufgezeichnet, damit nicht die irrtümliche Meinung entstehen kann, als ob jede neue Spracherscheinung jederzeit sofort an diesem Tage vom Beobachter erfaßt werden könne oder als ob die Sprachentwicklung Gesetzen folge, die bis zum bestimmten Tage eintreffen. Da stets eine Fülle kleiner, zufälliger Faktoren mitwirken, so muß den Gesetzen Gelegenheit zu Elastizität gelassen werden. Die Sprechmonate beginnen Mitte August 1902, als das Kind 1 Jahr 2 Monate alt war, und reichen stets bis zur Mitte des nächsten Monats.

a) Vom ersten Wort bis zum ersten Satz.

(15. August 1902 bis 15. Januar 1903.)

Das erste Wort besteht aus einem langen ō, das eine völlig lautreine Nachbildung des o im Worte hoch ist. Erst im 2. Monat tritt dazu ä in dä und ŏ in dŏt. Demselben Monat gehört die Erlernung des ou an, das sich gelegentlich dem ō stark nähert. Es stammt von wau-wau, und es scheint so, als ob das au als ou aufgefaßt sei, weil dies dem ō näher liegt. Im 3. Monat findet sich ŭ ein, das dem ŏ nahe liegt und auch eine Erfassung des ŏ in dem Worte hŏbala ist. ă erscheint in einer Reihe von Wörtern. Im 4. Monat wird ǟ mit Bewußtsein erlernt; mä wird nämlich zuerst als mă, dann als mä nachgesagt. Deutliches ai erscheint in dem Worte ailă, das eine Zusammenziehung von Elise bedeutet. Zu dem schon vorhandenen ǟ tritt ĕ. Diesem offenen, gegen das a hin liegenden e gesellt sich nicht sofort das geschlossene dem i zuneigende e an; es wird vielmehr das ē in Schnee zuerst mehr als ō ausgesprochen. Reines au tritt auf in bau von bauen. Das ŭ in mŭ ist dem ŏ nahe verwandt und noch nicht als festes Gut zu betrachten. Am Ende des 4. Monats tritt I auf in dĭj = Tisch. Noch im vierten Monat wird bitte als bĕtĕ ausgesprochen, und wie unsicher auch jetzt noch die beiden Enden der Vokalreihe erfaßt sind, zeigt die Aufnahme und Wiedergabe sowohl von Bubi wie von Bulli mit bĕbĕ. Im 5. Monat endlich ist das geschlossene é klar vorhanden, I tritt in mehreren Wörtern auf, i erscheint in dĭje = Ziege.

Die Reihenfolge, in der die Selbstlaute in dieser Zeit aufgetreten sind, ist also folgende: ō ă ŏ ou ŭ ǟ ai ĕ ō au ŭ I ē I.

Wenn man die unsicheren beiden u wegläßt und Länge und Kürze nicht berücksichtigt, erscheint folgende Reihe:

o a ou ä ai ö au e i.

Vergleicht man diese Reihe mit der Reihe der Selbstlaute nach der Schwierigkeit, wobei die Schwierigkeit von dem in der Mitte stehenden a nach beiden Seiten wächst (u o $\overleftarrow{}$ a $\overrightarrow{}$ ä e i), so zeigt sich deutlich, daß das Kind von mittleren Mundstellungen allmählich zu extremeren und damit schwierigeren übergegangen ist.

In Bezug auf die Aussprache der Selbstlaute ist zu bemerken, daß der Hiatus keineswegs unangenehm empfunden wird. Schon Anfang des dritten Monats erscheint das ominöse Wort ăă, Ende des Monats ŏŏŏ und im 4. Monat macht dem Kinde das Wort ăăŏ soviel Freude, daß es dasselbe eifrig früh im Bettchen übt.

Aus den angeführten Beispielen gebt zugleich hervor, daß es für das Kind Wörter gibt, die nur aus Selbstlauten bestehen. Noch auffälliger ist der umgekehrte Fall. Er ist nur zweimal beobachtet worden. Im 2. Monat sagt es in der Nähe der Lampe usw. hhh, das aus heiß entstanden ist. Im 3. Monat erscheint als Nachahmung des Geräusches der Lokomotive hj hj hj. Diese vokallose Bildung erhält sich mindestens zwei Monate. Später sind beide Wörter, offenbar als wenig zur Mitteilung geeignet, wieder weggefallen.

Von den Mitlauten tritt der unbestimmteste vielleicht schon beim ersten Worte auf. Es ist nicht völlig klar, ob dies nur als ŏ oder als hŏ gesprochen wird. Dieselbe Unklarheit besteht bei dem Worte ŏbălă oder hŏbălă, ăbă oder hăbă. Auf jeden Fall handelt es sich hier nicht sicher um einen bewußt gebildeten Laut, sondern vielleicht nur um eine nach physiologischen Bedingungen erscheinende Lautbildung. Anders ist es bei der Bildung hhh für heiß, bei der der Hauch gerade als das Wesentliche erfaßt ist. Auf jeden Fall ist also h sehr früh vorhanden. Weit bewußter erscheint im 2. Monat d t. Dabei ist von vornherein zu bemerken, daß das Kind entsprechend der Mundart seiner Heimat keinen bewußten Unterschied zwischen stimmhaftem weichem d, stimmlosem schwachem d und stimmlosem starkem t macht. Das zuerst genannte tritt nur zufällig auf, die beiden anderen werden nur nach physiologischen Bedingungen so oder so gebildet. Im 2. Monat findet sich noch w ein. Im 3. Monat erscheint bp. Hiervon ist dasselbe zu sagen wie von dt. Dazu kommt l und m. Am Ende des Monats findet sich j in bj bj, das auch Ende des 4. Monats in dĭj vorkommt. Hier ist noch n zu nennen. Im 5. Monat endlich ist ein nicht völlig klares sch festzustellen.

So ist die Reihe der Mitlaute nach ihrem Auftreten: h, dt, w, bp, l, m, j, n, sch. Danach scheint das Kind gleichgültig gegen die Art der Erzeugung der Laute zu sein. Der Unterschied von stimmhaft und stimmlos ist diesem Kinde völlig fremd. Es treten weiter Verschlußlaute, Reibelaute, Nasenlaute und Zitterlaute ziemlich gleichmäßig auf. Nicht gleichgültig dagegen sind der Ort der Erzeugung oder die physiologischen Teile, die bei der Bildung der Laute in Tätigkeit treten. Es sind schon drei reine Lippenlaute vorhanden: w, bp, m. dt, l, n und sch sind Zahnlaute; doch wird sch schon etwas weiter zurück, nicht mehr mit der Zungenspitze, sondern mit der vorderen Zungenfläche erzeugt. j und h werden als Gaumenlaute bezeichnet; doch entsteht j am vordersten harten Gaumen, während h ohne besondere Tätigkeit der Mund-Sprachorgane durch

den Luftstrom gleichsam von selbst erzeugt wird. Der Lippenzahn-
laut f, sowie alle weiter hinten gebildeten Gaumenlaute, nämlich g,
k, ch, ng und r (in der obersächsisch-meißnischen Mundart gibt es
nur Gaumen-r) fehlen noch.

Ganz weggelassen wird ch in hoch, r in dort, k in Kakao, s in
aila für Elise und ōpä für Sofa; d. h. Laute, die jenseits des Sprech-
vermögens liegen, werden ignoriert. H wird bald weggelassen, bald
ausgesprochen, so daß es auch von hier aus gesehen den Eindruck
macht, als ob sich das Kind dieses Lautes noch nicht recht bewußt
sei. Ersetzt wird im 4. Monat sch durch j d. h. durch einen Laut,
der seiner Erzeugung nach nur wenig weiter nach hinten liegt; im
5. Monat findet sich ein ziemlich richtiges sch ein. Weiter tritt für
f p ein in dem oben erwähnten ōpä d. h. für den Reibelaut der entsprechende Verschlußlaut. Nirgends werden zwei Mitlaute miteinander
verbunden.

Der Lautbestand dieses Kindes sieht also, schematisch dargestellt,
am Ende des 5. Sprech- oder des 17. Lebensmonats, folgendermaßen aus:

I. Selbstlaute:

a) einfache: o a ä ö e i (u),
b) zusammengesetze: ou ai au.

II. Mitlaute:

	Verschluß-laute	Reibe-laute	Nasen-laute	Zitter-laute
Lippenlaute . . .	bp	w	m	
Lippenzahnlaute				
Zahnlaute	dt	sch	n	l
Gaumenlaute . .		j h		

b) Vom ersten Satz bis zur verständlichen Rede.
(15. Januar 1903 bis 15. Dezember 1903.)

Die noch fehlenden Selbstlaute stellen sich allmählich ein. Das
bisher noch unsichere, dem o genäherte u, wird im 6. und 7. Sprechmonat rein in mūdī, būdä, būmä, dūl gesprochen. Doch wird immer
noch gelegentlich Kuli als dōlī erfaßt. Im 7. und 8. Monat tritt
kurzes und langes ü in lüsl und büjr auf. Am meisten Mühe verursacht der zusammengesetzte Selbstlaut oi (eu oder äu). Noch am
Anfang des 15. Sprechmonats wird lōde ⸺ Leute ausgesprochen
ebenso wie früher nō̄ ⸺ neu. Eine Woche später aber ist oi in
noi ⸺ neu in ganz richtiger Aussprache vorhanden. Übrigens ist das

im 2. Sprechmonat gebrachte ou sehr bald wieder geschwunden, da
es nicht der heimischen Mundart entsprach und offenbar nur einen
Übergang von ŏ zu au bildete. Somit hat das Kind mit 14¹/₂ Sprech-
oder 28¹/₂ Lebensmonaten alle in seiner Mundart üblichen Selbstlaute; sie sind in folgender Reihenfolge aufgetreten:

o a ä ai ö au e i u ü oi.

Von den noch fehlenden Mitlauten bahnt sich zuerst r an. Denn
schon im 6. Monat ist bart gebucht; doch ist hier das Wort höchst
wahrscheinlich nur mit einem geringen Anklang an r gesprochen
worden. Noch im 7. Sprechmonat spricht das Kind bŭdă und dŭdă
für Butter und Zucker, so wie im norddeutschen Dialekt die Endung
-er gesprochen wird. Im 8. Monat tritt r sowohl im Anlaut wie
im In- und Auslaut auf: rōmă (ein Mädchenname), ănders, dugr
(Zucker); daneben aber hält sich im Anlaut hunda statt runter, hin
statt Ring, im Auslaut bădă statt Vater. Im 9. Monat ist bădă zu
fădr geworden; doch tritt Radieschen als dădīsŏn auf. Im 10. Monat
ist r als völlig durchgedrungen zu betrachten. Neben der richtigen
Anwendung des Lautes findet sich aber noch im 12., 14. und
16. Monat die Ersetzung des anlautenden r durch h z. B. in hain für
rein. Als Ersatz für r ist bis zum 10. Monat im Anlaute neben h
noch d vorhanden.

Etwas früher wie r tritt s auf. Im 7. Monat ist es sowohl im
Inlaut wie im Auslaut da: ēsăl, mĭmīts, hütse (Schürze), bătsl (Brezel),
lŭsĕl. Der Anlaut macht größere Schwierigkeiten. Erst im 8. Monat
wird sŭchĕn, im 9. sant gesprochen. Daneben hält sich der Ersatz
von s durch dt im Anlaut, Inlaut und Auslaut bis in den 13. Monat:
mĭtăgŏdn im 9. Monat, dŏt dĭ nĭdr im 11., Wăs măgn dăt hīr sain?
und Wăt ɽdn dă drɪn wädn — Was ist denn da drin gewesen? im
13. Monat. Bemerkenswert ist das Nebeneinander von richtigen und
falschen Formen. Außer d t kommt als Ersatz für s im Auslaut sch
(ausch für aus, 8. Monat) und h im Anlaut (ham für zusammen,
8. Monat) vor. Die Ähnlichkeit vieler Ersatzformen, die d t zeigen,
mit den Formen vor Auftreten der II. Lautverschiebung ist schon
von mehreren Beobachtern hervorgehoben worden.

Sehr einfach liegt der Sachverhalt bei ch; im In- und Auslaut
ist es zuerst im 8. Monat zu beobachten: bŭch, dudutloch — Guguck-
loch, sŭchen; im Anlaut kommt dieser Laut bekanntlich in der
deutschen Sprache außerhalb bestimmter Mundarten nicht vor.

Ebenfalls im 8. Monat erscheint f: fɪl fɪl äbămŭs und fŏt — fort,
obwohl es daneben noch durch w in waisch — Fleisch, b oder w in

bådă oder wådă, b in bĭschdŭ — Filzschuh ersetzt wird. Der Ersatz durch b gebt neben der richtigen Aussprache her, so daß im 11. Monat noch gesprochen wird: Bomt ein bŏgl dăbŏgn, dăt dĭ nĭdr auf mai bŭs — Kommt ein Vogel geflogen usw.

Am schwersten fallen dem Kinde offenbar die Gaumenlaute, bei denen das Gaumentor eine Rolle spielt, indem es teils geschlossen, teils nach der Schließung gewaltsam geöffnet wird d. h. n͡g, g und k. Einfach ist der Tatbestand bei n͡g, insofern dies im Deutschen nur als In- und als Auslaut auftritt. Während vorher hin, hinel — Ring, Ringel gesprochen wird, d. h. der sehr ähnlich klingende, durch Verschluß des Zahntores gebildete zweite Nasenlaut eintritt, erscheint echtes ng mit Sicherheit im 14. Sprechmonat: dlin͡gelt, hun͡gr, sin͡gen, din͡ggen, daitun͡g.

g und k verhalten sich zunächst insofern ähnlich wie d und t, b und p zueinander, als beide nicht bewußt vom Kinde unterschieden werden; und den Vorzug der Meißner Abart des obersächsischen Dialektes von der Leipziger, die Unterscheidung von g und k im Anlaut, kann es noch nicht zur Geltung bringen, da es beide Laute während der dargestellten Sprachperiode im Anlaut überhaupt noch nicht anwendet. Es spricht also auch noch im 16. Sprechmonat: dăsăcht, ăbdănĭtn, dŭt = gut, dĭrtl — Gürtel, dŏt — Gott, dăns — Gans, dădĭpt — gegeben, dĭsdănne — Gießkanne, dălt — kalt, dĭje — Küche, bŏm — komm, dăbŏfl — Kartoffel, dnochn — Knochen, dătsel — Kätzel. Natürlich gehören die Fälle, wo im Meißner Dialekt g als Reibelaut gesprochen wird, nicht hierher; dabei teilt sich die Aussprache, insofern in manchen Fällen ein am vorderen Gaumen gebildeter Reibelaut entsteht, der völlig mit dem in der Mundart stimmlos gesprochenen j zusammenfällt und deshalb überall ebenso bezeichnet ist (díjé — Ziege, mútsĭj — schmutzig, dúje — Züge); in anderen Fällen wieder tritt der am hinteren Gaumen gebildete Laut ch auf (dăsăcht — gesagt).

Im In- und Auslaut dagegen ist g k schon früher vorhanden. Schon in der zweiten Hälfte des 8. Sprachmonats sind dŏg oder dŏk — Stock, dŭgr — Zucker, wăgel — wackeln, später z. B. schdăgn = stecken, dăbŏgen — geflogen, bŏgel — Vogel, tsŭk — Zucker, smăgt — geschmeckt gebucht. In allen Fällen ist dabei g das zu Grunde Liegende; dieser Laut nähert sich in einigen Fällen dem k, ohne daß dies jemals bewußt oder besonders scharf ausgeprägt wäre. Als Ersatz tritt meist d, seltener b auf.

Wenn wir also die Reihe der Mitlaute nach ihrem Auftreten fortsetzen, so entsteht folgende Reihe:

h, dt, w, bp, l, m, j, n, sch, s, r, ch, f, gk, ng.

Bisher ist noch nicht auf die Verbindung von Mitlauten Rücksicht genommen worden. Im 6. Sprechmonat ist davon noch nichts vorhanden, wenn man nicht den leisen Anklang des r in bāt ▬ bart als solche auffassen will. Im 7. Monat tritt dagegen sowohl im Inlaut, wie im Auslaut ts auf, d. h. die Verbindung des Verschlußlautes mit dem derselben Artikulationsstelle zugehörigen Reibelaut, eine Verbindung, die dem natürlichen Empfinden so nahe liegt, daß sie mit einem Buchstaben bezeichnet wird, (hütsĕ = Schürze, bätsel ▬ Brezel, mīmĭts ▬ Mieze). Daneben steht mĭdĕ ▬ Mütze. Im 8. Sprechmonat treten im In- und Auslaut auch andere Lautverbindungen auf: ĕndĕ = Ente, dändĕ ▬ Tante, mŭnt, mŏnt, bŭms ▬ Strumpf, dĕlt ▬ Geld. Im Auslaut stellen sich schon drei Mitlaute ein: wärts ▬ schwarz, hĕlts ▬ hält es. Zu den Lautverbindungen im Auslaut dürften auch die Fälle zu zählen sein, in denen die Endung -en, -el, -er an den konsonantisch schließenden Stamm tritt, da das e dem Kinde kaum zum Bewußtsein kommt. Im Anlaut dauert es weit länger, bis Lautverbindungen auftreten. Im 8. Monat heißt es noch: waisch ▬ Fleisch, dạl ▬ Stall, bŏt = Brot, dŏs ▬ groß, dain = klein, dījĕ ▬ Ziege, dŏg ▬ Stock, bɪle ▬ Brille, dŭgr ▬ Zucker. Im 10. Sprechmonat erscheinen sie in einigen Wörtern: släfn, schdĕgn ▬ stecken, snaidn = schneiden, im 11. findet sich tsĕdl = Zettel. Doch heißt es noch im 15. und 16. Sprechmonat: bɪsnɪts ▬ Briesnitz, faisch ▬ Fleisch, dĭnggen ▬ trinken, mĕgt ▬ schmeckt, foilain ▬ Fräulein. Das Hauptergebnis ist, daß dem Kinde Lautverbindungen so schwer fallen, daß sie erst nach einem halben Jahre Sprechübung auftreten und daß wiederum die Lautverbindungen im Anlaut weit größere Mühe verursachen wie im In- und Auslaut.

An sonstigen eigenartigen Lauterscheinungen sind etwa folgende Fälle zu erwähnen: 6. Sprechmonat aus Alwin wird auwí, wie im Französischen z. B. aus altus haut; 8. Sprechmonat: bɪschdū ▬ Filzschuh, bŭms ▬ Strumpf, Umstellung der Laute; bĭbr bādr ▬ lieber Vater; 9. Monat, liwär dŏt, mäch mɪj fŏm, däch ɪj in dän hɪmĕl bŏm; 15. Monat: Angleichung an folgenden Mitlaut. Die Endung -chen wird von Anfang an bis zum Ende der Beobachtungszeit zu -en, so daß die mittelhochdeutsche Form wieder erscheint: dädĭsĕn ▬ Radieschen, hĕnsen ▬ Hänschen, häsen ▬ Häschen, fĕsn ▬ Fläschchen, sāwen = Schäfchen. Echolalie, die PREYER als ein allgemeines physiologisches Durchgangsstadium bezeichnen möchte, ist bei dem Kinde nie beobachtet worden. Im 15. Sprechmonat zeigt sich ein Reimversuch:

Haile, baile dŏtsĕl

Mädä īs ĕn mĕtsĕl,

wobei die erste Zeile einem bekannten Verschen entnommen, die zweite selbstgebildet ist.

Das Ergebnis der Lautbildung innerhalb der 16 Monate ist, schematisch dargestellt, folgendes:

1.	2.	3.	4.	5.	6.	7.	8.	9.
o	a	w	ä	au	u	ü	r	
h	ou	bp	ai	e		s	ch	
dt		l	ö	i		Verbindung	f	
		m	j	n		von Mitlauten	gk	
				sch		im In- und		
						Auslaut,		
						zuerst ts		

10.	11.	12.	13.	14.	15.	16.
Verbindung von				ng	oi	
Mitlauten im						
Anlaut						

(Schluß folgt.)

B. Mitteilungen.

1. Direktor F. Kölle †.

Am 9. März ds. Jhs. verschied Friedrich Kölle, Direktor der Schweiz. Anstalt für Epileptische in Zürich V. im Alter von 62 Jahren. Nachdem derselbe mehr als 20 Jahre in Winterbach und Stetten (Württemberg) als Lehrer der Schwachsinnigen und Epileptischen segensreich gewirkt, folgte er 1886 einem Rufe an die neugegründete schweizerische Anstalt für Epileptische in Zürich, die er nun 19 Jahre geleitet. Das rasche Emporblühen derselben, der gute Ruf, den sie sich in immer weiteren Kreisen erwarb und bisher erhielt, ist nicht zum mindesten der unermüdlichen Arbeit, der aufopfernden Treue und persönlichen Hingebung ihres Leiters zu verdanken. Die Anstalt hat sich in der verhältnismäßig kurzen Zeit ungeahnt entwickelt; zählt sie doch gegenwärtig ca. 225 Pfleglinge. Kölle hat auch durch Wort und Schrift für die Verbesserung des Loses der Epileptischen gewirkt, z. B. durch eine

Arbeit in W. Reins Encyklopädischem Handbuch der Pädagogik über
»Epilepsie und Anstalten für Epileptische«. Als Gründer und langjährige
Vizepräsident der Schweiz. Konferenz für das Idiotenwesen hat der
Verstorbene sich große, bleibende Verdienste um die Erziehung und Pflege
der Geistesschwachen erworben. Mit einer ungewöhnlichen Arbeitskraft,
einem Herzen voll Liebe, einem lauteren Charakter, einem klaren Verstand
begabt, war Kölle eine durchaus harmonische Persönlichkeit; seiner
schwäbischen Heimat treu, fühlte er sich doch in der Schweiz wie zu
Hause; sie wird ihm ein dankbares Andenken bewahren. Seit längerer
Zeit untergrub ein Nierenleiden die Gesundheit des starken Mannes; seit
einem Jahre fand er eine Stütze in seinem Sohne, Herrn Pfarrer Kölle.
Möge es diesem vergönnt sein, die Anstalt im Sinn und Geist des Vaters
weiterzuführen!

Zürich. H. Graf.

2. Bericht über die VI. Versammlung des Vereins für Kinderforschung am 14.—16. Oktober in Leipzig.

Von Dr. med. W. Strohmayer und Anstaltslehrer W. Stukenberg in Jena.

(Fortsetzung.)

Herr Rektor Hemprich-Freyburg a. Unstrut sprach alsdann über:

»Die Ergebnisse der Kinderforschung in ihrer Bedeutung für Unterricht und Erziehung.«

Auf dem Gebiete der Kinderforschung hat sich in der Gegenwart
eine lebhafte Arbeit entfaltet. Die Kinderforschung ist nicht mehr das
Werk einzelner Männer, wie Ament bemerkt, sondern das Werk ihrer
Zeit. Man blättere nur flüchtig Aments »Fortschritte der Kinderseelen-
kunde« durch und man wird staunen über die riesenhaft angewachsene
Bibliographie, die diese junge Wissenschaft bereits repräsentiert.

Es ist ein gesunder Zug der Gegenwart, daß sie soviel Interesse
findet an allem, was zur Erforschung des Kindes dient. Die Kinderforschung wird als der interessanteste und liebenswürdigste Gegenstand
der Forschung angesehen. Aber die Erwartungen, die die Pädagogik an
sie knüpft, sind vielfach überspannt. Es muß aber alles, was mit Über-
spannung und Schwärmerei verkündigt und betrieben wird, notwendig
sinken, es hat seine Wirkung getan, nachdem es die Schlaffheit und Trägheit, welcher es zuerst entgegentrat, in Tätigkeit und Sorgfalt umgewandelt
hat. Ament dürfte das Richtige getroffen haben, wenn er sagt: »Der Erfolg der neueren Kinderseelenkunde darf nicht überschätzt werden. Sie
hat viele alte Fäden fort- und neue angesponnen, an Großem aber eigentlich noch wenig geleistet; die Zukunft liegt noch vor ihr.« Auf diesen
nüchternen Standpunkt muß man sich stellen, will man von der neueren
Kinderforschung Ergebnisse für Unterricht und Erziehung erwarten. Dabei
braucht man der Kinderforschung nicht einen einseitigen pädagogischen

Anstrich zu geben. Sie soll ihren selbständigen Wert behalten. »Eine reine Kinderpsychologie«, sagt Ament, »muß Hauptsache, eine angewandte Endzweck sein, die reine kinderpsychologische Forschung den Psychologen, ihre Resultate den Pädagogen.« Die Kinderforschung hat ohne Zweifel das Verdienst, das pädagogische Denken und Streben in dem guten Sinne beeinflußt zu haben, daß man sich ernstlich darauf besinnt, die Kindesnatur in erster Linie bei aller Unterrichts- und Erziehungsarbeit zu fragen und zu berücksichtigen. Die individuelle körperliche und geistige Beschaffenheit des Kindes ist der erste und wichtigste Faktor, den man kennen muß, wenn die pädagogische Arbeit recht gedeihen soll. Darum haben wir in der Gegenwart das Bestreben, große Volksschulkörper nach der natürlichen Leistungsfähigkeit der Kinder zu organisieren. Man will nichts mehr wissen von einem uniformierenden, nivellierenden und schablonisierenden Unterrichtsbetriebe, vielmehr soll die Massenerziehung, wie Dr. Sickinger und Dr. Moses ausführen, mehr und mehr zu einer alle Volksgenossen erfassenden, in pädagogischer, hygienischer, volkswirtschaftlicher und sozialer Hinsicht wirksamen Individualerziehung auswachsen. Die speziellen methodischen Forderungen der Gegenwart verlangen mehr als bisher, daß der Lehrer versuchen soll, sich auf den Standpunkt der Kinder zu versetzen, in Lagen, die denen des Kindes soweit als möglich entsprechen. Die Kinderforschung hat vor allen Dingen Eltern und Lehrern zu der Auffassung verholfen, daß das Kind seine eigene Art und Weise zu denken, zu fühlen, zu wollen und zu reden hat. Und diese kindliche Eigenart haben Unterricht und Erziehung zu respektieren. Besonders verlangt das der erziehende Unterricht, der doch die Gedanken, Wünsche, Hoffnungen des Zöglings in seine Gewalt bekommen und sie hinlenken will zum sittlichen Charakter. Wie eingehend Herbart Kinderforschung trieb, ist besonders aus seinen »Briefen über die Anwendung der Psychologie auf die Pädagogik« zu ersehen. In Herbarts Geist und Sinn sind dann von Ziller, Strümpell, Just, Grabs, Bartholomäi, Lange, Hartmann u. a. Forschungen auf dem Gebiete der Kinderpsychologie geschehen. Gar fruchtbare Gedanken hat diese Kinderforschung der Pädagogik gebracht. Von der Herbartschen Pädagogik sagt man mit Recht: »Noch nie hat eine pädagogische Theorie so nachhaltig und immer weiter sich ausdehnende Wirksamkeit erlangt wie die Herbarts, und darin liegt der Erfahrungsbeweis, daß in ihr so viele Wahrheitselemente liegen wie in keiner früheren.«[1]) Daß man dieses Urteil aussprechen muß, liegt zum großen Teile auch mit daran, daß die pädagogische Richtung stets auf gründliche Erforschung der Kindesnatur drang.

In der Gegenwart will man diese psychologische Pädagogik dadurch ersetzen, daß man meint, durch physiologische Untersuchungen und anatomische Annahmen ganz neue pädagogische Forderungen und unterrichtliche Imperative zu gewinnen. Diese physiologische Kinderforschung gibt wertvolle Fingerzeige für die physische Erziehung des Kindes, weist mit

---

[1]) Heman, Geschichte der neueren Pädagogik. Osterwieck a. Harz, Zickfeld. 1904. S. 408.

Nachdruck auf die Entwicklung des Seelenlebens hin und lehrt, das Seelenleben nicht als etwas Fertiges zu betrachten und die Bedeutung der
Nerven für das Geistesleben mehr als bisher zu würdigen.

Was z. B. Sikorsky über die neuropsychische Hygiene in den
ersten drei Monaten des Kindes sagt, ist gewiß zu beherzigen. Im Interesse der Erhaltung der Gesundheit des Kindes sind in dieser Periode folgende Erfordernisse zu beachten: 1. Man enthalte sich jeder Mitwirkung
an der psychischen Entwicklung des Kindes. Die Entwicklung nimmt
ohnedies einen so rapiden Gang, daß man mit ihrer Beschleunigung nur
gefährlichen Abweichungen Tür und Tor öffnet. Bei der ungewöhnlichen
Empfänglichkeit des Nervensystems des Kindes besteht schon an und für
sich eine Neigung zu vorzeitiger Entwicklung. Das zweite hygienische
Erfordernis besteht in der Bewahrung des Kindes vor starken und an-
haltenden Eindrücken, die beide eine Ermündung der Nervenapparate
hervorrufen. Je jünger das Kind ist, desto schneller tritt Ermüdung ein
und desto gefährlicher ist dieselbe. Ermüdung äußert sich beim Kinde
in Unbehagen und Tränen. Wenn ein gesundes, sattes und in allen Beziehungen befriedigtes Kind Unbehagen äußert, so bedeutet das, daß es
ermüdet ist und daß man es ausruhen lassen muß, indem man es von
allen Sinneseindrücken fernhält. Das 3. hygienische Erfordernis besteht
nach Sikorsky darin, dem Kinde genügenden und ruhigen Schlaf zu
sichern. Preyer hält es für unrecht, ein kleines Kind aus dem Schlafe
zu wecken und erkennt keine notwendige Veranlassung dazu an. Auf
Grund seiner Beobachtungen hält Sikorsky es für ersprießlich, daß das
Kind die ersten drei Lebensmonate zum größten Teile im Bette verbringe,
gleichviel ob es schlafe oder wache. Unter solchen Bedingungen wird
sich das nötige Maß des Schlafes und der Ruhe des Kindes von selbst
einfinden. Wenn das Kind wacht, so wird es auch in seinem Bette genügend Anlaß zu neuropsychischer Arbeit finden und von selbst ein-
schlafen, wenn es schläfrig oder müde wird. Die ersten Wochen soll das
Kind größtenteils in der Stille verbringen. Schlaflosigkeit deutet auf
Krankheit oder vererbte nervöse Erregbarkeit hin und erfordert ärztlichen Rat.

Bemerkenswert ist auch, was Sikorsky über den Vergleich der
normal sich entwickelnden Kinder mit den geistig zurückgebliebenen
Kindern ausführt. Diese unglücklichen Kinder unterscheiden nicht den
Zustand des Sattseins vom Hunger und sind häufig richtiger Geschmacks-
und Geruchsempfindungen bar und bereit, unverdauliche, nicht eßbare und
schädliche Substanzen in den Mund zu nehmen und zu essen, was normale nicht tun. Ein gesundes Kind bestimmt mit großer Genauigkeit die
geringfügigsten Geschmacksbeimischungen. Das ist ein Beweis dafür,
welche vollendete neuropsychische Apparate ein gesundes Kind schon in
den ersten Tagen nach der Geburt besitzt. Die analytische Kraft dieser
Apparate übertrifft die Präzision der chemischen Wage und chemischen
Reagenzien. Mit einem Glasstäbchen wurde dem Kinde ein Tropfen einer
schwachen Lösung Zucker, Salz, Chinin und einer beliebigen Mineralsäure
auf die Zunge gelegt, oder es wurde ihm reines Wasser mit dem Dufte

irgend einer aromatischen Substanz in den Mund geführt. Die Antwort des Kindes auf diese Schmeckstoffe erfolgt äußerst exakt. Süßes nimmt das Kind und beginnt es, wenn auch nicht immer, zu saugen, aber Saures und Salziges entfernt es mit dem Züuglein aus dem Munde, indem es dieselben Grimassen schneidet und dieselben Bewegungen macht wie ein Erwachsener, von Bitterem, gegen das das Kind sehr empfindlich ist, erbricht es sofort, und auf dem Gesichtchen erscheint ein typischer Ausdruck des Bittern.

In den Händen des Arztes oder Psychologen können die angeführten Versuche an Kindern zur rechtzeitigen Entscheidung der Frage dienen, ob die psychische Entwicklung normal verläuft. Sikorsky empfiehlt dann, ohne den Vorschlag zu machen, an Neugeborenen zu experimentieren, sorgfältige Beobachtungen an den Kindern anzustellen. Dienen kann als Gegenstand solcher Beobachtungen in den ersten Tagen der Ausdruck des Gesichtchens des Kindes bei Aufnahme der Nahrung, bei Auswaschen des Mundes, beim Zurückkommen der Nahrung aus dem Magen in den Mund, was recht häufig bei Kindern vorkommt, schließlich der Gesichtsausdruck des Kindes zur Zeit des Nährens und jenes glückliche Beruhigtsein, mit dem das Kind den ihm gleichzeitig Hunger und Durst stillenden Milchstrahl aufnimmt. (Sikorsky.)

Die physiologische Kinderforschung hat besonders hingewiesen auf den mächtigen Einfluß der Vererbung. Die Vererbung, so lesen wir bei Demoor,[1] ist ja diejenige Eigenschaft, durch die biologische Eigentümlichkeiten mehrere aufeinanderfolgende Generationen hindurch fortgepflanzt und Organismen mit ihren Eigentümlichkeiten in Struktur und Funktion, die ihre Gattungen, Spezies und Varietäten kennzeichnen, dauernd erhalten werden. Die Cytologie, die Wissenschaft, deren Gegenstand die Kenntnis der Zelle ist, sieht den Zellkern als den Träger der erblichen Eigenschaft der Zelle an. Der Zellkern soll im kleinen alle von den Vorfahren ererbten und im erzeugenden Individuum angesammelten Kräfte enthalten. Die fortpflanzende Zelle ist auf diese Weise der genaue Repräsentant des Wesens, das sie geschaffen hat.

Wenn nun die physiologische Kinderforschung nachgewiesen hat, daß die Vererbung ein ganz gewaltiger Faktor ist, so hat sie aber auch gezeigt, daß die Vererbung nicht die allein maßgebende Kraft der Entwicklung ist. Der Organismus, so führt besonders Demoor aus, liegt nicht ganz in den Fesseln der Vererbung. Durch systematisches Bearbeiten gewisser Muskel- und Gelenkgruppen ist es gelungen, auf Nervensysteme und Gehirn verbessernd einzuwirken. Schlummernde Nervenzentren wurden geweckt und erregt. Man hat unter dem Einflusse solcher absichtlich herbeigeführten funktionellen Reize intellektuelles Leben in Gehirnen erwachen sehen, die völlig tot zu sein schienen. Die Muskeltätigkeit soll eins der wirksamsten Mittel sein, um die Gehirntätigkeit zu entwickeln und zu disziplinieren. Man hat beobachtet, daß die Tätigkeit des Gefühls,

---

[1] Die anormalen Kinder und ihre erziehliche Behandlung in Haus und Schule Altenburg, Bonde.

Gehörs und Gesichtssinnes sich bei einem jungen Manne, der mehrere Wochen lang täglich Beug- und Streckübungen mit den Fingern machte, bedeutend entwickelte, die Perzeptionsfähigkeit wurde verstärkt, und es machte sich eine erhöhte Schnelligkeit des Einsetzens ihrer Tätigkeit bemerkbar.

Ferner leistet die physiologische Kinderforschung in Bezug auf Anlagen, Vererbung, Begabung wichtige Dienste. Für manche psychologische Erscheinungen gibt sie wertvolle Aufschlüsse. So wird z. B. die Gedächtniskraft des Kindes, die oft Wunder erregt, mit Recht wohl physiologisch erklärt. Es handelt sich hier um eine besondere Eigenschaft des jungen Gehirns, die mit den Jahren schwächer und schwächer wird. Und die Proben einer erstaunlichen Gedächtniskraft dürfen, wie ein Psychologe mit Recht ausführt, keineswegs als Zeichen besonderer Begabung aufgefaßt werden. Die sogenannten Wunderkinder, ob sie nun auf dem Gebiete der Töne oder der Zahlen oder anderen Gedächtniskrames Erstaunliches leisten, werden meist ganz gewöhnliche Menschenkinder und geraten ins Unglück, wenn die Eltern auf die auffallende Gedächtnisleistung ihres Kindes vertrauend, gar zu wuchtige Pläne auf diesem unsicheren und nichtigen Grunde aufbauen. Denn die große Gedächtniseigenschaft des Kindesgehirns nimmt schon mit der physiologischen Entwicklung desselben wieder normalerweise ab. Und dann bleibt von dem Wunderkinde nichts übrig als die Erinnerung an eine vergängliche Größe. In dieser Hinsicht sind die Eltern zu warnen. »Eltern sind nur zu oft von der besonderen Begabung ihrer kleinen Kinder entzückt und entdecken bei ihnen ungeahnte Talente. Elternliebe ist leicht geneigt, Vorzüge zu vergrößern, namentlich ist dies der Fall, wenn die erzieherische Erfahrung noch fehlt. Die Begeisterung legt sich mit der Zeit, aber mitunter legt sich der Wahn fester, Vater und Mutter halten ihr Kindchen für begabter und klüger als es wirklich ist, sehr oft zum Nachteil des Kleinen. In den ersten Schuljahren führt dieser Irrtum sogar zu Verstimmung gegen die ungerechten Lehrer und Lehrerinnen.«

Der Grund, auf dem sich dieser Irrtum in der Regel aufbaut, ist eben die Überschätzung der Gedächtniskraft der kleinen Kinder. Wohl ist diese wunderbar, wie überhaupt die Entfaltung der kindlichen Seele. Wir dürfen ihr wohl mit Staunen und Entzücken folgen, täten wir es nicht, so würden wir uns um die schönsten Mutter- und Vaterfreuden betrügen. Nur eins dürfen wir nicht vergessen, daß solche Wunderblumen in recht vielen Kinderstuben blühen. —

Ziehen hebt in seiner Schrift: »Das Verhältnis der Herbartschen Psychologie zur physiologisch-experimentalen Psychologie« selbst hervor, daß die Ergebnisse der letzteren fast in allen Hauptlehren mit der Herbartschen Psychologie übereinstimmen. Ziehen warnt ferner davor, von der modernen Psychologie sofort eine neue Pädagogik zu erwarten. Eine voreilige Übertragung der psychologischen Experimentalergebnisse auf die pädagogische Praxis könne die neue Psychologie nur diskreditieren. Seine Meinung ist, die Herbartsche Pädagogik möge zunächst ruhig festgehalten werden und man möge abwarten, inwieweit die experimentell-physiologische Psychologie ihre Sätze bestätige, modifiziere oder zurückweise.

Bis jetzt hat die experimentelle, physiologische Kinderforschung noch nicht den Beweis gebracht, in pädagogisch-didaktischer Beziehung von Bedeutung zu sein. Sie bestätigt entweder alte bewährte pädagogische Maßnahmen oder wo sie der »gemeinen Psychologie« entgegen didaktische Forderungen aufstellt, befindet sie sich im Irrtume, die einseitigen didaktischen Belehrungen bedeuten einen pädagogischen Rückschritt. Fauth ließ 1898 seinem 1888 erschienenen größeren Werke über das Gedächtnis eine kleinere Broschüre über denselben Gegenstand folgen, deren Erscheinen er damit rechtfertigt, daß 1888 die naturwissenschaftliche Lehre vom Gedächtnis noch nicht auf der heutigen Höhe gestanden habe, jetzt aber die Pädagogik die Resultate der physiologischen Psychologie berücksichtigen und verwerten müsse. Fauth gründet seine 2. Schrift über das Gedächtnis auf Ziehens Physiologie. Die pädagogischen Folgerungen aus der »neuen Psychologie« sind nach Fauth folgende: 1. Es ist für ein gesundes Gedächtnis Sorge zu tragen. (Erhaltung körperlicher Gesundheit, kein Mißbrauch mit alkoholischen Getränken, Warnung vor geschlechtlichen Verirrungen; Vererbung mahnt zur Vorsicht bei der Eingehung einer Ehe, ordentliche Ernährung des Nervensystems, gesunde Verdauung und gesunder Blutkreislauf, rechtzeitige Unterbrechung der Tätigkeit und Eintritt der Erholung.) 2. Die Zeit der Erziehung des Gedächtnisses ist in erster Linie die Jugend; in der Kinderzeit ist die Aufnahmefähigkeit des Gedächtnisses am größten, Organe des Körpers, vor allem das Gehirn noch bildsam, aber gerade diese Zartheit und Jungfräulichkeit der Organe macht auch eine gewisse Vorsicht recht nötig, das Gedächtnis also nicht zu früh anstrengen, nicht zu viel verlangen, nicht zu rasch weitergehen. 3. Eine geregelte Gedächtnisarbeit verlangt ein stufenweises Aufsteigen zum Schweren. 4. Auf die Erziehung der Kinder zur Aufmerksamkeit, der Hauptbeförderin eines gut arbeitenden Gedächtnisses ist stets Rücksicht zu nehmen. 5. Wenn man Arbeit ersparen will, muß man baldigst in nicht zu langen Pausen den betreffenden Gegenstand repetieren. 6. Die Grundbedingung für eine gesunde, reichhaltige Gedächtnisarbeit ist die Aufmerksamkeit. Zur fruchtbringenden Aufmerksamkeit gehört stets ein Gefühl der Lust. 7. Die sinnliche Grundlage für die Gefühle ist gewissermaßen die Erregung, die mit gehöriger Intensität auftretende Eindrücke hervorruft. 8. Sollen höhere Gefühle erweckt werden, so hilft besonders die in sachgemäßer Gliederung anwachsende Steigerung, der Kontrast, die Analogie. 9. Besonders wichtig für das Gedächtnis ist aber im Unterrichte die Assoziationsfähigkeit und Analogie der Gefühle. 10. Die Grundlage für das anschauende Gedächtnis bildet die Kräftigung der sinnlichen Anschauung. 11. Die Hauptsache für das anschauende Gedächtnis im Unterricht bleibt eine Verbindung der Teile zu einem lebendigen und harmonischen Ganzen.

Das sind im allgemeinen selbstverständliche Lehren, zu denen uns nicht erst die physiologische Psychologie geführt hat. Vergleicht man mit Fauths Ausführungen Dörpfelds »Denken und Gedächtnis«, so muß man sagen, daß dieses Buch durchaus nicht von der physiologischen Psychologie überholt worden ist, vielmehr heute noch eine klassische, psychologische, pädagogische Monographie ist, aus der der Lehrer für Unterricht und Erziehung mehr lernt als aus allen Werken der Physiologie der Gegenwart.

Auch die »praktischen Ergebnisse der experimentellen Untersuchung des Gedächtnisses« von Otto Lipmann sind für den in der Praxis stehenden Lehrer nicht von besonderer Wichtigkeit. Lipmann stellt folgende Resultate der genannten Untersuchungen zusammen: 1. Beim Einzelunterrichte hat die Lehrmethode sich zweckmäßig dem vorher festzustellenden sensorischen Gedächtnistypus des Schülers anzupassen. Beim Massenunterrichte ist das nicht möglich. 2. Ein gegebener Lernstoff von mäßiger Länge und gleichmäßiger Leichtigkeit wird im ganzen schneller gelernt als in Teilen. 3. Die Wiederholungen werden bei einem schwierigen Stoffe am besten möglichst verteilt. 4. Es ist unzweckmäßig, verschiedenartige Stoffe schnell hintereinander zu lernen, ohne eine Pause einzuschieben. 5. In gewissen Grenzen ist das schnellste Lernen das ökonomischste. 6. Falsche Antworten sind tunlichst zu vermeiden. 7. Richtige Antworten erhält man leichter, wenn sie auf mehrere gestellte Fragen passen. Eine richtige Antwort bleibt leicht aus, wenn mehrere Antworten auf die gestellten Fragen passen.

Über Lays Reformvorschläge, die doch auch auf physiologisch-experimentellen Untersuchungen beruhen, ist treffend folgendes geurteilt worden: Lay hält die geistigen Zustände ohne weiteres für Tätigkeiten der verschiedenen Gehirnteile, trotzdem unter den Physiologen große Meinungsverschiedenheiten darüber herrschen, welche Hirnteile die einzelnen psychischen Vorgänge hervorbringen sollen. Das Resultat von Lays physiologischen Untersuchungen: Die Sprachbewegungs- und Schreibbewegungsvorstellungen haben einen hervorragenden Anteil am Rechtschreiben, ist nicht neu. Pestalozzi nannte sie den höchsten Grad des Nerventaktes, der die Hand gewiß macht. Die Psychologie Herbarts lehrt, wie den Fertigkeiten teils Bewegungszustände des Organismus, wie sie beim Sprechen, Singen, Zeichnen, Schreiben vorkommen, teils Empfindungen von diesen Bewegungszuständen zu Grunde liegen. Es ist von Herbarts Nachfolgern ausführlich nachgewiesen worden, daß die Bewegungen, die zu den Fertigkeiten hinzugehören, von den organischen Bedingungen der Muskeln, Nerven usw. abhängig sind.

Die bewußten und zweckmäßigen Bewegungen werden mehr oder weniger fortwährend geleitet und reguliert durch Empfindungen von den Bewegungszuständen. Lay übertreibt, wenn er den Bewegungsvorstellungen eine automatische Kraft zuschreibt. Denn der Haupteinwand gegen eine Verteilung der geistigen Zustände an verschiedene Zellen oder Elemente bildet die Einheit des Bewußtseins. Diese fordert, daß alle bewußten und unbewußten Vorstellungen die Zustände eines einfachen Wesens sind. Die Seele ist das eine Subjekt, dem alle unsere geistigen Tätigkeiten innewohnen. Auf dieses müssen also auch alle durch das Gehirn vermittelten Empfindungen übertragen werden; alle die Zentren und Bahnen sind nur Organe der Leitung und Übermittlung der Reize. Ohne solche Übermittlung wäre weder Vorstellen noch Assoziieren möglich.

An der Natur der Lehrfächer geht Lay vorüber. Der Anschauungsunterricht bekommt nach Lay die alte Aufgabe, besonders die Sinne, das Wahrnehmungs- und Sprachvermögen zu bilden. Obgleich Lay an vielen Stellen die Selbständigkeit des Anschauungsunterrichts betont, verquickt er ihn doch mit dem Sprachunterrichte. Die treffliche Idee Zillers, vom Aufsatz als Mittelpunkt des Sprachunterrichts bei den grammatischen und orthographischen Belehrungen und Übungen auszugehen, ignoriert er. Die Sprachganze in Lays Schülerheften sind nichts vom Kinde selbst Erarbeitetes sondern Aufgedrängtes. Lays Schülerhefte können den Rechtschreibunterricht als Glied eines einheitlichen Erziehungsunterrichts nicht fördern. Durch die Schülerhefte wären alle Lehrer mit ihrem Sachunterrichte an die Schreibhefte gebunden. Lay sagt aber selbst, daß die Sprachganze vom Schüler im heimatkundlichen Unterrichte gewonnen werden sollen. Durch Gebrauch von Lays Heften würde der heimatkundliche Unterricht schablonisiert werden oder die Hefte bieten isolierte Übungen, wenn der heimatliche Unterricht einen andern Weg geht. Tut der letztere das, so mutet der Lehrer, wenn er die Schülerhefte gebraucht, den Schülern Schreibung von Wörtern zu, die dem Standpunkte der Kinder nicht entsprechen, weil gewisse Wörter ihrem Inhalte nach noch nicht vorgekommen sind und also ihre Schreibung gar nicht interessiert.

Von den Stoffen, die Lay den Kindern im 1. Schuljahre bietet, heißt es geradezu, daß hier der geistige Entwicklungsgang der Kinder auf eine Stufe geschraubt worden sei, die unpsychologisch ist. Ich bezweifle, daß Lays Schülerhefte aus der Praxis hervorgegangen sind. Im 3. Schülerhefte (3. und 4. Schuljahr) redet Lay mit den Kinder bereits von »Volksgedichte«, »Produkten«, »Gewerben«, »Erzeugnissen des Handwerks«, Industrieprodukten«, »vom Ausgleiche des Überflusses und Mangels an Produkten durch Handel« usw. Mit solchen Ausdrücken werden die Kinder dieser Schuljahre nur gemartert und gequält. Jeder in der Praxis stehende Schulmann wird mir das bestätigen. Die Stoffe in Lays Schülerheften sind rein naturkundliche Dinge. So ist er an einer einseitigen Wertschätzung der Gegenstände hängen geblieben. Er hat nicht das Kind im Auge, sondern das von seiner Theorie abgeleitete System. Nach seinen Vorschlägen zu unterrichten, bedeutet, das Kind zur überwiegenden Verstandesbildung heranziehen. Das ist für das gegenwärtige Geschlecht kein Vorteil. Nicht an mangelndem Intellekt werden wir zu Grunde gehen, sondern an mangelnder Gemüts- und Charakterbildung.

Ich bedaure es sehr, daß Lay den Gesinnungsunterricht als einen Anhängsel des heimatkundlichen Anschauungsunterrichts hinstellt. Der Gesinnungsunterricht muß nun einmal dem letzteren gegenüber seinen ganz eigenartigen Charakter und seine selbständige Stellung bewahren. Wenn man der Zillerschen Schule vorwerfen will, daß sie den heimatkundlichen Anschauungsunterricht als Anhängsel an den Gesinnungsunterricht darstelle, so darf man doch nicht, wie Lay es tut, in den umgekehrten Fehler verfallen.

Die Märchen sollen nach Lay, wie auch nach Sallwürk und Wigge, nicht mehr für die unterrichtliche Verwertung in der Volksschule geeignet sein. Und doch ist das Märchenland ganz dieselbe Welt, wie sie sich in den kleinen Kinderköpfchen aufbaut. Den Kindern erscheint in ihrer Phantasie alles möglich, wie sie sich über nichts wundern, so kennt auch das Märchen die Grenzen des menschlichen Könnens und Vermögens und die Gebundenheit an das Naturgeschehen nicht. Wie ferner in dem Kinde der Hang zu dem Wunderbaren und Geheimnisvollen unbezwinglich ist, wie nichts sein kleines Herz so erregt und beglückt als das Geheimnisvolle und Übernatürliche, so gibt es im Märchen noch echte und rechte Wunder. Das Märchen ist die Schöpfung aus der Jugendzeit der Menschen und Völker, die Speise, nach der die Kindesseele verlangt, und wer sie ihm versagt, der läßt nicht allein das Kind geistig verhungern, der versäumt es auch, den Grund zu legen, aus dem der Sinn für Poesie und für das Ideale seine Nahrung zieht. Das Märchen führt das Kind in die deutsche Heimat, an der das echte, unverdorbene deutsche Gemüt mit so leidenschaftlicher Liebe hängt. Das Märchen führt das Kind an die Orte seiner Heimat, wo es am liebsten weilt, auf die Wiese und das Feld, in den Garten mit seinen Rosenstöckchen, auf den Berg mit seinen Nüssen, in den Wald mit seinen Heimlichkeiten, die traulichen Plätze am Brunnen, an den Bach, an den Teich. Und überall weht dem Kinde der gesunde, kühle, frische Atem des Maienmorgens entgegen. Die Gestalten, die das Märchen beleben, sind vor allem die Tiere der Heimat, die Tiere des Hauses: Hund und Katze, Pferd und Esel, Hühnchen und Ente und die Tiere des Waldes: das Reh und der Hirsch, der Zaunkönig und der Raubvogel, Reinecke Fuchs, das Urbild der Schlauheit, der nimmersatte Wolf und der mit einem Zuge von Unbeholfenheit und Gutmütigkeit ausgestattete Bär, also die Naturwesen, die des Kindes Aufmerksamkeit und Interesse am allerlebhaftesten erregen und zu denen es sich mit magnetischer Kraft hingezogen fühlt; es ist das Erbe, das dem Kinde von den Vätern überkommen ist; denn der innige Verkehr mit der Tierwelt hat im Leben eine reich entwickelte Seite seines Lebens, seines Denkens und Fühlens ausgemacht. Kurz, das Märchen ist nun einmal die geeignetste Speise, nach der die Sechsjährigen noch verlangen, die allerdings auch die Vierjährigen begehren.

    Wenn man nun mit allem Nachdrucke für eine unterrichtliche Verwertung der Märchen im 1. und in einfachen Schulverhältnissen auch im 2. Schuljahre eintreten muß, so ist aber damit noch nicht gesagt, daß sie an Stelle der religiösen Unterweisung treten sollen. Die Märchen gehören vielmehr als nationaler Gesinnungsstoff in den deutschen Unterricht. Täuschen wir uns nicht! Das kindliche Gemüt braucht auch schon den Trost der Religion. Setzen wir alles daran, das Kind so früh als möglich zum aufrichtigen Umgange mit Gott zu bringen. Es liegt, wenn wir das Kind nicht früh genug religiös richtig leiten, die Gefahr nahe, daß sich die Kinder aus eigener Kraft etwas Götzenhaftes schaffen, wie Herbart treffend bemerkt.

    Die religiösen Gefühle gewinnen an rechter Innigkeit durch das Herzensverhältnis des Kindes zu den Eltern. Darüber wird auch die genaueste experimentelle Kinderforschung nicht hinausführen. Pestalozzi wird recht behalten in dem, was er im 13. Brief seiner Schrift: »Wie Gertrud ihre Kinder lehrt« darüber ausführt.

Ihm stimmt Tracy in seinem Buche: »Psychologie der Kindheit« zu, wenn er sagt: »Ehrfurcht vor den Eltern und Liebe zu denselben sind die beste Einleitung zur Ehrfurcht vor Gott und zur Liebe zu ihm. Es ist eine ziemlich sichere Behauptung, daß ein Kind, welches aus irgend einem Grunde seine Mutter niemals verehrt hat, um so weniger dazu geeignet sein wird, jemals ein göttliches Wesen zu verehren. Ein Kind, welches niemals kennen gelernt hat, was es heißt, in der freien Unterwerfung seines Willens unter den Willen weiser Eltern geübt zu werden, wird um soviel weniger dazu geeignet sein, sich jemals Gott zu unterwerfen mit jener glühenden Unterwerfung und Huldigung, welche das Werk des wahrhaft religiösen Lebens bildet.«

Derselbe Forscher ist fest davon überzeugt, daß die religiöse Natur einen wesentlichen Bestandteil des menschlichen Denkens und Fühlens bilde. Sie sei ebensowenig eine unechte Einschiebung wie das moralische Leben. Eine richtige und gründliche psychologische Analyse ermittele sie als etwas im menschlichen Bewußtsein Gegebenes, das selbstverständlich wie jede andere Fähigkeit durch Erfahrung entwickelt wie auch durch falsche Belehrung irregeleitet werden kann. »Die religiöse Natur ist darum etwas Wirkliches, das seinen Ursprung nicht dem Aberglauben der Kinderstube verdankt. Wenn nun die Erziehung im wahren Sinne die Entwicklung der ganzen Persönlichkeit bedeutet, dann verlangt die religiöse Natur ihren Anteil bei der Ausbildung des Individuums. Und wenn man diese Forderung zurückweist, so wird das Individuum um so unvollkommener entwickelt.«

Über die Sinnenwelt hinaus weisen wir unsere Kinder auf Gott, den lieben und guten Vater aller Menschen. Und dieser Begriff ist nicht nur für die Kinder, sondern auch für die Mündigen festzuhalten. »Ein bloß theoretischer Begriff ist ohne Wert. Eine bloße Idee ohne Trost.« Das gilt besonders von dem traumhaften Denken des Pantheismus. Aus der Sinnenwelt nimmt das Kind seine Vorstellungen, die es sich von dem Übersinnlichen macht. Mich haben Kinder gefragt, wieviel Gott größer ist als ein Mann. Gottes Schatten ist größer als der des Vaters, das Hündchen läuft so schnell, daß es kein Mann einholt, aber der liebe Gott braucht bloß einen Schritt zu machen, da hat er ihn. Der liebe Gott stirbt nicht, wenn er giftige Pilze ißt. In Anthropomorphismen und Anthropogathismen bewegt sich das Kind auf religiösem Gebiete. Auch der Erwachsene kommt mit seinem Gottesbegriffe über einen verfeinerten Anthropomorphismus nicht hinaus. Die heilige Schrift selbst spricht von dem Arme, dem Auge, dem Ohre Gottes. Würde die Offenbarungsurkunde nicht in Ausdrücken aus der Sinnenwelt reden, wir wären nicht im stande, von dem Übersinnlichen uns Vorstellungen zu machen. Da das Kind die rein geistige Persönlichkeit Gottes noch nicht fassen kann, eignen sich zur religiösen Überweisung zunächst die Geschichten der heiligen Schrift, in denen wir eine kindliche Weise der Gottesbezeugung und Offenbarung finden. Das geschieht im Kindesalter der Geschichte Israels; in der

Patriarchengeschichte. Schon vom kinderpsychologischem Standpunkte aus wird es nicht gelingen, das alte Testament aus dem Religionsunterrichte zu verdrängen.

Ich hege die Befürchtung, daß die physiologisch-experimentelle Psychologie uns eine naturalistisch gefärbte Erziehungslehre bringen wird, in der für Gemütsbildung, für religiöse Unterweisung kein Platz mehr ist. So wird in Demoors sonst so trefflichem Buche die religiöse Erziehung nicht erwähnt. Sollte diese für die Gemüter der Unmündigen entbehrlich sein? Die vielen Beispiele, wo gerade arme anormale Kinder durch den Trost der christlichen Religion so glücklich geworden sind, werden leider ignoriert.

In der sich anschließenden sehr kurzen Debatte wurde besonders die scharfe Beurteilung der experimentellen Didaktik zurückgewiesen. Auch hier trat ein vermeintlicher Gegensatz zwischen Herbart und Wundt, zwischen empirischer und experimenteller Psychologie hervor.

Am 3. Verhandlungstage begann Herr Rektor Schubert-Altenburg über:

›Einige Aufgaben der Kinderforschung auf dem Gebiete der künstlerischen Erziehung.‹

Der Vortrag ist als Abhandlung in Heft II und III dieser Zeitschrift zum Abdruck gekommen. Wir können deshalb auf eine Wiedergabe an dieser Stelle verzichten.

Als Korreferent sprach Herr Oberlehrer Dr. Pappenheim-Großlichterfelde über:

›Die Beeinflussung des Kunstsinnes durch den Unterricht in der Naturkunde.‹

Redner, der als ein Freund Fröbelscher Pädagogik bekannt ist, verspricht sich von einer ästhetischen Erziehung nach der produktiven Seite hin das meiste. Nach seiner Meinung kann dazu schon jeder Durchschnittslehrer sein Teil beitragen. Zur Erläuterung seiner Ausführungen wurden eine große Reihe von Lichtbildern vorgeführt, die z. T. in den Unterrichtsstunden des Redners entstanden waren und dartun sollten, ob und inwieweit das jetzt übliche Zeichnen im naturkundlichen Unterricht dazu angetan ist, die künstlerische Eigenart des Kindes zu fördern oder zu schädigen. Es ist unmöglich, alle Einzelheiten, die der Redner an die verschiedenen Bilder anknüpfte, wiederzugeben, da die Bilder hier sonst auch reproduziert werden müßten.

Redner geht in seiner Methode des Zeichnens von der Silhouette aus. Dann werden die behandelten Tiere nicht nur gezeichnet, sondern auch modelliert.

Nach 1 $\frac{1}{2}$ Jahren waren seine Schüler im stande, die 25 Tiere nach den Bildern im Lehrbuche zu modellieren. Auf den Rat Flinzers hin ließ Redner später nur noch nach dem Modell und aus dem Gedächtnis modellieren.

Auch den Zeichenbüchern nach van Dyckscher Art sprach der Referent das Wort. Strichbilder seien anregend, da die Proportionen der Körper dadurch scharf eingeprägt würden. Redner betonte dann nochmals, daß im naturkundlichen Unterrichte Beobachtungs- und Darstellungstätigkeit der Schüler zu üben seien.

In der Debatte über die Vorträge von Schubert und Pappenheim bemerkte Herr Dr. Strohmayer-Jena, daß eine vernunftgemäße Unterweisung in der künstlerischen Auffassung des menschlichen Körpers auch von großem hygienischen Nutzen sein wird. Die Bestrebungen einer gesundheitsmäßigen Körperpflege und Kleidung (Korsett!) müssen, um wirksam zu werden, Unterstützung in der Schule finden. Die Betrachtung des nackten Körpers und eine prüderiefreie Erklärung seiner Anatomie ist die Voraussetzung dazu.

Erziehungsinspektor Piper-Dalldorf tritt der Äußerung des Herrn Dr. Strohmayer »wer sich scheut den Körper zu sehen, der wäscht sich nur bis zum Hals« entgegen. Er hält die Erziehung zum Schamgefühl für notwendig. Alles zu rechter Zeit, in rechter Weise und an gehöriger Stelle.

Herr Dr. Kießling-Leipzig betonte, daß das Formen dem Zeichnen, welches Abstraktion erfordere, vorhergehen müsse. Beides setzt natürlich eine gründliche Anschauung voraus. Auch muß man mit diesen Tätigkeiten schon im 2. Schuljahre beginnen. Schematische Zeichnungen sind zu verwerfen, da sie zum Konstruieren nach Stuhlmannscher Art zurückführen.

Herr Dr. Kretzschmar-Leipzig: Das Rundschreiben des Geheimrats Prof. Dr. Lamprecht hat alle Bedenken vorher erwogen, die Rektor Schubert geltend gemacht hat. Was bisher in dieser Beziehung in die Welt hinaus geschickt worden ist, ist nur als vorläufig und vorbereitend aufzufassen. In endgültig abgeschlossener Form wird das Lamprechtsche Unternehmen erst späterhin sich an die Allgemeinheit wenden. Die von Rektor Schubert besonders bezweifelte Möglichkeit der Spontaneität muß auf jeden Fall aufrecht erhalten werden; die Spontaneität ist in dem Lamprechtschen Rundschreiben so gefaßt, daß hierunter zu verstehen ist, ob die Zeichnungen aus eigenem Antriebe entstanden sind.

Die pädagogische Forschung darf nicht, wie Rektor Schubert annimmt, von anderen Wissenschaften abhängig sein und hinter ihnen her marschieren. Die Pädagogik als Wissenschaft ist in ihrer Arbeit selbständig. Sie ist durch die Praxis genötigt, sich ihre Probleme selbst zu stellen und hat auch Mittel und Wege, diese selbst zu lösen, durch eigene Forschung unabhängig von der modernen allgemeinen Psychologie, die nur im Laboratorium arbeitet.

Herr Rektor Schubert-Altenburg: Das, was ich sagte, widersprach dem Schamgefühl nicht. Bezüglich der in Aussicht gestellten Versuche und Untersuchungen warne ich nur davor, daß deren Resultate nicht allzu früh in die Unterrichtspraxis eingeführt werden.

Zu dem Punkte Modellieren wünschte ich sehr, daß das Plastilina in allen Familien gebraucht und unentbehrlich werden möge.

Herr Dr. Pappenheim-Großlichterfelde bemerkt, daß er die Scheidung zwischen spontanen und beeinflußten Zeichnungen nicht scharf durchgeführt habe. Er benutze die Gedächtniszeichnung als Prüfstein für das Beobachtungs- und Darstellungsvermögen und dann ist die Beeinflussung unvermeidlich. Dem Formen aus Plastilin gibt auch er den Vorzug vor dem Zeichnen; trotzdem erscheinen ihm zur ersten Orientierung des Lehrers über das Auffassungs- und Darstellungsvermögen der neu eintretenden Schüler die Zeichnungen von Menschen und Pferden praktisch brauchbarer zu sein. Die van Dyckschen Zeichenhefte möchte auch er nur in der Hand des Lehrers wissen. Es seien diese sehr brauchbaren Vorlagen in methodischer Hinsicht jetzt überholt durch Seinigs »Praxis des Gedächtniszeichnens«. (Charlottenburg, Fr. Hückstedt).   (Schluß folgt.)

3. Der Reinfeldersche Vielhörer und sein Gebrauch in der Klasse für schwerhörige Kinder.

Von Reinhold Troitzsch, Lehrer in Berlin.

Schon vor mehr als hundert Jahren sind Versuche gemacht worden, durch systematische Hörübungen hochgradig Schwerhörigen eine Steigerung ihrer Hörfähigkeit zu vermitteln. Das Verdienst, zuerst Übungen dieser Art vorgenommen zu haben, gebührt dem Arzt an der Taubstummenanstalt zu Paris J. M. G. Itard (1775—1838). Um zu ermöglichen, daß seine Zöglinge die gesprochenen Laute zu unterscheiden vermochten, wendete er ein Hörrohr an, und seit dieser Zeit sind Hörrohre und verwandte Apparate (Öhlweinscher Gehörhelm) in großer Zahl konstruiert und angewendet worden. (Aschendorfsches Hörrohr, Rettigs »Tonbringer«, Hörrohre von Renz, Verrier, von Prof. Hartmann und andere mehr). Viele dieser Hörrohre, besonders die neueren Konstruktionen, sind zu einer Wohltat für zahlreiche Schwerhörige geworden. Es ist bekannt, daß viele Schwerhörige bei Benutzung des Hörrohres nicht nur die Vokale zu unterscheiden vermögen, sondern auch die Konsonanten und somit die Worte hören können. Deshalb sind in besonderen Hörklassen vielfach Hörrohre angewendet worden, und es ist Wahrheit geworden, was der Hofrat Renz in Stuttgart vor etwa dreißig Jahren gesagt hat, »daß die Anwendung des Hörrohres mit der Zeit einen bedeutenden Einfluß auf die Sprechmethode ausüben wird, so unwahrscheinlich dies auch im Augenblicke noch klingen mag.« Für Lehrer schwerhöriger Kinder sind deshalb gewiß die Aufsätze von Interesse gewesen, die seit einigen Jahren von einem Massenhörrohr berichten, von dem Reinfelderschen »Vielhörer«, der den Unterricht ganzer Klassen ermöglicht. Von diesem Apparat, wie er eingerichtet ist, und wie er gebraucht wird, will ich in Kürze einiges mitteilen.

In den beiden hiesigen Klassen für schwerhörige Kinder (die Klassen sind der 223. Gemeindeschule angegliedert) wird seit einiger Zeit der bezeichnete Vielhörer angewendet. Der Vielhörer ist ein Hörrohr und teilt mit den Hörrohren die diesen eigenen genugsam bekannten Vorzüge.

Zunächst möge erwähnt sein, daß tatsächlich in einer größeren Anzahl von Fällen eine Steigerung der Hörfähigkeit derjenigen Kinder, bei deren Behandlung man sich des Apparates bediente, erzielt worden ist. Es kommt hinzu, daß erst mit Hilfe des Vielhörers die einzelnen Kinder unterrichtsfähig gemacht wurden und schließlich seine Verwendung die Unterweisung einer ganzen Klasse ermöglichte.

Der Apparat ist vor zwei Jahren vom Taubstummenlehrer Reinfelder hierselbst konstruiert worden. Er besteht aus einem Schalltrichter: einer Hülse aus Blech in der Form eines abgestumpften Kegels von 32 cm Höhe. Der Durchmesser der großen Grundflächenöffnung beträgt 24 cm. Die gegenüberliegende Wand der kleinen Grundfläche zeigt etwa 8 cm Durchmesser. Diese Wand ist achtmal durchlocht und es münden in diese Löcher acht Schlauchleitungen, die zum Ohre der Schüler führen (selbstverständlich könnte bei größerer Schülerzahl die Zahl der Schläuche vermehrt werden). Etwa 30 cm vor dem Ende der Leitung ist jeder Schlauch gegabelt, und die Gabelenden tragen die Ohrstücke, die die Schüler in beide Ohrmuscheln einführen. Die Wirkung des Schalles wird durch drei Zinkblechmembranen, die der kleinen Grundfläche parallel in Abständen von je 8 cm im Schalltrichter angebracht sind, verstärkt. Jede dieser drei Membranen zeigt eine etwa talergroße Öffnung. Die einzelnen Scheiben können leicht herausgenommen werden. Der ganze Schalltrichter ist nun auf einem Stativ befestigt, in der Art, daß seine Achse wagerecht liegt und hoch genug, daß der Lehrer, der auf seinem Stuhle sitzt, bequem in die große Öffnung des Trichters hineinsprechen kann. (Eine Abbildung des Apparates findet sich in den »Blättern für Taubstummenbildung«, herausgegeben vom Schulrat E. Walther, Berlin, 1904. Nr. 13/14. S. 219).

In unserer ersten Klasse für Schwerhörige ist der Vielhörer seit zwei Jahren im Gebrauch. Mit Hilfe desselben wurden längere Zeit systematische Hörübungen vorgenommen. Das Gehör der Kinder besserte sich, und sie lernten sprechen. Artikulationsunterricht befestigte die Erfolge. Vom Lehrer dieser Klasse sind interessante Hörprüfungen seiner Schüler ausgeführt worden, die die Resultate des Unterrichts in recht gutes Licht setzen. Die erste Prüfung fand (im Mai 1902) vor Anwendung des Vielhörers statt. Die Kinder wurden auf Sprache geprüft (laute Sprache, Flüstersprache; Einzelprüfung von Lauten, Wortprüfung). Dann war der Vielhörer zehn Monate lang in Gebrauch, und im März 1903 wurde die zweite Prüfung vorgenommen. Das Ergebnis dieser Prüfung ist schon angedeutet worden. Aus den bezüglichen Aufzeichnungen sind beachtenswerte Tabellen entstanden, die in einem Separatabdruck der »Blätter für Taubstummenbildung« (16. Jahrg. Nr. 20. 1903) zusammengestellt sind. Nur eine dieser Übersichten, die den dreizehn Jahre alten Schüler Max Nürnberger betrifft, möge hier Platz finden: (S. umstehende Tabelle.)

Die unterrichtliche Unterweisung der Kinder war außerordentlich schwierig. Die Mehrzahl war infolge des geringen Grades der Hörfähigkeit mit den schwerwiegendsten Sprachgebrechen behaftet. In einem Falle fand der Lehrer Agrammatismus, in einem andern Dyslalie, jene Form des Stammelns, die ihren Grund hat in mangelhafter Übung der äußeren

¹) Name: Nürnberger, Max.
Geburtsort: Berlin; geb. 29. 9. 90.
Mutter: Witwe (Wäscherin).

Hörprüfung mittelst der Sprache
  a) Einzelprüfung der Laute,
  b) Wortprüfung.

März 03   Reaktion für laute Sprache.   März 03

Reaktion für Flüstersprache.

Mai 02   Mai 02

Reaktion für laute Sprache.

Reaktion für Flüstersprache.

Einzelprüfung der Laute				Reiz: (Vorgesprochene Laute)	Einzelprüfung der Laute			
linkes Ohr	linkes Ohr	linkes Ohr	linkes Ohr		rechtes Ohr	rechtes Ohr	rechtes Ohr	rechtes Ohr
	m 2,95		m 0	R	m 0		m 4,00	
m 3,00	„ 2,45	m 1,5	„ 0	U	„ 0	m 2,00	„ 0,7	m 18,00
	„ 3,5		„ 0,15	B	„ 0,2		„ 2,00	
„ 12,00	„ 0,9	„ 2,00	„ 0	O	„ 0	„ 2,00	„ 0,43	„ 18,00
	„ 2,4		„ 0,4	K	„ 0,2		„ 3,00	
	„ 3,55		„ 0,2	T	„ 0,1		„ 4,00	
	„ 2,00		„ 0	F	„ 0		„ 0,2	
„ 7,00	„ 0,2	„ 3,00	„ 0	A	„ 0	„ 3,00	„ 0,2	„ 5,00
„ 7,00	„ 0,1	„ 1,00	„ 0	Ö	„ 0	„ 1,2	„ 0,1	„ 11,00
„ 7,00	„ 0,3	„ 1,00	„ 0	Ü	„ 0	„ 1,5	„ 0,3	„ 10,00
„ 11,00	„ 0,1	„ 1,5	„ 0	E	„ 0	„ 2,00	„ 0,4	„ 13,00
	„ 0,2		„ 0,04	S	„ 0,1		„ 3,00	
„ 12,00	„ 0,1	„ 1,5	„ 0	J	„ 0	„ 2,4	„ 0,1	„ 13,00
	„ 4,5		„ 0,05	Sch	„ 0,08		„ 4,00	

Wortprüfung:

rechtes Ohr: 0—0 m
linkes Ohr: $\overline{0—0}$ m

rechtes Ohr: 0—0 m
linkes Ohr: $\overline{0—0}$ m

rechtes Ohr: 0.3—0,02 m
linkes Ohr: $\overline{0,2—0,02}$ m

rechtes Ohr: 4—3 m
linkes Ohr: $\overline{5—4}$ m

¹) Die Hörprüfungen sind auf Grund der Arbeiten von Dr. Oskar Wolf (Frankfurt a. M.) und Prof. E. Bloch (Freiburg) ausgeführt. — Beispiel zum Verständnis der Bruchstrichmethode: $\frac{4-3\ m}{5-4\ m}$. Das will heißen: auf dem rechten Ohre werden hohe Worte 4 m, tiefe 3 m weit gehört, auf dem linken Ohre hohe 5 m, tiefe 4 m weit gehört; also die hohen Worte stets vorangestellt und das Ergebnis für das rechte Ohr stets über, das für das linke unter den Strich geschrieben.

Artikulationswerkzeuge. So war vor allem ein sorgfältiger Sprachunterricht geboten. Die einzelnen Sprachlaute mußten entwickelt, die richtige Darstellung der zahlreichen Lautverbindungen mußte geübt werden. Die Festsetzung der ersten Begriffe erforderte deren sprachliche Bezeichnung, und mit der Gewinnung der Sprache ging der Unterricht im Schreiben und Lesen Hand in Hand. Der außerordentlich arme Anschauungskreis der Kinder bildete eine dürftige Unterlage für den folgenden sprachlichen Aufbau. So kam es zunächst darauf an, das Vorstellungsvermögen nach Kräften zu bereichern und zu stärken, um unter steter Anlehnung an den Gedankenkreis der Kinder die sprachliche Bildung soweit zu fördern, daß eine Grundlage für ferneren gemeinsamen Unterricht, für Klassenunterricht, gewonnen würde. Ich will im Folgenden die Frage: Wie ist der Vielhörer im Klassenunterricht verwendet worden? noch kurz berühren:

Der Apparat war in beiden hiesigen Klassen für Schwerhörige in Gebrauch. Wenngleich die Arbeit des Lehrers Schwerhöriger nicht so anstrengend, nicht so aufreibend ist als die des Taubstummenlehrers, so ist Kraftaufwand auch beim Unterricht Schwerhöriger doch immerhin in ganz bedeutendem Maße erforderlich, um so mehr, wenn die Schüler, wie in unserer ersten Klasse, nur geringe Hörkraft besitzen oder, wie in unserer zweiten Klasse, schwerhörige Schwachsinnige sind. Für den Lehrer ermöglicht der Apparat eine ganz bedeutende Ersparnis an Kraft. Beide Lehrer unserer Klassen haben von Anfang ihrer Tätigkeit nicht sogleich den Vielhörer benutzen können. So wurden die Schüler und Schülerinnen einzeln oder in ganz kleinen Gruppen (je nach dem Grade der vorhandenen Hörreste) durch das Ohr unterrichtet, in mehreren Fällen auch Einzel-Hörrohre verwendet; beides Unterfangen, die dem Lehrer schon nach Verlauf einer Stunde viel Lunge und Kehlkopf gekostet hatten. Eine heisere, angestrengte Stimme war dem Lehrer stündlich die Quittung für seine Arbeit. Das ist anders geworden. Der Vielhörer tritt in Gebrauch besonders wenn die vortragende Lehrform benutzt wird: im Religionsunterricht bei der Darbietung der biblischen Erzählung und bei der Anwendung der entwickelnden Lehrtätigkeit auf heilsgeschichtliche Stoffe. Er ermöglicht mustergültigen Vortrag der Gedichte und sinngemäßes Vorlesen der Sprachstücke. Im Unterricht in der Profangeschichte und in der Literatur wird der Vielhörer nicht gern entbehrt werden. Hier wird der Apparat bei der unterrichtlichen Verwertung der Gesinnungsstoffe ebensowohl angewendet wie im Rechen- und Naturunterricht; ja der Vielhörer unterstützt den Unterricht im Schreiben und Zeichnen.

So wird es den Lehrern erleichtert, den Gedankenkreis der Schüler kennen zu lernen und durch Fragestellung die Vorstellungen wach zu rufen. Ein freier Verkehr kann zwischen dem Lehrer und den Zöglingen obwalten, und der Lehrer vermag sich mit größerer Sicherheit davon zu überzeugen, ob die Schüler seinem Unterricht zu folgen vermögen. Er sieht, wo es fehlt, und kann sich leicht der Individualität anbequemen, seine Lehrweise der Fassungsgabe des Einzelnen gemäß gestalten. Dem Schüler, der bisher, veranlaßt durch seine Schwerhörigkeit, dem Unterricht nicht zu folgen vermochte, der dem Lehrer fremd blieb und ihm rechtes Zutrauen entgegen zu bringen kaum im stande war, ihm geht ein neues Leben an. Er empfindet Lust am Unterricht, Freude am dargebotenen Stoffe. Er fühlt sich selbst wieder. Es wächst das Vertrauen auf die eigene Kraft. So besteht die Möglichkeit, die Zöglinge dem Ziel der Erziehung entgegen zu führen.

4. Die freie Vereinigung für das psychologische Studium der Kindheit in Paris.

Es sind jetzt drei Jahre, daß diese »Societé libre pour l'étude psychologique de l'Enfant« begründet wurde, eine Vereinigung, welche die Aufgabe hat, Untersuchungen individueller wie kollektiver Art über die körperliche und psychische Entwicklung des Kindes anzustellen. Dem Vorstande gehören die bedeutendsten Vertreter der Pädagogik an, wie die Herren Liard, Rektor der Sorbonne in Paris, der Ehrenvorsitzender ist, Bédaures, Direktor des Primärunterrichts an der Seine, und Madame Kergomard, General-Vorsteherin der Schulen für Mütter. Das Bureau hat zum Vorsitzenden Herrn Buisson, Ehrendirektor des Primärunterrichts im Ministerium des öffentlichen Unterrichts, während die geschäftliche Leitung Herr Binet, der Direktor des psychologischen Laboratoriums an der Sorbonne, führt.

Die Vereinigung hat alle Monate eine Arbeitssitzung und hält alljährlich eine Generalversammlung ab. Die Generalversammlung des letzten Jahres fand am 20. Oktober statt unter dem Vorsitze des Herrn Thamin, des Rektors der Akademie von Bordeaux. Mehr als 300 Personen waren anwesend. In einer geistvollen Rede legte Herr Thamin die von ihm gemachten Untersuchungen über den Charakter des Kindes dar. Er verweilte besonders bei den Beziehungen, welche man oft zwischen zwei moralischen Eigenschaften oder Fehlern beobachtet, wie z. B. zwischen Stolz und Schüchternheit. Die von ihm gemachten Beobachtungen sind eigenartig und bedeutsam. Sie werden nachgeprüft von einer Sonderkommission, genannt »Kommission für sittliche Gefühle«. Sie zählt zu ihren Mitgliedern solche, welche besonders auf diesem Gebiete bewandert sind.

Außerdem gehört noch zu dem Arbeitsplane der Vereinigung die Ernennung von verschiedenen Kommissionen, gebildet aus sachverständigen Spezialisten der verschiedenen Fächer, z. B. eine Kommission ist ernannt für die Frage der Graphologie. Eine andere Kommission beschäftigt sich mit anormalen Kindern, eine andere mit dem Charakter, eine andere mit dem Gedächtnis, eine andere mit individueller Veranlagung. Diese letztere, welche Herr Malapert, Professor der Philosophie am Lyceum Louis le Grand vorsteht, begann mit dem Studium der Entwicklung der Sprache beider Geschlechter. Eine weitere Kommission wird sich wahrscheinlich bilden für körperliche Bewegungen.

Der Vorzug dieser Arbeitsgruppen besteht in der Art ihrer Zusammensetzung. Sie können sich nicht einer Doktrin ganz hingeben, weil sie ebenso verschiedenartige wie voneinander unabhängige Elemente aus

Medizinern und Pädagogen in sich vereinigen, und weil es unter den Lehrern Vertreter des öffentlichen Unterrichts nach seinen drei Graden (primaire, secondaire und supérieur) gibt.

Jedermann ist von der Grundidee eingenommen, daß sich die Fragen der Psychologie und der Pädagogik keineswegs auf literarische Theorien gründen lassen, sondern nur auf das langsame, geduldige und interessante Studium der Tatsachen.   Man muß, wie Herr Binet sagt, »beobachten und experimentieren, experimentieren und beobachten«.

Wir werden die Leser dieser Zeitschrift auf dem Laufenden halten mit den interessantesten Arbeiten.

Paris.   Dr. Manheimer Gommès.

---

5. Das Pensionat für nervöse junge Mädchen gebildeter Stände.

Dieses »Heilerziehungsheim« in Berlin-Zehlendorf, Heidestr. 20, ist eine von den vielen Neugründungen des Prof. Dr. theol. et phil. Zimmer. Das Heim hat ein Kuratorium, bestehend aus den Geheimen Medizinalräten Dr. med. Dietrich, Dr. med. Eulenburg, Prof. Dr. Ziehen, sämtlich in Berlin, Dr. med. Roth in Potsdam, dem Kreisarzt Dr. med. E. Zimmer in Berlin und dem Direktor des Ev. Diakonievereins in Berlin-Zehlendorf Dr. theol. et phil. F. Zimmer. Vorsteherin ist die Schwester des Ev. Diakonievereins Anna Groth, welche vordem mehrere Jahre als Lehrerin bei uns tätig war.

Aufnahmefähig sind nervöse junge Mädchen aus gebildeten Kreisen im Alter von 15 Jahren an, deren Verbleiben infolge ihrer krankhaften Veranlagung in der Familie Schwierigkeiten macht, und die auch in den üblichen Töchterpensionaten nicht am Platz sind, weil ihnen daselbst die notwendige Einzelbehandlung durch spezialistisch vorgebildete Erzieherinnen unter fachärztlicher Aufsicht nicht zu teil werden kann.

Eine eigentliche Heilanstalt will das Pensionat nicht sein; Nervenkranke sind nach dem Prospekte ebenso ausgeschlossen wie Geisteskranke, Idioten und Epileptische. Wohl aber steht mit dem Pensionat ein eigenes Sanatorium für weibliche Nervenkranke gebildeter Stände in Verbindung, und in der Nähe befindet sich ein Asyl und Erziehungsheim für epileptische Frauen und Kinder, deren beider leitender Arzt Dr. P. Krefft, Spezialarzt für Psychiatrie und Neurologie, täglich das Pensionat besucht. So ist ein Ineinandergreifen pädagogischer und ärztlicher Einwirkung gesichert.

Das Ziel des Pensionats ist, seine Angehörigen, für das Hinaustreten in das Leben fähig zu machen, insbesondere den heranwachsenden jungen Mädchen diejenige — namentlich praktische — Ausbildung zu geben, die sie für die Anforderungen des häuslichen und gesellschaftlichen Lebens gebrauchen.

Die Eigenart des Hauses bringt es mit sich, daß irgend welcher Klassenunterricht nicht gegeben werden kann. Die jungen Mädchen erhalten einzeln oder zu zweien oder zu dreien ihren Unterricht, der sich deshalb ganz an ihre Anlagen, Interessen und Vorbildung anschließen kann.

Das Kuratorium, dessen Funktionen aus dem Prospekte nicht ersichtlich sind, dürfte wohl dafür bürgen, daß dieses Heilerziehungsheim bahnsuchend für die Erziehung problematischer Mädchennaturen im Pubertätsalter wirken wird. Tr.

_____

6. Ferienkurse in Jena für Damen und Herren im Volkshaus am Carl Zeiss-Platz.

Von den zahlreichen Vorlesungen über die verschiedensten Fragen fallen folgende Vorlesungen und Übungen in das Gebiet der Kinderforschung und der Heilerziehung:

1. **Physiologie des Gehirns** mit Demonstrationen: Privatdozent Dr. Noll (Physiolog. Institut, von 12—1 Uhr).

1. Ausbildung des Gehirns in dem Tierreiche. Entwicklung des menschlichen Hirns. 2. Das entwickelte menschliche Gehirn. Bedeutung seiner einzelnen Teile. Zusammensetzung der Gehirnsubstanz. 3. Begriff des Neurons. Verknüpfung des Gehirns mit den Bewegungs- und Sinnesorganen. 4. Physiologie der Nervenzelle. Die Nervenleitung. 5. Die Reflexe. 6. Das Zustandekommen willkürlicher Bewegungen. 7. Allgemeine Beziehungen zwischen Reiz und Empfindung. Webers Gesetz. 8. Gesichtsempfindungen. 9. Gehörsempfindungen. 10. Lokalisationen in der Großhirnrinde. 11. Sprache und Sprachstörungen. 12. Der zeitliche Verlauf der psychophysischen Prozesse.

2. **Psychologie des Kindes:** Dr. A. Spitzner-Leipzig (6 Vorträge vom 3.—9. August, 4—5 Uhr).

1. Geschichtliche Einleitung. Begriff, Aufgaben, Methoden. 2. Die Entwicklung des kleinen Kindes. 3. Die Entwicklung der Bildungstriebe. 4. Die Entwicklung der Normierungsprozesse. 5. Die Entwicklung der Selbstbestimmungsfähigkeit.

3. **Die unterrichtliche Behandlung abnormer Kinder:** Direktor Trüper und Institutslehrer Landmann. 3mal zwei Stunden in der Turnhalle des Erziehungsheims Sophienhöhe vom 3. bis 5. August nachm. von 5—7 Uhr.

Praktische Vorführungen mit Erläuterungen und Diskussionen.

4. **Über Ursachen, Erscheinungen und Zusammenhang von körperlicher und psychopathischer Minderwertigkeit beim Kinde** (mit Demonstrationen): Dr. Fiebig, Schularzt in Jena. 6 Vorträge vom 7.—9. August, 6—8 Uhr abends.

1. Bau und Lebenseigenschaften der Zelle, sowie Ursachen und Erscheinungen ihrer Degeneration, speziell derjenigen der Großhirnprotoplasmen. 2. Verkehrte und ungenügende Pflege, Ernährungsfehler, Verdauungsstörungen. 3. Rachitis. 4. Skrofulose. 5. Infektionskrankheiten. 6. Endogene und exogene Intoxikationen.

5. **Über Sprachstörungen im Kindesalter:** Privatdzent Dr. Herm. Gutzmann-Berlin. 6 Vorträge vom 3.—5. August, 6—8 Uhr abends.

Entwicklung der Sprache des Kindes. Hemmungen dieser Entwicklung. 1. Peripher.-impress. Hemmungen: Taubstummheit. 2. Zentrale Hemmungen:

verschiedene Formen der Stummheit, insbesondere Hörstummheit; verschiedene Formen des Stammelns, Stottern. 3. Periph.-express. Hemmungen: organisches Stammeln. Einfluß von Familie und Schule auf die Sprachstörungen.

Prospekte und alles Nähere durch das Sekretariat Frau Dr. Schnetger, Jena, Gartenstraße 2.

---

7. Kurse in Theorie und Praxis der Fröbel-Erziehungslehre für Kindergärtnerinnen, Elementarlehrer und Lehrerinnen.

Veranstaltet vom Kasseler Fröbelseminar, vom 19. Juli bis 1. August 1905.

Vorlesungen und praktische Übungen:

1. Grundsätze der Fröbelschen Erziehunglehre. Diskussion. Frl. Mecke.
2. Psychologie des Kindes. (Probelektion im Seminar.) Frl. Mecke.
3. Die Methode der Gaben und Beschäftigungen in Kindergarten, Schule und Kinderhort. Probelektionen (Anschauungs- und Darstellungsübungen inkl. Turnspiele und Bewegungsspiele). Fräulein Mecke, Fräulein Schimmack und Fräulein Hildebrandt.
4. Die Fröbelsche Pädagogik in der Elementarklasse nach dem Prinzip der Selbsttätigkeit. Lehrproben und Diskussion. Rektor Henck.
5. Anleitung zur Anfertigung von Fröbel-Arbeiten in Familie, Kindergarten und Schule. Fräulein Hildebrandt und Fräulein Schimmack.
6. Erziehung und Unterricht nicht normal beanlagter Kinder nach Fröbelschen Grundsätzen. Diskussion. Besuch der städtischen Hilfsschule in Kassel. Hauptlehrer Hagen.
7. Besuch der Idiotenanstalt Hephata bei Treysa. Pfarrer Schuchardt.
8. Die neuen Bestrebungen auf dem Gebiete der Jugendliteratur. Schriftsteller Traudt und Lehrer Hassenpflug.
9. Aufgaben und Organisation des Kindergärtnerinnen-Seminars, der Kinderpflegerinnen-Schule, des Kindergartens und des Kinderhorts. Fräulein Mecke und Fräulein Siebert.
10. a) Besprechung volkshygienischer Fragen: Dr. Adolf Alsberg. b) Wohlfahrtseinrichtungen für Kinderschutz und Pflege: Dr. Blumenfeld. c) Volkspflege: Frau Gruß.
11. Die soziale Arbeit der Lehrinnen und Kindergärtnerinnen: Anleitung zur praktischen Einführung der Mutter im Volk in hygienische und pädagogische Aufgaben. Arbeit in Volksunterhaltungsabend, Fabrikarbeiterinnenheim, Milchküche usw., Jugendverein und Kinderspeiseeinrichtung nach modernen Grundsätzen der Armenpflege.
12. Besuch der Wohlfahrtseinrichtungen der Stadt Kassel, Gemeinsame Ausflüge in die Umgegend Kassels (Wilhelmshöhe, Ahnatal, Münden, Eisenach, Fröbelmuseum), Führung in Museen und Galerien.

Näheres durch Fräulein Hanna Mecke, Kassel, Parkstr. 22 oder Herrn Rektor Henck, Kassel-Rothenditmold.

8. Ausbildungskurse in der Fürsorgearbeit

veranstaltet in diesem Jahre wieder die Zentrale für private Fürsorge, Frankfurt a. M.

In der Absicht, ein getreues Bild moderner Fürsorgebestrebungen zu geben, soll deren Organisation und Technik zum Gegenstand eingehender Untersuchungen gemacht werden. Dabei werden die wichtigsten Anstalten, wie sie in Frankfurt und in dessen Umgebung die sehr vielseitig entwickelte gemeinnützige Tätigkeit bietet, besucht und von den Leitern eingehend erläutert. Im Anschluß daran werden einschlägige Fragen durch Vorträge von Fachleuten behandelt und auch mehrfach in mündlichen Besprechungen erörtert.

In diesem Jahre wird der Kursus über Fürsorge für Erholungsbedürftige vom 29. Mai bis 3. Juni behandeln:

1. Genesendenfürsorge: Genesendenheime, Lungenheilstätten, Hauspflege, Familienfürsorge für Lungenkranke, Tätigkeit der Krankenkassen und Landesversicherungsanstalten.

2. Fürsorge für erholungsbedürftige Erwachsene: Walderholungsstätten, Ferien-Kolonien, Landaufenthalt für jugendliche Arbeiterinnen, obligatorische Einführung eines Erholungsurlaubs für Angestellte.

3. Fürsorge für erholungsbedürftige Kinder: Ferienkolonien und Ferienwanderungen, Halbtagskolonien, Ferienspiele, Waldschulen, Walderholungsstätten für Kinder, Kinderheilstätten, Seehospize.

Der Kursus über Kinderfürsorge vom 19. bis 28. Juni wird behandeln:

1. Vormundschaftswesen: Uneheliche Kinder, Säuglingsheime und Kinderherbergen, Kostkinderwesen, Pflegestellenvermittlung, ärztliche und polizeiliche Aufsicht; Mitwirkung der Schule, Fürsorgeerziehung; Gemeindewaisenrat, Berufsvormundschaft (General- und Kollektivvormundschaft).

2. Berufsbildung für Jugendliche: Berufswahl, Lehrstellenvermittlung, Werkstättenlehre, Lehrwerkstätten, Anstaltslehre, Lehrlingsheime, Fortbildungsschulen; Haushaltungs- und Dienstbotenschulen; Berufsbildung bei Blinden, Taubstummen und Krüppeln; Arbeitslehrkolonien und Beobachtungsstationen für Schwachbefähigte.

Zur Teilnahme an dem Kursus sind berechtigt Damen und Herren, 1. die praktisch in der Fürsorgearbeit, freiwillig oder besoldet, tätig waren; 2. andere, soweit sie eine höhere Schule besucht haben. Ausnahmen sind nach vorheriger Anfrage zulässig.

Das ausführliche Programm beider Kurse wird in einigen Wochen erscheinen und jedem Interessenten auf Verlangen zugesandt von der Zentrale für private Fürsorge, Dr. Chr. J. Klumker, Frankfurt a/M., Börsenstraße 20.

C. Literatur.

Zwei neue Zeitschriften auf dem Gebiete der Psychologie und Psycho-pathologie des Kindes sind erschienen, die uns zu ein paar Bemerkungen Ver-anlassung geben.

1. »**Die experimentelle Pädagogik**«, Organ der Arbeitsgemeinschaft für experi-mentelle Pädagogik mit besonderer Berücksichtigung der experimentellen Didaktik und der Erziehung schwachbegabter und abnormer Kinder. Begründet und her-ausgegeben von Dr. W. A. Lay und Dr. Meumann, Prof. an der Universität Zürich. 1. Band, Heft 1/2. Wiesbaden, Nemnich, 1905. Preis pro Band 6,50 M.

Die Schrift des Herrn Dr. Lay »Experimentelle Didaktik« haben wir früher an diesem Orte unsern Lesern angelegentlich zur Prüfung empfohlen. Wir behielten uns vor, die neuen Bahnen, welche Dr. Lay, jetzt im Verein mit Prof. Meumann wandelt, kritisch zu betrachten. Wir haben es bisher unterlassen, weil wir den ersten umfassenden, vielfach sehr anfechtbaren Versuch des Herrn Dr. Lay, eine neue Didaktik auf das Experiment zu begründen, nicht als Maßstab für den Wert des Experimentes in der Pädagogik überhaupt nehmen wollten, sondern erst noch weiteres abwarten möchten, meinend, daß die notwendige Kritik schon von anderer Seite nicht ausbleiben werde.[1]

Die Zeitschrift wird jetzt durch Einzelarbeiten von verschiedenen Seiten her den Beweis erbringen, welche Bedeutung das Experiment für die Pädagogik hat. Mit jeder neuerscheinenden Nummer wird uns ein abschließendes Urteil leichter werden. Das erste Doppelheft enthält:

a) Abhandlungen. »Zur Einführung« von Meumann-Zürich und W. A. Lay-Karlsruhe. »Examen und Leistungen« von Marx Lobsien-Kiel. »Neue Erfahrungen über Intelligenzprüfungen an Schulkindern« von E. Meumann-Zürich. b) Mitteilungen und Diskussionen. »Vorschlag

---

[1] Sie ist auch inzwischen in beachtenswerter Weise erfolgt. Privatdozent Dr. Stern-Breslau, selbst ein »Experimenteller«, beginnt seine Besprechung (»Zeit-schrift für Psychologie und Physiologie der Sinnesorgane«. 1904. S. 311—317): »Das Laysche Buch ist nach Ankündigung des Verlegers eine epochemachende Neuheit und nach der Meinung des Verfassers ein grundlegendes pädagogisches Reformwerk. Die Kritik kann dieser Selbsteinschätzung nicht ganz zustimmen; dazu hat das Buch bei großer Breitendimension zu wenig Tiefendimension.«

Gleichzeitig mit der Korrektur geht mir das neueste »Jahrbuch des Vereins für wissenschaftliche Pädagogik« (d. i. der Herbart-Zillerschen »Arbeits-gemeinschaft«) zu. Darin bespricht Seminarlehrer Fack-Weimar »Lays experi-mentelle Didaktik«. Er schließt: »Lay hat ein verdienstliches Werk geschaffen, ein Werk, das der pädagogischen Welt wertvolle Anregungen gibt. Daß es einen Wendepunkt in der Pädagogik bedeute, glaube ich allerdings nicht. Lay selbst überschätzt den Wert der experimentellen Didaktik; ebenso sicher ist, daß er den Wert der heutigen Didaktik unterschätzt. ,Es gilt . . ., die Didaktik vom sterilen Flugsande, gebildet durch rohen Empirismus, blindgläubige Dogmatik, müßige Speku-lation, unbefugte Generalisation, rechthaberische Dialektik, auf den fruchtbaren Ackerboden der wissenschaftlichen, experimentellen Forschungsmethode zu verpflanzen, zu gleicher Zeit der überwuchernden Oberflächlichkeit, der kritiklosen Kritik, den spitzfindigen Künsteleien, dem niedrigen Drill ein Ende zu bereiten. . . .' (Vorwort S. VIII u. IX.) So zu reden, dürfte einem historisch und philosophisch gebildeten Manne kaum angemessen sein.«

Leider haben beide Kritiker recht. Doch besser, es geschieht einmal etwas Ungehöriges, denn daß alles in Trägheit und Lässigkeit versinkt.

zum Arbeitsplan« von Lay-Karlsruhe. »Über die Darmstädter Lehrerversammlung akademisch gebildeter Lehrer« von Lay. »Das Universitätsstudium der Volksschullehrer«. Kritische Bemerkungen zur
deutschen Lehrerversammlung 1904 von Lay. c) Literaturberichte.

Man hat uns gelegentlich einmal geäußert, daß wir das Experiment zu wenig
berücksichtigen. An und für sich verkennen wir den Wert des Experimentes keineswegs und haben das schon in dem ersten Programm unserer Zeitschrift, wie auch
sonst mehrfach betont und jede lesbare Arbeit der experimentellen Psychologie
gerne aufgenommen.

Wenn wir uns mehr zurück gehalten haben, so lag das vor allen Dingen
auch daran, daß der knappe Umfang unserer Zeitschrift vorläufig noch wichtigere
Mitteilungen über das Kind in gesunden und kranken Tagen zu bringen hatte, und
es wird das auch fortan noch wohl so bleiben.

Eine Pädagogik in der geforderten Weise experimentell neu zu begründen,
das kann zunächst nur Aufgabe einer streng wissenschaftlichen Arbeitsgemeinschaft sein. Eine solche bilden Anstalten und Schulen, für die in erster Linie
unsere Zeitschrift arbeitet, aber an sich nicht. Solche Versuche können zunächst
nur Aufgabe der Universitäten sein. Aber solange die Universitäten die Pädagogik
und ihre Grundwissenschaften, insbesondere die Psychologie des Kindes, dermaßen
mißachten, wie sie das bisher getan haben, haben sogar auch noch die wenigen
Universitäten, welche überhaupt pädagogische Lehrstühle haben, wichtigeres zu tun,
als nur zu experimentieren. Jena ist — wie auch Lay betont — zwar die einzige
deutsche Universität, welche überhaupt Gelegenheit zum Experimentieren auf
pädagogischem Gebiete hat, denn nur sie hat eine pädagogische Klinik, eine Übungsschule; diese hat zwar endlich ein eigenes Heim bekommen — ich mag gar nicht
sagen, wie dürftig sie noch bis vor 7 Jahren eingemietet war —, aber doch sind
diese Einrichtungen bei weitem nicht hinreichend, um ernstlich experimentelle
Forschungen betreiben zu können. Selbst hier in dem viel gepriesenen Jena muß
zudem ein einziger Professor alle Zweige der Pädagogik und ihrer Grundwissenschaften vertreten und zugleich Leiter der Klinik, des Laboratoriums, der Übungsschule sein. Natürlich soll nicht damit bestritten werden, daß nicht vielerorts ein
Philosoph oder ein Theolog so nebenbei auch noch ein Kolleg über Pädagogik und
ihre Grundwissenschaften liest — Dörpfeld sagt: wie der Student auf der Universität so nebenbei auch ja das Tanzen und Fechten lernt —, aber er liest es
eben nebenbei, als nicht zu seinem eigentlichen Forschungsgebiet gehörend.

Das Studium der kranken und sterbenden und gestorbenen Menschen hat
auch in Jena mindestens das dreißigfache an Kliniken, Laboratorien und sonstigen
Einrichtungen. Nicht ein Dozent lehrt hier, sondern es lehren 30—40. Und
anderswo ist das Verhältnis noch ungünstiger. Auf diese Mißstände haben wir
immer und immer wieder hingewiesen,[1] und vor uns hat das unser Freund
Dörpfeld getan als das wichtigste, was er für die Pädagogik tun konnte. Und immer
wieder war es auch die viel geschmähte Herbartsche »Arbeitsgemeinschaft«, die für
diese dringlichen Reformen zu werben suchte, leider fast vergebens. Man hat sogar
die sehr verdienstvolle Klinik Prof. Zillers — man möchte sagen leichtfertig —
eingehen lassen. Prof. Ziehen, der seine experimentelle Psychologie in Verbindung mit dem pädagogischen Seminar in Jena betrieb, wollte seiner Zeit in Jena

---

[1] Zuletzt noch in meiner Abhandlung »Psychopathische Minderwertigkeiten
als Ursache von Gesetzesverletzungen Jugendlicher«. (Beitr. zur Kinderforschung.
Heft VIII. Langensalza, Hermann Beyer & Söhne [Beyer & Mann], 1904.)

bleiben, wenn man ihm jährlich 1000 M für ein psychologisches Laboratorium bewilligte. Sogar ein Privatmann (Abbe) wollte diese Summe und vielleicht auch noch mehr opfern. Der Nachfolger auf dem Ministerstuhle Goethes hatte sowenig Verständnis für diese Fragen, daß er diese Forderung ablehnte und einen Ziehen nach Holland ziehen ließ. Und angesichts solcher Zustände soll die Universität noch die Bildung der Volksschullehrer übernehmen. Der Gedanke grenzt ans Ungeheuerliche: 150000 Volksschullehrer und nur eine oder nur einige Professuren für Pädagogik in Alldeutschland! Und nun noch eine Pädagogik durch experimentelle Untersuchungen ganz neu begründen!

Dieses Elend empfindet auch Lay, und er gibt ihm beredten Ausdruck in dem Schriftchen »Unser Schulunterricht im Lichte der Hygiene« (Wiesbaden, Otto Nemnich, 1904. 32 S. Preis 60 Pf.), wie auch an mehreren Stellen seiner Einleitungsworte der neuen Zeitschrift.

Da freut es uns, daß wenigstens in Zürich die deutschredende Pädagogik und ihre Hilfswissenschaft eine Heimstätte gefunden hat und daß Prof. Meumann als Herausgeber des »Archivs für die gesamte Psychologie« (Leipzig, Engelmann), auch noch an diesem Sondergebiete sich beteiligt.

Was nun Meumann und Lay wollen, ist nur zum Teil neu. Vor allem Lay übertreibt außergewöhnlich. »Alles, was (außerhalb der ,experimentellen Arbeitsgemeinschaft') besteht, ist wert, daß es zu Grunde geht.« So ähnlich klingt es aus manchen seiner Ausführungen heraus. Vielfach tut man auch, als wenn man es nicht sehen kann, wenn andere längst vorher schon dasselbe gesagt und gewollt haben. Man will eben absolut eine neue Schule oder »Arbeitsgemeinschaft«. Und doch wüßte ich nicht, welcher Gedanke Meumanns in seinen vortrefflichen, besonnenen und klaren Ausführungen »Zur Einführung« nicht die volle Zustimmung auch in unsern Kreisen fände und in der »Arbeitsgemeinschaft« derer, die sich an Herbart anlehnen im Sinne des ersten Satzes in den Satzungen des »Vereins für wissenschaftliche Pädagogik«, der verlangt, daß Herbarts Lehren anerkannt und ausgebaut, oder, daß sie widerlegt werden. Mit den dogmatisierenden Anhängern irgend einer Schule oder Arbeitsgemeinschaft haben auch wir nichts zu tun. Unsere Stellung zu Herbart wie zu andern bedeutsamen historischen Forschern ist die: wir können ihm nicht dankbar genug sein für das, was er uns gewesen ist und noch ist, wir dürfen aber nicht bei ihm stehen bleiben. Aber Meumann ignoriert diese große Arbeitsgemeinschaft, die der Pädagogik in den letzten Jahrzehnten ihr Gepräge gab, und doch entstanden selbst Schriften wie die von ihm genannte Bergemannsche nur in der Reibung mit jener Schule. Was Meumann z. B. über Sozialpädagogik sagt, treffend sagt gegen Bergemann und Natorp, findet man schon bei Dörpfeld im Jahre 1869. Und wenn Meumann das Erziehungsziel Seyfferts, der Mitglied der experimentellen Arbeitsgemeinschaft ist, so »originell« findet, so glaube ich doch, daß zuvor Zillers »Grundlegung zur Lehre vom erziehenden Unterricht« vom Jahre 1865 dieses Ziel bedeutsamer und origineller umschrieben hat, so anfechtbar auch manches bei Ziller in den 40 Jahren geworden sein mag. Experimentelle Untersuchungen sind auch seit je in diesen »Arbeitsgemeinschaften« gemacht worden. Sogar Ziehen benutzte die Jenaer Übungsschule für seine experimentellen Arbeiten. Aber es ist hier bei uns nicht alles auf die eine experimentelle Spitze gestellt, wie Lay es will.

Doch das sollen keine Vorwürfe sein, persönlich haben beide Verfasser auch unsere Gemeinschaft und Freundschaft gewünscht, und wir werden und wollen treu zu ihnen stehen, treu auch darin, daß wir ihnen offen sagen, wo sie fehlen und übersehen. Auch die vorwärtsstrebenden Herbartianer werden das ganze Programm der beiden Herren freudig als eine längst ersehnte Ergänzung der eigenen Forschung und Lehre begrüßen.[1]

Meumann selbst ist auch weit davon entfernt, nur experimentelle Pädagogik anzuerkennen, wie es manchmal den Anschein haben könnte. Mit Nachdruck hebt er hervor:

»Neben dem forschenden, unsre Kenntnis der Erziehungstatsachen erweiternden Teile wird die Wissenschaft der Pädagogik aber stets eines zweiten allgemeineren rein systematischen Teiles bedürfen, der sich mit der Bestimmung der allgemeinen Begriffe der Erziehung und Erziehungswissenschaft, mit der systematischen Zusammenfassung der Ergebnisse der speziellen Forschung und mit der Ableitung von Normen und Vorschriften für die Tätigkeit des Erziehers aus den Ergebnissen der Tatsachenforschung befaßt.« . . . »Was wir der Erziehung und dem Unterrichte insbesondere als Ziele vorschreiben, ist von Zeitströmungen, von der Entwicklung unserer sittlichen, religiösen und ästhetischen Anschauungen, von wissenschaftlichen und sozialen Ansprüchen, von der allgemeinen Entwicklung des Geisteslebens und der Kultur abhängig. Trotzdem aber bleibt es möglich, mit Allgemeingültigkeit zu entscheiden, welche Normen für die Erziehung gelten müssen, wenn bestimmte Erziehungsziele als gültig angenommen werden, oder welche Wege zu gegebenen Zielen hinführen. In diesem Sinne behält auch der normative Teil der Pädagogik Allgemeingültigkeit. Ferner wird es immer eine Anzahl Erziehungsprinzipien geben, die durch die Natur des Kindes, und die formale Aufgabe der Erziehung und Bildung — auf das Kind und seine Entwicklung planmäßig gestaltend einzuwirken — gegeben sind. Die Feststellung der letzteren ist aber unabhängig von allem Wandel der Zeiten möglich.

»Welche Stellung nimmt nun gegenüber diesen verschiedenen Aufgaben der Erziehungswissenschaft die experimentelle Pädagogik ein? Sie wird eben jenen forschenden, unsere Kenntnis der tatsächlichen Verhältnisse des Erziehungsobjektes und der Wirkung der Erziehungsmaßnahmen auf dasselbe erweiternden Teil der Pädagogik ausmachen, und sie entsteht, indem wir auf die empirische Erforschung der Tatsachen der Erziehung alle Mittel und Methoden unserer heutigen empirischen Forschung anwenden, insbesondere die kontrollierte systematische Beobachtung, das eigentliche, messende Experiment, und die Statistik. Denn dies verstehe ich unter dem experimentellen Betrieb der Pädagogik, daß sie die tatsächlichen Erziehungsverhältnisse mit der systematischen, kontrollierten Beobachtung, dem messenden Experiment und statistischen Methoden untersucht.«

Wir sehen daraus, daß Meumanns Ansichten über Pädagogik sich kaum von den auf dem Herbartischen Boden gewordenen Ansichten unterscheiden. Und alle Forschungsmittel, die er aufzählt, sind auch hier nicht neu. Daß er aber das Experiment, das Wort in diesem umfassenden Sinne gebraucht, mehr zur Geltung bringen will, kann sehr verdienstlich werden. Es gehören jedoch dazu pädologische oder psychologische Laboratorien und Experimentierschulen. Die öffentlichen Schulen und Anstalten sind nicht dazu berufen. Sie haben auf der Grundlage gesicherter Ergebnisse für die Zöglinge und nicht zunächst für die Wissenschaft zu arbeiten. Das muß bei der neuen Bestrebung jedem Lehrer zuvor eingeschärft werden. Darüber hinaus mag und kann er sich in bescheidenen Grenzen an der Mitarbeit beteiligen.

Wieviel er aber von den Ergebnissen der pädagogisch-psychologisch-experimentellen Forschung zum Segen der Jugend zu gewinnen vermag, lehrt der Artikel Meumanns über »Intelligenzprüfungen an Kindern der Volksschule«.

---

[1] Es ist inzwischen von Fack geschehen.

Es verlohnt sich, in einem besonderen Artikel unter Berücksichtigung der Schulen für Abnorme ihn uns näher anzusehen. Er bietet einen erfreulichen Fortschritt bei dem Suchen nach einer zuverlässigen Methode für die Analyse des kindlichen Seelenlebens, ohne die jede Methode in dem Aufbau eines solchen durch Unterricht und Erziehung unzulänglich bleibt.

Nicht als etwas absolut Neues, wie es sich zum Teil ankündigt, wohl aber als ein ernstes Inangriffnehmen längst gestellter Forschungsaufgaben, als einen Ausbau von denkenden Pädagogen längst empfundener Lücken, als ein Anwenden der neuesten und besten Methoden psychologischer Forschung für die Begründung des einen Teiles der Pädagogik auf der schon von Herbart geforderten wirklich »empirischen Psychologie« begrüßen wir diese neue Arbeitsgemeinschaft mit ihrer besonderen Zeitschrift auch für unsere besonderen Bestrebungen auf das freudigste.

2. Auch in Österreich hat man eine neue Zeitschrift begründet: **Eos,** Vierteljahrsschrift für die Erkenntnis und Behandlung jugendlicher Abnormer. Herausgeber: Phil. Dr. Moritz Brunner, Direktor d. allg. öster. israel. Taubst.- Instit., Phil. Dr. S. Krenberger, Direktor d. Priv. Erzieh.-Anstalt f. schwach- befähigte Kinder Wien, Alex. Mell, k. k. Reg.-Rat, Direktor d. k. k. Blinden- Erziehungs-Instit. Wien, Med. Dr. Heinr. Schlöss. Direktor d. Landesirren- anstalt und Landes-Pflege- und Beschäftigungsanstalt für schwachsinnige Kinder, Kierling - Gugging. Wien u. Leipzig, A. Pichlers Witwe & Sohn. 1. Jahr- gang. Wien, Januar 1895. Heft 1. Jährlich 10 M.

Die Vierteljahrsschrift will sein, »ein Zentrum für die Forscher und Arbeiter auf pädagogischem und medizinischem Gebiete und die jugendlich Blinden, Taub- stummmen und Schwachsinnigen, Neurotischen und Psychotischen berücksichtigen.« Das ist ein ähnliches Programm wie auch unsere Zeitschrift es vor 10 Jahren auf- stellte. Nur haben wir von Anfang an etwas mehr Fühlung zu dem Übergang zum Normalen gesucht und schließlich der Normalpsychologie neben der Psychopatho- logie des Kindes die gleiche Stelle eingeräumt.

Die Herausgeber berufen sich auf zwei andere Zeitschriften, die ihnen »zur Lehre und zum Muster für eignes Tun dienen sollen«, auf »verbündete Schwester- organe«. Es sind das die im 6. Jahrgang erscheinende »Nyt Tidsskrift for Abnormvaesenet omfattende Aandsvage, Blindeog Vanfre-Sagen i Norden« und die »Revue internationale de pédagogie comperative«.[1]

Unsere Zeitschrift wie die »Zeitschrift für die Behandlung Schwach- sinniger und Epileptischer«, die ältesten deutschredenden Vorgängerinnen, werden anscheinend absichtlich totgeschwiegen, da doch unter den 80 Mitarbeitern mehr als 20 aus unsern Mitarbeiterreihen als »wissenschaftliche Vertreter« und als »Mitarbeiter« geworben sind, wie uns übrigens schon vor dem Erscheinen des ersten Heftes mitgeteilt wurde.

Wir freuen uns zwar aufrichtig jedes Wettbewerbes um ernste und wichtige Dinge und begrüßen darum gleich der »experimentellen Pädagogik« diese junge Kollegin von Herzen. Wir haben aber in der Richtung des Totschweigens in letzter Zeit mehr als einmal eigenartiges erlebt, als daß wir dergleichen noch weiter ganz mit Stillschweigen übergehen sollten. Unser ureigenstes Eigentum ist z. B. von einer andern Kollegin verwendet worden ohne Quellenangabe und ohne Namens- nennung, sogar von einer Zeitschrift, zu deren Begründung die Herausgeber der

---

[1] Daß die letztgenannte Zeitschrift nach kurzem Bestehen schon seit einer Reihe von Jahren eingegangen ist, wissen die Eos-Herausgeber nicht. Eigentlich sollten sie es aber doch wissen!   U.

»Kinderfehler« in erster Linie ihre Namen als Mitarbeiter mit hergegeben haben. Angenehm ist es nicht, wenn man von Kindern, bei denen man Pate gestanden hat, rundweg verleugnet wird.[1])

Man wird nicht von uns erwarten wollen, daß wir nähere Stellung nehmen zu dem Inhalt von Zeitschriften, die so uns geflissentlich verleugnen. Im allgemeinen betonen wir aber nochmals, wie wir, wie der letzt erwähnte Fall lehrt, ja auch durch Hergabe unserer Namen zur Mitarbeiterschaft bekundet haben, daß wir uns aufrichtig jeder Neugründung auf unserm Gebiete freuen, sofern sie wirklich einem Bedürfnis und einem Forscher- oder Lehrdrange entspringt, und das scheint bei »Eos« namentlich für Österreich tatsächlich der Fall zu sein.

Möge darum auch »Eos« zum Wohle unserer unglücklichen Jugend die weiteste Verbreitung finden!

Schuyten, Prof. Dr. phil. **M. C.,** Stad Antwerpen. Paedologisch Jaarboek onder redactie van Prof. Sch., bestuurder van den paedologischen schooldienst en van het stedelijk paedologisch laboratorium. Vijfde jaargang, 1904. De nederlandsche boekhandel Antwerpen-Gent. Leipzig, Friedrich Brandstetter. Librairie C. Reinwald-Schleicher frères, Paris. 263 S.

Nicht ohne Verwunderung lesen wir den Titel dieses Buches. Also die Stadt Antwerpen hat ein Laboratorium für Kinderforschung gegründet und läßt schon zum vierten Male ein pädologisches Jahrbuch herausgeben! Das werden ihr nicht viele Stadtgemeinden nachmachen. Wir öffnen den stattlichen Band und staunen über den Reichtum seines Inhalts. Zuvörderst finden wir (S. 1—162) fünf wissenschaftliche Abhandlungen von verschiedener Länge. In der ersten trägt Dr. Schuyten die Ergebnisse von eingehenden Beobachtungen über das Zeichnen von »ventjes« (Männchen, bonshommes) durch kleine Kinder vor. In der zweiten werden die niederländischen Schulbücher von einem Augenarzte besprochen. Dann folgt ein kurzer Aufsatz über jeweilig eintretende Geistesnebel bei sonst normalen Schulkindern. Die vierte und fünfte Abhandlung sind überschrieben: »Über das Wachstum der Muskelkraft bei Schülern während des Schuljahres« und »Über Rechts- und Linkshändigkeit bei Kindern«.

Der zweite Teil des Buches enthält einen eingehenden Literaturbericht, gegliedert nach den Überschriften: Anthropometrie, Physiologie, Psychologie, Tierpsychologie, Psycho-Physiologie, Hygiene, normale und anormale Erziehung. Den Schluß bilden Varia, darunter die Sitzungsberichte der Allgemeinen pädologischen Gesellschaft, Abteilung Antwerpen.

Elberfeld.   H. Wendt.

Dr. **Heller,** Wien-Grinzing, Die Gefährdung der Kinder durch krankhaft veranlagte und sittlich defekte Aufsichtspersonen. Wiener klinische Rundschau, 1904. Nr. 37.

Verfasser, ein Pädagoge, bespricht die bekannten Gefahren, denen die Kinder in somatischer und psychischer Hinsicht durch die Aufsichtspersonen ausgesetzt sein können. Er verspricht sich Besserung der jetzigen Verhältnisse nur dadurch, daß die Mütter ihrer vornehmsten Pflicht, sich ihren Kindern zu widmen, mehr sich bewußt werden und daß schon die weibliche Jugend so erzogen wird, daß aus ihr Mütter im Sinne Pestalozzis hervorgehen können; ferner muß die soziale und pekuniäre Stellung der Familienpädagogen im allgemeinen gebessert werden, damit sich eine größere Zahl besserer Elemente diesem schwierigen und verantwortungsvollen Berufe widmet.

Hannover.   Dr. med. Spanier.

---

[1]) Über ein drittes in ähnlicher Weise vorgehendes Unternehmen werden wir in einer der nächsten Nummern unserer Zeitschrift berichten.

Druck von Hermann Beyer & Söhne (Beyer & Mann) in Langensalza.

An unsere Mitarbeiter und Leser.

Es war uns seit langem nicht mehr möglich, die eingehenden Arbeiten einigermaßen zeitig zu veröffentlichen. Wir mußten häufiger die Geduld der Einsender und manchmal auch die der Leser auf eine harte Probe stellen. Manchen berechtigten Wünschen konnten wir bei dem zweimonatlichen Erscheinen und dem bisherigen Umfange überhaupt nicht Rechnung tragen.

Öfter haben wir darum den Wunsch aus unsern Leserkreisen erwogen, den Umfang unserer Zeitschrift zu erweitern. Aber wir gaben ihm nicht Raum, weil wir die Zeitschrift nicht verteuern wollten. Wir wissen, was selbst 2 M in der Kasse namentlich der noch vielfach gar zu karg besoldeten Lehrer bedeuten. Und uns liegt zudem viel daran, mit unsern Bestrebungen gerade auch der Jugend und ihren Lehrern in der sonst so oft vergessenen einfachen Volksschule zu dienen.

Zu unserer Freude antworten nun die Verleger, daß sie aus gleichem Interesse für die gute Sache **ohne Preiserhöhung** und bei gleichbleibender Honorierung aller Beiträge die Zeitschrift von Oktober dieses Jahres ab

monatlich im Umfange von 2 Bogen,

d. i. in einer jährlichen Vermehrung von 6 Bogen, erscheinen lassen wollen.

Wir hoffen, unsere Mitarbeiter und Leser werden diese Opferfreudigkeit lebhaft begrüßen und nun um so mehr uns durch Mitarbeit wie durch Werben neuer Leser kräftig unterstützen.

Längere wertvolle Abhandlungen sollen außerdem nach wie vor in unserer Sammlung »Beiträge zur Kinderforschung und Heilerziehung« erscheinen.

So werden wir in der Lage sein, weitgehenderen Wünschen, die uns namentlich auch aus Hilfsschulkreisen ausgesprochen wurden, entgegenzukommen.   **Die Herausgeber.**

A. Abhandlungen.

1. 16 Monate Kindersprache.

Von

Dr. H. Tögel.

(Fortsetzung.)

II. Wortbildung.

Es ist natürlich von ganz besonderer Wichtigkeit, die Entstehung der ersten Worte des Kindes zu beobachten. Denn wenn es wahr ist, was vor allem WILHELM AMENT mit großer Bestimmtheit betont,[1] so tut man damit einen Blick in die Entstehung der Sprache beim Urmenschen.

Das erste Wort des Kindes, ŏ = hoch, ist in folgender Weise entstanden. Oft ist zu seiner Belustigung ein Gegenstand mit erhobenem Arme in die Höhe gehalten worden; dann hat der betreffende Erwachsene »hoch!« gesagt. Das Kind ahmt die Bewegung nach und begleitet sie mit dem angeführten Laute. Es hat offenbar bei der Emporhebung des Gegenstandes starke Lustgefühle, denen wohl der Laut ŏ wegen seines vollen starken Klanges sehr gut entspricht. Die Vorstellung, die mit dem Klange verbunden ist, ist eine Komplikation von Muskelempfindungen bezw. -Vorstellungen und Gesichtsvorstellungen. Eine andere Absicht, als seinen Gefühlen Ausdruck zu verleihen, verfolgt das Kind kaum; doch ist zu bemerken, daß es dies kleine Kunststück natürlich nur in Gesellschaft ausübt. Es macht sich einen Spaß, zeigt andern, was es kann, und begleitet beides durch einen bestimmten Laut, der der Sprache der Erwachsenen entnommen ist. Wenn man voraussetzt, daß auch bei der Annahme der interjektionalen Hypothese in Bezug auf den Ursprung der Sprache ja nicht jeder einzelne den betreffenden Gefühlsausbruch selbst erfunden zu haben braucht, wenn er seinen Gefühlen entsprach, so spricht dieses erste Wort auf jeden Fall nicht gegen diese Theorie. Es möge hier sogleich hervorgehoben werden, daß eigne Erfindungen bei diesem Kinde überhaupt nicht beobachtet worden sind. Im 5. Sprechmonat gebraucht es zwar die Worte bĕlŏ und bäbĕt und tut

---

[1] Entwicklung von Sprechen und Denken. S 41.

so, als ob diese etwas bedeuteten; aber es handelt sich aller Wahrscheinlichkeit nach nur um ein Klangspiel, da sich keine Vorstellung feststellen läßt, mit der die Lautbilder verbunden sind.

Im 2. Monat tauchen dä und dŏt auf, von denen das erste dem natürlichen Lautempfinden des Kindes näher zu stehen scheint, aber doch bald von dŏt in den Hintergrund gedrängt wird, wohl weil dies die Erwachsenen häufiger gebrauchen. Dŏt wird nunmehr und zwar noch am Beginn des dritten Sprechmonats für alle Innenregungen gebraucht, die sich auf einen bestimmten Gegenstand der Außenwelt beziehen. Es bedeutet also: Ich sehe etwas Merkwürdiges; ich will etwas Bestimmtes haben; ich erkenne einen mir lieben Gegenstand wieder; ich will ins Bett gelegt werden. Beim heißen Ofen wird hh gesagt; mit diesem Laut ist offenbar das Gefühl der Angst vor der Hitze, die das Kind schon gespürt hat, und die Vorstellung vom Zurückziehen der Hand zu ihrem Schutze verbunden. Im 2. Monat erscheint noch die erste Bezeichnung eines Gegenstandes der Außenwelt durch bestimmte Laute. Dieser Gegenstand ist ein weißer Wollhund. Das Kind hat ihn längere Zeit außerordentlich gefürchtet, dann ist dieses Gefühl in um so größere Liebe umgeschlagen. Nach einiger Abwesenheit von der Wohnung begrüßt es ihn mit großer Innigkeit und wird nicht müde, dabei wouwouwouwou .... zu sagen. Bald darauf scheint wouwou zum Ausdruck einer freudigen Stimmung überhaupt geworden zu sein. Wenn das Kind übermütig ist, schreit es damit Erwachsene an.

In den 3. Sprechmonat gehören folgende Worte: ää — Ausscheidung der Exkremente; ŏbälä — Ich will genommen sein, entstanden aus dem Worte der Wärterin, mit dem sie das Kind aufgenommen hat; bäbä — Vater; bäbäp — Essen; mämä — Mutter; ŏbäbä — Großvater; ŏŏŏ — Hahn: hj hj — Eisenbahnzug. Interessant ist dabei die Entstehung der Wörter ŏŏŏ und hj hj. Das Kind ist schon oft auf dem Hühnerhof gewesen und ist dazu angehalten worden, den Hahn zu besehen, wenn ihn der Vater füttert, wenn er kräht usw. Als es nun wieder einmal das Krähen ganz in der Nähe beobachtet hat, sagt es ŏŏŏ; damit bezeichnet es von nun an den Hahn. Während es hier zu einer Schallnachahmung aufgefordert wurde, ist wohl die Nachahmung des Geräusches der Lokomotive — hj hj völlig aus eignem Antriebe erfolgt. Damit bezeichnet es nun auch einen Zug Enten, der im Gänsemarsch über die Straße kommt.

Im 4. Monat sind verzeichnet dădăt — Ente (aus gagak); ằắŏ — Kakao; aĭlă — Elise; ŏ — rot, doch ist bei diesem Worte zu bemerken, daß das Kind noch keine genaue Farbenvorstellung besitzt, obwohl es sein Röckchen und das Futter seines Mantels als ŏ bezeichnet; mā — Schaf; dĕdĕdá — Trompete; ăba — Pferd; bĕdĕ = bitte; nŏ̄ — Schnee. Das zuletzt genannte Wort hat es kennen gelernt, als es Schnee anfühlte; die Vorstellung kalt tritt deshalb in der Komplikation stärker hervor, als die Vorstellung weiß. Als zufällig in seiner Gegenwart gesagt wird: Es ist kalt, sagt es unaufgefordert: nŏ̄. Weiter tritt auf bau — bauen; damit werden zugleich die Tätigkeit des Bauens und die Dominosteine bezeichnet. mŭ oder mŏ — Kuh. bĕp — Vogel (von piep). ă — ja. ăp — ab. aut — aus. ĕm — Katze; dieses Wort ist offenbar aus miau entstanden; da das Kind i noch nicht gut sprechen kann, hat es auf die übrigen Laute verzichtet und spricht nur den ersten mit einem Vorschlagselbstlaut aus. dĭj — Tisch. bĕbĕ — Bemme. hŏūūūū — Klang des Windes; es handelt sich um eine eigne Nachahmung; als Wort ist das Klangbild kaum oft verwendet worden. ŏmămă = Großmutter. bĕbĕ — Bubi.

Im 5. Sprechmonat treten nun auf: baut = Baum; ĕn — nein; lădĕ — Schokolade mit der oft beobachteten Weglassung der ersten zwei Silben; ŏpă — Sofa; bĕbĕ — Flasche; haĭdĕ beim Streicheln; dĕdĕ beim Abschiednehmen; wĭsch-wĭsch — Wischen der Stube; wĕsch-wĕsch = waschen; ĕnĕ — Henne; tĭje — Ziege; ănă = Mädchenname, bĕt — Bett; auaú — Ausdruck für Schmerzempfindung und Stelle, die wehtut; bĭsch-bĭsch = schlafen. Damit ist der Wortschatz des Kindes innerhalb der ersten 5 Sprechmonate auf 49 angewachsen. Bemerkenswert ist dabei, daß darunter 21 Wörter mit Reduplikation vorkommen, wenn man die mitrechnet, bei denen die Reduplikation unvollständig geschieht. Sie könnten in folgende Gruppen geteilt werden: 1. Die Reduplikation ist selbständig erfunden: hh, ŏŏŏ, hj hj, wisch-wisch, wesch-wesch, auau. 2. Die Reduplikation entstammt der konventionellen Kindersprache und ist dem Kinde vorgesprochen: wauwau, ăă, băbă, băbăp, mămă, ŏbăbă, dădăt, dĕdĕdă, ăbă, ŏmămă, bĕbĕ — Bubi und bĕbĕ — Flasche. 3. Die Reduplikation ist auch in der Sprache der Erwachsenen vorhanden: ănă — Anna, bĕbĕ — Bemme (in der Auffassung des Kindes offenbar redupliziert gehört). Auch ŭăŏ = Kakao dürfte sein frühes Auftreten der Reduplikation der ersten Silbe verdanken. Auffällig ist bei den reduplizierten Wörtern die Betonung: Diese unterscheidet sich insofern von der im Deutschen sonst üblichen, als sie oft unentschieden auf beiden Silben (z. B. hh, ŏŏŏ, hjhj, wisch-wisch, wesch-wesch, wauwau), oft deutlich auf der letzten liegt (z. B. ăă, băbăp, dădăt). Dem Klange nach ist keines dieser 49 Wörter eine Erfindung des Kindes, 3 sind durch Schallnachahmung entstanden (ŏŏŏ, hjhj und hŏūūūū, die übrigen durch Nachahmung der Worte Erwachsener. Von diesen 46 haben die ersten 4 noch interjektionalen Sinn, da sie in der Hauptsache eine Auslösung von Gefühlen des Kindes bedeuten. 7 Wörter sind Schallnachahmungen, die im Verkehr mit Kindern üblicherweise gebraucht werden, und 17 entstammen der auf andere Art gebildeten konventionellen Sprache zwischen Kindern und Erwachsenen. Die letzte Gruppe bilden 18 Wörter, die einfach aus der Sprache der Erwachsenen herübergenommen sind. Hervorzuheben ist das Zurücktreten der schallnachahmenden Wörter im 5. Monat und das Hervortreten der aus der Sprache der Erwachsenen genommenen Wörter vom 4. Monat an.

Diese Tatsachen treten noch klarer in folgendem Schema auf:

(Siehe Schema S. 198.)

Die Tatsache, daß dasselbe Klangbild, bĕbŏ, dreimal auftritt, ohne daß das Kind an der dreifachen Bedeutung Anstoß nimmt, führt auf eine weitere Beobachtung des Verfassers. Offenbar ist die Komplikation zwischen Lautbild und Vorstellung noch nicht besonders fest, wie dies ja bei der geringen Übung des Kindes natürlich ist. Es übt im 5. Sprechmonat die ihm bekannten Wörter oft, ohne an die damit bezeichnete Vorstellung zu denken; der Klang kann also noch ohne Mühe von der Vorstellung isoliert werden. Oder wenn es den Namen eines Dinges nicht kennt, nennt es dafür auf Befragen bekannte Namen. Es weiß etwa nicht, wie das Licht heißt; dann sagt es dafür: ŏbăbă, ŏmămă, aĭla usw. Oder es will ihm unbequeme Worte vermeiden. Im 6. Sprechmonat, 5 Wochen nach dem eben angeführten Beispiel, will der Vater das Wort »Walter« hören und fragt deshalb: »Von wem ist der Wagen?« Das Kind weiß genau, wer gemeint ist; aber das eben gelernte Wort »Walter« macht ihm große Mühe und ist ihm sehr unbequem. So sagt es statt dessen: ŏbăbă, aĭlă oder was ihm sonst gerade einfällt.

Aus den folgenden Monaten sei das Auftreten der zusammengesetzten Wörter hervorgehoben: Obaba und omama aus dem 3. und

Monat	eigne Erfindung	Nachahmung					Summe
		der Natur	Erwachsener				
			interjektional benutzte Wörter	Schallnachahmungen der Kindersprache	andere Wörter	Sprache der Erwachsenen	
I.	—	—	ŏ	—	—	—	1
II.	—	—	dă, dŏt, hh	wouwou	—	—	4
III.	—	ŏŏŏ, hj hj	—	—	ăă, ŏbălă, băbă, băbăp, mămă, ŏbăbă	—	8
IV.	—	hŏŭŭŭ	—	dădăt, mä, dădătä, mŭ, băp, ĕm	ăbă, băbă (Bemme), ōmămă, băbă (Bubi)	ăăŏ, ailă, ŏ, bădă, nŏ, bau, ă, ăp, aut, dïj	21
V.	—	—	auau	—	băbă (Flasche), haidă, dădă, wisch-wisch, wesch-wesch, bisch-bisch	baut, ĕn, lădă, ōpă, ĕnă, dïjă, ănă, băt	15
Summe	—	3	5	7	16	18	49

* Wörter mit Reduplikation: 21.

4. Sprechmonat sind offenbar nicht als solche empfunden. Mit Bewußtsein treten diese im 8. Sprechmonat auf. Das Kind sieht ein Tee-Ei wieder, das ihm die Mutter einige Zeit vorher gezeigt hat. Es bezeichnet den Gegenstand als ai-dŏ. 7 Tage später sagt es bereits dŭdŭtlŏch = Guckuckloch, mŏndŭdŭt = Mondguckelicht, bŭdăbămă = Butterbemme. Es wendet wieder 2 Tage später die neue Errungenschaft in origineller Weise selbständig an, indem es einen Bettler, der

vor der Tür steht, als bǎbǎmǎn bezeichnet. Eine Woche später spricht es an Stelle der bisherigen Umstandswörter hǔndǎ, dǒthɪn die zusammengesetzten Tätigkeitswörter: hǔndǎfǎln, dǒthɪnsǎtsen. Wie es hier das Neue selbständig anwendet, so veranstaltet es etwa ebenfalls im 8. Sprechmonat mit dem neuerworbenen Worte ǎlǎ förmliche logische Übungen, indem es bekannte Personen nennt, von ihnen bekannte Tätigkeiten aussagt und dies alles zuletzt mit ǎlǎ zusammenfaßt, z. B. mǔdɪ bisch-bisch, bǔwɪ bisch-bisch, ǎlǎ bisch-bisch.

Am meisten zeigt sich die Selbsttätigkeit des Kindes bei der Weiterbildung von Wortstämmen, bei der Stufe der Sprachschöpfung, die LAZARUS[1]) als die charakterisierende bezeichnet. Einfach ist noch die schlichte Zusammensetzung bekannter Stämme in hǔndemǔdr bei der Erklärung eines Tierbildes. Aus dem nächsten, dem 14. Sprechmonat stammen schwierigere Bildungen. So sagt das Kind: »der hunt waut«, von wauwau abgeleitet. Es läßt sich die Zange geben und will etwas »ǎpzangen«, d. h. mit der Zange abkneipen. Es bildet das Wort »lǒsfangen« aus »anfangen« und »Es geht los«.

Das wichtigste Ergebnis der Wortbildung dieses normal begabten Kindes ist folgendes: Es hat kein einziges Wort selbst erfunden, sehr wenige durch Nachahmung der Natur und eigene Weiterbildung der Sprache gewonnen und die allermeisten von seiner erwachsenen Umgebung empfangen. Anfangs überwiegen bei weitem Wörter aus der konventionellen Kinder- oder Ammensprache, mögen diese nun eine Erfindung einzelner genialer Kinder früherer Generationen oder eine Erfindung der Mütter und Ammen oder ein Produkt aus beiden Einflüssen sein. Vom 4. Sprechmonat an treten dazu Wörter aus der Sprache der Erwachsenen, die allmählich die Wörter der Kindersprache verdrängen. (Schluß folgt.)

---

2. Die Grausamkeit der Kinder.

Von

Hermann Grünewald, Seminarlehrer in Dillenburg.

Der unkritische Gebrauch des Begriffs Grausamkeit, welchen man in der kinderpsychologischen Literatur bemerkt, macht zunächst eine genaue Feststellung seines Inhalts notwendig. Trotzdem Raubtiere andern Lebewesen Schmerz bereiten, erhalten sie doch nicht

---

[1]) Geist und Sprache. 3. Aufl. S. 139 ff.

das Prädikat »grausam«. Wir haben es hier mit einem Begriff zu
tun, welcher nur innerhalb der menschlichen Sphäre gebraucht
wird. Es handelt sich immer um eine bewußte, absichtliche Zu-
fügung von Schmerz, wenn man das Wort grausam anwendet. Nie
wird ein Erwachsener, welcher unabsichtlich Wehe bewirkt, grausam
genannt. Nach Schopenhauer wird der empirische Charakter von drei
Grundtriebfedern bestimmt, nämlich von dem Egoismus, der das eigene
Wohl will, von der Bosheit, die das fremde Wehe will und welche
bis zur äußersten Grausamkeit geht, sowie von dem Mitleid, welches
das fremde Wohl will. Die Grausamkeit ist nach dieser Gliederung
also eine besondere Erscheinungsweise der Bosheit. »Sie verursacht
physisches oder seelisches Leiden, um sich daran zu weiden.«[1]
Es ist jedoch dieser Erklärung hinzuzufügen, daß die Erzeugung von
Schmerz bewußt erfolgt, wenn man von Grausamkeit zu reden berechtigt ist. Vorstellungen von dem Schmerz, der hervorgerufen wird, sind ebenso vorhanden wie Vorstellungen von
der Unrechtmäßigkeit des Tuns. Man kann also das Wort »grausam« nur von Menschen einer bestimmten Entwicklungsstufe gebrauchen. Grausames Handeln setzt immer ein entwickeltes Bewußtsein voraus. Darum redet Compayré von einer »angeblichen
Grausamkeit des Kindes bei seinen Tierquälereien, die im Grunde genommen nur Unwissenheit sei«.[2] Nach Sully ist »ein großer Teil
der sogenannten Grausamkeit der kleinen Kinder gegen Fliegen
u. dergl. frei von dem Verlangen,·Schmerz zuzufügen«.[3] An
einer andern Stelle erklärt er: »Die sogenannte Grausamkeit der
Kinder gegenüber den Tieren ist sehr weit davon entfernt, eine reine
Freude an dem Anblick des Leidens zu sein.«[4] P. J. Stahl, den
Schinz in seiner Schrift über »Die Sittlichkeit des Kindes«[5] zitiert, behauptet jedoch: »Es gibt kein Kind, dessen naive Grausamkeit
sich nicht zuweilen damit vergnügte, Fliegen zu fangen, ihnen zuerst
die Flügel auszureißen, einen nach dem andern, und auf diese Weise
mit ausgeklügelter Roheit dem Opfer zuerst die Luft und alsdann

---

[1] Paulsen, System der Ethik. 1896. II. Bd. S. 166.
[2] Compayré, Die Entwicklung der Kindesseele (übers. von Ufer). Altenburg
1900. S. 386.
[3] Sully, Handbuch der Psychologie für Lehrer (übers. von Stimpfl.). Leipzig
1898. S. 342.
[4] Sully, Untersuchungen über die Kindheit (übersetzt von Stimpfl). Leipzig
1904. S. 204.
[5] Beiträge zur Kinderforschung. Heft I. Langensalza, Hermann Beyer &
Söhne (Beyer & Mann), 1898. S. 10.

den Boden zu nehmen, — alles ohne Gewissensbisse, ohne Beunruhigung, nur zum Vergnügen eines Augenblicks, nur um zu spielen.« VICTOR HUGO legte in seinem Gedichte »Le Crapaud« das Bekenntnis ab: »J'étais enfant, j'étais petit, j'étais cruel,« und LA FONTAINE urteilte sogar: »Dieses Alter ist herzlos.«[1]) Madame NECKER DE SAUSSURE redet in ihrem bekannten Werke[2]) über »die Grausamkeit, welche kleine Knaben, wenn sie die Jahre der ersten Kindheit überschritten haben, in ihren Spielen mit einer Art von Freude ausüben«. Nach ihrer Meinung liegt dieser Neigung, einem Tiere z. B. wehe zu tun, eine Art von Neugierde zu Grunde. »Sie wollen sehen, wie sich das Tier bei dieser Quälerei geberden werde: allein das Salz, welches dieses Vergnügen würzt, liegt doch in seinem Willen, der inneren Regung zu trotzen, sich gegen das Gefühl des Mitleids zu verhärten, sich die Kraft, grausam sein zu können, zum Bewußtsein zu bringen.« Auch BENEKE will in den Neckereien der Kinder gegen Geschwister oder Gespielen »eine scheinbar fühllose Grausamkeit« beobachtet haben.[3])

COMPAYRÉ und SULLY urteilen recht optimistisch, STAHL, SCHINZ, VICTOR HUGO, Madame NECKER und BENEKE dagegen pessimistisch. In Ermangelung eines passenden Ausdrucks reden erstere von »angeblicher« und »sogenannter« Grausamkeit, um gleichzeitig ihren Zweifel über die Berechtigung dieser Bezeichnung auszudrücken. Wie widerspruchsvoll klingt die Behauptung STAHLS von der »naiven Grausamkeit«, die mit »ausgeklügelter Bosheit« verbunden ist! Was dachte sich diese von SCHINZ als »anerkannte Autorität auf dem Gebiete der Moralwissenschaft« bezeichnete Persönlichkeit wohl unter dem Worte »naiv«? Was endlich die Madame NECKER betrifft, so muß man zweifelnd fragen: Woher weiß sie von dem »Willen, sich die Kraft, grausam sein zu können, zum Bewußtsein zu bringen,« »sich gegen das Gemüt zu verhärten«? Die Interpretation seelischer Kundgebungen des Kindes, welche uns Madame NECKER bietet, erinnert an die haltlose anthropomorphistische Betrachtung des tierischen Seelenlebens, welche man z. B. in BREHMS »Tierleben« und in BÜCHNERS »Geistesleben der Tiere« findet. Man denkt sich in die Kindesseele hinein, und liest dann seine eigenen Gedanken als Gedanken des Kindes wiederum aus demselben heraus. Die Äußerung der Madame NECKER erklärt

---

[1]) COMPAYRÉ a. a. O. S. 386.
[2]) Die Erziehung des Menschen 1. Teil (übers. von v. HOGGUER u. v. WANGENHEIM). Ebingen 1836. S. 193.
[3]) BENEKE, Erziehungs- und Unterrichtslehre. 1. Bd. Berlin, Posen und Bromberg 1835. S. 439.

sich also auch wohl aus der für die Kinderpsychologie so verhängnis-
vollen illusorischen Spiegelung der eigenen Bewußtseinsvorgänge in
den Erscheinungen des kindlichen Seelenlebens.

Das kleine Kind zeigt sich zunächst als ein Triebwesen. Die
Triebe des Kindes sind teils angeborene, teils ererbte Bedürfnisse.
Viele Erscheinungen, welche man bis jetzt unter dem Namen der
Grausamkeit zusammenfaßte, erklären sich als Äußerungen der
Triebe und zwar des Nahrungstriebs, des Spieltriebs, des Sammel-
triebs, des Experimentiertriebs (Neugierde, Zerstörungstrieb), des Kampf-
triebs, des Herrschtriebs (»Wille zur Macht«), sowie des Nachahmungs-
triebs und des Vergeltungstriebs (»Rachsucht«). Dazu treten in den
Jahren der geschlechtlichen Entwicklung die Äußerungen des Ge-
schlechtstriebs (»die Grausamkeiten der Flegeljahre«). Dabei scheint
den Kindern die Fähigkeit der sympathischen Nachbildung oder der
inneren Nachahmung vielfach zu fehlen. Die Kundgebungen fremden
Leids oder fremder Freude werden nicht verstanden. Ich habe Kinder
von 5 und 7 Jahren gesehen, welche sich froh umhertummelten, trotzdem die Mutter auf dem Totenbette lag und der Vater sehr betrübt
war. Moralische Korrektive existieren auch oft noch nicht. So erklären sich vielfach die Betätigungen des Kindes, welche man als
Grausamkeiten brandmarkt. Durch eigene Beobachtung und schriftliche Umfrage erlangte ich Kenntnis von einer Reihe von Tatsachen,
die für unsern Untersuchungsgegenstand recht instruktiv sind.

Ein Mädchen von 5 Jahren bekam ein Täubchen geschenkt. Es
wollte nicht mit ihm spielen, sondern ihm den Kopf abreißen. Die
Mutter sollte es dann braten. Dieses Kind bevorzugt vor allen Speisen
gebratene Täubchen. Seine Eltern erfüllen ihm nach Möglichkeit
jeden Wunsch. So erklärt sich die Stärke seines einseitigen Nahrungstriebs. Da es das Schlachten der Tauben auch schon oft gesehen
hat, so konnte sich das Mitgefühl auch nicht entwickeln. Bei dem
Kinde war die Vorstellung von der gebratenen Taube mit einem
intensiven Lustgefühl verknüpft; dieses Lustgefühl übertrug sich auch
auf die Vorstellung von der geschlachteten Taube.[1] Aus der Irradiation
der Gefühle und nicht aus »der Freude am Schauspiel des Leidens«[2]
erklärt sich das Streben und Tun des Mädchens.

In einem Holzstall hatten sich Schwalben angesiedelt. Zwei
Jungen im Alter von 11 und 12 Jahren benutzten eine Gelegenheit
und nahmen vier junge Schwalben aus dem Neste, welche sie dann

---

[1] Vergl. ZIEHEN, Leitfaden der physiologischen Psychologie. Jena 1886. S. 133.
[2] Vgl. ALEXANDER BAIN, The Emotions and the Will (cap. 9).

»schneppten«, »britschten« oder »sprenkelten« (volkstümliche Aus-
drücke). Das »Schneppen«, »Britschen« oder »Sprenkeln« vollzog sich
in folgender Weise: Auf einen Sägebock legte man ein Brett in
Schaukellage. Sodann wurde ein Schwälblein auf das eine Ende des
Brettes gebracht. Mit einer Axt schlug man auf das andere Ende,
so daß das Schwälbchen hoch in die Luft geschleudert wurde. Dieses
Spiel wurde solange fortgesetzt, bis die Schwälbchen getötet waren.
Nach gesammelten Aussagen scheint dieses tierquälerische Spiel in
Hessen-Nassau weit verbreitet zu sein. Über andere Teile des deutschen
Reichs steht mir leider kein Material zur Verfügung. Es wäre jedoch
im Interesse der Sache sehr erwünscht, wenn allgemein im deutschen
Lande von Lehrern eine diesbezügliche schriftliche Umfrage ver-
anstaltet würde.

Vielfach werden junge Sperlinge in der geschilderten Weise getötet. Der entartete Spieltrieb zeigte sich auch darin, daß Kinder
gefangene Vögel solange in ihren Käfigen hetzten, bis sie erschöpft
in einer Ecke sitzen blieben. Sperlinge wurden an einem Faden fest-
gebunden. Man ließ sie auffliegen, um sie dann wieder herabzuziehen.
Ein zehnjähriger Knabe fing Maikäfer. Zu Hause angekommen, wollte
er mit ihnen »Zirkus spielen«. Ging es nicht nach Wunsch, so
wurden die Käfer geschlagen. Am Abend band er sie an Zwirns-
fäden und ließ sie fliegen. Dabei wurde manchem Käfer ein Bein
ausgerissen. Auch dieses tierquälerische Spiel scheint von vielen
Kindern ausgeführt zu werden. Ein anderes Spiel, welches oft bei
Kindern beobachtet wurde, besteht darin, daß man eine Schmeißfliege
auf ein zugespitztes Hölzchen steckt und sie veranlaßt, ein Stückchen
Kork mit den Beinen zu bewegen. Knaben fangen in den Bächen
auch oft kleine Fische. Sie bringen sie auf die trockene Erde und
spielen solange mit ihnen, bis sie verenden.

Andere Erscheinungen von Tierquälerei lassen einen Zusammenhang mit dem Sammeltrieb erkennen, ein Trieb, welcher bekanntlich mächtig und sittlich gefährlich werden kann.[1] So plünderten
Knaben Vogelnester, um ihre Eiersammlung zu bereichern. Ein acht-
jähriger Knabe hatte einst einen Schmetterling gefangen. Er setzte
ihn in ein Kästchen ohne Öffnungen; trotz Abmahnens ließ er sich
nicht abhalten, noch mehr Schmetterlinge zu sammeln und einzukerkern.
Weit verbreitet ist die Unsitte, die Schmetterlinge mit einer Nadel
lebend auf ein Spannbrett zu stecken. Sammeltrieb und Nachahmungstrieb wirken bei dieser Tierquälerei zusammen. Wie sich

---

[1] Vgl. LAY, Experimentelle Didaktik. Wiesbaden 1903. S. 67.

letzterer Trieb äußern kann, zeigt folgende Begebenheit. Ein fünf-
jähriger Knabe tötete junge Vögel, indem er ihnen den Kopf abhackte.
Auch versuchte er es einmal, seine jüngere Schwester mit einem Messer
zu stechen. Stets ging er in eine bestimmte Metzgerei und sah dem
Schlachten mit zu. Später erwählte er den Metzgerberuf. Bemerkenswert ist es, daß dieser Knabe die Katzen leidenschaftlich liebte. Mit
der größten Zärtlichkeit pflegte er kleine Kätzchen. Man würde also
diesem Knaben unrecht tun, wenn man ihn kurzerhand als »grausam«
beurteilte. Zerstörungstrieb, Nachahmungstrieb und Pflegetrieb
zeigen sich bei ihm verbunden.

Viele Betätigungen der Kinder, welche man als »grausam« zu
bezeichnen gewohnt ist, werden von der Absicht geleitet, etwas
Neues zu erfahren. Es sind gewissermaßen Versuche oder Experi-
mente, welche hauptsächlich an Fischen, Fröschen, Fliegen, Spinnen,
Maikäfern, Sperlingen, Gänsen und Hunden angestellt werden. Dieser
Experimentiertrieb zeigt sich vorwiegend bei Knaben.

So fingen Knaben (8 Jahre und 12 Jahre) in einem Bache Grundeln
und brachten sie auf das Land oder in Mistjauche, um zu sehen, was
die Tiere unter den veränderten Verhältnissen machten. Andere versuchten lebende Frösche mittels eines Strohhalmes aufzublasen. Ein
kleiner Knabe riß den Fliegen die Flügel aus, um zu erfahren, in
welcher Weise sich dieselbe weiter bewegte. Jungen (im Alter von
12—14 Jahren) fingen eine Spinne, steckten ihr eine Nadel durch
den Leib, banden an die Nadel einen Faden und befestigten an dem
Faden ein Holzstückchen, um zu erforschen, ob die Spinne dasselbe
fortziehen könne. Zwei erwachsene Knaben (15 Jahre) hingen einen
Hund mit den Hinterfüßen an einen Baum, um zu sehen, wie lange
er zappelte. Eine weitverbreitete Spielerei scheint es zu sein, Bremsen
und anderen Insekten Halme usw. in den Hinterleib zu stecken, um
das Fliegen unter dieser Beschwerung zu beobachten. Knaben (12 Jahre)
schnitten Raben, Distelfinken und Sperlingen die Flügelfedern ab, um
deren Bewegung zu beobachten. Ein ähnliches Experiment führten
andere Knaben an einer Gans aus. Sie banden ihr einen schweren
Stein an die Füße und brachten sie dann in das Wasser, woselbst
das Tier ertrank. Ein neunjähriger Junge nagelte Meisen lebend an
einen Baum. Hier zeigt sich so recht der Herrschtrieb (»der Wille
zur Macht«). Bei anderen Knaben offenbarte sich dieser Trieb, indem
sie einem lebenden Feuersalamander die Eingeweide herausschnitten,
ferner indem sie Frösche solange schlugen, bis ihnen die Eingeweide
hervortraten. Junge Sperlinge wurden gefangen; dann stach man
ihnen die Augen aus und ließ sie fortfliegen. In diesem Falle ver-

band sich der Experimentiertrieb mit dem Herrschtrieb. Hunde, welche an einer Kette liegen, werden oft von Kindern mißhandelt. Wir haben es hier teils mit Äußerungen des Kampftriebes und teils mit Äußerungen des Vergeltungstriebes zu tun.

Auf Grund von Beobachtungen glaube ich gefunden zu haben, daß die tierquälerischen Handlungen der Kinder sowohl mit der Scheu vor dem Häßlichen als auch mit der Vorstellung von der Wertlosigkeit oder Schädlichkeit der betreffenden Lebewesen im Zusammenhang stehen. Wie wird doch oft die häßliche Kröte gequält! In dem schon erwähnten Werke der Madame NECKER fand ich eine Bestätigung meiner Ansicht.[1] Sie schreibt: »Was dem Kinde mißfällt, verhärtet auch sein Gemüt. Ist ein verwundetes Tier hübsch, so ist es lebhaft von seinen Leiden ergriffen; ist es aber häßlich, so wendet es sich mit Abscheu von ihm ab. Sein Mitgefühl erlöscht, wenn es von dem Gegenstande desselben etwas Mißgestaltetes oder Lächerliches entdeckt, das ihm das leidende Wesen als einer näheren Teilnahme an ihm unwürdig erscheinen läßt.« Doch kann auch die Freude am Schönen zur Tierquälerei führen. Das beweist folgende Tatsache. Knaben fingen an einem Bache Libellen, weil ihnen deren glänzende Farbe gefiel. Sie befestigten sie lebendig mit Nadeln als Schmuck an ihren Hüten. Wie die Vorstellung von der Wertlosigkeit und Schädlichkeit besonderer Tiere die Quälereien befördert, zeigt sich bei dem Töten von Kätzchen und Maikäfern durch Kinder.

Viele rohe Handlungen der Kinder erklären sich aus dem Nachahmungstrieb.[2] Wie leicht empfänglich die Kinder für das Böse sind, zeigte SALZMANN in seinem »Krebsbüchlein«[3] (»Mittel, Kindern die Grausamkeit zu lehren«). Auf Grund von Aufzeichnungen meiner Schüler über Tierquälereien, welche sie gesehen, gestatte ich mir, noch einige Tatsachen anzuführen, die geeignet erscheinen, das schlechte Beispiel, das Erwachsene den Kindern geben, zu beleuchten.

Ein Erzieher fing Sperlinge, steckte sie lebendig in das Ofenrohr und zündete Feuer an. Knechte brachten den Pferden, wenn sie nicht ziehen wollten, Stroh und Zunder unter den Schwanz und zündeten dann diese Dinge an. Dieses grausame Mittel, um die Pferde an-

[1] a. a. O. S. 182.
[2] LOCKE, Gedanken über Erziehung (übers. von SCHUSTER) § 116. — SCHNEIDER, Der menschliche Wille. Berlin 1882. S. 62.
[3] SALZMANN, Krebsbüchlein. Leipzig, Verlag von Reclam. S. 53 ff.

zutreiben, scheint nach den Aussagen meiner Schüler weit verbreitet
zu sein. Jungen Hunden wurden die Ohren verkleinert und die
Schwänze abgehackt. Eine Hündin zerriß, von großem Hunger getrieben, ein Huhn. Der Besitzer der Hündin schlug dieselbe so,
daß das Gedärm heraustrat. Derselbe Mann verstümmelte die Geschlechtsorgane seines Ziegenbocks, band ihn an den Beinen zusammen und hing ihn in der darauffolgenden Nacht unter das Dach,
wo er verendete. Ein Förster spießte einen Dachs mit der sogenannten
Dachsgabel auf, so daß er verblutete. Junge Katzen werden vielfach
von Erwachsenen im Beisein von Kindern durch Werfen gegen eine
Wand getötet. In Bezug auf die Behandlungsweise der Pferde schrieb
einer meiner Schüler: »Ein besonderes Talent in Tierquälereien scheinen
die Hufschmiede zu haben; denn soweit ich ihre Werkstätte besuchte,
überall sah ich die empörende, grausame Behandlung. So sah ich,
wie ein Schmied ein Pferd mit einem Hammer gegen den Bauch
schlug und es dann mit einem spitzen Eisen stach.« Ein anderer
Schüler schrieb: »Halten die Pferde in der Schmiede nicht still, so
bekommen sie einen Riemen um das Maul. An diesem Riemen befindet sich ein Stück Holz, durch welches der Riemen beim Um-
drehen immer mehr zusammengezogen wird, so daß die Pferde nicht
recht atmen können.« Wenn Pferde beim Acker nicht richtig gehen,
so werden sie nicht selten von den Bauern so gerissen, daß ihnen
das Maul blutet. Ein Schüler sah, daß Fuhrknechte den Pferden
brennenden Zunder in die Ohren legten, um sie zu schnellerem Gange
anzutreiben. Auf dem Lande sehen die Kinder dem Schlachten der
Schweine zu. Das Schwein wird geknebelt und niedergeworfen. Unter
dem Stiche schreit es noch einige Zeit. Dieser Anblick kann auf die
Kinderherzen doch nur verrohend wirken. Fischer stecken die Würmer
lebendig an die Angelhaken. Ein Schüler aus der Stadt Wiesbaden
berichtete: »Als ich eines Morgens aus der Schule kam, sah ich, daß
einem Aal bei lebendigem Leibe die Haut abgezogen wurde. Karpfen
wurden ,abgeschuppt‘, während sie noch lebten. Die Schuppen sollen
dann nämlich besser abgehen.«
    Welche Konsequenzen hat nun der Erzieher aus den geschilderten
Tatsachen zu ziehen? Zunächst verweise ich auf die goldenen Worte
Jean Pauls über »Die Religionübung der Heilighaltung des
Lebens« in seiner Levana.[1]) Man soll die Kinder anleiten, auch
alles tierische Leben heilig zu halten. »Ist dem Kinde durch ein
längeres Beschauen, z. B. eines Frosches, seines Atmens, seiner Sprünge,

---

[1]) Levana oder Erziehungslehre von Jean Paul. Leipzig, Reclams Verl. § 120.

seiner Lebensweise und Todesangst, das vorher gleichgültige Tierstück in reines Leben verwandelt: so mordet es mit diesem Leben seine Achtung für Leben. Daher sollte ein lange gepflegtes Haustier, ein Schaf, eine Kuh, nie vor Kinderaugen geschlachtet werden.« Doch auch vor dem pflanzlichen Leben ist in den Kindern von Anfang an Achtung zu erwecken, auf daß sie handeln nach dem Spruche PLATENS:

>Vor die Blumen trete,
Doch zertritt sie nie!<

Diese Erziehung stützt sich hauptsächlich auf das Beispiel der Erwachsenen. Mit Recht eiferte darum Herr Justizrat Dr. ERICH SELLO in seiner Abhandlung »Blumenschutz« [1] gegen das gedankenlose Abpflücken der Blumen, gegen den >greulichen Vandalismus< des Blumenfrevels. >Einem Menschen, der die Natur wirklich liebt, muß das Herz bluten, wenn er auf seinen Wanderungen solchen falschen Naturfreunden begegnet, — Scharen von Damen und Kindern, die als Ausbeute ihres Nachmittagsausfluges Lasten von ausgerupften Blumen heimschleppen. Ein Anblick, als käme eine Barbarenhorde mit Beute beladen aus Feindesland.< In manchen Schulen wird in anerkennenswerter Weise Blumenpflege getrieben; allein das Elternhaus ist auch hier die einflußreichste Macht. Alle Besserung muß von hier ausgehen. JEAN PAUL rät, >vor dem Kinde jedes Leben ins Menschenreich< hereinzuziehen, alles zu beleben und zu beseelen. Er bietet dafür zwei Beispiele. Einen alten Hund z. B. soll man dem Kinde dadurch nahe bringen, daß man ihn als einen >alten, haarigen Mann< bezeichnet. >Der Mund ist geschwärzt und lang gereckt; die Ohren sind hinaufgezerrt. An den zottigen Vorderarmen bemerkt man zugespitzte lange Nägel.<. — >Die Lilie, die es unnütz aus dem organischen Dasein ausreißt, malt man ihm als eine Tochter einer schlanken Mutter vor, die im Beete steht, und das kleine weiße Kind mit Saft und Tau aufzieht.< Wenngleich man das Bestreben anerkennen muß, in dem Kinde Teilnahme für die Tiere zu erwecken, so kann ich doch diese Vermenschlichung tierischen Lebens und Seins nicht billigen. Man muß sich auch hier vor den Extremen hüten. Die Tiere sind weder Maschinen, wie CARTESIUS annahm, noch menschenverwandte Wesen, wie pantheistische Denker und Allbeseelungstheoretiker lehren. Die Lehre des DESCARTES von dem Automatismus der Tiere besitzt unter den Kindern viele Anhänger. Sie machen zwischen einem Hampelmann und einem Tiere keinen Unterschied. Aus dieser Auf-

---

[1] Die Zukunft. Herausgegeben von MAXIMILIAN HARDEN. Berlin, den 30. Juli 1904. S. 183 ff.

fassung erklären sich auch viele angebliche Grausamkeiten der Kinder. Die Tiere erscheinen nach dieser Ansicht zu weit von den Menschen hinweggerückt, als daß Mitgefühl entstehen könnte. Die anthropomorphistische Betrachtungsweise dagegen verletzt die Würde des Menschen.[1]) Ich kann es nur als eine bodenlose pädagogische Verirrung bezeichnen, wenn man wie EMIL BUDDE in seinen »Naturwissenschaftlichen Plaudereien« (Berlin 1891) »von des Regenwurms ehrbarem Lebenswandel« redet.[2]) Wie kann man nur so geschmacklos sein, den Regenwurm als einen »Biedermann« zu bezeichnen! Diese Betrachtungsweise der Tiere scheint leider immer mehr in Kurs zu kommen. So nennt BAADE in seinen »Tierbetrachtungen« (Halle 1901. S. 19. 44) u. a. den Biber einen »sachverständigen Wasserbaumeister«, den Fischotter einen »klugen Baumeister«, einen »wohlausgerüsteten Schwimmkünstler« und einen »gewandten Fischer«.

Als ein gutes Hilfsmittel bei der Erziehung der Kinder zur Wertschätzung des tierischen Lebens kann ich zwei Schriftchen von Herrn Prof. D. EMIL KNODT, Direktor des evangelischen theologischen Seminars zu Herborn, bestens empfehlen.[3]) Auf meine Veranlassung hin schafften sich meine Schüler diese Büchlein an und trugen dann in den naturkundlichen Stunden fortlaufend einige Abschnitte daraus vor. Dabei wurden sie auch mit den Bestrebungen des Tierschutzvereins bekannt gemacht.

Die Belohnung muß durch die Behütung unterstützt werden. Wie man die Jugend vor jedem vermeidbaren Lufthauch des Schlechten (ein Bild von PLATON)[4]) bewahren muß, so auch vor dem Anblick von Tierquälereien. Man achte darum gewissenhaft auf den Umgang der Kinder. Wie oft wirkt der Umgang mit Erwachsenen verführend und verderbend auf dieselben ein! Besondere Überwachung erheischt auch, wie aus den oben geschilderten Tatsachen hervorgehen dürfte, der Sammeltrieb der Kinder.

Auf die Bedeutung des Vorbilds hinzuweisen, ist wohl überflüssig. Eltern und Lehrer haben in dieser Beziehung eine große Verantwortung.

Schädigt das Kind absichtlich Pflanzen, und quält es einmal bewußt Tiere, dann muß auch die Strafe folgen. Für die Art und Weise dieser Bestrafung sind auch heute noch die weisen Worte

---

[1]) TURGENJEFF, Gedichte in Prosa. Leipzig, Reclams Verlag. S. 16. »Der Hund.«
[2]) GIRARDET, PULS und RELING, Deutsches Lesebuch für Lehrerbildungsanstalten. L Gotha 1903. S. 473.
[3]) Der Tiere Bitte. Der Tiere Dank. Verlag des Berliner Tierschutzvereins.
[4]) WILHELM MÜNCH, Geist des Lehramts. Berlin 1903. S. 206.

LEOPOLD SCHEFERS aus seinem »Laienbrevier«[1]) maßgebend, die ich
mir darum hier noch anzuführen erlaube:

>Zertritt es eine seiner schönen Blumen —
Bestraf es, wie man Kinder straft, um Mord;
Hat es den Rosenstock verdursten lassen,
Die arme Mutter vieler armer Kinder, —
Verweigre ihm den Becher klaren Wassers;
Hat es der jungen Vögel Nest gestört —
Laß es auf harter Erde ruhig schlafen
Von Mutter, Vater und Geschwistern fern.
Und hat dein Kind so früh, so göttlich ernst
Für fälschlich Leicht-Verziehenes gebüßt,
Dann tritt dereinst es aus dem Jugendhain
Mit heiligem Gefühl der schönen Welt,
Und ungefallen wohnt's im Paradiese
Auf Erden; und die schweren Fehle alle,
Die Menschen um das Glück des Menschen bringen,
Die hast du ihm erspart, als Keim gebrochen.
Denn wer den Tropfen Tau am Grase schont,
Wird Tränen nicht aus Menschenaugen pressen.<

3. Medizin und Pädagogik.

Von

J. Trüper.

5. Die Klage des Herrn Privatdozenten Dr. phil. et med. Wilh. Weygandt.

Unsern Lesern ist bekannt, welche ungeheuerlichen Anschuldi-
gungen Herr Privatdozent Dr. phil. et med. WEYGANDT in Würzburg
gegen unsere Zeitschrift erhob und welche energische Zurückweisung
sie erforderte.[2]) Sie wissen, daß dieser in der »Psychologisch-
Neurologischen Wochenschrift«, herausgegeben von Herrn
Dr. med. BRESLER, Oberarzt in Lublinitz, erschienene Angriffsartikel
auch noch in zahllosen Sonderabdrücken als »offener Brief« in weitere
Kreise gesandt wurde; daß uns aber in jener Wochenschrift nicht
der erforderliche Raum zur Abwehr und Richtigstellung falscher An-
schuldigungen gegeben und zum zweiten Male eine einfache Richtigstellung von Tatsachen trotz Preßgesetz sogar in beleidigender Form
abgewiesen wurde, ja ein Brief an die Redaktion mit dem Vermerk
»Annahme verweigert« zurückkam.

---

[1]) SCHEFER, Laienbrevier. Reclams Verlag. S. 81.
[2]) Heft IV u. V, 1904.

Herr Privatdozent Dr. phil. et med. WEYGANDT hat außerdem versucht, durch sämtliche Instanzen, der bayrischen Strafgerichte zu erreichen, was er auf jenem Wege doch nicht zu erreichen vermochte.

Er hatte dabei beantragt, die Urteile in der »Psychologisch-Neurologischen` Wochenschrift« wie hier an diesem Orte zu veröffentlichen. Wir kommen diesem Wunsche hiermit nach. Vielleicht tut es ja auch die »Psychologisch-Neurologische Wochenschrift«.

Wie mir zu Ohren gekommen, hat inzwischen die **Jahresversammlung der deutschen Psychiater in Dresden** sich mit unserer Frage beschäftigt. Sobald die gegen uns gerichteten Behauptungen einzelner Redner gedruckt vorliegen, werde ich aufs neue Rede und Antwort stehen. Ich habe zu der erdrückenden Mehrheit jenes Vereins soviel Vertrauen, daß sie auch uns wenigstens hören möchte, und wenn sie das tut, daß sie dann auch finden wird, daß in der Hauptsache das Gegenteil wahr ist von dem, was einzelne behauptet haben sollen.

Mein Standpunkt in der ganzen und zum Teil sehr schwerwiegenden Streitfrage und mein leitender Grundsatz für alles, was ich je in der Frage geschrieben und gesagt habe und noch schreiben und sagen werde, ist und bleibt das wiederholt ausgesprochene und ohne Sophistik auch wohl nicht zu widerlegende Bekenntnis:

»**Wir wollen (trotzalledem) nach wie vor daran festhalten, daß Medizin und Pädagogik, Arzt und Lehrer bei der körperlichen und geistigen Entfaltung nicht bloß der** »**Idioten**«, **nicht bloß der Abnormen schlechthin, sondern der gesamten Jugend Hand in Hand arbeiten müssen, und daß das nur möglich ist, wenn jeder Stand den andern und jede Wissenschaft die andere als ebenbürtig anerkennt. Beides sind notwendige Glieder am Volksorganismus. Je mehr eins dem andern Handreichung zu leisten sucht, desto besser auch für beide Teile.**«

So habe ich stets gedacht und dementsprechend habe ich stets gehandelt. Aus dieser Erkenntnis heraus entstand unsere Zeitschrift, ihr ist sie stets treu geblieben und wird sie treu bleiben. Daran hat auch der Versuch des Herrn Privatdozenten Dr. phil. et med. WEYGANDT nichts geändert und daran werden auch Anfeindungen anderer Art nichts ändern. Für uns bleibt es Grundsatz: Jedem das Seine und alles zum Wohle des Ganzen.

Wer aber zu behaupten wagt, daß die Berufs- und Lebensarbeit eines Standes nicht »der Erfahrung, der Wissenschaft und der Humanität« entspricht, wenn sie nicht von Gliedern eines andern

Standes geleitet und bevormundet wird, dem freilich wird und muß unsere Zeitschrift ein Dorn im Auge sein, der muß vor uns w a r n e n und die Zeitschrift boykottieren.

Wir veröffentlichen nun zunächst im nachstehenden den Wortlaut der gerichtlichen Urteile, ein weiteres Wort in der Frage uns vorbehaltend. Für Mitteilung der einander sehr widersprechenden »Gründe« der drei Gerichtshöfe fehlt uns in dieser Nummer der Raum. Wir behalten uns auch für deren Mitteilung und näheren Beleuchtung alles weitere vor. Sie werfen ein interessantes Licht auf die moderne Rechtsprechung.

1.

Im Namen Seiner Majestät des Königs von Bayern erkennt das Schöffengericht Würzburg in der Privatklagesache Weygandt gegen Trüper wegen Beleidigung, in seiner öffentlichen Sitzung vom 31. Oktober 1904 in Gegenwart: 1. des kgl. Amtsrichters Deinhardt, 2. der Schöffen: a) Dehner Georg, Buchhalter hier, b) Dinkel Georg, Weinrestaurateur hier, 3. des f. Gerichtsschreibers Rpr. Masser, nach gepflogener Verhandlung zu Recht, wie folgt:

I. Trüper, Johann, geb. 2. Februar 1855 prot. verh. Institutsdirektor in Jena wird von der Anklage zweier sachlich zusammenfließender Vergehen der üblen Nachrede freigesprochen.

II. Die Kosten des Verfahrens, sowie die dem Angeklagten erwachsenen notwendigen Auslagen fallen dem Privatkläger zur Last.

(L. S.) gez. Deinhardt.

Zur Beglaubigung der Gerichtsschreiber:
Scheuermann, Kgl. Sekretär.

2.

Im Namen Seiner Majestät des Königs von Bayern.

In der Untersuchungssache Weygandt-Trüper wegen Beleidigung hat die Strafkammer des k. Landgerichts in Würzburg in der öffentlichen Sitzung vom 24. Dezember 1904, an welcher teilgenommen haben: als Richter der k. Landgerichtsdirektor Goepfert (Vorsitzender), die k. Landgerichtsräte Schuler und Dr. Dames, als Gerichtsschreiber Rechtspraktikant Feldbaum, nach mündlicher Verhandlung vom 19. Dezember 1904 für Recht erkannt:

I. Die Berufung des Privatklägers gegen das Urteil des Schöffengerichts am k. Amtsgericht Würzburg vom 31. Oktober 1904 wird als unbegründet verworfen.

II. Der Berufungsführer hat die Kosten der Berufung zu tragen.

(L. S.)   gez.: Goepfert, Schuler, Dr. Dames.

Zur Beglaubigung der Gerichtsschreiber:
Scheuermann, Kgl. Sekretär.

3.

Im Namen Seiner Majestät des Königs von Bayern erkennt das Königl. Oberste Landesgericht in der Privatklagesache des Dr. Wilhelm Weygandt, Privatdozent in Würzburg, gegen Trüper, Johann, Institutsdirektor in Jena, wegen Beleidigung zu Recht:

13*

Die Revision des Dr. Wilhelm Weygandt gegen das Urteil der Strafkammer des Kgl. Landgerichts Würzburg vom 24. Dezember 1903 wird unter Verurteilung des Beschwerdeführers in die durch das Rechtsmittel veranlaßten Kosten verworfen.

Also geurteilt und verkündet in öffentlicher Sitzung des Strafsenats vom 30. März 1905, wobei zugegen waren: Der Kgl. Senatspräsident von Weis, die Räte Held, Hörmann, Scherer, Griesmeyer und Sekretär Scherer als Gerichtsschreiber.

gez.: v. Weis, Held, Hörmann, Scherer, Griesmeyer.

Für die richtige Ausfertigung:

München, den 3. April 1905.

Der Gerichtsschreiber:

Scherer, Kgl. Sekretär.

B. Mitteilungen.

1. Bericht über die VI. Versammlung des Vereins für Kinderforschung am 14.—16. Oktober in Leipzig.

Von Dr. med. W. Strohmayer und Anstaltslehrer W. Stukenberg in Jena.

(Schluß.)

Herr Dr. Moses-Mannheim war leider verhindert. An seiner Stelle sprach Herr Rektor Dr. Maennel-Halle über

»Die Gliederung der Schuljugend nach ihrer seelischen Veranlagung und das Mannheimer Schulsystem.«

Wir lassen hier den Vortrag gekürzt folgen.

In pädagogischen Zeitungen liest man zur Zeit Erörterungen über eine Reorganisation der Volksschule. Veranlaßt sind diese Auseinandersetzungen durch das Vorgehen von Stadtschulrat Sickinger, welcher an der Mannheimer Volksschule ein Sonderklassensystem eingerichtet und dadurch eine in den Widerstreit der Meinungen gestellte neue Schulorganisation geschaffen hat. Wer die darüber entstandene Literatur verfolgt und an Ort und Stelle einen Einblick gewonnen hat in das sogenannte Mannheimer Schulsystem, ist überzeugt, daß dieses Vorgehen eine Schulangelegenheit bedeutet, mit welcher der praktische Schulmann, der Schulaufsichts- und Schulverwaltungsbeamte, wie der Schularzt sich auseinanderzusetzen, und zu welcher er Stellung zu nehmen hat.

Zur Erleichterung einer Urteilsbildung möchte zunächst eine kurze Entwicklungsgeschichte des Schulorganisationsgedankens dienen.

So lange die Schule besteht, ist man nicht müde geworden, die günstigsten Erziehungs- und Unterrichtsgelegenheiten für die Schüler abzuwägen; immer und immer hat man versucht, die Schülermasse einer Schule zum mindesten in soviel Gruppen einzuteilen, als nötig sind, um deren Einzelgliedern möglichst gleiche Bedingungen für das gesamte Schulgeschäft zu gewähren.

Es ist also eine sehr alte Frage: Wie organisiert man am besten eine Schule, die höhere, wie die niedere?

Um in den achtstufigen Volksschulen die Leistungsfähigkeit der Schüler möglichst vielseitig berücksichtigen zu können, wurde vom Stadtschulrat Professor Dr. Sickinger im Jahre 1899 der Versuch unternommen, die große Zahl von Parallelklassen jeder Klassenstufe zur Bildung von Unterrichtsgemeinschaften individuellen Charakters zu verwenden und im Rahmen der Gesamtschule verschiedene Unterrichtsgänge mit verschiedenen Stoffplänen vorzusehen. So wurde unterschieden: 1. ein Unterrichtsgang für die krankhaft schwachbegabten Schüler — Hilfsschulklassen. — 2. ein Unterrichtsgang für die unter mittel, aber nicht abnorm schwachen Schüler, die seither vorwiegend aus der III. und II. Klasse entlassen werden mußten — Klassen einer einfachen Schulabteilung. — 3. ein Unterrichtsgang für die normalleistungsfähigen Schüler, die seither bis zur I. Klasse emporzusteigen vermochten — Klassen einer erweiterten Schulabteilung.

Außerdem können diejenigen befähigten Kinder, deren Eltern ihnen später eine höhere Schulbildung angedeihen lassen wollen, als sie die Volksschule gewähren kann, einen besonderen Bildungsgang erledigen bis zur Aufnahmeprüfung in die höhere Schule — Vorbereitungsklassen.

Wie gestaltet sich nun der Betrieb innerhalb der uns hier vor allem interessierenden drei ersten Schulabteilungen? Und ist diese Organisation von vornherein oder erst nach längerer Zeit der Beobachtung der Schüler wirksam?

R. Seyfert hat vor Sickinger bereits 1891 vorgeschlagen, die Schüler zunächst drei Jahre lang kennen zu lernen, ehe man sie nach ihrer Leistungsfähigkeit gruppiert. Er sagt: »Die während der ersten drei Jahre zurückgebliebenen Schüler werden im vierten zu einer Probeklasse vereinigt, in der der Versuch gemacht wird, sie auf den geistigen Standpunkt der anderen zu heben. Bei Beginn des fünften Schuljahres findet die Scheidung in Gut- und Schwachbefähigte statt, die sich im siebenten Schuljahre zu einer Dreiteilung erweitern kann.« — Dieser meines Erachtens wenig beachtet gebliebene Vorschlag ist durch Sickingers Praxis ganz in den Hintergrund gedrängt worden. Nach ihm entscheidet sich die Absonderung bereits im ersten Schuljahre, welches eben zunächst alle Volksschüler ungeschieden vereinigt. Der Vorteil einer frühzeitigen Entscheidung liegt auf der Hand; die richtig angewandte Schulzeit ist kostbar genug, und jedes Schuljahr, welches der Schüler in ungeeigneter Umgebung und Behandlung mehr verbringt, ist ein verlorenes mehr in seinem späteren Leben. Wenn die Schulleitung sich, wie zu Mannheim, eine gewissenhafte Ausfüllung von Schülererhebungsbogen sichern kann durch ihre Lehrpersonen, dann müssen grobe Mißgriffe in der Beurteilung der Schüler ausgeschlossen sein können. Zudem hat eine wirklich irrtümliche Beurteilung eines Schülers nach der Mannheimer Schulorganisation nicht schlimmere Folgen, als etwa jede irrtümlich gegebene Halbjahrszensur. Dort wie hier sind Ausgleichungsgelegenheiten vorhanden.

Wie werden sodann die einzelnen Schulabteilungen allmählich besetzt?

Der Lehrer der Unterklasse gruppiert im Laufe des Schuljahres seine 45 Schüler nach ihren Leistungen. Zur Erleichterung und zugleich zur Festigung seiner Sonderung führt er eine sogenannte Hauptliste, welche aus den Erhebungsbogen für jedes einzelne Kind zusammenstellt, was einzutragen war über: Personalien, häusliche Verhältnisse, bisherigen Schulbesuch des Kindes, Zurückbleiben des Kindes, Grund des Zurückbleibens, etwaige vorausgegangene Krankheiten (Unfälle), etwaige körperliche Anomalien und Degenerationszeichen, etwaige psychische Eigentümlichkeiten, Grad der erlangten Ausbildung. Auf Grund der Erhebungsbogen erfolgt dann die Aussonderung, entweder in die Hilfsschul- oder in die Wiederholungsklasse. Die Kandidateneigenschaften für die Hilfsschulklasse dürften nach vorangegangenen Auseinandersetzungen eine weitere Darlegung nicht benötigen. Neu ist aber der Begriff der Wiederholungsklasse.

In die Wiederholungsklasse werden diejenigen Schüler verwiesen, welche infolge ungenügend erschienener Leistungen in die nächst höhere Klasse nicht versetzt werden können. Statt also die nicht Versetzten als Bodensatz und Ballast zu behalten, gibt der Unterklassenlehrer die Unfähigen, aber doch nicht krankhaft Veranlagten, in eine besondere Schulabteilung ab, damit sie dort besondere Förderung erfahren sollen.

Diese Förderung besteht in einer Herabsetzung der Klassenziffer, in der Auswahl besonders tüchtiger Lehrkräfte und in der Einrichtung des successiven Abteilungsunterrichtes. Bezeichnete Maßnahmen beabsichtigen, die Schüler, die durch irgend welche Gründe zum ersten Male Schiffbruch erlitten haben in ihrer Schullaufbahn und beginnen, Unlust gegen die Schularbeit an den Tag zu legen, aufrichtend und ganz individuell zu beeinflussen. Es soll also das Schulunglück, das doch in manchen Fällen vom Schüler selbst nicht verschuldet wurde, nicht bloß überwunden, sondern auch beizeiten ausgeglichen werden. Daß gerade — man möchte sagen — das Seelsorgerische beim Unterrichte in den Förderklassen gepflegt werden soll und kann, beweist insbesondere der successive Abteilungsunterricht. Die etwa 30 Kinder fassende Förder-Klasse wird zu diesem Zwecke in zwei Abteilungen gegliedert, in eine mit schwächeren und in eine mit besseren Schülern. Die Schulstunden werden teilweise gemeinsam gegeben, teils erhält die a-Abteilung, teils die b-Abteilung getrennten Unterricht. So erhalten a + b gemeinsam 13 Stunden (3 Religion + 7 Deutsch + 2 Rechnen + 1 Gesang); die Abteilung a wird für sich allein $6\frac{1}{2}$ Stunde ($4\frac{1}{2}$ Deutsch + 2 Rechnen) und die Abteilung b in gleicher Weise allein unterwiesen. Und zwar tritt nur an 3 Wochentagen die eine, an den 3 andern die andere während der ersten Schulstunde an. Diese Einrichtung, zugleich hygienisch wertvoll, und darum auch bei den bis jetzt eingerichteten 4 Hilfsschulen eingeführt, hat sich zu Mannheim als äußerst wohltätig erwiesen. Namentlich bei den Kindern, welche mitten im Schuljahre von auswärts zuzogen, oder welche viele Tage über den Unterricht versäumten. Die Kinder leben auf, und dieser und jener Schüler holt bald die früher nicht bewältigte Stoffmenge nach, so daß er noch während des ersten Halbjahres in die Normalklasse zurückversetzt werden kann. Als Nürnberger Trichter kann allerdings die Förderklasseneinrichtung nicht gelten; wo die Begabung mangelt, da muß eben ein Aufrücken innerhalb der Wiederholungsklassen geschehen. Und deren gibt es für das 1. Schuljahr fünf, für das 2. und 3. Schuljahr sechs zu Mannheim. Im laufenden Schuljahre sind das erste Mal auch für das 4. Schuljahr Wiederholungsklassen eingerichtet worden. Vom 5. Schuljahre ab heißen nun diese Art von Sonderklassen Abschlußklassen. Sind in diesen Kinder vorhanden, welche noch ein Jahr die Schule besuchen — im vergangenen Jahre waren deren 79 untergebracht in drei Klassen — so muß eben innerhalb eines Jahres ein Abschlußpensum geboten werden, gibt es aber in den Wiederholungsklassen des 5. Schuljahres Schüler, welche noch zwei Jahre die Schule zu besuchen haben, so kann der abschließende Stoff auf zwei Jahre verteilt werden. Noch günstiger sind diejenigen Abschlußklassen daran, welche Schüler des 6. und 7. Schuljahres fassen. Ein hastiges Vorwärtsschieben in die oberen Klassen, wie es bisher in der Volksschule üblich war, ein Versetzen altershalber, ist durch diese Einrichtung unnötig geworden; jedes Kind findet doch einen seiner Begabung entsprechenden Abschluß, mag es aus den Abschlußklassen des 5., 6. oder 7. Schuljahres die Volksschule verlassen.

Bis jetzt konnte der Entwicklungsgang eines Mannheimer Volksschülers geschildert werden, dessen Begabung als unter mittel zu bezeichnen war. Welche Laufbahn ist nun für denjenigen vorgesehen, welcher ohne Hängenbleiben in den Normalklassen aufrückt?

Der normalleistungsfähige Schüler kann im Grunde drei Klassengruppen durchlaufen. Ist er das Kind vermögender Eltern, so kann er aus den beiden untersten Normalklassen in die zur höheren Schule überleitenden Vorbereitungsklassen versetzt werden; wird von den Eltern dagegen nur eine erweiterte Volksschulbildung für ausreichend erachtet, so steht ihm die Bürgerschule offen. Die meisten Kinder der vorbezeichneten Geistesqualität verbleiben aber in den Normalklassen. In diesen darf sich nun nicht etwa ein die Einheit der Gesamtschule störender Selektaner-Geist entwickeln, auch kann der Ehrgeiz des nunmehr ungehemmt im Unterrichte vorrückenden Lehrers in ihnen nicht Triumphe feiern zum Schaden der Schüler. Der Mannheimer Lehrplan, welcher übrigens z. Z. einer Neubearbeitung unterzogen wird, läßt derartige Mißstände wohl nicht aufkommen, er gibt vielmehr reichlich Gelegenheit zu Wiederholungen und Übungen, welche das Umsetzen des Wissensstoffes in Bildungsstoff ermöglichen und den Schüler nicht als einen gleichgültigen und satten, sondern als einen auf seine Weiterbildung eifrig bedachten jungen Menschen in die Fortbildungsschule entlassen.

Wenn nun noch der Aufnahme und Würdigung, welche das vorbeschriebene Mannheimer Sonderklassen-System gefunden hat, gedacht werden soll, so wäre folgendes zu bemerken.

In den Schülern entwickelt sich ein Wetteifer, welcher die den Lehrer oft lähmende Gleichgültigkeit gegen die Arbeiten in der Schule und seine Forderungen einschränkt. Die Eltern lassen ihre Kinder, welche Förderklassen besuchen, gern weite Schulwege zurücklegen für den Fall, daß das ihrer Wohnung benachbarte Schulhaus diese Sonderklassen nicht

aufweist; auch betrachten sie es nicht als einen Makel, wenn ihr Kind
die Normalklassen nicht besuchen darf; wissen sie doch dasselbe an geeigneter Schulstelle und in der Hand eines Lehrers, welcher in ihm die
Lust an der Schule zu wecken und zu erhalten versteht. Es ist also
eine erwünschte Verbindung zwischen Schule und Haus hergestellt.

Die Revisionsberichte amtlicher Schul-Behörden des Landes haben die
Mannheimer Volksschulen mit ihrer Organisation vorbildlich für das Großherzogtum Baden und darüber hinaus genannt. Desgleichen ist in den
Verhandlungen der II. Kammer der badischen Landesstände, die anläßlich
einer Budgetberatung für die Volks- und Mittelschulen vom 23.—29. April
1904 stattfanden, das Mannheimer Volksschulwesen nach einer eingehenden
Schilderung seines Sonderklassensystems ein mustergültiges genannt worden;
ja es ist geradezu als ein Beispiel hingestellt, dem in andern Städten
»möglichst umfassend zu folgen ist.« Auch die Mannheimer Ärzte haben
sich für die Dr. Sickingersche Organisation ausgesprochen. Nicht
minder fanden die Mannheimer Reformideen Anklang bei den Hörern des
im April 1904 in Nürnberg von Dr. Sickinger anläßlich des internationalen Kongresses für Schulhygiene gehaltenen Vortrags über: »Organisation großer Volksschulkörper nach der natürlichen Leistungsfähigkeit
der Kinder.« An gleicher Stelle fanden die im Verein mit dem praktischen Arzte Dr. Moses gehaltenen Referate über »das Sonderklassen-
system der Mannheimer Volksschule vom pädagogisch-schultechnischen und
medizinisch-hygienischen Standpunkte aus« eifrige Zuhörer. Zum mindesten trat die Erkenntnis zu Tage, daß die zu Mannheim durchgeführten
Reformen beachtenswert und aus pädagogischen, hygienischen und sozialen
Rücksichten für die Weiterentwicklung und Ausgestaltung der großen
Volksschulkörper dringend wünschenswert genannt werden können. In den
freien Lehrervereinen ist noch nicht überall die Mannheimer Schulorganisation zum Gegenstande von eingehenden Besprechungen gemacht worden;
einige wenige haben zwar Abgesandte nach Mannheim auf eigene Kosten
zum Studium der Angelegenheit geschickt; die meisten Vereinigungen verhalten sich aber noch abwartend. Letztere Stellungnahme beobachten
z. Z. auch amtliche Lehrerzusammenkünfte, in denen die Mitglieder bisher
durch einen einführenden Vortrag auf behördliche Anweisungen mit den
Mannheimer Schulverhältnissen bekannt gemacht worden sind.

Die pädagogische Presse nimmt zum großen Teile auch eine mehr
oder weniger zurückhaltende Stellung ein. Zwar gibt es eine Reihe von
Veröffentlichungen, welche den Leser bekannt machen mit dem zu Mannheim Geschehenen, um ihn für dasselbe zu gewinnen; auch gibt es solche,
welche, wie die früher bereits erwähnten von Heydner, Paulsen oder
J., gegen Sickingers Vorgehen ihre Stimme erheben; meines Erachtens
müßte aber in Anbetracht der Wichtigkeit der Schulangelegenheit viel lebhafter der Streit der Meinungen und Urteile entbrennen. Mit Herausstellen
von Einzelheiten wird allerdings einer Urteilsbildung über das Ganze nicht
gedient; auch wäre zu wünschen, daß sich jeder der pädagogischen Streiter
vorher ein klares Urteil verschaffte, nicht bloß durch ein Studium der
einschlägigen Literatur, sondern auch durch ein Studium an Ort und Stelle.

Die Mannheimer Schulorganisation ist, obwohl sie freilich die große Masse der Landlehrer zumeist nur theoretisch interessieren kann, ein Opfer an Zeit und Geld wert; sie ist aber auch eines praktischen Versuches wert bei den größeren städtischen Volksschulkörpern, der ohne größere finanzielle Opfer gewagt werden kann. Möchten die vorstehenden Auseinandersetzungen nach der einen oder nach der andern Seite eine Anregung geben! Handelt es sich doch um die Prüfung eines Weges zur Besserung der grundlegenden Volksbildung, welche eine Waffe bedeutet im friedlichen Wettkampfe der Nationen. Wohl uns, wenn unsere Volksschüler in breiterer Masse als bisher erfolgreich teilnehmen können an diesem Wettbewerbe. Der geschickten Hände können nicht genug sein auf dem Weltmarkte, auf welchem deutsche Arbeit mit Ehren sich behaupten soll! —

Rektor Schubert-Altenburg steht den Mannheimer Neuerungen sehr skeptisch gegenüber; ihm scheint bei der Sickingerschen Reform alles auf positives Wissen hinaus zu laufen. Das Interesse aber müsse vom pädagogischen Standpunkte aus die Hauptsache bleiben. Bedenken hat er auch gegen den Lehrplan. Er kann sich nicht denken, daß Kinder nach Absolvierung einer Wiederholungsklasse mit ihren eigentlichen Klassengenossen im Hauptsystem weiter arbeiten können.

Er führt die Einführung dieses Systems auf die kolossale Energie und Überzeugungskraft Sickingers und auch auf den semitischen Teil der Mannheimer Bevölkerung zurück, die eine Vermehrung des positiven Wissensstoffes verlange. Redner warnt schließlich vor der einfachen Übertragung dieses Schulsystems auf andere Städte.

Dr. Seyfert-Annaberg: Die Einwände gegen das sogenannte Mannheimer System sind z. T. persönlicher Natur und richten sich als solche von selbst. Von den sachlichen Einwänden seien die vier wesentlichsten kurz erörtert. Man sagt: die Scheidung wirke für die schwächeren Schüler verletzend, für die begabteren schädlich, weil sie die Eitelkeit anregt. Dagegen ist zu sagen: Die Anerkennung einer Tatsächlichkeit wird von der Wahrheit kategorisch gefordert. Sie ist auch bei der Mischung unvermeidlich. Die sorgliche Behandlung beider Gruppen muß das Unvermeidliche ausgleichen. Dazu kommt, daß alles Auffällige leicht vermieden werden kann. Es wird weiter eingewendet: Die Scheidung ist so schwierig, daß man Ungerechtigkeiten nicht vermeiden kann, sie kann sich nur auf äußerliche Leistungen gründen; sie leistet dem Intellektualismus Vorschub. Dagegen muß man doch sagen: Hat denn nicht jede Einrichtung mit der menschlichen Unvollkommenheit zu rechnen? Soll denn nicht die größte Gewissenhaftigkeit Pflicht sein? Ist nicht die Gewinnung eines rechten Maßstabes für die Beurteilung der Kinder überhaupt das Ziel des forschenden Lebens? Und es ist das Gesamtbild des Kindes maßgebend, in dem natürlich die Leistungen, auf die es im Unterrichte doch ankommt, in erster Linie stehen. Übrigens ist es doch nicht so, daß gerade den Vertretern der Scheidungsidee das rechte Verständnis für die Beurteilung des Kindes ganz besonders abginge. Auch der Einwand trifft nicht zu, daß in den Klassen der Schwächeren die Anregung durch rascher vorwärtsdrängende Schüler fehlen müßte; die Erfahrung beweist das Gegenteil und dazu dies, daß ein erreichbares Beispiel viel wertvoller ist, als ein solches, das in weiter Ferne schwebt. Der gewichtigste Einwand besteht darin, daß die Scheidung nach der Befähigung nur eine verkappte Scheidung nach den sozialen Verhältnissen sein soll. Zugegeben ist, daß in Klassen für Schwächerbefähigte ein überaus hoher Prozentsatz von Schülern sich findet, der aus trübseligen Verhältnissen stammt. Man sollte aber meinen, daß in dieser Feststellung der wirksamste Ansporn liege, diesen Zusammenhängen aufs sorgfältigste nachzuspüren, und wenn es gelänge, auch nur für ein Zehntel der Kinder durch praktische Liebesarbeit auch hierin zu helfen, so wäre der Segen der Hilfsklassen reichlich erwiesen. Wie will man aber diesem Gesichtspunkte irgend einen Grund gegen die Einrichtung entnehmen, wenn man beachtet, daß gerade den Schwächeren alle Liebe, alle pädagogische Kunst in besonderem Maße gewidmet werden soll? Man wird die psychologische Organisation der Volksschule nicht verwerfen können, wenn man sie als ein Recht des Kindes betrachtet.

Es ist wohl kein Zufall, daß mit der Entwicklung der »Kinderpsychologie« auch die Bewegung nach einer psychologischen Organisation der Schule immer weitere Kreise zieht. Bis jetzt geschieht die Organisation nach äußeren Gesichtspunkten (Konfession, Vermögensverhältnissen); nunmehr soll sie nach inneren Momenten erfolgen. Maßgebend soll sein der Gesamthabitus des Kindes, namentlich aber seine psychologische Entwicklung. Früher betrachtete man die Kinder als eine homogene Masse, für die man allerlei Generalvorschriften und Durchschnittsmaßregeln empfahl. Heute weiß man, daß diese für gleichartig gehaltene Masse die größten Verschiedenheiten zeigt, die wir bei Massenunterricht allerdings nur in annähernd gleiche Gruppen zusammenfassen können. Als erste Gruppe erkannte man die krankhaft schwachbegabten Kinder, die heute in den meisten größeren Städten in sogenannten Hilfsschulen unterrichtet werden. Jetzt gliedert sich innerhalb der normalen und der Hilfsreihe ein neuer Typ heraus, gebildet von allen jenen Kindern, die — ohne schwachsinnig zu sein — auf die Anforderungen der Schule in so wenig normaler Weise reagieren, daß ihre Sonderbehandlung dringend geboten erscheint. Wie groß diese Zahl der Normalschwachen ist, haben die verschiedenen »Abgangsstatistiken« bewiesen. Die Misere des Sitzenbleibens ist in ganz Deutschland verbreitet. Sie scheint sogar international zu sein.

Dann wird gegen das Mannheimer System namentlich (z. B. von Herrn Rektor Schubert) der Vorwurf des Intellektualismus erhoben. Aber gerade dieser Einwand ist vollständig unberechtigt. Es kommt in der Nebenabteilung zunächst viel weniger auf Abschlußbildung als auf Ermöglichung von Qualitätsarbeit an. Die erwähnten preußischen »Abschlußklassen« mögen in der Tat vorwiegend das mechanische Wissen gepflegt haben. Bei der neuen Bewegung aber steht dieser Gesichtspunkt durchaus nicht an erster, auch noch nicht an zweiter Stelle. Im Gegenteil: Man könnte geradezu lediglich von dem Begriffe der »Selbsttätigkeit« und der »Selbständigkeit« aus die ganze Frage der Neuorganisation der Schule entwickeln.

Daß wir nicht sklavisch das gerade in Mannheim durchgeführte System nachzuahmen haben, ist selbstverständlich. Aber den Grundgedanken müssen wir festhalten. Verschiedene Wege sind schon gezeigt worden (Dr. Seyfert, Dr. Sickinger, Referent u. a.). Welchen wir gehen, das wird von den lokalen Verhältnissen abhängen: Aber gehen müssen wir einen neuen Weg!

Lehrer Geisel-Nordhausen: Wir müssen mehr kinderpsychologisch arbeiten und dann auf Grund der gewonnenen sicheren Resultate neue didaktische Grundsätze aufstellen, dann geht es besser in der Schule. Das haben wir in diesen Tagen häufig ausgesprochen. Ich meine nun, daß es dann noch nicht besser werden kann, als es heute ist. Auch die Eltern müssen gewonnen werden, wenn es besser werden soll. Sie müssen ebenfalls kinderpsychologisch gebildet sein, sonst verstehen sie uns nicht und dann entsteht Unzufriedenheit bei ihnen gegen die Schule. Die Kluft zwischen Schule und Haus ist bereits groß genug; wir sollten sie nicht durch neue Schuleinrichtungen noch vermehren. Wir denken an den heutigen Lehrplan, der bei seiner unpsychologischen Einrichtung bereits große Unzufriedenheit bei den Eltern geweckt hat. Und nun das Mannheimer System! Als man vor nicht langer Zeit die Schwachsinnigen von den Normalbefähigten trennte, waren viele Eltern gegen diese Trennung. Heute will man nun noch weiter gehen. Eine Familie mit 4—5 Kindern erhält für jedes einzelne eine besondere Schule. Da werden die Geschwister nicht nur in der Schule, sondern auch in der Familie getrennt. Weckt das nicht Unzufriedenheit? Und wird sie nicht dadurch noch mehr vergrößert, wenn die Eltern erfahren, daß die Lehrer selbst gar nicht in der Lage sind, eine so genaue Einteilung nach Fähigkeitsgraden vorzunehmen, weil sie eben nicht genügend kinderpsychologisch gebildet sind? Und noch eins! Wir hörten, daß man erst, nachdem die Organisation nach geistigen Fähigkeiten schon im Gange ist, den Mannheimer Lehrplan psychologisch gestalten will. Welches ist also der Maßstab für die geistige Einteilung gewesen? Ich denke mir, daß die Mannheimer Eltern recht unzufrieden mit ihrer neuen Schuleinrichtung sein müssen. Schule und Elternhaus sollen zwei Freunde sein. Aber die Freunde verstehen sich nicht. Der eine, die Schule, will das Beste für den andern, was er auf dem Herzen hat, allein dieser mag nichts davon wissen. Mehr Belehrung der Eltern durch Einrichtung von Elternabenden! Dann wird's besser. Warten wir noch lange, recht lange, bis wir die Mannheimer Einrichtung einführen!

Lehrer Steinert-Leipzig spricht im Namen der drei von der Leipziger Schulbehörde nach Mannheim entsandten Herren. Er hält es für seine Pflicht, die Person des Stadtschulrats Sickinger vor Verdächtigungen zu schützen. Man wolle durch die neue Organisation nicht etwa nur mehr Wissen, sondern eine bessere Bildung, besonders für die minder Beanlagten erzielen. Jedem Kinde das Seine, das war der Grundsatz, der Sickinger leitete. Der Leipziger Lehrerverein hat das Mannheimer Prinzip einstimmig für richtig erkannt. Redner tritt warm für entsprechende Versuche ein und freut sich, daß in Leipzig bereits Erhebungen stattgefunden haben, denen ein praktischer Versuch bald nachfolgen wird.

Direktor Trüper-Jena bemerkt, daß gerade im Hinblick auf eine bessere sittliche Bildung die Mannheimer Reform freudig zu begrüßen sei. Die sittliche Bildung komme immer zu kurz, wenn Schüler bereits in den Mittelklassen mit einem Bildungstorso die Schule verlassen müßten. Die 50000, welche alljährlich vor den Strafrichter kämen, seien in der Haupt- sache solche, welche Sickinger in die Förderklassen bringen möchte, die leicht Abnormen, deren pathologische Minderwertigkeit des Willenslebens man nicht beachte, und die u. a. deshalb nicht die nötigen Hemmungen für das Triebhandeln durch den erziehenden Unterricht bekämen, weil er sie übermüde und über ihre Köpfe hinweg doziere, wie er in seiner Abhand- lung: »Psychopathische Minderwertigkeiten als Ursache jugendlicher Ge- setzesverletzungen« näher dargelegt habe. Im übrigen lägen die Ursachen des Zurückbleibens so sehr vieler Schüler anderswo, als wo sie gewöhn- lich gesucht werde, wie er bereits im Jahre 1899 bei Besprechung der Sickingerschen Pläne näher dargelegt habe. (»Eine Bankerotterklärung des modernen Schulkasernentums.« Ev. Schulblatt 1899, Nr. 11.)

Dr. Spitzner-Leipzig sieht darin, daß $^2/_3$ aller Schüler in Mann- heim nicht in die obersten Klassen kamen, keinen Grund für die Reform der Schulorganisation. Er schließt daraus auf total unpsychologische Lehr- pläne. Diese hätten zunächst revidiert werden müssen. Förderklassen sind nur vom Standpunkte der Kinderpsychologie aus nötig, um die Eigen- art des Kindes berücksichtigen zu können. Trotzdem bleibt die Frage offen, ob nicht eine Begabungsmischung einen größeren Erfolg verbürgt.

Rektor Dr. Männel-Halle gibt im Schlußwort seiner Freude darüber Ausdruck, daß man sich im Prinzip mit der Mannheimer Schulorganisation einverstanden erklärt habe. Er schließt mit Herbarts Worten: »Die Ver- schiedenheit der Köpfe ist das große Hindernis aller Schulbildung. Darauf nicht zu achten, ist der Grundfehler aller Schulgesetze, die den Despotis- mus der Schulmänner begünstigen und alles nach einer Schnur zu hobeln veranlassen. Der Schein des Vielleistens, wo nicht viel geleistet werden kann, muß fort.«

Nach der Wiederwahl des Vorstandes wurde die Tagung mit einem Dank an die Stadt Leipzig und das rührige Ortskomitee geschlossen. Ver- sammlungsort im Jahre 1905 ist Frankfurt a/M.

---

2. V. Verbandstag der Hilfsschulen Deutschlands.

Von Rektor Henze-Hannover.

Am 25. und 26. April fand in Bremen der 5. Verbandstag der Hilfsschulen Deutschlands statt. Entsprechend der steten Zunahme des Hilfsschulwesens auch in den beiden verflossenen Jahren hatte diese Tagung ebenfalls wieder eine bedeutende Frequenzsteigerung gegenüber den früheren Verbandstagen aufzuweisen. Es nahmen an ihr etwa 400 Per- sonen aus allen Gegenden Deutschlands, aus Dänemark, England, Frank- reich, Österreich und der Schweiz teil, darunter 5 Ministerialvertreter, 4 Vertreter preußischer Regierungen und rund 40 Stadtschulräte und

Kreisschulinspektoren. Die Verhandlungen fanden im großen Saale des Gesellschaftshauses „Union" statt. Am 25. April abends 6 Uhr begann die Vorversammlung. Nach kurzen Worten der Begrüßung berichtete der Vorsitzende des Verbandes Stadtschulrat Dr. Wehrhahn-Hannover über das Ergebnis der auf dem 4. Verbandstage beschlossenen Eingaben an das preußische Unterrichtsministerium zum Zweck der Herbeiführung von Kursen zur Aus- und Fortbildung von Hilfsschullehrern und von Bestimmungen, die eine zwangsweise Überführung von Kindern in die Hilfsschule ermöglichen. Die darauf eingegangene Antwort läßt eine Erfüllung der Wünsche des Verbandes in nicht zu ferner Zeit erhoffen. Zugleich wurde eine Entscheidung des Oberverwaltungsgerichts mitgeteilt, durch welche die Hilfsschulen als öffentliche Volksschulen anerkannt werden.

Alsdann hielt Lehrer Busch-Magdeburg einen Vortrag über das Thema: Die Ausbildung der Hilfsschullehrer, der etwa folgenden Gedankengang bot: Eine besondere Ausbildung der Hilfsschullehrer ist nötig infolge der Schwierigkeiten der unterrichtlichen und der Höhe der erziehlichen Aufgaben, die ihnen aus dem Umstande erwachsen, daß sie lauter Sonderindividuen vor sich haben und nur bei sorgsamster Berücksichtigung der Eigenart derselben zum Ziele gelangen. Hat das vorige Jahrhundert den Unterricht und die Erziehung der Normalen aufs sorgfältigste ausgebaut, so gilt es nun, sich den Fehlern der Kinder und ihrer Behandlung zuzuwenden. Sind hierzu bis jetzt auch nur Anfänge gemacht, so ist deren Kenntnis für den Hilfsschullehrer doch schon von größter Wichtigkeit. Tritt er als Autodidakt ans Werk heran, so sind Um- und Irrwege unvermeidlich. Die Ausbildung der Volksschullehrer, aus deren Kreisen fast alle Hilfsschullehrer kommen, reicht für das Amt der letzteren nicht aus. Diese müssen darüber hinausgehend eine gründliche wissenschaftliche Ausbildung in der Pädagogik und Psychologie, vor allem in 2 Zweigwissenschaften der letzteren, der Kinderpsychologie und der Psychopathologie erhalten, wenn sie zu einer richtigen Beurteilung und Behandlung psychischer Abnormitäten befähigt werden sollen. Daneben bedürfen sie der Kenntnis der Sprachphysiologie und Sprachheilkunde sowie der elementarsten medizinischen Begriffe, endlich des Vertrautseins mit der Literatur und Geschichte der Schwachsinnigenbildung. In verschiedenen Staaten sind bereits diesem Zwecke dienende Veranstaltungen getroffen bezw. in Aussicht genommen; auch auf dem Hygiene-Kongreß in Nürnberg wurden solche gefordert. Eine völlige Gewähr dafür, daß der Hilfsschullehrer das für sein Amt unerläßliche Fachwissen besitzt, kann aber nicht schon allein der Besuch eines Fortbildungskursus bieten, sondern nur die Ablegung einer Fachprüfung ähnlich der der Taubstummenlehrer nach voraufgegangener etwa 2jähriger erfolgreicher unterrichtlicher Tätigkeit in einer Hilfsschule. Die praktische Ausbildung des Prüflings müßte sich der Leiter der Hilfsschule angelegen sein lassen (Hospitieren in verschiedenen Klassen mit folgender Besprechung, Beschäftigung erst auf der Ober-, dann auf der Mittel- und Unterstufe, Besuch anderer Hilfsschulen, Einrichtung einer guten Bibliothek). Die staatlichen Kurse würden etwa über folgendes zu belehren haben: Wesen des Schwachsinns, Unterricht

und Erziehung Schwachsinniger, Literatur und Lehrmittel, Experimental-
psychologie, medizinisches Grundwissen in Anatomie, besonders des Gehirns,
in Physiologie, Ätiologie des Schwachsinns, Psychiatrie, Schulhygiene und
Sprachheilkunde. Vielleicht könnte man scheiden in einen Kursus für
Anfänger und einen solchen für schon länger in der Arbeit Stehende. Als
Ort für solche Kurse würde eine Universitätsstadt zu wählen sein, die zugleich die verschiedenen heilpädagogischen Veranstaltungen aufzuweisen
hat. Die Teilnahme an der Prüfung dürfte nicht von dem vorhergehenden
Besuche eines Kursus abhängig zu machen sein, sondern nur von einer
vorhergehenden Erprobung im Hilfsschuldienst, denn es bedarf der größten
Vorsicht bei der Auswahl des Hilfsschullehrers. Von seiner Persönlichkeit
hängt alles ab. Er muß ausgerüstet sein mit Liebe, froher Laune und
Geduld, sowie eisernem Willen, der ihn bei allen fehlschlagenden Versuchen
und Jahr für Jahr wiederkehrender Behandlung der allerelementarsten
Stoffe doch nicht erlahmen läßt. — In der Debatte fand die Forderung
von Ausbildungskursen für Hilfsschullehrer allseitige Zustimmung. Man
sprach den Wunsch aus, daß solche nicht bloß vom Staate, sondern auch
von Städten und Vereinen eingerichtet werden möchten. Die Forderung
einer besonderen Prüfung für Hilfsschullehrer aber und die darauf bezüglichen Thesen des Referenten wurden von fast allen Seiten energisch abgelehnt, ebenso aus der Versammlung gestellte Anträge, in einer besondern
These im einzelnen aufzuführen, was in den Kursen für Hilfsschullehrer
zu bieten sein würde.

Es sprach sodann Dr. med. Winckler-Bremen über «Die Behandlung
von Sprachgebrechen in der Hilfsschule.« Referent erklärt vorweg,
daß er sich in seinen Ausführungen auf die gemeinsame Tätigkeit des
Pädagogen und Arztes zur Bekämpfung der so sehr zahlreichen Fälle von
Sprachstörungen in der Hilfsschule beschränken wolle. Er führt folgendes
aus: Zunächst ist anzugeben, mit welchen Sprachgebrechen die Hilfsschule
sich zu befassen hat. Eine Einteilung der Sprachstörungen auf anatomischer
Grundlage ist noch nicht möglich, denn wenn auch der Sitz des sensorischen
und motorischen Sprachzentrums bekannt ist, so genügt das noch nicht
zur Deutung und Lokalisierung der Sprachstörungen im Gehirn, vor allen
nicht bei geistig Abnormen. Nur das ist bekannt, daß die genannten
Sprachzentren in der linken Stirnhälfte liegen, die rechte ohne Bedeutung
für die Sprache ist. Eine Erklärung dafür bietet die vorwiegende Benutzung der rechten Hand. Mit rechtsseitiger Lähmung pflegen auch
Sprachstörungen verbunden zu sein. So kann die Übung der Armmuskulatur
in der Therapie zentraler Sprachstörungen benutzt werden. Nur bei krankhafter Ausschaltung der Sprachzentren der linken Hirnhälfte tritt die
rechte für Zwecke der Sprache in Aktion. Auch unsere physiologischen
Kenntnisse über den Sprachvorgang liefern keine Einteilung der Sprachstörungen. Wir wissen nur, daß die Schalleitung des Gehörorgans und
der Sprechapparat nebst den dazu gehörigen Nervenleitungen normal beschaffen sein müssen, um eine richtige Sprachtätigkeit zu ermöglichen.
Bezüglich der eigentlichen Gehirntätigkeit beim Sprechen wissen wir, daß
von der peripheren Schalleitung ausschließlich im sensorischen Sprach-

zentrum das Vernommene aufgespeichert wird. Eine Erkrankung dieses Hirnteiles hat die Kußmaulsche Worttaubheit (der Kranke hört alles, versteht aber nichts) und wohl auch die sogenannte amnestische Aphasie (der Kranke findet keine Worte für seine Gedanken) zur Folge. Bei Erkrankungen des motorischen Zentrums zeigt sich trotz gesunder Sprachorgane Unvermögen, sich spontan zu äußern oder auch nur Vorgesprochenes zu wiederholen. Normales Sprechen erfordert nach Bunge ein Intaktsein von 7 Funktionen: 1. Die Worte müssen gehört, 2. dann mit Begriffen assoziiert werden, 3. diese Begriffe müssen zu früher gebildeten in Beziehung gesetzt, 4. es muß eine Antwort gebildet und 5. in Worte gekleidet, 6. darauf der Anstoß gegeben werden zur Erregung der Nervenfasern, welche die Sprechmuskeln versorgen, und endlich 7. muß der ganze Sprechapparat so beschaffen sein, daß eine gute Lautbildung möglich ist. In der Hilfsschule erfordern die Funktionen 2 bis 5 oft viele Übung; vor allem ist hier die Übung der Funktion 4 bei der Behandlung der Sprachstörungen wichtig. Wenn auch die Intelligenz nicht allein nach der Schwere der Sprachstörungen zu bemessen ist, so sollten doch die ganz schweren sprachlichen Entwicklungshemmungen von der Hilfsschule ausgeschlossen werden, vor allem die Stummheit. Die Fälle, wo alle die 7 Bunge'schen Funktionen fehlen, gehören in die Idiotenanstalt, die Fälle, wo Funktion 1 fehlt, in die Taubstummenanstalt. Fehlt nur Funktion 6 und 7, so kann normale Intelligenz vorliegen (reine sogenannte Hörstummheit); meist aber ist die Stummheit mit Sinnesdefekten und Störungen der Funktionen 2—5 verknüpft und dann der Behandlung in Internaten oder Taubstummenanstalten zu überweisen. Alle Fälle, wo sprachliche Mängel mit hochgradiger Schwerhörigkeit sich vereinen, gehören in Taubstummenanstalten, die eine recht niedrige Stufe der geistigen und sprachlichen Entwicklung bezeichnenden Fälle von Echolalie und Hottentottismus meist in die Idiotenanstalt oder ein Internat. Internatsbehandlung würde überhaupt für alle die schwachsinnigen sprachgebrechlichen Kinder anzustreben sein, die im Elternhause einer geregelten Körperpflege und des Vorteils eines stetigen guten sprachlichen Vorbildes entbehren. Eine weitere Entlastung der Hilfsschule wäre dadurch zu erreichen, daß schwere Stammler zunächst in einem Sprachheilkursus behandelt würden. Zu dem Zwecke würde es sich empfehlen, ein Internat mit der Hilfsschule zu verbinden. Die beiden den schwachsinnigen Kindern eigenen Temperamentformen, die apathische und agile, zeigen auch oft charakteristische Sprachgebrechen, beruhend auf Defekt der Funktion 6, jene eine monotone, die Artikulationsmuskeln kaum in Tätigkeit setzende Ausdrucksweise (Bradyphasie), diese ein hastendes Plappern, oft mit Silbenstolpern und schlechtem Konzentrationsvermögen verbunden, die dauernde und energische Artikulationsübungen erfordern. Wichtig ist die richtige Beurteilung des Stotterns. Die spastischen Stotterer und die, bei denen das Übel in psychischen Momenten begründet liegt, gehören nicht in die Hilfsschule, wohl aber die Fälle, wo das Stottern bloß Folge hochgradiger Zerstreutheit und Unaufmerksamkeit ist. Die von der Hilfsschule als solcher zu beseitigenden sprachlichen Gebrechen dürften mithin zu beschränken sein auf die leichteren Formen des Stammelns und, da die Her-

stellung der Funktionen 2—5 eine der wesentlichsten Aufgaben der Hilfsschule ist, auf die verschiedenen Formen des Agrammatismus, die Bradyphasie und das Poltern, sowie endlich auf das Stottern in der angedeuteten
Einschränkung. Dabei wird doch immer noch die sprachliche Behandlung
der Zöglinge einen wesentlichen Teil der pädagogischen Hilfsschultätigkeit
ausmachen. — In wieweit kann in dieser Angelegenheit der Arzt mitwirken? Auf den früheren Verbandstagen wurde bereits betont, daß Blinde,
Taubstumme und Schwerhörige höheren Grades von der Hilfsschule auszuschließen seien. Das sollte auch auf Sehschwache höheren Grades ausgedehnt werden, da diese die den Schwachsinnigen ohnehin schon viele
Schwierigkeiten bietenden Formen-, Größen-, Raum- und Lageverhältnisse
nicht richtig aufzufassen vermögen, wodurch auch die unterrichtliche Entwicklung der Sprache erschwert wird. In vielen Fällen haben sprachliche
Mängel ihre Ursache in Defekten des Gehörorgans, die oft nur sehr schwer
festzustellen sind. Unter Umständen können Kinder infolge der letzteren
fälschlich für schwachsinnig gehalten werden. Daher ist eine sorgfältige
fachmännische Prüfung des Gesichts- und Gehörorgans und Feststellung
der Fälle nötig, wo der Befund eine gesonderte Behandlung notwendig
erscheinen läßt. Weiter kommt bei Behandlung der Sprachgebrechen
wesentlich die Ausbildung der gesamten Muskulatur der Sprachorgane mit
in Frage, die bei vielen Schwachsinnigen eine recht schwache Entwicklung
oder gar größere Anomalien zeigt. Die meisten derartigen Defekte sind
ziemlich leicht zu erkennen und die zu ihrer Beseitigung anzustellenden
Übungen als bekannt vorauszusetzen. Daneben können aber sonst noch
Hindernisse der oberen Luftwege vorliegen, die vielleicht vor einer sprachlichen Behandlung beseitigt werden müssen, so Erkrankungen der Rachen- und
Gaumenmandeln sowie der Nase. Es ist darüber viel geschrieben und behauptet
worden, daß durch diese Erkrankungen die geistige Tätigkeit sehr erschwert
werde, eine Operation hier von heilsamer Einwirkung sei. Aber man muß
bedenken, daß bei der abnorm leichten Ermüdung und Erschöpfung des
ganzen Zentralnervensystems eines schwachsinnigen Kindes dieses schon
auf relativ geringfügige operative Eingriffe abnorm schwer reagiert und
lange daran leidet. Selbst eine Mandelentfernung darf nur in Narkose
vorgenommen werden, wenn nicht das Gegenteil des Beabsichtigten eintreten soll, längeres geistiges Zurückbleiben. Solche Operationen sollten bei
Schwachsinnigen überhaupt nur dann vorgenommen werden, wenn davon
erhebliche Verbesserungen mit Sicherheit zu erwarten sind, wenn dadurch
nicht bloß Hindernisse der Sprachentfaltung, sondern zugleich erhebliche
Nachteile der Gesamtentwicklung beseitigt werden. Ebenso sollten Eingriffe
zur Besserung der Hörfähigkeit nur dann erfolgen, wenn damit die Beseitigung lebensgefährlicher Zustände erreicht wird. Der ärztliche Beistand für die Behandlung von Sprachgebrechen in der Hilfsschule dürfte
mithin sich zu erstrecken haben auf Feststellung und Besserung von
Sinnesanomalien des Gesichts und Gehörs sowie auf Feststellung und
event. Beseitigung der direkt den Sprachmechanismus erschwerenden Erkrankungen. Der Hilfsschullehrer bedarf zweifellos einer sorgfältigen
theoretischen und praktischen Vorbildung in der Sprachheilkunde. Um die

erforderliche Zeit zu gewinnen, würde es gut sein, die 2jährige Beobachtungszeit in der Normalschule abzukürzen. — An den Vortrag knüpfte
sich eine lebhafte und andauernde Debatte, die ein reiches Tatsachenmaterial
aus der Praxis heraus zu tage förderte. Es wurde vor allem die Frage
erörtert, ob tatsächlich Fälle der sogenannten Hörstummheit bei unge-
schwächter Intelligenz vorkämen, und von verschiedenen Seiten bejaht.
Jedoch war man darin einig, das als eine sehr selten vorkommende Erscheinung zu bezeichnen.

Die Versammlung schritt alsdann zur Erledigung einer Anzahl von
geschäftlichen Angelegenheiten. Der Vorsitzende wies zunächst
noch einmal auf die den Mitgliedern schon bekannt gegebene verbands-
seitige Gründung eines Ausschusses zum Rechtsschutz für die
geistig Minderwertigen (Vorsitzender Kielhorn-Braunschweig) hin
und bat, alle die Fälle von Verurteilung Schwachsinniger durch den Strafrichter, bei welchen die Art und das Maß der Strafe in Rücksicht auf die
verminderte Zurechnungsfähigkeit als unrichtig erscheinen, der Kommission
oder dem Vorstande mitzuteilen.

Zur Herbeiführung einer gewissen Rücksichtnahme auf die
früheren Hilfsschulzöglinge im Militärwesen bat der Vorsitzende
auf Grundlage von Besprechungen mit Militärärzten und im Bezirkskommando dringend, alle Hilfsschulen möchten in Zukunft zeitig genug
vor dem Aushebungstermin eine Liste der in dem betr. Jahre gestellungspflichtigen früheren Hilfsschulzöglinge bei dem Zivilvorsitzenden der Aushebungskommission und dem Bezirkskommando einreichen.

Der Vorsitzende brachte darauf den für Ostern 1906 geplanten Kongreß für die Gesamtheit der heilpädagogischen Bestrebungen
zur Sprache. Er erwähnte die darauf bezüglichen Mitteilungen in den
»Kinderfehlern«, die dem Vorstande noch besonders im Abdruck zugesandt
seien und hob hervor, daß letzterer zu einer bestimmten Stellungnahme
gegenüber dem Kongresse ohne Beschluß der Versammlung sich nicht für
befugt gehalten habe, um so mehr, da es zunächst dem Vorstande ge-
schienen habe, daß durch den Kongreß mehr oder weniger eine Verschmelzung der in Frage kommenden einzelnen Vereinigungen bezweckt
werden solle. Jedoch hätten die beiden Verbandsvorsitzenden, um sich
über die Angelegenheit genauer zu informieren, an der in Berlin unter
Vorsitz von Prof. Ziehen vorgenommenen Vorbesprechung in Betreff des
Kongresses teilgenommen. Bei dieser Besprechung habe man sich dahin
geäußert, daß es wie jeder einzelnen Person auch den einzelnen Vereinen
überlassen bleiben müsse, wie sie sich zu dem Kongresse stellen wollten.
Der Verband sei somit z. Zt. nicht vor die Frage gestellt, ob er seine
Organisation im Hinblick auf den Kongreß ändern wolle. Jedoch müsse
die Entwicklung des letzteren mit großem Interesse verfolgt werden. Derselbe werde gewiß nicht ohne große Bedeutung auch für die Hilfsschule
sein. Er bitte daher, den Vorstand zu ermächtigen, Vertreter zu dem
Kongreß zu entsenden. Im übrigen aber würde seines Erachtens abzuwarten sein, welche Entwicklung der Kongreß nehmen werde. Er bitte
dringend, falls man andere Ansichten in dieser Sache hege, das Wort zu

nehmen, damit der Vorstand orientiert sei. Die Versammlung erklärte
sich jedoch ohne Debatte mit den Ausführungen des Vorsitzenden einverstanden.

Lehrer Busch-Magdeburg stellte hierauf den Antrag, die Versammlung
möge den Vorstand beauftragen, Schritte zur Herausgabe eines eigenen
Verbandsorgans zu unternehmen. Der Vorsitzende äußerte dazu, daß
schon seit längerer Zeit zahlreiche Anträge in gleichem Sinne aus den
Kreisen der Mitglieder an den Vorstand gerichtet worden seien. Das habe
den Vorstand veranlaßt zur Herausgabe der nach Bedarf und nach Maßgabe der verfügbaren Mittel hergestellten Nummern der »Hilfsschule« sowie zu einer genauen Feststellung der aus einer Verbandszeitschrift im
bescheidensten Rahmen erwachsenden Kosten. Der Vorstand stehe auf
dem Standpunkte, daß er an ein solches Unternehmen nur auf Grund eines
einmütig gefaßten Versammlungsbeschlusses herangehen könne. Zur
Deckung der Kosten werde die Erhöhung des Mitgliedsbeitrages, der ja
bislang bei weitem noch nicht einmal zur Bestreitung der Ausgaben für
die Verbandstagsberichte ausgereicht habe, oder die Erhebung eines Kon-
ferenzbeitrages event. auch beides nötig sein. An den Antrag knüpfte sich
eine lange Debatte. Wohl erschien fast allen Anwesenden eine Verbandszeitschrift wünschenswert; jedoch war eine nicht geringe Minderheit, namentlich im Hinblick auf die bestehenden Spezialvereine gegen eine Erhöhung
des Mitgliederbeitrages. Infolgedessen erklärte der Vorsitzende, daß
unter diesen Umständen der Vorstand im Hinblick auf die unsichere
finanzielle Fundierung vorläufig von dem Unternehmen absehen und es bei
dem bisherigen Modus von zeitweilig erscheinenden Mitteilungen sein Be-
wenden haben müsse. — Zum Schluß erfolgte Rechnungsablage und
Vorstandswahl. Die satzungsgemäß ausscheidenden Vorstandsmitglieder
1. Vorsitzender Stadtschulrat Dr. Wehrhahn-Hannover, 2. Schriftführer
Rektor Henze-Hannover und 1. Kassierer Lehrer Bock-Braunschweig
wurden durch Zuruf wiedergewählt.   (Schluß folgt.)

3. X. Internationaler Kongress gegen den Alkoholismus.
Budapest, 11.—16. September 1905.

Uns wird folgendes provisorisches Programm mitgeteilt: I. Festvortrag
Gruber-München. »Hygiene des Ich.« II. Diskussions-Themata. 1. Der
Einfluß des Alkohols auf die Widerstandsfähigkeit des menschlichen und
tierischen Organismus mit besonderer Berücksichtigung der Vererbung.
Referent: Laitinen-Helsingfors. 2. Ist Alkohol ein Nahrungsmittel?
Referent: Kassowitz-Wien: »Kann ein Gift die Stelle einer Nahrung
vertreten?«. Zweiter Referent: unbestimmt. 3. Die kulturellen Bestrebungen
der Arbeiter und der Alkohol. Referent: Wandervelde-La Hulpe, Kiß-
Budapest. 4. Alkohol und Geschlechtsleben. Referent: Forel-Chigni prés
Morges. 5. Alkohol und Strafgesetz. Referenten: Lombroso-Turin: »Die
soziale Prophylaxe des Alkoholismus«, Bleuler-Zürich: »Die Behandlung
der Alkoholverbrechen.« Vámbéry-Budapest: »Der Alkohol als sozialer

Faktor der Kriminalität.« 6. Der verderbliche Einfluß des Spirituosenhandels auf die Eingeborenen in Afrika. Referent: Müller-Groppendorf. 7. Die Unterstützung des Kampfes gegen den Alkohol durch die Erziehung in Haus und Schule. Referenten: The Honble Mrs Eliot Yorke-London, Hähnel-Bremen, Eötvös-Szolnok, Fischer-Pozsony, Kirschanek-Szt.-István. 8. Alkohol und physische Leistungsfähigkeit mit besonderer Berücksichtigung des militärischen Trainings. Referent: unbestimmt. 9. Die hygienische Bedeutung des Kunstweines gegenüber dem Alkoholgenuß überhaupt. Referent: Liebermann-Budapest. 10. Die industrielle Verwertung des Alkohols als Kampfesmittel gegen den Alkohol. Referenten: Frau Daszynska-Golinska-Krakau: »Die national-ökonomische Bedeutung der industriellen Spiritusverwendung«, Klemp-Budapest, Baron Malcomes-Budapest. 11. Die Reform des Schankwesens. Referenten: Eggers-Bremen: Alkoholkapital und Gegenkapital, Helenius-Helsingfors: Die Beziehung der Alkoholgesetzgebung zur Reform des Schankwesens, Legrain-Paris: Gasthaus-Reform und Gasthaussitten-Reform, Malins-Birmingham: Die Bewegung der Gasthausreform. 12. Die Organisation der Antialkoholbewegung. Referenten: Wlassak-Wien, Máday-Budapest, Stein-Budapest.

4. Vereinigung für Kinderforschung in Mannheim.

In der II. Sitzung des ersten Vereinsjahres, am 25. November 1904, standen als erster Punkt der Tagesordnung die vom Vorstand ausgearbeiteten Satzungen zur Beratung. Sie wurden debattelos und einstimmig angenommen.

Den zweiten Punkt der Tagesordnung bildete ein Vortrag des Herrn Hauptlehrers M. Enderlin »Über die Theorie der Aufmerksamkeit mit Rücksicht auf ihre pädagogische Verwertung.« Die Hauptgedanken des Vortrags waren folgende: Die Psychologie hat sich beim Studium der Aufmerksamkeit früher hauptsächlich mit der höhern Form derselben, der sogenannten »willkürlichen Aufmerksamkeit« beschäftigt und dabei die ursprünglichen Formen mehr oder weniger vernachlässigt. Da aber zwischen beiden Formen ein genetisches Verhältnis besteht, so konnte die Psychologie deshalb auch bezüglich der höhern Formen ein richtiges Verständnis nicht gewinnen. Vom biologischen Standpunkt aus betrachtet, ist die Aufmerksamkeit ursprünglich wahrscheinlich weniger eine dem Geiste dienende Funktion als vielmehr ein Mittel im Kampfe ums Dasein gewesen. Durch irgend einen Sinneseindruck, der sich entweder auf eine Beute oder den Feind bezieht, wird das Tier veranlaßt, seine Sinnesapparate einzustellen und gewisse Muskelpartien zur schnellen Reaktion anzuspannen und bereit zu halten. Groos sieht in dem Instinkt des »Lauerns« die Urform der Aufmerksamkeit. Aus dieser Urform sind die höhern Formen unzweifelhaft hervorgegangen. Dafür spricht der Umstand, daß auch bei den höhern Formen die charakteristischen Erscheinungen, die Einstellungs- und Akkomodationsbewegungen erhalten geblieben sind. Neuere Theorien haben dargetan, daß diese motorischen Erschei-

15*

nungen bei der Beurteilung des Wesens der Aufmerksamkeit eine Hauptrolle spielen. Schon bei der gewöhnlichen Sinnesauffassung sind die Bewegungen der aufnehmenden Organe von der größten Wichtigkeit. Ohne
die Anpassungstätigkeiten der Sinnesorgane an die Reizquellen des Milieus
wären wir als passive Beute den Eindrücken der Außenwelt preisgegeben.
Außer diesen Akkomodationsbewegungen sind bei allen Aufmerksamkeitsakten auch motorische Vorgänge in den Blutgefäßen, Veränderungen der
Atembewegungen, ferner Ausdrucksbewegungen des Kopfes und Gesamtkörpers wahrzunehmen, die wir, da sie bei allen Menschen in durchaus
gleicher Weise ausgeprägt sind, als zum Wesen der Aufmerksamkeit gehörig betrachten müssen. Der Zustand der gespanntesten Aufmerksamkeit
charakterisiert sich durch vollständige Bewegungslosigkeit, wobei alle
Organe konvergierend auf den von der Aufmerksamkeit erfaßten Gegenstand hingerichtet zu sein scheinen. Durch die Einstellungsbewegungen
wird die Konzentration bewirkt. Der Zustand der Aufmerksamkeit gibt
sich dem Bewußtsein in einem Komplex von Empfindungen und Gefühlen
kund. Diese Empfindungen und Gefühle, durch welche die subjektive, die
Ich-Seite des Bewußtseins vermehrt wird, bilden zu einem großen Teil
das beständige, und zwar ›identische‹ Element in dem Gefühl des Selbst.
Die Aufmerksamkeit ist kein Vermögen, auch keine konstante, unveränderliche Größe; es gibt auch nicht nur eine Aufmerksamkeit, sondern soviele
Aufmerksamkeiten als es verschiedene Inhalte des Bewußtseins gibt.
Namentlich sind besondere Arten von Gesichts-, Gehörs-, Geruchsaufmerksamkeiten usw. zu unterscheiden. Es ist interessant, die Entwicklung der
Aufmerksamkeit beim Kinde zu beobachten. Wie alle körperlichen und
geistigen Funktionen, so wird auch die Tätigkeit der Aufmerksamkeit in
das Spiel des Kindes mit einbezogen. Das Kind versetzt sich namentlich
gern in den Zustand der Erwartung und Spannung. Es gibt viele Spiele,
bei denen die Aufmerksamkeit ein spezieller Gegenstand der Übung ist.
Von besonderer Wichtigkeit ist die Periode im Kindesleben, in welcher
die ersten Spuren der willkürlichen Aufmerksamkeit auftreten. Mit fortschreitender Entwicklung und durch Erziehung werden die gröberen Einstellungsbewegungen der Aufmerksamkeit allmählich zurückgebildet. Die
motorischen Vorgänge werden zentralisiert. Bei den höchsten Formen der
Aufmerksamkeit treffen wir daher vielfach nur Impulse und Innervationen,
wo früher ausgebreitete Partien des leiblichen Organismus betätigt waren.

Wie zu jeder andern Fähigkeit muß auch zur Aufmerksamkeit erzogen werden. Die Herausbildung der Fähigkeit der andauernden Konzentration auf einen Gegenstand bildet ein Erziehungsziel so gut wie jedes
andere. Unter keinen Umständen darf die Aufmerksamkeit von der Unterrichtspraxis als ein vorhandener Faktor schon vorausgesetzt werden.
Die Mittel zur Ausbildung der Aufmerksamkeit sind mannigfaltig. Hier
soll jedoch nur auf eines hingewiesen werden, da dasselbe auch von den
neuesten Autoren vollständig übersehen worden ist. Es wurde bereits
oben dargelegt, daß der Mechanismus der Aufmerksamkeit motorisch ist,
und daß die Einstellungs- und Akkomodationsbewegungen der körperlichen
Organe beim Aufmerksamkeitsakt die Hauptrolle spielen. Daraus folgt,

daß die Aufmerksamkeit in allererster Linie von der richtigen Beschaffenheit der körperlichen Organe, von ihrer Funktionsfähigkeit, ihrer Plastizität, ihrer Funktionsbereitschaft, mit einem Worte, von der Integrität der in Betracht kommenden muskulären und nervösen Apparate abhängig ist. »Ein Mensch, der unfähig ist, seine Muskeln zu beherrschen, ist unfähig zur Aufmerksamkeit.« Die Unfähigkeit zur Aufmerksamkeit, die wir so häufig in unserer Schule antreffen, wird also demnach in erster Linie von dem Mangel an Funktionsfähigkeit der muskulären und nervösen Apparate bedingt, die oft zu schwach, zu wenig ausdauernd, meistens aber zu ungeübt und funktionell zu rückständig sind, um den Anforderungen des Unterrichts gewachsen zu sein. Der durch physische Verhältnisse bedingten Unfähigkeit zur Aufmerksamkeit kann nur durch physische Mittel abgeholfen werden, nämlich durch die Mittel der leiblichen Erziehung, durch Turnen, Bewegungsspiel und Handarbeit. Durch das Turnen und das Bewegungsspiel werden die gröberen Organe der Aufmerksamkeit den erforderlichen Grad von Funktionsfähigkeit erhalten. Bei der Handarbeit kommen auch die feineren und feinsten an die Reihe. Werden durch Turnen und Bewegungsspiele die körperlichen Organe der Aufmerksamkeit mehr plastisch und elastisch, so werden sie durch die Handarbeit direkt anpassungs- und akkomodationsfähig gemacht. Die Handarbeit ist das vorzüglichste Mittel zur Erziehung der Funktion der Aufmerksamkeit.

Weit mehr noch als beim geistig normalen Schüler macht sich die Notwendigkeit der Erziehung zur Aufmerksamkeit durch das Mittel der körperlichen Betätigung beim geistig zurückgebliebenen Kinde geltend. Bei allen Formen des Schwachsinns tritt die Unfähigkeit zur Aufmerksamkeit als einer der charakteristischsten Züge auf. Die Organe der geistig zurückgebliebenen Kinder haben beim Eintritt in das schulpflichtige Alter noch bei weitem nicht das Maß von Ausbildung und Funktionsfähigkeit erlangt, welches in der Regel vorausgesetzt zu werden pflegt, und von Aufmerksamkeit kann bei diesen Kindern deshalb absolut nicht die Rede sein. Das in der Entwicklung Versäumte muß bei diesen Kindern erst nachgeholt werden, ehe man an einen regulären Unterricht gehen kann. Die Organe müssen durch eine zweckentsprechende Behandlung, durch Anleitung zur richtigen Funktion gekräftigt und geübt und zu ihrer eigentlichen Aufgabe gewissermaßen erst erzogen werden. Es geschieht dies am besten durch Leibesübung, durch Spiel und Arbeit.

An den etwa 1¹/₂ stündigen Vortrag schloß sich eine sehr lebhafte Diskussion an.

In der Januarsitzung sprach der Vorsitzende der Vereinigung, Herr Dr. med. Moses, über »Die sexuelle Aufklärung der Jugend.« Der Vortrag, der eine lebhafte Besprechung hervorrief, wird demnächst hier im Wortlaut zum Abdruck kommen.

In der Sitzung vom 17. März d. J. gab Herr Schularzt Dr. Stephani ein Referat über »Ermüdung und Ermüdungsmessungen«. Der Vortragende berücksichtigte in erster Linie, daß das Bestreben der »Vereinigungen für Kinderforschung« dahin gehe, durch eingehendere Aussprache zwischen Arzt und Lehrer ein besseres Verständnis zu erzielen in allen für die körperliche und geistige Entwicklung sowie für die erzieherischen Maßnahmen bedeutungsvollen Verhältnissen.

Er führte deshalb diejenigen physiologischen Forschungen etwas breiter aus, die mit dem Wesen der Ermüdung in Zusammenhang gebracht werden können.

Im Anschluß daran wurde die Technik der Mossoschen Ergographenmethode sowie der Griesbachschen Ästhesiometermessungen besprochen, dann kurz der späteren Arbeiten gedacht, welche diese Methode benutzten und Abänderungsvorschläge bezüglich der Ausführung oder des Instrumentariums brachten.

Übergehend zu den rein psychologischen Messungsmethoden wurden die Versuche von Sikorsky, Burgerstein, Laser, Höpfner, Friedrich, Richter, Kräpelin, Ebbinghaus und Lobsien besprochen.

Auf eine eingehendere Kritik wurde verzichtet. Wenn auch keine Methode vollständig befriedigt, so müssen doch alle Versuche berücksichtigt werden, sofern man ein vollständiges Bild der Ermüdung bekommen will.

Die typischen Differenzen der Versuchsresultate bei gleichbleibender Versuchsperson ergeben wichtigere Aufschlüsse über das Wesen der Ermüdung als die Bestimmungen von Massendurchschnitten.

An den Vortrag schloß sich eine recht lebhafte Diskussion an.

E.

---

5. Mitteilung an die Mitglieder des Vereins für Kinderforschung.

1. Da um Ostern 1906 der »Kongreß für Kinderforschung und Jugendfürsorge« abgehalten werden soll, so hat der Vorstand des »Vereins für Kinderforschung« beschlossen, die Jahresversammlung des Vereins bis dahin zu verschieben und sie dieses Mal zeitlich und örtlich mit dem Kongreß zusammenfallen zu lassen.

Die Tagesordnung wird später mitgeteilt werden.

2. Herr Stukenberg ist Ostern d. J. als Lehrer an das Großh. Seminar zu Oldenburg berufen worden. Infolgedessen hat er das Kassiereramt des Vereins niedergelegt. Als Nachfolger ist Herr Institutslehrer Grundig-W.-Jena-Sophienhöhe vom Vorstande kooptiert worden. Anmeldungen von Beitritt zum Verein wie Einzahlungen von Beiträgen sind also fortan an Herrn Grundig zu senden.

3. Es sei gleichzeitig daran erinnert, daß der Jahresbeitrag 4 M beträgt. Nach Einsendung desselben erfolgt die Zustellung der Zeitschrift.

Da von diesem Jahresbeitrage 1 M in die Vereinskasse fließt und zur Förderung unserer Bestrebungen dient, so bitten wir unsere Leser, auch durch Beitritt zum Verein unsere Bestrebungen zum Wohle der Jugend fördern zu helfen.   Trüper.

6. Der Erste Internationale Kongress für Kinderfürsorge und Familienerziehung

findet unter dem Protektorate der belgischen Regierung in der Zeit vom 18. bis 20. September dieses Jahres in den Räumen der Universität Lüttich statt. Die Verhandlungen werden sich in vier Abteilungen gliedern: 1. Kinderforschung. 2. Kindererziehung. 3. Anormale Kinder. 4. Vermischte Gegenstände, die auf das Kind Bezug haben. Für diese vier Abteilungen sind bis jetzt etwa 200 Vorträge angemeldet.

Es empfiehlt sich für diejenigen, die an dem Kongreß teilnehmen wollen, sich möglichst bald in den Besitz einer Mitgliedskarte zu setzen, die von dem Sekretär und Schatzmeister des Kongresses, Herrn Louis Pien in Brüssel, 44, rue Rubens, gegen Einsendung von 10 Fr. zu beziehen ist.

Es sei noch besonders darauf hingewiesen, daß die Inhaber von Mitgliedskarten den jedenfalls sehr umfangreichen und wertvollen Kongreßbericht unentgeltlich geliefert erhalten.   Ufer.

7. Eine ärztlich - pädagogische Privat - Ferienkolonie Planegg bei München

will das vereinte Wirken von Arzt und Pädagogen prinzipiell zur Durchführung bringen. Sie steckt sich ein hygienisches und pädagogisches Ziel:

»a) hygienisches: Für die blutarmen, nervösen, schulmüden Kinder bemittelter Eltern der Großstadt bietet Planegg mit seinem gleichmäßigen Klima und seiner waldreichen Umgebung einen günstigen Ort der Erholung. Ausgiebige Ruhe und Schlaf im Wechsel mit Bewegung und Beschäftigung im Freien, eine einfache, aber reichliche und wohlschmeckende Nahrung (aus der Küche der Kuranstalt Dr. Feser, München-Planegg, für Nerven-, Blut- und Stoffwechselkranke), sowie Leibespflege, Bäder, Duschen usw. sollen Gesundung und Erholung des Körpers herbeiführen. Frühzeitige Bekämpfung und Heilung leichter Störungen der Nerven und der Ernährung beugen größeren Schäden vor.

b) pädagogisches: Bei Knaben aller Schulen, Bildungsanstalten und Institute sollen während der Ferien das individuelle, spontane Eigenleben des Kindes, dem der Massenunterricht der Schule oft recht enge und drückende Fesseln anlegen muß, vor allem beachtet werden. Spielen, Turnen, Schwimmen, tanzartige Reigen, Wanderungen durch Feld und Wald, Ausflüge, Arbeiten mit Schaufel, Säge und Hammer; Bauen mit Sand, Stein und Holz; Modellieren in Ton, Anlegen von Sammlungen und Besuche bei Ortsbewohnern (Bauern, Förster, Handwerker). Regentage geben uns besonders Zeit, deutsche Sage, Märchen und gute Jugend-Lektüre zu pflegen, oder wir stellen Spiel- und Arbeitspläne für die nächsten Tage auf und machen wohl auch Berichte und Mitteilungen an die Eltern. Von selbst also sollen sich neue Gegenstände der Aufmerk-

samkeit nähern, fremdartige Stoffe, wie auch Bekanntes in neuer Umgebung
und endlich unbekannte Lebensverhältnisse und Arbeitsweisen vor die Seele
des Kindes treten und vom Kinde selbst geprüft, probiert und im Spiel
nachgebildet werden. Eine bestimmte Beeinflussung durch den Arzt oder
Pädagogen zu einem besonderen Zwecke soll nur auf Wunsch der Eltern
erfolgen. Wie bei einem Kranken Luft- und Klimawechsel den Umschwung
herbeiführen, ebenso wohltätig wirkt auf den jugendlichen Menschen
das Heraustreten aus der alltäglichen Sphäre. Die Berücksichtigung des
spontanen Interesses führt zu energischen Handlungen, mehrt die Selbständigkeit, hebt das Gute im Menschen und hält somit die schlechtere und
ungesündere Natur nieder. Freudig, gefördert, gesund sollen sie zu ihren
Eltern, in ihre Schule zurückkehren.«

So wollen es die Veranstalter und Leiter der Ferienkolonie:
L. Schretzenmayr, R. Egenberger, Lehrer aus München und Dr.
Feser, Spezialarzt für Nerven-, Blut- und Stoffwechselkranke in München.

Wir können ein solches Unternehmen nur freudig begrüßen, da es
auch in den gebildeten Kreisen noch immer Eltern genug gibt, die ihre
Kinder während der großen Ferien nicht genügend zu kräftigen, zu beschäftigen und zu — erziehen wissen.

Mündliche und schriftliche Anfragen und Anmeldungen sind zu
richten an Herrn Dr. Feser, Spezialarzt für Nerven-, Blut- und Stoffwechselkranke in München, Promenadestraße 6/L.   Tr.

C. Literatur.

Beiträge zur pädagogischen Physiologie, Psychologie und Pathologie.

»Gesundheit und Erziehung« sind zwei Fragen, die auch unsern
Lesern nahe liegen und die nie voneinander getrennt werden sollten. Schon
Rousseau widmete dieser Doppelfrage seinen berühmten Roman »Emile«. Während
aber Rousseau sich nur um die Erziehung Gesundgeborener kümmert, den Kränklichen und Schwächlichen abweist, weil der Erzieher kein Krankenwärter sei und
seine Zeit nicht verlieren dürfe, um ein unnützes Leben zu pflegen, faßt Prof.
Dr. med. **Georg Sticker** in seiner Schrift »Gesundheit und Erziehung«
(Gießen, I. Rickersche Buchhandl., 2. Aufl. 1903. 275 S. Preis geh. 4,50 M, geb. 5 M)
gerade diese Seite der Gesundheit und Erziehung besonders ins Auge. Aber er
denkt nicht bloß an die Kinder, die da sind, sondern vor allen Dingen an die Geschlechter, die erst noch kommen werden, und mit Nachdruck hebt er hervor: »Es
hängt von den Eltern ab, ob ihre Kinder gesund und schön und weise und gut, ob
sie Blüten der Menschheit oder ihr Abschaum sein werden. Der Mensch hat die
Kinder, welche er haben will, er erzeugt sich die Nachkommenschaft, welche er
verdient.«

Dieser gemeinverständlichen Schrift können wir darum im Interesse einer
gesunden Jugend nur die weiteste Verbreitung bei Eltern, Lehrern und Ärzten wünschen.

Zugleich für die Psychologie des Kindes beachtenswert ist die in der
»Bibliothek der Gesundheitspflege« (Stuttgart, Ernst Heinr. Moritz) als

Band 9 erschienene »Hygiene der Nerven und des Geistes im gesunden und kranken Zustande« von Prof. Dr. **Aug. Forel.** (282 S. mit 16 Abb., brosch. 2,50 M, geb. 3 M.)

Forel hat das ganze Gebiet des Nerven- und Geisteslebens in anziehender Weise behandelt. Im ersten Teile spricht er über Seele, Gehirn und Nerven im normalen Zustande. Im zweiten über die Pathologie des Nervenlebens, im dritten über Hygiene des Seelenlebens und Nervensystems.

Mancher Leser wird zwar über die Grundfragen von Gehirn und Seele anders denken als Forel,[1] der sich zu dem nach seinem Dafürhalten allein haltbaren Monismus (Identitätshypothese) bekennt, wonach Seele und lebendes Gehirn eins und Psyche und Ethos nur Ausdrücke unseres Gehirns sind. Und auch im einzelnen wird nicht jeder Leser die scharf zugespitzten Auffassungen des Verfassers teilen. Aber auch für diese ist es nicht uninteressant zu sehen, wie sich das Seelenleben und die Hygiene desselben von diesem Standpunkte aus denken läßt. In praktischer Hinsicht orientiert aber die Schrift über das ganze Gebiet in vorzüglicher Weise.

Forels Hauptverdienste liegen im Kampfe gegen den Alkoholismus, ja gegen den Alkohol überhaupt. Das tritt auch in der vorliegenden Schrift besonders hervor. Und es ist nicht unwichtig, daß es gerade im Rahmen einer solchen Schrift geschieht. Manche glauben ja noch immer, daß der Kampf gegen den Alkohol eine Art Sportsache derer sei, die nicht ernst zu nehmen sind. Sie glauben es auch in der Regel solange, bis die Folgen des ständigen Alkoholgenusses auch an die Pforten ihres eigenen Nervensystems pochen. Von diesem Gesichtspunkte sei darum noch besonders auf die Forelsche Arbeit verwiesen.

Speziell mit dieser Alkoholfrage beschäftigt sich die Schrift »Gegen den Alkohol« gemeinverständliche Aufsätze von Dr. **Juliusburger.** Mit einem Vorworte von Prof. Forel. (Berlin, Verlag Franz Wunder, 1904.) Sie enthält folgende interessante Betrachtungen: 1. Weltanschauung und Abstinenz. 2. Zur sozialen Bedeutung der Geisteskrankheiten. 3. Zur Bestrafung der Geisteskrankheiten. 4. Zur Bestrafung der Trunksucht. 5. Die Bekämpfung der Geschlechtskrankheiten und Alkohol vor Gericht. 7. Der Mensch und die Narkose. 8. Zum Gedenken Giordano Brunos. 9. Streik und Alkohol. 10. Nervosität und Alkohol. 11. Was kann die Schule im Kampfe gegen den Alkohol tun?

Ohne mich zu der Weltanschauung Juliusburgers und Forels zu bekennen, so stimmen wir doch im Hinblick auf die aufgeworfenen praktischen Fragen über den Alkohol und seine Folgen durchweg zusammen. Gerade, daß Juliusburger diese Fragen einmal unter höhere Gesichtspunkte rückt, macht die Schrift noch besonders beachtenswert.

Über die **Pflege der Gesundheit in der Schule** ist in den letzten Jahrzehnten vieles erschienen, wie ja auch ein besonderer »Verein für Schulgesundheitspflege« in Deutschland besteht und außerdem ein »Internationaler Kongreß für Schulgesundheitspflege«, der Ostern 1904 in Nürnberg tagte und ohne Frage sehr befruchtend nach den verschiedensten Seiten hingewirkt hat. Die Unsumme von Vorträgen, die dort gehalten worden sind, sind jetzt in 4 starken Bänden erschienen. (Nürnberg, I. L. Schrag, 1904.)

Es ist uns unmöglich, auf die einzelnen Vorträge näher einzugehen, aber es gibt

---

[1] Wir verweisen in dieser Hinsicht auf die ältere und sehr anziehend abgefaßte Schrift unseres Mitherausgebers Dr. Koch, Das Nervenleben in gesunden und kranken Tagen. Ravensburg, Maier. 6. Aufl.

kaum eine Frage auf dem Gebiete der Gesundheitspflege in der Schule, die dort
nicht eine wertvolle oder manchmal auch recht minderwertige Beantwortung gefunden hat.

Die ganze Frage der Schulgesundheitspflege ist jedoch insofern in ein einseitiges
Fahrwasser geraten, als die Schule doch nicht das Primäre, sondern nur das
Sekundäre ist. Erst kommt das Kind als Individuum und dann erst die Gemeinschaft der Schule. Und dann gilt für uns auch das Seelenleben dem Leibesleben
mindestens als nebengeordnet. Ja, man kann sehr wohl darüber streiten, ob Kant
und Schiller nicht das richtige getroffen haben, wenn sie — um einen Ausspruch
des letzteren zu gebrauchen — meinen: »Es ist der Geist, der sich den Körper
baut.« — Außerdem steht auch noch immer im Hinblick auf die gesunde Jugend
die Familie der Schule voran. Denn nie und nimmer darf vergessen werden, daß
die Schule nur die Hilfsanstalt der Familie ist, nicht aber die Familie in ihren
Pflichten und Aufgaben leichten Herzens zur Seite zu drängen hat.[1]

Richtiger schon ist darum der Titel der Zeitschrift des deutschen Vereins gewählt »Gesunde Jugend«. Daneben aber erscheint jetzt unter der Hauptredaktion
des auf diesem Gebiete unermüdlichen Dr. med. et phil. **Herm. Griesbach**, Prof.
in Mülhausen i. Els. »Internationales Archiv für Schulhygiene« (Leipzig,
Wilh. Engelmann), aus dem uns die ersten Hefte des ersten Bandes vorliegen.

Unter den selbständigen Schriften auf diesem Gebiete empfehlen wir das
»Handbuch für Schulhygiene« von Prof. Dr. **Baginsky** und **Otto Janke**
(Stuttgart, Enke) und das »Handbuch der Hygiene« in 10 Bänden, herausg. von
Dr. med. **Weyl**, wovon der siebente Band enthält »Schulhygiene und öffent-
licher Kinderschutz«, von Dr. med. **H. Neumann**. (Jena, Gustav Fischer.)

Ein kleines, aber sehr praktisch angelegtes und sehr verständlich geschriebenes
Buch ist die »Schulgesundheitspflege« von Dr. med. **Schmid-Monard** und
Rudolf Schmidt, Schuldirektor (Leipzig, R. Voigtländer. Geh. 2,40 M, geb. 3 M).
Sie will nur eine übersichtlich gehaltene Darstellung der wesentlichen Abschnitte
aus dem Gebiete der Schulgesundheitspflege geben, zu welchem Zwecke Arzt und
Schulmann zu dieser Arbeit zusammentraten. — Beide Verfasser, von denen
leider der erstgenannte zu früh verstorben ist, haben den Fragen, welche sich auf
das Leben und den Betrieb in der Schule beziehen, seit Jahren reges Interesse zugewandt und schreiben aus persönlichen Eindrücken und langjährigen Erfahrungen
heraus. Nicht minder aber haben sie die grundlegenden Forschungen und die
Fortschritte in der gesamten Schulliteratur an den geeigneten Plätzen ihrer Bedeutung entsprechend gewürdigt. — Auch sind die wichtigsten behördlichen Ver-
ordnungen nicht unbeachtet geblieben. Jene Werke eignen sich darum mehr für
Schul- und Anstaltsbibliotheken, dieses mehr für den Bedarf des einzelnen Lehrers.

Eine Einzelfrage dieses Gebietes, **Die Überbürdung in der Schule**, behandelt

von **Patzak, Jul.**, Schule und Schülerkraft. Mit 116 graphischen Tafeln.
Wien u. Leipzig, Pichlers Witwe & Sohn, 1904. 83 S. Geheftet 10 M (12 Kr.),
geb. 11 M (13 Kr.).

Diese 116 farbigen Karten sind außerordentlich instruktiv zur Veranschaulichung alles dessen, was mit der Überbürdungsfrage in Zusammenhang steht. Das
Werk illustriert den Satz Herbarts, daß die Zeit das kostbarste Gut sei, worüber

---

[1] Näheres in: Trüper, Die Familienrechte an der öffentlichen Erziehung.
Langensalza, Hermann Beyer & Söhne (Beyer & Mann). 2. Aufl.

der Lehrer zu verfügen, und die er darum im Hinblick auf die Leistungsfähigkeit seiner Schüler auf das sorgfältigste zu verteilen hat.

Wer sich irgendwie mit der Ermüdungs- und Überbürdungsfrage zu befassen hat, darf nicht an dieser Arbeit vorübergehen. Wir stimmen dem Verfasser ganz zu, wenn er im Vorwort sagt: »Ich war im Sinne der Überzeugung tätig, daß die Erkenntnis von Schwächen der erste Schritt zu deren Behebung sei und gedachte auch des Ausspruches John Stuart Mills, daß zur Beseitigung eines verbreiteten Übels die offene Besprechung desselben sich zweckdienlich erweise.«

Eine für den grundlegenden Unterricht sehr bedeutsame hygienische Frage beleuchtet

Gutzmann, Dr. med. **Herm.,** Die Übung der Sinne. Vortrag, gehalten auf der XI. Konferenz für das Idioten- und Hilfsschulwesen am 7. September 1904 in Stettin. Medizinisch-pädag. Monatsschrift für die ges. Sprachheilkunde, 1904. Heft 11/12.

Für die Bildung abnormer wie normaler Kinder ist der Vortrag gleich beachtens- und beherzigenswert. Außerdem ist er noch besonders wertvoll durch seinen reichhaltigen Literaturnachweis.

Unter den **psycho-pathologischen Erscheinungen** im Grenzgebiet von Medizin und Pädagogik stehen Epilepsie und Hysterie in erster Linie. Über beide Krankheitsbilder besitzen wir von Geh. Medizinalrat Prof. Dr. **Otto Binswanger** in Jena umfangreiche monographische Bearbeitungen.

Im Jahrgange 1901 unserer »Zeitschrift f. Kinderforschung« findet der Leser ein Referat über den Vortrag Binswangers: »Über Hysterie im Kindesalter«,[1] der in erweiterter Form für die Ziegler-Ziehensche Sammlung angekündigt ist. Auch sein Vortrag in Leipzig auf der letzten Versammlung des Vereins für Kinderforschung, worüber wir im letzten Hefte berichteten, darf als Ergänzung betrachtet werden.

Schon früher haben wir unsere Leser aufmerksam gemacht auf das für alle Anstalten als Nachschlagebuch unentbehrliche Handbuch von Binswanger, »Die Epilepsie. 12. Bd. 1. Teil. 1. Abteilung der »Spez. Pathol. und Therapie« von Prof. Nothnagel. Wien, Alfred Hölder, 1898. 502 S.

Im letzten Jahre ist nun auch vollendet das Seitenstück dazu:

Die Hysterie. Mit 43 Abbildungen und 2 Tafeln. Wien, Alfred Hölder, 1904. 954 S. Geb. 25 M.

Während mit der Epilepsie nur der Lehrer an Anstalten für Abnorme zu tun hat, ist die Hysterie eine Krankheitserscheinung, über die auch jeder Lehrer an Schulen und Anstalten Normaler sich orientieren sollte. Aber sowohl diese wie auch die praktischen Ärzte betrachten nicht selten hysterische Erscheinungen, für die ein Kind nur selten oder teilweise verantwortlich ist, nicht als krankhafte Erscheinungen, sondern als Ungezogenheiten des Willenslebens, und wenden deshalb zur Besserung verfehlte Mittel an. Es kann den Lehrern und praktischen Ärzten zwar nicht schlechtweg zugemutet werden, daß sie ein so umfangreiches und wissenschaftliches Werk durcharbeiten, um sich über diese Frage zu informieren. Dafür genügen kleinere Schriften. Aber in Anstalts-Bibliotheken, die für Lehrer und

---

[1] Als Sonderabdruck erschienen unter dem Titel: »Bericht über die Versammlung des Versammlung des Vereins für Kinderforschung am 2. u. 3. August 1901 in Jena. Erstattet von den Schriftführern Dr. med. Strohmayer und W. Stukenberg. Langensalza, Hermann Beyer & Söhne (Beyer & Mann), 1901. 32 S.

praktische Ärzte bestimmt sind, sollten Werke wie das Binswangersche als Nachschlagebücher unter keinen Umständen fehlen.

Für die notwendigste Belehrung über diese Frage möchte ich neben den Binswangerschen Schriften noch zwei kleinere Arbeiten empfehlen:

1. **Bruns,** Dr. med. **L.,** Nervenarzt in Hannover, Die Hysterie im Kindesalter. Halle, Marhold. 2 M.
2. **Saenger, Alfred,** Nervenarzt in Hamburg, Neurasthenie und Hysterie bei Kindern. Berlin, S. Karger, 1902. 88 S. 0,80 M.

Auch sie bieten Lehrern und Kinderärzten manche trefflichen Anregungen und Winke.

Für das Gebiet der **Erziehung Abnormer** verweisen wir unsere Leser noch auf folgende uns zur Besprechung übersandte Schriften:

1. **Frenzel, Fr.,** Die Hilfsschulen für schwachbegabte Kinder in ihrer Entwicklung, Bedeutung und Organisation. Hamburg, Leopold Voß. 1 M.

Frenzel ist ein fleißiger und verdienstvoller Arbeiter auf diesem Gebiete und hat über diese und ähnliche Fragen viel und vielerlei schon geschrieben, vor allem in den verschiedensten Zeitschriften. Auch unsern Lesern ist er nicht unbekannt. Auf nicht ganz gleicher Höhe mit seinem Fleiß steht freilich sein kritisches und selbstforschendes Urteil. Immerhin wird der Leser durch dieses Schriftchen kurz und rasch orientiert.

2. **Hemmen, N.,** Taubstummenlehrer, Zur Fürsorge für die Idioten. Luxemburg, Hofbuchdruckerei von L. Bück Nachfolger.

Der warmherzige Vortrag bekundet, daß es auch in Luxemburg sich regt zur Fürsorge für die Geistesschwachen.

3. **Stelling, H.,** Taubstummenlehrer in Emden, »Die Erziehung der schwachbegabten und schwachsinnigen Taubstummen und die Teilung nach Fähigkeiten überhaupt. Dargestellt an der Hand eines Reiseberichtes über dänische und norwegische Taubstummenanstalten. Leipzig, Merseburger. 1,80 M.

Wir sehen, daß eine besondere Fürsorge für Schwachbegabte und Schwachsinnige unter den Taubstummen ebenfalls Platz greift. In hingebender Weise hat der Verfasser sich derselben angenommen eingedenk des Wortes, mit dem er seine Schrift schließt: »Tue deinen Mund auf für die Stummen und für die Sache aller, die verlassen sind!«

4. **Benda,** Dr. med., Die Schwachbegabten auf den höheren Schulen. Leipzig, Teubner, 1902. 18 S.

Der Berliner Arzt bespricht die Frage vom medizinisch-hygienischen Standpunkte aus in dem erwähnten Vortrage, den wir den Kollegen an den höheren Schulen wie auch den interessierten Eltern angelegentlich empfehlen möchten.

Die höheren Schulen haben es bequem. Wenn ein Kind nicht mit fortkommt, wird es einfach auf die nächst niedere Schule abgeschoben und kommt es hier nicht mit und bleibt es auf der niedrigsten der höheren Schulen noch hängen, dann wird es weiter abgeschoben und wandert auf die »Presse«, und in nicht seltenen Fällen beschäftigt sich dann schließlich mit dieser »ausgepreßten Jugend« der Strafrichter und der Psychiater.

Wie groß die Zahl der zurückgebliebenen Schüler hier dennoch ist, zeigt nach der »Ztschr. f. d. Beh. Schw. u. Epil.« (1905) eine im Berliner Statistischen Jahrbuch mitgeteilte Zusammenstellung über die städtischen Anstalten. Da findet man in beinahe allen Klassen von der untersten Vorschulklasse bis hinauf zur Oberprima nicht bloß dritte Semester, sondern vielfach auch vierte und vereinzelt sogar fünfte. Im Schuljahr 1903/4 wurden nach Eröffnung des Winterhalbjahres an den städtischen Gymnasien, Realgymnasien und Oberrealschulen nebst Vorschulen 1132 Schüler dritten Semesters, 270 vierten Semesters und 12 fünften Semesters gezählt, ungerechnet diejenigen Schüler dritten, vierten und fünften Semesters, die in ungeteilter Prima saßen.

5. **Stadelmann**, Dr. med. **Heinr.**, Schwachbeanlagte Kinder. Ihre ·Förderung und Behandlung. In: »Der Arzt als Erzieher.« Heft 14. München, Verlag der Ärztlichen Rundschau (Otto Gmelin), 1904. 40 S.

Der Verfasser hat es verstanden, kurz, klar und treffend die notwendigsten Fragen dem Verständnis der Allgemeinheit näher zu bringen.

Das an sich beachtenswerte Schriftchen nötigt uns aber leider, die von einigen Psychiatern so sehr in den Vordergrund geschobene Grenzfrage zwischen Medizin und Pädagogik zu berühren.

Der Titel des Sammelwerkes »Der Arzt als Erzieher« könnte leicht die Vorstellung erwecken, man wolle dasselbe, als wenn Lehrer ein Sammelwerk herausgeben mit dem Titel: »Der Lehrer als Arzt«, was natürlich einen Sturm gegen »Kurpfuscherei« hervorrufen würde. Es liegt hier aber wohl nur ein Mißbrauch des Wortes »Erzieher« vor. Die Sammlung will nur dem »Kurpfuschertum« den Wind aus den Segeln nehmen und tun, was die Schulmedizin längst hätte tun sollen und ja auch vielfach schon mit Erfolg getan hat: weitere Volkskreise über Gesundheits- und Krankheitsfragen belehren und aufklären. Das ist sehr verdienstvoll. Nur sollte man wissen, daß Belehrung nicht gleichbedeutend mit Erziehung ist und der Arzt mit dieser Belehrung noch kein eigentlicher Erzieher wird, wie auch der Lehrer noch kein Arzt wird, wenn er auch täglich Krankheiten verhüten und beseitigen hilft. Vor allem sollte man doch in dem Titel eines Sammelwerkes sich nicht einen solchen Mißbrauch der Sprache gestatten. Denn Herzleiden (Heft 1), Lungenschwindsucht (2), Nervenkrankheiten (3), Geisteskrankheiten (4), Zahn- und Mundleiden (5) usw., das sind alles keine erzieherischen, keine pädagogischen Fragen. Im andern Falle würden sie ja auch in das Gebiet der Pädagogik statt der Medizin gehören.

Darum wurde uns wohl auch nur das vorliegende 14. Heft als in die pädagogische Pathologie gehörend, zur Besprechung zugesandt.

Das Stadelmannsche Thema ist hundertfach von Pädagogen und Medizinern behandelt worden. Man dürfte wohl erwarten, daß der Herr Verfasser irgendwie seine Leser auf die zahllosen Vorarbeiten hinweise. Es ist nie geschehen. Und doch bietet es kaum einen neuen Gedanken, der nicht anderweit aufzuweisen wäre. Die spezifisch-medizinischen Fragen will ich nicht berühren. Eigentümlich mutet es uns aber an, wenn der Mediziner hier pädagogische Programme unter eigenem Namen aufstellt, die in der wissenschaftlichen Didaktik schon vier Jahrzehnte und noch länger erörtert wurden und deren Vertreter ihm in Würzburg so nahe stehen. Ich nenne nur die auch unsern Lesern bekannten Namen H. Schreiber und K. Kroiß, soviel ich weiß, unterrichteten sie sogar in der Anstalt des Herrn Dr. Stadelmann.[1]

Ein Beispiel. S. 34 spricht er über das »Lehrprogramm« also: »Als Lehrstoff

---

[1] Anm. während der Korrektur: Inzwischen ist uns eine Abhandlung von Herrn Schreiber eingegangen, die uns die von Dr. Stadelmann so trefflich gewürdigte Konzentrationsidee für den Rechenunterricht veranschaulichen wird. Sie wird in einem der nächsten Hefte zum Abdruck kommen.

soll eine Erzählung, ein geschichtliches, speziell kulturgeschichtliches Thema dienen. Es können an der Hand dieses Kernpunktes des Unterrichts und von ihm ausgehend alle andern Fächer bearbeitet werden; das Lesen, Schreiben, Rechnen usw. Ausführlicheres über diese Methode, die ich Assoziationsmethode genannt habe, habe ich andern Ortes geschrieben.[1]) Durch diese Konzentration beim Unterricht gewöhnt sich das Kind, allmählich überhaupt konzentriert zu denken; es schließt sich mehr in sich und kommt zu sich selbst, während es vorher zerfahren, zerstreut, unaufmerksam, interesselos war.« Wir sind voll einverstanden.

Das ist aber ganz und gar das Problem, welches Ziller bereits 1863 in seiner bahnbrechenden »Grundlegung zur Lehre vom erziehenden Unterricht« behandelt, dem Dörpfeld wenn auch in anderer Form schon 1872 seine vortrefflichen »Grundlinien zur Theorie eines Lehrplans« widmete und das Rein seit 1878 in 8 Bänden seiner »Schuljahre« praktisch ausbaute und deretwegen endlich Würzburg einen Sturm in seinem Schulleben erlebte. Zillig, Kroiß, Schreiber u. Gen. standen wegen dieser Lehre in erbittertem Kampfe mit der dortigen Stadt- und Schulbureaukratie.

Herr Dr. Stadelmann tauft die »Konzentration« um in »Assoziationsmethode« und gibt sie für sein Eigentum aus. Ein Ähnliches gilt für das Stadelmannsche Erziehungsziel: »Persönlichkeitsbildung«. (S. 31 ff.) Es tut mir leid, das hervorheben zu müssen. Der Fall ist aber so typisch, daß man nicht länger dazu schweigen darf. Unsere Leser wissen ja, wie ein anderer die Geschichte der pädagogischen Fürsorge für Abnorme mit dem Jahre 1847 abschloß. Sollte, was mich freuen würde, aber irgend ein Mißverständnis obwalten, etwa, daß die »Assoziationsmethode« doch etwas anderes sei, als die Konzentration im Unterricht, dann bitte ich sehr, den Irrtum aufzuklären. Unsere Zeitschrift steht dafür zur Verfügung. Jedem voll das Seine.

Mit Fettdruck hebt Stadelmann mit Recht hervor: »**Die Erziehung ist ein Hauptteil der Behandlung abnormer Kinder.**«

Ich hoffe, er zieht daraus noch einmal die praktischen Konsequenzen und protestiert auch mit Fettdruck gegen das bedenkliche Dogma einige seiner Spezialkollegen: Anstalten für Abnorme, die nicht unter der Leitung eines Mediziners stehen, entsprechen nicht »der Erfahrung, der Wissenschaft und der **Humanität**«.   Trüper.

Shinn, Milicent Washburn, Körperliche und geistige Entwicklung eines Kindes in biographischer Darstellung. Bearbeitet und herausgegeben von Prof. W. Glabbach und G. Weber. Langensalza, F. G. L. Greßler, 1905, kl. 8⁰. Preis ungeb. 9 M.

Preyer, W., Die Seele des Kindes. 6. Auflage. Herausgegeben von Karl L. Schäfer. Mit dem Porträt des Verfassers. Leipzig, Th. Griebens Verlag, 1905. 8⁰. Preis ungeb. 8 M.

Beide Bücher bedürfen keiner Empfehlung mehr; es genügt die Anzeige, daß sie in guter Bearbeitung neu vorliegen. Die Beobachtungen von Miß Shinn sind bekanntlich wie diejenigen Preyers an einem einzelnen Kinde angestellt worden und gehören zu dem besten, was es auf dem Gebiete der Kinderpsychologie an biographischen Werken gibt, trotzdem sie nicht ohne einen Schein des Rechts bis-

---

[1]) Stadelmann, Schulen für nervenkranke Kinder. Berlin, Reuther & Reichard.

weilen als Ammenpsychologie bezeichnet worden sind. Wenn wir an der deutschen Ausgabe etwas aussetzen sollten, so wäre es nur dies, daß die Ausstattung des Bandes dem hohen Preise nicht recht angemessen erscheinen will; doch ist das nur eine Frage des Geldbeutels und des Geschmackes. Die neue Auflage des Preyer-schen Werkes ist von Professor Schäfer mit derselben Sorgfalt bearbeitet wie die frühere. Die »Tiedemannschen Memoiren«, die von Preyer in die deutsche Literatur eingeführt worden sind, spuken in der neuen Auflage allerdings weiter und sind, wie es scheint, nun einmal nicht zu vertreiben.   Ufer.

Dr. Deutsch, Budapest. **Über Kinderselbstmorde.** Archiv für Kinderheil-kunde. XXXVIII. Band. 1. u. 2. Heft.

Verfasser hat 200 Fälle von Kinderselbstmord aus der Zeitungsliteratur der letzten 3 Jahre zusammengestellt. Die jugendlichen Selbstmörder stehen im Alter von 7 bis 20 Jahren, auf 53 Mädchen kommen 147 Knaben; die meisten Selbst-morde kommen zwischen dem 11. und 15. Lebensjahre vor. In der Ätiologie des Kinderselbstmordes ist der oft beschuldigte Mangel an Religiosität kaum in Betracht zu ziehen. Von großer Bedeutung dagegen sind nach Verfassers Ansicht das mit der Kultur vergesellschaftete Gespenst der Schulfurcht, die Studienüberbürdung, der krankhafte Ehrgeiz der Eltern und Kinder und die Examina — unter den 200 Selbst-mördern waren 103 Schüler von Mittelschulen. Weitere wichtige ätiologische Fak-toren sind der große Pauperismus, neuropathische Belastung und psychische Infek-tion. Am häufigsten geschah der Selbstmord durch Ertränken, Erschießen und Sprung aus der Etage.

Zur Verhütung der Kinderselbstmorde ist es notwendig, daß Eltern und Er-zieher erzogen werden, um erziehen zu können. Ferner kommen in Betracht Schutz der Kinder des Proletariats sowie eine auf Individualisieren in Unterricht und Erziehung abzielende Schulreform.

Hannover.   Dr. med. Spanier.

Wanke, Dr. med. **Georg,** Psychiatrie und Pädagogik. Nach einem am 25. April 1904 in der Jahressitzung des deutschen Vereins für Psychiatrie in Göttingen gehaltenen Vortrage (Grenzfragen des Nerven- und Seelenlebens. XXXIII). Wiesbaden, Bergmann. 80 Pf.

»Psychagogik« nennt der Verfasser das, »was wir in der Pädagogik von der Psychiatrie verlangen müssen.« Diese Disziplin hat zu treiben: 1. Hygiene der geistigen Arbeit. 2. Hygiene des Affektlebens, das wohl die größte Rolle bei der Entstehung nervöser Leiden spielt. 3. Erkennung der pathologischen Natur auffälliger Erschei-nungen im kindlichen Seelenleben.

Diese einzelnen Abschnitte werden zum Teil mit erfrischender Originalität und Konsequenz in kurzen Andeutungen besprochen. Die praktische Pädagogik steht dabei überall im Vordergrund und wird bereichert um einige treffende Anschau-ungen, z. B. über Märchen, Mummenschanz am Nikolaustag, unvermitteltes Heraus-reißen der Kinder aus einer lieben Beschäftigung, grobe Mißachtung ihrer Gedanken-verbindungen, Gefühle und Instinkte, über Verbote, über scheinbare und wirkliche Ungezogenheiten, über die Heiligkeit des kindlichen Ehrgefühls, über Liebe und Begeisterung im Unterricht.

Von psychopathologischen Kenntnissen verlangt Verfasser vom Lehrer und von den Eltern nur soviel, daß sie frühzeitig Veranlassung nehmen, eine Beob-achtung und Behandlung durch den Fachmann anzubahnen. Soviel aber soll jeder Lehrer lernen, da ihm und nicht dem Arzt die schwierige Aufgabe der Auslese

verdächtiger Fälle im ersten Beginn, wo die Heilungsaussichten die größten sind,
zusteht. Die kurzen Ausführungen über pathologische Lüge, Flegeljahre, Launen
und einige Kinderfehler geben nichts Neues, sind aber reichhaltig und sehr anregend,
wie die ganze Broschüre.

Galkhausen bei Langenfeld (Rheinl.).   Dr. med. Hermann.

Bosma, H., Nervöse Kinder. Medizinische, pädagogische und allgemeine Bemerkungen. Aus dem Holländischen übersetzt. Gießen, Ricker, 1904. 1,60 M.

In fesselnder Darstellung ist auf kleinem Raum eine Fülle von Tatsachen und
Anschauungen berichtet, die auch dem Kundigen manches Neue und Erfreuliche
bringt. Durchaus auf dem Boden der Möglichkeit und Wirklichkeit hält Verf. seine
praktischen Ratschläge, was immer anerkannt werden muß. Auch die Bedeutung
der Nervosität für die Entartung und umgekehrt, sowie die Ursachen und Folgen
dieser Krankheit sind in sachlichen Grenzen gehalten.

Die erbliche Belastung allein ist nicht ausschlaggebend. Die »geistige Ansteckung« ist von größerer Bedeutung als die Anlage selbst. Alkoholismus der
Eltern, Krankheiten der Schwangeren, überstandene Kinderkrankheiten, Rachenmandel, Gemütserschütterungen, unsinnige körperliche Züchtigung und sonstige Er-
ziehungsfehler, Pubertät u. a. werden ihrer ursächlichen Bedeutung entsprechend
charakterisiert.

Im zweiten Teil werden die bekannten Kennzeichen des nervösen Kindes geschildert. Der unsymmetrischen Körperhaltung (besonders beim Ausstrecken der
Arme) wird dabei eine besondere Bedeutung beigelegt. Im allgemeinen sind die
Kennzeichen nervöser Kinder sehr verschieden, doch kann man sich der Aufstellung
zweier Gruppen anschließen: Das motorische Kind ist beweglich, aktiv, das sen-
sible in sich gekehrt, passiv. Daraus resultiert die Verschiedenheit der Krankheits-
äußerung und diese erfordert eine grundverschiedene Behandlung. Diese, sowie
die Prophylaxe (Verhütung) im Ehe- und Völkerleben, findet eine ausführliche Darstellung. Sorge für den Körper, methodische Übungen der Muskeln (z. B. Finger,
Augen), was zugleich eine »Hirngymnastik« bedeutet, reichlicher Schlaf, Auffindung
idealer Wege für die sexuelle Energie (Künste, Wissenschaft), geregelte Arbeit
seien hier nur angedeutet. »Nichts stärkt die Nerven so sehr als das Gefühl von
Glück.« »Dreiviertel der Erziehung laufen auf Erwecken guter Gewohnheiten
hinaus«, um diese zu erwecken, hat man zwei Mittel: Das Beispiel des Erziehers
und den Befehl. Beim Befehlen ist aber zu bedenken: »Eine Suggestion der
Negation (Verbot!) hat keine negative Kraft, sondern bewirkt etwas Positives,
nämlich gerade das, von dem man will, daß es unterlassen werde« d. h. wenn man
dem nervösen Kind sagt: »Zwinkere nicht so mit den Augen«, dann ist seine Aufmerksamkeit darauf konzentriert und es zwinkert erst recht. Die richtige Methode
ist eine zweckmäßige Ablenkung. Im übrigen tut bei der Erziehung zur Selbstbeherrschung auch dem nervösesten Kind gegenüber strenge Disziplin und erzieherische Konsequenz not. Empfohlen wird (nach Ziehen), methodisch steigende
Reize auf das Kind wirken zu lassen und es systematisch eine Reihe von Emotionen
durchmachen zu lassen, um zugleich durch Gegenvorstellungen den Nervenapparat
in Tätigkeit zu setzen und dadurch die Emotionen zu hemmen und zu unterdrücken:
Hemmungstherapie.

Die praktische Erziehung und die Überwindung ihrer Schwierigkeiten finden
eine eingehende und überzeugende Darstellung.

Galkhausen bei Langenfeld (Rheinl.).   Dr. med. Hermann.

Druck von Hermann Beyer & Söhne (Beyer & Mann) in Langensalza.

An unsere Mitarbeiter und Leser.

Mit dieser Nummer schließen wir den X. Jahrgang unserer Zeitschrift. Da geziemt sich ein kurzer Rück- und Vorblick.

Als wir vor zehn Jahren mit unserm Programm auftraten, war die Erforschung der Eigenart unserer Kinder bei uns in Deutschland noch eine Neuheit. Die Anregungen von Männern wie Preyer hatten zwar in Amerika und England fruchtbaren Boden gefunden, aber wenige Beachtung unter deutschen Ärzten und Lehrern. Hier sollte nun unsere Zeitschrift anregen und fördern.

Zunächst wollte sie nur die negative Seite des kindlichen Seelenlebens ins Auge fassen, die Fehler der Kinder. Denn hier lag das größte praktische Bedürfnis.

Obgleich anfangs nur wenige Männer zu finden waren, die für die Fehler der Kinder, mit denen wir doch täglich zu kämpfen haben, soviel wissenschaftliches Interesse und Verständnis besaßen, daß sie zur Mitarbeit zu gewinnen waren, so wagten wir doch die Begründung der Zeitschrift, meinend, daß sie einem großen Bedürfnis entspreche.

Der Erfolg hat uns recht gegeben.

Die Interessenten der Hilfsschulen für schwachbefähigte Kinder wie auch die Ärzte, Lehrer und Leiter von Anstalten für Geistesschwache, Taubstumme, Blinde, Krüppel, Epileptische usw. begrüßten vor allem unser Programm und das Erscheinen unserer Zeitschrift, und der später organisierte »Verband der Hilfsschulen Deutschlands« wählte sie denn auch zu seinem Organe. Obgleich sie nicht ausschließlich im Dienste der Hilfsschule stehen wollte, sondern weitergehende Interessen verfolgte, so hat sie doch mit dem Interesse für das abnorme Kind auch die Idee der Hilfsschule in die einsamste Gegend und in die weiteste Ferne getragen, denn sie fand in allen Kulturländern von Californien ostwärts bis Japan und von Finnland südwärts bis nach Spanien an den verschiedensten Schulen und Anstalten je länger desto mehr Eingang und Beachtung.

Unsere Zeitschrift betonte von Anfang an, und stellte sich damit in einen gewissen Gegensatz zu weitverbreiteten Anschauungen, daß nicht bloß die Intelligenz- oder Geistesschwäche zu den der besonderen Fürsorge bedürftigen abnormen Erscheinungen im kindlichen Seelenleben gehöre, sondern daß in gleichem Maße auch die Fehler und Gebrechen des Gefühls- und Willenslebens Gegenstand des Studiums und der Heilerziehung sein müßten, daß beide Arten von psychopathischen Minderwertigkeiten bald mehr bald weniger in ursächlichem Zusammenhang stehen und pathologischen Ursprungs seien, und darum Anstalten und Schulen für geistig Schwache einerseits und Rettungshäuser und Fürsorgeerziehungsanstalten andrerseits auf die innigste Fühlung angewiesen sind.

Mit dieser Auffassung hat unsere Zeitschrift sich auch die Rettungshäuser erobert und hier die Anregung gegeben zu einer Reform der Erziehung der sittlich gefährdeten Jugend.

Aber auch die öffentliche Schule für Normale gewann von Anfang an Interesse für unsere Bestrebungen, und unsere Zeitschrift fand je länger desto mehr Verbreitung in allen Schulgattungen von der einklassigen Dorfschule bis zur Hochschule, soweit dieselbe sich mit Kinderpsychologie und Pädagogik befaßt.

Von den Lehrern der öffentlichen Schulen aus wurde aber bald der Wunsch laut, das Programm der Zeitschrift, wie es schon von Anfang an in Aussicht gestellt worden, dahin zu erweitern, daß es auch das normale Seelenleben in sein Forschungsgebiet einschließe.

Auf unsere Anregung hin bildete sich nun im Jahre 1897 in Jena der »Verein für Kinderforschung«, der sie ebenfalls zu seinem Organ ernannte, und wir erweiterten zugleich das Programm, indem wir die Erforschung des ganzen Kindes nach Leib und Seele in guten und bösen, in kranken und gesunden Tagen ins Auge faßten, wenn auch unter besonderer Berücksichtigung der pädagogischen Pathologie. So wurden die »Kinderfehler« zu einer »Zeitschrift für Kinderforschung« schlechthin.

Sie war es nun wieder, die die Idee des »Kongresses für Kinderforschung« zuerst anregte und nach Kräften förderte. Sein

Zustandekommen wird einen weiteren und wesentlichen Fortschritt bedeuten, und unsere Zeitschrift wird sich bemühen, dabei nach Kräften mitzuwirken.

So ist denn zu unserer Freude und in weit höherem Maße, als wir anfangs zu hoffen wagten, das Interesse und Verständnis für Kinderforschung in den zehn Jahren in die weitesten Kreise gedrungen und hervorragende Gelehrte haben seitdem ihre Arbeit in den Dienst dieser Sache gestellt. Und war unsere Zeitschrift damals in Deutschland die erste und einzige auf diesem Plane, so hat sie in diesen zehn Jahren zu unserer Freude bereits sechs Genossinnen bekommen mit mehr oder weniger ähnlichen Zielen, die Zeitschrift von KEMSIES, die Sammlung der Abhandlungen von ZIEHEN und SCHILLER (jetzt ZIEGLER), die »Studien« von BRAHN, die »Eos« der Österreicher, die »Gesundheitswarte der Schule« von BAUR und die »Zeitschrift für experimentelle Didaktik« von MEUMANN und LAY. Ebenso ist auch die Zahl der vor zehn Jahren noch sehr spärlichen selbständigen Schriften in gleichem Maße angewachsen.

In den zehn Jahren ihres Bestehens hat somit die »Zeitschrift für Kinderforschung« in den Schulen wie in manchen Familien viel Segen gestiftet. Sie hat mit dazu beigetragen, daß besondere Fürsorge getroffen wird für die intellektuell Geschwächten in Form von Hilfsschulen. Sie hat auf dem Plan gestanden, als es galt, die Strafbehandlung der Willensschwachen und der jugendlich Verirrten aus der einseitigen und noch verderblicher wirkenden Zwangserziehung umzuwandeln in eine Fürsorgeerziehung, indem sie die Schwächen, Fehler und Verkehrtheiten des Willens psychologisch erfassen und damit sachgemäßer und zugleich humaner behandeln lehrte. Sie hat aber auch für die leiblich und geistig gesunde Jugend zur Verhütung von Entwicklungsschäden ein besseres Verständnis angebahnt und sich so um die leibliche, geistige und ethische Hygiene aller Kinder bemüht.

Die Aufgabe der Zeitschrift für Kinderforschung wird es auch fernerhin sein:

1. an der Erforschung der Kinderpsychologie, und zwar an der Psychologie des normalen wie des abnormen Kindes, nach Kräften beizutragen, sowohl durch Abhandlungen aus den Gebieten der Physiologie und der Psychologie, als durch Mitteilung typischer Einzelfälle;
2. auf die Schäden und Mißstände des Volkslebens nachdrücklichst als Ursachen körperlicher wie seelischer Degeneration hinzuweisen;

16*

3. an der Verbesserung des Unterrichts- und Erziehungswesens durch Anwendung der Ergebnisse der psychologischen Forschung des Kindes mitzuarbeiten.

Sie will in Abhandlungen, Mitteilungen und Literaturberichten nicht nur die gesamte Psychologie des Kindes, sondern alles, was man neuerdings unter dem Namen Pädologie oder Kinderforschung zusammengefaßt hat, berücksichtigen.

Ihren Schwerpunkt aber wird sie behalten in der Untersuchung von mehr oder weniger krankhaften Erscheinungen des kindlichen Seelenlebens.

So soll sie bleiben ein Vereinigungspunkt für Erzieher, Ärzte, Seelsorger und alle andern, die zu dem von ihr verfolgten Zwecke etwas zu sagen und zu fragen haben.

Um aber den Lesern wie Mitarbeitern ein Nachschlagebüchlein zu bieten und eine Übersicht über unser bisher Geleistetes zu geben, hat unser fleißiger Leser und Mitarbeiter, Herr E. Schulze-Halle, es unternommen, ein Sach-, Wort- und Autorenverzeichnis der ersten zehn Jahrgänge zusammenzustellen. Es wird als selbständiges Heft im Format unserer Zeitschrift erscheinen. Der Verlag stellt unsern Lesern dasselbe auf Verlangen unentgeltlich zur Verfügung, da die Versendung als Beilage dieses Heftes nicht möglich ist.

Den Wünschen vieler Leser entgegenzukommen, haben sich die Verleger ferner bereit erklärt, unsere Zeitschrift für Kinderforschung fortan **ohne Preiserhöhung**, also zum Preise von 4 M das Jahr, und bei gleichbleibender Honorierung aller Beiträge von Oktober dieses Jahres ab

monatlich im Umfange von 2 Bogen,

d. h. in einer jährlichen Vermehrung von 6 Bogen, erscheinen zu lassen.

Wir hoffen, unsere Mitarbeiter und Leser werden dieses opferfreudige Entgegenkommen des Verlages lebhaft begrüßen.

Längere wertvollere Abhandlungen aber sollen außerdem nach wie vor in unserer Sammlung »Beiträge zur Kinderforschung und Heilerziehung« erscheinen.

So werden wir in der Lage sein, fortan weitgehenderen Wünschen, die uns namentlich auch aus Hilfsschulkreisen ausgesprochen wurden, entgegenzukommen.

Damit nun aber unsere Zeitschrift den so immer tiefer und weiter gehenden Gebieten gewachsen bleibe, bitten wir alle Freunde der guten Sache, uns durch treue und gediegene Mitarbeit auch im zweiten Jahrzehnt zu unterstützen. Insbesondere richten wir unsere

Bitte auch an die berufsmäßigen Vertreter der in Frage kommenden Wissenschaften, an die Universitätslehrer. Die Wissenschaft, die ihre Ergebnisse in gelehrten Werken und Zeitschriften nur dem engeren Gelehrtenkreise übermittelt, erfüllt ihre Aufgabe nur halb. Die Universität wird materiell vom Volksganzen getragen und sie sollte darum auch ihre Ergebnisse in gemeinverständlicher Sprache dem Volksganzen zu Nutz und Frommen wieder darbieten, um so die materiellen Opfer als ideale Werte wieder zurückzuzahlen. Auf unserem Gebiete aber sind es die praktischen Lehrer, Ärzte und Seelsorger, durch welche die Wissenschaftsergebnisse in dem Volksleben zur Anwendung kommen. Unsere Zeitschrift möchte sich diesem Vermittlungsdienste auch fernerhin widmen; sie möchte auf unserem Gebiete eine Art »University extension« sein. Die berufsmäßigen Forscher unter den Psychologen wie Medizinern und Pädagogen dürfen sicher sein, daß ihre Arbeiten bei uns nicht in Bibliotheken und Gelehrtenstuben vergilben, sondern wissensbegierig von der Mehrzahl unserer Leser aufgenommen werden und sie so in dem tiefgrundigen Acker der praktischen Berufsarbeit an normalen wie abnormen Kindern in Familie, Schule und Anstalt auf fruchtbaren Boden fallen.

Unsere Leser aber bitten wir, auch im neuen Jahrzehnt uns ihr Interesse zu bewahren und mit zu helfen durch Werbung neuer Leser, daß unser Kreis immer größer werde, der mit immer klarerer Einsicht und immer wärmerem Herzen den Kindern, der Jugend, dem werdenden Volksganzen leben möchte.

A. Abhandlungen.

1. 16 Monate Kindersprache.

Von
Seminaroberlehrer Dr. H. Tögel.

(Schluß.)

III. Wortarten.

Bei der Frage nach den Wortarten kann es sich natürlich nicht
darum handeln, welcher Wortart das Lautbild entstammt, das das Kind
benutzt, sondern nur darum, welche Vorstellung es damit verbindet
und welcher der üblichen Gruppen sein Wort danach unterzuordnen
ist. Am interessantesten sind auch hier die 49 Wörter der ersten
5 Sprechmonate.

Das Wort ŏ ist halb Interjektion, halb erhebt es sich aus diesem
verschwommenen Hintergrund zum Tätigkeits- oder Umstandswort.
Die Zeigewörter da und dŏt drücken ganz allgemein das Verhältnis
der Aufmerksamkeit zu irgend welchen äußeren Vorgängen oder Erscheinungen aus. Später werden daraus reine Umstandswörter. Das
Lautbild hh schließlich dürfte wohl lediglich als Ausdruck für das
Gefühl der Angst von der unangenehmen Wirkung der Hitze aufzufassen sein. Denn daß ŏ und hh zufällig von Eigenschaftsworten her-
stammen, ist natürlich völlig gleichgültig. Dieselben Lautbilder ŏ und
hh wären auch dann von dem Kinde für seine Innenvorgänge gebildet worden, wenn man ihm statt hoch und heiß etwa Tod und
Herz vorgesprochen hätte. Diese 4 Wörter dürften wohl am besten
als interjektionale Wörter ihrem Hauptsinn nach bezeichnet werden.

Mit wauwau erscheint das erste Hauptwort; aber es steht der
Interjektion insofern noch etwas nahe, als das Gefühl der Freude bei
diesem Worte eine so große Rolle spielt, daß es sich gelegentlich von
der Vorstellung des Wollhundes ganz loslöst und als Interjektion benutzt wird. Ferner steht es, wie alle von dem Kinde als solche emp-
fundenen schallnachahmenden Wörter, den Tätigkeitswörtern nahe.
Ää ist zunächst Tätigkeitswort, kann aber zugleich als Hauptwort
dienen. Ŏbälä ist Tätigkeitswort, steht aber dem Umstandswort nahe.
In bäbä tritt ein reines Hauptwort auf. Ebenso sind im 3. Monat
mämä und ŏbäbä zu bezeichnen. bäbäp dagegen ist zwar zuerst Haupt-

wort, aber zugleich auch Tätigkeitswort. Bei ŏŏŏ und hj hj ist es
umgekehrt: Als Nachahmung von Tätigkeiten sind sie zuerst Tätigkeitswörter, dann erst Hauptwörter. Im 4. Monat sind als reine
Hauptwörter ailă, ăbă, am Ende des Monats dĭj, ŏmămā, bŏbŏ — Bubi
zu bezeichnen. ăăŏ — Kakao und bĕbŏ — Bemme neigen schon zu
den Tätigkeitsvorstellungen trinken und essen hinüber. Ebenso sind
dădăt, mä, dĕdădä, mū, bĕp, ăm zwar in der Hauptsache als
Hauptwörter anzusehen; aber in ihnen liegt zugleich mit etwas vom
Tätigkeitswort. nŏ ist Hauptwort, aber die Eigenschaftsvorstellung kalt
tritt stark hervor. Umgekehrt ist bau zunächst Tätigkeitswort, in
zweiter Linie Hauptwort. Auch bei hŏūūū überwiegt der Tätigkeits-
begriff. ăp und aut sind zugleich Umstands- und Tätigkeitswörter;
sie bedeuten auch: Das Bändchen ist abgerissen; die Flasche ist aus-
getrunken; ich habe usw. ŏ — rot und bĕdŏ — bitte scheiden am
besten bei dieser Klassifizierung aus, da das Kind mit ihnen nicht
völlig klare Vorstellungen verbindet und da es sie mehr als Folge
von Dressur, als von Geistesentwicklung benutzt. Die Einordnung der
Wörter des 5. Monats ist am klarsten aus der nun folgenden Übersicht
zu erkennen. Nur ist dazu zu bemerken, daß bĕbŏ — Flasche zugleich
auch das Trinken aus der Flasche, haidŏ die Tätigkeit des Streichelns,
dĕdŏ die des Winkens bedeutet. Das Verneinungswort ăn ist insofern
interessant, als es zunächst in der mittelhochdeutschen Form auftritt, die
schon im 6. Monat durch nĭj verdrängt wird.

(Siehe Übersicht S. 248.)

Daraus ergibt sich, daß bei diesem Kinde in den ersten 5 Monaten
Interjektionalausdrücke, Hauptwörter, Tätigkeitswörter und Umstandswörter vorhanden sind. Die zuerst genannten verlieren sich entweder
wieder (ŏ, hh) oder sie klären sich zu Umstandswörtern (dă, dŏt) oder
bleiben Interjektion (au-au). Hauptwörter und Tätigkeitswörter sind
einander offenbar verwandt: Die Vorstellung vom lebendigen, sich be-
wegenden, tätigen Außending ist das, was das Kind zuerst einer Bezeichnung würdigt. Von reinen Tätigkeiten treten zuerst die klar
hervor, die es selbst vornimmt. Von Umstandswörtern sind Zeigewörter (dă, dŏt), Bejahungs- bezw. Verneinungswörter (ă, ăn) und Umstandswörter, die den Tätigkeitswörtern nahestehen (ăp, auf) zuerst
vorhanden. An Zahl überwiegen die Hauptwörter bei weitem.

Von Eigenschaftswörtern war in diesen 5 Monaten kaum etwas
zu bemerken. Sie treten zuerst in der Mitte des 8. Monats auf. Be-
zeichnenderweise sind die ersten groß und klein. Auf einem Bilde
unterscheidet das Kind jetzt »dainŏ dijă« und »dŏsŏ dijă«. Eine Woche

Monat	Hauptwörter			Tätigkeitswörter			Umstandswörter			Interjektional	
	zum Eigenschaftswort neigend	rein	zum Tätigkeitswort neigend	zum Hauptwort neigend	rein	zum Umstandswort neigend	zum Tätigkeitswort neigend	rein	zur Interjektion neigend		
I.										ð	1
II.			(auch interjektional) wou-wou						dä döt	hh	4
III.		bäbä, mämä, öbäba	bäbäp, ööö, hj hj	ää		öbälä					8
IV.	nō	ailä, äbä, dij, ömämä, bäbä, (Bubi)	dädät, mä, ääö, dädätä, mü, bëp, ëm, bäbä (Bemme)	bau hoüüü			äp aut	ä			21
V.		baut, lädä, öpä, änä, tıjä, änä, bät	bäbä, (Flasche)		haidä, dädä, wisch-wisch, wesch-wesch, bisch-bisch			ën		auau	15
	29			9			6			3	

später bezeichnet es freiwillig einen Knopf richtig als »wärts« — schwarz. Einige Tage darauf hat es das Wort »nō« — neu aufgenommen; am Ende des Monats tritt »wäm« — warm dazu. Freilich sind beide Vorstellungen zunächst aufs engste mit den neuen Schuhen und den warmen Schuhen im Unterschied von den alten weniger warmen verbunden. Wie unklar ein in dieser Weise neu auftretendes Wort zuerst erfaßt wird, zeigt es in denselben Tagen; es sagt richtig: »ǎrmǐn hǎsǎn bain ǎp« — Das arme Häschen hat ein Bein verloren; aber es sagt auch »ǎrmǎn bǎbǎ«, ohne daß ein Grund zum Bedauern vorhanden ist.

Ungefähr um dieselbe Zeit sind die ersten Fürwörter festzustellen. Das Kind scheint sie zunächst als Anhängsel der Zeitwörter zu erfassen: »Dǎt Isǎ« — Das ist er; dǒt Isǎ — Dort ist er. Merkwürdigerweise gehört das Wort ǐj — ich mit zu den ersten Fürwörtern, die gebraucht werden. Nach der Mitte des 8. Monats findet sich im Tagebuch folgende Beobachtung: Das Kind soll nachsagen: Ich habe gebaut. Dafür sagt es: »ǐj baun«, d. h. »ich« ist ihm schon etwas verständlich, die abgewandelte Form dagegen noch gar nicht. Daß diese Auffassung berechtigt war, ergibt sich daraus, daß es zwei Tage später freiwillig, ohne irgend welche Aufforderung »ǐj ǎlǎl« — »ich bin fertig« sagt. Aber das Wort ǐj verlernt es wieder oder benutzt es wenigstens nicht. Noch am Anfang des 16. Monats sagt es nur sehr selten ich, obwohl es, wie Versuche zeigen, den Gebrauch kennt. Es ist wohl eine alte Fabel, daß das Fürwort ich in so engem Zusammenhang mit der Entwicklung der Ich-Vorstellung stehe. Warum soll das Kind sich, das alle in diesem Falle Bubi nennen, anders bezeichnen, als mit diesem unmißverständlichen Worte? Daß der Verzicht auf den Gebrauch nicht an der psychischen Schwierigkeit liegt, zeigt der Gebrauch anderer Formen des Fürworts der ersten Person, so im 11. Monat: »dǎn dǎn wǐr lausǎ« — Dann gehen wir nach L., im 13. Monat »mǐj fǐǎrt« — mich friert. Die persönlichen Fürwörter sind ziemlich zahlreich vertreten: z. B. dǒt dǎtsǎ — Dort geht sie

11. Monat, jǒts hǎtǎr dǎnst — Jetzt hat er getanzt 13. Monat, dǔ dǔmr bǎl — du dummer Ball 13. Monat, hǎt sǐj dǎldǒt — Sie hat sich erkältet 15. Monat. Schon im 13. Monat ist der Unterschied zwischen Du und Sie in der Anrede aufgefaßt. Wenn das Kind mit seinem Mädchen Spaß machen will, wendet es die Anrede Sie an: »Mada bǒmsǎ hǎr, hǐr hǎmse haus« — Kommen Sie her, hier haben Sie ein Haus. Etwas später stellen sich die andern Fürwörter ein.

Als erstes Zahlwort taucht natürlich zwei auf und zwar im 8. Monat »wei henden« — zwei Hände. Auch das unbestimmte Geschlechtswort, das sich wenige Tage darauf findet, ist nicht als inhaltsleeres Vorwort des Hauptwortes, sondern als Zahlwort gemeint: bǐdǒ mǔdǐ, ain dǒsn dǔgr hǎmn — Ich will ein großes Stück Zucker haben.

Das bestimmte Geschlechtswort und damit das Geschlechtswort im eigentlichen Sinn ist zuerst im 10. Sprechmonat zu finden: dăs dlainŏ bĕdl — Das kleine Bettchen. Es tritt samt dem unbestimmten von nun an gelegentlich auf, ohne daß eine Regel vorzuliegen scheint, in welchen Fällen es das Kind setzt oder wegläßt. Noch am Ende der beobachteten Zeit, also im 16. Sprechmonat sagt es: »wĕn ĭn dămr nĭj dĭ schŭŏ sein«, setzt also in demselben Satz einmal das Geschlechtswort, einmal nicht.

Das Verhältniswort erscheint zuerst im 9. Sprechmonat bei dem oft gebrauchten Wort Großvater: »bai ŏbăbă« — zum Großvater. Daneben heißt es freilich noch im 10. Monat »faischr hŏltse faisch« — Beim Fleischer holt sie Fleisch oder im 13. Monat in einem Satz: »bŏm mĭt dūbă, hĭr auf dŏbĭj« — Komm mit in die Stube und hier auf den Teppich, dagegen in demselben Monat richtig: »dĭ hăt būwĭ ĭn lausă ăpnämt« — die hat Bubi in Lausa mitgenommen und »ĭn dr lauwŏ ĭs dĭsdănŏ« — In der Laube ist die Gießkanne.

Die Wortart, die am meisten fortgeschrittenes Denken erfordert, ist die der Bindewörter. Trotzdem kommt das leicht zu verstehende »auch« schon im 8. Monat vor: »băbă hĭn, mŭdĭ auch hĭn« — Vater hat einen Ring, Mutter hat auch einen Ring und im 9. Monat: »dŏsn bŏt băbă auch bĭsch-bĭsch măchn« — im großen Bett schläft der Vater auch. In demselben Monat findet sich schon »aber«: »sŏ nĭj, ăwr sŏ« — So soll es nicht gemacht werden, aber so. Im 11. Monat tritt »wenn« auf: »wĕn sŭbŏ ălŏ ĭs, dăn wŏdr faisch« — Wenn die Suppe alle ist, dann bekomme ich wieder Fleisch; im 13. Monat »daß«: »Măch măl tsū, dăs būwĭ nĭj fĭrt« — »Mach mal zu, daß Bubi nicht friert«, im 14. Monat »weil«: »Ij dăn dăs bĭsl nĭj măr dinggen, wail dăs tsū dălt ĭs.«

So ist das erste Auftreten sämtlicher Wortarten in folgenden Monaten festzustellen:

1.	2.	3.	4.	5.	6.	7.
Interjektionale Wörter	Hauptwort, Tätigkeitswort, Umstandswort					

8.	9.	10.
Eigenschaftswort, Fürwort, Zahlwort, Bindewort (auch)	Verhältniswort, Bindewort (auch, aber)	Geschlechtswort

IV. Abwandlung.

Die Abwandlung der Wortarten beginnt mit dem Hauptwort Anfang des 8. Monats. Das Kind benennt um diese Zeit in zunächst noch unsicherer Weise ein Buch mit bŭch, mehrere Bücher als bījr oder būjr. Daneben sagt es aber auch baum-baum für zwei Bäume. Zwei Wochen später, also Mitte des 8. Monats, findet sich ĕndn — Enten; bŭch, bījr ist sicher vorhanden. Die Mehrzahl von Mann erscheint zuerst als mĕnŏ, dann als mĕnŏch (schlecht ausgesprochenes r) und bald als mĕnr. Daß die Mehrzahl oft und diese ganze Sprachperiode über unrichtig in einzelnen Worten gebildet wird, ist selbstverständlich. Finden sich ja auch in der Sprache der Erwachsenen Schwankungen. Wenn etwa am Ende des 8. Monats wai hĕndĕn — zwei Hände gesprochen wird, so dürfte dies seinen Grund darin haben, daß die Mehrzahl dem Kinde zuerst im dat. plur. »mit zwei Händen« entgegengetreten ist. Bemerkenswert ist, daß zuerst die Endung -er, die bekanntlich geschichtlich die jüngste Endung ist und sich im Mittelhochdeutschen nur in 5 Wörtern findet, auftritt, daß also nicht das phylogenetische Gesetz, sondern lediglich das Gesetz der Nachahmung nach der Häufigkeit des Vorkommens in diesem Falle maßgebend ist.

Das Eigenschaftswort tritt sofort mit mehreren Endungen auf, je nachdem es zuerst in einer bestimmten Wendung vom Kinde erfaßt wurde, so in der Mitte des 8. Monats dainĕ dījĕ, dōsĕ dījĕ, Ende des 8. Monats dūĕ nŏĕ — neue Schuhe, būbī dainĕ, ărmĕn băbă — der arme Vater, bĕt dōsn — das große Bett, im 9. Monat ărmĕs hăbă — das arme Pferd, dūdĕ măn — der gute Mann, im 10. Monat ărmĕ dāfr — der arme Käfer, dŏs dlainĕ bĕtl — das kleine Bettchen, im 11. Monat ain dlaines bībīp — ein kleiner Vogel. Wenn dabei im Anfang die Wortstellung unsicher ist, so hat dies wohl in der genauen Kenntnis des Kinderliedes »būbī dain, dĕt lain« — Bubi klein, geht allein usw. seinen Grund.

Das Tätigkeitswort erscheint zuerst teils in der Stammform (bŏm — kommen, bau — bauen), teils in der Nennform auf. Diese verdrängt den Stamm von der Zeit an, in der eine Ahnung von der Abwandlung aufdämmert, völlig und herrscht vom 8. Monat an einige Zeit, so daß »ich habe gebaut« ausdrücklich als »ĭj baun« nachgesprochen wird. Die erste abgewandelte Form des Zeitwortes ist »ĭs« — ist, zuerst in der Form ĭse — ist er angewendet. Ebenso natürlich wie das frühe Auftauchen dieser so häufigen Form in der Mitte des 8. Monats ist die Tatsache, daß die verschiedenen Formen dieses aus drei Stämmen zusammengewürfelten Wortes bis zum Ende der besprochenen Periode große Schwierigkeiten bereiten, z. B. 9. Monat: »ōmămă lausă sïnsĕ« — Großmutter ist in Lausa, 14. Monat: »Nū bïn būbī fĕttj — Nun ist B. fertig oder Mădă, bïn dū fĕttj? — Martha, bist du fertig?, 16. Monat: »wĕn nïj sain« — wenn nicht sind. Auch beim gewöhnlichen Tätigkeitswort ist die 3. Person sing. in der Gegenwart die erste abgewandelte Form. Am Anfang des 9. Monats heißt es: »Būbī hĕlts« — B. hält es, »dĕt nïj« — Es geht nicht. »waint mont, nïj ai« — Da weint der Mond und sagt nicht ei. Hĕ dŏt nŏĕ daitl hĕnt — He, dort hängt mein neues Kleidel. Am Ende des 9. Monats findet sich die Vergangenheitsform in dem verstümmelten Partizip Perfekt ein, das natürlich sehr lange ohne die unverständliche und schwer auszusprechende Vorsilbe ge- gebildet wird: »sănt būlt, mădă hĕndl auch mūtsĭj wŏrn« — Ich habe im Sande gespielt, Marthas Hände sind auch schmutzig geworden. Von hier aus ist zu dem aus Hilfszeitwort und Partizip zusammengesetzten Perfekt nur ein Schritt: Er wird in der Mitte des 10. Monats getan: dătĕ hăt släfn ïn dăs dlainĕ bĕtl« — Käthe hat in dem kleinen Bett geschlafen. Gleichzeitig erzählt das Kind natürlich noch ruhig in der Nennform: »ărmĕ dăfr dăs sĕtsen dŏp ăp būtbūt fĕsn« — Wir haben den armen Käfer in das Gras gesetzt, die Hühner haben ihm den Kopf abgehackt und gefressen. Weit mehr Schwierigkeiten macht das Imperfektum. Im allgemeinen wird es in der ganzen Sprechperiode durch das Perfektum ersetzt. Im 13. Monat ist »nū wăs wïdr dūt« — »Nun war es wieder gut« aufgezeichnet. Aber dies ist eine als Ganzes aufgenommene Redensart. Ganz selbständig ist im 15. Monat: Būbī wăr ïn lausă. Neben war erscheint am Anfang des 16. Monats folgende Wendung: jĕts wĭrts hĕlĕ ïn ïj dăchte, s wăr fïnstr. Dies ist zugleich die erste konjunktivische Form, die notiert worden ist. Die Zukunft findet sich nirgends und wird durch die Gegenwart ersetzt, wie dies ja auch die Erwachsenen in der Mehrzahl der Fälle tun. Die Mehrzahl findet sich im 11. Monat zur Einzahl, wobei es bei der gleichen Form keine Schwierigkeit macht, die erste und dritte Person zu gebrauchen: dăn dăn wïr lausă — Dann gehen wir nach Lausa. Hïr wŏnn bïpmĕtsl dïn — Hier wohnen Vögel drin. Die 2. Person Sing. mit der Endung st erscheint im 12. Monat: ōmămă, măgstĕn dū? — Großmutter, was machst denn du? wobei wiederum hervorzuheben ist, daß solche neue Formen zuerst in oft wiederkehrenden Redewendungen auftauchen. Es ist selbstverständlich, daß in dieser ganzen Zeit viele falsche Formen auftauchen und daß im Unterschied von dem schwachen Verbum das starke viele Schwierigkeiten bereitet. Es wird schwach abgewandelt:

dĕnämt — genommen, sīngt — gesungen, ohne E-Wechsel sǟ mäl hǟr — sieh mal her oder mit falscher Anwendung dieses Gesetzes »dĕdĭpt« — gegeben, ohne Umlaut »jĕts släft se« jetzt schläft sie. Alles dies beweist auf das deutlichste, daß das phylogenetische Prinzip nicht überall die Bedeutung [hat, [die ihm AMENT zuschreibt. Denn nicht das ältere starke Zeitwort, sondern das leicht nachzubildende schwache wird zuerst erlernt. Nicht die Geschichte der Sprache beherrscht die Abwandlung der Wörter, sondern Nachahmung der häufigsten und leichtesten Formen, sowie Analogiebildung.

V. Der einfache Satz.

In den ersten fünf Sprechmonaten vertritt das einzelne Wort die Funktion eines ganzen Satzes, und zwar wird ohne Rücksicht auf die grammatische Stellung das Wort gesprochen, das dem Gedanken nach die größte Bedeutung hat, also in der Sprache der Erwachsenen den Hauptton des Satzes trägt. Noch Mitte des fünften Monats scheint es dem Kinde sogar physisch schwer zu fallen, zwei Wörter hintereinander d. h. auf Grund eines Willensaktes zu sprechen. Es soll nachsagen băbă ŏ̄ŏ̄; statt dessen sagt es băbă̆ŏ̄; statt mămă bĕbĕ erzeugt es mĕbĕ, statt băbă bau băbaú. Das Verständnis ist völlig vorhanden, die motorischen Nervenwege sind auch völlig geübt, ein Wort zu sprechen; aber sie gehorchen noch nicht soweit, daß eine doppelte Arbeit auf einen Anstoß hin geleistet wird. Anfang des 6. Monats beginnt diese Schwierigkeit zu weichen, beginnen die motorischen Nerven bei schwierigerer Arbeit zu gehorchen. Als der Vater fortgeht, sagt das Kind: băbă und fügt nach einer kleinen Pause hinzu nŏ̄. Dies ist der erste Satz: Vater geht hinaus in den Schnee. Bald fällt die Pause fort und es sagt hintereinander: ŏbăbă bĭbĭp — Der Großvater hat mir einen Vogel mitgebracht; ailă wĭsch-wĭsch — Elise wischt. băbă bĭsch-bĭsch — Vater schläft. Aus dem 8. Monat seien noch folgende Sätze ausgeführt: băbă ŏpă — Vater sitzt auf dem Sofa. Bŭtbŭt dăndĕ mădă — Das Huhn ist von Tante Martha geschenkt. Büschĕ bŏm — Frau Büschel kommt. mŭdī dĕlt sŭchn. Aus diesen Beispielen geht hervor, daß neben den ersten Sätzen, die zwei Worte enthalten, Sätze mit drei Worten psycho-physisch bezwungen werden. Überall wird bei diesen ersten Sätzen der Satzgegenstand genannt und irgend ein Wort aus der prädikativen Hälfte des Satzes, sei dies nun die Satzaussage selbst (ailă wĭsch-wĭsch), oder ein Stück der Umstandsbestimmung (băbă nŏ̄) oder eine Ergänzung (bŭwī ŏ̄ŏ̄ — Bubi trinkt

Kakao). Wir haben die Grundform des Satzes vor uns, indem ein neuer Begriff zu einem schon vorhandenen hinzugefügt wird, ohne das logische Verhältnis beider durch Abwandlung kenntlich zu machen. Der Satzgegenstand wird nach den vorliegenden Beobachtungen nur dann häufig weggelassen, wenn das Kind selbst oder die angeredete Person dabei in Frage kommt, also in diesem Falle häufig in Befehlssätzen (z. B. 8. Monat dŏt ain — Ich will dort hinein gehen, būwī ŏln — Du sollst Bubi holen).

Im 8. Monat vollzieht sich ein mehrfacher Fortschritt. Es treten negative Sätze auf: měnl hōln nĭj — Du sollst nicht die Männchen holen, müdī dainĕ bŭlĕ — Mutter hat keine Brille. Weiter treten nicht nur die Grundblöcke der Sprache im Satze auf, Hauptwörter und Tätigkeitswörter, sondern auch Umstandswörter stellen sich ein: dŏg nĭj dā — der Stock ist nicht da, dŏt ain dǎn — Ich will dann dort hinein gehen. Dadurch steigt die Zahl der in einem einfachen Satze benutzten Wörter auf 3, 4 und mehr: am Ende des 8. Monats: dǎndĕn bǎn wait fŏt — Die Tanten sind mit der Bahn weit fort. Im 9. Monat kommt das Eigenschaftswort und das Bindewort »auch« dazu. So entstehen schon recht mannigfaltig gebildete Sätze z. B. dōsn bĕt bǎbǎ auch bĭsch-bĭsch mǎchn — Im großen Bett schläft der Vater auch. Den größten Fortschritt bringt aber der 8. Monat, indem er in seiner Mitte den ersten grammatisch d. h. mit Verbum finitum gebildeten Satz aufweist: dŏt ĭsĕ — dort ist er. Bald folgt »dǔt ĭsĕ« — das ist er. Während solche Sätze im 8. Monat noch vereinzelt sind, treten sie im 9. Monat schon häufiger auf: dŏt daidl hĕnt — Dort hängt das Kleid. Im 10. Monat sind sie schon in der Mehrzahl vorhanden: Fau waisĕ auch bĭpbĭp hǎt — Frau Weise hat auch einen Vogel, neben »arme däfr dǎs sĕtsn« — Wir haben den armen Käfer in das Gras gesetzt. Im 11. Monat sind die rohen Sätze, die sich wie Cyklopenmauern aus der Urzeit neben Kunstmauern ausnehmen, völlig verschwunden. Jetzt heißt es: ain dlainĕs bĭpbĭp hǎt būwī mǎlt oder: jĕts būwī ain wǎsr nĭmt — Jetzt nimmt Bubi Wasser oder: saife ĭs hīr nĭj dĭn — Hier ist keine Seife drin oder: dĕn bĭpmǎts mǎlt būwī hīr nain; dǎs dǎn būwī nŏch nĭj; müdī dĕt auch mĭt lausǎ. Vom 13. Monat ab finden sich längere Sätze, die, abgesehen von der Aussprache, völlig einwandfrei sind: dŏt ŏwĕn raucht aine ĕsĕ oder hīr wŏnn bĭpmĕtsl dīne oder müdl, hīr ĭs nŏchs fĕnstr auf. 14. Monat: ij dǎn dǎs bĭsl nĭj mǟr dīnggen — Ich kann das Bißchen nicht mehr trinken. 15. Monat: Būwī dǟrf dŏch dainĕ schĕrĕ nämn — Bubi darf doch keine Schere nehmen. 16. Monat: dī lain dīndr lĕrnn dŏch ĭn

dr schülĕ. Ŭnsĕr bắbĭ hắt dŏch schŏn dĕlĕrnt. Der Aufbau des einfachen Satzes vollzieht sich also in der Weise, daß nach Überwindung
der motorischen Schwierigkeiten zuerst im 6. Monat 2, bald 3 und
mehr Wörter, zuerst nur Haupt- und Tätigkeitswörter roh aneinandergeschoben werden. Vom 8. Monat an beginnen grammatisch gefügte
Sätze. Diese rauben bis zum 10. Monat den rohen Ursätzen immer
mehr Boden, bis sie im 11. Sprechmonat völlig die Herrschaft erlangt
haben.

Der Satzart nach treten die ersten Sätze als Aussagesätze auf.
Sehr zeitig finden sich Befehlssätze. Schon im 8. Sprechmonat heißt
es: ĕsl hŏln = Du sollst den Esel holen; mŭdī bŏm, bŭwī ŏln = Mutter
komm, hole den Bubi, wobei es unklar bleibt, ob bŏm Imperativ oder
Infinitiv ist. In fließendem Übergang zu ihnen stehen die Wunsch-
sätze. So findet sich schon gegen Ende des 8. Monats der Satz: bĭdĕ
mŭdī ain dŏsn dŭgr hämn = Bitte, Mutter, ich will ein großes Stück
Zucker haben. Am wichtigsten für die Beurteilung des geistigen
Wachstums sind ja die Fragesätze. Der erste findet sich im 12. Sprechmonat, ein Beweis für die Schwierigkeit des Denkvorgangs. Die Großmutter pflanzt auf ein Gartenbeet und wühlt in der Erde. Dieser
merkwürdige Vorgang veranlaßt das Kind zu der Frage: ŏmămă,
mägstĕn dū? = Großmutter, was machst denn du? ohne Fragewort,
aber im Frageton gesprochen. Im 13. Monat tritt das Fragewort an
die Spitze: Wắs mắgn dŏt hīr sain? = Was mag denn das hier sein?,
im 14. Monat: wär wŏndn dŏt? = Wer wohnt denn dort?

Von den einzelnen Satzgliedern ist natürlich Satzgegenstand und
Satzaussage von Anfang an vorhanden, wenn man es so nennen will.
Tatsächlich treten beide Satzglieder erst dann aus der allgemeinen
Unbestimmtheit heraus, wenn die Bildung abgewandelter Zeitwörter
beginnt d. h. im 8. Monat. Dasselbe ist bei der Umstandsbestimmung
der Fall. In dem Satze bắbă ŏpă fassen wir ŏpă als Umstandsbestimmung = auf dem Sofa, während es sich beim Kinde um eine einfache Aussage handelt. Dagegen ist eine wirkliche Umstandsbestimmung
auch beim Kinde vorhanden, wenn zu der sonstigen Aussage noch
außerdem eine Umstandsbestimmung tritt. Dies ist zuerst am Ende
des 8. Monats der Fall: ›Dắndn fŏt‹ = Die Tanten sind fort enthält
keine Umstandsbestimmung; dagegen ist ›bän‹ und ›wait‹ in ›Dắndn
bän wait fŏt‹ offenbar als solche zu betrachten. Ähnlich verhält es
sich mit der Ergänzung. In dem Satze ŏbắbă bībĭp ist das zweite
Wort für uns keine Erzänzung; diese ist dann festzustellen, wenn das
Hauptwort zu dem Tätigkeitswort hinzutritt, wenn es also gegen Ende

des 8. Monats z. B. heißt »mŭdī dĕlt sūchn« — Mutter sucht Geld
oder dŭl baun būbī — Einen Stall hat Bubi gebaut oder Būwī sŭpī
ĕsn — Bubi ißt Suppe. Das Eigenschaftswort tritt sofort als Beifügung zum Hauptwort auf und zwar zugleich im Satz wie außerhalb
des Satzgefüges: dōsĕ dījĕ — große Ziege und ainn dōsn dūgr hămn.
Mitte des 9. Monats ist es schon als Satzaussage benutzt: hăpă nīj
năs, dūdĕ măn wīsch-wīsch — Das Pferd ist nicht mehr naß, der
gute Mann hat es abgewischt. Es ist also sehr rasch in seiner verschiedenen Brauchbarkeit erfaßt. Das Hauptwort dient schon Ende
des 9. Monats als Beifügung: mădă hĕndl auch mŭtsīj wŏrn — Marthas
Hände sind auch schmutzig geworden. Im 10. Monat ist zuerst die als
Apposition bezeichnete Form der Beifügung beobachtet: fau waise
— Frau Weise. Das Hilfszeitwort »haben« trat, wie bei der Abwandlung schon erwähnt wurde, zuerst im 10. Monat auf: dätĕ hŭt
slāfn. Vorbereitet war es durch den Gebrauch von haben als selbständiges Zeitwort: fau waise bībīp hŭt. Weit später tritt, sicher des
seltenen Vorkommens wegen sein als Hilfszeitwort auf: 13. Monat:
Īj bīn auch mīt dămpschīf fărn. Von diesem Monat an stellen sich
auch die ungewöhnlicheren Hilfszeitwörter zum Teil ein. 13. Monat:
Wŭs măgn dăt hīr sain? Wŭl măl in dījĕ dĕn — Ich will einmal in
die Küche gehn. 14. Monat: Īj dăn nīj dinggen — Ich kann nicht
trinken. 15. Monat: Dăs mŭs būbī ōbăbă vŏrsīngn.

Die Wortstellung ist im Anfang der Satzbildung d. h. im 6. und
7. Sprechmonat stets so, daß zuerst die Person genannt wird, von der
etwas ausgesagt wird, dann die Aussage selbst. Būschĕ hŏm — Frau
Büschel kommt. Im 8. Monat tritt häufig das Wort, auf das es dem
Kinde besonders ankommt, an den Anfang: dăl baun būwī. Bemerkenswert ist die Stellung des Tätigkeitswortes. Schon in der in-
finitivischen Form tritt es meist an den Schluß, besonders in längeren
Sätzen: dōsn bĕt băbă auch bīsch-bīsch măchn. Dies überträgt sich
auch auf das Verbum finitum, seit es auftritt. 11. Monat: Jĕts būwī
ain wăsr nīmt. 13. Monat: Das dŏt nīj dūt smĕgt. Es ist dies deswegen auffällig, weil das Kind hier von der Sprache der Erwachsenen
abweicht. Wenn das Kind nicht »mudī sūchn dĕlt«, sondern, absichtlich anders gestellt, »mūdī dĕlt sūchn« spricht, so muß dies logische
Gründe haben.

Das Ergebnis diesen Abschnitts ist, daß bei diesem Kinde nach
den rohen Anfängen der Satzbildung im 6. und 7. Monat die feinere
Herausarbeitung des einfachen Satzes mit seinen verschiedenen Satz-
teilen im 8. Sprechmonat beginnt und bis zum 11. Monat bis zu
ziemlicher Sicherheit in den Hauptsachen weitergeführt wird.

VI. Die Satzverbindung.

Den Übergang von dem einfachen Satz zum zusammengesetzten Satz bilden mehrfach zusammengesetzte Satzglieder und zusammengezogene Sätze, bei denen sich wiederholende Satzglieder weggelassen werden. Der erste Fall ist schon Anfang des 8. Monats beobachtet worden: băbă mămă waisch — Vater und Mutter essen Fleisch oder rōmă mădă mĭj — Roma und Martha haben Milch gebracht oder am Ende des Monats: Būwī sŭpĕ ĕsn waisch — Bubi ißt Suppe und Fleisch. Dieses Beispiel nähert sich schon, wie die Wortstellung zeigt, dem zusammengezogenen Satz. Dieser entsteht beim Kinde Mitte des 8. Monats, indem einfach eine neue Vorstellung ohne Wiederholung der alten zu dem schon vorhandenen Satz hinzugefügt wird. Es hat eben gesagt: mĕnl hŏln nĭj — Du sollst nicht die Männchen holen und fügt nun einfach hinzu bisch-bisch — Die Männel schlafen noch. So entsteht der zusammengezogene Satz: menl holn nij bisch-bisch. Ebenso sind folgende Sätze entstanden: mŭdĭ būwī ŏln ŏn — Mutter, du sollst Bubi holen und anziehen oder auf einer höheren Stufe der Sprachentwicklung im 11. Monat: Dămpschĭf dĕt der măn ōmn, dĕt dăs rät.

Der zusammengesetzte Satz in seiner reinen Form tritt schon sehr früh auf. Kaum hat es die ersten Sätze sprechen gelernt, so erzeugt es schon im 7. Sprechmonat folgende richtige Periode: băbă bĭsch-bĭsch, mămă bĭsch-bĭsch, būwī bĕt bĭsch-bĭsch. Wie hier, so liebt es im Anfang überhaupt Satzverbindungen, in denen sich die Wörter wiederholen: so im 8. Monat »mămă ălăl, băbă nij ălăl« — Mutter ist fertig, Vater noch nicht; »băbă bĭlĕ, mŭdĭ dainĕ bĭllĕ« — Vater hat eine Brille, Mutter nicht. »băbă hĭn, mŭdĭ auch hĭn« — Ring. Offenbar ist die Bildung gleichartiger Sätze im Anfang der Satzbildung genau so zu beurteilen, wie die Wiederholung der Silben in der ersten Zeit der Wortbildung. Schwierigeren Aufgaben ist freilich die Satzbildung auch im 8. Monat noch nicht gewachsen. Während bei kurzen Aussagen richtige Sätze gebildet werden, werden bei längerer Erzählung beliebige Satztrümmer aneinandergeschoben, so daß man das Ganze kaum als Satzverbindung bezeichnen kann z. B. »bŭtbŭt bĭp bĭp bĭp dŭl ĕndĕ bŏt ălăl« — »Wir waren bei den Hühnern, die kleinen Hühner piepten. Aus dem Stall kam eine Ente. Wir fütterten die Tiere mit Brot; aber dann war es alle.« Schon vollkommener ist die Erzählung im 10. Monat: ărmĕ dăfr dăs sĕtsn, dŏp ăp, bŭtbŭt fĕsn. Im 14. Monat heißt es: Wĭl măl ĭn dĭĕ dĕn, măl săn wăs mădă măcht, bŏm laij wĭdr hain — Ich will mal in die Küche gehen, mal

nachsehen, was Martha macht, ich komme gleich wieder herein, im
15. Monat: »'s finstr dausn, lămbn sin andebant, wĭr hämn auch
lämbĕ, wăs ĭsĕn dŏt ŭn lämbĕ?«

Größere logische Feinheit wie die Zusammenreihung von Hauptsätzen erfordert die Bildung des Nebensatzes. Im Anfang wird er
völlig vom Hauptsatz ersetzt, so wie ihn ja Kinder, Leute aus dem
Volk und Dichter überhaupt nicht bevorzugen. Wenn es am Anfang
des 8. Monats heißt: »būwī bĕbĕ aus, mămă ai« — »Wenn B. die
Flasche austrinkt, sagt die Mutter ei« oder am Ende dieses Monats
»waint mōnd nĭj ai« — »Wenn der Mond weint, sagt er nicht ei«,
so ist der erste Satz beim Kinde weder der Form, noch dem Sinne
nach als Nebensatz zu fassen. Der erste wirkliche Nebensatz ist erst
im 11. Sprechmonat gebucht: »Wĕn sübĕ ălĕ ĭs, dăn wĕdr flaisch«
— Wenn die Suppe zu Ende ist, dann bekomme ich wieder Fleisch.
Im 13. Monat ist neben Bedingungssätzen ein Absichtssatz beobachtet:
»Mŭdl, hīr ĭs nŏchs fĕnster auf, măch măl tsū, dăs būwī nĭj fĭrt«
— daß Bubi nicht friert. Im 14. Monat treten begründende Sätze
auf: Ij dăn nij mär dĭnggn, weil dăs tsu dălt is — weil das zu kalt
ist oder: »Măch mĭr mal dĕ dīre tsū, dī dĕt ĭmr wĭdr auf, wail wĭndĭg
ĭs« — weil es windig ist. In demselben Monat tritt ein relativer
Objektsatz auf: »wil māl sän, was mădă măcht«, im 15. ein indirekter
Fragesatz: wil māl sän, ŏb mŭdl bŏmt — ob Mutter kommt.

Zum Schluß seien aus den letzten zwei Monaten der besprochenen
Periode drei Gespräche des Kindes angeführt, zugleich als Beispiele
für die Art, wie es im Zusammenhange denkt und redet: Die Mutter
stopft die Strümpfe des Kindes. Kind: »Nū ĭs ĭmr nŏch nĭj dăs lŏch
tsū, jĕts ĭs tsū, ăch.« Mutter: »Sieh nur, wie das Mutter fein bringt.«
Kind: »Āwr būwĭ bĭngts nĭj fain.« Mutter: »Bubi ist da noch zu
klein.« Kind: »ĕrscht nŏch rĕj vīl ĕsn, būwī hăt ĕrscht ĕ laines dĭgl
gĕssen (ein kleines Stückchen Körpergröße, naive Überlegung).« Er
singt ohne Vermittlung ein Liedchen und sagt: »Das mŭs būwī ŏbŭbă
vōrsingen, ŭn dī nŏtn, wär hătn dī dĕmăcht? ŭn dăs bĕndl hīr, wär hătn
dăs dĕmăcht? dăs häm ăndĕr lŏdĕ măcht.« Während dieses Gespräch
vom Ende des 14. Monats stammt, ist das folgende um die Mitte
des 15. aufgezeichnet: »'s finstr dausn, lămbn sĭn ăndĕbănt, wĭr
häm auch lämbĕ. Was ĭsn dŏrt ŏmn? — Wĕn mŭdī dă ĭs, dĭngt būwī
dĕ, mĕgt dŭt dĕ, būwī wĭl dĕ dŏstn, būwī wĭl dănts lär dinggn. —
Būwī wär ĭn lausă, ŭm sĕksĕ dĕn wĭr nach lausă, tsŭm wĕrnr.« Schließ-

lich sei noch vom letzten Tag des 16. Sprachmonats, also gerade vom
Ende der beobachteten Zeit eine Unterhaltung wiedergegeben. Das
Kind kommt zur Mutter und sagt: »Müdl, ij dĕnggĕ sŏ fïl.« Mutter:
»Was denkst du denn?« Kind: »Ij dengge, dār ăpfl is faul.«
Mutter: »Was denkst du denn noch?« Kind: »Ij dengge, dăs mr
dăndĕ mărdā wăs wărmĕs dāmn aufs dŏpf (geben auf den Kopf), wail
dī sŏ wĕnïj hārĕ hăt.« (Die Tante hat einige Wochen früher geäußert, daß sie wenig Haare habe). Damit ist zugleich ein Beispiel
für zwei voneinander abhängige Nebensätze gegeben. Weiter als bis
zu Nebensätzen zweiten Grades pflegt auch der Erwachsene im Gespräch nur höchst selten zu gehen. Es dürfte somit berechtigt sein,
hier die Sprachentwicklung des Kindes abzubrechen. Es handelt sich
von jetzt ab nicht mehr um die Gewinnung der Sprache und ihrer
Elemente, sondern nur noch um ihren weiteren Ausbau und ihre
Verbesserung. Das Ergebnis unseres letzten Abschnittes ist, daß sich
bei diesem Kinde die Nebensätze zuerst im 11. Sprachmonat einstellten; die ersten Vertreter waren Bedingungssätze. Die Nebensätze haben sich nicht, wie in der deutschen Sprachgeschichte, aus
den Hauptsätzen grammatisch entwickelt, sondern sind fertig übernommen worden.

Am Schluß dürfte ein Überblick über die gesamte Sprachentwicklung des Kindes innerhalb dieser 16 Monate von großem
Vorteil sein. Vor allem dem verschiedene Kinder vergleichenden
Forscher wird so die Mühe abgenommen, sich alles einzeln zusammen-
suchen zu müssen:

(Siehe Schema S. 260 u. 261.)

Wenn man die erste Sprachentwicklung eines Kindes im Schema
überblickt, so tritt in dieser Form vor allem die merkwürdige Schnelligkeit der Entwicklung aufs deutlichste hervor: In 16 Monaten leistet
ein kleines Wesen, das sich eben erst aus der untermenschlichen
Stufe der Säuglingszeit erhoben hat und noch tief unter der Intelligenz
eines Schulkindes steht, eine geistige Arbeit, die auch dem Erwachsenen im fremdsprechenden Lande ohne Beihilfe schwer fällt.
Dies ist nur unter der Annahme weitgehender Dispositionen vorstell-
bar. Freilich besteht hier die Schwierigkeit, daß diese sich nicht auf
eine bestimmte Sprache, sondern auf die Sprache im allgemeinen beziehen; was aber die Sprache im allgemeinen bedeuten soll, können
wir uns nur schwer vorstellen. Wenn also das Gesetz in Bezug auf
die Sprache Geltung haben sollte: Die ontogenetische Entwicklung
der Sprache ist eine kurze Wiederholung der phylogenetischen, so

17*

1902 15. Aug. bis 15. Sept.	1. Okt. erstes Laufen 15. Sept. bis 15. Okt.	15. Okt. bis 15. Nov.	15. Nov. bis 15. Dez.	1902/1903 15. Dez. bis 15. Jan.	15. Jan. bis 15. Febr.	16.—27. Februar Krankheit 15. Febr. bis 15. März	15. März bis 15. April
1.	2.			5.	6.	7.	8.
16.	17.	18.		19.	20.	21.	22.
	463—493	493—524		554—585	585—616	616—644	644—675
							r, ch, f, g-k In- und Auslaut, Lautverbindungen im In- und Auslaut
4 neue Wörter	8 Wörter: nur Kindersprache, meist reduplizierend	21 neue Wörter: erste Wörter aus der Sprache der Erwachsenen	15 neue Wörter: Allmähliches Übergewicht der Wörter aus der Sprache der Erwachsenen				Die ersten zusammengesetzten Wörter
Wörter mit interjektionalem Sinn 1. Hauptwort	Hauptwort. Tätigkeitswort, Umstandswort		Wortschatz: 29 Hauptwörter, 9 Tätigkeitswörter, 6 Umstandswörter				Eigenschaftswort, Fürwort (er, ich), Zahlwort (eins, zwei), Bindewort (auch)
							Mehrzahl der Hauptwörter, is — ist
					1. Satz aus 2 Wörtern, Aussagesätze		neg. Sätze, erster grammatisch gebildeter Satz, Befehls- und Wunschsätze
					Satzgegenstand und		Umstandsbestimmung, Ergänzung, Beifügung ein Eigenschaftswort
						Verbindung von ähnlich klingenden Sätzen	zusammengesetzte Satzglieder und zusammengezogeneSätze

15. April bis 15. Mai		15. Juni bis 15. Juli	15. Aug. bis 15. Sept.	15. Sept. bis 15. Okt.	1903 15. Nov. bis 15. Dez.
9.	10.	11.	13.	14.	
23.	24.	25.	27.	28.	
675—705			797—828	828—858	

					g-k laut
				Eigne Weiterbildung von Wortstämmen in einzelnen Fällen	
Verhältnis- wort Bindewort (auch, aber)	bestimm- tes Ge- schlechts- wort	wenn	daß, Unterschied von Du und Sie im Scherz	weil / ob	»ich« imm noch gan selten benu
3. Person Sing. des Präsens der Tätigkeits- wörter	Perfekt		2. Person Sing. des Tätigkeits- wortes	war	Imperfekt Konjunk
Zurücktreten und Schwinden der rohen Ursätze, allmähliches Vor- dringen des grammatisch gebildeten Satzes			völlig richtige längere Sätze		
Das Eigen- schaftswort als Prädikat, Hauptwort als Beifügung			Hilfszeit- wörter sein, mögen, wollen,		
		Erster Neben- satz: Be- dingungs- satz	Absichtssatz	indirekter Fragesatz	Nebensätz 1. und 2. Grades

müßte es auf jeden Fall auf den logischen Aufbau der Sprache beschränkt bleiben, während die Sprache, nach der philologischen Seite
betrachtet, als fertiges Produkt übernommen wird. Dann wäre es
aber auch denkbar, daß diese Disposition keine speziell sprachliche,
sondern eine allgemein logische sei. So würde dann das Kind die
intellektuelle Entwicklung der Menschheit in sich in Sturmeseile
durchlaufen und an deren verschiedenen Punkten, unterstützt durch
rein äußerliche Dispositionen der Sprachwerkzeuge und die sprechende
Umgebung, zu denselben geistig-sprachlichen Leistungen fähig sein
wie die Urmenschheit in grauer Vorzeit.

Doch es soll nicht die Aufgabe dieses Aufsatzes sein, allgemeine
Theorien zu entwickeln. WILHELM AMENT teilt die Entwicklung der
Kinderpsychologie in drei Perioden ein: in die beobachtende, deren
vorzüglichster Vertreter PREYER ist, in die vergleichende, zu der
SULLYS Übersetzung gehört, und in die erklärende, die er selbst an-
bahnen will. Der Verfasser dieses Aufsatzes möchte sich selbst nur
ein ganz bescheidenes Plätzchen in der ersten Periode zubilligen.
Aber er meint, daß noch recht viele monographische Behandlungen
der Kindersprache notwendig sind, damit die für die Psychologie, die
Sprachwissenschaft und auch für die allgemeine Philosophie der
Menschheit hier ruhenden Fragen von bedeutenden Forschern der
Lösung näher geführt werden können.

B. Mitteilungen.

1. V. Verbandstag der Hilfsschulen Deutschlands in Bremen vom 25.—27. April.

Von Rektor Henze-Hannover.

(Schluß.)

II. Hauptversammlung.

Am 26. April morgens 9 Uhr begann die von beinahe 400 Personen
besuchte Hauptversammlung im Kaisersaal der »Union«. In seiner Begrüßungsansprache wies der 1. Vorsitzende Stadtschulrat Dr. Wehrhahn
Hannover auf den reichen Besuch hin, den auch der 5. Verbandstag gefunden
habe und hob mit besonderem Danke die lebhafte Beteiligung von seiten
der höchsten Unterrichtsbehörden — Ministerien, Oberschulbehörden und
Regierungen — sowie der Städte und des Auslandes hervor. Von seinen
weiteren Mitteilungen sei folgendes erwähnt: Die Zahl der Verbands-

mitglieder ist seit dem vorigen Verbandstage von 281 auf 412[1]) gestiegen. Nach einer im Sommer 1903 vom Preußischen Kultusministerium aufgenommenen Statistik ist seit 1892 in Preußen die Zahl der Städte mit Hilfsschulen von 18 auf 76, die Zahl der Hilfsschulen von 26 mit 64 Lehrkräften und 700 Schulkindern auf 143 Schulen mit 395 Klassen und 8207 Schulkindern gestiegen. Seit jener Statistik hat aber bereits wiederum eine wesentliche Zunahme stattgefunden, so daß jetzt in Deutschland rund 230 Hilfsschulen mit ca. 700 Klassen und über 15 000 Zöglingen bestehen. Unter dem 2. Januar 1905 erging ein Erlaß des preußischen Kultusministers über das Hilfsschulwesen, der eine überaus erfreuliche und zu Dank verpflichtende Übereinstimmung mit der von den Hilfsschulvertretern und dem Verbande bisher vertretenen Prinzipien bekundet. Mit herzlichem Danke wurde des aus dem Amte geschiedenen bisherigen Dezernenten für das Hilfsschulwesen im preußischen Kultusministerium, Geheimrats Brandi, gedacht. Im Auslande hat das Hilfsschulwesen namentlich in England an Ausbreitung gewonnen. Dort hat sich daher im Herbst 1903 in Manchester unter zahlreicher Beteiligung ebenfalls ein Hilfsschulverband gebildet, der 1904 bereits zum 2. Male in London getagt hat. Auf dem Gebiet sozialer Fürsorge für die Hilfsschulzöglinge muß die in den letzten Jahren in verschiedenen Städten entfaltete rührige und erfolgreiche Tätigkeit der Fürsorgevereine hervorgehoben werden. — Die Versammlung wurde darauf begrüßt von Senator Dr. Oelrichs im Namen des Bremer Senats, von Geheimrat Dr. Montag im Auftrage des preußischen, von Bezirksschulrat Dr. Lange im Auftrage des sächsischen Kultusministers, von Oberkonsistorialrat Schütz als Vertreter der evangelischen Oberschulbehörde in Württemberg, von Dr. Eichholz als Vertreter des englischen Ministeriums, von Stadtschulrat Dr. Gerstenberg als Vertreter der Stadt Berlin, von Erziehungsinspektor Piper im Namen der 11. Konferenz für das Idiotenwesen, von Lehrer Maas namens der Bremer Lehrerschaft und von Schulinspektor Köppe als Vertreter des Ortsausschusses.

Als erster Vortrag stand auf der Tagesordnung »Die moralische Anästhesie und deren Diagnose im Kindesalter«. An Stelle des erkrankten Referenten Direktor Dr. Scholz-Bremen verlas Dr. Neumark dessen Manuskript. Der Gedankengang des Vortrags war etwa folgender: 1835 begründete Prichard zuerst wissenschaftlich die Lehre von der moral insanity, dem moralischen Irrsinn und erregte damit viel Aufsehen. Hatte man bis dahin das Irresein nur auf Störungen des Intellekts bezogen, so sollte im vorliegenden Falle es sich nur um einen perversen Zustand der Gefühle, Neigungen, Gewohnheiten und Handlungen handeln. Die Lehre wurde bald einseitig übertrieben, indem man nur eine Perversität von jeder Motivierung entbehrenden Handlungen, einen besonderen Handlungswahnsinn, annahm. Kein Thema ist so vielfach und so verschieden in der psychiatrischen und kriminalistischen Literatur erörtert worden; das tritt schon in der Vielfältigkeit der Bezeichnungen dafür zu Tage. »Moralische Anästhesie« dürfte am besten den Kernpunkt der Sache treffen: die an-

---

[1]) Gegenwärtig über 550.

geborene oder früh erworbene, im Streben und Handeln sich bekundende abnorme Veränderung der moralischen Gefühle. Der moralisch Anästhetische kennt die Moralgesetze, fühlt sie aber nicht, läßt sich nicht von ihnen lenken, da sie ihm etwas Äußerliches bleiben. Es lassen sich 4 Typen unterscheiden:

1. Der des **unbewußten Motivs.** Von der ganzen Stufenleiter der Reizentäußerung wird nur die oberste Sprosse, das Handeln, sichtbar, das daher den Charakter des Reflexes auf einen nicht zur Vorstellung gelangten Reiz trägt. Dem Täter selbst ist deshalb die Handlung unerklärlich. Oder ein Motiv ist zwar erkennbar, aber nur zum Teil, neben unerklärlichen Resten. Die betreffenden Handlungen pflegen impulsiv aufzutreten. An Stelle des Motivs tritt oft bloß ein den Impuls auslösender Sinneseindruck. So kommt oft Selbstmord impulsiv vor. Bei Kindern sind solche Handlungen häufig. Da sie nichts zur Erklärung anzugeben vermögen, nennt man sie dann verstockt.

2. Der **Typus des Zwangsmäßigen,** der sich in einem von innerem Drange diktierten, von Unlustgefühlen begleiteten Handeln äußert. Auch die von Zwangsvorstellungen hervorgerufenen Handlungen pflegen von Unlustgefühlen begleitet zu sein, da sich jene Vorstellungen als etwas dem Bewußtsein Fremdartiges darstellen, so daß der Handelnde nicht eigenen Gesetzen, sondern fremder Willkür zu folgen scheint. So kann schlechten Gewohnheiten, unsittlichem Lebenswandel mit Ekel gehuldigt werden. Oft taucht eine ganz abrupte Vorstellung auf und drängt zur Tat; es wird aufs sorgfältigste ein fein angelegter Plan geschmiedet, aber alles mit Unlust und Widerstreben oder doch Gleichgültigkeit.

3. Der **perverse Typus,** der sich äußert in grotesker, widerlicher, grausamer Übertreibung und Ausartung an sich normaler Strebungen, vor allem auf sexuellem Gebiete.

4. Der **Typus des gesteigerten und verringerten Strebens.** Hier zeigt sich vor allem, daß der moralisch Anästhetische die Moralgesetze wohl kennt, aber nicht fühlt. Für beide Typen ist mangelnde Selbsterkenntnis typisch. Die eigene Person fällt zu stark ins Gewicht. Daraus resultieren Mangel an Orientierungsfähigkeit in der Welt, Unsicherheit über den einzuschlagenden Weg, Planlosigkeit, lauter falsche Schritte auf falschem Wege. Der **Typus des gesteigerten Strebens** zeigt stets erhöhtes Selbstgefühl, gehobene Stimmung und starke Willensbetätigung, entbehrt aber des Zügels moralischer Grundsätze, folgt egoistischen Motiven und schlägt antisoziale Bahnen ein. Während sonst Anlage und Erziehung durch Bildung altruistischer Gefühle und Vorstellungen den mehr oder weniger jedem Menschen anhaftenden Egoismus mildern, tritt hier unbeschränkte Befriedigung der Begierden, rücksichtsloses Niedertreten oder listiges Umgehen von Hindernissen, Grausamkeit, Lüge, Verstellung, Neid und Schadenfreude zu Tage. In der habituell gehobenen Gemütsstimmung kommen nicht selten Schwankungen vor; wehleidige Reizbarkeit und Empfindlichkeit wechseln mit Trotz und Härte. Die betreffenden Personen sind launisch, rechthaberisch, vertragen keinen Widerspruch. In ihrer Lebensführung werden sie, namentlich wenn das Milieu, die Welt mit

ihren Ansprüchen noch hilft, Verschwender, Spieler, Betrüger, Fälscher, ja gar Diebe und Mörder. Hochstabler und Schwindler zählen vielfach zu diesem Typus. Aus eigener Kraft vermögen sie sich aus dem Sumpfe nicht herauszuarbeiten; sie werden daran auch schon durch schlechte Gesellschaft von ihresgleichen gehindert, die sie stets suchen und ähnlich wie die Homosexuellen instinktiv zu finden wissen.

Der Typus des verringerten Strebens oder der indolente fehlt mehr durch Unterlassen als durch Handeln. Schwäche des Entschlusses und Handelns, Mangel an Ehrgeiz und Teilnahmlosigkeit ist seine Signatur. Die Betreffenden sind nach der unmoralischen Seite hin leicht suggestibel, der Verführung zugänglich. In selbstgefälligem Subjektivismus befangen, haben sie für andere Personen und Dinge nur soviel Interesse, als Nutzen von diesen zu erwarten ist. — Beide Typen, die übrigens oft ineinander übergehen, zeigen oft Züge des Halbbewußten.

Als angeborene Abnormität muß die moralische Anästhesie schon im Kindesalter erkennbar sein. Für die Stellung der Diagnose muß jedoch beachtet werden, daß das Kind mit seinem kärglichen geistigen Vorstellungsschatze bewußt moralisch noch nicht sein kann, sondern nur insoweit, als es keine unmoralischen Handlungen begeht und seine Vorstellungen und Bestrebungen selbst als unmoralisch bewertet. 2 Typen kommen hier besonders in Frage: das boshafte und das indolente Kind. Bosheit ist die Lust daran, andern Böses zuzufügen. Gepaart mit der Lust, das Leid anderer zu sehen, heißt sie Grausamkeit. Grausam können auch Kinder schon in bisweilen grausenerregender Weise sein, oft aus reiner Lust am Bösen ohne jedwede Rachsucht oder sonstige Motive. Die Grausamkeit äußert sich am häufigsten als Tierquälerei bloß aus Genuß an der Qual der Tiere. Solche Tierquäler werden sicher später Menschenquäler. Aber auch wenn sie nicht grausam sind, vermag man boshafte Kinder doch an ihrem Verhalten zu erkennen. Eltern- und Geschwisterliebe bleiben ihnen fremd, sie nehmen keine Zärtlichkeiten und geben keine. Mit zunehmendem Alter werden sie immer mehr wüste Genußmenschen oder rücksichtslose Streber. — Das Geschlecht bewirkt keinen wesentlichen Unterschied, nur zeigt sich bei Mädchen die Bosheit versteckter, mehr als Intrige.

Das indolente Kind ist teilnahmlos gegen eigenes und fremdes Leid. Die sonst dem Kinde eigene Lebensfreude mangelt ihm, und fehlt auch sogar noch die Spielfreude, so darf man sicher auf moralischen Defekt schließen. Besonders deutlich wird der Typus während der Schuljahre; es ist kein Trieb und Ehrgeiz in dem Kinde; es ist gleichgültig gegen Lob und Tadel, mißlaunig, zerstreut, unentschlossen und träge. Infolge des Mangels an Mitleid sind indolente Kinder auch grausam. Schon dieser Mangel, allerdings schwer feststellbar, genügt zur Stellung der Diagnose. Ungeordnete, selbst verbrecherische Lebensweise genügt nicht. Selbst der Tiefstgesunkene kann noch gebessert werden, solange er noch Mitleid fühlt. Zwar kann wahres Mitleid vom Kinde noch nicht empfunden werden, weil ihm der nötige geistige Hintergrund fehlt, weil es sich hierzu nur durch Erfahrungen am eigenen Ich stufenweise emporarbeiten kann. Aber wenn

auch nur die zu erwartende rudimentäre Form des Mitleids fehlt, wenn
die Kinder z. B. schon schadenfroh sind, so ist das bereits verdächtig.
Weitere Stigmata sind der Mangel an Sinn für Symmetrie und Ordnung,
denn auch Ästhetik, zu der schon im zarten Kindesalter die Naturanlage
sich zeigen muß, steht mit Moral im Zusammenhange, Ausartung des fast
allen Kindern eigenen Zerstörungstriebes in sinnlose Zerstörungswut, Jäh-
zorn als Zeichen fehlender Selbstbeherrschung, Lügenhaftigkeit ohne er-
kennbaren Vorteil, ohne die Absicht zu schaden, bloß aus Freude an der
Täuschung anderer. Daß Fehlen des Musiksinnes als bedenkliches Zeichen
anzusehen sei, wie Conolly behauptet, dürfte der Erfahrung widersprechen,
wohl aber kommen noch allerlei Perversitäten, Gefühls- und Geschmacks-
verirrungen in Betracht.

Die moralische Anästhesie hat manches mit der Idiotie gemeinsam,
unterscheidet sich aber von ihr dadurch, daß die Intelligenzschwäche nicht
hervorstechend ist und daß körperliche Defekte fehlen. Auch gibt es viele
Idioten, die in dem ihnen zugänglichen Bereich durchaus moralische Züge
zeigen. — Vom geborenen Verbrecher weicht der moralisch Anästhetische
dadurch ab, daß jener bewußt und beabsichtigt antisozial ist, die Gesellschaft als Feindin betrachtet, daß seine Handlungen der Lust am Kampfe
gegen diese entspringen, dieser aber in und mit der Gesellschaft lebt,
Anschluß an sie, ihre Hilfe sucht, mit ihr leben will. Nicht immer be-
tritt er die Bahn des Verbrechens, sondern sehr oft, besonders als indolenter
Typus paßt er sich seiner Umgebung an. — In vielen Fällen, rechtzeitig
erkannt, ist Heilung des Defekts durch die Erziehung möglich. — Von
einer Debatte wurde wegen der Abwesenheit des Referenten abgesehen.

Den 2. Vortrag hielt Oberamtsrichter Nolte-Braunschweig über das
Thema: Die Berücksichtigung der Schwachsinnigen im Strafrecht des deutschen Reiches. Der Vortrag bildete die Fortsetzung
zu dem auf dem 4. Verbandstage gehaltenen über die Berücksichtigung
der Schwachsinnigen im bürgerlichen und öffentlichen Rechte. Redner
führte zunächst die Gründe an, welche nach den Bestimmungen des
Strafgesetzbuches gerichtliche Bestrafung ausschließen oder mildern: Diese
ist in allen Fällen ausgeschlossen bis zum 12. Lebensjahre, ferner im
jugendlichen Alter von 12—18 Jahren und bei Taubstummen jeden Alters,
wenn das Gericht nicht festzustellen vermag, daß der Täter die erforderliche geistige Reife und Einsicht besaß zu erkennen, daß er eine vom
Gesetze mit Strafe bedrohte Handlung begehe. Ist das nicht möglich, so
kann nur Zwangserziehung bis höchstens zum 20. Jahre verhängt werden.
Aber auch wenn die Erkenntnis der Strafbarkeit der Handlung vorhanden
ist, darf doch nicht das volle Strafmaß angewandt, darf bei Vergehungen
und Übertretungen nur auf Verweis erkannt werden. (Übertretungen
= Handlungen, die mit Haft oder Geldstrafe bis 150 M, Vergehen =
Handlungen, die mit Festungshaft bis zu 5 Jahren, Gefängnis oder Geldstrafe über 150 M, Verbrechen = Handlungen, die mit Festung über
5 Jahr, Zuchthaus oder dem Tode bestraft werden.) Verlust der bürgerlichen Ehrenrechte und Stellung unter Polizeiaufsicht sind ausgeschlossen.
Die erkannte Freiheitsstrafe muß von Jugendlichen in besonderen Anstalten

oder doch gesonderten Räumen verbüßt werden. Freisprechung muß ferner erfolgen bei Handlungen infolge eines nicht anders zu beseitigenden Notstandes zur Rettung aus Gefahr für Leib und Leben der eigenen Person oder von Angehörigen, bei Handlungen aus Notwehr, und wenn sich der Täter zur Zeit der Handlung im Zustande der Bewußtlosigkeit oder krankhafter Störung der Geistestätigkeit befand. Im letzten Falle wird Unzurechnungsfähigkeit angenommen im Gegensatz zur Zurechnungsfähigkeit, bei der die Tat Ausfluß des freien Willens ist, der Täter seiner selbst und der Umgebung sich bewußt und fähig ist, sein Tun und Lassen den Forderungen der Vernunft und des Rechts entsprechend nach Willkür einzurichten. Zurechnungsfähigkeit erfordert also Selbstbewußtsein, Bewußtsein der Außenwelt und entwickeltes Pflichtbewußtsein. Das alles fehlt dem Kinde, besonders das letzte, sofern man die Einsicht mit einbegreift, daß die Handlung vom Gesetz mit Strafe bedroht wird. Das bloße Wissen von Gut und Böse genügt nicht. (Strafunmündigkeit.) Unter Bewußtlosigkeit versteht das Gesetz vorübergehende Störungen des Selbstbewußtseins, wie sie z. B. bei Trunkenheit, Fieberdelirien, Nachtwandeln kurz nach einem epileptischen Anfall sich zeigen und bei denen nicht völliger Mangel des Bewußtseins, der ja jedes Handeln ausschlösse, vorliegt, sondern ausschließlich die zum strafbaren Handeln reizenden Umstände zum Bewußtsein kommen, die davon abhaltenden nicht, so daß die Tat dem Anreize quasi automatisch folgt. Im Gegensatz dazu kann bei geistig gestörten Personen die Zurechnungsfähigkeit sowohl auf Störung des Selbstbewußtseins und des Bewußtseins der Außenwelt wie auf Mangel an Pflichtbewußtsein beruhen. In solchen Fällen ist die Zurechnungsfähigkeit aber nur dann ausgeschlossen, wenn die geistige Störung die freie Willensbestimmung aufgehoben hat. Das wird angenommen bei ausgesprochener voller Geisteskrankheit oder auch ohne solche im psychiatrischen Sinne, wenn der Täter bei seiner Tat im wesentlichen unter dem Einfluß einer Geisteskrankheit gehandelt hat. Daneben gibt es aber viele Fälle, wo die freie Willensbestimmung nicht ausgeschlossen, sondern nur durch gewisse innere Zustände gehemmt und erschwert wird. Solche liegen vor bei Trübung des Bewußtseins z. B. durch Trunkenheit und bei starken Affekten, sowie bei Störungen der Geistestätigkeit (Geistesschwäche, gleichviel ob angeboren oder erworben, im Gegensatz zur Geisteskrankheit), abnormen Zuständen des Nervensystems infolge von Neurosen, Vergiftungen, Kopfverletzungen usw. Solche Personen haben noch freie Willensbestimmung; es fällt ihnen nur schwer, sich für das Rechte zu entscheiden. Ihre Schuld bei strafbaren Handlungen ist daher geringer. Nicht ganz zutreffend (es gibt ja doch nur Grade der Schuld) werden sie als vermindert zurechnungsfähig bezeichnet. Diese Geistesschwachen berücksichtigt das St.-G.-B. nicht; es kann sie einzig die dem Richter (bei vielen Verbrechen, einigen Vergehen, aber nicht bei Übertretungen) eingeräumte Annahme mildernder Umstände schützen. Das genügt aber nach überwiegender Annahme der Psychiater und Strafrechtslehrer nicht, da für viele strafbaren Handlungen, auch für manche mit schweren Strafen bedrohte Verbrechen wie Hochverrat, Meuterei,

Meineid und Verleitung dazu, Mord, Totschlag, Raub, schwere Erpressung, Brandstiftung usw. mildernde Umstände eben nicht zugebilligt werden dürfen.

Im 1. Entwurf des seit 1872 geltenden St.-G.-B. wurden die vermindert Zurechnungsfähigen auf Grund der Gutachten mehrerer ärztlicher Körperschaften und Autoritäten berücksichtigt. So wies die Königl. Deputation für das Medizinalwesen zu Berlin auf den allmählichen Übergang von geistiger Krankheit zur Gesundheit hin und betonte, daß Zustände, die in ausgeprägter Form die freie Willensbestimmung ausschließen, auch weniger entwickelt doch nicht ohne Einfluß bleiben würden, und daß man daher zwischen Zurechnungsfähigkeit und Unzurechnungsfähigkeit eine Zwischenstufe einschieben müsse. Aber schon die vom Bundesrat eingesetzte Kommission zur Beratung des Entwurfs strich die betreffende Bestimmung. In neuerer Zeit wird dieser Zustand vielfach als mangelhaft von Psychiatern und Strafrechtslehrern bekämpft. Man fordert an Stelle der negativen Feststellung des Begriffs der Zurechnungsfähigkeit eine positive durch allgemeine psychologische juristische Kriterien und eine genaue Aufzählung aller der Geisteszustände, wo jene positiven Merkmale fehlen und deshalb Zurechnungsfähigkeit auszuschließen ist. Als solche allgemeine Merkmale erscheinen zwei: 1. Die Fähigkeit, die rechtlichen Vorschriften als Normen des Handelns zu erkennen und 2. die Fähigkeit, sein Wirken nach erkannten Normen zu bestimmen. — Die verminderte Zurechnungsfähigkeit wird bereits in den Strafgesetzen von Dänemark, Italien, Schweden und Spanien berücksichtigt. Eine möglichst einwandfreie und praktisch brauchbare Fassung für die erstrebte Verbesserung des St.-G.-B. ist sehr schwer. In letzter Zeit zielen die Forderungen mehr auf andere Behandlung als auf mildere Bestrafung hin, vor allem auch auf eine besondere Art des Strafvollzugs bei den mit Strafe belegten gemindert Zurechnungsfähigen. Ferner wird auch immer mehr das Bedürfnis hervorgehoben, daß die Gesellschaft gegen Personen, die infolge von ausgeschlossener oder verminderter Zurechnungsfähigkeit als gemeingefährlich erscheinen, besser als bisher geschützt werden müsse, daß zu weit gehende Milde gegen Personen wie Arenberg und Dippold nicht am Platze sei, da kurze Strafe und gelinder Strafvollzug natürlich wenig geeignet seien, abschreckend zu wirken, namentlich bei geistig Entarteten mit lockeren moralischen Grundsätzen. Prof. Dr. von Liszt hat vor kurzem den Standpunkt vertreten, daß die Forderung: nicht mildere Bestrafung, aber andere Behandlung, streng genommen dahin führe, daß nur der Arzt es noch mit gemindert Zurechnungsfähigen zu tun haben würde. Die legislativen Vorschläge scheuten das und verknüpften Strafe und ärztliche Behandlung. Dafür sei auch er. Er wünsche daher mildere Strafe und im Falle der Gemeingefährlichkeit Anordnung vorläufiger Verwahrung und Einleitung des Entmündigungsverfahrens. Zu unterscheiden seien straffähige Verurteilte und nicht straffähige, d. h. solche, bei denen die Verbüßung einer Freiheitsstrafe in Gefängnissen oder Strafanstalten einen nachteiligen Einfluß auf den Geisteszustand befürchten lasse. Bei letzteren sei zunächst mit Verwahrung (in Anstalten) zu beginnen und der Strafvollzug auszusetzen. Da die Umarbeitung des ganzen

St.-G.-B. viele Vorarbeiten und Zeit beanspruchen wird, so ist nach Ansicht des Referenten der Vorschlag des Prof. Dr. von Liszt durchaus beherzigenswert, zunächst eine Teilreform bezüglich der verminderten Zurechnungsfähigkeit in Angriff zu nehmen. — In der Debatte wies Direktor Trüper-Jena darauf hin, daß die behandelte Frage von außerordentlicher Tragweite sei, da in Deutschland jährlich 50000 Jugendliche vor den Strafrichter kämen. Strafe vermöge wenig dem jugendlichen Verbrechertum zu steuern. Das Fürsorgegesetz habe es, wie er in seiner Kritik des Entwurfs vorausgesagt habe, auch nicht getan. Zweifellos komme es bei Behandlung der Frage in erster Linie auf den Schutz der Gesellschaft an; eine weitere Frage sei aber, ob die Gesellschaft nicht auch Pflichten gegenüber den in Betracht kommenden Individuen habe. Gutes lasse sich nur durch Gutes, durch Erweckung von Lustgefühlen am Guten, nicht durch Schmerzgefühl infolge von Strafe wecken. Es genüge nicht, Anstalten zu gründen und Barmherzigkeit zu betätigen, sondern es müsse gesorgt werden, daß die Menschen überhaupt nicht dahin kämen. Unsere sämtlichen Unterrichtsanstalten krankten am Intellektualismus, das Willensleben komme nicht zu seinem Recht. Dieses müsse in der Erziehung mehr beachtet, mehr studiert werden. Dann erst komme das im Vortrage Erörterte in Frage. Dr. Klumker-Frankfurt hebt hervor, der Vortrag habe den Zustand des geltenden Rechts treffend geschildert. Daran sei nichts zu ändern. Es könnten nur persönliche Wünsche geäußert werden. Beim Strafvollzug müsse auf Kinder und Jugendliche Rücksicht genommen werden. Zwei Gesichtspunkte kämen hier in Betracht: Verwahrung und Erziehung. Hilfsschulzöglinge sollten überhaupt nicht in Gefängnisse kommen, nicht vor den Strafrichter gestellt werden, sondern das Vormundschaftsgericht sollte für sie Vorkehrungen treffen. Direktor Wehrmann-Dresden fordert, daß zur Beurteilung der Strafbarkeit und zur Festsetzung des Strafmaßes auch ein erfahrener Pädagoge heranzuziehen sei.

Hierauf sprach Hauptlehrer Schenk-Breslau über »Die Fürsorge für die aus der Hifsschule entlassenen Kinder in unterrichtlicher und praktischer Beziehung.« Redner will den Weg nachweisen, auf dem die Hilfsschulzöglinge zu einer zwar bescheidenen, aber doch sicheren und ausreichenden Lebensführung gebracht werden können. Zunächst beantwortet er die Frage, ob die Zahl der zu versorgenden Kinder so groß ist, daß eine über das Bisherige hinausgehende Fürsorge sich als nötig erweist. Auf Grundlage der Breslauer Verhältnisse glaubt er annehmen zu dürfen, daß man jene Zahl für Deutschland gleich der des stehenden Heeres (etwa 3 auf 10000 Einwohner) annehmen dürfe. Die Zahl der geistig Minderwertigen in der Verbrecherwelt und in der Armenpflege darf man sicher auf 30—40% schätzen. Hier Wandel zu schaffen, ist in erster Linie Aufgabe der Hilfsschullehrer. Es ist das einzig zu erreichen durch eine zweckentsprechende geistige und praktische Ausbildung. Referent betont, daß er in seinen Ausführungen ganz auf die die Hilfsschulen besuchenden Kinder sich beschränken will. Für diese ist zunächst eine Verlängerung der Ausbildungszeit erforderlich. Diese ist zur Zeit, da die Kinder meist erst nach 2 jährigem Besuch der Volksschule Auf-

nahme finden und mit dem 14. Jahre entlassen werden, um 2 Jahre
kürzer als bei den normal Begabten. Unter den geltenden gesetzlichen
Bestimmungen läßt sich nur 1 Jahr am Anfang gewinnen und tatsächlich
kann man fast stets schon nach einjährigem Besuch der Normalschule das
Vorhandensein geistiger Schwäche mit Sicherheit bestimmen. Eine Verlängerung der Ausbildung über das 14. Jahr hinaus ist zur Zeit nur
durch die Fortbildungsschule möglich. Zwar sind die Ansichten geteilt,
ob die Fortbildungsschule oder eine Verlängerung der Schulpflicht vorzu-
ziehen sei, da man aber eine Änderung der gesetzlichen Bestimmungen
über die letztere in absehbarer Zeit nicht erwarten kann, so bleibt nur
die Fortbildungsschule. Diese bricht sich auch immer mehr Bahn und
läßt sich leichter schaffen, da ihre Einrichtung durch Ortsstatut festgelegt werden kann. In einigen Städten, vor allem in Düsseldorf und
Breslau bestehen bereits Fortbildungsschuleinrichtungen für die Hilfsschulzöglinge, mit dem unauffälligen Namen » Vorklassen « im Gegensatz zu den
gewerblichen Fachklassen bezeichnet. Diese Einrichtungen haben die 3 fache
Aufgabe, die Schulzeit angemessen zu ergänzen, das in der Schule Gelernte zu wiederholen und zu befestigen und das fürs praktische Leben
Notwendige anzueignen. Aufgenommen werden alle früheren Hilfsschulzöglinge sowie die aus den 4 untersten Klassen der Normalschulen Konfirmierten. Einwilligung der Eltern wird nicht eingeholt; Fälle von Weige-
rung derselben liegen in Düsseldorf und Breslau bis jetzt nicht vor.
Düsseldorf hat 4 aufsteigende Klassen, auf die die Schüler nach Maßgabe
ihrer Leistungen im Rechnen verteilt werden. Breslau hat in 4 Stadt-
teilen je 1 Klasse eingerichtet; daraus sollen bis Ostern 1906 4 drei-
klassige Schulen werden. Austausch der Schüler sowie etwa nötige Zurück-
versetzungen sind vorgesehen. Als Lehrer wirken in Düsseldorf und
Breslau Lehrer an Hilfsschulen. In Düsseldorf sind die Lehrfächer:
Deutsch, Rechnen, Handfertigkeit und Zeichnen in zusammen 6, in Breslau:
Lesen, schriftliche Übungen, Schönschreiben und Rechnen in zusammen
4 Stunden (Zeichnen erhalten die dafür in Betracht kommenden Zöglinge
in den betr. Fachklassen). Ziel der Fortbildungsschule muß sein, die
Schüler zu voller Selbständigkeit zu führen, damit sie ohne fremde Hilfe
ihr Fortkommen finden können. Dieses Ziel wird aber trotz redlichsten
Willens in vielen Fällen nicht zu erreichen sein. Daher ist außerdem
noch über das eigentliche Schulgebiet hinausgehende Fürsorge zu schaffen.
Für diesen Zweck sind in einer Reihe von Städten Fürsorgevereine ins
Leben gerufen, denen Referent 3 Arbeitsgebiete zuweist: 1. Allgemeine
Aufgaben (Belehrung des großen Publikums über die Fürsorgetätigkeit
und Hinweis der Eltern und Erzieher auf die mancherlei der Entwicklung
der Kinder drohenden Gefahren). 2. Fürsorge während der Schulzeit
(Versorgung der Kinder mit ausreichender kräftiger Nahrung und Kleidung,
Ferienkolonien u. dergl.). 3. Fürsorge nach der Schulzeit (Hinführung
der Kinder auf den rechten Lebensweg — Hauptaufgabe). Da erwachsen
Fragen wie: Sollen die Kinder ein Handwerk erlernen und welches, sollen
sie ländlicher Arbeit oder der Fabrikarbeit zugeführt werden? Eine weitere
Schwierigkeit bietet das Ausfindigmachen geeigneter Lehrmeister und

Dienstherrschaften. Oft gilt es daneben, das Lehrgeld zu beschaffen, das die armen Eltern nicht aufzubringen vermögen. Einige Vereine geben jedem schulentlassenen Kinde einen Pfleger, der ihm auf seinem weiteren Lebenswege mit Rat und Tat zur Seite stehen soll. Empfehlenswert sind Prämien, wie sie vom sächsischen Ministerium, der schweizerischen gemeinnützigen Gesellschaft und dem Frankfurter Fürsorgeverein an Lehrmeister gezahlt werden, die gute Resultate mit früheren Hilfsschulzöglingen erzielt haben. Aber das alles genügt noch nicht. Bei einer Anzahl besonders schwacher Zöglinge wird die Schule die gesamte Ausbildung für einen Lebenslauf vermitteln müssen. Hierzu sind Lehrwerkstätten in Verbindung mit der Hilfsschule nötig, wie in Breslau eine solche von der Hilfsschullehrerin Fräulein Hoffmann in der Hauptsache aus eigenen Mitteln eingerichtet ist. In dieser werden die Schulentlassenen von tüchtigen Lehrmeistern in einfacher Gärtnerei und Korbmacherei ausgebildet. Die Resultate waren bis jetzt durchaus zufriedenstellend; viele Insassen werden soweit gebracht werden, daß sie als Gesellen bei Meistern eintreten können. Etwas Ähnliches wird in Frankfurt geplant. Solche Lehrwerkstätten würden zugleich ein geeigneter Beschäftigungsort für diejenigen früheren Hilfsschulzöglinge sein, die nicht so weit zu fördern sind, daß sie ins Leben hineingeschickt werden können, es wären also Arbeitskolonien für Schwachbegabte mit den Lehrwerkstätten zu verbinden. Diese könnten dann auch in Zeiten vorübergehender Arbeitslosigkeit ihren früheren Insassen ein schützendes Asyl darbieten. Als letztes Glied wären endlich noch Altersheime und Invalidenhäuser für nicht mehr oder nicht mehr völlig arbeitsfähige Geistesschwache ins Auge zu fassen sein. — In der Debatte hielt Schulrat Schroff-Dortmund die Forderungen der Referenten teilweise für zu weitgehend, er betonte die Wichtigkeit des Handarbeitsunterrichts für das spätere Leben der Zöglinge und riet, die Frauenvereine zu sozialer Mitarbeit heranzuziehen. Fräulein Otto-Berlin legte die im Berliner Fürsorgevereine bereits erzielten günstigen Resultate dar. Dr. Klumker-Frankfurt hob die Schwierigkeiten hervor, die der Fürsorge für die Schulentlassenen u. a. aus der Unterbringung bei geeigneten Lehrmeistern usw. sowie aus dem Widerstande unverständiger Eltern erwachsen. — Wegen der vorgerückten Zeit mußte die Debatte abgebrochen werden. Als nächster Versammlungsort wurde Charlottenburg in Aussicht genommen.

Mit dem Verbandstage war eine Ausstellung von Hilfsschulliteratur und Lehrmitteln verbunden. Nach der Hauptversammlung fand ein Festessen, darnach Führungen zu den Sehenswürdigkeiten Bremens und ein Festabend statt. Am 27. April vereinigten sich die Teilnehmer zu einer Fahrt in See, zu welcher der Norddeutsche einen Dampfer zur Verfügung stellte. An die Fahrt schloß sich eine Besichtigung des Dampfers »Kaiser Wilhelm II.« an.

2. Eröffnung einer pädologischen Abteilung am pädagogischen Museum für Militärschulen zu St. Petersburg.

Die Abteilung entstand infolge eines Vorschlages von W. T. Simin. Er wandte sich nämlich an die Kommission von K. D. Uschinsky (ein berühmter russischer Pädagoge, † 1873) mit dem Projekte, im Namen dieses Gelehrten ein Pädologisches Institut zu gründen, welches Herr Simin auf seine eigene Kosten unterstützen wollte. Das Institut sollte dem Institut von Stanley Hall entsprechen. Da aber die Mittel noch unzureichend waren, mußte man sich vorläufig mit einer pädologischen Abteilung am pädagogischen Museum begnügen. Diese Abteilung wird sich aber hoffentlich mit der Zeit zu einem pädagogischen Institut entwickeln.

Die Eröffnung fand am 28. Februar 1904 in einer öffentlichen Sitzung statt. Der Vorsteher, Generalleutnant A. N. Makaroff, belehrte in einer kurzen Rede die Versammlung über die Entstehung, den Zweck und die Mittel der neuen Anstalt. Das Ziel ist eine volle und vielseitige Untersuchung des Menschen, vom Erziehungsstandpunkte aus betrachtet. Die Mittel sind dreifach: 1. Beurteilungen von Vorträgen über Spezialfragen der Erziehung; 2. Eröffnung einer Reihe von Vorlesungen zur Verbreitung pädagogischer Kenntnisse unter Personen, die sich für die Erziehung interessieren; 3. praktische Übungen für solche, welche die Untersuchungsmethoden der Pädologie näher kennen lernen wollen.

Außer dieser Rede wurden noch drei über die Bedeutung der Pädologie gehalten.

D. A. Drill (bekannter russischer Kriminalist) sprach über die soziale Bedeutung der Pädologie.

N. P. Gundobin (Professor der Kinderkrankheiten an der Medizinischen Akademie) hielt eine Rede über das gegenseitige Verhältnis zwischen Medizin und Pädologie.

A. P. Netschajeff (Direktor des pädagogisch-psychologischen Laboratoriums am päd. Museum) gab eine geschichtliche Skizze von der Entwicklung der Pädologie im Auslande und in Rußland. Diese neue Wissenschaft, welche sich von Amerika aus, wo sie zuerst von dem Präsidenten an der Clark-Universität, Stanley Hall, gegründet wurde, in ganz Europa verbreitete, fand auch einen Anklang in Rußland. Hier sind fürs erste Professor Lange in Odessa und Professor Sikorsky in Kiew zu nennen, die für die experimentell-psychologischen Forschungen Interesse zeigten und so die Aufmerksamkeit der Gesellschaft auf die Wichtigkeit genauer Kenntnisse von der menschlichen Psyche richteten. Die Verbreitung der Pädologie fand jedoch einige Hindernisse seitens der konservativen Vertreter offizieller Wissenschaft. Einer von ihnen fand sogar den Versuch, die Bedeutung der experimentellen Psychologie für den Schulunterricht aufzuklären, als »ohne Frage komisch« und »für Rußland schädlich«. Trotzdem zeigte die Gesellschaft in letzter Zeit das größte

Interesse für wissenschaftliche Pädagogik. Im Jahre 1902 wurde in einer Sitzung der Gesellschaft für Volksgesundheitspflege beschlossen, ein Laboratorium für experimentelle Psychologie zu gründen. In demselben Jahre wurde in der Gesellschaft für normale und' pathologische Psychologie unter dem Vorsitze Bechtereffs (Professor der Psychiatrie an der medizinischen Akademie zu Petersburg) eine Kommission für experimentelle Untersuchungen in Schulen gebildet. Das nötige Material wurden für die Kommission von mehr als 300 Lehrern und Ärzten unentgeltlich gesammelt. Vor zwei Jahren wurde mit Beistand des Direktors des Pädagogischen Museums A. N. Makaroff ein experimentell-pädagogisches Laboratorium für die pädagogischen Kurse für Militärschulen eingerichtet. Im Jahre 1904 endlich wurde es in einer Sitzung des medizinischen Kongresses auf Veranlassung Pirogoffs beschlossen, an medizinischen Fakultäten einen Lehrstuhl für Pädologie zu eröffnen. Alle diese Tatsachen zeigen, wie stark das Bedürfnis für wissenschaftliche Pädagogik ist. Es ist daher zu hoffen, daß die neu eröffnete Anstalt einen Anklang bei der Gesellschaft finden wird.

Zuletzt sprach Fürst J. R. Tarchanoff (Professor der Physiologie an der med. Akademie zu St. Petersburg) über das Verhältnis zwischen Physiologie und Pädologie.

Der Versammlung wohnte ein zahlreiches Publikum bei, welches den Reden mit höchstem Interesse folgte.

Die Abteilung eröffnete dann im Herbste 1904 folgende Reihe öffentlicher Vorlesungen:

Allgemeine Psychologie in ihrer Beziehung zur Geschichte der Philosophie und Pädagogik (Netschajeff).

Physiologie im Verhältnisse zur Kinderhygiene (Fürst Tarchanoff).

Nerven- und Seelenstörungen im Kindesalter, mit anatomischer Einleitung (Professor Blumenau).

Kinderhygiene (Professor Gundobin).

Kriminalanthropologie (Drill).

Psychophysiologie der Sinnesorgane (Dr. Kroggius).

Charakterologie (Dr. Lazursky).

Erziehung von psychisch nicht normalen Kindern (Dr. Gribojedoff).

Technik des psychologischen Experiments (Netschajeff).

Einleitung in die Statistik (Professor Jarozky).

Im Laboratorium für experimentell-pädagogische Psychologie wird eine Reihe pädagogischer Untersuchungen angestellt werden, welche sich nach ein und demselben von allen Mitgliedern bearbeiteten Plane richten werden.

St. Petersburg.   Prof. Alexander Netschajeff.

3. Ein charakteristischer Fall von Vererbung moralischen Schwachsinns.

Mitgeteilt von Delitsch, Plauen

Geh. Med.-Rat Prof. Binswanger betonte in seinem Leipziger Vortrage: Über den Begriff des moralischen Schwachsinns, wie schwer Moral insanity bei sonst geistig Normalen festzustellen sei. Nur etwaige erbliche Belastung spräche dann dafür, den Moraldefekt als krankhaft aufzufassen.

Durch diese Einschränkung erhält der Begriff »erbliche Belastung« eine bestimmtere Begrenzung und damit erhöhte Bedeutung für Maßnahmen und Entscheidungen des Erziehers, Arztes und Richters. Doch muß man ohne weiteres einräumen, daß auch das von Binswanger hervorgehobene Kriterium für Moral insanity nicht durchaus zuverlässig ist.

Muß denn der Nachkomme eines Epileptikers, oder Trinkers, oder Geisteskranken ein Raufbold, oder Dieb, oder Lustmörder sein? Das wird niemand behaupten wollen. Vererbung ist hier wohl möglich, aber nicht gewiß. Denn die Last psychischer Entartung drückt nicht auf die Schultern aller Nachkommen, lastet auch nicht mit gleicher Schwere auf den unglückseligen Erben. Sicher aber muß Moral insanity dann als ererbt betrachtet werden, wenn ihre Äußerungen ein unverkennbares Spiegelbild der psychischen Abnormität des Vorfahren bieten. Das mag ein Beispiel erläutern und bestätigen.

Der Vater, ein kräftiger und geschickter Schmied, ist sonst nicht unvernünftig. Doch leidet er an übergroßer Empfindlichkeit. Kränkung und Sorge machen ihn stumm, ingrimmig. Endlich wirft er im Affekte trotzigen Zornes die Arbeit weg und — betrinkt sich. Tagelang ist er nun taub für vernünftige Einwände. Dann packt ihn die Reue, so daß er es zuweilen über sich gewinnt, seiner Frau Besserung zu versprechen. Willig kehrt er zu Beruf und Sitte zurück und arbeitet »für zwei«.

Der Sohn hat sich in unsrer Hilfsschule intellektuell so gut entwickelt, daß er seine Mitschüler der Oberklasse durch Interesse, Wissen und Können bei weitem überragt und insofern nicht mehr in den Rahmen unsrer Schule paßt, nicht als schwachsinnig bezeichnet werden kann. Aber er ist gegen Kränkungen ebenso überempfindlich wie sein Vater. Auch er zeigt dann eine stumme, störrische Widersetzlichkeit. Er umläuft die Schule wie sein Vater die Werkstätte, meidet dann wie jener das Haus und bleibt wie jener taub für wohlgemeinte Vorhaltungen. Erst nach Tagen kehrt auch ihm die Einsicht wieder. Zwar gewinnt auch er es nur selten über sich, sein Unrecht einzugestehen. Aber sein umgewandeltes Wesen läßt seinen Entschluß zur Besserung nicht verkennen. Im Unterrichte ist er doppelt aufmerksam, wie sein Vater bei der Arbeit. Durch Lösung freiwillig verdoppelter Hausaufgaben sucht er die Achtung seines Lehrers wieder zu gewinnen. — Von 6 Geschwistern ist nur er das psychische Abbild seines Vaters.

Erwähnenswert ist, daß auch nur er eine starke skrophulöse Anlage des Vaters geerbt hat.

4. »Pferdepädagogik.«

Der »kluge Hans«, über dessen Leistungen sich vor einem Jahr so viele kluge Leute den Kopf zerbrochen haben und worüber auch wir damals unter obiger Überschrift berichteten, hat sogar in der Chronik der Berliner Universität Erwähnung gefunden. Aus dem Psychologischen Institut berichtet dort der Direktor, Geheimer Rat Professor Dr. C. Stumpf folgendes: »Im Herbst untersuchte der Unterzeichnete mit zwei älteren Teilnehmern der Übungen, Herren Dr. v. Hornbostel und cand. med. et phil. Pfungst, das vielbesprochene, angeblich rechnende Pferd des Herrn v. Osten. Das alte Problem in Bezug auf die Möglichkeit eines begrifflichen Denkens bei höheren Tieren sollte hier nach der Überzeugung zahlreicher Beobachter gelöst sein. Die unter beträchtlichen äußeren Schwierigkeiten durchgeführte Untersuchung ließ keine Spur von Begriffsbildung und von Verständnis der allgemeinen Bedeutung sprachlicher Ausdrücke bei dem Pferde erkennen, lieferte aber lehrreiche Zeugnisse für die minimalen Bewegungen, mit denen viele Menschen unwillkürlich und unbewußt ihr eigenes Denken begleiten, und für die Schärfe und Raschheit der Gesichtswahrnehmungen beim Pferde. Herrn Pfungst gelang es infolge einer durch Übungen über kürzeste Gesichtseindrücke geschärften Beobachtungsgabe, bei allen Personen, denen das Tier antwortete, die Bewegungen zu erkennen. Daß sie nicht bloß Begleiterscheinungen, sondern Ursachen waren, wurde durch Zeitmessungen festgestellt, und schließlich ihr genauerer Verlauf mit Hilfe des Sommerschen Apparates graphisch wiedergegeben.«

5. Kursus für Hilfsschullehrer in Bonn.

Schon seit einer Reihe von Jahren ist aus den Kreisen der an den Hilfsschulen wirkenden Lehrer und Lehrerinnen vielfach der Wunsch nach Gelegenheit zur Ausbildung und Fortbildung in der Hilfsschulpädagogik und in den für die letztere bedeutsamen Gebieten anderer Wissenschaften geäußert worden. Seit mehreren Jahren werden auch schon im preußischen Kultusministerium Kurse, die diesem Zwecke dienen sollen, in Dauer und Einrichtung vielleicht ähnlich den Turnlehrerbildungskursen, ernstlich in Erwägung gezogen, so daß Hoffnung vorhanden ist, es werde in nicht allzu ferner Zeit zu einer staatlichen Einrichtung auf diesem Gebiete kommen. — Vorläufig hat man sich in einzelnen Landesteilen und großen Städten (Provinz Sachsen und Thüringen, Königreich Sachsen, Großherzogtum Hessen und Bezirk Wiesbaden, Westfalen, Berlin, Breslau, Hamburg, Hannover, Königsberg) in der Weise zu helfen gesucht, daß sich Vereinigungen von Hilfsschullehrern und -lehrerinnen sowie sonstigen für die Versorgung der geistig Schwachen interessierten Personen zum Zwecke des Austausches der gemachten Erfahrungen und der Erörterung einzelner wichtiger Fragen auf dem Gebiete des Hilfsschulwesens gebildet haben. —

In diesem Herbst wird nun, am 1. Oktober beginnend, zum ersten

18*

Male[1]) ein eigentlicher Kursus für Hilfsschullehrer mit einer Dauer von 3 Wochen in Bonn abgehalten werden. Das Unternehmen ist dort schon vor längerer Zeit ins Auge gefaßt und vorbereitet worden. Es wird nur eine beschränkte Zahl von Teilnehmern, nicht über 35, zugelassen werden. Das Kursushonorar beträgt 40 M. Als Dozenten werden in dem Kursus wirken: Der Oberarzt der Prov.-Irrenanstalt und Privatdozent Dr. Förster, der als Schulhygieniker bekannte Sanitätsrat Dr. Schmidt, der Leiter der Bonner Hifsschule Lessenich, Lehrer Wemmer von derselben Schule und der Leiter der Düsseldorfer Hilfsschule Horrix. An Lehrfächern sind folgende in Aussicht genommen (die Ziffern geben die Zahl der Wochenstunden an): Jeden Morgen von 8—10 Uhr Einführung in die Hilfsschulpraxis (12), Schulgesundheitslehre (3) (S),[2]) Sprachstörungen (2) (S), Gymnastik für Hilfsschüler (1) (S), Anatomie des gesunden und kranken Nervensystems, die verschiedenen Schwachsinnsformen (ihr Wesen, ihre Ursachen und Erscheinungen) (12) (F), pädagogische Pathologie (4) (F), Organisation der Hilfsschule (1) (H), Fürsorge für die schulentlassenen Zöglinge (1) (H), Lehr- und Lektionsplan für Hilfsschulen (2), Sprachheilkursus (2) (L), Falt- und Fröbelarbeiten (2) (L), Falt- und Hobelarbeiten (2) (L), Modellierarbeiten (4) (W). —

Der Leiter der Bonner Hilfsschule nimmt Anmeldungen entgegen, wird auf Wunsch gern für Unterkommen der Kursusteilnehmer sorgen und ist zu jeder Auskunft erbötig. Die Veranstalter des Kursus werden dafür Sorge tragen, daß die Teilnehmer nach ernster Arbeit auch die heitere Seite des rheinischen Lebens kennen lernen können.

A. Henze, Hannover.

---

6. Ein Kurs der medizinischen Psychologie mit Bezug auf Behandlung und Unterricht der angeboren Schwachsinnigen für Ärzte und Pädagogen.

Prof. Sommer-Gießen beabsichtigt im Anschluß an den II. Kongreß für experimentelle Psychologie, der vom 10. bis 13. April 1906 in Würzburg stattfindet, sowie an den in demselben Monate zum ersten Male tagenden Kongreß für Kinderkunde, Kindererziehung und Jugendfürsorge in Frankfurt a/M., also in der zweiten Hälfte des April 1906, für Ärzte, Pädagogen und sonstige für die medizinische Psychologie besonders der Kindheit interessierten Personen einen Kurs der medizinischen Psychologie mit Bezug auf Behandlung und Unterricht der angeboren Schwachsinnigen abzuhalten. Derselbe würde ungefähr 5—7 Tage währen und neben Vorträgen über Idiotie, Idiotenanstalten, Familienpflege, Hilfsschulen, Zwangserziehung, jugendliches Verbrechertum und damit verwandte Themata auch experimental-psychologische Übungen bieten. Gleichzeitig sollen

---

[1]) Die Ferienfortbildungskurse in Jena haben schon seit vielen Jahren diese Aufgabe mit zu erfüllen gesucht. Tr.

[2]) S = Dr. Schmidt, F = Dr. Förster, L = Lessenich, H = Horrix, W = Wemmer.

Studienfahrten in Idioten- und Zwangserziehungsanstalten, Besichtigungen von Hilfsschulen usw. zur weiteren Veranschaulichung des Theoretischen dienen.

Prof. Sommer hält einen derartigen Kurs für zeitgemäß, weil in der Fürsorge für die angeboren Schwachsinnigen, sowohl für die in Anstalten untergebrachten, wie die in Familien lebenden, besonders auch die in Hilfsschulen unterrichteten und die in Zwangserziehung befindlichen, sich immer mehr eine methodische Schulung der beteiligten Ärzte und Pädagogen in medizinischer Psychologie mit Bezug auf die Psychopathologie des Kindes nötig macht.

Interessant sind seine Äußerungen über den zwischen Ärzten und Pädagogen (Geistlichen) um die Leitung der Anstalten für Geistesschwache entstandenen Kampf. Er sagt: »Auf die Dauer wird in dem zur Zeit ausgebrochenen Streit über die Leitung der Anstalten für Schwachsinnige und in dem ganzen Gebiet der Behandlung geistig abnormer Kinder diejenige Gruppe durchdringen, welche die besten Kenntnisse über die Psychologie und Psychopathologie des Kindes hat und sie in richtige Art der Behandlung umsetzt.[1] Es handelt sich also im Grunde um einen Wettstreit in der methodischen Erkenntnis, nicht um bloße Kraftproben der um die Führung streitenden Ärzte, Lehrer und Geistlichen.

»Es ist möglich, daß auf die Dauer den Ärzten die Führung zufallen wird, während sie zur Zeit trotz aller Resolutionen auf Kongressen vielfach nur eine bedauerliche Nebenrolle in der Fürsorge für die Schwachsinnigen spielen.[1] Ersteres wird aber nur dann geschehen, wenn die Ärzte das Vorurteil, daß sie in den Idiotenanstalten im wesentlichen nur den kranken Körper behandeln, durch eine eindringliche Beschäftigung mit medizinischer Psychologie und genaues Studium der psychophysischen Organisation der angeboren Schwachsinnigen gründlich beseitigen.«

Prof. Sommer möchte zunächst feststellen, ob aus den betreffenden Kreisen eine genügende Teilnahme an dem geplanten Kurse zu erwarten ist und bittet deshalb alle interessierten Personen um eine diesbezügliche Zustimmungserklärung, mit der selbstverständlich keine weitere Verpflichtung verbunden ist.   Eduard Schulze, Halle.

---

7. V. Schweiz. Konferenz für das Idiotenwesen in St. Gallen 5. und 6. Juni 1905.

Von Direktor K. Kölle, Erziehungsanstalt in Regensberg.

Die Fürsorge für die geistig zurückgebliebenen Kinder dehnte sich in der Schweiz in den letzten Jahren immer mehr aus. Das zeigt auch der Besuch der Konferenzen, die alle 2 Jahre abgehalten werden.

In diesem Jahre konnte sie in der freundlichen Gallusstadt tagen.

---

[1] Von mir hervorgehoben.   Sch.

Vorsitzender der Konferenz war Herr Sekundarlehrer A u e r in Schwanden, Kanton Glarus. Das Programm war ein reichhaltiges, anwesend waren ca. 250 Teilnehmer. Das Ortskomitee, an dessen Spitze Herr Landamann Dr. Mächler stand, bot im Verein mit der St. Gallischen Lehrerschaft alles auf, um es den Besuchern der Konferenz angenehm zu machen.

Am 5. Juni um $1^1/_2$ Uhr begann die Vorversammlung. Es sollte auf dieser den in der Arbeit stehenden Lehrern Gelegenheit geboten werden, sich über die Lesebuchfrage auszusprechen.

Herr J. Nüesch, Lehrer an den Spezialklassen in St. Gallen, hatte das Referat.

Er führte aus, daß der Unterricht geistesschwacher Schüler durch ein für sie besonders bearbeitetes Lesebuch Erleichterung und Förderung erfahre. Den von einem Kollegium schweizerischer Lehrer herausgegebenen drei Heften »Mein Lesebüchlein« sollte ein 4. (letztes) Heft angefügt werden, das besonders auch die realistischen Fächer etwas berücksichtige. Wenn die Konferenz der Herausgabe dieses neuen Heftes zustimme, so scheine es in der Aufgabe der schweizerischen Konferenz für Idiotenwesen zu liegen, die Schaffung dieses 4. Heftes an die Hand zu nehmen. Sie soll den Verlag der schon vorhandenen 3 Büchlein, sowie den des neu erscheinenden in die Hand nehmen.

Das erste Votum hatte Herr J a u c h, Lehrer der Spezialklasse Zürich II. Er stimmte Herrn Nüesch vollständig zu und empfahl mit warmen Worten die Annahme der aufgestellten Forderungen. Leider nahm von den anwesenden Lehrern nicht einer das Wort. Der Konferenzvorstand konnte sich deshalb nicht entschließen, auf die Forderungen der Votanten einzugehen. Die Lesehefte sind noch zu kurze Zeit im Gebrauch, als daß sich schon ein bestimmtes Urteil bilden lasse, auch über die Ausarbeitung eines weiteren Heftes sind die Meinungen noch nicht genügend ausgetauscht. Das Lesebüchlein, das mit seiner einfachen Ausdrucksweise den Lehrern bald unentbehrlich werden muß, soll sich vorerst noch mehr einleben, dann wird die Konferenz später wieder an die Frage herantreten können.

Nachdem die Konferenzbesucher die hübschen Arbeiten der Schüler der St. Galler Spezialklassen besichtigt hatten, begaben sie sich in den Großratssaal, wo punkt 3 Uhr die Hauptversammlung begann.

Herr A u e r begrüßte die Konferenzteilnehmer mit beredten Worten.

Die Hauptaufgabe der Konferenz erblickt er darin, den geistesschwachen Kindern zu einer sachverständigen Erziehung und Ausbildung zu verhelfen. Pestalozzis Grundsatz, allgemeine Volksschulen einzurichten, ist verwirklicht.

Wir gehen einen Schritt weiter und verlangen, daß der Schulzwang auf alle anormal beanlagten Kinder, die bildungsfähig sind, ausgedehnt werde.

Das unerläßliche solide Fundament dieses Rettungswerkes ist die gesetzliche Regelung dieser Frage. Die selbstverständliche Forderung, daß der Staat und die Gemeinden verpflichtet sind, für die Ausbildung aller, auch der geistig zurückgebliebenen Kinder zu sorgen, muß in der Gesetzgebung klar und bestimmt zum Ausdruck gelangen. Unseres Wissens ist die Schweizerische Eidgenossenschaft der einzige größere Staat, dessen Grundgesetz eine bezügliche Bestimmung hat.

Im Art. 27 der Bundesverfassung wird festgesetzt, daß die Kantone für genügenden Primarunterricht zu sorgen haben und daß derselbe obligatorisch ist, d. h. sich auf alle Kinder erstrecken muß. Damit die Kantone dieser Verpflichtung nachkommen können, werden sie seit dem Jahre 1903 auf Grund eines Zusatzes zu dem erwähnten Verfassungsartikel vom Bund finanziell unterstützt. Unter den Zweckbestimmungen der eidgenössischen Schulsubvention wird in Art. 2, Ziffer 9 des Ausführungsgesetzes ausdrücklich auch die Erziehung schwachsinniger Kinder in den Jahren der Schulpflicht genannt. Diese Aufgabe ist somit ein integrierender Bestandteil des durch die Bundesverfassung geforderten genügenden obligatorischen Primarunterrichts.

Die praktischen Maßnahmen zur Erreichung dieses Zweckes sind die Einrichtung von Anstalten, Spezial- und Nachhilfeklassen. Während der Staat ohne weiteres verpflichtet ist, die Schulen einzurichten, kann er die Errichtung von Anstalten privater Wohltätigkeit überlassen.

Zur Heranbildung von geeigneten Lehrkräften sind besondere Kurse abzuhalten, in denen die Lehrer theoretisch und praktisch für ihren Beruf vorbereitet werden. Bis jetzt fanden zwei solcher Bildungskurse statt und zwar beide in Zürich in den Jahren 1899 und 1904.

Es werden aber nur Lehrer an dem Werke arbeiten können, die auch von dem rechten Geist der Liebe und selbstloser Hingabe beseelt sind.

Seit dem Jahre 1899 werden die Schulkinder in der ganzen Schweiz nach einem bestimmten Fragebogen untersucht, um vorhandene geistige und körperliche Mängel festzustellen. Dadurch werden die in erster Linie beteiligten Kreise, die Eltern und Lehrer, die Ärzte und Behörden, veranlaßt, die vorliegenden Fragen an der Quelle zu studieren, sich alljährlich mit den gebrechlichen Kindern direkt zu beschäftigen und sich in jedem einzelnen Falle zu fragen:

Wie äußert sich dein Leiden? Woher rührt es? Wie kann am besten geholfen werden?

Für die aus der Anstalt und Hilfsschulen entlassenen Zöglinge, die im Leben nicht fortkommen können, wird gesorgt durch Patronate und Errichtung von Arbeitsanstalten. Die nicht bildungsfähigen Kinder werden in Pflegeanstalten untergebracht. Durch diese Arbeiten wird eine vaterländische Aufgabe gelöst und eine Pflicht der Nächstenliebe erfüllt.

Nach diesen Eröffnungsworten, in denen Herr Auer namentlich auch noch den anwesenden Herrn Stadtschulrat Dr. Wehrhahn von Hannover, den Vorsitzenden des deutschen Verbandstages für Hilfsschulen, aufs wärmste begrüßt hatte, nahm Herr Dr. Wehrhahn das Wort, um die Konferenz namens des Vorstandes des deutschen Verbandstages zu grüßen.

Über den gegenwärtigen Stand der Sorge für die geistesschwachen Kinder in der Schweiz teilt Herr Auer folgendes mit:

Im Februar 1903 gab es in der Schweiz 22 Erziehungs- und Pflegeanstalten für geistesschwache Kinder mit 867 Zöglingen. Alle diese Anstalten bestehen heute noch. Im März 1905 zählten sie aber 948 Zöglinge, haben also einen Zuwachs von 81 Zöglingen erhalten.

Unterdessen wurden noch 4 neue Anstalten gegründet, nämlich ein

Privatinstitut, die Zürcherische Pflegeanstalt für blöde Kinder, die für ca. 50 Pfleglinge Raum hat, das Asyl für Kinder beiderlei Geschlechts, die aus einer Erziehungsanstalt ausgetreten sind und noch der Anleitung zur Arbeit bedürfen, in Erlenbach am Zürichsee und die Schweizerische Anstalt für schwachsinnige Taubstumme in Turbenthal, Kanton Zürich, die für etwa 25 Kinder Raum bietet.

Nach der Zusammenstellung von Herrn Graf am 1. März 1905 bestanden in 24 größeren Gemeinden der Schweiz 61 Spezialklassen für schwachbegabte Schüler mit 1236 Zöglingen.

Der erste Vortrag wurde von Herrn Nationalrat Dr. Zürcher, Professor in Zürich, gehalten über »Die Geistesschwachen in der Gesetzgebung«. Die Aufgaben der Gesetzgebung gehen nach drei Richtungen:

a) Vorbeugende Maßnahmen zur Bekämpfung der Entstehungsursachen des Idiotismus.

Als solche sind zu begrüßen die Maßnahmen, die der Entwurf des schweizerischen Zivilgesetzes vorsieht: Das Verbot der Eheschließung mit nicht urteilsfähigen Personen und das Verbot der Verwandtenehe. Im Strafgesetz besteht die Strafandrohung gegen geschlechtlichen Verkehr mit blödsinnigen Frauenspersonen. In gleicher Weise ist auch zu begrüßen die Gesetzgebung zur Bekämpfung der Trunksucht.

Eine weitere Ausdehnung der vorbeugenden Maßnahmen ist erst dann möglich, wenn die Erforschung der Ursachen weiter gediehen ist.

b) Maßnahmen zum Schutze der Gesellschaft gegen Schädigungen durch gefährliche Schwachsinnige.

Gegen solche Schädigungen bietet das Zivilgesetzbuch einen wirksamen Schutz, indem es das Familienoberhaupt hierfür haftbar erklärt. Der Schutz gegen verbrecherische Schädigungen durch Schwachsinnige ist nicht mittels Verhängung von Strafen, sondern mittels der im Vorentwurfe vorgesehenen sichernden Maßnahmen gegenüber Kindern, jugendlichen und erwachsenen Unzurechnungsfähigen oder vermindert Zurechnungsfähigen zu bewirken.

c) Die gesetzlichen Maßnahmen zum Schutze der geistesschwachen Kinder gegen Mißhandlung und Ausbeutung durch Eltern und Dritte decken sich mit den allgemeinen Kinderschutzbestimmungen. Zum Schutze der erwachsenen Geistesschwachen dient die Vormundschaft.

Der Vortrag wurde mit großem Beifall aufgenommen, aber leider fand auch keine Diskussion statt.

Die beiden Referenten des Themas: »Sorge für die bildungsunfähigen Kinder in der Schweiz,« der katholische Herr Dekan Eigenmann, Direktor der Schwachsinnigen-Anstalt in Neu St. Johann (Toggenburg) und der reformierte Herr Pfarrer Alther in Eichberg (St. Gallen) faßten ihre Aufgabe sehr begeistert auf und hielten eingehende Vorträge. Der erste Referent, der durch seinen guten Humor die Zuhörer zu fesseln wußte, gab einen geschichtlichen Überblick über die bisherige Fürsorge für Blödsinnige in der Schweiz. Erst in neuester Zeit geschah für Kinder dieser Gattung etwas. Es ist zu wünschen, daß in Zukunft mehr getan wird. Die Konferenz soll durch Volksaufklärung und durch geeignet scheinende Inanspruchnahme des Wohltätigkeitssinnes dahin wirken, um dürftigen Bildungsunfähigen zu menschenwürdiger Vorsorgung und passender Pflege zu verhelfen.

Herr Pfarrer Alther, der die Not der Blöden in den Bodelschwinghschen Anstalten durch eigene Mitarbeit kennen lernte, trat warm für eine Anstaltsversorgung dieser Armen ein, in der sie doch wenigstens noch Ordnung und Reinlichkeit finden, obgleich er nicht in allen Fällen die Kinder aus dem Elternhause wegnehmen will.

Er schildert die Schwierigkeit der Arbeit an den Blöden und findet es sehr schwer, das richtige Pflegepersonal zu erhalten.

Deshalb schlägt er vor, nicht vereinzelte kleine Anstalten, sondern eine zentrale schweizerische Anstalt zu gründen, die dann auch im stande wäre, geeignetes Pflegepersonal heranzuziehen.

Leider kam auch im Anschluß an diese beiden Vorträge, die mit großem Beifall aufgenommen wurden, keine Diskussion zu stande und die Referenten konnten nicht erfahren, wie sich die Konferenz zu ihren Thesen stellte.

Das letzte Thema: »Welche Forderungen ergeben sich aus der seelischen Verschiedenheit der Kinder für die Art ihrer Gruppierung im Unterricht der Volksschule?« wurde von Herrn Stadtschulrat Dr. Sickinger in Mannheim behandelt. Das erste Votum hatte Herr Lehrer Hiestand in Zürich IV.

Das Interesse an diesem Thema war ein allgemeines. Die Lehrerschaft des Bezirkes St. Gallen fand sich vollzählig zum Vortrage ein. Man war gespannt auf die Mitteilungen des Begründers des Förderklassensystems. Obgleich viele Zuhörer nicht recht wußten, wie sie sich zur Sache stellen sollen, da für Landschulen an eine Einteilung in Haupt-, Förder- und Hilfsklassen nicht zu denken ist, so wurde doch die Aufforderung, endlich allen Kindern eine, ihrer individuellen Leistungsfähigkeit entsprechende, planvolle und zugleich intensive Förderung zu teil werden zu lassen, mit sichtlicher Genugtuung aufgenommen. Den Rednern wurde . warmer Dank zu teil. Dieses Mal kam wohl eine Diskussion zu stande, sie brachte aber nur wenig Neues. Es wurde unter anderem betont, daß die Anstalten für Schwachsinnige diese Neuerung auf dem Gebiete der Volksschule ganz besonders begrüßen müssen. Denn gerade sie arbeiten schon seit fünfzig Jahren darauf hin, daß jedem Kinde eine individuelle Behandlung zu teil werde und gerade sie sehen in der Einteilung der Kinder in verschiedene Klassen das beste Mittel, ihnen das zu bieten, was zu ihrer Förderung unerläßlich ist.

Damit hatten die Verhandlungen ihr Ende erreicht.

Hatten die St. Galler schon am ersten Abend alles aufgeboten, es den Gästen durch Gesang, Deklamationen, Aufführungen bei ihnen angenehm zu machen, so krönten sie diese Bemühungen durch die Darbietungen während des Mittagsessens und durch die prächtige Fahrt ins herrliche grüne Appenzellerland mit seinen welligen Matten und schmucken Dörfern. In poetisch ausgeschmückter Rede grüßte der St. Gallische

Lehrer und Dichter Brassel am Schlachtendenkmal von Vögelinseck nochmals die Konferenzteilnehmer. Wenn er auch nicht sagen wolle, die
Schweiz sei eine geistige Provinz von Deutschland, so müsse man doch
anerkennen, welcher Strom von geistiger Anregung über das schwäbische
Meer herüberkomme, sagte er unter anderem. Der Gruß, den Dr. Wehrhahn herüber gebracht hatte, fand kräftigen Widerhall und wo man in
Deutschland für die Sache der Schwachen arbeitet, da darf man sicher
sein, daß die Schweiz nicht zurückbleibt. Sie hat in den letzten Jahren
viel für die Schwächsten der Menschenkinder getan und wenn die Arbeit
in gleicher Weise fortschreitet, so wird bald die Zeit gekommen sein, wo
man sagen darf: jedes Kind, auch das schwächste, findet eine möglichst
gute Ausbildung oder doch eine liebevolle Pflege.

<hr />

C. Literatur.

Pick, Prof., Prag, Über einige bedeutsame Psychoneurosen des Kindesalters. Sammlung zwangloser Abhandlungen aus den Geb. der Nerven-
und Geisteskrankheiten. V. Band, Heft 1. 80 Pf.

Die kleine Schrift gibt einen Vortrag wieder, den Pick vor praktischen Ärzten
gehalten hat. Sie bietet soviel Anregung, daß ich sie auch dem nicht psychiatrischen
Heilpädagogen empfehlen möchte. Vier praktisch wichtige Kapitel sind herausgegriffen:

1. Das triebartige Davonlaufen (wozu auch oft das »hinter die Schule
gehn« gehört). Es ist nicht immer ein Ausdruck von Faulheit. Es entsteht meist
im Anschluß an eine Verstimmung, und zwar auf dem Boden der Entartung
(»Psychasthenie«) oder bei Hysterie; am seltensten ist es (anders als bei Erwachsenen)
epileptischer Natur. Die Unterscheidungsmerkmale dieser 3 Formen werden klar
gekennzeichnet. Die Behandlung soll Verstimmungen verhüten. Also sind, sobald
die krankhafte Natur feststellbar ist, Strafen streng verboten, da durch sie schon
»in einzelnen Fällen das Wandern mit einer Flucht aus dieser Welt, einem Selbstmord« endete. Außer diesem Schutz vor Gemütserregungen soll der Erzieher die
Gleichmäßigkeit der Stimmung herbeiführen, indem er insbesondere die Freude ausgiebig als bestes Heilmittel für Nervenkranke ausnützt, andrerseits das Kind mit
Vorsicht gewöhnt, Unlustgefühle und Schmerz zu ertragen.

2. Zwangsvorstellungen. Sind zuweilen nicht ganz leicht zu entlarven.
Übermäßige Pünktlichkeit, Skrupulosität, Grübelsucht und ähnliches bilden zuweilen
die Einleitung. Dann erliegt das Kind völlig der Zwangsvorstellung (z. B. die
Mutter zu beschimpfen). Einige interessante Krankengeschichten erläutern das.
Die Behandlung soll das Kind von übertriebenen geistigen Bestrebungen auf eine
reale Tätigkeit ablenken, Selbstbeobachtung verhindern durch Arbeit, Selbstständigkeit
und Mut heben.

3. Die Tics. Diese werden gern als schlechte Gewohnheiten angesehn (Achsel-
hochziehen, Augenblinzeln, räuspern usw.). Sie unterscheiden sich aber von Gewohnheiten, aus denen sie sich übrigens auf psychopathischem Boden entwickeln
können, wesentlich: Die Tics werden bei darauf gelenkter Aufmerksamkeit stärker,

die Angewohnheiten hören auf. Die Tics verschwinden während einer Ab-
lenkung, die Angewohnheiten (z. B. Schnurrbartdrehen) werden dabei stärker.
Die Tics sind unwiderstehlich, ihre gewaltsame Unterdrückung ruft ein peinliches
Unlustgefühl hervor, das bald dazu zwingt, dem Tic noch stärker nachzugeben; die
Angewohnheiten lassen sich bei gutem Willen leicht unterdrücken. Die empfohlene Behandlung schließt sich an französische Autoren an, welche die zu Grunde
liegenden mangelhaften Hemmungen stärken durch spezielle gymnastische Übungen.
Dem Tic nahestehend (durch das Fehlen der Hemmungen, die mangelhafte Beherrschung des eignen Körpers) ist die nervöse Unruhe mancher Kinder (»Zappel-
philipp«).

4. Die pathologische Träumerei. Auch sie schließt sich an einen physiologischen Zustand an, das phantastische Träumen im Wachzustand. Der pathologische Charakter entsteht, sobald Gedanken aus dem wachen Traum als ·Wirklich-
keit in das Alltagsleben hinübergenommen werden und die Handlungen darin beeinflussen (pathologische Lüge, Reise zu den Indianern). Zur Behandlung hält Verf.
mit Recht die gewaltsame Ertötung der Phantasie für falsch. Nur die von der
Außenwelt abschließende, vor allem die eigne Person betreffende Phantasie (wozu
übrigens auch die psychische Onanie gehört) soll durch Ablenkung des Interesses
auf das Reale (Handfertigkeitsunterricht, aber keine mechanische Beschäftigung wie
Stricken oder stundenlanges Sitzen über Schulbüchern) lahmgelegt werden. Zum
Schluß rät Verf., bei pathologischen Erscheinungen des kindlichen Seelenlebens nicht
immer von Entartungen im schlechten Sinn zu reden. Die Abartung kann sowohl
nach abwärts wie nach aufwärts (Genie!) geschehen, beides unter nervösen Erscheinungen. »Der Erhaltung und Pflege dieser normalen Nervosität wird man
ebenso sein Augenmerk zuzuwenden haben, wie die antisozialen Seiten der pathologischen Nervosität zu bekämpfen sein werden.«

Galkhausen bei Langenfeld (Rheinl.). Dr. med. Hermann.

Keller, Helen, Die Geschichte meines Lebens. Mit einem Vorworte von
Felix Holländer. Deutsche Ausgabe von P. Seliger. 368 Seiten. Brosch.
5,50 M, in Leinw. geb. 6,50 M. Stuttgart, Verlag von Robert Lutz.

Über die englische Ausgabe dieses Werkes habe ich bereits in den Kinderfehlern berichtet; die deutsche Ausgabe wird sicher vielen große Freude bereiten.
Das Vorwort von Felix Holländer ist sehr lesenswert. Die Ausstattung des
Werkes ist ausgezeichnet, enthält die schönsten Aufnahmen, die über dieses »wunder-
same Mädchen« vorhanden sind. Das Werk der Taubblinden wird sich selbst empfehlen; ich beschränke mich deshalb darauf, hier die Widmung zu bringen, die mit
Faksimile von Helenen Kellers Schrift in der deutschen Ausgabe enthalten ist.

»In dieser Ausgabe meiner ‚Lebensgeschichte‘ grüße ich meine Freunde im
deutschen Vaterlande. Gerne möchte ich glauben, daß mein Buch etwas Vergnügen gäbe, um die große geistige Freude einigermaßen zu vergelten, die ich
dem Land Schillers und Goethes schuldig bin. Helen Keller.«

Emden. O. Danger.

Berninger, Johannes, Elternabende. Ihre Bedeutung für Schule und Haus.
Ein praktischer Ratgeber zur Einrichtung der Elternabende. Wiesbaden, O. Nemnich, 1905. Preis 2,20, geb. 3 M.

Das Buch weist herzhaft auf eine Lücke in der heutigen Erziehung. Haus
und Schule müssen im gegenseitigen Interesse zusammengehen. Die Forderung ist

alt. Sie bestand vielfach aber nur in der Theorie, denn die Schulfeier, die Osterprüfung, der Besuchstag mögen Resultate der Schule zeigen, eine Vereinigung von Lehrern und Eltern, wodurch in der Erziehung ein gegenseitiges Sichhelfen zu stande käme, sind sie nicht. Berninger zeigt die Notwendigkeit der Vereinigung von neuem, widerlegt Bedenken, erörtert die Maßnahmen für die gedeihliche Einrichtung von Elternabenden und gibt Anleitungen zu Ansprachen und sonstigen Darbietungen an denselben. Was er bringt, ist beherzigenswert, wenn auch manches, je nach örtlichen Verhältnissen, zu kürzen und anderes zu erweitern ist.

Die dargebotenen Vorträge haben die Titel: 1. Wie vermag das Elternhaus zur Erfüllung des kaiserlichen Mahnwortes beizutragen: Vor allem kommt es darauf an, daß dem Volke die Religion nicht verloren gehe? 2. Wie kann das Elternhaus zur Förderung und Wahrung der gesundheitlichen Verhältnisse unserer Jugend beitragen? 3. Die schädlichen Wirkungen des Alkohols auf Körper und Geist des Kindes.

Möge das Buch beitragen, daß tatsächlich Eltern und Lehrer sich mehr schätzen und sich helfen bei der Erziehung der Kinder; die Lieblinge und die Hoffnung der Eltern und Lehrer werden jedenfalls den größten Vorteil davon haben.

Jena.   Winzer.

Bericht über den fünften Verbandstag der Hilfsschulen Deutschlands
zu Bremen am 25., 26. und 27. April erstattet von dem 1. Vorsitzenden Stadtschulrat Dr. Wehrhahn-Hannover und dem 2. Vorsitzenden Rektor Henze-Hannover. Hannover, Hofbuchdruckerei Gebr. Jänecke, 1905. 206 S. Im Buchhandel von Fr. Cruses Buchhandlung, Hannover, Gr. Ägidienstr. 4 zum Preise von 2 M zu beziehen.

Über die Bremer Verhandlungen hat Herr Henze eingehend berichtet. Die vorliegende Schrift bringt die Verhandlungen im Wortlaut. Sie bietet außerdem noch ein Verzeichnis der Lehrmittelausstellung und zwar der Hilfsschulliteratur wie der Lehrmittel, ebenso auch die Teilnehmerliste, das Mitgliederverzeichnis und das Verzeichnis der Städte mit Hilfsschulen in Deutschland und England.

Verhandlungen der V. Schweizerischen Konferenz für das Idiotenwesen in St. Gallen am 5. und 6. Juni 1905. Herausgegeben im Namen des Konferenzvorstandes von C. Auer, Sekundarlehrer in Schwanden, Kanton Glarus, K. Kölle, Direktor der Erziehungsanstalt für Schwachsinnige auf Schloß Regensberg, Kt. Zürich, H. Graf, Lehrer an den Spezialklassen in Zürich V Glarus 1905. Selbstverlag des Konferenzvorstandes. Zu beziehen beim Präsidenten, Herrn Sekundarlehrer C. Auer in Schwanden, Kt. Glarus, einzeln für 1,50 Fr., bei Abnahme von wenigstens drei Exemplaren zu 1,20 Fr.

Der Bericht bringt außer dem Wortlaut der Verhandlungen nachträgliche Bemerkungen zum Sickingerschen Vortrag von Dr. Ganguillet, Literatur über die Mannheimer Volksschulreform, sowie einen Anhang enthaltend: Rundschreiben der Erziehungsdirektion des Kantons Bern an die Schulkommissionen und die Lehrerschaft der Primarschulen betreffend die Untersuchung der in das schulpflichtige Alter eingetretenen Kinder auf das Vorhandensein körperlicher und geistiger Gebrechen, Statuten der Kommission zur Fürsorge für aus der Schule entlassene Schwachbegabte, II. Schweizerischer Bildungskurs für Lehrkräfte an Spezialklassen für schwachsinnige Kinder: a) Vorgeschichte u. Organisation von Dr. Fr. Zollinger, b) Pädagogischer Bericht von H. Graf.

Beide Berichte seien unsern Lesern aufs wärmste empfohlen.   Tr.

Die Kinderfehler.

Zeitschrift für Kinderforschung

mit besonderer Berücksichtigung

der pädagogischen Pathologie.

Im Verein mit

Medizinalrat Dr. J. L. A. Koch,
Irrenanstaltsdirektor a. D. in Zwiefalten

herausgegeben von

J. Trüper, und Chr. Ufer,
Direktor des Erziehungsheimes und Kindersanatoriums auf der Sophienhöhe bei Jena
Rektor der Südstädtischen Mittelschule
für Mädchen in Elberfeld.

Elfter Jahrgang.

Langensalza
Hermann Beyer & Söhne
(Beyer & Mann)
Herzogl. Sächs. Hofbuchhändler
1906

Inhalt.

A. Abhandlungen.

1. Warum und wozu betreibt man Kinderstudium?[1]

Von

A. J. Schreuder, Direktor des Medizinisch-Pädagogischen Instituts zu Arnheim.

Die Zeitschrift für Kinderforschung hat in den 10 Jahren ihres Bestehens an dem Emporblühen der Kinderforschung in verschiedenen Ländern, namentlich auch in Holland, einen wesentlichen Anteil gehabt. Als Willkommengruß für das zweite Jahrzehnt bitte ich die Leser, die nachstehenden Ausführungen aufnehmen zu wollen. Leider ist es mir nicht möglich gewesen, in eingehender Weise auch die Literatur der beiden letzten Jahre voll zu berücksichtigen; doch denke ich, daß die Arbeit auch in der vorliegenden Gestalt noch am Platze ist, insofern sie einige Antworten gibt auf obige Frage unter Hinweis auf die bedeutsamste Literatur in deutscher, holländischer, englischer und französischer Sprache und indem sie damit zugleich eine kleine Anregung für ein Zukunftsprogramm bietet.

I. Poetisches und ethisches Interesse.[2]

Verschiedene Schriftsteller, die sich mit Kinderstudium befaßt haben, weisen zuvörderst auf den großen Reiz hin, den Kinder stets ausüben, einen Reiz, von dem bis in die älteste Literatur Spuren zu

---

[1] Vergl. den Artikel »Kinderstudie« von A. J. Schreuder in Zernickes Paedagogisch Woordenboek. Groningen, J. B. Wolters, 1905.
[2] Vergl. Sully, Studies of Childhood, Einleitung.

Die Kinderfehler. XI. Jahrgang.

finden sind. Die Empfänglichkeit der Griechen für Kinderschönheit
kennen wir aus Homers' Schilderung von Hektors Abschied; den
Geist von Alt-Israel aus Davids Dichterwort: »Die Kinder sind wie
Ölzweige um deinen Tisch her.« (Ps. 128, Vers 3.) Und das tiefe
Gefühl des Mittelalters für die Schönheit des Kinderlebens findet in
dem Kultus des Jesuskindes seine fromme Äußerung.

Es ist wohlbegründet, dieses dichterische Interesse in den Vordergrund zu rücken. Bewunderung geht dem Wissen voran und ist die
ursprüngliche Triebkraft zur Untersuchung. Der Mensch ist in seinem
tiefsten Wesen erst Dichter, dann erst Forscher. Ehe der Drang
entstand, das Kind wissenschaftlich zu erforschen, hat darum die
Menschheit schon jahrhundertelang in tiefster Seele das Glücksgefühl
der Kinderadoration empfunden und den reinigenden und veredelnden
Einfluß desselben erfahren. Daher auch, daß eine der am kräftigsten
wirkenden Ursachen des Reizes, welchen die Kinder für uns haben,
in ihrer halb dichterischen Auffassung der Dinge zu suchen ist.
TAINE erzählt von einem Mädchen von drei Jahren, das die Teile
ihres Gesichtes hernennen mußte; als es bei den Augenlidern angelangt war, sagte es nach einigem Zaudern: »Das, das sind die
Gardinchen für die Augen.«[1]) SULLY teilt mit, daß ein Kind
die Sterne Äuglein nannte. Diese »metaphorische Zurückführung
einer Sache auf einen Prototypus« ist im Grunde das Wesen aller
Poesie und Philosophie. Und so führt das Kind uns, meistens ohne
daß wir uns dessen recht bewußt werden, wieder zurück zu diesen
klaren Quellen. Daß besonders im modernen Leben mit seiner Hypertrophie des Verstandes dieser Reiz des Kindes sich geltend macht,
ist ganz außer Frage. Doch ein tieferer Grund liegt vor. Bildung
entartet immer wieder zur Unnatur und Sittenlosigkeit. In Perioden
der Lebenserneuerung kehrt die Menschheit wieder zur Natur und
zu ihrem Gott zurück. Aus gleichen Ursachen werden wir auch von
dem Kinde angezogen. Da zeigt sich das Leben unberührt, jung-
fräulich. Es ist, als ob wir hier das Lebensgeheimnis fühlen, als ob
wir hier an der Wiege die Fäden erfassen könnten, an denen ent-
lang wir Fühlung gewinnen mit dem unkörperlichen Leben selber.

>Where did you come from, baby dear?<
>Out of the everywhere into here.<[2])

---

[1]) De l'Intelligence, Tome I. p. 46. Zitiert bei QUEYRAT, la Logique chez
l'Enfant. S. 27. Paris 1902.

[2]) Aus einem zarten Gedichtchen von George MacDonald, angeführt in
SMITH, the Life of Henry Drummond.

So wie das Meer und der Sternenhimmel in vollkommner Unberührtheit uns am klarsten die Empfindung der Ewigkeit schenken, so gibt das junge Kind uns am reinsten die Empfindung des Lebens. ROUSSEAU, in welchem in neuerer Zeit sich dies Gefühl vielleicht am stärksten offenbart hat, hat uns wieder gelehrt, das Kind zu respektieren, uns zu hüten vor dem jämmerlichen Modeln, das man Erziehung zu nennen beliebte, und in stiller Andacht niederzusitzen zu seinen Füßen, um die Äußerungen ursprünglicher Schönheit, des Lebens selber, so wie es der Ewigkeit entsprang, aufzufangen. So versteht man auch DAVID, wenn er den achten Psalm anstimmt, die Herrlichkeit des Herrn zu besingen: »Du, dessen Name herrlich ist in allen Landen, da man dir danket im Himmel, hast du aus dem Munde der jungen Kinder und Säuglinge Lob zugerichtet.« Ein Wort, das auch JESUS den hochmütigen und weisen Schriftgelehrten zu ihrer Beschämung vorhielt.

Dieses Echte, Reine, Ursprüngliche macht das Kind zu einem Wesen von erhabener Schönheit, das unsere Seele wunderbar rühren kann. Dazu kommt noch die Schwäche und Zartheit aller seiner Glieder, feiner als das edelste Porzellan. Dann seine Hilfsbedürftigkeit und gänzliche Abhängigkeit, die dem Ästhetischen einen warmen ethischen Bestandteil zufügen. Und vielleicht rührt uns noch am meisten das unbesorgte und frohe Vertrauen, das ein unauslöschlicher Grundzug des Kinderlebens ist. Die Erwachsenen arbeiten sich krank, um Ehre und Geld in der Zukunft zu erlangen, und versäumen das Heute zu genießen; das Kind lebt im Augenblicke und kümmert sich nicht um die Zukunft. Sich glücklich zu fühlen in seiner eignen kleinen Welt, gehört zu dem Wesen der Kindernatur. Sogar unter bitterem Leiden bricht dieser Zug immer wieder hervor, wie VICTOR HUGO so rührend geschildert hat in »Les Misérables« und HECTOR MALOT in »Sans famille.« »Ihnen ist das Königreich der Himmel« wegen ihres Frohsinns und ihres Vertrauens, ihrer Unbesorgtheit, ihrer Einfalt und Aufrichtigkeit. Deutlich zeigt sich immer wieder in den Evangelien, wie der Heiland tief gerührt wurde durch diese hohe Schönheit der Kindernatur. Als seine Jünger untereinander darüber uneinig waren, wer von ihnen der erste sei, nahm Jesus ein Kind und stellte das in ihre Mitte, umfing es mit den Armen und sagte zu ihnen: »Wahrlich ich sage euch, es sei denn, daß ihr euch umkehret, und werdet wie die Kinder, so werdet ihr nicht in das Himmelreich kommen.« Oder das andere ergreifende Wort, »daß es dem, der dieser geringsten einen ärgert, besser wäre, daß ein Mühlstein an seinen Hals gehängt würde und

1*

er ersäufet würde im Meere, da es am tiefsten ist.« Wiederholt lesen
wir, daß die Kinder ihn suchten und er die Kinder.

Ist dies nicht etwas Geheimnisvolles, diese innere Anziehung,
diese Lebensgemeinschaft zwischen den reinsten und tiefsten Seelen
und den Kindern?[1])

Ein anderer wesentlicher Bestandteil des Kinderreizes liegt in
dem Gegensatz, der vor uns auftaucht zwischen dem reinen, un-
besorgten, hier in seinem Bettchen so sicheren Kind und dem
Leben später, das sicherlich kommt mit Mühe, Sorge und Sünde.
Dieser tragische Gegensatz stimmt wehmütig und öffnet unser Herz
noch weiter, wie es in dem Liede von HEINRICH HEINE: »Du bist wie
eine Blume« so packend zum Ausdruck kommt.

Sehr nahe, vielleicht nirgendwo anders näher, ist die ästhetische
Rührung hier der Liebe verwandt, und die Mutter ist denn auch nach
SULLYS geistreichem Wort »the perannial baby-worshipper«, die Kindes-
anbeterin von alters her. Mehr als die Väter, die vielleicht zuviel von
der knabenhaften Gleichgültigkeit für kleine Dinge übrig behalten haben.

Nach einer Seite hin sind vielleicht die Männer empfänglicher,
nämlich für den Humor des Kindes. Es liegt so eine köstliche
Komik in der possierlichen Anwendung der Dinge und Wörter, in
ihren selbst gebildeten Auffassungen nach ganz falschen Analogien.

Wir stiegen mit unsrem Mädchen von gut zwei Jahren einen Berg hinab
und erblickten beim Umbiegen einer Ecke ein Dörfchen im Tal; plötzlich läuft
das Kind vor uns her und ruft: »Suppe, Suppe!« Dieses Rufen nach Suppe und
ihre Eile weiterzukommen blieb uns einige Zeit vollständig rätselhaft, bis einer von
uns begriff, daß sie den aufgeblasenen sechseckigen Kirchturm für unsere Suppen-
terrine ansah, welche Vermutung bei näherer Nachfrage sich als richtig herausstellte.

Solche echt komischen Vorfälle sind in großer Menge beschrieben
und jeden Tag kommen sie vor.

Dann der possierliche Ernst, womit das Kind die Manieren der
Erwachsenen nachahmt und sie anwendet im Umgang mit Puppen,
Haustieren und leblosen Gegenständen.

Unser Kind sieht in vier kleinen Grübchen, die in das runde Ende unserer
Brote gedrückt sind, Ähnlichkeit mit einem Affen. Eines Morgens kommt sie an
den Frühstückstisch und sagt: »Guten Morgen, Affe! gut geschlafen?«

Dann endlich der Mutwille, die Schalkhaftigkeit gesunder Kinder,
wie sie einen zum besten haben, den Respekt ganz beiseite schieben
und einen zum Gegenstand ihrer Neckereien machen, wie sie ihren
Willen durchsetzen und mitten in dem »struggle with law«, dem Kampf
um die Autorität, einen entwaffnen, in dem sie unseren Ernst in ein
schallendes Gelächter verwandeln.

[1]) Die übereinstimmenden Züge zwischen dem Genie und dem Kinde sind
vortrefflich beschrieben von SCHOPENHAUER.

So haben wir versucht, das äußerst komplizierte dichterische Interesse für das Kind zu überblicken und zu zergliedern und wenden uns jetzt einer zweiten Triebkraft für das Kinderstudium zu, dem wissenschaftlichen Interesse.　　(Forts. folgt.)

2. Vergleichende Untersuchungen an normalen und schwachbefähigten Schulkindern.

Aus dem psychologischen Laboratorium an den ungar. königl. heilpäda-gogischen Instituten zu Budapest.

Von Dr. **Paul Ranschburg,** Nervenarzt, Leiter des Laboratoriums.

Gut, sicher, viel und rasch: dies sind die Prüfsteine des Wertes einer geistigen Arbeit, mag dieselbe noch so einfach oder noch so kompliziert sein.

Wollen wir die Befähigung, den angewendeten Fleiß, das erreichte Resultat der Schulkinder richtig taxieren, so wird es angezeigt sein, die Leistungen derselben nach den eben erwähnten Richtungen hin zu prüfen, das Resultat zu fixieren und eventuelle Fortschritte sodann von Zeit zu Zeit wieder vergleichend festzustellen.

Daß unsere übliche Klassifikation der Leistung des Schulkindes diesen Anforderungen durchaus nicht entspricht, darüber werden wohl nicht viel Worte zu verlieren sein.

Daß aber eine Feststellung der Leistungsfähigkeit nach all diesen Richtungen kein Ding der Unmöglichkeit ist, dies sollen die nachfolgenden einfachen Untersuchungen zeigen, die bloß eine Vorarbeit zur Erreichung des angedeuteten Zweckes zu sein beanspruchen, gleichzeitig aber auch eine vergleichende Untersuchung der Rechenfähigkeit der Normalen und der Schwachbefähigten einleiten.

A. Untersuchungen über die Rechenfertigkeit.

Zu diesen Untersuchungen benötigen wir bloß einer guten Fünftel-sekundenuhr, deren Zeiger sich auf einen Druck in Bewegung setzen, auf einen folgenden Druck stillstehen und auf einen dritten Druck in die Null-stellung zurückspringen. Im Momente, wo wir dem Schüler seine Auf-gabe vorsagen, wird der Zeiger in Bewegung gesetzt; sowie er das Resultat ausgesprochen,[1] wird der Zeiger gestellt, die Zeit in Fünftelsekunden ab-gelesen, mit dem Resultat die Dauer desselben der Einfachheit halber in Zehntelsekunden notiert, der Zeiger auf Null gestellt, und nun kann an die nächstfolgende Aufgabe gegangen werden.

---

[1] Bei Messungen, wo das Reizwort, d. h. die Aufgabe aus mehreren Faktoren besteht, wird der Schlußmoment des Reizes als Ausgangspunkt der Messung ge-nommen. Bei Additionen z. B. wird die Uhr beim Aussprechen des zweiten Sum-manden in Bewegung gesetzt. Also erster Druck bei 7 + 8, zweiter Druck bei der Antwort, und zwar erst, wenn dieselbe vollkommen ausgesprochen wurde, also bei fünfzehn.

Ist die erfolgte Lösung falsch, so wird dies dem Schüler angegeben und die falsche Lösung nebst ihrer Dauer notiert; erfolgt sodann eine Richtigstellung, deren Zeitdauer selbstverständlich nicht mehr bemessen werden kann, so wird neben das notierte Resultat ein C (Korrektur) geschrieben.

Seit ungefähr einem Jahre gebrauche ich übrigens eine etwas kompliziertere Fünftelsekundenuhr von Jaquet, die derselbe, wie ich unterrichtet bin, für technologische Messungen herstellt, die sich aber, wie sonst kein Apparat, auch für Bestimmung der Korrekturzeiten vorzüglich eignet. An derselben ist außer der Krone der Uhr ein seitlich angebrachter Drücker. Wird nun mittels des Druckes auf die Krone der Zeiger in Bewegung gesetzt, so kann man, wenn man das zweite Mal nicht an die Krone, sondern an den seitlichen Knopf drückt, hierdurch den Zeiger stellen; doch teilt sich dieser sodann in zwei Teile, deren einer im Moment des Druckes stehen bleibt, während der zweite, über dem ersten angebracht, weiter arbeitet und sodann mittels eines folgenden Druckes auf die Krone ebenfalls gestellt werden kann, während ein zweiter Druck auf den seitlichen Knopf die beiden Zeiger wieder vereinigt, der dritte Druck auf die Krone die vereinigten Zeiger in die Nullstellung bringt. Auf diese Weise läßt sich die Reaktions-, Assoziations- oder Reproduktionsdauer, sowie auch die Dauer einer eventuellen Korrektur auf leichte Weise fixieren. Setzt man den Zeigefingerballen der linken Hand auf die Krone, den Daumenballen auf den seitlichen Knopf, so kann man einfach durch abwechselndes Drücken mit beiden Fingern, ohne zu irren, die Bewegung und Stellung des Doppelzeigers auf leichteste Art beherrschen. Jedenfalls ist dieser Chronometer für den gewöhnlichen Bedarf zu kostspielig. Die hier folgenden Untersuchungen wurden mit einfachen Jacquetschen Fünftelsekunden-Chronometern zum Preis von 35—48 Fr., durchgeführt. Dieselben mit einfachem Silberdeckel sind gleichzeitig Taschenuhren. Billigere Sportuhren haben sich als unbrauchbar erwiesen, da dieselben nach 20—30 rasch einander folgenden Messungen häufig versagen.

Nun habe ich für die ersten Prüfungen 50 elementare Additionen zusammengestellt, deren 45 als Summe höchstens 10, fünfe als Summe 11 ergeben. Das System der Zusammenstellung ist aus nachfolgender Tabelle S. 7 u. 8 am besten ersichtlich.

Es wurden nun geprüft a) die 15 Schüler der ersten Hilfsschulklasse am Ende des 1. Schuljahres und vergleichsweise 15 gute und mittelmäßige Schüler der 1. Volksschulklasse im 7.—8. Monate des Schuljahres.[1]

An den Prüfungen der Normalschüler beteiligten sich die in die Methodik eingeübten Volksschullehrer Imre Barton und Sándor Rombányi, an der Prüfung der Schwachsinnigen stud. med. Fräulein Margit Révész.

Berechnet wurde 1. der Umfang der Rechenfertigkeit aus der Zahl der richtig ausgeführten Rechenfunktionen, ohne Rücksicht darauf, ob die Lösung sofort oder erst auf Korrektur richtig war; 2. die Dauer der

---

[1] Die Prüfungen fanden weit überwiegend, bei den Schwachbefähigten ausschließlich in den Vormittagsstunden von 9—11 statt. Das ganze Material wurde in 2, im Falle von deutlichen Ermüdungssymptomen in 3 Teilen durchgeprüft. Bei den Normalen war von einer Ermüdung infolge der Prüfung nicht eine Spur vorhanden.

Tabelle I. Additionszeitwerte der Schüler der 1. Volksschulklasse im 7.—8. Unterrichtsmonate.

	1	2	3	4	5	6	7	8	9	10	11	12	13	14	15
1+1	1,6	0,8	1,4	0,8	1,4	1,2	1,2	1,2	0,8	1,2	1,6	1,0	1,0	1,8	1,0
2+2	2,2	0,6	1,0	0,8	1,0	2,8	1,6	1,0	0,8	1,4	1,4	1,0	0,8	0,8	2,0
3+1	0,8	1,2	1,0	2,0	1,2	4,0	1,6	1,2	0,8	0,8	2,2	1,6	1,0	1,0	6,2
4+2	1,2	1,8	1,6	3,2	1,4	2,8	1,4	1,0	1,6	0,8	2,0	1,8	2,0	2,0	2,0
5+1	1,2	1,0	1,6	1,4	1,6	1,0	1,4	0,8	2,8	0,8	2,2	1,6	1,0	2,0	3,2
6+2	1,0	1,8	1,8	2,0	1,6	1,6	1,6	0,8	2,6	0,6	1,2	1,4	3,0	3,0	2,2
7+1	1,6	0,6	1,6	2,2	1,6	1,2	1,4	0,8	2,8	1,2	4,0	1,4	1,0	3,0	2,2
8+2	1,2	1,0	1,6	2,2	1,4	3,6	2,0	0,8	0,8	0,8	0,8	1,0	1,2	3,0	1,6
9+1	1,0	0,8	1,2	2,8	1,2	1,6	1,2	0,6	1,6	0,6	1,6	1,4	1,2	0,8	1,0
1+2	1,8	1,6	1,2	2,4	0,8	3,8	1,4	1,4	2,2	1,6	1,6	1,2	1,4	5,0	1,8
2+1	1,8	0,8	1,0	1,8	1,4	2,0	1,6	1,0	3,2	1,8	1,4	2,2	1,0	4,2	1,8
3+2	1,6	3,2	1,4	2,0	1,0	1,6	2,2	2,2	2,4	0,6	1,8	2,0	2,2	3,0	3,2
4+1	1,2	0,6	2,0	2,0	1,6	1,6	2,2	1,2	2,6	0,8	0,8	1,0	1,0	2,2	1,2
5+2	0,8	2,2	1,6	3,4	1,2	0,8	1,2	1,0	2,2	1,2	1,2	1,2	1,0	1,8	4,2
6+1	0,6	1,2	1,4	1,6	0,6	1,6	1,0	0,8	2,4	2,2	0,6	1,0	1,0	1,8	2,2
7+2	1,4	1,8	2,4	5,2	1,6	2,0	2,0	1,2	2,2	0,8	1,2	1,2	1,8	2,2	1,8
8+1	1,0	0,6	1,4	1,8	1,6	1,6	1,8	1,0	1,6	0,8	1,0	1,6	1,0	3,0	2,0
9+2	0,8	3,8	2,8	2,2	0,8	1,6	1,8	1,2	3,2	1,6	1,0	1,2	1,6	2,4	1,2
10+1	0,8	0,8	0,8	2,2	1,4	0,8	1,6	0,8	3,0	1,0	1,2	1,2	1,2	2,2	1,4
1+3	1,8	1,0	2,0	3,0	1,2	1,8	2,0	0,8	3,4	1,0	2,2	2,0	1,2	3,0	3,2
2+4	1,0	2,8	5,2	4,8	4,0	3,2	3,2	2,6	2,2	0,6	1,6	2,2	1,4	2,2	4,8
3+3	0,8	1,0	1,2	1,2	1,8	1,2	1,2	2,6	2,2	0,6	1,0	1,0	0,6	1,6	1,6
4+4	0,8	1,0	1,0	1,2	1,2	1,2	1,6	2,4	1,8	0,8	0,8	1,0	0,6	1,8	1,4
5+3	2,6	3,0	1,8	9,8	2,2	4,2	3,4	2,6	1,8	0,6	1,0	1,6	1,2	4,2	2,2
6+4	4,2	6,0	2,8	10,2	4,2	7,4	6,0	1,8	4,8	1,0	3,0	1,0	1,8	3,0	3,2
7+3	1,6	1,6	2,6	5,6	1,8	5,0	3,8	3,8	5,6	1,0	5,0	1,2	1,2	3,2	5,0
1+4	1,2	0,8	1,8	3,2	0,8	2,0	2,2	2,0	3,6	1,0	1,8	3,0	1,2	3,2	2,2
2+3	1,8	2,2	1,0	2,0	2,0	2,2	2,0	1,6	2,8	0,6	1,0	2,4	1,6	2,4	2,6
3+4	1,6	3,2	4,4	8,2	2,4	1,2	2,4	1,2	5,6	0,4	1,8	3,2	1,2	5,0	7,6
4+3	3,0	2,2	2,6	5,2	2,4	1,8	2,0	1,0	3,8	0,6	1,6	2,0	1,6	3,0	6,2
5+4	1,6	2,2	3,2	4,4	4,2	4,8	4,0	2,6	6,4	0,8	2,0	3,0	2,8	3,2	3,2
6+3	2,4	1,6	3,4	3,2	1,2	3,0	1,6	5,2	2,4	1,4	2,4	3,2	4,0	8,0	3,6
7+4	3,2	1,8	5,0	4,0	1,8	2,0	3,0	4,6	3,0	1,2	11,0	2,0	3,0	5,8	7,2
8+3	1,4	2,2	2,2	3,8	2,2	2,0	4,8	3,4	1,8	1,8	3,8	2,2	2,2	8,2	3,4
1+5	1,6	0,8	2,2	1,6	1,4	2,8	1,8	1,8	5,0	0,8	2,0	2,0	1,2	2,4	1,8
2+6	2,8	1,4	4,0	2,4	1,6	3,0	2,6	3,2	3,2	1,6	2,2	2,8	2,2	2,8	5,2
3+5	3,2	2,6	2,8	3,2	3,8	5,8	1,8	1,6	3,4	0,8	2,6	2,6	1,6	8,0	4,8
4+6	3,0	2,0	3,2	3,0	2,8	6,0	4,0	5,4	5,8	1,0	2,6	2,0	1,2	3,0	3,8
5+5	1,0	1,0	0,8	1,2	0,8	1,2	0,8	1,4	1,8	0,8	1,0	1,2	0,8	3,2	0,8
1+6	1,2	2,2	2,2	2,4	3,2	2,0	2,2	2,2	2,4	1,0	1,4	2,0	1,2	2,0	3,6
2+5	1,6	4,0	5,6	2,2	2,4	4,6	5,4	2,8	3,2	1,2	4,0	2,2	1,0	5,0	3,8
3+6	1,8	2,2	3,4	2,6	2,0	3,4	3,6	3,8	3,6	1,2	4,0	2,4	1,8	8,8	11,0
4+5	1,6	5,2	1,2	3,2	3,2	2,4	2,0	3,2	4,6	1,0	4,6	3,2	2,8	9,6	7,6
6+5	2,0	4,2	3,6	3,4	5,2	2,6	5,8	3,8	5,2	3,2	5,0	2,0	3,2	12,2	6,2
1+7	1,0	0,8	1,6	1,8	0,6	2,2	2,8	2,0	1,6	2,4	1,8	1,2	1,0	4,2	4,8
2+8	1,6	2,6	4,2	2,6	3,6	2,2	2,2	2,2	2,8	1,6	1,0	1,0	1,8	6,4	5,6
3+7	7,6	1,8	2,2	2,0	3,2	4,6	3,4	2,4	3,0	0,8	9,0	1,0	1,6	5,8	3,8
1+8	0,8	1,8	1,2	2,0	1,0	2,0	2,4	1,8	2,0	1,6	1,0	2,0	2,0	2,0	3,0
2+7	1,6	2,2	2,6	2,4	4,2	2,6	3,2	2,0	3,2	1,8	1,8	1,4	2,2	2,6	4,6
1+9	0,8	1,6	2,2	2,0	1,0	3,8	1,8	1,6	1,8	1,0	2,0	1,0	1,0	1,4	7,6

Tabelle II. Additionszeitwerte der Schüler der ersten Hilfsschulklasse gegen Ende des Schuljahres. (Die 0,0-Werte entsprechen falschen oder nicht erfolgten Reaktionen.)

	1	2	3	4	5	6	7	8	9	10	11	12	13	14	15
1+1	1,4	2,2	2,4	2,2	1,8	0,0	2,2	2,8	3,0	2,0	2,0	2,2	2,2	1,6	0,0
2+2	0,0	3,8	2,8	0,0	1,8	0,0	1,8	1,2	2,0	2,2	2,2	2,4	3,0	0,0	0,0
3+1	0,0	2,8	4,4	0,0	2,0	0,0	3,8	2,8	2,6	1,8	3,2	2,2	0,0	4,0	0,0
4+2	0,0	4,0	4,0	0,0	2,0	0,0	3,8	2,8	3,0	2,2	2,2	3,2	0,0	2,4	0,0
5+1	5,6	3,2	2,4	0,0	1,8	0,0	2,2	0,0	2,2	1,8	2,2	2,8	0,0	3,0	0,0
6+2	0,0	3,6	3,2	0,0	3,2	0,0	2,0	6,4	4,0	2,2	3,6	4,0	0,0	0,0	0,0
7+1	8,4	2,8	3,0	0,0	1,8	0,0	3,0	0,0	2,2	1,8	2,8	0,0	3,0	2,8	0,0
8+2	0,0	3,4	5,2	6,8	2,4	0,0	1,8	0,0	2,4	0,0	5,2	3,6	0,0	0,0	0,0
9+1	0,0	3,0	4,6	0,0	2,2	0,0	2,8	2,8	2,0	2,6	2,8	0,0	5,4	0,0	0,0
1+2	0,0	3,4	3,2	4,6	3,8	0,0	3,2	4,0	2,2	2,8	6,2	3,0	0,0	0,0	2,2
2+1	0,0	3,2	5,0	0,0	2,0	0,0	3,4	0,0	3,0	2,2	5,0	3,2	16,4	0,0	3,2
3+2	0,0	3,8	2,8	0,0	2,2	0,0	3,4	4,2	3,2	2,2	3,8	2,0	0,0	0,0	0,0
4+1	0,0	3,0	3,0	5,4	2,4	0,0	2,4	0,0	2,0	1,8	2,0	0,0	0,0	0,0	0,0
5+2	0,0	0,0	4,4	0,0	7,6	0,0	5,0	0,0	2,4	2,2	5,8	3,4	5,2	0,0	0,0
6+1	2,0	4,8	3,0	0,0	2,2	0,0	2,4	3,0	2,0	2,4	2,4	2,2	0,0	0,0	0,0
7+2	0,0	3,4	9,0	0,0	0,0	0,0	3,8	0,0	2,8	3,0	5,0	4,2	0,0	0,0	0,0
8+1	2,2	3,2	4,0	5,8	2,0	0,0	2,2	3,6	2,2	3,0	2,6	2,4	5,6	0,0	0,0
9+2	0,0	4,0	0,0	0,0	0,0	0,0	5,2	0,0	2,8	0,0	5,0	5,0			
10+1	0,0	2,4	2,0	15,0	10,8	0,0	4,0	3,4	3,2	2,0	2,8	3,6			
1+3	0,0	3,4	6,8	0,0	1,8	0,0	3,4	0,0	15,0	1,6	4,8	3,0	5,6	0,0	0,0
2+4	2,4	3,8	6,4	0,0	2,4	0,0	6,4	5,4	2,6	2,6	2,8	4,0			
3+3	3,4	3,4	3,8	0,0	2,0	0,0	1,8	3,8	2,4	2,4	1,8	2,2			
4+4	0,0	3,8	2,2	0,0	2,0	0,0	1,8	2,0	2,0	2,8	2,0	2,0			
5+3	0,0	3,0	6,0	0,0	14,4	0,0	6,6	0,0	2,2	2,2	8,4	2,4			
6+4	0,0	13,8	7,0	0,0	4,8	0,0	6,8	0,0	2,8	0,0	0,0	0,0			
7+3	0,0	8,8	6,0	0,0	0,0	0,0	6,0	0,0	6,6	0,0	6,8	0,0			
1+4	1,8	3,0	3,0	5,2	0,0	0,0	3,2	0,0	0,0	2,4	3,0	3,0	0,0	1,8	0,0
2+3	0,0	3,4	4,0	4,8	2,8	0,0	2,2	0,0	2,4	2,2	8,4	3,0			
3+4	0,0	4,0	0,0	3,6	1,8	0,0	6,4	0,0	6,0	7,4	4,4	7,8			
4+3	0,0	4,8	0,0	5,2	4,4	0,0	6,0	5,4	2,6	2,4	2,8	6,0			
5+4	0,0	3,4	2,0	4,0	0,0	0,0	6,4	0,0	17,2	2,6	0,0	3,4			
6+3	0,0	9,0	6,6	6,8	1,8	0,0	6,2	0,0	5,2	2,4	4,0	5,0			
7+4	0,0	5,2	0,0	0,0	0,0	0,0	14,8	0,0	15,4	0,0	0,0	16,8			
8+3	0,0	5,6	0,0	0,0	0,0	0,0	7,0	0,0	4,0	0,0	4,2	7,0			
1+5	2,2	2,6	4,4	7,0	0,0	0,0	2,8	0,0	1,8	2,2	2,6	3,4	4,0	3,0	2,0
2+6	0,0	3,4	0,0	0,0	4,6	0,0	3,4	0,0	3,2	2,0	11,2	5,0			
3+5	0,0	4,6	0,0	0,0	0,0	0,0	4,6	0,0	2,2	2,6	7,8	3,0			
4+6	0,0	4,2	9,4	0,0	0,0	0,0	8,4	0,0	16,4	0,0	0,0	8,8			
5+5	0,0	2,8	2,4	0,0	2,4	0,0	2,0	0,0	2,0	2,2	1,8	3,4			
1+6	1,4	3,4	7,8	0,0	3,0	0,0	2,4	0,0	3,2	3,2	4,2	4,6	0,0	0,0	0,0
2+5	0,0	4,8	0,0	6,0	0,0	0,0	4,4	0,0	4,6	11,8	7,2	5,0			
3+6	3,2	3,6	0,0	0,0	10,2	0,0	7,4	0,0	4,0	4,0	4,4	4,8			
4+5	0,0	3,0	7,6	0,0	2,2	0,0	2,6	0,0	3,8	3,8	4,0	3,8			
6+5	0,0	1,4	6,0	0,0	4,0	0,0	4,2	0,0	7,8	0,0	0,0	0,0			
1+7	8,8	3,2	7,4	0,0	0,0	0,0	5,8	0,0	18,0	4,9	4,0	4,0	5,0	3,2	1,6
2+8	0,0	3,6	7,8	0,0	0,0	0,0	3,6	0,0	6,8	0,0	9,4	3,6			
3+7	0,0	7,6	8,0	0,0	0,0	0,0	0,0	0,0	5,6	0,0	0,0	4,8			
1+8	0,0	3,6	13,0	6,4	0,0	0,0	3,0	0,0	2,8	3,0	2,8	5,0	3,2	2,8	0,0
2+7	0,0	4,4	7,4	0,0	0,0	0,0	7,0	0,0	9,2	0,0	5,4	4,0			
1+9	0,0	3,4	4,4	0,0	0,0	0,0	2,8	5,3	2,8	2,8	3,6	4,0	0,0	0,0	0,0

Rechenleistungen, und zwar bei genügender Anzahl von Reaktionen aus dem wahrscheinlichen Mittel der einzelnen Zeitwerte; 3. die objektive Sicherheit der geistigen Leistung, die aus der Zahl der benötigten Korrekturen beurteilt wird.

α) Die Prozentzahlen der richtig ausgeführten Additionen:

	1	2	3	4	5	6	7	8	9	10	11	12	13	14	15
Normale Kinder (6 bis 7 Jahre alt) . . .	100	100	100	100	100	100	100	100	100	100	100	100	100	100	100
Schwachbefähigte Kinder (7—12 Jahre alt) .	0	16	24	30	32	40	44	66	76	84	88	88	98	98	98

β) Die Mittelzeitwerte der richtig ausgeführten Additionen in **Sekunden** ausgedrückt.

Normale	1,1	1,5	1,7	1,7	1,9	1,9	1,9	2,0	2,3	2,6	2,6	2,8	3,0	3,5	3,6
Schwachbefähigte . .	—	2,2	2,7	2,9	3,2	3,6	3,7	3,7	3,9	4,0	4,2	4,2	4,9	5,2	5,3

Aus diesen unseren Versuchen gehen nun folgende Resultate hervor:

Sämtliche 15 Schüler der Volksschulklasse haben alle 50 elementare Aufgaben fehlerlos gelöst. Der Umfang ist bei allen gleicherweise 100 %. Daß dabei die Leistung höchst verschiedenen Wertes war, darüber belehrt uns, besser als die Mittelwerte, ein Blick in Tabelle I. Beim Schüler No. 10 z. B. war unter 50 Leistungen 23 mal die Additionsdauer weniger als 1 Sekunde und nur in 3 Fällen mehr als 2 Sekunden. Beim Schüler No. 4 hingegen war die Additionsdauer bloß 2 mal weniger als 1 Sekunde, dagegen in 31 Fällen länger als 2 Sekunden. Über diese Schwankungen der Fertigkeit gibt uns eben erst die Reihe der mittleren Zeitwerte Aufschluß und wir sehen, daß sich dieselben in einer Stufenleiter zwischen 1,1"—3,6" bewegen. Also:

1. Der Umfang einer geistigen Leistung, d. h. die Zahl der richtig durchgeführten Funktionen ist an und für sich durchaus kein genügendes Maß der Güte der Leistung.

2. Auch unter normalbefähigten Schulkindern, die der Lehrer als einander in ihrer Befähigung ungefähr nahestehend heraussuchte, bei denen auch der Umfang der Leistung ganz gleichwertig ist, zeigen sich recht bedeutende individuelle Schwankungen der Fertigkeit, sobald wir außer dem Umfange auch die Dauer der geistigen Funktionen in Betracht ziehen.

3. Dieser Unterschied in der individuellen Fertigkeit innerhalb einer geistigen Fähigkeit ist auch bei einer Gruppe von guten und mittelmäßigen Schülern selbst gegenüber den elementarsten Aufgaben so bedeutend, daß das Gruppenmittel (der Zeitwert des der Zeitgröße nach 8. Schülers) den besten Wert um fast das Doppelte übertrifft, und vom größten Mittelwert noch fast

um das Doppelte überragt wird. Der längste Zeitwert ist mehr
als das Dreifache des kürzesten Wertes.

Werden nun die Werte der Normalen mit denen der Schwachbefähigten verglichen, so ergibt sich bezüglich des Umfanges, daß die
elementaren Aufgaben, die von den ersteren ohne Ausnahme zu 100 %,
d. h. alle 750, und zwar innerhalb der Dauer von 1,1—3,6 Sekunden
gelöst wurden, von den Schwachbefähigten bloß zu 16—98 % richtig,
insgesamt 441 aus 750, und zwar mit einem mittleren Zeitaufwand von
2,25—5,32 Sekunden gelöst wurden. Also:

4. Die Schwachbefähigung gibt sich bei den elementarsten Rechenfunktionen (Additionen innerhalb des Zehnerzahlenkreises) nicht allein in
der verschiedentlich hochgradigen Abnahme des Umfanges der Trefferzahl,
sondern auch in einem zum gutem Teil recht bedeutendem Anwachsen der
für die Additionen benötigten Zeitdauer kund.

Wird bei den Schwachbefähigten die Prozentzahl der richtigen
Leistungen der einzelnen Schüler mit der benötigten Zeitdauer verglichen,
so erhalten wir folgende Reihe:

γ)

1	2	3	4	5	6	7	8	9	10	11	12	13	14	15
98	98	98	88	88	84	76	66	44	40	32	30	24	16	—
4,2	4,1	3,9	4,2	3,7	4,9	2,9	3,2	5,3	2,7	3,7	5,2	3,6	2,2	—

Wie aus Tabelle α) und γ) ersichtlich, lassen sich die Leistungen bezüglich ihres Umfanges in 4 natürliche Gruppen einteilen. Und zwar
wäre Gruppe U_1: Trefferzahl 76—100 %, U_2: 51—75 %, U_3: 26—50 %,
U_4: 0—25 %.

Der Rechendauer nach lassen sich die Leistungen in 3 Haupt-
gruppen einteilen, und zwar D_1: 0,1—2,0 Sekunden; D_2: 2,1—4,0 Sek.;
D_3: 4,1—6,0 Sekunden. Bei schwierigeren Leistungen könnte man diese
Einteilung ohne Schwierigkeiten in D_4: 6,1—8,0 Sekunden usw. fortgesetzt
weiterführen.

Dem Umfange nach gehören nun unsere untersuchten Normalschüler
sämtlich in Klasse U_1. Die Schwachbefähigten hingegen verteilen sich in
alle 4 Gruppen, wobei dennoch fast die Hälfte derselben in die Klasse U_1 gehört.

Ihrer Rechendauer nach gehören dagegen die Normalen ungefähr zu
gleichen Hälften in die Gruppen D_1 und D_2, von den Schwachbefähigten
neun in Gruppe D_2, fünf (resp. sechs) in die Gruppe D_3. Kein einziger
der Schwachbefähigten hingegen fällt in D_1, in welcher die größere Hälfte
der Normalen Platz findet. Demnach

5. bieten Umfang und Zeitdauer der Rechenleistungen
die Möglichkeit einer ungezwungenen Gruppierung und eröffnen
die Aussicht auf eine positiver basierte Klassifikation der
Leistungen und der Fortschritte der Schulkinder.

6. Wie ferner aus Reihe γ) ersichtlich, stehen Umfang und Dauer
der Leistung zueinander in keinem konstanten Verhältnis. Es

ist nur im allgemeinen ersichtlich, daß abnorme lange Zeitwerte, z. B. über 5 Sekunden mit recht geringer Trefferzahl einhergehen, aber auch dem kürzesten Zeitwerte der Schwachbefähigten die kleinste Trefferzahl entspricht. Die besseren Leistungen der Gruppe U₄ erfordern im allgemeinen ebenfalls recht lange Zeitwerte.

Es sei hier noch auf eine aus Tabelle II ersichtliche Eigentümlichkeit der Reaktionen der Schwachbefähigten aufmerksam gemacht. Verfolgen wir auf Tabelle II in den vertikalen Reihen die Zeitwerte der einzelnen Kinder, so fällt es bei den meisten, ja gerade bei einigen der relativ besten Rechner auf, daß gewisse und zwar häufig ganz leichte Aufgaben nicht, resp. falsch gelöst wurden. So z. B. sehen wir, daß der Schüler No. 2 49 zu 50 Additionen richtig vollführte, dagegen mit 5 + 2 nicht fertig werden konnte; ähnlich erging es dem Schüler No. 12 mit den Additionen 7 + 1, 9 + 1, 4 + 1, während beim Schüler No. 4 die richtigen Lösungen gleichsam in Stößen innerhalb längerer Reihen von nicht oder falsch durchgeführten Additionen auftreten.

7. Es handelt sich hier durchweg um scheinbar unmotiviertes Versagen, Stockungen und Schwankungen der Aufmerksamkeit gegenüber der nicht besonders beliebten Rechenarbeit. Solche Stockungen scheinen in diesem Grade bei normalen Kindern unter ähnlichen Versuchsbedingungen nicht oder nur ausnahmsweise vorzukommen.

B. Gesetzmäßigkeiten der Rechendauer:

Gegenüber dieser Unregelmäßigkeit bietet uns eine nähere Analyse der Leistungen sowohl der normalen als der schwachbefähigten Schüler eine wahre Fülle von Gesetzmäßigkeiten, die an und für sich wohl zum guten Teile keine ungeahnten Tatsachen enthüllen, es aber meiner Ansicht nach dennoch verdienen, sowohl von pädagogischer, wie auch von allgemein psychologischer Seite unsere Aufmerksamkeit auf sich zu lenken.

Ich kann mir kaum eine klarere Demonstration des Satzes, daß eine jede, auch die scheinbar allergeringste geistige Arbeit: »Arbeit« sei, vorstellen, als eben diese unsere einfachen Messungen.

Aber auch die Tatsache, daß eine lange Reihe von verschiedenartigen Manifestationen der geistigen Funktion eine Gruppe normaler und schwachbefähigter Schulkinder nicht regellos und querüber, sondern, trotz der auffallend großen individuellen Schwankungen, als Ganzes betrachtet, nach klar hervortretenden festen Gesetzmäßigkeiten verläuft, wird, wenn sie auf den induktiv psychologisch Geschulten auch nicht überraschend wirkt, wohl dennoch auch seitens desselben ein gewisses Maß von Interesse verdienen.

Es lassen sich nämlich aus den beiden Tabellen, welche die Additionsdauer der 15 normalen und 15 schwachbefähigten Schüler uns vorführen, außer den eben erwähnten noch gewisse Erfahrungen ableiten, deren nennenswertere wir im folgenden anführen möchten:

Addieren wir die horizontalen Reihen der Tabelle und dividieren wir die Summe mit der Zahl derjenigen Kinder, die die entsprechende links angegebene Aufgabe richtig gelöst haben — diese Zahl ist bei den Normalen immer 15, bei den Schwachbefähigten je nach der Aufgabe wechselnd —, so erhalten wir die mittlere Zeitdauer, welche die Klasse zur Lösung der Aufgabe benötigt hatte.

Solchermaßen benötigte das normale Schulkind zur Lösung der Aufgabe:

$4+1$ die mittlere Zeitdauer von 1,46 Sekunden,
$4+2$ „   „   „   „ 1,77 „
$4+3$ „   „   „   „ 2,60 „
$4+4$ „   „   „   „ 1,24 „
$4+5$ „   „   „   „ 3,63 „

desgleichen zur Lösung der Aufgabe:

$5+1$ die mittlere Zeitdauer von 1,57 Sekunden,
$5+2$ „   „   „   „ 1,66 „
$5+3$ „   „   „   „ 2,73 „
$5+4$ „   „   „   „ 3,20 „
$5+5$ „   „   „   „ 1,18 „
$6+1$ „   „   „   „ 1,33 „
$6+2$ „   „   „   „ 1,74 „
$6+3$ „   „   „   „ 3,10 „
$6+4$ „   „   „   „ 4,02 „
$6+5$ „   „   „   „ 4,52 „
$7+1$ „   „   „   „ 1,77 „
$7+2$ „   „   „   „ 1,92 „
$7+3$ „   „   „   „ 3,20 „
$7+4$ „   „   „   „ 3,90 „
$8+1$ „   „   „   „ 1,45 „
$8+2$ „   „   „   „ 1,53 „
$8+3$ „   „   „   „ 3,02 „

Wir fanden also, daß 1. selbst innerhalb des Zehner-Zahlen-kreises die Zunahme des Addenden um bloß eine einzige Einheit die Dauer der geistigen Arbeit nachweisbar verlängert, wobei die absolute Größe des ersten Addenden ganz oder nahezu ohne Belang zu sein scheint und nur das Anwachsen des eigentlichen Addenden von Bedeutung ist. $4+1$, $5+1$, $6+1$, $7+1$, $8+1$ unterscheiden sich in ihrer Dauer nur unwesentlich voneinander, wogegen der relative Größenunterschied der zweiten gegenüber der ersten Zahl entscheidend ist: $4+5 = 3,63''$, $5+4 = 3,20''$, dagegen $6+3 = 3,10''$, $7+3 = 3,20''$, $8+3 = 3,2''$ usw.

In Anbetracht der überaus einfachen Methodik, mittels deren diese Untersuchungen durchgeführt wurden, ferner des Umstandes, daß zur Zeit ihrer Durchführung überhaupt nicht die Absicht ähnlicher Analysen in mir vorhanden war, daß dieselbe erst ungefähr ein halbes Jahr nachher erfolgte, in Anbetracht endlich der außerordentlich schwankenden Zahlengrößen je einer horizontalen Größe, sowie der immerhin noch geringen Zahl der Untersuchten: ist die Regelmäßigkeit, mit der die eben erhobene Gesetz-mäßigkeit hervortritt, jedenfalls bemerkenswert.

Sie führt uns in einer leicht demonstrierbaren, unbezweifelbaren Art und Weise die Natur der geistigen Arbeit vor, sie zeigt uns, wie selbst die allergeringste geistige Arbeit richtige Arbeit ist, die für jedes ihrer scheinbar noch so geringen, noch so vernachlässigten Glieder Zeit erfordert, sie führt uns die Natur des einfachsten Rechnens als einer von Einheit zu Einheit sich komplizierenden Assoziation vor die Augen, sie eröffnet uns die Perspektive, auf dem Wege einfachsten Experimentierens in noch unberührte Gebiete der Pädagogik induktiv vordringen zu können.

Auffallend ist die plötzliche Verringerung der Rechendauer bei 4 + 4 und 5 + 5. Obwohl diese Erscheinung weder dem aufmerksamen Pädagogen noch dem Experimentalpsychologen unbekannt sein mag, wirkt es wieder fast erstaunlich, wenn wir aus der Tabelle sämtliche Aufgaben mit gleichen Summanden heraussuchen und ihre Additionsdauer nebeneinander stellen:

$$1 + 1 \text{ benötigt die Dauer von } 1,20 \text{ Sekunden,}$$
$$2 + 2 \quad \text{„} \quad \text{„} \quad \text{„} \quad \text{„} \quad 1,28 \quad \text{„}$$
$$3 + 3 \quad \text{„} \quad \text{„} \quad \text{„} \quad \text{„} \quad 1,26 \quad \text{„}$$
$$4 + 4 \quad \text{„} \quad \text{„} \quad \text{„} \quad \text{„} \quad 1,24 \quad \text{„}$$
$$5 + 5 \quad \text{„} \quad \text{„} \quad \text{„} \quad \text{„} \quad 1,18 \quad \text{„}$$

2. Sind demnach die beiden Summanden einander gleich, so erfolgt eine bedeutende Verkürzung der zu erwartenden Additionsdauer. Und 3. Die Additionsdauer einander gleicher Summanden scheint innerhalb eines gewissen Zahlenkreises von der Größe der Summanden unabhängig zu sein.

Dies macht den Eindruck, als ob die Kinder die Berechnung nicht als Addition, sondern — vielleicht unbewußt, auf Grundlage des mehr eingeübten, daher weniger Zeit erfordernden Einmaleins — als Multiplikation vollführen würden.

4. Noch einer weiteren Gesetzmäßigkeit wollen wir hier für einen Moment unsere Aufmerksamkeit widmen. Es wird wohl schon so manchem aufgefallen sein, daß die Addition zweier Summanden leichter von statten geht, wenn wir die kleinere Zahl zur größeren hinzugeben, als umgekehrt. Selbst für die einfachsten Rechnungen zeigt sich dieses Verhalten aus unserer Tabelle als ein durchaus gesetzmäßiges:

4 + 1 benötigt	1,46 Sekunden;	1 + 4	benötigt	2,00	Sekunden
4 + 2 „	1,77 „	2 + 4	„	2,78	„
4 + 3 „	2,60 „	3 + 4	„	3,29	„
5 + 1 „	1,57 „	1 + 5	„	1,95	„
5 + 2 „	1,66 „	2 + 5	„	3,26	„
5 + 3 „	2,73 „	3 + 5	„	3,24	„
5 + 4 „	3,20 „	4 + 5	„	3,69	„

Die Erklärung dieser höchst regelmäßigen Erscheinung ergibt sich aus der oben gefundenen Regel 1, daß nämlich nur der relative Größenunterschied der zweiten zur ersten Zahl auf die Größe der Arbeit, resp. auf die Dauer derselben wesentlich bestimmend einwirkt.

Die hier beschriebenen Gesetzmäßigkeiten finden sich auch in den

auf Tabelle II ersichtlichen Resultaten der Schwachbefähigten wieder, wenn
auch — infolge der verschiedenen, den regelmäßigen Verlauf der Untersuchung störenden Umstände — nicht so rein, als bei den normalen
Schulkindern.

Wenn wir die 12 schwachbefähigten Schüler, die sämtliche 50 Aufgaben zu lösen hatten — bei den 3 schwächsten nämlich wurde die Zahl
der Aufgaben, wie aus der Tabelle II ersichtlich, auf 25 reduziert —, in
Betracht ziehen, so ergeben sich folgende Additionszeiten:

$4 + 1$ benötigt 2,75 Sekunden; $1 + 4$ benötigt 3,07 Sekunden
$4 + 2$ „   3,02   „ $2 + 4$ „   3,88   „
$4 + 3$ „   3,62   „
$4 + 4$ „   2,29   „

Ferner:

$5 + 1$ „   2,75   „ $1 + 5$ „   3,22   „
$5 + 2$ „   4,30   „ $2 + 5$ „   6,26   „
$5 + 3$ „   5,65   „
$5 + 4$ „   5,60   „
$5 + 5$ „   2,71   „
$6 + 1$ „   2,64   „ $1 + 6$ „   3,64   „
$6 + 2$ „   3,55   „ $2 + 6$ „   4,68   „
$6 + 3$ „   5,22   „
$6 + 4$ „   7,04   „
$6 + 5$ „   5,85   „
$7 + 1$ „   3,16   „ $1 + 7$ „   8,38   „
$7 + 2$ „   4,46   „ $2 + 7$ „   5,40   „
$7 + 3$ „   6,84   „
$7 + 4$ „   13,05   „

Doch wollen wir unsere Analyse nicht in noch geringere Einzeln-
heiten weiterführen. Die vorliegenden Untersuchungen scheinen jedenfalls
darauf hinzudeuten, daß das Kind, auch das geübtere, bei der
Addition einstelliger Zahlen jedesmal eine der Größe der zu
addierenden Zahl entsprechende assoziative Reihe durchlaufen
muß, wenn auch dieselbe nicht bewußt reproduziert wird. Inwiefern dieser Umstand mit der Lehrmethode zusammenhängt, darüber
müssen besondere weitere Untersuchungen entscheiden. Jedenfalls bekamen
wir einen Einblick in die außerordentliche Kompliziertheit selbst der einfachsten Rechenfunktionen, und es wird uns dermaßen um so verständ-
licher, warum dieser Akt — eine eindeutig bestimmte Ideenassoziation —
bei den Schwachbefähigten so schwierig verläuft.

Wir wollen nunmehr unsere Aufmerksamkeit auch den übrigen Rechenfunktionen der Normalen und Schwachbefähigten zuwenden.

Einen flüchtigen Einblick in dieselben gewähren uns die Tabellen III
und IV. Wir finden daselbst je 10 Additionen, Subtraktionen, Multiplikationen und Divisionen und zwar wählte ich der Einheitlichkeit halber
dieselben Aufgaben, die Herr Prof. Sommer in Gießen bei seinen psycho-

Tabelle III. Rechenfertigkeit normaler Schüler der 2. Volksschulklasse zu Ende des Schuljahres.

	1	2	3	4	5	6	7	8	9	10	11	12	13	14	%
2+2	0,6	2,0	0,4	0,8	2,0	1,0	2,6	1,2	1,0	0,4	0,6	1,2	2,2	1,0	100,00
3+4	0,8	2,0	1,4	1,2	0,8	2,0	4,8	1,4c	1,8	1,0	4,0	5,2	1,2	1,8	100,00
4+6	0,2	2,2	1,0	3,6	1,6	1,8	1,2	2,8	4,0	1,0	1,8	4,8	2,0	3,0	100,00
5+8	0,8	3,6	2,2	1,4	12,0	1,8	1,2	1,8	4,0	2,8	1,6	6,2	2,6	6,0	100,00
8+14	1,6	3,3	1,8	2,6	6,3	3,2	3,8	1,6	6,0	2,6	12,0	6,2	6,0	8,8	100,00
11+20	0,8	1,8	1,2	3,0	4,0	2,2	2,8	2,0	2,0	1,2	5,0	3,8	4,0	1,8	100,00
14+26	3,8	3,8	6,0	5,0	11,6	7,2	4,0	7,0	15,0	1,8	20,0c	4,2	4,0	14,0	100,00
17+32	4,0	18,0	2,2	6,4	23,0	6,0	2,0	5,0	5,0	1,6	18,2	20,2	29,4cc	3,6	100,00
20+38	2,0	5,4	2,2	3,2	5,2	2,2	4,0	2,0	4,0	10,6	6,0	7,4	6,0	9,0	100,00
23+44	4,0	14,0	4,8	13,0	25,8	4,0	4,6	3,4	10,0	10,6	17,0	25,0cc	3,4		100,00
3—1	1,0	3,0	0,4	1,0	1,2	2,0	1,6	1,2	3,2	1,0	4,0	1,2	1,0	1,0	100,00
8—3	0,8	1,8	0,6	1,6	6,4	1,2	0,8	1,4	3,2	1,2	1,0	1,8	1,8	0,8	100,00
13—5	1,2	2,0	2,0	1,8	3,2	1,8	3,8	1,2	3,8	3,0	1,2	2,2	2,0	4,0	92,86
18—7	2,0	2,8	2,2	1,8	2,0	2,0	1,2	2,0	2,0	1,6	—	1,2	3,0	10,0c	92,86
29—10	1,2	5,0c	1,2	1,6	5,4	2,0	1,4	1,0	2,2	0,6	5,0	3,0	1,8	4,2	100,00
40—13	5,0	8,0	3,8	5,4	11,0	4,0	15,4c	4,0	—	2,0	9,6	10,0	5,0	—	92,86
51—16	4,0	11,2	4,0	11,8	14,6	6,4	10,0	5,4	10,0	5,6	9,8	14,6	6,8	1,6	92,86
62—19	6,2c	12,8	6,0	8,8	25,0	19,0	18,0	40,6c	10,0	11,2	12,2	—	12,0	3,2	92,86
73—22	1,2	9,0	3,2	4,0	37,0	5,8	7,0	6,0	8,4	4,0	11,0	18,6	6,2	0,4	100,00
84—25	6,8	9,8	5,0	10,8	43,0c	6,6	30,6cc	32,4c	14,0	5,0	14,2	10,0	5,0	9,2	100,00
1×3	1,0	5,0	0,8	2,0c	1,8	1,4	1,2	2,2	1,6	1,0	1,0	1,8	1,0	1,0	100,00
2×4	1,0	1,8	0,8	7,0c	1,0	4,0	1,2	2,6	1,8	0,2	1,2	1,8	1,4	2,2	100,00
3×5	1,8	1,2	1,2	2,0	2,0	1,4	1,4	1,4	1,2	0,2	1,6	1,0	1,0	10,2	100,00
4×6	2,0c	2,6	1,2	—	2,6	2,4	2,2	6,0	4,2	5,0c	1,0	9,8	1,8	2,2	92,86
5×7	1,0	2,6	1,4	0,6	2,0	1,2	2,8	1,0	0,8	1,2	0,8	9,6	0,6	1,6	100,00
6×8	0,6	2,4	0,4	1,6	1,0	1,2	2,8	1,0	1,6	0,8	2,8	3,0	4,0	0,0	100,00
7×9	1,6	9,0cc	0,4	1,6	1,0	2,8	2,6	1,0	30,0cc	7,0	2,0	2,0	1,4	12,0	100,00
8×10	0,8	2,0	3,0c	0,4	1,6	1,6	1,2	0,6	7,2	2,2	0,8	12,0	3,0	22,0	100,00
9×11	3,6	3,4	11,0c	4,0	3,0	5,0c	6,0	8,0	4,2	1,6	0,6	2,0	1,4	2,0	100,00
12×13	—	—	20,0	—	—	—	—	—	35,0	14,2	11,0c	20,8	3,8	3,0	28,57
2:1	1,6	—	2,0	1,6	1,4	1,0	—	0,8	1,8	1,0	2,0	1,2	1,6	1,0	100,00
8:3	0,8	1,6	1,4	2,0	1,2	3,6	2,2	1,6	1,8	0,8	1,4	1,4	1,2	2,2	100,00
18:3	12,0c	5,0	1,4	3,2	2,8	3,6	4,0	0,6	5,8	1,6	1,6	1,6	3,0	10,2	92,86
32:4	8,0	5,8	6,0	3,0	—	2,8	0,8	6,0	20,0c	3,0	2,8	3,6	1,8	2,2	100,00
50:5	1,4	3,0	2,0	1,8	3,0	1,8	2,8	1,8	20,0	1,0	0,8	1,2	0,6	1,6	92,86
18:6	1,0	2,0	0,8	2,0	2,0	2,0	2,0	1,2	6,2	2,2	2,8	2,0	1,2	0,0	100,00
35:7	1,2	3,0c	0,6	2,8	5,2	3,0	2,6	0,6	30,0cc	1,2	0,8	4,2	1,4	12,0	100,00
56:8	4,0	25,0	3,0	11,8c	34,2	8,8	5,6	1,4	7,2	2,2	2,0	20,0	3,0	22,0	100,00
81:9	5,0	2,2	0,8	2,2	3,2	6,2	6,2	21,0	4,2	1,6	0,2	5,0	1,4	2,0	100,00
110:10	1,0	2,8	2,0	5,0	3,2	2,2	6,0c	2,8	2,2	1,2	11,0c	1,0	2,4	3,0	100,00

	1											%
2+2	2,4	2,2	1,4	2,8			2,0	1,6	2,0	1,6	1,4	100,00
3+4	2,4	8,2	2,0	2,8			8,6	2,2	2,4	2,8	13,0	93,75
4+6	3,0	7,6	2,0	3,0			12,2	2,4	2,8	4,0	4,0	87,50
5+8	5,8	3,9	—	3,8			2,6	2,4	8,2	3,6	11,6	81,25
8+14	—	47,0 c	7,8	15,5 c							6,4	68,75
11+20		24,2 c	—	6,2		2,0	1,6		4,0	8,4	75,00
14+26		13,2	55,2 c	19,0 c		6,4	1,4	—	3,0	13,2	81,25
17+32		59,4	—	—		8,2	2,4	4,0	12,4 c	16,6	81,25
20+38		25,0	7,0	6,8		33,6 c	8,2	28,0 c	14,4 c	12,4	81,25
23+44		50,8	—	75,5 c		17,4	19,0 c	16,8	3,0	—	56,25
3—1	+,0	3,0	2,6	3,8	2,0	3,0	2,0	8,8	7,8	8,8	100,00
8—3	38,4	3,0	2,8	3,0	6,4	8,4	1,8	3,6	28,6	93,75
13—5	—	5,6	4,4	3,6	11,0	17,4	6,2	3,6	—	81,25
18—7		22,0 c	4,0	5,4	16,4	5,0	24,4	3,6	49,4	73,00
29—10		8,0	5,6 c	8,8	16,4 c	19,8	2,8	3,8	—	93,75
40—13			0,0	0,6 c	3,4	—	4,0	—	81,25
51—16			0,0		30,4	5,0	—	62,50
62—19			32			—	43,75
73—22							31,25
84—25							18,75
1×3	—	2,2	1,6	3,8	2,4	1,6	1,4	1,4	1,6	2,0	1,4	100,00
2×4		8,2	1,4	3,0	2,2	1,4	1,4	0,8	8,0	8,6	1,4	100,00
3×5		7,6	2,0	2,8	4,4	2,0	2,2	2,8	2,2	2,8	93,75
4×6		3,9	—	2,4		2,2	3,0	2,4	26,6 c	93,75
5×7		47,0 c	7,8				7,8	2,2	10,0	81,25
6×8		24,2 c	—				3,6	2,4	13,2	87,50
7×9		13,2					1,0	3,0	16,6	87,50
8×10		59,4					3,6	2,4	6,8	93,75
9×11		25,0					1,0	4,8	9,8	100,00
12×13		50,8					5,8	3,2	—	56,25
2:1							87,50
8:2							75,00
18:3							56,25
32:4							62,50
50:5							62,50
18:0							43,75

pathologischen Untersuchungen behufs Prüfung der Schulkenntnisse seit Jahren anwendet. [1])

Vergleichsweise untersucht wurden 14 bessere Rechner der **zweiten Volksschulklasse** zu Ende des Schuljahres, sowie die 16 Schüler der **vierten Klasse der Hilfsschule** ebenfalls am Ende des Schuljahres.

Ein Mangel des Aufgabenmaterials ist, daß die 10 Aufgaben der verschiedenen Rechenfunktionen in ihrer Schwierigkeit durchaus nicht gleichartig steigen. Während z. B. die zehnte Division (110 : 10), wie ersichtlich, von sämtlichen normalen Kindern leicht ausgeführt wurde, konnten nur 28,7 % der Kinder die letzte Multiplikation (12 × 13), die den Hunderterkreis übersteigt, richtig lösen. Die letztere würde auch so manchem erwachsenen Gebildeten Schwierigkeiten verursachen. Im allgemeinen scheinen die Multiplikationen (von der 10. Aufgabe abgesehen) die relativ gleichmäßigsten, raschesten und sichersten Resultate zu liefern, hernach folgen die Divisionen, sodann die Additionen und endlich die Subtraktionen.

Betrachten wir die Werte der Schwachbefähigten, so stehen auch bei diesen die Multiplikationen (Einmaleins) sowohl was den Umfang der Leistung als ihre Raschheit und Sicherheit (Prozentzahl der Korrekturen = c) anbetrifft, an erster, die Subtraktionen in jeder Hinsicht an letzter Stelle.

Psychopathologisch bemerkenswert ist die Häufigkeit außerordentlich langsamer Reaktionen bei den Schwachbefähigten. Richtig ausgeführte elementare Rechenfunktionen mit der Dauer von 20—30 Sekunden und mehr gehören bei den Additionen durchaus nicht zu den Seltenheiten, ja die Addition 17 + 32 erforderte in einem Falle 59,4, die Subtraktion 62 — 19 sogar 66, die Multiplikation 7 × 9 mehr als 80 Sekunden. Die Zahl der mehr als 10 Sekunden betragenden Rechenzeiten beläuft sich bei den Schwachbefähigten auf mehr als ein Fünftel, und zwar 21,7 % sämtlicher sofort richtiger Reaktionen, gegen bloß 8,7 % bei den Normalen.

Das Verhältnis des **Umfanges** der sofort richtigen Lösungen ist 90,9 % bei den Normalen, gegenüber 62,5 % bei den Schwachbefähigten. Die **Sicherheit** der Rechenarbeit der Normalschüler wird charakterisiert durch 6 % der korrigierten im Verhältnis zu den sofort richtigen Reaktionen, gegenüber 8,5 % bei den Schwachbefähigten.

Bei bedeutend geringerer Zahl der gelungenen Leistungen bedeutend verlängerte Dauer und geringere Sicherheit in der sofortigen Richtigkeit der Reaktion, dies ist die Charakteristik der Rechenfertigkeit 11—17jähriger Schüler der absolvierten 4. Hilfsschulklasse gegenüber den 7—8jährigen besseren Schülern der absolvierten 2. Normalvolksschulklasse bezüglich sämtlicher Rechenfunktionen.

Wie bei den Normalen, so zeigen sich auch bei den Schwachbefähigten mehr oder minder befähigte Rechner. So beweisen z. B. die Schwachbefähigten No. 4, 7, 8, 9, 10, 13, 15, 16, daß bei aller Schwäche auch diese Kinder bei gehöriger Geduld und Ausdauer sich die not-

---

[1]) Lehrbuch der psychopathologischen Untersuchungsmethoden. Berlin 1899.

wendigsten elementaren Rechenkenntnisse anzueignen im stande sind. Bei manchen, wie bei No. 2, 5, 6, scheint es mehr nur auf dem Gebiete der Divisionen nicht zu gehen, wieder bei andern geht es bei den Additionen nicht weiter als bis zur Summe 10, z. B. bei No. 1 und 11, bei No. 12 geht es nicht einmal soweit. Besondere Versuche, die die Kenntnis der richtig gelösten Rechenfunktionen betreffs ihrer praktischen Anwendbarkeit auf die Probe stellten, ergaben diesbezüglich ebenfalls individuell je nach den Rechenfunktionen wechselnde, im allgemeinen tröstliche Resultate. Handelt es sich ja hier um die Elite der Schwachbefähigten, die sich eben bis zur 4. Klasse der Hilfsschule heraufgearbeitet hatten.

Ob und inwiefern aus Umfang, Dauer und Sicherheit der Rechenfunktion ein Schluß auf Schwachbefähigung gezogen werden kann, darüber dürften wohl nur weitere, ausgedehntere, sich auf Jahre erstreckende Untersuchungen entscheiden.

Jedenfalls scheint es nach meinen bisherigen Erfahrungen entschieden möglich, die geistige Leistung des Schulkindes viel genauer und sicherer zu fixieren und vergleichbar zu machen, als dies bisher üblich ist.

B. Mitteilungen.

1. Die Erziehung der psychopathisch-minderwertigen Zöglinge.

Der von unserem Mitherausgeber Koch[1]) geprägte und von mir in die Pädagogik eingeführte[2]) Begriff »psychopathische Minderwertigkeit« hat nach anfänglichem Widerspruch je länger je mehr Eingang in die Medizin wie in die Pädagogik gefunden.

Die praktische Bedeutung hat der Begriff vor allem bei der erziehlichen Behandlung der zahlreichen Schüler, die auf allen Schulen nicht versetzungsreif werden und wofür Sickinger sein Förderklassensystem ersonnen hat, wie für diejenigen, welche Gegenstand der sogenannten Fürsorgeerziehung und »Rettung« bilden.

Es gereicht uns zur besonderen Freude, daß unsere gemeinsamen Bemühungen, wozu auch die Herausgabe dieser Zeitschrift gehört, nicht vergeblich gewesen sind und sie Medizin und Pädagogik ein großes gemeinsames Arbeitsfeld angewiesen haben.

Noch 1899 erzählte mir Hagen,[3]) daß er in Deutschland und den

---

[1]) Dr. J. L. A. Koch, Die psychopathischen Minderwertigkeiten. Ravensburg, Maier, 1891/93.

[2]) Trüper, Psychopathische Minderwertigkeiten im Kindesalter. Gütersloh 1893.

[3]) Vergl. seine Reiseberichte in Heft I, II und IV 1903 und in Heft II und III 1904 dieser Zeitschrift.

umliegenden Ländern mehrere Dutzend Anstalten besucht und in keiner irgend ein Verständnis, wie wir es anbahnten, gefunden habe.

Das veranlaßte mich, in Elberfeld im Jahre 1901 durch die Thesen meines Vortrages über »die Anfänge der abnormen Erscheinungen im kindlichen Seelenleben«[1]) an weitere Kreise ein ernstes Mahnwort zu richten.

Es hat gefruchtet. Seitdem haben vor allem die Rettungshäuser sich mit der Frage beschäftigt, die für sie, genau besehen, eine Grundfrage bildet.

Bereits im folgenden Jahre hielt der in Elberfeld anwesende Oberarzt Dr. Bresler einen Vortrag in ähnlichem Sinne vor der Versammlung der Rettungshausvertreter in Schlesien und auch der »Rettungshausbote« hat sich seitdem wiederholt mit dem Problem beschäftigt. Aus diesen Kreisen erging auch an uns der Wunsch, in Jena Kurse für das Studium der psychopathischen Minderwertigkeiten einzurichten, so daß infolgedessen das jährliche Vorlesungsverzeichnis der Ferienkurse mehrere dahin gehende Vorträge mit Demonstrationen aufweist.

Am 28.—30. Juni d. J. tagte nun in Hannover die 9. Konferenz der deutschen evangelischen Rettungshaus-Verbände und Erziehungsvereine. Hier wurde das in der Überschrift genannte Thema in umfassender Weise erörtert durch das Referat des Königlichen Gerichtsarztes Dr. med. Schwabe-Hannover.

Leider bestätigt Schwabe, was ich in meinen »Bemerkungen zum Entwurf eines Gesetzes über die Zwangserziehung Minderjähriger«[2]) (später vom preußischen Abgeordnetenhause wenigstens dem Namen nach in ein »Fürsorgegesetz« umgewandelt) im vorab gesagt habe: es würde schwerlich zur Herabminderung des jugendlichen Verbrechertums aus den dort näher angeführten Gründen beitragen. Um so freudiger ist es zu begrüßen, daß nun auch die Rettungshauskonferenz unter Zustimmung zu den Ausführungen Schwabes sich zu den von uns seit je vertretenen Auffassungen bekannt hat und somit dazu beitragen wird, daß einmal dieses Zwangserziehungsgesetz durch die Art der Ausführung zu einem wirklichen Fürsorgegesetz für die Armen an Geist und Wille werde.

Wie bitter not das tut, lehrt ein typischer Fall, den Wilhelm Pfeiffer-Berlin in No. 10 und 11 dieses Jahres des »Rettungshausboten« mitteilt. In Kürze seien hier nur ein paar Daten wiedergegeben.

Am 26. September 1902 wurde Fürsorgeerziehung beantragt für ein

---

[1]) Verlag von Oskar Bonde in Altenburg, 1902. — Die psychopathischen Minderwertigkeiten als Ursache jugendlicher Gesetzesverletzungen habe ich alsdann näher beleuchtet in einem Vortrage der Haller Jahresversammlung des Vereins für Kinderforschung. Erschienen in den »Beiträgen zur Kinderforschung« Heft VIII. Langensalza, Hermann Beyer & Söhne Beyer & Mann), 1904.

[2]) Erschienen als Heft V der »Beiträge zur Kinderforschung« unter dem Titel »Zur Frage der Erziehung unserer sittlich gefährdeten Jugend«. Langensalza, Hermann Beyer & Söhne (Beyer & Mann), 1900.

8 Jahre altes Kind, das sich viel umhertrieb und Nächte hindurch nicht nach Hause kam. »Die Mutter selbst, die den Tag über arbeiten muß, erklärt, sie könne mit dem Kinde, das durchaus verstockt und lügenhaft sei, nichts mehr anfangen, um es auf einen besseren Weg zu bringen. Die Mutter selbst, die nach der Ehescheidung mit einem andern Manne zusammenlebt, ist wohl auch nicht im stande, das Kind recht zu erziehen. Da ist wohl, wenn nicht bald durch eine genügende Fürsorge eingegriffen wird, die völlige Verwahrlosung des Kindes zu befürchten.«

Am 16. Dezember 1902, also nach drei Monaten, antwortet das Vormundschaftsgericht: »Die Unterbringung der A. B.... auf Grund des Fürsorgeerziehungsgesetzes ist nicht angebracht.« Auch das Königliche Polizeipräsidium hat sich gegen die Unterbringung ausgesprochen.

Die schwerwiegendsten Gründe, u. a. das unsittliche Treiben der Mutter mit ihrem Schlafburschen wie die ärgste Verwahrlosung des Kindes wurden aufs neue angeführt, und aufs neue wurde betont, es sei noch nicht reif für Fürsorgeerziehung, es sei ja noch nicht — »verdorben«. Schließlich wird am 13. Juni 1903 ein Pfleger bestellt, der will sehen, ob die Mutter nicht damit fertig wird. Die Eltern werden geschieden. Die Mutter heiratet nun den Schlafburschen. Da glaubt am 30. Dezember 1903 das Gericht, das Kind könne nun mangels genügender Erziehung nicht mehr verwahrlosen, da die Mutter sich ja wieder verheiratet habe. Das Kind stiehlt zu wiederholten Malen, treibt sich vagabondierend umher, der jetzige Mann wird ebenfalls zweimal wegen Diebstahls bestraft usw.

Jetzt ist das Kind für die Fürsorge reif. Am 15. September 1904, also zwei Jahre nach dem ersten Antrage, erhält der Pfleger vom Vormundschaftsgericht die Erlaubnis, das Mädchen unterzubringen.

Ich sagte in jener Kritik, die Juristen und Polizisten seien naturgemäß unfähig, die Fürsorgeerziehung zu bestimmen. Das müsse gemeinschaftlich von den Sachverständigeren, den berufsmäßigen Erziehern, Ärzten und Seelsorgern geschehen. Ich verlangte darum »Jugendgerichte«. In juristischen Kreisen hat man vielfach für diese »Laien«-Wünsche nicht einmal ein Ohr. Man schweigt sie tot und geht über die Gründe hinweg. Die Folge davon ist das negative Ergebnis des Fürsorgeerziehungsgesetzes.

Um so mehr verdienen darum die sachverständigen Ausführungen Schwabes Beachtung, wenngleich er auch in einigen Sätzen die Medizin überschätzt und die Pädagogik unterschätzt.

Der Vortrag ist im Wortlaut im »Rettungshausboten« No. 10 und 11 abgedruckt. Wir geben hier darum nur die Leitsätze wieder:

I. Aus einer Gegenüberstellung der Statistik über die Fürsorgeerziehung Minderjähriger und über die Zwangserziehung Jugendlicher einerseits und dem derzeitigen Stande der Kriminalität der Jugendlichen andrerseits ergibt sich, daß die aus dem Gesetz vom 2. Juli 1900 bisher erzielten Erfolge noch nicht genügen.

An den beobachteten Mißerfolgen tragen nicht nur Mängel in der Vorbereitung der Fürsorgeerziehungs-Anträge, an Interesse der zur Fürsorgeerziehung Antragsberechtigten bezüglich -verpflichteten, Verpassung des rechten Zeitpunktes zur Einleitung der Fürsorge- (Zwangs-) Erziehung Schuld, sondern auch in beachtenswerter Häufigkeit

1. die Erziehungs- (Besserungs-) Unmöglichkeit nicht weniger Fürsorgezöglinge, und zwar
   a) auf Grund ihrer nicht vollwertigen seelischen Leistungsfähigkeit,
   b) auf Grund ihrer noch innerhalb der seelischen Gesundheitsbreite liegenden Unverbesserlichkeit, Antisozialität.
2. Die dem anormalen Seelenzustande vieler entlassener Fürsorge- (Zwangs-) Zöglinge nicht genügend angepaßte Art der Entlassung, der Unterbringung und Beaufsichtigung.

II. Die unter I, 1a und b bezeichneten ungeeigneten Elemente können nur dadurch von den Fürsorgeanstalten ferngehalten bezüglich rechtzeitig wieder eliminiert werden, wenn

1. die für die Erziehung grundlegenden Fragen 9—12 im Personalbogen über den Fürsorgeaspiranten auf das sorgfältigste von einem psychiatrisch gebildeten Arzt, gemeinhin also zweckmäßig vom zuständigen Kreisarzt, nach Vorlage des gesamten Aktenmaterials — insonderheit auch etwa vorhandener Strafakten — beantwortet werden; oder falls das hie und da unmöglich, sehr erschwert ist, wenn die Begutachtung bezüglich Beobachtung des fraglichen Zöglings sofort nach seinem Eintritt von dem Anstaltsarzt vorgenommen und davon sein Verbleiben abhängig gemacht wird;
2. Die Beantwortung der Fragen 9—12 durch Laien[1]) und niederes Heilpersonal bedeutet die Verkennung ihrer fundamentalen Wichtigkeit und ist unzulässig.
3. Es erscheint wünschenswert, daß hinter Nummer 12 ein freier Raum bleibt, in dem der Arzt sein kurzes Gutachten über die Erziehungsmöglichkeit[2]) des fraglichen Fürsorgeaspiranten einträgt.

Ebenso wünschenswert erscheint bei Frage 9 unter Unzucht die Aufnahme der Unterfragen: mit Tieren? gleichgeschlechtlich? gegenseitige Onanie? verbunden mit Grausamkeit? — bei Frage 10 (Epilepsie): Ohnmachten? Schwindelanfälle? Nächtliches Aufschrecken? — bei Frage 16: Selbstmord?

III. Die Zahl der seelisch nach der einen oder anderen Richtung abnormen, psycho- oder neuropathisch erblich belasteten Fürsorgezöglinge muß erfahrungsgemäß mit Rücksicht auf ihre Abstammung und die seelisch kritische Zeit der Pubertätsjahre, in der sich die Majorität befindet, höher, als gemeinhin angenommen wird, geschätzt werden.

Die strafrechtlichen Konflikte, Vagabundieren, Trunksucht, Unzucht usw. zahlreicher Fürsorgezöglinge sind häufig schon der Ausdruck ihres krankhaften Seelenlebens.

---

[1]) Wer sind >Laien< in Erziehungsfragen?

[2]) Über die Erziehungsmöglichkeit muß doch wohl zuoberst der Erzieher von Fach wie über die Gesundungsmöglichkeit der Arzt von Fach entscheiden. Dort sind diese, hier jene >Laien<. Das wird übersehen. Besser jedoch ist es, man redet weniger von >Laien< und fragt mehr nach tatsächlichem Sachverständnis.

IV. Soweit diese seelisch nicht vollwertigen Zöglinge als erziehungs-(besserungs-) fähig befunden sind, bedürfen sie einer ihrer Eigenart angepaßten psychagogischen und psychiatrischen Behandlung.

Nur eine solche vermag die an die Fürsorgeerziehung geknüpften Hoffnungen zu verwirklichen.

V. Daher muß

1. der Hausarzt der Fürsorgeanstalten ein psychiatrisch gebildeter Arzt sein.

Der gegebene Arzt dürfte gemeinhin der zuständige Medizinalbeamte sein, dem ja ex officio die ständige Fürsorge für Geisteskranke, Epileptische, Idioten zufällt und der deshalb auch besonders geeignet ist, auf die entlassenen, geistig nicht vollwertigen Fürsorgezöglinge ein wachsames Auge zu haben.

2. Müssen

a) die Leiter der Fürsorgeanstalten durch geeignete Kurse[1]) befähigt werden, den seelischen Eigentümlichkeiten ihrer Zöglinge Rechnung zu tragen, um mit dem Anstaltsarzt Hand in Hand arbeiten zu können;

b) muß das Lehr- und Beaufsichtigungspersonal aus nur absolut integren, ruhigen, ernsten, gereiften, leistungsfähigen Beamten bestehen, die außerdem in regelmäßig abzuhaltenden Vorträgen des Anstaltsarztes, eventuell auch Kursen für ihre besonderen Aufgaben heranzubilden sind.

VI. In der Anstalt erzielte Erfolge des mühsamen Erziehungswerkes an den geistig minderwertigen Fürsorgezöglingen können nur dann Aussicht auf Dauer haben, wenn diese Zöglinge unter Berücksichtigung ihrer seelischen Eigenart und der dadurch bedingten leichten Rückfälligkeit und der diesbezüglichen ärztlichen Ratschläge bei ihrer Entlassung untergebracht und ständig kontrolliert werden.

Unter Umständen wird sich ein langsames Gewöhnen an die Freiheit durch zeitweilige Zurückversetzung in die Anstalt — auch ohne Tatsachen der Rückfälligkeit — empfehlen.

Sobald die gesetzmäßige Kontrolle seitens der Fürsorgeanstalt aufhört, hat die des Kreisarztes in Verbindung mit der zuständigen Polizeibehörde unter Vermeidung aller auffallenden oder bedrückenden Maßnahmen zu beginnen.

VII. Alle ethisch hochgradig defekten Jugendlichen, wie sie namentlich die Degenerierten liefern, sind, weil erziehungs- (besserungs-) unfähig und ihre Umgebung demoralisierend, unter allen Umständen von den Fürsorgeanstalten fernzuhalten.

Das Gleiche gilt von allen denen, welche die geringsten Anzeichen einer Psychose durchblicken lassen.

---

[1]) Der Leiter solcher Anstalten sollte dort eine ebenso vollwertige Vorbildung sich erwerben, wo und wie sie sich der Leiter von Krankenanstalten erwirbt; mit andern Worten: wir brauchen mehr Lehrstühle und Übungsschulen für Pädagogik an den Universitäten.

VIII. Da gerade die Degenerierten in ihren zahlreichen Schattierungen einen hohen Prozentsatz der Fürsorge- (Zwangs-) Zöglinge stellen, die Erziehungsfähigen unter ihnen aber in Weltabgeschiedenheit und geisttötender Lebenseinförmigkeit und Freudlosigkeit ganz negative Erziehungsresultate zu liefern pflegen, so empfiehlt es sich, in Anstalten mit so eintönigem Charakter mehr die Imbezillen zu verlegen; viel zweckmäßiger aber wird es meines Erachtens sein, den Charakter dieser Anstalten zu verändern. Denn wenn die erziehungs- (besserungs-) unfähigen Elemente nach Möglichkeit aus den Fürsorgeanstalten eliminiert sein werden, bedarf es dieser gefängnisartigen Zuchtmittel nicht mehr.

IX. Fürsorgeanstalten, in denen, wie beispielsweise im Stephanstift vor Hannover, die Freude an der dem einzelnen angepaßten Arbeit, ein gesundes Streben, es dem andern zuvorzutun, das herzerwärmende, vertrauenerweckende Gefühl väterlich freundlicher Zucht, die Pflege echten Christentums mit seiner die Seele von Schlacken und Druck befreienden Macht allmählich eine kräftige Resonanz in dem Seelenleben der Zöglinge bilden helfen, welche alle Anregungen zum Sittlichen, Edlen und Schönen zu vollen Akkorden ausklingen läßt, Anstalten, in denen die Psychagogie die Pädagogie beherrscht, werden größere und bleibendere Erfolge erzielen, als solche, in denen eintönige, freudlose Arbeit nur den Charakter des Zwanges trägt und im Verein mit einer trappistischen Lebensauffassung die Freiheit der Seele knechtet und dann knechtisch Gesinnte in die Freiheit entläßt.

X. Will man die erheblich schwachsinnigen, aber doch noch bis zu einem Grade ethisch und intellektuell bildungsfähigen Fürsorgeaspiranten in die Fürsorgeanstalten übernehmen, um die Errichtung besonderer Anstalten zu vermeiden, dann wird man ohne Einrichtung besonderer für sie berechneter Hilfsklassen nicht auskommen.

Die Frage, ob für die intellektuell leicht abnormen Fürsorgezöglinge das Sickingersche Förderklassensystem zu empfehlen ist, wird erst eine genügende Erfahrung beantworten können. Trüper.

2. Zur Frage des Kinderschutzes.
1. Lohnbeschäftigung von Kindern.

Bezirksarzt Dr. Heißler in Teuschnitz, der im Jahre 1904 Erhebungen über die Beschäftigung von Kindern gegen Lohn im nördlichen Frankenwalde (Bayern) angestellt hat, berichtet in der »Münch. Medizin. Wochenschrift« darüber wie folgt: »Von den 3210 Schulkindern des Verwaltungsbezirks Teuschnitz wurden 549 = 17,1 % gegen Lohn beschäftigt, 2,1 % derselben waren noch nicht 12 Jahre alt, und 7 % wurden ausschließlich oder doch vorzugsweise zum Hüten des Viehs verwendet. Hierunter sind natürlich die vielen Kinder nicht begriffen, welche ihrer Eltern Vieh hüten müssen. Im Frankenwalde besteht die Übung, daß das Vieh nicht durch einen gemeinsamen Hirten zur Weide getrieben wird, sondern jedes Haus hütet für sich. Wenn man nur die über 10 Jahre alten Kinder berück-

sichtigt — jüngere wurden seltener als Dienstboten angenommen —, dann
beträgt die Zahl der gegen Lohn beschäftigten 40 %, und von diesen sind
mehr als die Hälfte, 53 %, noch nicht 12 Jahre alt gewesen. Wenn die
Beschäftigung der Kinder nur in die Schulferien fallen würde, möchte sich
vielleicht mancher beruhigen. Es werden aber viele Kinder über diese
Zeit hinaus noch gegen Lohn beschäftigt, und die Erhebungen haben gezeigt, daß 143 Kinder, darunter 80 unter 12 Jahren, für Zeitabschnitte
bis zu 34 Wochen als Dienstboten tätig sein müssen und vorwiegend zum
Viehhüten verwendet werden. Dieses Verdingen auf bestimmte Zeitabschnitte ist besonders deshalb so verwerflich, weil die Kinder, aus dem
Familienverbande gerissen, unter das Gesinde des Arbeitgebers eintreten.
Jeder elterlichen Einwirkung entrückt, müssen sie gleich erwachsenen
Dienstboten arbeiten und erleiden nicht nur an ihrer Gesundheit sehr
schweren Schaden, sondern nur zu häufig auch in sittlicher und moralischer
Richtung. Es sei hier nur daran erinnert, daß nach den Wohnungs-
erhebungen vor einigen Jahren im Frankenwalde das Schlafen männlicher
und weiblicher Dienstboten in einem gemeinsamen Raume, gewöhnlich auf
dem Dachboden, nicht selten über den Stallungen, vielfach konstatiert
werden mußte. Diese kindlichen Dienstboten arbeiten den übrigen gleich
den ganzen Tag, die Zeit des Unterrichts ausgenommen, oft tief bis in die
Nacht hinein (zur Erntezeit). Mit Tagesgrauen müssen sie, denen der
Schlaf so not täte, aus dem Bette, um das Vieh auf die Weide zu treiben,
damit es sich bis zur Zeit des Anspannens sättigen kann. Bei Regen-
wetter kann man die armen Kinder, schlecht gekleidet und durch den
Rock eines Erwachsenen oder durch einen über die Schulter hängenden
Sack notdürftig gegen Wind und Wetter geschützt, bei den weidenden
Tieren umherstehen sehen, bis die Zeit des Unterrichts kommt. Naß und
durchfroren bis auf die Knochen finden sie sich dann im Schulzimmer ein.
Wie oft mag solch ein Kind vergebens gegen den Schlaf kämpfen? Was
wird bei ihm von des Lehrers Unterweisungen hängen bleiben? Nicht
gering ist jedenfalls die Zahl der Schulversäumnisse! Von häuslichem
Fleiße kann keine Rede sein, denn nach der Mittagszeit heißt es wieder
arbeiten, wieder Vieh hüten. Nur zu häufig ist die Nacht hereingebrochen,
bis das einfache Abendessen eingenommen und das Lager aufgesucht
werden kann. Und wie kurz ist oft der Schlaf! 5—6 Stunden, wo
deren 10 notwendig wären. Da die 549 gegen Lohn beschäftigten Kinder
sich wesentlich auf das Lebensalter von 10—13 Jahren beschränken, so
treffen auf einen Jahrgang 183 Kinder = 40 % der im gleichen Jahre
geborenen. 40 % also genießen eine völlig ungebildete Schulbildung und
werden körperlich und geistig mehr oder weniger geschädigt. Welche
Summe von Elend für den einzelnen, welcher Schaden für das Volkswohl
daraus erwächst, wer vermag es abzuschätzen?«

2. Kinderschutz in Meiningen.

Das Herzogliche Staatsministerium, Abteilung für Kirchen- und Schulsachen, hat an die Kreis- und Stadtschulämter folgendes beachtenswerte

Anschreiben erlassen: »Die erziehlichen Aufgaben der¦ Schule legen der
Lehrerschaft die unabweisliche Pflicht auf, mit darauf zu sehen, daß die
Kinder vor ungemessener oder Gesundheit und Schulinteressen schädigen-
der Beschäftigung außerhalb der Schule bewahrt bleiben. Es wird deshalb
der Lehrer, bezw. Schulleiter, wenn im Unterrichte an einem Kinde eine
krankhafte oder sonst auffällige Erscheinung zu Tage tritt, alsbald durch
fürsorgliche Rücksprache mit den Eltern die Ursache zu ermitteln suchen
und in ernst-freundlicher, aber bestimmter Weise Abstellung verlangen,
nötigenfalls aber die Mithilfe des Schulvorstandes in Anspruch nehmen.
Hierüber ist im Schülerverzeichnis der Schulversäumnistabelle unter der
Spalte ‚Bemerkungen‘ ein kurzer Eintrag zu bewirken und solcher dem
Herzoglichen Kreisschulinspektor bei der nächsten Schulvisitation, sowie
dem Schularzt bei dessen nächster Anwesenheit vorzulegen. Bleibt die
Rücksprache mit den Eltern und die Vorstellung des Schulvorstandes erfolglos, so wolle der Lehrer dem Herzoglichen Schulamt ungesäumt Mitteilung zugehen lassen, worauf dieses das weitere wahrzunehmen und von
Zeit zu Zeit nachzufragen haben wird. Wir bemerken, daß sich diese
Maßnahmen nicht bloß auf eine wirksamere Durchführung des Kinder-
schutzgesetzes (Reichsgesetz vom 30. März 1903) beziehen, sondern auch
in allen übrigen Fällen zur Anwendung zu bringen sind, wo Beobachtungen
in der Schule darauf schließen lassen, daß Kinder in unangemessener oder
übermäßiger Weise zum Nachteil ihrer Gesundheit oder zum Schaden der
Schularbeit, etwa auch in Haus- und Feldwirtschaft beschäftigt werden.
Wir versehen uns zu der Lehrerschaft des Landes, daß hierbei alles vermieden wird, was etwa das Vertrauensverhältnis zwischen Schule und
Elternhaus beeinträchtigen könnte. Keinesfalls aber darf bei Beobachtungen
oben bezeichneter Art ein Vorgehen des Lehrers und Schulvorstandes
unterbleiben.«

3. Preisausschreiben für Kinderschutz.

Die staatswissenschaftliche Fakultät der Universität Zürich schreibt
einen Preis von 4000 Franken für die Bearbeitung folgender Gegenstände
aus: »Die körperliche Mißhandlung von Kindern durch Personen, welchen
die Fürsorgepflicht für diese obliegt«, und »Die Überanstrengung von
Kindern durch Personen, welchen die Fürsorgepflicht für diese obliegt,
oder durch Personen, welchen die Kinder zu Arbeitsleistungen überlassen
worden sind«. Für beide Arbeiten wird gewünscht, daß die aus den Ausführungen sich ergebenden Postulate an die Gesetzgebung übersichtlich zusammengefaßt und auf die Verhältnisse eines bestimmten Landes, vorzugsweise der Schweiz bezogen werden. Es ist auch das organische Zusammenwirken behördlicher Tätigkeit mit der privaten Liebestätigkeit zu
berücksichtigen. Die Arbeiten, welche etwa zehn Druckbogen umfassen
sollen, können in deutscher, französischer, italienischer oder englischer
Sprache abgefaßt werden. Sie sind bis spätestens den 1. Juli 1906 der
Fakultät einzureichen.   Schulze, Halle.

C. Literatur.

Heller, Dr. Theodor, Grundriß der Heilpädagogik. Leipzig, Wilhelm Engelmann, 1904. 8°. 366 S. 8 M.

Ob man jemals einen systematischen Grundriß der Heilpädagogik wird schreiben können, mag dahingestellt bleiben; sicher aber ist es zur Zeit noch nicht möglich, und der Verfasser des vorliegenden Werkes hat entschieden wohl daran getan, auf das Systematische zu verzichten. Allerdings hätte er seine Arbeit auch im weniger strengen Sinne nicht als »Grundriß« bezeichnen dürfen, wie ein Blick auf das Inhaltsverzeichnis sofort zeigt.

Das Werk gliedert sich in elf Abschnitte: 1. Begriffsbestimmung. Zur Geschichte der Heilpädagogik. 2. Definitionen und Einteilungen der Idiotie. 3. Komplikationen der Idiotie: Moralische Entartung, Epilepsie, Chorea, Tic, Masturbation. 4. Die Sprachstörungen schwachsinniger Kinder. 5. Zur Symptomatologie der Idiotie. 6. Zur Ätiologie der Idiotie. 7. Kretinismus und Mongoloismus. 8. Die heilpädagogische Erziehung. 9. Der heilpädagogische Unterricht. 10. Nervöse Zustände im Kindesalter. Therapie und Prophylaxe. 11. Die Fürsorge für schwachsinnige und nervenkranke Kinder. Man sieht, die Einteilung läßt auch für den, der auf das Systematische verzichtet, viel zu wünschen übrig; aber der Inhalt ist dafür um so besser: er bietet eine ziemlich vollständige Einführung in das, was der Heilpädagog notwendig wissen muß, und was auch jedem andern Pädagogen zu wissen nützlich wäre. Namentlich ist die medizinische Literatur in ihren wichtigsten hierher gehörigen Erscheinungen berücksichtigt, so daß man versucht sein könnte, den Verfasser für einen wohlorientierten Arzt zu halten, wenn er sich nicht ausdrücklich als Pädagogen vorstellte. Natürlich würde ein tüchtiger Arzt manches gewiß noch besser und treffender haben sagen können; manches andere wiederum würde bei ihm in weniger guten Händen gewesen sein. Bei dem gegenwärtig vielfach etwas gespannten Verhältnis zwischen Ärzten und Pädagogen mag ausdrücklich darauf hingewiesen werden, daß Heller dem Arzte läßt, was ihm zukommt, und den Pädagogen mit Griesinger vor der »Prätension des Heilens« im medizinischen Sinne ausdrücklich warnt.

Besondere Anerkennung verdient es, daß der Verfasser bemüht ist, die verschiedenen krankhaften Erscheinungen des kindlichen Seelenlebens psychologisch zu analysieren und zu erklären. Daß ihm dies nicht immer gelingt, wird ihm niemand zum Vorwurf machen, der da weiß, wie rückständig die Psychiatrie trotz der Kräpelin, Ziehen, Sommer u. a. auf diesem Gebiete immer noch ist.

In psychologischer Beziehung steht der Verfasser auf dem Standpunkte Wundts, dem er sein Werk gewidmet hat. Wie gern wir indessen alle Bemühungen anerkennen, die neuere und neueste Psychologie der Pädagogik dienstbar zu machen, so glauben wir doch, daß der Verfasser etwas zu weit geht, wenn er meint, die wissenschaftliche Pädagogik habe in der letzten Zeit einen bemerkenswerten Umwandlungsprozeß durchgemacht. Richtig ist das nur, soweit es sich um die Erforschung und Berücksichtigung der Individualität handelt; im übrigen aber muß man sagen, daß die Pädagogik der Gegenwart über Herbart und seine Schule nicht wesentlich hinausgekommen ist. Während man von der Herbartschen Psychologie vielleicht mit einigem Rechte sagen kann, sie »biete an und für sich nur mehr ein historisches Interesse«. läßt sich das von der Herbartschen Pädagogik schlechterdings nicht behaupten, soweit nicht gerade die Heilpädagogik in Betracht kommt. So billig, wie manche Experimentalpsychologen meinen, sind Lorbeeren auf pädagogischem Gebiete denn doch nicht zu erlangen. Man braucht in dieser Beziehung nur an den geringen Ertrag zu denken, den die mit so großem Eifer betriebenen Ermüdungsmessungen abgeworfen haben.

Rezensent ist seit langem ein Freund der experimentellen Psychologie, aber er hegt die Befürchtung, daß ein großer Teil der gegenwärtig so beliebten psychologischen Statistiken sich dereinst für die Pädagogik als Schutt erweisen werde. Münsterberg hat mit Bezug auf die Pädagogik gesagt, ein zweiter Herbart tue uns not. Das mag richtig sein: aber dieser zweite Herbart |wird nicht erstehen, ohne eine genaue Kenntnis des ersten zu besitzen. Auch eine gründlich durchgebildete Heilpädagogik wird es ohne Herbart kaum geben können, wieviel Neues sie auch im übrigen dereinst aufweisen mag. Ufer.

Stern, L. William, Privatdozent in Breslau: Helen Keller, Die Entwicklung und Erziehung einer Taubblinden als psychologisches, pädagogisches und sprachtheoretisches Problem. Berlin, Reuther & Reichard, 1905. 76 S. 1,60 M.

Durch langjährigen literarischen Verkehr und persönliches Zusammentreten mit einem der Helen Keller nahe stehenden amerikanischen Philanthropen ward ich verhältnismäßig früh veranlaßt, dem Werdegange dieser in vieler Hinsicht hochbegabten Taubblinden im Geiste zu folgen. Dieses ist ein Grund, weshalb ich mich der Aufforderung, das oben genannte Werkchen zu besprechen, nicht glaubte entziehen zu dürfen. Dieses Werk ist mehr, als eine einfache Besprechung der »Story of my life« oder der deutschen Bearbeitung derselben (O. Seliger, Die Geschichte meines Lebens von Helen Keller. Stuttgart, Robert Lutz. 6,50 M). Es ist eine hoch zu schätzende Geistesarbeit, von der zu wünschen steht, daß der darin angelegte Faden (besonders die Vergleichung des sprachlichen Entwicklungsganges von Helen Keller mit dem Entwicklungsgange seiner eigenen vollsinnigen Kinder) weiter gesponnen werden möchte. Geschähe es, so möchte Verfasser mit dazu beitragen, Hills Forderung: »Entwickele die Sprache bei einem taubstummen Kinde, wie sie sich beim vollsinnigen Kinde entwickelt,« in allen nach deutscher Unterrichtsmethode arbeitenden Taubstummenanstalten, noch mehr zur Ausführung zu bringen. Hill und viele seiner Nachfolger sahen augenscheinlich den Zeitpunkt der Aufnahme taubstummer Kinder in die Anstalten als den Ausgangspunkt für die sprachliche Entwicklung derselben an. Nur unter diesem Gesichtspunkte konnte es meines Erachtens geschehen, daß trotz der zitierten Forderung eine weitgehende Anlehnung an den Unterrichtsgang der Schulen für Vollsinnige in den Taubstummenschulen nach und nach angebahnt wurde. Die vollsinnigen Kinder sind aber bei ihrem Eintritte in die Schule bereits im Besitze der Lautsprache, während die taubstummen Kinder bei ihrer Aufnahme in die Anstalt im Bezug auf die gesprochene und gehörte Wörtersprache als völlig sprachlos bezeichnet werden müssen. In Konsequenz der Hillschen Forderung hätte bei dem Sprachunterrichte der taubstummen Kinder der Spracherlernungsgang vollsinniger Kinder zum Muster dienen müssen, der sich bis zu ihrer Aufnahme in die Schule vollzieht. Das geschah vielerorts aber nicht. Der immer noch viel zu sehr in grammatischer Anordnung aufgebaute Sprachgang schloß sich sogar häufig nicht an die wirkliche, sondern an die gemalte Welt an. Statt vor allem den Taubstummen die Sprache für das zu geben, was sie sagen

wollen, schuf man oft erst künstlich die Situationen, für welche dann, eine
Sprachform nach der andern, die Sprache gegeben wurde. So konnte man der
Forderung der letzten Hälfte des vorigen Jahrhunderts, alles durch einen gegebenen
Lehrplan genau vorzuschreiben, leichter nachkommen. Viele Lehrpläne wurden
aber vielfach Modifikationen von Lehrplänen für die Elementarschulen Vollsinniger,
statt streng auf psychologischen Grundsätzen zu ruhen.

Damit mir aber nicht der Vorwurf gemacht werden kann, ich lobe ausländische
Verhältnisse auf Kosten der heimatlichen, so muß ich auf das Wort »vielfach«
in dem Vorherigen und auf ähnliche beschränkende Ausdrücke aufmerksam machen.
Ich weiß wohl, daß schon lange in vielen Anstalten die fein spezifizierten Lehrpläne im Schulpulte gelegen haben, die Leiter der Anstalten aber die lebendigen,
selbst denkenden Kollegen höher schätzten, als das geschriebene Wort des für
lange Zeit fixierten Lehrplanes, und muß dankbar anerkennen, daß Oberbehörden
bei Revisionen niemals nach diesem Regenten, sondern stets nur nach der Erreichung der Forderungen des wirklichen Lebens gefragt haben.

Frl. Sullivan war in der glücklichen Lage, bei dem Unterrichte der Helen
Keller überhaupt an keinen festen Lehrplan gebunden zu sein. Ihr Unterricht war
nicht das Resultat des Studiums geschriebener pädagogischer Werke, sondern das
eines schwierigeren Studiums, des Studiums der kindlichen Seele. Darüber muß
in dem von ihr selbst geschriebenen Teile der Autobiographie Helen Kellers nach-
gelesen werden. Dem Verfasser des hier besprochenen Buches ist das große Verdienst zuzuschreiben, mit deutscher Gründlichkeit das Buch gelesen und die Resultate seines Studiums in wissenschaftlicher Weise zusammengestellt zu haben.
Kommt er hierbei ab und zu zu falschen Schlüssen, so ist es erklärlich. Er ist ja
selbst kein Fachmann. Daß der Fachmann aber, den er wohl zitiert, von der
Mehrzahl der deutschen Taubstummenlehrer als eine unanfechtbare Autorität nicht
anerkannt wird, konnte er als Nichtfachmann kaum wissen.

Hierhin gehört, daß er die unleugbar großen sprachlichen Erfolge bei Helen
Keller mit auf das Konto des Umstandes setzt, daß bei dieser das Erlernen unserer
gesprochenen Wörtersprache nicht ein Resultat unmittelbarer Assoziation war. Bei
einer Taubblinden mochte der von Frl. Sullivan eingeschlagene Weg der
richtige sein, auf dem sie zuerst die Zeichen des Fingeralphabets zu Gedanken-
trägern machte und später erst ihre Schülerin in die Wörtersprache einführte. Die
Erfolge dieses Weges sind auch in anbetracht dessen, daß Helen Keller taub und
blind ist, sehr erfreulich, wenn sie auch nach dem Urteile Fachkundiger, die mit
Helen Keller persönlich in Verbindung getreten sind, doch keineswegs ein Wunder
zu nennen sind. Wenn aber der Verfasser die in manchen amerikanischen Taubstummenanstalten eingeführte verbundene Methode den deutschen Taubstummenlehrern zur Nachahmung anempfiehlt, so zeigt er, daß er eben selbst kein Fachmann ist.

Auf das, was das vorliegende Werk über Helen Kellers Leben bringt, gehe
ich hier nicht ein. Die Hauptsache ist den Lesern der »Kinderfehler« bekannt.[1]
Helen Keller ist allerdings nicht in produktiver Weise, sondern nur in reproduktiver
Weise »groß«, würde es aber auch sein, wenn sie keine Doppelgebrechliche wäre.
Da sie taubblind ist, muß diese ihre Größe geradezu als eine bewunderungs-
würdige bezeichnet werden. Nehmen wir nur alles, was von entschieden zuver-

---

[1]) Siehe den Sonderabdruck aus den Kinderfehlern vom Jahre 1899 »Drei-
sinnige«. Langensalza, Hermann Beyer & Söhne (Beyer & Mann). 0,50 M.

lässigen und urteilsfähigen Berichterstattern mitgeteilt ist, und streichen alles, was von anderer Seite hinzugesetzt wurde, weil es so nicht sein kann, wie es berichtet ist, so erscheint Helen Keller uns allerdings nicht neben Napoleon als »die größte Erscheinung des verflossenen Jahrhunderts« (Mark Twain), aber doch als eine im höchsten Maße zu bewundernde Erscheinung. Um diese verstehen zu können, ist der Glaube an ein besonderes Wunder nicht erforderlich, und es scheint auch nicht nötig zu sein, auf dunkle und noch unerklärte Gebiete der Seelenforschung zu kommen (Platos Lehre von dem Vorleben der Seele im Ideenreiche, Descartes Lehre von den angeborenen Vorstellungen, die Vererbungslehre nicht nur in physischer, sondern auch in psychischer Hinsicht usw.). Zusammenstellung, Kombinierung und Durchdenkung der Momente der Wirklichkeit können schon vieles klären. Hier einige derselben.

1. Helen Keller ist nicht blind und taub geboren. In dem Geiste des hochbegabten Kindes ruhten viele Erinnerungsbilder aus dem Gebiete des Tones und des Lichtes und warteten auf Wiedererwachen und Wiedererwecktwerden.

2. Abgesehen von der plötzlichen oder — allmählichen Zerstörung der Seh- und Hörorgane hat der Helen Keller die Ursachkrankheit weder in physischer, noch in psychischer Weise geschadet. Das Zentralorgan ist augenscheinlich unverletzt geblieben.

3. Rechtzeitig kam sie unter die Führung einer hochbegabten und nur für sie und mit ihr lebenden Pädagogin.

4. Diese blieb als Interpretin und Repetitorin auch dann noch fast beständig bei ihr, als an ihren Platz als Lehrerin auserwählte Männer der Wissenschaft traten; und als das Heranziehen anderer »Einpauker« erforderlich wurde, blieb Frl. Sullivan doch immer noch als Bindeglied zur Hand.

5. Für die Ausbildung von Helen Keller durften die fast unerschöpflichen Mittel reicher Leute angesprochen werden.

Es darf auch nicht unerwähnt bleiben, daß die Autosuggestion tätig gewesen ist (siehe die Geschichte vom »Frostkönig«). Wo diese so kräftig arbeitet, wie bei Helen Keller, wird die Suggestion überhaupt eine nicht zu unterschätzende Rolle gespielt haben.

Bei der Betrachtung des hochinteressanten Falles hat sich leider der Fehler unseres Volkes wieder gezeigt, ausländische Erfolge über die Erfolge im eigenen Lande zu stellen, jene zu preisen, diese für minderwertig anzusehen. Dieser Vorwurf trifft aber nicht den Verfasser des vorliegenden Buches; er tritt uns stets als ein strengforschender ernster Mann der Wissenschaft entgegen. Man prüfe aber einmal, sei es auch nur nach den angeführten 5 Momenten, den Zustand der taubblinden Schüler deutscher Pädagogen, so wird man manchem von ihnen kaum weniger Bewunderung schenken, als Frl. Sullivan, obgleich das Endresultat ihrer Arbeit weit hinter dem der hochzuverehrenden Amerikanerin zurücktritt. Man darf nicht vergleichen wollen, was überhaupt nicht zu vergleichen ist.

Emden.   O. Danger.

Zur Psychologie des ersten Unterrichts.

Wir sind heute in der angenehmen Lage, über einige literarische Erscheinungen des ersten Unterrichts überhaupt, sowie des ersten Leseunterrichts im besonderen berichten zu können, die sich vorteilhaft aus diesen so überreich bestellten Gebieten herausheben:

1. **Göbelbecker, L. F.,** Das Kind in Haus, Schule und Welt. Ein Lehr-
und Lesebuch im Sinne der Konzentrationsidee für das Gesamtgebiet des ersten
Schulunterrichts auf neuen Bahnen begründet und den kleinen Anfängern gewidmet. Mit 70 großen Gruppenbildern und 300 Einzelillustrationen, nach den
vom Verfasser mit Rücksicht auf ihre Idee, Anlage und zweckdienliche Ausführung jeweils bis ins einzelnste getroffenen Bestimmungen entworfen von hervorragenden deutschen Künstlern. 2. Auflage. Wiesbaden, Otto Nemnich, 1904.
Geb. 0,75 M.

Die Hauptbedeutung dieser meisterhaften Arbeit liegt in der Verwirklichung
der Konzentrationsidee. Stammunterricht ist nach Göbelbecker der heimatkundliche Sachunterricht, der infolge seiner einheitlichen assoziativen Grundlage
und seiner kausalbedingten Anordnungsgesetze die gesamte innere Welt des Kindes
naturgemäß und systematisch aufbaut, aus dem sich alle übrigen Lehrgegenstände,
Religion, Deutsch, Rechnen, Zeichnen, Schreiben, Gesang wie Zweige ausscheiden.
Also auch der Formenunterricht entwickelt sich notwendig aus dem Sachunterricht.
Darum herrscht vom Anfange bis zum Ende des Buches ein ununterbrochener,
inniger und natürlicher, das gesamte kindliche Interesse in seinen verschiedenen
Richtungen berücksichtigender gedanklicher Zusammenhang; nichts wird geboten,
was nicht zur sachunterrichtlichen Lektion gehört; beziehungslose Form- und abstrakte Begriffswörter sind vermieden; alle Übungswörter und Übungssätze sind
durchweg zusammenhängend und inhaltsvoll.

Als Lehrmittel zur Verwirklichung der Konzentrationsidee hat das heimatkundliche Gruppenbild Verwendung gefunden, das sowohl dem Sach-, als auch
dem Sprach-, Lese-, Zeichen-, Schreib- und Rechen-Unterrichte dient.

Ferner ist hier zum erstenmal in einer Fibel dem Rechtschreibeunter-
richte des 1. Schuljahres ein bis zum letzten Wort bestimmtes Lehrziel gesetzt. Die Zusammenstellung der Wortbilder (in Schreibschrift) erfolgte nach sachlichen Gesichtspunkten, ihre Auswahl »objekttypisch« und dem Verständnis der
Schüler entsprechend.

Endlich sind in dem vorliegenden Buche an Stelle der trockenen, uniformierten
Beschreibungen und der ermüdend moralisierenden, reizlosen und läppischen Er-
zählungen neue, interessante Lesestücke mit leichtverständlicher, fesselnder
Handlung gesetzt worden.

Von den vielen Fibeln, die mir zu Gesicht gekommen, ist diese die erste, die
meinen Ansichten über des Kindes erstes Schulbuch am meisten entspricht; sie ist
vielleicht die Fibel, die wir bei dem Unterrichte unserer Schwachbegabten mit Erfolg verwenden können.

Was Göbelbecker in seiner neuen Fibel bietet, das hat er theoretisch begründet und praktisch weiter ausgeführt in seinem zweibändigen Werke:

2. Unterrichtspraxis im Sinne naturgemäßer Reformbestrebungen
für das Gesamtgebiet des ersten Schuljahres und ihre theoretische
Begründung vom Standpunkte der Kinderpsychologie. Wiesbaden,
O. Nemnich, 1904. Preis: Teil I geheftet 3,80 M, geb. in ganz Leinen 4,50 M,
Teil II geheftet 4,20 M, geb. in ganz Leinen 5,00 M. Teil I und II in einen
Band geb. 7,50 M.

Der originelle I. Teil, der methodologische Monographien enthält, bietet folgenden reichen, vielseitigen und gediegenen Inhalt: I. Der kindliche Lebensunterricht
auf dem Wege der Anschauung und Selbsttätigkeit. II. Die Bedeutung des Gruppen-
bildes im Dienste der Bildung und Erziehung des ersten Schulunterrichts. III. Über

Religionsunterricht im besonderen. IV. Der grundlegende Rechenunterricht nach
seinem Sach- und seinem Formalprinzip im Lichte der Konzentrationsidee. V. Der
Objektbegriff und der Wortbegriff. VI. Gegensätzliche Anschauungen hervorragender Autoritäten über die psycho-physische Aktion beim Sprechen. VII. Methodologische Bemerkungen über das Sprechen und den Vortrag. VIII. Untersuchungen
über die psycho-physische Aktion beim (Sprechen) Lesen (und Schreiben) und ihre
methodologischen Konsequenzen. IX. Vorzüge und Mängel der gebräuchlichsten
Leselehrmethoden. X. Zum grundlegenden Schreiben. XI. Aphorismen zur Methodik
des Rechtschreibunterrichts im I. Schuljahr. XII. Zum Kunstprinzip in der Erziehungsschule. XIII. Zeichnen und Modellieren (Formen). XIV. Zur Psychologie
des Gesanges und die daraus sich ergebenden methodologischen Konsequenzen.
XV. Spiel, Turnen und Erholung der kleinen Anfänger.

Der interessante und bedeutungsvolle II. Teil enthält: Lehrproben, methodologische Einzelwinke, Gedichte, Lieder, Spiele und Rätsel.

Wir behalten uns vor, auf einzelne Abschnitte des gesamten Werkes, besonders des I. Teiles, gelegentlich näher einzugehen.

Der Göbelbeckerschen Fibel würdig zur Seite steht:

3. **Henck-Traudt,** Fröhliches Lernen. Die ersten Wege, durch die deutsche
Kunst in Verbindung mit der heimatlichen Natur die Jugend harmonisch zu
bilden. Mit Originalen in Dreifarbendruck von Prof. Brünner, zahlreichen
Illustrationen von L. Richter, O. Pletsch u. a., mehreren Rechen- u. Zeichen-
tafeln. Jena. Thüringer Verlagsanstalt, 1904. Geb. 0,85 M.

Diese Kunstfibel enthält 1. farbige Märchenbilder (Bremer Stadtmusikanten,
Rotkäppchen, Der Wolf und die sieben Geißlein, Hänsel und Gretel), welche das
ästhetische Interesse und die Fabulierlust durch selbsttätiges Forschen und Fragen,
durch natürliche Aussprache über die Bilder wecken und fördern sollen, 2. Schwarz-
druckbilder, welche die Betrachtungen der Natur durch die Kunst ergänzen
sollen, 3. Maltafeln, welche die einzelnen Objekte der Schwarzdrucke in durchweg
so leicht auffaßbaren Formen bieten, daß der Schüler dadurch zum Nachahmen
aufgefordert wird, 4. Rechentafeln, welche durch Natur- und Kunsttypen die genaue
Auffassung der Objekte hinsichtlich der Zahlqualitäten durch Beobachtung und
nachmalendes Zeichnen unterstützen sollen.

Die ersten Leseübungen schließen sich an dem Kinde bedeutungsvolle Namen
an, deren Träger im Mittelpunkte der kleinen Geschichte stehen, welche die Schüler
unter Führung des Lehrers und im Anschluß an das Bild selbsttätig erarbeiten;
alle Übungswörter einer Lektion stehen in sachlichem Zusammenhange; in-
haltsleere Formwörter sind auf das Notwendigste beschränkt; neben einer Auswahl
der beliebtesten Kinderreime und -Lieder wurde auch die neueste Jugendliteratur berücksichtigt.

Auch die Verfasser der Kunstfibel haben ihrem praktischen Werkchen eine
lesenswerte theoretische Begründung mitgegeben unter dem Imperativ:

4. Schafft frohe Jugend! Zur Reform des Elementar-Unterrichts. Mit vielen
Illustrationen. W.-Jena, Thüringer Verlagsanstalt, 1904. Preis brosch. 3 M,
eleg. geb. 3,50 M.

Der Inhalt des frisch und frei geschriebenen Buches, auf den wir bei Gelegenheit zurückkommen werden, gliedert sich in folgende Abschnitte: I. Nicht
Worte — Sachen! II. Unsere Nachweise. III. Kunst in der Schule. IV. Religion
— nur Worte? V. Sachunterricht. VI. Los von der Fibel! VII. Wider den

Rechendrill. VIII. Vom Schreiben. IX. Anhang: Stoffe zum Sachunterricht, kurze Bemerkungen, Maltafeln.

Ein anderer Reformpädagoge, der uns Nützliches und Bedeutungsvolles für unsern Unterricht zu sagen weiß, ist Berthold Otto. Von seinen Schriften für den ersten Leseunterricht liegen uns vor:

5. Mütterfibel. Eine Anleitung für Mütter, ihre Kinder selbst lesen zu lehren. Leipzig, K. G. Th. Scheffer, 1903. 2,40 M.

Die Mütterfibel will Anleitung zum Lesenlehren geben nach einem Verfahren, das einen Fortschritt gegenüber allen Arten der bei uns herrschenden Lautiermethoden darstellt. Otto nennt seine Methode die »begriffliche«, weil sie die Kinder befähigt, die Laute wirklich wissenschaftlich — allerdings in einer für Kinder verständlich gemachten Form, in der Otto ja bekanntlich Meister ist — zu begreifen und so die Schädigung, die dem Kindesgeiste durch den ersten Leseunterricht heutzutage noch überall unzweifelhaft erwächst, auf das geringste Maß herabzusetzen. ¦Dies erstreben vor allem wir Lehrer der Schwachen. Es ist deshalb interessant, aus dem Vorwort des Buches zu erfahren. daß die »begriffliche Methode« neuerdings an mehreren Orten bei geistig zurückgebliebenen Kindern, die in keiner andern Weise zum Lesen zu bringen waren, mit bestem Erfolge angewendet worden ist. Die Mütterfibel hat folgenden Inhalt: 1. Einleitung. 2. Die begriffliche Methode. 3. Die fünf Arten von Geräuschen. 4. Die Getöne a, o, u. 5. Helle Getöne und Doppelgetöne. 6. Gehellte Getöne. 7. Zahn- und Gaumengeräusche. 8. Die übrigen einfachen Laute. 9. Zusammengesetzte Geräusche. 10. Einige Zerlegungsschwierigkeiten. 11. Die ersten Silbenzerlegungen. 12. Weitere Zerlegungsschwierigkeiten. 13. Geräuschfindung. 14. Methodische Grundsätze für die Zerlegungsübungen. 15. Zerlegung der gebräuchlichsten Wörter. 16. Die Erlernung der Buchstaben.

Das Buch sollte von jedem Hilfsschullehrer fleißig benutzt werden; es wird ihn und seine Arbeit vorwärts bringen.

Für die gewiß nicht kleine Anzahl derjenigen Lehrer, die sich mit Einmütigkeit, Entschiedenheit, Erfahrung und — Sachkunde gegen diese Methode wenden werden (man gedenke des Kampfes um die Lautiermethode), nenne ich drei Schriften desselben Verlages, die von Klassenversuchen ¦mit der begrifflichen Methode und von positiven Erfolgen dieses Verfahrens Rechenschaft geben:

1. Lehrer Wilh. Sieverts, Hamburg, Die begriffliche Methode im Leseunterrichte. 1903. 0,50 M.

2. Pfarrer J. Spieser, Waldhambach i. E., Ein Klassenversuch mit der begrifflichen Methode im ersten Leseunterricht. 1904. 0,35 M.

3. Wilh. Sieverts, Hamburg, Das erste Schuljahr. Mit einem Nachwort von Berthold Otto. Mit zahlreichen Abbildungen. 1905. 140 S.

Die notwendige Ergänzung zur Mütterfibel bilden die von demselben Verfasser und in gleichem Verlage erschienenen Fibeln: Das Leselernbuch und das Vorlesebuch.

Halle a/S.   Eduard Schulze.

Druck von Hermann Beyer & Söhne (Beyer & Mann) in Langensalza.

A. Abhandlungen.

1. Zur Frage des Bettnässens.[1]

Von

Dr. med. **Hermann,** Kinderarzt, zur Zeit Assistenzarzt der Provinzial-Irrenanstalt
Johannisthal (Rheinland).

Verehrte Leser! Sie haben es alle schon erlebt, daß eine
schwierige Frage am Ende einer erbitterten Diskussion ihre Lösung
gefunden hatte. Ich weiß aber nicht, ob Sie auch bemerkt haben,

[1] Vorbemerkung der Schriftleitung: Die Frage des Bettnässens hat
für die Entwicklung vieler Kinder eine weit größere Bedeutung, als mancher Leser
vielleicht glaubt.

Es ist begreiflich, daß zahllose Familien, die ein damit behaftetes Kind haben,
nach außen am liebsten den Schleier darüber decken, und doch verschafft das so
häufig vorkommende Übel der Mutter so manche stille Sorge und so manche schlaf-
unterbrochene Nacht und raubt ihr infolgedessen einen Teil der auch den Kindern
für die Erziehung nötigen Frische und Fröhlichkeit. Mit einer wahren Verzweiflung
wird im Stillen oft gegen das Übel gekämpft und doch nicht gebessert.

Nicht viel anders steht es um das Leid und die Sorge in manchen Erziehungsanstalten für abnorme Kinder, nicht bloß in Anstalten für Schwachsinnige, sondern
auch namentlich in Rettungs-, Fürsorge- und ähnlichen Anstalten.

Die Schule scheidet in vielen Fällen die tagsüber Lästigen ab, aber Unterricht
und Erziehung leiden doch auch hier unter dem nächtlichen Übel schwerer,
als viele Lehrer es ahnen.

Vor allen Dingen aber sind es die unzähligen Kinder selbst, welche schwer
dadurch beeinträchtigt werden. Wie viele erhalten unverdient, weil sie das Vorkommnis selbst nicht zu hindern vermögen, die härtesten Strafen und werden dauernd
in ihrem Gemüte geschädigt! Es ist das Übel ja zunächst nur eine krankhafte
Minderwertigkeit des Leibes, mit der nicht selten noch andere, wie z. B. die Masturbation, im Zusammenhang stehen; aber es bedeutet zugleich eine nicht unbedenkliche

34   A. Abhandlungen.

wie man manchmal auf diesem Wege immer weiter vom Ziel abgerät
und jeder Einzelgänger sich blindlings in die absurdesten Ideen ver-
rennt.

Die Frage des Bettnässens gehört in die letztere Gruppe. Wenn
irgendwo, so gilt es hier, in höchster Selbstbeherrschung und Toleranz
den verschiedensten Darstellungen sein Ohr zu neigen. Nur dem, der
die Rolle des weisen Richters ausübt, wird die Lösung der Frage als
Preis zufallen. Wer hier den Staatsanwalt oder Verteidiger spielen
will, der wird sicher irregehen. Ist doch gerade die Frage des Bettnässens eine so verwickelte, daß selbst der forschende Arzt vielfach
den klaren Blick darin verloren hat. Ein amerikanischer Kollege[1])
schneidet neuerdings jedem Bettnässer die Vorhaut weg, weil er »in
über 90 % der Fälle Onanie als Ursache« annimmt! Wie stellt er
die Onanie fest? Wozu die Operation an einem ganz gesunden Penis?
Die Wunde ist nach 8 Tagen geheilt und der Junge würde dann
zweifellos weiter onanieren. Andere Forscher streiten sich um die
wahre oder die häufigste Ursache, indem jeder seine Lieblings-
anschauung als die allein selig machende hinstellen will. Man streitet
doch auch nicht, ob das Fieber mehr von Typhus oder von einer
Lungenentzündung verursacht werde oder fast nur bei Tuberkulose
vorkomme. Man weiß, daß es aus diesen und hundert andern
Ursachen entstehen kann.

Angesichts solcher Verirrung braucht der Laie sich nicht zu
scheuen, seine eigentliche Hilflosigkeit rückhaltlos zu bekennen. Das
ist viel verdienstlicher, als sich in einer so schweren Frage als Sachverständiger verpflichtet zu fühlen. Von größtem Interesse sind deshalb rein sachliche Beiträge aus der Praxis der Erziehungsanstalten.[2])
Die Frage des Bettnässens heißt eben in erster Linie: »Wie können
wir uns dem lästigen Übel gegenüber in der Praxis helfen?« und

---

Schädigung in der Gesamtentwicklung des Kindes, sowohl in leiblicher als in
ethischer, ja teilweise auch in intellektueller Beziehung. Das wird zu oft übersehen.

Es war darum, wie auch viele Zuschriften bestätigt haben, ein Verdienst, daß
der Kollege HAJEK die Frage aufgriff, um sich dagegen zu wehren, als sie in den
Rettungsanstalten durch bureaukratische Verordnung schematisch gelöst werden sollte.

Wir haben nun zunächst veranlaßt, daß ein Kinderarzt die Frage vom ärztlichen Standpunkte aus beleuchtet. Mit seinen Ausführungen möchten wir, wie auch
er selbst, die Frage noch nicht als abgeschlossen betrachten, sondern unsere Leser
aus den ärztlichen wie aus den Erzieherkreisen bitten, durch Mitteilungen von Beobachtungen und Erfahrungen die Frage an diesem Orte weiter zu besprechen.

Tr.

[1]) BELBY, Enuresis. Amer. med. III. 5. (1904).
[2]) Vergl. HAJEK, Über Bettnässen. Ztschr. f. Kinderforschung Bd. IX, S. 182.
Langensalza, Hermann Beyer & Söhne (Beyer & Mann).

nur untergeordnet: »Welche Ursache hat das Bettnässen?« Eine Formulierung, für deren Beantwortung uns heute noch jegliche Grundlage fehlt, lautet: »In welchem Prozentverhältnis stehen die verschiedenen möglichen Ursachen ihrer Häufigkeit nach zueinander?« oder mit andern Worten: »Welches ist die häufigste Ursache?« Ich warne davor, diese Frage mit unseren heutigen Kenntnissen lösen zu wollen.

Bei der Sammlung der dafür notwendigen Tatsachen können wir der Mitarbeit des Erziehers nicht entraten. Es handelt sich zudem um eine zunächst rein erzieherische Frage. Wer das nicht anerkennen will, der erinnere sich einen Augenblick an den Kuhstall, an die Hundedressur und endlich an die Zeit, von der ab es der geschickten Mutter gelingt, den Säugling rein zu halten. Erzieherische Indolenz und Unfähigkeit kann dazu führen, daß die tierische Gewohnheit beibehalten wird. 3—4jährige Kinder, die sich nur aus diesem Grund beschmutzten, habe ich nicht allzu selten unter den Aufnahmen meiner Spitalsabteilung gefunden, über 5jährige jedoch nie. Auch bei den 3—4jährigen gelang es der konsequenten Unterweisung durch die Saalschwester gewöhnlich in wenigen Tagen, das Kind zur Meldung seiner Bedürfnisse zu erziehen. Das soll nichts als meine Beobachtung sein, die sich übrigens auf ein bunt wechselndes jährlich viele 100 Kinder aus den armen Kreisen zählendes Material bezieht. Um so interessanter war mir die Ansicht von HAJEK, daß bei den Ursachen des Bettnässens »obenan die schlechte Gewohnheit von Jugend auf« steht. Sein Material stammt aus einer Korrigendenanstalt im österreichischen Schlesien, das meine aus dem Großherzogtum Baden.

Bei allen Bettnässern, die in großer Zahl unsere Hilfe suchten und die wir stets auf die Station aufnahmen, fanden sich ganz andere Ursachen. Bei allen waren die grausamsten erzieherischen Versuche vergeblich geblieben, weshalb als letzte Zuflucht die Kinderklinik in das Familiengeheimnis eingeweiht wurde. Die meisten dieser Kinder fand ich — was bei andern Kindern nie der Fall ist — hoffnungsfroh und freiwillig eintreten, da ihnen selbst ihr Zustand die meisten Sorgen machte. Meine oft gleich beim Eintritt gegebene Andeutung, daß sie sich unter Umständen einer höchst schmerzhaften Behandlung unterziehen müßten, wirkte niemals abschreckend. Ich hörte oft aus dem kindlichen Mund: »Herr Doktor, wenn Sie mir nur helfen; machen Sie mit mir, was Sie wollen!«

Das ist auch eine Beleuchtung, die mildernd der von anderer Seite gemachten Erfahrung gegenüber steht, daß Kinder oft aus Faulheit und schlechter Gewohnheit den Urin ins Bett laufen lassen. Ich

3*

habe keine Veranlassung, dieses letztere Vorkommnis zu leugnen, gebe auch zu, daß man ihm am besten mit Strafen begegnet, aber ich glaube nicht, daß es sich hier um ein häufiges Ereignis handelt. Was dem Laien und ganz besonders dem so suggestibeln Kinde selbst am andern Morgen so erscheint, hat doch oft eine der Ursachen, die ich in nachfolgendem zusammenstellen werde, oder andere, die wir noch gar nicht kennen und nicht aufzufinden verstehen. Um einen orientierenden Überblick über die krankhaften Ursachen des Bettnässens zu geben, stelle ich die bis jetzt bekannten in einer kleinen Tabelle zusammen. Welche Störung im Einzelfall vorliegt, ist auch bei genauer Kenntnis oft nur nach mehrtägiger Beobachtung oder überhaupt nicht mit Bestimmtheit feststellbar. Ebenso können mehrere Ursachen gleichzeitig vorliegen, ganz besonders kann eine die vorbereitende (z. B. ererbte Schwäche des Nervensystems), eine andere die auslösende Ursache sein (z. B. überfüllte Blase, Kälteeinwirkung). Durch den Mangel vorbereitender Ursachen stehen viele Kinder kaum in Gefahr, den Gelegenheitsursachen einmal zu erliegen. Einer kombinierten Entstehungsweise muß auch die Behandlung entsprechen. Die Tabelle ist nur ein Schema, das die Natur vielfach variiert und kombiniert. Die für die Behandlung wichtige Unterscheidung von Gelegenheitsbettnässen und gewohnheitsmäßigem Bettnässen kann aus praktischen Gründen bei einer Aufstellung der Ursachen nicht verwendet werden. Ein gelegentliches Einnässen wird noch am ehesten den Eindruck des in voller Einsicht selbstverschuldeten machen.

HAJEK fürchtet, daß bei Aufhebung jeglicher Disziplinarmaßnahmen gerade das Gelegenheitseinnässen in den Anstalten überhand nehmen würde, und wir können ihm das auf Grund seiner Erfahrung glauben. Er ist sich aber auch selbst bewußt, daß gerade hier schwere Irrtümer drohen, insbesondere die nächtliche Epilepsie. Wenn HAJEK genaue, am besten über ein Jahrzehnt sich erstreckende zahlenmäßige Angaben machen könnte, würde er sich ein großes Verdienst erwerben, damit man endlich einmal erkennt, was wirklich bewußte Nachlässigkeit und dementsprechende erzieherische Begegnung für eine Rolle spielen. Die Fehlerquellen einer solchen Statistik wären übrigens enorm. Ein allnächtlich erfolgendes Einnässen, besonders wenn es aller erzieherischen Beeinflussung trotzt, erweckt auch dem Laien frühzeitig den Verdacht der »Blasenschwäche«.

In der Tabelle habe ich die Fälle, in denen ich erzieherische Maßnahmen für schädlich halte, mit einem: ! versehen. In den übrigen Abschnitten sollen Sie die Erklärung finden, warum die ärztliche Behandlung oft versagt, wo der verständige Erzieher Triumphe feiert, und umgekehrt. Die scheinbare Regellosigkeit und Ratlosigkeit in hartnäckigen Fällen werden Sie ebenfalls verstehen lernen. Sie werden auch die Fälle erkennen, in denen eine Hilfe von keiner Seite zu erwarten ist. Einige, besonders ältere, Kinderärzte sind auf einem ganz verzweifelten Standpunkt angelangt und geben sich mit dem Bettnässen der Kinder überhaupt nur noch pro forma ab. Sicherlich trägt die einzige Schuld daran nicht eine ärztliche Machtlosigkeit und Unbeholfenheit dem schwer zugänglichen Leiden gegenüber, sondern der unduldsame und ungeduldige Standpunkt des Laien, der nirgends so schnell wie hier das Vertrauen verliert und die tastenden Versuche des Arztes durch Mißtrauen und mangelhafte Ausführung lähmt und ablehnt. Demgegenüber stehen überraschende ärztliche Erfolge in Anstalten oder in günstigen Verhältnissen auch zu Hause, besonders in Fällen, wo weitere Erziehungsmaßnahmen eine unverantwortliche Grausamkeit bedeuten würden. Noch einmal hebe ich ausdrücklich hervor, daß eine Anzahl auch pathologisch bedingter Fälle sich eignen wird, unter erzieherischem Regime allein zur Heilung zu gelangen. Es gibt Fälle, wo der Arzt nichts anderes ist als ein besonders suggestiver und einflußreicher Erzieher (schmerzhafte Behandlung der Hysterischen!), und andere, wo er auf Unterstützung durch den Erzieher angewiesen ist, da dieser die geistige Hygiene des Kindes in Händen hat. Für den Erzieher entwickelt sich aus dieser Konstellation die Frage: »Soll ich ärztliche Hilfe erst dann anrufen, wenn mein Einfluß und nötigenfalls Strafen versagen?« Es ist das für den einzelnen eine Art Gewissensfrage, aber wahrscheinlich wird die Praxis viele dazu zwingen »Ja« zu sagen, wenn sie im Stillen auch bedauern, daß sie manches Kind auf diese Weise erst bestrafen und dann freisprechen. Für diese gibt es nur eine Hilfe: Die Kenntnis der ursächlichen Möglichkeiten des Bettnässens und ihre Begegnung auch auf anderem als dem Disziplinarweg. Deshalb stehe ich nicht an, Ihnen aus dem Schatz der ärztlichen Erfahrung die erforderlichen Lehren vorzutragen. Möchte der Erfolg der sein, daß der Arzt zur rechten Zeit zu Rat gezogen wird, daß er auf das so notwendige Verständnis trifft und daß viele ungerechte Bestrafungen durch zweckmäßigere Maßnahmen ersetzt werden.

Krankhafte Ursachen des Bettnässens.

I. Konstitutionelle und psychische Störungen.

1. Schwachsinn. Behandlung: Rein erzieherisch.
2. Epilepsie. Behandlung: Rein ärztlich!

3. **Hysterie.** Behandlung: Vorwiegend ärztlich, aber auch rein erzieherische Erfolge.

4. **Ererbte Schwäche des Nervensystems.** Behandlung: Ärztliche und pädagogische Hygiene, Kräftigung.

5. **Stoffwechsel- und Ernährungsstörungen.** Behandlung: Diät!

6. **Abnorme Schlaftiefe.** Behandlung: Systematische Aufweckungen. Bettklingel.

7. **Träume.** Behandlung: Erzieherisch.

II. **Organische Störungen.**

   a) **lokal.**

      1. **Prallgefüllte Blase.** Behandlung: Trockendiät.

      2. **Masturbation und andere örtliche Reize** (Blasenkatarrh, Vorhautverklebungen, Fadenwürmer, Verstopfung usw.). Behandlung: Ärztlich, teils erzieherisch.

      3. **Die Empfindlichkeit der Blasenschleimhaut ist herabgesetzt,** daher ist der Harndrang zu schwach, um den Kranken aufzuwecken. Behandlung: Wie II, 4.

      4. **Schwäche des Blasenschließmuskels,** der als Muskelring die Blase gegen die im Penis verlaufende Harnröhre abschließt. Behandlung: Ärztlich! Kräftigende Medikamente, elektrische Behandlung, Massage, Einspritzung.

   b) **reflektorisch.**

      1. **Kälte- und Wärmereize.** Behandlung: Verhütung, sonst nichts.

      2. **Reflektorisch bewirkter Krampf der gesamten Blasenwand** (in ihrem muskulösen Teil). Behandlung: Hochlagerung des Beckens durch Betthochstellen.

      3. **Adenoide Wucherungen im Nasenrachenraum.** Behandlung: Ärztlich! Entfernung.

I. 1. Am meisten haben wohl Idiotenanstalten mit Bettnässen zu schaffen. Daß es sich hier um Empfindungsstörungen handelt, die mit der mangelhaften Hirnrindenentwicklung zusammenhängen, weiß in guten Anstalten jeder Wärter. Er gibt trockene Kost des Abends (also von 5 Uhr nachmittags ab keine Flüssigkeit mehr) und man setzt die Verdächtigen im Lauf der Nacht einmal auf den Topf. Am besten geschieht dieses Setzen eine Stunde vor dem Schlafengehen, zum zweiten Mal direkt vor dem Schlafengehen und dann nach Bedarf in den ersten Nachtstunden noch einmal. Die Idiotenanstalten, die ich kenne, sind damit sehr zufrieden, und halten jede Strafe oder gar Züchtigung dabei für verpönt. Ein Rest dieser minderwertigen Sinnesempfindung im Großhirn findet sich nun bei vielen Schwachsinnigen, daher löst besonders bei ihnen eine kleine Gelegenheitsursache das Übel leicht aus. Außerdem sind sie wegen ihrer Indolenz gerade diejenigen, die aus Bequemlichkeit das Aufstehen aus dem warmen Bett womöglich vermeiden. Sie urinieren wachend ins Bett oder schlafen ein und urinieren im Traum. Die Behandlung liegt hier in den Händen des Erziehers, der übrigens Gelegenheitsursachen möglichst fernhalten wird und nötigenfalls strafen darf.

2. Ganz anders ist ein bei anscheinend gesunden Kindern meist erst nach dem fünften Lebensjahr in Zwischenräumen von Wochen oder Monaten 1—3 Nächte hintereinander auftretendes Einnässen. Hier besteht der Verdacht nächtlicher epileptischer Anfälle (Epilepsia nocturna). Bißwunden der Zunge, blaue Flecken der Haut, Mattigkeitsgefühl, Verstimmung oder Verwirrtheit können weitere Anhaltspunkte geben. Diese Ursache des Bettnässens ist selten. Ihre Behandlung ist natürlich rein ärztlich und auch oft erfolgreich.

3. Eine weit größere[1]) (vielleicht die größte?) Rolle spielt die Hysterie. Sie ruft bei Kindern oft nur ein einziges Symptom hervor, z. B. Schwäche eines Armes, Stimmlosigkeit, Kurzsichtigkeit. Dieses Symptom ist eine wirkliche Krankheit, keine Lüge, keine Simulation. Es wird aber mit einem gewissen Märtyrertum ertragen und verschwindet meist nur, aber dafür sicher und momentan auf eine starke psychische Einwirkung hin (Heilsuggestion). So kann ein scheinbar rettungslos verlorener Arm durch die Andeutung einer Operation oder durch einmaliges schmerzhaftes Elektrisieren auf der Stelle normal werden. Ebenso kann es kommen, daß ein Kind plötzlich die eigene Herrschaft über seinen Blasenschließmuskel verliert, sowie es sie über die Kehlkopfmuskeln oder den Arm verlieren kann. Die Leitungsbahn vom Willenszentrum zum Muskel ist durch eine psychische übermächtige Hemmung (Selbstsuggestion) unterbrochen, deren Bann nur durch eine von außen kommende noch stärkere Suggestion (Schmerz, Angst, Gefahr!) gelöst wird.

Durch das Verhalten des Erziehers, unter Umständen auch durch Züchtigung, die weniger gefürchtet ist und den Anschein des Märtyrertums noch vermehrt, kann das Übel verschlimmert werden. Mitunter ist jedoch eine tüchtige Tracht Prügel hier schon ein ausreichender psychischer Stoß gewesen, um der Herrschaft des Willens über den Blasenschließmuskel wieder freie Bahn zu machen. Genügt die Zucht nicht, so wird der Arzt meist mit Vorteil ins Feld geführt. Was er

---

[1]) THIEMICH, Jahrbuch für Kinderheilkunde 1904.

aber tut, muß einen tiefen Eindruck auf das Kind machen, sonst
nützt es nichts. Eine schmerzhafte Pinselung mit dem faradischen
Strom, Einführung eines Katheters in die ganze Länge der Harnröhre
oder der Elektroden in die Harnröhre selbst, eine Einspritzung, unter
Umständen auch schon eine widrig schmeckende Arznei kommen hier
in Frage. Selbst vor dem glühenden Eisen scheute man früher nicht
zurück. Diese Behandlung wird vom hysterischen Kinde merkwürdigerweise kaum als grausam empfunden, sondern meist mit hoher Bewunderung unter durchschlagendem Erfolg angestaunt. Man glaube
ja nicht, daß ein hysterisches Kind den Eindruck eines Geisteskranken
machen oder Krämpfe haben müsse. Es sind oft gerade überaus
nette und fleißige, brave Kinder, die auf dem Boden einer ererbten
Schwäche des Nervensystems bei einer kleinen Gelegenheit (Erkältung,
Lektüre, Aufregung usw.) plötzlich ein hysterisches Symptom zeigen,
das dann oft an nichts anderem als an dem schnellen Verschwinden
auf suggestivem, oben angedeutetem Wege als hysterisch erkannt
werden kann. Starke Selbstsuggestionen (Bettnässen, Blindheit nach
einer Ohrfeige des Lehrers, Beinlähmung nach einem Rutenstreich)
spielen mit Übergängen in die physiologische Impressionabilität (erhöhte
Eindrucksfähigkeit) des Kindes hinüber, so daß man gar nicht genug
sich fragen kann, ob man die eine oder andere Erscheinung nicht
bereits als hysterische, d. i. dem eigenen freien Willen nicht mehr
unterworfene und dadurch krankhafte, deuten soll. Ich erinnere nur
an das Ihnen bekanntere Gebiet des Lügens, ohne näher darauf eingehen zu dürfen. Erfahrungsgemäß fällt es den meisten Menschen,
auch Ärzten, schwer, dieses Wesen der Hysterie von der Simulation
und absichtlichen Täuschung, die übrigens gleichzeitig vorliegen
kann (als Nebenerscheinungen), zu trennen. Auch können zunächst
simulierte Zustände dem Kinde einen solchen Eindruck machen, daß
sie direkt in hysterische übergehen, z. B. Armlähmung nach einem
Stockschlag. Ich kann den Heilerzieher nur dringend raten, sich dem
interessanten Studium der kindlichen Hysterie zuzuwenden.[1]) An
geeigneten Veröffentlichungen darüber fehlt es allerdings noch.

    4. Der Boden, auf dem die Hysterie fast immer entsteht, ist eine
ererbte Minderwertigkeit des Nervensystems, der man durch
kräftigende Lebensweise und geistige Hygiene begegnen muß.

    5. Stärkemehlreiche Kost[2]) steht im Verdacht, das Bettnässen zu

---

[1]) BINSWANGER, Hysterie des Kindes. Samml. von Abh. aus d. Geb. d. päd.
Psych. u. Path.

[2]) PERCY LEWIS, Enuresis bei Kindern. Brit. Journ. of Childrens. Dis. Vol. L
Febr. 1904.

begünstigen oder hervorrufen zu können. Deshalb wird eine förmliche Diätkur wie für Zuckerkranke empfohlen, die 4—5 Wochen durchgeführt werden soll. Bis dahin soll auch das Bettnässen für immer geschwunden sein. Man würde also Kartoffeln, Brot usw. nur beim Morgenfrühstück gestatten und das Kind mittags mit Milch, Suppe, Fleisch, Obst, Gemüse, abends mit Eiern ernähren. Auch im Volk gelten Kartoffeln des Abends für Bettnässer als verboten. Sie sind außer dem Stärkereichtum noch sehr wasserhaltig, ebenso wie Obst und Gemüse, und dürfen deshalb zur trockenen Diät keine Verwendung finden. Wir werden uns zur Regel machen, die Eiweiß- und Fetternährung über die Kohlehydraternährung überwiegen zu lassen, insbesondere nachmittags und abends, außerdem uns zu überzeugen, ob der Kranke nicht übermäßig viel Urin innerhalb 24 Stunden läßt.

6. Der Harndrang ist ein zu quälender Höhe sich steigerndes Gefühl, das im allgemeinen genügt, einen schlafenden Menschen aufzuwecken. Es gibt aber Kinder und Erwachsene, die in den ersten Stunden der Nacht so tief schlafen, daß sie nichts von dem Drang verspüren und der drängende Urin den Schließmuskel der Blase sprengt. Hier ist ein geeigneter Ort, um Sie an das Unterbewußtsein zu erinnern. Dasselbe wirkt unabhängig von dem höheren Bewußtsein des Wachzustandes im Schlafe fort, reguliert auf diese Weise auch den Blasenverschluß des Schlafenden, aber nur bis zu einer gewissen Grenze. Nicht als ob der Wille auf das Unterbewußtsein gar keinen Einfluß hätte — wir verdanken ihm ja wahrscheinlich das pünktliche Erwachen zu einer Stunde, die wir uns abends vorher vorgenommen hatten —, aber bezüglich des Blasenschlusses versagt seine Tätigkeit bereits zu einer Zeit, wo der feste Wille des Erwachenden noch stundenlang den Urin zurückhalten kann. So wird auch die Willenserziehung oder eine Strafe im Unterbewußtsein des Schlafenden eine zwar beschränkte, aber erkennbare Rolle spielen, und damit zur Verhütung des Bettnässens einiges beitragen. Diese Erkenntnis nimmt der Züchtigung krankhafter Bettnässer einiges von ihrer Grausamkeit und läßt eine übertriebene Humanität in ihrer Behandlung nicht in allen Fällen ratsam erscheinen.

Man kann einen abnorm tiefen Schlaf etwas beeinflussen, wenn man eine Zeitlang planmäßig den Schlafenden 3—2—1mal bis zu völligem Wachsein erweckt (systematische Aufweckungen). Oberflächlicher wird der Schlaf auch durch folgende originelle und zweckmäßige Einrichtung, die sich übrigens für alle möglichen Fälle von Bettnässen eignet: Das Kind schläft auf 2 weichen Drahtgeflechten,

deren jedes mit dem Leitungsdraht einer lauten elektrischen Klingel
verbunden ist.[1]) Die beiden Drahtnetze liegen aufeinander und sind
durch eine dazwischenliegende trockne Windel isoliert. Einige Tropfen
Urin genügen, um den Kontakt herzustellen, die Glocke rasselt er-
barmungslos neben dem Kopf des Schläfers. Dieser fährt auf, krampft
reflektorisch den Blasenschließmuskel zu: das Bett ist rein geblieben
und nach 2—5maliger Wiederholung ist der Apparat schon überflüssig geworden. Ich habe ihn in unangenehmen Fällen, besonders
einmal bei einem schwachsinnigen Kinde, gut wirken sehen, man
kann ihn für ein paar Mark sich selbst zusammenstellen. Er eignet
sich auch für kleinere Kinder, die gewöhnlich vor Angst veranlaßt
werden, von Stund an peinlich nach dem Topf zu verlangen.

7. Im oberflächlichen Schlaf spielen Träume manchmal, auch bei
normalen Kindern, eine auslösende Rolle, wie ich aus persönlichen
Erinnerungen glauben möchte. Auch dem Anblick lodernden Feuers
wird im Volk ähnliches zugeschrieben. Da in Rückenlage am meisten
geträumt wird, hat man Kindern früher eine Bürste auf den Rücken
gebunden, eine Maßregel, die sie allerdings zwingt, die Seitenlage
nicht zu verlassen. Das betroffene Kind fühlt sich meist unglücklich
genug, zugleich unschuldig. Für diesen Fall fordert es der erzieherische Takt, über das Ereignis hinwegzugehen, zumal es stets
sehr vereinzelte Vorkommnisse sind.

IIa. 1. Als auslösende Ursache oft, als einzige selten, muß die
prallgefüllte Blase gelten, die entweder einer übermäßigen Harn-
produktion überhaupt (24stündige Menge messen!) oder einer spätern
Flüssigkeitsaufnahme ihre Entstehung verdankt. Die in den Körper
aufgenommene Flüssigkeit braucht mindestens 2 Stunden, bis sie ganz
wieder ausgeschieden ist. Die Verhütung wurde bei den schwachsinnigen Kindern besprochen; sie ist eine der notwendigsten und
häufigsten Regeln, die auch bei jeder Form von Störung am Platze
ist. Oft braucht man gar nichts weiter zu tun; nötigenfalls wird
man in der 2.—3. Schlafstunde noch einmal wecken. Mit diesem
einfachen Regime, das zu Hause fortgesetzt wurde, habe ich viele
einfache Fälle geheilt, die jede Nacht das Bett genäßt hatten.

2. Ein dankbares Gebiet für den Arzt bieten lokale Störungen
in der Umgebung der Blase oder in dieser selbst[2]) (siehe Tabelle).
Es bestehen hier auf krankhafter Grundlage sowohl Reiz- als

---

[1]) PFAUNDLER in der Sitzung der Sektion f. Kinderheilk. auf d. 76. Versamml.
d. Naturforscher u. Ärzte. 1904.
[2]) REY, Enuresis der Kinder. Berl. Klin. Wo. Nr. 35. 1904.

Schwächezustände der Blase, die nur im wachen Zustand beherrscht werden.

3. Während der Harndrang dem Imbezillen wegen der mangelhaften Entwicklung der Hirnrinde weniger aufdringlich zum Bewußtsein kommt, kann er bei einigen, meist erblich belasteten Menschen durch eine Unterempfindlichkeit der Blasenschleimhaut selbst so schwach werden, daß er nicht genügt, den Schlafenden zu wecken.

4. Oder der Blasenschließmuskel (eigentliche »Blasenschwäche«) ist entsprechend der konstitutionellen Minderwertigkeit des ganzen Nervensystems mit mangelhaft entwickelten und fehlerhaft funktionierenden Nerven versorgt. Der Verschluß gibt daher eher als beim Gesunden nach, weshalb diese Kranke oft laufen müssen und besonders im Schlaf, wo ihnen der Wille nicht helfen kann, übel dran sind. Hier ist die Behandlung eine meist ewige Geduldsprobe. Was der Schöpfer dem Kranken versagt hat, können wir ihm nicht geben. Ein fester, durch die Erziehung geschaffener Wunsch, sich möglichst in acht zu nehmen, wird auf dem Wege des Unterbewußtseins wohl ein ganz klein wenig nützen, macht auch zugleich den Schlaf oberflächlicher. Aber der Nutzen ist so gering, daß man hier um keinen Preis das Unglück des kleinen Kranken vermehren darf. Wir versuchen gewisse erregende und kräftigende Arzneien, Einspritzungen, Douchen, kalte Sitzbäder, milde elektrische Durchströmungen (nicht schmerzhaft!) in der gutgemeinten Absicht, den Muskel zu kräftigen — meist vergeblich. Mehr Vertrauen und auch einige unbestreitbare Erfolge haben zwei andere Methoden: Die Massage des Blasenhalses (das ist die Stelle, an der der ringförmige Schließmuskel sitzt) vom Mastdarm aus (Schwierige Technik, Gefahr der Anreizung zur Masturbation!), zweitens die sogenannte »epidurale Injektion«.[1]) Die letztere Methode besteht darin, in die Umgebung der untersten Rückenmarksnerven, die die Blase versorgen, Kochsalzlösung einzuspritzen. Durch den Druck der Flüssigkeit wird anscheinend ein solcher Reiz auf die Blasennerven ausgeübt, daß sie eine Zeitlang kräftig innervieren. Wiederholt man die Einspritzung oft genug, dann kann man unter Umständen eine definitive Kräftigung erleben. Ich selbst habe zweimal vorübergehenden Erfolg gesehen in verzweifelten Fällen, konnte jedoch wegen des Widerstandes der Eltern die Einspritzung nicht genügend oft wiederholen. Wie oft hier die Schmerzhaftigkeit des Eingriffs das eigentlich heilende Prinzip ist, läßt sich schwer ent-

---

[1]) KAPSAMER, Über epidurale Injektionen bei Enuresis der Kinder. Archiv für Kinderheilkunde. S. 376. 1904.

scheiden. Wir können nämlich gar nicht mit Sicherheit Blasenschwäche von Hysterie unterscheiden, wenn bei letzterer der Erfolg im Stiche läßt. Daß die schmerzhafte Einspritzung Hysterische meistens heilen wird, ist sicher, darum muß man gegen die mitgeteilten großartigen Erfolge etwas skeptisch sein. Ich kann diese neue Methode deshalb erst dann dringend empfehlen, wenn zweifellos nicht hysterische, zweifellos organisch kranke Bettnässer dadurch geheilt worden sind.

b) 1. Auf reflektorischem Wege bewirken tagsüber oder nachts erfolgende Abkühlungen vermehrten Harndrang. Die Soldaten nutzen diese Tatsache zu einem bösartigen Scherz aus, indem sie die Hand eines schlafenden Kameraden in kaltes Wasser legen. Der Schläfer näßt sogleich das Bett. Andrerseits wirkt ein warmes Bad bekanntlich bei allen Menschen harndrangerregend, was die Wirkung der Bettwärme als auslösendes Moment verständlich macht. Es wird sich empfehlen, verdächtige Kinder nur leicht bedeckt auf nicht zu weichem Lager schlafen zu lassen.

2. Der Anschauung, daß der sich im Blasenhals sammelnde Urin eine Zusammenziehung der gesamten Blasenwand und damit eine Auspressung des Urins reflektorisch herbeiführe, trägt der Rat Rechnung, das Fußende des Bettes hochzustellen. Dann sammelt sich der Urin an einer andern Stelle der Blase an, die diesen Reflex nicht vermittelt. Auch Seitenlage läßt den Urin fern vom Blasenhals sich ansammeln (Bürste!).

3. Kinder mit großen Mandeln, ganz besonders die mit großen Rachenmandeln, bei denen die Nasenatmung verlegt und die Mundatmung im Schlaf erschwert ist, kommen nachts zuweilen in eine beginnende Erstickung, wobei sie blau werden, Urin, ev. mit Stuhl, abgehen lassen und dann zum Glück schnell aufwachen.

Diese Ursache ist nicht häufig. Da die genannten Wucherungen aber vielleicht auch auf andere Weise zu Bettnässen führen können (denn Tatsache ist, daß es nach ihrer Entfernung zuweilen verschwindet), so empfiehlt es sich in jedem Fall, darnach zu suchen. Durch Zuhalten des Mundes und des einen Nasenloches kann man leicht feststellen, ob durch das andere Nasenloch auch beim Pusten genügend Luft durchgeht. Schlafen mit offnem Munde und Schnarchen sind ebenfalls Verdachtsgründe.

Ich habe nun die Ursachen aufgezählt. Darnach konnte ich allerdings nicht bestreiten, daß einige Fälle eine erzieherische Intervention und selbst Strafen verlangen und daß viele andere davon Nutzen haben werden. Doch wird auch daraus hervorgegangen sein,

wie schwer es für Arzt und Laien unter Umständen ist, zu entscheiden, wo die Schuld beim Kinde, das Recht beim Erzieher aufhört und wo die Unschuld beim Kinde, das Unrecht beim Erzieher
anfängt. Ich würde mir die persönliche Lehre daraus ziehen, im allgemeinen mit hygienischen Maßnahmen (Trockendiät, Aufwecken)
auszukommen, Disziplinarstrafen jedoch nur in sonnenklaren Fällen
verhängen. Jeder Zweifel würde mich zur Beratung mit dem Arzt
veranlassen, und nach Rücksprache mit ihm würde ich in geeigneten
Fällen die Disziplinarbehandlung fortsetzen — aber alles nur, wenn
ich mit andern Mitteln gar nicht zurecht käme. Gewohnheitsmäßiges
oder häufiges Bettnässen sollte stets einem sorgfältigen Arzt anvertraut werden. Wenn er nicht helfen kann, so ist es mir höchst
zweifelhaft, ob die Wiederaufnahme der Disziplinarbehandlung mehr
als eine Grausamkeit bedeutet. Aber freilich — die Praxis hat hier
das erste Wort. Es wird stets eine Sache persönlicher Überzeugung
sein, was wertvoller ist: auf der einen Seite die immerhin nicht ganz
in den Wind zu schlagende Beeinflussung des Unterbewußtseins
durch drohende Strafen, auf der andern die peinliche Gerechtigkeit
gegen das kindliche Ehr- und Rechtlichkeitsgefühl. Denn nicht der
Schmerz ist die Grausamkeit, sondern die fortgesetzten seelischen
Qualen der Unrecht leidenden Kinder. Ich bin nicht Pädagoge genug,
würde mich aber in nicht ganz offenkundigen Fällen stets nach dem
zweiten Standpunkt richten und das Unterbewußtsein lediglich durch
die edlen, nicht entehrenden erzieherischen Einwirkungen kräftigen.
Aber wer unter einem inneren Zwang steht, seine Schlafsäle rein-
halten zu müssen und mit Disziplinarstrafen gute Erfahrungen gemacht hat, der möge für seine Person dabei bleiben. Was jedoch
größere Erziehungskorporationen betrifft, so ändert sich hier die
Situation doch wesentlich.

> »Wo viel Freiheit, ist viel Irrtum,
> Doch sicher ist der schmale Weg der Pflicht.«

Es wird nicht immer ohne Elemente gehen, die mehr schematisch
ihre Pflicht tun und deren Gewissen weit ist. Und nicht mit den
edelsten, sondern mit den alltäglichsten Elementen muß der für das
Wohl großer Körperschaften sorgende Gesetzgeber rechnen. Der
Beste muß darin nicht die Ungerechtigkeit sich gegenüber, sondern
die Gerechtigkeit hundert andern gegenüber sehen. Und so zahlreich
und unerträglich sind die für Disziplinarstrafen zugänglichen Formen
des Bettnässens in einer Erziehungsanstalt sicher nicht, daß ein
striktes Verbot von Disziplinarstrafen gegen Bettnässer undurchführbar
wäre. Man wird eine Ehre darein setzen, das, was man bei Idioten

und besonders bei Geisteskranken in unsern großen Irrenanstalten mit relativ geringer Mühe (Hygiene des Bettnässens!) ohne jede Disziplinarstrafe erreicht, auch bei den Korrigenden durchzusetzen. Die dazu erforderlichen Schritte, die Hygiene des Bettnässens, zu der Sie keinen Arzt brauchen, können Sie aus obigen Zeilen herauslesen und mein Wunsch ist es, daß Sie, selbst unter dem Zwang ministerieller Erlasse, dieselben lieber anwenden als die sonst erlaubten Disziplinarstrafen.

2. Warum und wozu betreibt man Kinderstudium?

Von

A. J. Schreuder, Direktor des Medizinisch-Pädagogischen Instituts zu Arnheim.

(Fortsetzung.)

II. Wissenschaftliches Interesse.[1]

Als ersten Bestandteil desselben finden wir das Verlangen, das Kinderleben um seiner selbst Willen zu verstehen. Die Blütenknospe des Lebens ist an sich so äußerst interessant; wir wollen wissen, wie es hergeht bei dem stillen, schnellen Wachsen des Körpers und des Geistes, wir wollen ergründen, welche Gedanken und Gefühle sich in ihm regen, wir wollen verstehen, die wie aus dem Nichts auftauchenden flüchtigen Lebensäußerungen.

Wann, in welchen Formen und vor allem in welcher Folge treten die geistigen Erscheinungen bei dem Kinde auf? Wie stehen sie

---

[1] Vergl. die Gesamtdarstellungen: COMPAYRÉ, Die Entwicklung der Kindesseele. Deutsch von Christian Ufer. 1900. — PREYER, Die geistige Entwicklung in der ersten Kindheit. 1893. — TRACY, Psychologie der Kindheit. Deutsch von Joseph Stimpfl. 1899. — GROOS, Das Seelenleben des Kindes. Ausgewählte Vorlesungen. 1904. — Lebensbeschreibungen von Kindern: TIEDEMANN, Beobachtungen über die Entwicklung der Seelenfähigkeiten bei Kindern. Herausgeg. von Christian Ufer. 1897. — SIGISMUND, Kind und Welt. Herausgeg. von Christian Ufer. 1897. — PREYER, Die Seele des Kindes. 1882. 6. Aufl. 1904. Die klassische Lebensbeschreibung des Kindes von SHINN, Körperliche und geistige Entwicklung eines Kindes in biographischer Darstellung nach Aufzeichnungen. Deutsch von W. Glabbach und Gertrud Weber. 1905. — Neugeborene: KUSSMAUL, Untersuchungen über das Seelenleben des neugeborenen Menschen. 1859. 3. Aufl. 1896. — Untersuchungen über die Kindheit: SULLY, Untersuchungen über die Kindheit. Deutsch von Joseph Stimpfl. 1897. 2. Aufl. 1904. — HALL, Ausgewählte Beiträge zur Kinderpsychologie und Pädagogik. Deutsch von Joseph Stimpfl. 1902. — DYROFF, Über das Seelenleben des Kindes. 1904. Einen Überblick über alle diese Werke und die ganze weitere, zum großen Teile sehr entlegene Literatur gibt der Literaturbericht von AMENT, Fortschritte der Kinderseelenkunde 1895—1903. Leipzig, Engelmann. 1904. Wird jährlich fortgesetzt.

untereinander in Verbindung und wie entwickelt sich die eine aus der andern? Inwiefern sind sie bedingt durch das Wesen des Kindes selber, inwiefern durch den Einfluß der Umgebung? Auf alle diese Fragen fordert das moderne Wissen eine Antwort, welche zu lösen der einzige Weg ist, das Wesen des Kindes zu studieren.

Schon gleich zeigt sich, daß von kaum geringerer Wichtigkeit als die Entwicklung des Geistes die des Körpers und seiner Organe ist, insbesondere die der Sinne und des Gehirnes. Insbesondere erweckt und fesselt Darlegung des Zusammenhanges zwischen Gehirn und Geistesentwicklung in hohem Grade das wissenschaftliche Interesse.

Seitdem die Methode der modernen Wissenschaft vor allem historisch und genetisch geworden ist, ist noch eine ganz neue Triebfeder zum wissenschaftlichen Kinderstudium hinzugekommen.

Nicht mehr die Frage, wie alles Bestehende ist, sondern wie es wird und geworden ist, ist das Ziel der modernen wissenschaftlichen Untersuchung, und dabei folgt man der historischen Linie rückwärts, soweit es irgend möglich ist. So wie der Geologe aus den verschiedenen Erdschichten die Entstehung unseres Planeten zu erforschen trachtet, und so wie für den Biologen die niedrigsten Lebensformen von so großer Bedeutung sind, so ist auch für das Studium des menschlichen Lebens in allen seinen Äußerungen das Kindesalter von der größten Wichtigkeit; gerade weil hier die allerersten Anfänge zu Tage treten und in ihrer Entfaltung beobachtet werden können.

An allererster Stelle ist hier Interesse zu erwarten von dem Psychologen. Die außerordentliche Kompliziertheit der menschlichen Geistestätigkeit läßt ihn seine Zuflucht nehmen zu den einfacheren Formen dieser selben Tätigkeiten bei dem Kinde, obgleich sich herausstellt, daß diese lange nicht so einfach sind als man früher wohl meinte. So hat z. B. das Studium der allerersten Empfindungen des Kindes und der begleitenden Lust- und Schmerzgefühle für ihn das größte Interesse, weil er daraus die ersten Formen des Verstandes- und Gemütslebens sich entwickeln sieht. [1]) Es gibt keinen Psychologen mehr, der sich nicht auf die Erfahrungen der Kinderpsychologie beruft. [2])

---

[1]) Vergl. über die Entwicklung des Geistes: ROMANES, Die geistige Entwicklung beim Menschen. Ursprung der menschlichen Befähigung. Deutsch 1893. — BALDWIN, Die Entwicklung des Geistes beim Kind und bei der Rasse (Methoden und Verfahren). Deutsch von Arnold E. Ortmann. Mit einem Vorwort von Theodor Ziehen. 1898. — Zwei von DARWIN angeregte, vornehmlich hypothetische Darstellungen. Überblick bei AMENT, Fortschritte. S. 136 f. 159.

[2]) Der erste Versuch in dieser Richtung ist wohl der des englischen Philosophen JOHN LOCKE, der in seinem 1690 erschienenen »Essay concerning

Doch nicht nur als ›erste Skizze eines Menschen‹ hat das Kind eine große Bedeutung, auch die Beziehung des Menschen zu der niedriger stehenden lebenden Welt kann im Kinde am besten studiert werden. Die Embryologie hat uns das Bild entfaltet von der wunderbaren Entwicklung des Eies zur Frucht und die vergleichende Embryologie hat dargetan, daß die Entwicklung stattfindet nach einem allgemeinen, für die ganze höhere Tierwelt geltenden Schema und daß aus einem allgemeinen animalischen Typus sich allmählich die feine und spezifisch menschliche Organisation der Frucht entwickelt. Der ursprüngliche Zusammenhang zwischen Mensch und Tier bleibt auch nach der Geburt gewahrt, auch bei stets größerer Abweichung. Es ist klar, daß hier ein sehr wichtiges Gebiet des Kinderstudiums angedeutet ist. Wie weit reicht diese Übereinstimmung zwischen Mensch und Tier?

Bis wie weit kann auch von einem geistigen Parallelismus zwischen Menschen und Tieren die Rede sein? Es ist besonders der Engländer ROMANES, der durch umfassende und genaue Untersuchungen dieses Gebiet erforscht und schon sehr merkwürdige Ergebnisse zu Tage gefördert hat. So hat er untersucht, von welchen Gemütserregungen in der Tierwelt Spuren zu finden sind, und es wird vielleicht manchen überraschen, als Ergebnis folgendes Verzeichnis zu finden:

Furcht, Erstaunen, Zuneigung, Zanksucht, Neugierde, Eifersucht, Grimm, Sympathie, Ehrgeiz, Hochmut, Groll, Schönheitsgefühl, Schmerz, Haß, Grausamkeit, Wohlwollen, Rache, Wut, Scham, Verdruß, Neigung zum Betrug, Gefühl für Komik.

Dieses Verzeichnis ist nicht nur eine bloße Aufzählung, sondern gibt zugleich die Reihenfolge an, in welcher diese Empfindungen sich in der Tierwelt offenbaren. Bei den niederen Tieren fand ROMANES schon Spuren eines Gefühles, das als Furcht aufzufassen war. Bei den Insekten fand er Gemeinschaftssinn, Zanksucht und Neugierde. Eifersucht bei Fischen, Sympathie bei Vögeln, bei den Raubtieren Grausamkeit, Haß und Schmerz, bei den höheren Affen schließlich Verdruß, Scham, Betrug und Sinn für Komik.

Noch bemerkenswerter als diese Stufenleiter ist jedoch nach ROMANES die doppelte Tatsache, daß alle diese Empfindungen auch bei dem Kinde auftreten und zwar in derselben Reihenfolge. Bei einem Kinde

---

human understanding‹ die Theorie der ›angeborenen Ideen‹ bekämpft und sich dabei stützt auf ausführliche Beobachtungen bei Kindern inbetreff des ersten Vorstellungslebens.

von drei Wochen fand er schon Furcht, bei einem von sieben Wochen Gemeinschaftssinn, bei einem von zwölf Wochen Eifersucht und deren Genossen, den Grimm, Sympathie nach fünf Monaten, Hochmut, Groll und Sinn für Putz nach acht Monaten, Scham, Verdruß und Sinn für Komik nach fünfzehn Monaten.[1] Diese Zeitangaben sind natürlich nicht präzisiert, aber dennoch geben sie den Gang der Erscheinungen im großen ganzen an. Eine Anzahl Nebenfragen drängen sich uns bei tieferer Untersuchung auf. So scheint das Auftreten der Furcht bei Tieren ganz auf Erblichkeit zu beruhen, während bei Kindern die Beweise dafür gänzlich fehlen (SULLY). Die meisten Tiere haben Angst vor dem Feuer, junge Kinder nie.

Hier offenbart sich eine Einheit in der lebenden Schöpfung, die viel weiter reicht und einen unendlich reicheren Sinn enthält, als die von alters her bekannten bloß empirischen Analogien bis jetzt ahnen lassen konnten.

Doch gleich interessante Fernen eröffnet die Erforschung der Unterschiede.

Nehmen wir z. B. den stark ausgeprägten Unterschied zwischen dem eben gebornen Kinde und dem eben gebornen Tiere. Letzteres ist ungefähr ganz fertig für das Leben, und braucht nur noch kurze Zeit, um in jeder Hinsicht sich selber helfen zu können. Das junge Kind dagegen ist noch gänzlich unvorbereitet, sein Gehirn ist noch sehr unvollkommen, es kann weder gehen noch greifen, es ist in jeder Hinsicht ein Bild der Hilfsbedürftigkeit, und es bleibt noch jahrelang abhängig von der elterlichen Sorge. Es braucht Wochen dazu, um zu lernen, den Kopf im Gleichgewicht zu halten, während ein Küchlein an seinem ersten Lebenstag schon läuft und pickt. Das Kind PREYERS dachte in der 96. Woche noch, daß es seinem Vater, der sich im zweiten Stock befand, ein Stück Papier reichen könne, während bei Kälbern und Ferkeln kurz nach der Geburt schon eine deutliche Abschätzung der Entfernungen konstatiert werden kann.

Diese Tatsache ist von weitreichender Bedeutung, sowohl biologisch als ethnologisch und soziologisch. Je höher man steigt in der Tierwelt, je komplizierter werden die Verhältnisse und Umstände (»environment«) in welcher das Individuum zu leben hat und um so mehr Zeit braucht es, um sich durch körperliche und geistige Vervollkommnung dieser komplizierteren Lebensumgebung anzupassen. »Je länger und schwieriger eine Reise ist, je mehr Zeit und Sorge

---

[1] ROMANES, Mental Evolution in Animals. S. 6 ff.

fordert die Vorbereitung,‹ um ein Bild des amerikanischen Pädologen TRACY zu gebrauchen. Das unendlich reichere Leben, welches das Kind vor sich hat und die dahinterliegende Ewigkeit des Selbstbewußtseins, befindet sich in merkwürdiger Übereinstimmung mit der großen Langsamkeit und langen Dauer seiner Entwicklung. In dieselbe Richtung weist die Tatsache, daß die Periode, während welcher das Kind von seinen Eltern abhängig ist, sich mit der Steigerung des Kulturlebens zu verlängern scheint. Und noch wichtiger ist die Tatsache, daß das Tier, das sich nur einem materiellen ›environment‹ anzupassen hat, sich bald vervollkommnet hat und sein ganzes Leben lang dieselben einfachen, gleichförmigen Lebensverrichtungen erfüllt, während dagegen das Kind beim Erwachen seines Selbstbewußtseins in eine höhere, bei den Tieren vollständig ausgeschlossene Sphäre des ›environment‹ eingetreten ist[1]) und sein Wachstum in dieser Richtung das ganze Leben hindurch fortsetzt: das ganze irdische Leben ist nötig, um sich in das ewige Leben des Geistes einzuleben.[2])

Doch auch in soziologischer und ethnologischer Hinsicht ist diese lange Dauer der Hilfsbedürftigkeit des Kindes bedeutungsvoll. Wo wäre ohne sie die reiche Entfaltung des Familienlebens, während die anthropologischen Studien des HERMANN HEINRICH PLOSS ihren weitreichenden Einfluß auf die Bildung gesellschaftlicher Sitten und Gewohnheiten dargetan haben[3]) und SPENCER richtig bemerkt hat, daß diese Hilfsbedürftigkeit des Kindes sehr viel dazu beigetragen hat und noch stets dazu beiträgt, Gemeinschaftsgefühle und namentlich Erbarmen mit allem was schwach und hilflos ist, in der Menschheit zu entwickeln.

Eine andere Untersuchungslinie zieht sich von den Kindern zu

---

[1]) Worin liegt der wesentliche Unterschied zwischen Mensch und Tier? Der Unterschied ist .... in the power which is given by introspective reflexion in the light of self-consciousness. ROMANES, Mental Evolution in Animals. 1883. S. 175.

[2]) Vergl. DRUMMOND, Natural Law in the Spiritual World. Besonders das Kapitel ›Environment‹. London 1898.

[3]) H. H. PLOSS, Das Kind in Brauch und Sitte der Völker. 2. Aufl. Leipzig 1884. 2 Teile. — Ders., Das kleine Kind vom Tragbett bis zum ersten Schritt. Über das Legen, Tragen und Wiegen, Gehen, Stehen und Sitzen der kleinen Kinder bei den verschiedenen Völkern der Erde. Leipzig 1881. — Vergl. weiter über die soziale Entwicklung des Kindes: BALDWIN, Das soziale und sittliche Leben erklärt durch die seelische Entwicklung. Deutsch von R. Ruedelmann. Mit einem Vorwort von Paul Barth. 1900. — MONROE, Die Entwicklung des sozialen Bewußtseins der Kinder. 1900. — Überblick bei AMENT, Fortschritte. S. 142 f.

den ungebildeten Naturvölkern. Merkwürdige Übereinstimmungen zeigen sich hier. Kinderzeichnungen und Zeichnungen von Wilden gleichen sich oft, was Technik und Inhalt angeht, vollkommen. Kinder und Wilde halten alles was sich bewegt für lebendig, da für sie das Leben sich nur noch in Bewegung offenbart. SULLY teilt mit, daß ein Mädchen von dreizehn Monaten der Lokomotive einer Dampfbahn einen Kuchen geben wollte; mein Töchterchen von 24 Monaten sagte, daß die Lokomotive den Rauch ausspeie; Wilde halten ein Dampfschiff für ein großes Tier. Die Anschauungen, welche Kinder sich in betreff der Naturerscheinungen bilden, zeigen. vielfach Übereinstimmung mit denen der Naturvölker. Thors Donnerwagen findet ein modernes Gegenstück in der Auffassung des amerikanischen Knaben, der meinte, daß bei einem Gewitter zu unserem lieben Herrgott Kohlen in den Keller gebracht wurden.[1] So zeigen sich zahlreiche Punkte der Übereinstimmung, sowohl in geistiger als in sittlicher Hinsicht, welche es ermöglichen, den Zustand geistiger Unvollkommenheit, in dem Kinder und Wilde sich befinden, in seinem Wesen besser zu ergründen, während umgekehrt das Studium der Unterschiede dagegen ein helles Licht wirft auf die psychogenetischen Einflüsse der Erblichkeit und der Umgebung.

Hier sind wir angelangt an dem letzten und wichtigsten Punkt, auf der bei der Zergliederung des wissenschaftlichen Interesses für genetisches und vergleichendes Kinderstudium die Aufmerksamkeit gerichtet werden muß, nämlich an dem geheimnisvollen Zusammenhang zwischen dem Kinde und der Geschichte unseres Geschlechtes. Die Entwicklung eines Kindes und die der Menschheit gleichen sich. Ihr erster Gemeinschaftssinn ist Familiensinn, ihre ersten Dichtungen sind Märchen und Sagen, »Childlore« gleicht dem »Folklore«, und was junge Kinder am liebsten hören und am schnellsten lernen sind die alten Volksreime. Das Sprechenlernen der Kinder zeigt allerlei Erscheinungen aus früheren Entwicklungsperioden der Sprache.[2] Die »Kulturhistorischen Stufen«

---

[1] Mitgeteilt in »Some Records of Thoughts and Reasonings of Children«, einer Anzahl von Kinderaussprüchen, von den weiblichen Studenten an der State Normal School in Worcester Mass. gesammelt und von dem Lehrer in der Psychologie H. W. BROWN geordnet. Diese Sammlung ist veröffentlicht in »The Pedagogical Seminary«, der wichtigsten amerikanischen Zeitschrift auf diesem Gebiet, unter Redaktion des G. Stanley Hall. Vol. II. 1803. S. 358—396. Sonderausgabe 1893.

[2] Vergl. über die Entwicklung von Sprechen und Denken: EGGER, Beobachtungen und Betrachtungen über die Entwicklung der Intelligenz und der Sprache bei den Kindern. Deutsch von Hildegard Gassner. Mit einer Einleitung

4*

aus der Lehrplantheorie der Herbartschen Schule findet ihren Ursprung in derselben Erscheinung.

Inwiefern diese Linie bis in die vorhistorischen Zeiten durchzuziehen ist, ohne dabei das Gebiet der wohlerwiesenen Tatsachen zu verlassen und das der aprioristischen Voraussetzungen zu betreten, und inwiefern überhaupt der Reichtum an Tatsachen und der tiefe Zusammenhang in der ganzen organischen Welt, welche die Darwinistische Schule ans Licht gebracht hat, ein Recht gibt zur Aufstellung des Evolutionsdogmas, das die organische Welt aus der anorganischen erklären will und so den ganzen Kosmos in einen strengen Monismus zusammenfaßt, dies alles muß in diesem Aufsatz außer Betracht bleiben. Doch ist es klar, daß für diese evolutionistische Auffassung der Biologie und der Psychologie das Studium des Kindes eine sehr große Bedeutung gewonnen hat. Die Hypothese, daß die Entwicklung des Individuums eine gedrängte Darstellung ist von der Entwicklung der Gattung, daß die Ontogenesis in raschem Gang dieselben Stadien durchmacht als die Phylogenesis im langen Laufe der Jahrhunderte, diese »Arbeitshypothese« macht das Kind zu einem wertvolleren Gegenstand der Untersuchung als die ältesten Ausgrabungen und die tiefstliegenden Versteinerungen.

Ebenso wie bei der Vergleichung mit der Tierwelt und mit den niedrigsten Rassen, so ist auch hier nicht nur die Übereinstimmung, sondern vor allem auch der Unterschied von Wichtigkeit. Das Kind stimmt ja mit seinen fernen Vorahnen in vielen Hinsichten überein, aber unterscheidet sich hierin von ihnen, daß es eine viel längere Vorgeschichte hat und daß die wesentlichen Einflüsse aus dieser Vorgeschichte die Anlage des heutigen Kindes bedeutend erhöht.[1]

von Wilhelm Ament. 1903. — Ament, Die Entwicklung von Sprechen und Denken beim Kinde. 1899. Die Entwicklung der Pflanzenkenntnis beim Kinde und bei Völkern. 1901. Begriff und Begriffe der Kindersprache. 1902. Kind und Ursprache. Pädagogisch-psychologische Studien. III. Jahrg. 1902. S. 41—44. — Tögel, 16 Monate Kindersprache. Beiträge für Kinderforschung und Heilerziehung. Heft XIII. Langensalza, H. Beyer & Söhne (Beyer & Mann), 1905. Egger und besonders entschieden Ament bemühen sich in diesen Schriften um den Nachweis der Analogien zwischen der Entwicklung des Kindes und der des Stammes sowohl hinsichtlich der Sprache als auch im allgemeinen. Überblick bei Ament, Fortschritte. S. 122—127.

[1] Vergl. über Vererbung und Umwelt: Oppenheim, Die Entwicklung des Kindes. Vererbung und Umwelt. Deutsch von Berta Gassner. Mit Vorbemerkungen von Wilhelm Ament. Leipzig, Wunderlich. 1905. Diese bisher vereinzelte Schrift schneidet das Problem von der Entwicklung des Kindes an einer ganz besonderen Seite an und greift stark nach den Problemen von der Erziehung hinüber, mit warmer Liebe für die Pädagogik, nicht immer aber für die Pädagogen. Überblick bei Ament, Fortschritte. S. 158 f.

Wie diese erhöhte Anlage zu stande kommt, ist noch stets eine der wichtigsten Streitfragen der biologischen Wissenschaft. Viele Gelehrte meinen, daß die durch Übung, Gewöhnung, Entwöhnung und Umgebungseinflüsse erworbenen Eigenschaften mehr oder weniger fähig sind, sich auf die Nachkommenschaft zu vererben, sie nehmen an, daß erworbener Verstand und erworbene Tugend als eine köstliche Hinterlassenschaft in der Gestalt erhöhter Anlage den Kindern zu gute kommt. Andere, unter denen WEISSMANN der berühmteste ist, verneinen diese Erblichkeit der »erworbenen« Eigenschaften und meinen, daß erbliche Übertragung nur für die Anlage möglich ist und daß Erhöhung der Anlage bei der Nachkommenschaft nur dadurch erzielt werden kann, daß zur Erhaltung des Geschlechtes am meisten diejenigen Individuen beitragen, die am besten ausgestattet sind, wodurch also die durchschnittliche Anlage allmählich steigen muß. Wie dem auch sei, einer der Wege, auf denen man nach der Lösung dieser Frage strebt, ist das gewissenhafte Studium des Kinderlebens.

Das hier angedeutete Problem ist nur eines der vielen, welche durch das Studium der verwickelten Erblichkeitserscheinungen hervortreten. Vielleicht noch interessanter als die Entstehung der ererbten Eigenschaften ist das Auftreten der angebornen und doch nicht ererbten und das Nichtauftreten hingegen von vielen anderen elterlichen Eigenschaften. Die Variabilität ist gewiß ein gleich wichtiger Faktor für die Anlage als die Erblichkeit. Es ist wieder das Kinderstudium, das hier durch ein fleißiges Sammeln von Material Licht bringen kann. Die Vergleichung von Kindern aus einer Familie und besonders die Beobachtung von Zwillingen ist in dieser Hinsicht von großer Bedeutung.

So haben wir bei unsrer Zergliederung des wissenschaftlichen Interesses für das Kinderstudium gefunden, daß im Mittelpunkt das Interesse für das Kind selber steht und daß von dieser Mitte aus unter dem Einfluß der vergleichenden und genetischen Richtung der modernen Wissenschaft neue Untersuchungslinien sich entwickeln und zwar a) hinauf, von dem Kinde zum erwachsenen Menschen, entweder als Einzel- oder als Gemeinschaftswesen (Kinderstudium in Verbindung mit Psychologie, Ethik, Logik, Religionswissenschaft, Rechtswissenschaft und Soziologie); b) hinunter, von dem Kinde nach den Vorgeschlechtern (Kinderstudium in Verbindung mit Kulturgeschichte und Biologie); c) seitwärts, von dem Kinde nach der Tierwelt einerseits (Kinderstudium in Verbindung mit Tierpsychologie) und nach den niedrigeren Volksstämmen andrerseits (Kinderstudium in Verbindung mit Ethnologie).

Das Schema ist jedoch nicht vollständig, wenn wir nicht noch
auf eine andere Richtung vergleichenden Kinderstudiums hinweisen
und zwar auf das Studium des abnormalen und des kranken Kindes.[1])
Die Untersuchung der abnormalen Erscheinungen des Kindes dankt
seinen Wert nicht nur dem Umstande, daß sie die Mittel kennen
lehrt, um, insofern dies möglich ist, Besserung zu schaffen, sondern
auch der Bedeutung, die ihr innewohnt, für die Kenntnis des normalen
Kindes sowohl als des abnormalen Erwachsenen. Bei abnormalen
Kindern zeigt die Natur uns bald diese, bald jene Erscheinung in
vergrößertem Maßstabe und macht sie dadurch der Beobachtung um
so zugänglicher. Auch das Studium der Wunderkinder und der
jungen Genies ist in dieser Hinsicht sehr interessant.[2])

So kann auch die Beobachtung von Kindern, die einen oder
mehr Sinne entbehren, begreiflicherweise auf vielerlei Fragen Licht
werfen. So ist das Betragen taubstummer Kinder in den ersten zwei
Jahren ein Beweis dafür, daß das erste Denken ohne Worte vor sich
geht. Die Erfahrungen Blindgeborner, die durch eine Operation
sehend werden und dann von Anfang an sehen lernen müssen, sind
gleichfalls sehr lehrreich; daraus zeigt sich z. B., daß anfänglich nur
nebelhafte Empfindungen der Licht- und Farbenunterschiede entstehen, daß darauf die Abgrenzung erleuchteter Flächen und erst
dann die Abgrenzung einer Sache als eines Ganzen, also die Form
gesehen wird und zuletzt die Entfernungen. Man hat allen Grund
denselben Entwicklungsgang bei dem eben geborenen Kinde anzunehmen. Die berühmte Frage des MOLYNEUX an LOCKE aus den
Tagen des Streites über die angebornen Vorstellungen, ob ein intelli-

---

[1]) Vergl. über die Kinderfehler: STRÜMPELL, Die pädagogische Pathologie oder
die Lehre von den Fehlern der Kinder. 1890. 3. Aufl. Herausgegeben von Alfred
Spitzner. 1899. Das klassische Werk über die Nachtseite des kindlichen Seelenlebens.
— RÖMER, Über psychopathische Minderwertigkeiten des Säuglingsalters. Stuttgart
1892. — TRÜPER, Psychopathische Minderwertigkeiten im Kindesalter. Gütersloh,
Bertelsmann. 1893. Psychopathische Minderwertigkeiten als Ursache von Gesetzesverletzungen Jugendlicher. Langensalza, Hermann Beyer & Söhne (Beyer & Mann).
1904. Die Anfänge der abnormen Erscheinungen im kindlichen Seelenleben. Altenburg, Bonde. 1902. Zur kurzen Orientierung besonders geeignet. — EMMINGHAUS,
Die psychischen Störungen des Kindesalters. Tübingen 1887. — ZIEHEN, Die Geisteskrankheiten des Kindesalters. Berlin 1904. — SCHUMANN, Die Grundzüge der pädagogischen Pathologie. 1900. — SCHOLZ, Die Charakterfehler des Kindes. 1890.
2. Aufl. 1895. — BURKHARD, Die Fehler der Kinder. 1898. — A. J. SCHREUDER,
Achterlyke Kinderen. Groningen 1905. — J. KLOOTSEMA, Misdeelde Kinderen.
Groningen 1904.
[2]) Vergl. OPPENHEIM, a. a. O. S. 140—160.

genter Blindgeborner, dem plötzlich das Sehvermögen geschenkt
würde, gleich eine Kugel von einem Kubus unterscheiden könnte,
muß also verneinend beantwortet werden, wie MOLYNEUX vorher gesehen hatte.[1]) Kinder, die mehr als einen Sinn entbehren, sind für
die Wissenschaft noch interessanter, wie die bekannten blinden und
taubstummen Mädchen Laura Bridgman[2]) und Helen Keller.[3]) So steht
also nach dieser Richtung hin das Kinderstudium in Verbindung mit
der Medizin, der Psychiatrie und der Kriminologie, während in
direktem Anschluß an letztere noch das Interesse für das vernachlässigte Kind mit seiner Bedeutung für Philanthropie und Gesetzgebung
genannt werden kann.

Wenden wir uns jetzt dem **pädagogischen Interesse** für das
Kinderstudium zu, um schließlich einen Überblick zu gewinnen über
Methodik und Geschichte.   (Forts. folgt.)

B. Mitteilungen.

1. Vom Ersten internationalen Kongress für Erziehung und Kinderschutz in der Familie.

Lüttich, 18.—20. September.

Von Chr. Ufer.

Von den vielen internationalen Kongressen, die Lüttich im Laufe der
Ausstellungsperiode gesehen hat, wies der genannte wohl die spärlichste
Zahl von deutschen Mitgliedern auf. Fragt man nach den Ursachen, so
ist zunächst zu erwähnen, daß Deutschland und Österreich im Gegensatz
zu den meisten europäischen Staaten eine amtliche Beteiligung abgelehnt
hatten, weil sie in Sachen der Familienerziehung nicht zuständig seien.
So wurde wenigstens gesagt. Sodann hatten die Veranstalter des Kongresses in etwas kurzsichtiger Weise bestimmt, daß in französischer Sprache
verhandelt werden solle. Andere Sprachen waren zwar nicht ganz ausgeschlossen, doch sollten die Redner einen kurzen Auszug ihrer Rede
französisch niederschreiben und zu den Akten geben. Diese Bestimmung,
die für einen internationalen Kongreß sicher nicht mehr angebracht ist,
mag viele Männer und Frauen deutscher Zunge abgehalten haben, die Ver-

---

[1]) PREYER, Die Seele des Kindes. 6. Aufl. S. 43.
[2]) JERUSALEM, Laura Bridgman. 1890. 2. Aufl. 1891.
[3]) Vergl. HELEN KELLER, Die Geschichte meines Lebens. Deutsch von P. Seliger.
1904. — SALLWÜRK, Helen Keller. 1901. — STERN, Helen Keller. Die Entwicklung
und Erziehung einer Taubstummblinden als psychologisches, pädagogisches und
sprachtheoretisches Problem. 1905.

sammlung zu besuchen. Endlich war der Kongreß in Deutschland wenig
bekannt geworden. Der Vorsitzende des deutschen Komitees hatte bei
seinen Bemühungen, für den Kongreß zu interessieren und deutsche Referenten zu gewinnen, bald die Entdeckung machen müssen, daß sich die
Zentralstelle in Brüssel bereits vor der Bildung des deutschen Komitees
bemüht hatte, aus Deutschland Mitglieder und Mitarbeiter zu gewinnen.
Dadurch war ein Wirrwarr entstanden, der es dem Vorsitzenden des
deutschen Komitees unmöglich machte, die Sache tatkräftig in die Hand
zu nehmen. So kam es denn, daß der Kongreß unter etwa 1000 Teilnehmern nur 20 Deutsche zählte.

In den Blättern für das Taubstummenwesen wird darüber geklagt,
daß man den Deutschen kürzlich bei einem Kongresse in Lüttich sehr
kühl begegnet sei und den Gebrauch der deutschen Sprache mit Entschiedenheit abgewiesen habe. Irgend etwas derartiges kam diesmal nicht
vor. Obwohl bei der Zusammensetzung der Versammlung der Gebrauch
der französischen Sprache am zweckmäßigsten war, so durfte doch jeder
seine Sprache reden, sogar eine tschechische Rede wurde gehalten. Die
Schriftführer der einzelnen Abteilungen waren jederzeit bereit, deutsche
Reden in Kürze französisch zu wiederholen und nahmen auch deutsche
Niederschriften entgegen. Billigerweise konnte man nicht mehr verlangen.

Nach einem festlichen Empfange im Rathause am Vorabend versammelten sich die Teilnehmer am ersten Kongreßtage in der Aula der
Universität, wo der belgische Justizminister die Eröffnungsrede hielt. Von
der Eröffnungs- und der Schlußsitzung abgesehen wurden allgemeine
Sitzungen nicht gehalten. Die gesamte Arbeit vollzog sich in den von
uns in Heft V des vorigen Jahrgangs namhaft gemachten Abteilungen, für
die eine große, fast allzugroße Zahl gedruckter Referate vorlag. Eine vollständige Berichterstattung wird durch diesen Umstand einem Einzelnen
unmöglich gemacht. Wir können um so mehr davon absehen, als ein
großer Teil der Verhandlungsgegenstände außerhalb des Rahmens unserer
Zeitschrift liegt.

Daß sich auf einem derartigen Kongresse auch die Frauenbewegung
bemerklich machte, war natürlich, und daß dies bisweilen in einer
etwas sonderbaren Form geschah, wird niemanden sonderlich wundern.
Wenn aber ein englischer Berichterstatter in einem ebenso witzigen als
oberflächlichen Berichte, der auch in viele deutsche Zeitungen übergegangen
ist, den ganzen Kongreß unter das Zeichen der verschrobenen alten
Jungfern stellt, so mag das manchem Spaß machen, aber zutreffend ist es
durchaus nicht. Der Engländer Hanks hat eine allzugroße Ähnlichkeit
mit dem bekannten Reisenden aus dem Kleinen Ploetz, der von einer
französischen Stadt behauptet, ihre Einwohner hätten rote Haare, stotterten
und seien grob, weil er einen Einwohner mit diesen Eigenschaften angetroffen hat. Hoffentlich schreibt der eigenartig veranlagte Engländer
keinen Artikel über seinen eben verstorbenen Landsmann Barnardo!

(Schluß folgt.)

2. Berichtigung.

In meinem Vortrage: »Die Gliederung der Schuljugend nach ihrer seelischen Veranlagung und das Mannheimer Schulsystem«, welcher im V. Hefte des X. Jahrgangs dieser geschätzten Zeitschrift gekürzt zum Abdrucke gekommen ist, findet sich Mitte S. 215 eine Stelle, die zu einer mißverständlichen Auffassung Veranlassung geben könnte. Einer liebenswürdigen Anregung des rührigen Mannheimer Stadtschulrates Dr. Sickinger folgend, nehme ich gern die Gelegenheit war, eine kurze Aufklärung zu geben.

Die achtstufige Bürgerschule mit obligatorischem Französisch vom 5.—8. Schuljahre ist eine Anstalt für sich und hat mit der »erweiterten Volksschule« und ihren Sonderklassen nichts zu tun. Infolgedessen durchläuft der normalleistungsfähige Schüler (Freischüler) zu Mannheim nicht 3 Klassengruppen, sondern deren nur zwei. Wenn er nicht in eine höhere Schule übertreten will oder kann, so steigt er von I—VIII in den Hauptklassen empor. Soll er später in eine höhere Schule eintreten, so kommt er — sofern er nach Fleiß und Leistungen für jene Laufbahn geeignet erscheint, beim Aufsteigen vom 2. zum 3. Schuljahre in eine Vorbereitungsklasse. Das Vermögen der Eltern spielt also beim Versetzen in die Vorbereitungsklasse gar keine Rolle, sondern nur Fleiß und Leistungen. »In der Tat« — so berichtet Dr. Sickinger — »stammen die Schüler der Vorbereitungsklassen aus den gleichen Kreisen, wie die Schüler der gewöhnlichen Hauptklassen, d. h. aus den unteren Schichten des Mittelstandes und aus der Arbeiterbevölkerung, während die mittleren und oberen Schichten des Mittelstandes und die Angehörigen der oberen Gesellschaftskreise vorwiegend die Bürgerschule (Jahresschulgeld 28 M) besuchen.«

Wer sich übrigens über den neuesten Stand der Entwicklung im Mannheimer Volksschulwesen unterrichten will, der sei auf den demnächst bei Hermann Beyer & Söhne (Beyer & Mann) in Langensalza erscheinenden Bericht über die diesjährige Oster-Versammlung der Freunde Herbartischer Pädagogik in Thüringen zu Erfurt verwiesen, sowie auf den in den nächsten Nummern der »Schulpflege« zum Abdruck gelangenden Vortrag, den Dr. Sickinger in der VI. Generalversammlung des Preußischen Rektoren-Vereins zu Pfingsten d. J. in Berlin gehalten hat.

Halle a. S.   Dr. B. Maennel.

3. Dr. Barnardo, der Vater der Niemands-Kinder †.

Im September starb in London ein Mann, der es, wie wenig andere, verdient, daß sein Andenken in unserer Zeitschrift festgehalten wird. Otto Brandes schreibt über ihn im Berliner Tageblatt:

Ende der sechziger Jahre studierte in dem »London Hospital« ein junger Ire, Barnardo, der sich vorgenommen hatte, Missionär in China zu werden. Er studierte Medizin, weil er glaubte, daß die ärztliche Wissenschaft und Praxis ihm bei Verfolgung seiner Missionslaufbahn von Nutzen sein würde. Jede freie Stunde aber, die ihm sein Studium ließ, benutzte er, um sich schon hier in Werken der Nächstenliebe zu betätigen. Aus dem Hörsal eilte er, ein kräftiger, untersetzter junger Mann, dem die Entschlossenheit im Gesicht lag, in die Klassen der sogenannten »ragged schools«, die die Kinder der Hefe des Volkes, die Kinder, denen Vater und Mutter abhanden gekommen waren, zur Erziehung aufsuchen und annehmen. Dort unterrichtete er und wurde mit dem namenlosen Elend seiner Schüler vertraut, die sehr bald dem warmherzigen jungen Lehrer ihre Zuneigung schenkten. Es war in dieser Schule der Zerlumpten, wo sich das Schicksal Barnardos durch einen kleinen Zwischenfall entschied.

Die Schule war zu Ende, und die barfüßigen, in Lumpen steckenden Jungen verließen die Klasse, das heißt einen Stall in Aldgate. Dieser war bereits leer geworden; nur ein kleiner Bube, noch zerlumpter als alle die übrigen, wollte sich von der warmen Unterkunft nicht trennen.

»Nun, mein kleiner Mann, willst du denn nicht auch heim gehen?« fragte Barnardo das Bürschchen. »Ich habe kein Heim,« erwiderte dieser. »Du mußt doch irgendwo leben,« entgegnete scherzhaft der angehende junge Doktor. »Ich lebe nirgends« kam als prompte Antwort. »Du hast keinen Vater?« »Nein«. »Keine Mutter?« »Nein.« Was war da zu machen? Hier war ein Kind, das nirgendwo ein Unterkommen hatte, das sich von dem warmen Lokale nicht trennen wollte, aber füglich nicht dort bleiben konnte. Kurz entschlossen nahm der Student den Jungen bei der Hand und führte ihn in sein eigenes Heim. Das war das erste Adoptivkind, dem im Laufe der Zeit 50000 andere folgen sollten. Barnardo traute seinem ersten Adoptivsohne zuerst nicht ganz. Die Geschichte, daß der Knirps nicht mehr Vater und Mutter haben sollte, schien ihm kaum denkbar. Aber »Jim« erwiderte ihm auf seine Zweifel, so wie ihn gebe es Hunderte armer Jungen, er solle nur mitkommen, er wolle sie ihm zeigen. Und sie gingen. »Niemals«, erzählte Barnardo später, »werde ich den Anblick auf dem Borough-Markte vergessen. Es war eine naßkalte Oktobernacht, und unter dem dunklen Himmelszelt lagen da, mit nichts anderem bedeckt als mit einer Zeitung oder nur angetan mit stark ventilierten Hosen, barköpfig und barfuß Hunderte von Kindern«. »Soll ich sie wecken?« fragte Jim. »Nein!« war die Antwort. Barnardo konnte es nicht über sich gewinnen, sie im Schlafe zu stören, um sie darauf hilflos sich selbst zu überlassen.

Aber schon in den nächste Tagen vermehrte sich seine »Familie«, bald reichte seine Wohnung nicht aus, und Barnardo mußte seine »Kinder« anderwärts unterbringen. Aber auch seine eigenen Mittel wollten nicht mehr reichen, und der junge Philanthrop, dessen Idee, als Missionär nach China zu gehen, schon sehr ins Schwanken geraten war, sah sorgenvoll in die Zukunft. Da kam Hilfe. Eines Tages dinierte er in einer Familie in Westend. Der Wirt des Hauses, der Barnardos Wohlwollen für die kleinen Eastender Jungen kannte, bat ihn, seinen Gästen von diesen armen Schelmen zu erzählen. »Warum erzählen?« erwiderte Barnardo. »Kommen Sie sofort mit mir und sehen Sie selber!« Der originelle Vorschlag wurde aufgenommen, und eine Anzahl der Westender stattete nach dem reichen Diner mit wohlgefüllten Magen den armen heim- und elternlosen, hungernden Kindern einen Besuch ab, der dem jungen »Pater familias« Fonds zuführte, die ihm über die erste Zukunft mit seinen Kindern forthalfen.

Einen Monat später war bei irgend einer Gelegenheit in der Agrikultural Hall ein Redner ausgeblieben. Der Präsident Lord Shaftesbury, der schon den ersten Schritten Barnardos auf der Bahn der Erziehung heimloser Waisen sein wohlwollendes Interesse geschenkt hatte, entdeckte diesen plötzlich in der Halle und bat ihn, für den ungetreuen Redner einzutreten. Barnardo erzählte seinen Hörern die Geschichte von Jim. Lord Shaftesbury trug die Geschichte darauf weiter vor das Haus der Lords, die nicht daran glauben wollten, und Barnardo wurde aufgefordert, den Beweis zu erbringen. Ein Überraschungsbesuch wurde arrangiert, und in einer Nacht um 3 Uhr wurde der junge Philanthrop aus dem Bette geholt, und verschiedene Mitglieder beider Häuser forderten ihn auf, ihnen die »Niemands-Kinder« zu zeigen. Die Gesellschaft ging nach dem Borough-Markt, aber kein Kind war zu sehen. Ein vorübergehender Polizist wurde herangerufen, der, von den Wünschen, die Kinder zu sehen, verständigt, einen Pfiff ertönen ließ, worauf ein zerlumpter Junge aus einem Kartoffelfaß kroch. Der Polizist beauftragte diesen, die Jungen und Mädchen zu wecken und ihnen zu sagen, daß, wenn sie innerhalb zehn Minuten da wären, sie Kakao und Semmeln bekommen würden. Das wirkte wie ein Zauberwort. Der Junge stieß einige unartikulierte Töne aus, und plötzlich kamen Jungen und Mädchen aus Kartoffelsäcken, unter den geteerten Tüchern der Gemüsewagen, aus Haufen von Gemüseabfällen und aus den unwahrscheinlichsten Aufenthaltsorten hervorgekrochen. 400 hilflose Kinder standen vor den Gesetzgebern Englands, denen nichts Menschliches fremd sein sollte. Der Eindruck war ein gewaltiger, und das von Barnardo unternommene Werk fand nunmehr eine lebhafte, allgemeine Unterstützung. Betrug die Summe, über die Dr. Barnardo im ersten Jahre verfügte, 2800 M, so stieg sie im Laufe der Zeit auf 4000000 M.

Bald verließen die »Söhne« Barnardos das väterliche Dach, um sich eine Existenz in der Welt zu erobern. Wenige von diesen auf der Straße Aufgelesenen haben ihren Adoptivvater in ihrem Berufsleben enttäuscht. 15000 von ihnen sind übers Meer nach Kanada gegangen, um dort dem jungfräulichen Boden seine Schätze abringen zu helfen. Aus ihnen sind Abgeordnete und hochmögende Männer des Landes hervorgegangen. Alle hängen an dem alten Institut und an dessen Schöpfer mit größter Verehrung.

8000 Jungen, in den verschiedensten »Homes« und Anstalten verteilt, haben heute die Trauerkunde erhalten, daß der »Vater der Niemands-Kinder« das Zeitliche gesegnet hat. Soll man nach dem Schmerze, den die heute vaterlos gewordenen 400 Knaben, die zurzeit in der Zentrale leben, an den Tag gelegt, nach den Tränen, die sie vergossen haben, urteilen, so ist in diesen zwar jugendlichen, aber zarteren Eindrücken doch nicht sehr zugänglichen Gemütern die ganze Größe ihres Verlustes aufgegangen. Ihr Vater, der ihnen alles war, dahin! Ein kleiner, in den Straßen von Shoreditch aufgelesener Stiefelputzer war der erste, der unter seinem Schmerze heute morgen im Gebete zusammenbrach. Der Kaplan wollte an dieses noch einige Worte der Erinnerung an den Verstorbenen knüpfen, aber die Stimme versagte ihm vor innerer Erregung, und er stieß schluchzend nur die Worte hervor: »Dr. Barnardo ist fort!«

Sein Werk wird nicht untergehen. Der herzleidende Mann hatte beizeiten diesem eine feste Gestaltung durch Heranziehung eines Kuratoriums und durch eine weise Dezentralisation gegeben. Barnardos Waisenhaus ist ein Bedürfnis für die Kolonien geworden.

Ist das große und gute Herz Barnardos, seine wunderbare Organisationskraft, sein praktischer Blick für die Bedürfnisse seiner Pflegebefohlenen zu bewundern, so ist doch auch das englische Volk zu bewundern, das mit ungeahnter Freigiebigkeit in die Hände dieses seltenen Mannes die Mittel gelegt hat, um seine wundervollen, menschenfreundlichen Pläne zu verwirklichen.   U.

4. Persönliches.

Unser geschätzter Mitarbeiter K o n r a d A g a h d, der seit 15 Jahren auf dem Gebiete der Kinderschutz- und Jugendfürsorgebestrebungen tätig ist, wurde zum Direktor des neuen Kinderschutzhauses in Zehlendorf gewählt. Wir wünschen dem warmherzigen und tapfern Manne, der für seine Sache viel gestritten und gelitten hat, in der neuen Stellung eine recht segensreiche Tätigkeit.

Beigeordneter und Stadtschulrat Dr. Boodstein in Elberfeld, wegen seiner Verdienste um das Hilfsschulwesen unsern Lesern wohlbekannt, tritt mit dem 1. April nächsten Jahres in den Ruhestand. Möge ihm ein heiterer Lebensabend beschieden sein.   U.

C. Literatur.

1. Zur Psychologie des ersten Unterrichts.

(Schluß)

6. Das Leselernbuch ist ein durchgeführtes Beispiel von der Isolierung der Schwierigkeiten. Dem Lehrer werden darum die zur Beseitigung dieser Schwierigkeiten an die Hand gegebenen Übungen sofort einleuchten: Was das Kind lesen soll, findet sich in großer Schrift gedruckt, was der Lehrer allenfalls dazu sagen kann, steht in kleiner Schrift darunter; kurze und lange Vokale sind schon durch den Druck unterschieden; die Buchstaben, denen kein Laut entspricht, sind als leere Buchstaben anschaulich gemacht. Da der Verfasser der Meinung ist, daß bei der Isolierung der Schwierigkeiten die Schreibkunst von der Kunst des Lesens streng zu scheiden ist, hat er das Schreibenlehren, das Lesen der Schreibschrift, n i c h t in sein Leselernbuch aufgenommen.

7. D a s Vorlesebuch. Was das Kind der Mutter vorliest. Geb. 1,20 M.

Im Vorwort dieses Buches heißt es: »Wenn man mit dem Kinde eine Fibel durchgearbeitet hat, dann muß das Kind eine Zeitlang täglich das Lesen üben, sonst kann es Jahre dauern, ehe es wirklich fertig lesen lernt. Dabei zeigt sich aber der Übelstand, daß man nicht weiß, was das Kind vorlesen soll. Alle Lesestücke i n d e n gangbaren Fibeln und ersten Lesebüchern geben zu viel Wörter, die dem Kinde vollständig unbekannt sind. Das Kind stockt also zu oft beim Lesen, muß oft fragen und verliert bald die Lust. Und daran scheitert schließlich in den meisten Fällen die ganze Übung.« Otto spricht deshalb in seinem Vorlesebuch zu dem Kinde in der Sprache des Kindes. Er verzichtet darauf, die Sprache des Kindes »weiterzuführen«. Das Kind versteht, was es liest und kann seine ganze Kraft dem Lesenlernen zuwenden. Dadurch macht es Fortschritte, die ihm selbst bemerklich werden, die es zum Weiterlesen antreiben, so daß es danach auch gern in andern Büchern liest, daß es dann auch mit Be- tonung liest, weil es durch das Lesen im Vorlesebuche gelernt hat, mit Ver- ständnis zu lesen.

Als n e u e s t e erfreuliche Erscheinungen der Fibelliteratur verzeichnen wir: 8. G. Nietzsche, Fibel (Hilfsschulfibel). Dresden, Bleyl & Kämmerer, 1905. Geh. 0,60 M, kart. 0,75 M.

In der Erkenntnis, daß im ersten Lese-Unterrichte schwachsinniger Kinder aus pädagogischen und hygienischen Gründen die leichteste Schriftart in

Anwendung kommen müsse, wählt der Verfasser die Antiqua. Wegen der technischen Ungeschicklichkeiten der meisten Schüler soll anfangs das Lesen in den Vordergrund der Übung treten. Verfasser bietet deshalb in der 48 Seiten umfassenden Fibel den Lesestoff, der durchweg der Fassungskraft unserer Schüler entspricht und auf ihre mangelhafte Sprechfähigkeit gebührende Rücksicht nimmt, in lateinischen Druckbuchstaben. Leider vermissen wir in diesem Buche die **sachliche Konzentration der einzelnen Übungswörter.**

Die genaue und feste Auffassung der Buchstabenformen geschieht durch Handfertigkeits- und Malübungen, sowie durch Benutzung plastischer Buchstaben. Damit wird zugleich das eigentliche Schreiben, das erst mit dem Satzlesen beginnt, in der rechten Weise vorbereitet.

Auf Grund meiner eigenen Erfahrungen[1]) empfehle ich die Benutzung des Büchleins allen Lehrern der Schwachen zu einem Unterrichtsversuche.

9. **Gansberg, Fritz,** Bei uns zu Haus. Eine Fibel für kleine Stadtleute. Mit Bildern von Arpad Schmidhammer. Leipzig, R. Voigtländers Verlag, 1905. Geb. 0,70 M.

Mit diesen allen psychologischen Anforderungen gerecht werdenden »modernen« Fibel des Bremer Reformpädagogen werden wir uns eingehender beschäftigen, wenn wir die Gansbergschen Schriften zugleich mit denen seines Landmannes H. Scharrelmann im Zusammenhange betrachten.[2]) Einstweilen seien die Leser hierdurch darauf hingewiesen.

Halle a/S. Eduard Schulze.

2. **Pudor,** Dr. **Heinrich,** »Kultur der Familie«. Illustrierte Monatsschrift für die wirtschaftlichen, sozialen, geistigen und künstlerischen Interessen der Familie. Selbstverlag des Herausgebers Dr. Heinrich Pudor in Berlin-Steglitz, Forststraße 8. Preis pro Jahrg. 8,40 M. Einzelnes Heft, 24 S., 75 Pf.

Die Familie ist die Grundlage für das rechte Wohlbefinden jeglicher Art. In ihrer Veredelung ist sie das Höchste, was menschliche Kultur hervorbringt. Deutschland verdankt sein gegenwärtiges Ansehen dem tiefern Familiensinn. Seine Bevölkerungszunahme, die stets ein Zeichen der Volkskraft und -gesundheit ist, überstieg die der Nachbarländer. Die Quantität des Volkes erhöht auch die Qualität und fördert das wirtschaftliche und ethische Vorwärtsschreiten. Neuerdings aber gehen auch die Eheschließungen in Deutschland zurück, die Kindersterblichkeit erhöht sich gerade da in erschreckender Weise, wo die meisten Ehen geschlossen werden (Berlin), und wirtschaftliche Not, Oberflächlichkeit, Äußerlichkeit, Genußsucht, Unsittlichkeit, verkehrte philosophische und verwirrte sozialistische Systeme untergraben das Fundament der Ehe auch bei uns. Geht es auf der Bahn weiter, so geht das Vaterland einer traurigen Zukunft entgegen. Dies zu verhüten, zum Familienglück — d. i. zum Einzel- und Gesamtglück — zu führen, körperliche und geistige Gesundheit, rechtes wirtschaftliches und ästhetisches Leben zu erzeugen,

[1]) Neu hinzugetretene Leser verweise ich auf meine diesbez. Versuche und deren eingehende Darlegung und Begründung in Heft 1 des IX. Jahrg. unserer Zeitschrift.

[2]) Das müßte aber in psychologischer Weise geschehen, wie wir denn überhaupt unsere Mitarbeiter bitten müssen, stets den Charakter unserer Zeitschrift im Auge zu behalten. (Bemerkung der Schriftleitung. U.)

dazu will die neue Zeitschrift beitragen. Alle, die an der Volksgesundheit und -sitte Interesse haben, sollen das Unternehmen stützen.

Kinderforschung und Heilerziehung aber sind in vielfacher Hinsicht doppelt interessiert an einer rechten, gesunden Kultur der Familie.

Jena.   Winzer.

3. **Lenderink, H. J.,** Het Blindenwezen in eu buiten Nederland. Amsterdam, W. Gosler & Co., 1904. 25 M.

Der Direktor des Blinden-Instituts zu Amsterdam gibt in dem prächtigen Werke eine Übersicht über das Gebiet des gesamten Blindenwesens aller Länder. Dabei schmücken über 300 Porträts und Abbildungen das verdienstvolle Buch, aus dem jeder Abnormen-Erzieher viel lernen kann. In Deutschland warten wir noch auf eine derartige monumentale Darstellung dieses Gebietes.

4. **Mell,** Prof. **A.,** Geschichte des kaiserl. königl. Blinden-Erziehungs-Institutes in Wien 1804—1904. Selbstverlag des Institutes. 25 M.

Vor einigen Jahren verließ das »Encyklopädische Handbuch des Blindenwesens«, ein ebenso wertvolles wie umfassendes Werk desselben Verfassers, die Presse. Das vorliegende Werk ist ein würdiges Seitenstück dazu. Es behandelt die interessante und ruhmvolle Geschichte des ersten deutsch-österreichischen Blinden-Instituts. Dabei enthält es eine durch sorgfältige Forschungen belegte Biographie des Blinden-pädagogen Joh. Wilh. Klein. Auch die späteren Leiter, Fohlenbuer und Pablasek, werden eingehend gewürdigt. Das prachtvoll ausgestattete Werk ent-hält auch die Lichtdrucke Kleins und seiner Frau und anderer hervorragender Männer, sowie viele andere Abbildungen, Nachbildungen von historisch wertvollen Dokumenten und Grundrissen Faksimiles von Handschriften u. dergl. Das Blindenwesen kann sich zu einem solchen Werke gratulieren. Leider ist es nur in 250 Exemplaren gedruckt. Anstaltsbibliotheken sollten es willig anschaffen, denn das Werk sucht seinesgleichen, zumal wenn man bedenkt, wie minderwertig oft die Jubiläumsschriften und Geschichten anderer Anstalten ausfallen. Die Arbeit Prof. Mells ist ein schätzenswerter Beitrag zur Geschichte des Abnormenwesens, die ja der Genannte ebenfalls zu bearbeiten gedenkt. Wir wünschen ihm einen reichen Erfolg.

Neu-Erkerode bei Braunschweig.   Kirmsse.

5. **Eine Entgegnung.**

Auf unsere Besprechung der Schrift von Herrn Dr. med. **Heinr. Stadelmann:** »Schwachbeanlagte Kinder, ihre Förderung und Behandlung« (Heft 14 von »Der Arzt als Erzieher«. Sammlung gemeinverständlicher ärztlicher Abhandlungen. Verlag der ärztlichen Rundschau. München, Otto Gmelin) in Heft V, Jahrg. 1905 d. Ztschr. mit der Einladung, etwaige Irrtümer in unserer Beurteilung hier aufzuklären, sandte der Herr Verfasser jener Schrift uns folgende Ent-gegnung, der wir gerne Raum geben, obgleich sie unsere Auffassungen in keinem Punkte trifft:

»Da ich finde, daß diese Besprechung der Ausgangspunkt für subjektiv und objektiv unangebrachte Äußerungen ist, möchte ich in erster Linie den Leser er-suchen, die genannte Schrift selbst zu lesen, ebenso sich einen Überblick zu ver-schaffen über die Abhandlungen »Der Arzt als Erzieher«.[1]

---

[1] Auch ich kann die Leser nur bitten, alles selber nachzuprüfen, indem sie meine Kritik mit jener Schrift wie mit der vorstehenden Antikritik Stadelmanns

In dem genannten Referat wird dem Verleger und Herausgeber der Sammlung »Der Arzt als Erzieher« gewissermaßen das Recht abgesprochen, die Sammlung so benennen zu dürfen, da sie nicht ausschließlich »pädagogische« Fragen bespricht. Es ist doch genügend bekannt, daß Bücher erziehen, daß Bücher geschrieben wurden, um zu erziehen, und tatsächlich erzogen haben. Die Literatur erzieht, die Kunst erzieht. Dem Referat liegt eine vollständige Verwechslung von Erzieher und Lehrer zu Grunde.[1]

Von den Angriffen auf die Medizin im allgemeinen,[2] die bei Besprechung meiner Schrift in dem Referat zu finden sind, sehe ich ab; ich meine nur, selbst wenn der Lehrer Besitzer eines Kindersanatoriums ist,[3] hat er noch lange nicht die Möglichkeit in sich, über die Medizin zu Gericht zu sitzen.[2]

Was nun die Besprechung meiner Schrift anlangt, so muß ich bemerken, daß ich meine eigenen Gedanken, die aus meiner eigenen Erfahrung kamen, in derselben niedergelegt habe. Die Analyse psychotischer Phänomene war es, die ich in ihrem Wesen durchaus als Dissoziationserscheinungen erkannte. Darüber habe ich andern Ortes ausführlich geschrieben. Aus dieser Analyse ergab sich mir dann die Synthese. So entwickelte sich meine Assoziationsmethode, die ich seit langer Zeit bei der Behandlung erwachsener Nervenkranker anwende. Als ich zur Prophylaxe und Frühbehandlung Nervenkranker überging, forderte ich hierfür diese Assoziationsmethode.[4]

Da ich nur für eine Sache arbeite, gehe ich nicht auf die in dem Referat

---

genau vergleichen. Neu eingetretenen Abonnenten stelle ich die betreffende Nummer gerne zur Verfügung. Im allgemeinen aber bemerke ich nachdrücklich, daß für uns eine Kritik »subjektiv wie objektiv angebracht«, ja sogar eine unerläßliche, wenn auch oft recht unangenehme Pflicht ist, sobald es sich um die Wahrung bedeutsamer Interessen handelt. Literarischen Sport treiben wir nicht. Wir arbeiten für Lebensfragen unserer Jugend. Und nur um eine solche handelte es sich in meiner Kritik. Der Leser wolle sie sich daraufhin noch einmal genau ansehen. Sollte ihm das zweifelhaft erscheinen oder sollte er irgend eine der Gegenbehauptungen des Herrn Dr. Stadelmann für begründet halten, so will ich gerne eingehend Rede und Antwort stehen. Zu einer kurzen und sachlichen Besprechung dieser Frage stehen unsere Spalten zudem jedem Leser offen.

[1] Nach allgemeinem deutschen Sprachgebrauch und nach der für diese Frage maßgebenden Wissenschaft, der Pädagogik, liegt die Verwechslung der Begriffe Erzieher und Lehrer wie Erziehung und Belehrung (Aufklärung, Unterweisung) wohl nach wie vor auf seiten des Herrn Dr. St.

[2] Wo in aller Welt habe ich das getan? In meiner Kritik der Stadelmannschen Schrift ist das direkte Gegenteil geschehen: Ich habe behauptet und dementsprechend gehandelt: »Die spezifisch-medizinischen Fragen will ich nicht berühren« (nicht einmal berühren). Ich habe nur einen Vertreter der Medizin wegen seiner pädagogischen Lehren zur Rechenschaft gezogen.

[3] Ich bin Leiter und Besitzer einer Erziehungsanstalt, die in einem von mir näher beschriebenen Sinne auch zugleich ein Kindersanatorium ist. In medizinische Dinge mich zu mischen, habe ich mich auch in meiner Berufsarbeit stets gehütet. »Jedem das Seine«.

[4] Zu einer solchen Erklärung habe ich Herrn Dr. St. in meiner Besprechung direkt aufgefordert. Ich zweifle sie nicht an. Es bleibt aber die Tatsache: diese Methode hat die Pädagogik sich schon seit Jahrzehnten an den Schuhsohlen ab-

enthaltenen Angriffe auf meine Person ein.[1]) Es diene nur zur Mitteilung, daß ich in dieser Schrift grundlegende neue Gedanken gebracht habe, die das Referat ganz beiseite läßt.[2]) Es wurde die Angabe vieler Autoren erwartet; vergebens. Wo Eigenes ist, braucht man nicht aus 10 Büchern durch Zusammenschreiben von Zitaten ein elftes zu machen.[3])

Der Erfahrene und objektiv Denkende wird finden, daß die Besprechung meiner Schrift zum Ausgangspunkt für Erörterungen gemacht wurde, deren Motive anderswo liegen.[4])

Dresden, 12. September 1905.

Dr. Stadelmann, Nervenarzt.«

---

gelaufen. Herr Dr. St., früher in Würzburg, konnte und mußte das wissen. Er durfte darum höchstens sagen: »Ich bin durch meine psychiatrischen Erwägungen zu genau derselben Methode gekommen, welche die neuere Pädagogik längst zuvor eingehend begründet hatte.« Ich hatte aber nicht bloß das Recht, sondern leider auch die sehr unangenehme Pflicht, der Pädagogik ihr Eigentum zu reklamieren, aus schon wiederholt an diesem Orte angegebenen Gründen.

[1]) Der Person des Herrn Dr. St. stand und stehe ich durchaus wohlgesinnt gegenüber, im ganzen ja auch seinen Schriften. Ich wüßte wirklich nicht, wodurch ich seine Person angegriffen hätte. Für den Inhalt seines Schriftchens mußte ich ihn allerdings verantwortlich machen. Doch das wird er wohl selbst nicht anders wollen.

[2]) Wir werden Herrn Dr. St. sehr dankbar sein, wenn er uns die grundlegenden neuen Gedanken in einer besonderen Arbeit darlegen will. In dem kleinen Schriftchen habe ich keine gefunden. Dennoch habe ich an demselben gelobt: »Der Verfasser hat es verstanden, kurz, klar und treffend die notwendigsten Fragen dem Verständnis der Allgemeinheit näher zu bringen. . . . Wir sind voll einverstanden.« Was will er mehr?

[3]) Wo habe ich das verlangt? Ich habe u. a. nur gezeigt, daß »Eigenes« in der Pädagogik Altbekanntes ist. Im übrigen ist es Sache des wissenschaftlichen Gewissens eines jeden Autors, in irgend einer Weise auf Vor- und Mitarbeiter an einem Problem hinzuweisen.

[4]) Über die Motive meiner Besprechung habe ich wohl unsere Leser nie im Unklaren gelassen. Ich habe sie vorhin zum Überflusse nochmals angedeutet. Sie liegen in der ungeheuren Tragweite der Frage, ob und inwieweit die Erziehung Gegenstand der Medizin sein kann und im Interesse der Jugend sein darf und — umgekehrt. Denn auch Herr Dr. St. erhebt die Forderung, daß Erziehungsanstalten für Abnorme von Medizinern geleitet werden müssen.

Trüper.

Druck von Hermann Beyer & Söhne (Beyer & Mann) in Langensalza.

A. Abhandlungen.

1. Warum und wozu betreibt man Kinderstudium?

Von

A. J. Schreuder, Direktor des Medizinisch-Pädagogischen Instituts zu Arnheim.

(Forsetzung.)

III. Pädagogisches Interesse.[1]

Ein nicht minder kräftiger Sporn zum Kinderstudium ist das pädagogische Interesse. Eltern sowohl als Lehrer sehen heutzutage mehr als je ein, daß die Erziehung noch etwas anderes ist als die Anwendung eines mehr oder weniger vollständigen Systems pädagogischer Vorschriften, und daß PREYER Recht hatte mit seiner These, daß »ohne Studium der geistigen Entwicklung des kleinen Kindes die Erziehungs- und Unterrichtskunst nicht auf fester Grundlage ruhen könne.« Die natürliche Anlage des Kindes entwickelt sich

---

[1] Vergl. STANLEY HALL, Ausgewählte Beiträge zur Kinderpsychologie und Pädagogik. Deutsch von Joseph Stimpfl. 1902. S. 23—44: Die Kinderforschung und ihr Verhältnis zur Erziehung. S. 150—166: Kinderforschung, die Grundlage der exakten Pädagogik. S. 227—247: Die ideale Schule, gegründet auf die Kinderforschung. — MÜNSTERBERG, Psychologie und Pädagogik. Deutsch von Christian Ufer. Die Kinderfehler. IV. Jahrg. 1899. S. 28—37, 68—74, 90—93. — HEMPRICH, Die Kinderpsychologie und ihre Bedeutung für Unterricht und Erziehung. Pädagogische Bausteine. Heft 8. 1900. — JAMES, Psychologie und Erziehung. Deutsch von Friedrich Kiesow. 1900. — KNORTZ, Kindeskunde und häusliche Erziehung 1900. — STIMPFL, Der Wert der Kinderpsychologie für den Lehrer. Beiträge zur Lehrerbildung. 18. Heft. 1900. — ERDMANN, Die Psychologie des Kindes und die Schule. 1901. — HECKE, Die neuere Psychologie in ihren Beziehungen zur Pädagogik. Beiträge zur Lehrerbildung. 22. Heft. 1901.

sowohl zum Bösen als zum Guten. Erstere Entwicklung muß gehemmt, letztere begünstigt werden, indem man die Umstände, unter
denen das Kind aufwächst und die direkte pädagogische Behandlung
danach einrichtet.

Dazu ist nötig Kenntnis der kindlichen Anlage, des Entwicklungsganges dieser Anlage und der Mittel wodurch und des Maßes worin
die Entwicklung geleitet und umgestaltet werden kann.

Und vor allem auch die Kenntnis jedes Kindes insbesondere, denn

> »Wir können die Kinder nach unserem Sinne nicht formen;
> So wie Gott sie uns gab, so muß man sie haben und lieben,
> Sie erziehen aufs beste und jeglichen lassen gewähren.
> Denn der eine hat die, die anderen andere Gaben;
> Jeder braucht sie, und jeder ist doch nur auf eigene Weise
> Gut und glücklich.«   Goethe.

In der Praxis der Erziehung tauchen deshalb für denjenigen,
der es ernst meint und der weiter sieht als seine Nase lang ist,
immer wieder Fragen auf, die nicht ohne weiteres zu beantworten sind.

Dein Kind von 1 $\frac{1}{2}$ Jahren hat entdeckt, daß man mit einem Bleistift zeichnen
kann. Täglich freut es sich an seinem Gekritzel. Soll Vater nun einmal etwas
zeichnen? Einen Wau-wau-hund? Entzückt staunt das Kind das Mirakel an, daß
aus der Spitze des Bleistiftes ein Wau-wau-hund zum Vorschein kommt. »Mehr
Wau-wau-hund!« Und so wirst du gedrängt die ganze kindliche Tierwelt im Bilde
darzustellen. Nun fängt das Kind auch an, sich selbst bestimmte Aufgaben zu
setzen. Sieht es Ähnlichkeit? Es ist nicht anzunehmen. Nun bekommst du ein
wenig pädagogische Gewissensbisse. War es wohl richtig, daß du deinem Kinde
vorgezeichnet hast, hättest du nicht im Hintergrunde bleiben sollen, damit das Kind
in einem halben Jahre vielleicht die große Freude genießen könnte, selbst Ähnlichkeit in seinem Gekritzel zu entdecken? Sollte das der eignen Entwicklung nicht
mehr zu gute kommen, als dein vielleicht voreiliges Eingreifen? Du fragst, aber
die Antwort wagst du nicht zu geben, weil du einsiehst, die Art und die Entwicklung des kindlichen Kunstsinnes nicht zu kennen. Du nimmst SULLY und
PÉREZ aus dem Schrank und — bist gleich mitten im Kinderstudium.

Bei vielerlei Fragen jedoch lassen die Kinderpsychologen dich
im Stiche. Sie wissen es selbst nicht. Aber die Mütter und Väter
und Lehrer fragen weiter und so entsteht eine Richtung des Kinderstudiums, die vor allem aus pädagogischem Interesse geboren ist. Oft
werden die Pädagogen ungeduldig, daß die wissenschaftlichen Untersucher nicht eher fertig sind, mit den verlangten pädagogischen Ge-
wißheiten, und dann hört man in der Fachpresse wieder die nörgelnde
Warnung, daß das ganze Kinderstudium doch eigentlich traurig geringen Wert hat für die Pädagogik und daß wir es doch in uns
selbst und in der Praxis suchen müssen. Oder — was besser ist als
Nörgeln — die Pädagogen sagen: wir wollen ein wenig helfen, und
mit einem Fleiß, geboren aus Liebe zum Kinde und Bedürfnis nach

mehr Licht, machen sie sich an die Arbeit, eine Menge Beobachtungen für die Psychologen zu sammeln. Dies sehen wir heutzutage in großem Maßstabe geschehen in Amerika und England und, sei es auch in bescheidener Weise, in Holland,[1]) sowohl von Eltern als von Lehrern. Unterdessen ziehen auch diese selber und ihre Kinder Nutzen daraus, und gewiß nicht wenig. Sie lernen dadurch ihre Kinder besser kennen, besser erziehen und mehr lieben. Ein amerikanischer Schriftsteller, Professor HANUS der Harvard-Universität, spricht sogar als sein Schlußurteil über die dortige Kinderstudium-Bewegung aus, daß »ihr großer Wert seiner Meinung nach mehr in der Bedeutung liegt, die dieses Studium für diejenigen hat, die sich damit beschäftigen, als in den Ergebnissen, welche bis jetzt für die Psychologie daraus hervorgegangen sind.[2])

Im Grunde genommen haben die obengenannten Nörgler teilweise Recht: die Pädagogen können zuviel von der wissenschaftlichen Kinderkunde erwarten; ja, ein offnes Auge für den Unterschied im Wesen und in der Methode ist nötig, um einer Gefahr vorzubeugen. Der heutige Psychologe zergliedert, beschäftigt sich mit den möglichst kleinsten geistigen Einheiten; der Pädagoge sieht die Gesamterscheinung, das Kind ist für ihn ein unteilbares Ganzes. Der eine betrachtet den geistigen Mechanismus, der andere die Persönlichkeit. Ersterer rückt den kausalen Zusammenhang im Mechanismus ans Licht, letzterer muß teleologisch verfahren. Für den modernen Psychologen existiert der Wille eigentlich nicht, für den modernen Pädagogen ist der Wille die Hauptsache; ersterer ist Forscher, letzterer sei Dichter und Künstler.[3]) Das pädagogische Kinderstudium muß also wohl wesentlich sich von dem psychologischen unterscheiden; man könnte sagen ersteres bezweckt Kenntnis des Kindes, letzteres Kinderkunde. Ebenso wie für einen Lehrer Menschenkenntnis mehr wert ist als Psychologie, so ist für ihn auch Kenntnis des Kindes von größerem Interesse als Kinderkunde. Was natürlich nicht ausschließt, daß beide Zweige des Kinderstudiums sich gegenseitig ergänzen müssen und daß auf beiden Ge-

---

[1]) Später denke ich über die holländischen verfeinerten Massenuntersuchungen eingehend zu berichten.

[2]) W. S. MONROE, Das Studium der Kinderseele in Amerika. Zeitschrift für Ausländl. Unterrichtswesen. Jahrg. III. Lief. 3. S. 202.

[3]) Eine ähnliche Meinung wird verteidigt von Prof. HUGO MÜNSTERBERG in seinem soeben genannten Aufsatz »Psychology and Pedagogy«, erschienen in »The Educational Review«, Oktoberheft 1898. Neu York.

bieten derjenige die besten Studien macht, der sich auch auf dem andern heimisch fühlt.

Manchen, die am schärfsten den Gegensatz zwischen »reinem« und »angewandtem« Kinderstudium hervorgehoben haben, wie dem jungen tüchtigen Untersucher WILHELM AMENT,[1]) haben die Lehrer dieses verübelt, meiner Ansicht nach mit Unrecht. Man hat es so dargestellt, als ob man damit die Lehrer vom wissenschaftlichen Gebiet verjagen wolle. Gleichfalls mit Unrecht, vielmehr wird uns damit ein eignes Terrain für wissenschaftliches Kinderstudium angewiesen. Wohl erhebe ich Einsprache gegen den Ausdruck [»angewandtes« Kinderstudium. Wenn AMENT als Forderung aufstellt »die reine kinderpsychologische Forschung den Psychologen, ihre Resultate den Pädagogen,« so weisen wir diese Forderung unsererseits zurück. Wir haben etwas mehr zu tun, als die Ergebnisse des rein psychologischen Kinderstudiums abzuwarten und anzuwenden. Wir werden letzteres gewiß mit großer Dankbarkeit tun, insofern nämlich diese Ergebnisse für uns Interesse haben. Mehrere Probleme, die für die Kinderkunde als Wissenschaft sehr wichtig sind, haben ja für den Pädagogen als solchen sehr wenig Bedeutung. Doch unterdessen haben wir an unseren eignen Problemen zu arbeiten, und diese durch eigne gewissenhafte und geduldige Beobachtung der Lösung näher zu bringen. Man spreche also lieber von pädagogischem als angewandtem Kinderstudium. So ist es meiner Ansicht nach ein Fehlgriff der jüngeren französischen psychologischen Schule, die nach BINET und HENRI[²]) nichts weniger zu erwarten und zu bezwecken erklärt, als den Aufbau einer ganz neuen Pädagogik, ausschließlich sich gründend auf die Ergebnisse der wissenschaftlichen Kinderkunde, eine Auffassung, die man auch in SCHUYTENS erstem Pädologischen Jahrbuch ausgesprochen fand.[³])

Das pädagogische Interesse hat sicher viel eher zum Kinderstudium geführt als das rein wissenschaftliche und der größere Teil der Literatur verdankt diesem ihr Dasein, in dem Maße sogar, daß AMENT, von seinem Standpunkte aus mit Recht, über Einseitigkeit klagt und es bedauert, daß die größten Fragen der wissenschaftlichen Kinderpsychologie ungelöst bleiben aus Mangel an pädagogischem

---

[1]) WILHELM AMENT, Die Entwicklung von Sprechen und Denken beim Kinde. Leipzig, Wunderlich. 1899. Die Zukunft der Kinderpsychologie. Pädagogisch-psychologische Studien. I. Jahrg. 1900. S. 4—6. Leipzig, Wunderlich.

[²]) A. BINET et V. HENRI. La Fatigue Intellectuelle. Paris 1898. Einleitung.

[³]) Dr. M. C. SCHUYTEN, Paedologisch Jaarboek. 1. Jahrg. Antwerpen 1900. Sind bis jetzt 5 Jahrgänge erschienen.

Interesse.[1]) FRÖBEL und PESTALOZZI waren keine Psychologen, und mich dünkt, daß ROUSSEAU, der wenn auch nicht der Zeitordnung, so doch der Bedeutung nach als der Vater des Kinderstudiums zu betrachten ist, mehr Pädagoge als Psychologe war und daß dessenungeachtet sein EMILE (1762) ein wichtiges Stück Kinderstudium ist.[2]) Und unter den besten Schriftstellern, die sich mit Kinderstudium befaßt haben, begegnen wir einer großen Anzahl Pädagogen. Erwähnen wir nur Namen wie LUDWIG STRÜMPELL, BERTHOLD HARTMANN, KARL LANGE, STOY, BERNARD PÉREZ, EMIL EGGER, CHR. UFER, TRÜPER, LAY, KEMSIES usw.

Leider muß auch hingewiesen werden auf die Kehrseite dieser Sachlage, nämlich auf einen bei den Lehrern weitverbreiteten Mangel an Interesse für das Kinderstudium. Schon 1847 machte BOGUMIL GOLTZ in seinem »Buch der Kindheit« den Schullehrern eine bissige Bemerkung hierüber und CHRISMAN sagt: er fürchte manchmal, daß die Schule uns eher vom Kinde entfernt als uns ihm näher bringt.[3])

Er hätte sich hier ruhig eines positiveren Ausdrucks bedienen können. Wir sind fortwährend der Gefahr ausgesetzt, nur die Klasse zu sehen und nicht die Kinder. Das Studium der Methodik, das mit Recht einen großen Teil unsrer Zeit beansprucht, hat noch zu wenig Berührung mit dem Kinde selbst. Dieses wird nicht besser, solange man als erste und wichtigste didaktische Forderung die Anschaulichkeit betrachtet, dann richtet man das Auge nur auf den Lehrstoff. Erst wer das kindliche Interesse als führendes Prinzip seinem Unterrichte zu Grunde legt, sowohl in der Wahl des Lehrstoffes als in der Art und Weise, wie man unterrichtet, muß sich mit dem Kinde selbst in lebendige Berührung setzen.[4]) Ferner wirkt in der angegebenen Richtung mit die sich hervordrängende Forderung der Verstandesentwicklung, wodurch der Lehrer leicht von all denjenigen

[1]) l. c. S. 25.
[2]) Wenngleich COMPAYRÉ von Rousseau behauptet, er sei »der unbarmherzige Verkleinerer des Kindes, das er so schlecht kennt.« Deutsche Übersetzung. S. 278. — Man vergl. aber auch eine spätere Arbeit COMPAYRÉS, nämlich J. J. Rousseau et l' Education de la Nature, (Paris, Paul Delaplane), wo der Verfasser wiederholt dem großen Verdienst Rousseaus auf diesem Gebiete Gerechtigkeit widerfahren läßt.
[3]) OSCAR CHRISMAN, Paidologie. Entwurf zu einer Wissenschaft des Kindes. Jena 1896.
[4]) Bemerkung der Schriftleitung. Hier tritt die eminente Bedeutung Herbarts auch für das Kinderstudium zu Tage. Glücklicherweise sind auch nur die mit ihm fertig und über ihn erhaben, die sich nie ernstlich mit ihm beschäftigt und seiner pädagogischen Psychologie wie seiner psychologischen Pädagogik nie ernstlich näher getreten sind.

Äußerungen des Kindes abgelenkt wird, die nicht in direkter Verbindung mit seinem Lernen stehen, sogar muß er oft diesen Äußerungen vorsätzlich steuern. Ferner sind auch die großen Klassen ein Hindernis, nicht so sehr deswegen, weil man soviel Kinder nicht sollte kennen lernen können, sondern weil in einer großen Klasse der richtige Gang der Schulmaschine des Lehrers Kraft zuviel in Anspruch nimmt. Aber die Hauptursache dürfte wohl darin gesucht werden, daß wir nicht gelernt haben, Kinder zu beobachten. Wir sind nach dieser Richtung hin nicht geschult. Wir wissen weder wohin zu sehen noch wie zu sehen, noch das Beobachtete zu beschreiben und zu verarbeiten.

Mancher Lehrer möchte sich wohl gerne mehr mit Kinderstudium befassen, aber er fühlt, daß er nicht das rechte Geschick dazu hat. Mein Rat wäre dieser: Nimm ein gutes Buch, mit viel erläuternden Beispielen, z. B. das von COMPAYRÉ, auch ausgezeichnet von UFER ins Deutsche übersetzt,[1] und fange damit an, daß du von einzelnen Schülern tägliche Beobachtungen aufschreibst. Allmählich lernst du durch Vergleichung mit demjenigen, was andere schreiben, schärfer beobachten und Ordnung bringen in den bunten Strom geistigen Lebens, in welchem du dich täglich befindest. Auch Eltern, die nicht wissen, wie sie die Sache anfassen sollen, gebe ich den Rat, nur anzufangen. Schreibe jeden Tag etwas auf von all demjenigen, was dein Kind wieder für Bemerkenswertes getan hat und kaufe dir dann z. B. PREYER, »Die Seele des Kindes« oder LOUISE HOGAN, »A Study of a Child« und vergleiche dann. Es ist ein Genuß zu vergleichen mit dem kleinen PREYER, der für sein Alter nicht besonders entwickelt war oder mit dem kleinen Knaben der Frau HOGAN, der ein sehr gescheites Kind war. So lernst du schon vorher, was wahrscheinlich kommen wird, wenigstens worauf man zu achten hat. Ferner hat PREYER einen Auszug aus seinem Buch herausgegeben, nämlich: »Die geistige Entwicklung in der ersten Kindheit«[2], worin ausführliche Anweisungen gegeben sind für Eltern, welche ihre Kinder beobachten und ihre Erfahrungen in ein Tagebuch eintragen wollen. Auch weise ich hier hin auf ein englisches Büchlein »How to Study Children« von WARNER. Doch man muß nicht nachlässig sein im Aufschreiben; das genauere Aufzeichnen führt zu genauerer Beobachtung, ermöglicht bessere Vergleichung mit Kindern anderer und deinen eignen folgenden, es kann später von

[1] Verlag Oskar Bonde, Altenburg. 460 S.
[2] Stuttgart, Union Deutsche Verlagsgesellschaft, 1893. 200 S. 4 M.

großem Wert sein für den Lehrer oder den Arzt deines Kindes, es gewährt eine dauernde Erinnerung an die genußreichsten Stunden deines Lebens, und kann — wer weiß — auch noch der Wissenschaft zu gute kommen.

Für den Lehrer jedoch muß diese Lücke ausgefüllt werden durch einen praktisch-theoretischen Kursus in Kinderpsychologie. Dies ist eine Forderung der Zukunft, die jedoch in mehreren amerikanischen Lehrerseminaren schon zur Wirklichkeit geworden ist. Übungen in der Beobachtung geistiger Erscheinungen und in der Technik des Kinderstudiums gehen während des ganzen zweijährigen Kursus Hand in Hand mit dem Studium der besten Bücher über Kinderkunde. Hierbei vergesse man nicht, daß die amerikanischen Seminare sich ausschließlich mit dem theoretischen und praktischen Fachstudium des Lehrers zu befassen haben, da die jungen Leute erst auf das Seminar kommen können, nachdem sie die 8jährige Volksschule und eine 4jährige »high-school« mit gutem Erfolg durchgemacht haben.[1]

(Schluß folgt.)

2. Die Lehrmittel in den Schulen für schwachbefähigte Kinder.

Von **Alwin Schenk**, Breslau.

Als an mich die Aufforderung erging, die empfehlenswerten Lehrmittel für den Unterricht in den Hilfsschulen zusammenzustellen, habe ich gern zugesagt, da eine solche Gruppierung bisher in den Zeitschriften, die der Fürsorge für geistesschwache Kinder dienen wollen, noch nicht erschienen ist. Die Zusammenstellung macht keinen Anspruch auf Vollständigkeit; sie will nur die Grundlage für eine Erörterung über die Lehrmittelfrage, die für unsere Tätigkeit in der Hilfsschule von der allergrößten Wichtigkeit ist, bieten.

Im allgemeinen wird man ja sagen können, daß die besten Lehrmittel der Volksschule auch die der Hilfsschule sind. Doch hat die Hilfsschulpädagogik, wenn man von einer solchen sprechen will, sich auch nach andern Hilfsmitteln umsehen müssen, um ihrer Sonderaufgabe noch besser dienen zu können.

Die Aufzählung will ich in zwei Gruppen teilen. In der einen Gruppe will ich die Lehrmittel nennen, die für die einzelnen Fächer bestimmt sind; in der andern Gruppe möchte ich auf einige Lehrmittel mehr allgemeiner Art hinweisen.

A. Die Unterrichtsgegenstände der Hilfsschule sind in alphabetischer

---

[1] Ein ausführliche Übersicht findet man in der Zeitschr. f. Päd. Psychologie und Pathologie. 2. Jahrg. 1. Heft von dem Direktor des Seminars zu Westfield (Mass.) W. S. Monroe.

Reihenfolge folgende: 1. Anschauungsunterricht, 2. Deutsch, 3. Gesang, 4. Handarbeit für Mädchen, 5. Handfertigkeit für Knaben, 6. Rechnen, 7. Religion, 8. Turnen und 9. Zeichnen.

　　1. Anschauungsunterricht. Ehe ich die Lehrmittel für diesen Unterrichtszweig nenne, möchte ich zunächst festlegen, was ich unter dem Anschauungsunterrichte verstanden wissen möchte. Ich teile denselben mit Beziehung auf den Stoff in einen allgemeinen und in einen besonderen. Der allgemeine beginnt beim Eintritt des Kindes in die Hilfsschule und endet erst, wenn das Kind die Schule verläßt. Während auf der Unter- und Mittelstufe für ihn besondere Stunden angesetzt werden, beschränkt er sich auf der Oberstufe auf gelegentliche Übung. Der besondere — wir nennen ihn erweiterten Anschauungsunterricht — will gewissen Unterrichtsfächern der Volksschule — Geographie, Geschichte, Naturgeschichte und Naturlehre — dienen und setzt infolgedessen erst später ein, wenn die Kinder für geographische, geschichtliche und naturwissenschaftliche Belehrungen genügend vorbereitet sind.

　　Der allgemeine Anschauungsunterricht macht die Kinder im Anschluß an Gegenstände, Bilder usw. mit den gebräuchlichsten Dingen bekannt. Auch eine Menge von Begriffen, die unseren Schülern abgehen, sucht dieser Unterricht zu vermitteln. Auf der Unter- und Mittelstufe geschieht dies durch einen systematischen Unterricht, während es sich auf der Oberstufe nur um gelegentliche, aber oftmals wiederkehrende Belehrungen und Übungen handeln kann.

　　Die Lehrmittel für den allgemeinen Anschauungsunterricht sind zunächst alle die Dinge der Wirklichkeit, die auch für den schwachbefähigten Menschen von Bedeutung sind. Hier findet die Schule ein überreiches Sammelgebiet. Das Breslauer Lehrmittelverzeichnis für die Hilfsschulen nennt da u. a.: Quirl, Kochlöffel, Sieb, Flasche, Teller, Tasse, Schüssel, Messer, Gabel u. v. a. — Stuhl, Tisch, Bank, Fenster, Bild, Schrank u. v. a. bietet die Ausstattung des Schulzimmers. Von wirklichen Gegenständen, die im allgemeinen Anschauungsunterrichte der Oberstufe eine Rolle spielen, will ich ebenfalls einige nennen. Unsere Zöglinge sind sehr oft nicht imstande, die Zeit von der Uhr abzulesen. Ich habe Zifferblätter von Uhren, auf denen die Zeiger durch ein Räderwerk bewegt werden können, in den verschiedensten Hilfsschulen gefunden. Empfehlenswerter ist es, außerdem richtig gehende Wanduhren — wenigstens in den oberen Klassen — aufzuhängen. Mit Hilfe der Zifferblätter werden die Kinder zum Ablesen der Zeit von der Uhr geführt; durch das gelegentliche, aber oft wiederkehrende Verlangen, die Zeit von der Uhr abzulesen, erlangen auch schwachbefähigte Kinder die erforderliche Sicherheit. — Von großem Nutzen kann auch die Benutzung eines Abreißkalenders in der Hilfsschule sein. Ein Schüler hat die Aufgabe, die Zettel täglich abzureißen und, soweit dessen Inhalt für die Kinder verständlich ist, diesen auch vorzulesen. Durch sich anschließende kurze Besprechungen wird erreicht, daß die Kinder über die Monate, das Datum, Länge des Tages, Mondveränderungen, Jahreszeiten usw. stets unterrichtet sind. Ich meine, der allgemeine Anschauungsunterricht im Anschluß an wirkliche Gegenstände ist ein wichtiger Lehrgegenstand, der die Kinder vom Schuleintritt bis zu ihrer Entlassung begleiten muß.

Um den Kindern noch mehr Gegenstände vorzuführen, als die Schulräume zu bieten vermögen, hat man als ein Stück der unterrichtlichen Hilfsschultätigkeit die unterrichtlichen Spaziergänge eingerichtet. Man will die Schüler an Ort und Stelle mit Feld und Wald, mit Berg und Tal, mit Dorf und Stadt, mit dem Leben und Treiben auf dem Wasser, mit der Tätigkeit auf dem Bauernhof usw. bekannt machen. Eine Aufzählung der Lehrmittel, die die das Kind umgebende Welt diesem hier bieten kann, dürfte sich erübrigen, zumal auch infolge der großen Verschiedenheit der Gegenden nicht von einheitlichen Lehrmitteln gesprochen werden könnte.

Man darf damit noch nicht zufrieden sein. Die Anschauung der Kinder darf nicht bloß in einem Aufnehmen bestehen; als überaus wichtiges Stück der Anschauung muß sich die Betätigung anschließen. Über eine Form dieser Betätigung habe ich in den »Kinderfehlern« Jahrgang 1901, No. 3 bereits ausführlicher berichtet. Ich meine die kleine Arbeit über Gartenbau in Hilfsschulen. Abgesehen von den naturwissenschaftlichen Kenntnissen, die in einem späteren Teile zur Besprechung kommen sollen, vermittelt die Arbeit im Gartenbau auch eine große Anzahl von Kenntnissen mehr allgemeiner Art. Das Kind muß helfen den Garten in Beete teilen. Zu seinen Arbeiten bedarf es mancherlei Gartengeräte, die die Schüler nach Namen und Gebrauch kennen lernen. Der Schüler wird auch veranlaßt, auf das Wetter zu achten. In der Erziehungsanstalt in Bicêtre bei Paris dient der Schulgarten auch zur Vermittlung mathematischer Begriffe; ich sah da das Laubdach der Bäume zu Würfeln, Cylindern, Kegeln, Kugeln usw. verschnitten.

Eine zweite Form der Betätigung besteht in der Nachbildung von allerlei Gegenständen in einem Beschäftigungsunterrichte der Unter- und Mittelstufe, der sich auf der Oberstufe in den Handfertigkeitsunterricht für Knaben erweitert. Im Interesse einer klaren und umfassenden Anschauung müßte der Grundsatz aufgestellt werden: Soweit es möglich ist, sollen die Kinder die Anschauungsgegenstände, deren Kenntnis ihnen vermittelt wird, auch wirklich nachbilden. Die Herstellung eigener Lehrmittel macht den Kindern viel Freude. Dabei lassen sich die gegebenen Belehrungen wiederholen und befestigen; falsche Auffassungen können leicht beseitigt werden. Vielerlei Dinge können in Ton geformt werden. Verschiedene Gegenstände können mit Bausteinen erbaut werden. Auch Modellierbogen können Verwendung finden. Einzelne Dinge können ausgeschnitten und aufgeklebt oder ausgenäht werden. Für den Beschäftigungsunterricht in den Breslauer Hilfsschulen sind folgende Gegenstände (Material und Werkzeuge) bestimmt: 1. Fröbelsche Baukästen. Ausgabe A. B. C. 2. Legetäfelchen. 3. Plastilina. 4. Pinsel. Gummiarabikum oder Leim; Lineal mit Centimetereinteilung. 5. Glanzpapier, Umschlagpapier oder unbedrucktes Tapetenpapier. 6. Bilderbogen zum Ausschneiden. Pappe. 7. Form- oder Modellierhölzer. 8. Modellierton. Scheuersand. 9. Messer, Schere, Bohrer, Hammer, Drahtstifte. 10. Karton und Umschlagpapier.

Wer für einen solchen Beschäftigungsunterricht zahlreiche brauchbare

Lehrmittel zusammenstellen will, den verweise ich auf das »Lagerverzeichnis der gebräuchlichsten Lehrmittel für Kindergärten und Kleinkinderschulen«, das von der Priebatschschen Verlagsbuchhandlung in Breslau zusammengestellt worden ist und Interessenten kostenfrei zur Verfügung steht.

Aber nicht alle Modelle lassen sich von den ungeschickten Fingern der Hilfsschulkinder herstellen; mancherlei hiervon wird anderweitig besorgt werden müssen. Eine sehr reiche Sammlung von Modellen aller Art wird in der Budapester Landesidiotenanstalt verwendet. Ich fand da: Eisenbahn, Schiff, Soldat, Küche, Puppenstube mit Geräten, Stall u. v. a. Die reichste Quelle für die genannten Dinge dürften die Spielwarengeschäfte mit ihren vielen hübschen Sachen bilden. Nicht unerwähnt will ich die Dürfeldschen Modelle lassen (Viktor Dürfelds Nachfolger, Obervogelgesang bei Pirna in Sachsen). Sie umfassen, abgesehen von Tier- und Pflanzenmodellen, zahlreiche Lebensformen.

Für die Vermittlung einzelner Begriffsgruppen lassen sich Lehrmittel sehr leicht herstellen. In einer österreichischen Hilfsschule fand ich Zusammenstellungen zur Vermittlung folgender Begriffe: durchsichtig, durchscheinend und undurchsichtig — schwer, schwerer, am schwersten — dehnbar, biegsam usw. Die ersten drei Begriffe werden an 3 Glasplatten veranschaulicht. Die eine Glasplatte ist unverändert gelassen, die zweite mit einer dünnen und die dritte mit einer dicken Farbschicht versehen. — In der Erziehungsanstalt in Florenz fand ich zur Bestimmung des Geschmackes eine Zusammenstellung von folgenden Gegenständen: Chinarinde, Pfeffer, Salz, Enzian, Mehl und Zucker. — Für Übung des Geruches waren u. a. gruppiert: Salmiakgeist, Baldriantinktur, Pfefferminztropfen u. a. m. — Hierher möchte ich auch die Formen- und Farbentafeln rechnen. Die Formenbretter, die von der Mariaberger Anstalt (Württemberg), Direktor Schwenk in Idstein im Taunus und von Lehrer Weniger, früher in Gera (Reuß j. L.) in mannigfacher Art hergestellt worden sind, dürften allgemein bekannt sein. Die Farbentafeln darf ich ebenfalls als bekannt voraussetzen. In der Turiner Idiotenanstalt werden neben farbigen Täfelchen auch verschiedene farbige Wollfädchen und Tuchstückchen benutzt.

Die Zahl der für den Anschauungsunterricht geschaffenen Bilder ist eine ziemlich große. Den Vorrang nehmen die Kehr-Pfeifferschen Bilder ein. Bild 1—15 sind in schönstem Farbendruck ausgeführt; die Bilder 16—21 stehen künstlerisch nicht so hoch wie die erstgenannten. In Hilfsschulen und Idiotenanstalten sind ferner die Fislerschen Bildertafeln für den Sprachunterricht vielfach vorhanden (12 Bildertafeln für den Sprachunterricht, Schreibleseübungen in Bildern. Zürich, J. R. Müller). Beachtung verdienen Meinholds Handwerkerbilder, die erst in jüngster Zeit erschienen sind. Von älteren Anschauungsbildern seien noch empfehlend genannt: Lehmann-Leutemannsche Tierbilder, die Bilder von A. W. Kafemann, ferner Meinholds und Hölzels Wandbilder.

Soweit die Lehrmittel für den allgemeinen Anschauungsunterricht. Den besonderen habe ich bereits in vier Gruppen geteilt. Für die geographischen Belehrungen ist durch den allgemeinen Anschauungsunterricht — besonders im Anschluß an die unterrichtlichen Spaziergänge — eine große Zahl von Kenntnissen schon gesammelt worden, die zu wiederholen und zu gruppieren sind. Die ersten geographischen Lehrmittel — Pläne von Schulstube, Schulhaus, Schulgrundstück mit näherer Umgebung — muß der Lehrer selbst herstellen. In den Breslauer Volks- und Hilfsschulklassen sind an die Zimmerdecken Windrosen gemalt. Sind gute Karten des Heimatsortes und von dessen Umgebung vorhanden, so empfiehlt es sich, diese zum Unterrichtsgebrauch heranzuziehen. Der übrige Kartenvorrat beschränkt sich auf eine Karte der Heimatsprovinz und eine des gesamten deutschen Vaterlandes (empfehlenswert ist Gäblers politische Karte). Weitere Karten dürften sich bei unseren schwachen Kindern erübrigen. — In einzelnen Hilfsschulen benutzt man, wie ich bei meinem Besuche sehen konnte, mit gutem Erfolge einen nicht allzu kleinen Globus. — In der Braunschweiger Hilfsschule fand ich einen Atlas in der Hand der Kinder. Derselbe wies drei Karten auf. Eine Karte stellte die Stadt, eine zweite deren Umgebung und eine dritte das Herzogtum Braunschweig dar. Ich meine, ein den örtlichen Verhältnissen angepaßter und noch ein wenig erweiterter Atlas dürfte in allen Hilfsschulen gute Verwendung finden. Für die Erweiterung würde ich vorschlagen eine Übersichtskarte von Deutschland und eine ebensolche von Europa. Ob man für die andern Erdteile auch Karten empfehlen soll, darüber läßt sich streiten. Notwendig sind sie nach meiner Ansicht nicht. Will man im Hinblick auf die afrikanischen und asiatischen Wirren und im Hinblick auf die Bedeutung von Amerika Karten dieser Erdteile bringen, so dürfte es sich aber nur um Karten handeln, die wenig Stoff bieten. — Zur Belebung des geographischen Unterrichts dürften auch mancherlei Bilder dienen. Am einfachsten und billigsten sind gute Ansichtspostkarten, die bei den kleinen Schulabteilungen der Hilfsschulen auch für den Klassenunterricht oftmals ausreichend sein werden. Dasselbe gilt auch von Albums für einzelne wichtige und vielgenannte Städte; z. B. von Berlin. Wer größere Mittel für Bilder zur Verfügung hat, den verweise ich auf geographische Wandbilder, z. B. die von Lehmann (Verlag von Wachsmuth in Leipzig). — Für die praktische Gestaltung des Geographieunterrichts empfehle ich ferner die Einführung in den Gebrauch von Fahrplanbüchern der Eisenbahnen, die regelmäßig den größeren Zeitungen beigelegt werden. — Auf der Pariser Weltausstellung sah ich als Lehrmittel der französischen Volksschulen Briefmarkenzusammenstellungen ausgestellt. Eine kleine Briefmarkensammlung, die die allerwichtigsten einheimischen Marken und die der benachbarten Länder enthält, dürfte auch in den Hilfsschulen gute Dienste tun.

(Schluß folgt.)

B. Mitteilungen.

1. Vom Ersten internationalen Kongress für Erziehung und Kinderschutz in der Familie.

Lüttich, 18.—20. September.

Von Chr. Ufer.

(Schluß.)

Für unsere Leser kommen in der Hauptsache nur zwei Abteilungen in Betracht, die erste und die dritte. Sie beschäftigen sich mit der Kinderforschung (I) und mit den anormalen Kindern im besondern (III). Da ich den Verhandlungen in der dritten Abteilung fast gar nicht beiwohnen konnte, so vermag ich einstweilen nicht darüber zu berichten, doch kommen wir vielleicht auf die Sache zurück, wenn der gedruckte Bericht vorliegt. Einstweilen sei bemerkt, daß dieser demnächst von der Verlagsbuchhandlung De Wit in Brüssel zum Preise von 3 Franken bezogen werden kann.

Den Verhandlungen der ersten Abteilung, die unter dem Vorsitze des Universitätsprofessors Dr. van Biervliet (Gent) tagte, lag eine 113 Seiten starke Druckschrift zu Grunde, die 16 ganz kurz gefaßte Arbeiten enthält. Der wichtigste Punkt der Verhandlungen war zweifellos eine Anregung des auch in Deutschland wohlbekannten Professors Alfred Binet von der Sorbonne in Paris, die Einrichtung einer ständigen internationalen pädagogischen Kommission betreffend. Wir geben die Ausführungen Binets in deutscher Übersetzung wieder. Binet schreibt:

»Wer die Fortschritte der Pädagogik durch das Lesen pädagogischer Werke und Zeitschriften und besonders der Arbeiten auf dem Gebiete der experimentellen Psychologie aufmerksam verfolgt, der weiß, daß alle Länder ausgezeichnete Leistungen aufweisen. Besonders in Amerika, wo seit langer Zeit die Aufmerksamkeit auf die Erziehung gerichtet ist, vorgeht kein Jahr, wo die Gelehrten nicht irgend welches wichtige Untersuchungsergebnis zu Tage fördern, das ganz gewiß in der Erziehung verwertet werden könnte; man denke nur an die Arbeiten über den Mechanismus des Gedächtnisses. Man ist sehr häufig erstaunt ob des Scharfsinns dieser Untersuchungen, die viel Zeit gekostet haben, ob des Nutzens, den man daraus ziehen könnte, und ebenso darüber, daß sie der Vergessenheit anheimfallen. Das ist etwas entmutigend. Es scheint, daß sich der Mann der Wissenschaft nur ein Ziel setzt: die Wahrheit aufs genaueste zu ergründen und das Ergebnis möglichst genau niederzuschreiben. Um die praktischen Folgerungen, die daraus zu ziehen wären, kümmert er sich nicht.

In der erforschten Wahrheit würde wahrscheinlich eine Quelle großer Wohltaten für die Erziehung der jungen Seelen liegen, ein Mittel zur Verminderung der Mühe des Unterrichts und ein Schutzmittel gegen den pädagogischen Schlendrian. Daran liegt aber dem Gelehrten wenig; mit der praktischen Verwertung befaßt er sich nicht; er scheint das Ziel, das er sich gesteckt hat, erreicht zu haben, wenn das, was er für die Wahrheit hält, auf dem Papier steht. Das Geschriebene wird zum Endpunkte seiner Bemühungen, als wenn es der Daseinsgrund der Wissenschaft wäre.

»Unterdessen fahren die Schulbehörden fort, ihres Amtes zu walten, ohne sich um die Leistungen der Gelehrten zu kümmern; sie stehen der wissenschaftlichen Forschung völlig gleichgültig gegenüber und machen heute alles so wie gestern; die geringste Anregung zu einer Neuerung stößt bei ihnen, wie schon oft gesagt worden ist, auf Zurückhaltung und Mißtrauen, und zwar geschieht das in allen Ländern, denn überall erzeugen die gleichen Ursachen die gleichen Wirkungen.«

»Diesem bedauerlichen Stande der Dinge, an dem die Gelehrten und die Behörden in gleichem Maße schuld sind, muß ein Ende gemacht werden. Die Scheidewand zwischen der Wissenschaft und den Behörden muß fallen. Es handelt sich darum, den Verlust nützlicher Gedanken zu verhindern und bestimmte Neuerungen, die sich als gut erweisen, in die Praxis überzuführen.«

»Eine derartige organisatorische Arbeit kann meines Erachtens keinen unüberwindlichen Schwierigkeiten begegnen; aber damit man im stande ist, gegen den Schlendrian zu kämpfen, muß eine internationale pädagogische Kommission geschaffen werden. Diese Kommission müßte jedes Jahr in einem andern Lande zusammentreten und sich aus Unterkommissionen zusammensetzen, die in den einzelnen Ländern tätig wären. Um die Bildung dieser nationalen Unterkommissionen zu begünstigen, könnte der gegenwärtige Kongreß für jedes Land ein einziges Mitglied ernennen, und dieses wäre zu ermächtigen, sich an die Behörden zu wenden, um eine ministerielle Unterkommission für Pädagogik zu schaffen.«

»Ich schlage also dem Kongreß vor, das Prinzip einer ständigen pädagogischen Kommission zu besprechen und, falls man zustimmt, für jedes Land einen Vertreter zu ernennen. Die Vertreter der einzelnen Länder würden alsdann zusammentreten und über die weiteren Schritte beraten.«

Da Professor Binet leider durch Krankheit verhindert war, an den Verhandlungen teilzunehmen, nahm Berichterstatter den Antrag auf und führte folgendes aus:

»Daß die Schulbehörden der praktischen Verwertung von Ergebnissen der experimentellen Psychologie kühl gegenüberstehen, kann kaum geleugnet werden, ist aber in gewissem Sinne auch ihr gutes Recht, denn die Ergebnisse der Forscher stimmen nur zu häufig nicht überein. Auch läßt sich nicht bestreiten, daß die experimentelle Psychologie bisher nicht in das Innere der Erziehung eingedrungen, sondern mehr an der Oberfläche geblieben ist. Gleichwohl glaube ich, daß wir von der Zukunft Gutes zu erwarten haben, wenn die Ergebnisse der psychologischen Forschung in den verschiedenen Ländern vermehrt, gesammelt, vergleichend geprüft und auf ihre pädagogische Verwendbarkeit eingehend untersucht werden. Dazu kann die von Binet vorgeschlagene internationale Kommission gute Dienste leisten. Nur glaube ich, daß die Oberkommission zweckmäßig aus je zwei Mitgliedern für die verschiedenen Länder gebildet wird, nämlich aus einem Vertreter der experimentellen Psychologie und einem Pädagogen. Es scheint mir jedoch zweckmäßig, einstweilen nur eine lediglich vorbereitende Kommission zu wählen, deren Mitglieder dann in ihren Ländern für die Bildung der eigentlichen Kommission tätig zu sein hätten.«

Nachdem dieser Antrag, sowohl was die Zusammensetzung der eigentlichen als auch der vorläufigen Kommission betrifft, angenommen war, wurden für die letztere folgende Mitglieder gewählt: Prof. Binet-Paris (Frankreich), Rektor Ufer-Elberfeld (Deutschland), Seminardirektor Dr. Giese-Wien (Österreich), Schulinspektor Dr. Popovich-Karlowitz (Ungarn), Prof. Pereira-Madrid (Spanien), Frau Dickenson-London (England), Frau von Kuschkin-St. Petersburg (Rußland), Prof. van Biervliet-Gent (Belgien), Direktor Schreuder-Arnheim (Holland), Prof. W. Monroe-Westfield (Vereinigte Staaten). Den in der vorbereitenden Kommision noch nicht vertretenen Ländern ist es gestattet, je ein Mitglied für dieselbe zu bestimmen. Zum Vorsitzenden wurde Prof. Binet-Paris, zum Schriftführer Rektor Ufer-Elberfeld gewählt. Die Beschlüsse wurden von der Hauptversammlung gutgeheißen.

Professor Malapert-Paris verbreitete sich über die verschiedenen Methoden, die Ermüdung der Schulkinder festzustellen und kam zu dem Ergebnisse, daß der Methode Griesbachs der Vorzug zu geben sei, daß aber die bisherigen Ergebnisse der Ermüdungsmessungen eine praktische Verwertung noch nicht gestatteten. Ferner meinte er, man dürfe bei der Bekämpfung der Ermüdung nicht übersehen, daß es zu den Aufgaben der Erziehung gehöre, die Schüler an Anstrengung zu gewöhnen. Auch Professor van Biervliet-Gent beschäftigte sich mit der Ermüdung und Überbürdung und trat für vier größere Pausen während der täglichen Schulzeit ein. Laberthonnière-Paris meinte, eine auf die Psychologie gegründete Pädagogik laufe Gefahr, das Kind nicht als Person, sondern als Sache zu behandeln; die Ergebnisse der psychologischen Forschung müßten in moralischer, nicht in fabrikmäßiger Weise verwertet werden. Über den gegenwärtigen Stand der Kinderforschung berichteten Klootsema-Alkmaar für Holland, Monroe-Westfield und Fräulein Buckbee-Californien für Nordamerika.

---

2. Friedrich Moritz Hill.

Ein Gedenkblatt zu seinem hundertsten Geburtstage am 8. Dezember.

Von Oberlehrer W. Reuschert-Straßburg i. E.

In Weißenfels a. S. wurde am 29. September d. J. für Friedrich Moritz Hill ein Denkmal im Vorgarten der Provinzial-Taubstummen-Anstalt enthüllt, an dem die gesamte Taubstummenlehrerwelt inneren Anteil hat; denn seit einer Reihe von Jahren war es ihr sehnlicher Wunsch, dem Reformator des Taubstummenunterrichts an der Stätte seines vieljährigen segensreichen Wirkens ein Denkmal zu errichten. Nicht nur von den Lehrern der Gehörlosen Deutschlands, sondern auch von vielen des Auslandes gingen Beiträge ein, ja auch die erwachsenen Taubstummen beteiligten sich durch Sammlungen, und so konnte nach kurzer Zeit das Denkmalkomitee mit dem taubstummen Bildhauer von Woedtke in Verbindung treten, der sich bereit erklärt hatte, den Entwurf zu dem Monument unentgeltlich zu liefern. Heute zeigt sich das Denkmal in künstlerisch vollendeter Form den Blicken der Vorübergehenden; die aus Erz gegossene Büste Hills, seine Züge vortrefflich wiedergebend, auf einem aus Bayreuther Granit gearbeiteten Sockel. So wird Hills äußeres Bild kommenden Geschlechtern unvergänglich erhalten bleiben. Es ist ein Zeichen der Dankbarkeit seiner Jünger, zugleich soll es aber auch eine Mahnung sein, in gleicher Treue und Liebe und mit gleichem Eifer, wie Hill es getan, auf diesem Gebiete der Heilpädagogik weiter zu arbeiten. Hierzu eine Handreichung zu geben, das Arbeiten und Schaffen Hills recht zu verstehen und nutzbar zu machen, hat mein Bruder, E. Reuschert, Lehrer an der Königlichen Taubstummen-Anstalt zu Berlin, eine warm empfundene, umfangreiche und interessante Festschrift unter dem Titel herausgegeben: »Friedrich Moritz Hill, der Reformator des deutschen Taubstummenunterrichts.« (Berlin N. 37, Selbstverlag. 185 Seiten stark.)

Weißenfels verdankt seinen Ruf auf pädagogischem Gebiete drei hervorragenden Männern, den sogenannten »drei großen H« seines Lehrerseminars: Harnisch, Hentschel und Hill, die eine Reihe von Jahren zusammen an genannter Anstalt in Segen arbeiteten; Harnisch besonders auf den Gebieten des Religions-, Sprach- und Weltkundlichen-Unterrichts, Hentschel als Rechenmeister und Lehrer des Gesanges, endlich Hill, der dritte Träger der Tradition des Seminars, der durch seine Leistungen und seine Schriften »mehr als europäischen Ruf genossen«, durch welche er bahnbrechend und vorbildlich wurde.

Ein Schlesier von Geburt (geb. am 8. Dezember 1805 zu Reichenbach), kam er im Oktober 1830 nach Weißenfels, nachdem er vorher das Lehrerseminar zu Bunzlau absolviert, welches damals unter der bewährten Leitung Dr. Krügers stand, an welcher Anstalt er dann auch — seiner musterhaften Führung und seiner vorzüglichen Leistungen wegen — als Hilfslehrer verwendet worden war und hierauf zur weiteren Ausbildung die Universität und verschiedene andere Bildungsanstalten Berlins besucht hatte. »Nicht aus innerem Triebe«, sagte Schulrat Walther-Berlin, ein ehemaliger Schüler und späterer Kollege Hills, bei der Enthüllungsfeier des Denkmals in Weißenfels, »hat Hill sich der Bildung der Taubstummen gewidmet; seine Neigungen und Interessen lagen auf anderen Gebieten.« Mit Unlust ging er an die Arbeit, als er die durch den Unterrichtsminister ihm übertragene erledigte Stelle des ersten Lehrers an der mit dem Seminar verbundenen Taubstummenschule antrat. Seine Abneigung war groß, auch brachte Hill einen alten Groll gegen Harnisch mit, der von den Angriffen des letzteren in seinem »Schulrat an der Oder« gegen den

Direktor Hoffmann . und das gesamte Lehrerkollegium des Seminars zu
Bunzlau herrührte.   Auch wurde Hill in Weißenfels nicht mit offenen
Armen empfangen, da Harnisch eine andere Person für diese Stelle vorgeschlagen hatte, was aber nicht genehmigt worden war.   Ohne jegliches
Interesse gab sich Hill anfangs der »ledernen Tätigkeit« hin, und da er weder
wußte, wie er dem verschlossenen Geiste der Gehörlosen nahe kommen
konnte, noch von deren eigentümlicher Denk- und Ausdrucksweise Kenntnis hatte, ist es erklärlich, daß er sich in seiner Hilflosigkeit unglücklich
fühlte und seiner beruflichen Tätigkeit keinen Geschmack abgewinnen
konnte.   So kam es, daß Hill Zerstreuungen mancherlei Art suchte und
weniger an die Vorbereitung für seinen Unterricht dachte.   Wenn nun
Hill in seiner Lässigkeit eines strengen Zuchtmeisters bedurfte, so war
kein besserer zu finden, als Harnisch, da dieser an sich und andere die
größten Anforderungen in Bezug auf Leistungsfähigkeit stellte.   Schonungs-
los rüttelte er Hill aus seiner Lässigkeit auf, erweckte dessen Ehrgefühl
und regte ihn zu eifriger Tätigkeit an.   Von nun ab widmete sich Hill
mit Eifer seinem Berufe, und wenn er es anfangs auch nicht aus Neigung
tat — wie er selbst berichtet — so doch aus Pflichtgefühl.   Je länger
er in diesem tätig war, desto mehr wuchs seine Liebe zu den »Waisen
der Natur«, den Viersinnigen, desto eifriger arbeitete er aber auch an
seiner eigenen Vervollkommnung, desto hingebender war sein Streben, die
Methode des Taubstummenunterrichts auszubauen.   Hierbei fand er nun
an Harnisch mit seiner reichen pädagogischen Erfahrung eine kräftige
Stütze und an den übrigen Seminarlehrern, die sämtlich auf den ihnen
überwiesenen Gebieten Mustergültiges zu leisten sich bemühten, Anregung
und Ermutigung.   So konnte Hill mit Recht später in seiner bescheidenen
Art sagen: »Es war mir während meiner mehr als 35 jährigen Tätigkeit
im Dienste der Taubstummen inneres Bedürfnis und Ehrensache, zur Verallgemeinerung einer richtigen Kenntnis und Beurteilung der Taubstummenbildung beizutragen.«

   Große Verdienste hat er sich um diesen Zweig der Pädagogik erworben; denn traurig sah es auf diesem Gebiete aus, als Hill in Weißenfels seine Tätigkeit begann.   Die wenigen Unterrichtsanstalten, die damals
bestanden, hatten sich von der allgemeinen Pädagogik, die doch ihr Nährboden sein sollte, fast vollständig isoliert; es wurde nicht nach pädagogischen Grundsätzen beim Unterricht der Gehör- und Sprachlosen verfahren, sondern einem toten Mechanismus wurde gehuldigt.   So ging denn
Hills Streben zuerst dahin, eine auf allgemein gültigen pädagogischen
Grundsätzen beruhende und der Natur des Taubstummen entsprechende
Unterrichtsmethode zu schaffen.   Zu diesem Zwecke besuchte er in dem
nahegelegenen Leipzig öfter den gefeierten Katecheten Dolz, um bei ihm
zu hospitieren, dasselbe tat er auch in seinen Freistunden in der Seminar-
übungsschule; daneben studierte er die bedeutendsten pädagogischen Werke
der damaligen Zeit sowie die über Psychologie, Anthropologie, Sprachbildung und Grammatik.   Nur wenige brauchbare Werke standen ihm aus
der Fachliteratur zur Verfügung, und so schuf er denn eine neue Methode
für den Taubstummenunterricht, da die beiden damals bestehenden Unter-

richtsweisen nichts als toter Mechanismus waren, indem die sogenannte französische Methode (bezeichnet nach Frankreich, wo sie ausgebaut und am meisten betrieben) ihre vornehmste Aufgabe in der künstlichen Ausbildung der Gebärdensprache suchte, die deutsche Methode dagegen die Aneignung der Lautsprache, jedoch nicht nach pädagogischen Grundsätzen, sondern auf mechanische Art und Weise betrieb, daneben aber die Gebärdensprache florierte. Hill brach mit diesen beiden Unterrichtssystemen und basierte seine Methode auf den Grundsätzen der allgemeinen Pädagogik, wie sie von dem großen Schweizer Pestalozzi aufgestellt worden waren, dabei das Gebrechen und dessen Folgen beim Taubstummen berücksichtigend. Er ging von dem Grundsatze aus: »Entwickele die Sprache in dem taubstummen Kinde, wie sie das Leben in dem vollsinnigen erzeugt!« Durch überzeugende Logik, scharfe Beweisführung und packende Darstellung seiner Grundsätze schaffte er sich überall Anhänger, die seinen Bahnen folgten. Aber noch weit mehr wirkte die praktische Verwertung dieser Theorien durch ihn in seiner Schule zu Weißenfels, die bald der Wallfahrtsort für zahlreiche Taubstummenlehrer des In- und Auslandes wurde. In seiner Schultätigkeit erkannten alle den Meister; so galt auch mit Bezug auf Hill und seine Arbeit der Ausspruch: »Worte begeistern, Taten reißen hin.« Voll Bewunderung schied jeder von ihm ob seiner Schultätigkeit, mit Unermüdlichkeit, Klarheit und Geschicklichkeit arbeitete er, immer die Bedürfnisse seiner Schüler vor Augen. So steht er vor uns als ganzer Mann: der Klassiker unter den Taubstummenlehrern und der Meister in der Schule, trotz der recht mangelhaften und mißlichen äußeren Verhältnisse, unter denen er arbeitete.

Mit vollem Rechte kann er »der Reformator des Taubstummen-Unterrichts« oder »der Altmeister der neudeutschen Taubstummenunterrichts-Methode« genannt werden, was noch nachgewiesen werden soll.

1. Ist auch die Taubstummenbildungsangelegenheit nur eine bescheidene Sache im öffentlichen Leben, da der Prozentsatz der Taubstummen in Bezug auf die Gesamtbevölkerung glücklicherweise nur eine verschwindend kleine ist, so hat sich doch der Unterricht der Gehörlosen zu einem lebensvollen, kräftigen Zweige am Baume der allgemeinen Pädagogik entwickelt, und das verdanken die Taubstummenbildung und deren Jünger nur Friedrich Moritz Hill, der sie wieder in lebendige Verbindung mit jener brachte, von der Ansicht ausgehend, daß der Taubstummenunterricht nur gedeihen könne, wenn er auf dem befruchtenden Boden der allgemeinen Pädagogik stehe. An Stelle des toten Mechanismus setzte er mit kühner Hand, unbekümmert um mancherlei Anfeindungen, seine bis ins kleinste wohl durchdachte und auf allgemein anerkannten pädagogischen Grundsätzen beruhende lebensvolle Unterrichtsmethode.

2. Unter Berücksichtigung der Eigentümlichkeit des Taubstummen und seines Gebrechens entwickelte Hill die Sprache naturgemäß, immer dem Sprachbedürfnis der Schüler Rechnung tragend, nämlich so, wie sie das Leben im vollsinnigen Kinde erzeugt. Die Natursprache des Taubstummen — die Gebärdensprache — wollte er nur allmählich aus dem Unterricht verbannt wissen, in dem Maße nämlich, wie der kleine Taub-

stumme Fortschritte im Sprechen macht. Dagegen war Hill ein Gegner
der Anwendung der künstlichen Gebärde.

Er sagt darüber selbst: »Wie das Kind allmählich gehen und laufen
lernt, so lernt es auch sprechen und die Sprache verstehen. Zuerst
kriecht es auf allen Vieren, fängt dann an, sich zu erheben, zu stehen,
sich an anderen Gegenständen aufrecht fortzubewegen usw. Mag das
taubstumme Kind sich zuerst nur in Gebärden ausdrücken und nur Mitteilungen in Gebärden verstehen: durch einen naturgemäß geordneten
Unterrichtsgang geleitet, wird es bald anfangen, einzelne Worte zu verstehen
und anzuwenden, und dem fortdauernden Bemühen des Lehrers wird es
täglich mehr gelingen, die Vorstellungen und Gedanken des Schülers in
die landesübliche Form zu leiten und ihn selbst zur Durchdringung dieser
Form zu befähigen.«

3. Liegt auch das Hauptverdienst Hills darin, den Sprech- und
Sprachunterricht der Taubstummen belebt und in neue Bahnen gelenkt zu
haben, so hat er doch auch den Unterricht in den übrigen Fächern nicht
unberücksichtigt gelassen, seinem Grundsatze entsprechend: »In allem
Unterricht sei Sprachunterricht!« Von dem Prinzip ausgehend, daß die
Aufgabe der Taubstummeninstitute keine andere sein könne, als den Taubstummen die Volksschule zu ersetzen und ihnen im wesentlichen dasjenige zu gewähren, was die hörenden Schüler aus der Elementarschule
fürs Leben mitbringen sollen, wollte er auch den Unterricht in Religion,
im Rechnen und in den Realien nicht missen, sondern gestaltete auch
diese lebensvoll, entkleidete sie allen unnützen Flitters und wies diesen
die ihnen gebührende Stellung in der Taubstummenschule zu.

4. Ferner war Hill bestrebt, die Wohltat des Unterrichts und der
Erziehung möglichst allen Taubstummen zu teil werden zu lassen, und so
trat er eifrigst in Wort und Schrift für die Verallgemeinerung des Taubstummenunterrichts ein und zwar durch Vermehrung der Taubstummenschulen und Ausbildung einer genügenden Anzahl tüchtiger Lehrer.

5. Auch das Los der Taubstummen in Haus, Kirche und Staat lag
ihm am Herzen, weshalb er unausgesetzt für die Besserung desselben
tätig war.

6. Endlich sei auch seiner literarischen Tätigkeit Erwähnung getan,
von der Walther bei der Enthüllung des Denkmals sagte: »Ich will
nicht entscheiden, wer größer war, der Schriftsteller Hill oder der Lehrer.«

Außer einer großen Anzahl beleuchtender und darstellender, kriti-
sierender und polemischer Aufsätze über Theorie und Praxis des Taubstummenunterrichts in vielen pädagogischen Zeitschriften (»Allgemeine
Schulzeitung« von Dr. Zimmermann, Diesterwegs Wegweiser, »Organ für
die Taubstummen- und Blindenanstalten« von Dr. Matthias) verfaßte Hill
noch zahlreiche größere und kleinere Werke zur Bildung von Lehrern und
zur Belehrung von solchen Personen, die mit Taubstummen in Berührung
kommen. Neben diesen Lehrbüchern, die nach Inhalt und Form mustergültig sind und mehrfach in fremde Sprachen übersetzt wurden, gab er
aber auch noch eine Reihe von vortrefflichen Hilfsmitteln für die Hand
der Schüler heraus, die die weiteste Verbreitung fanden.

An Anerkennung hat es Hill nicht gefehlt, wenn auch anfangs sich das Sprüchwort an ihm zu bewahrheiten schien: »Der Prophet gilt wenig im eigenen Vaterlande.« Mehrfach wurde sein Rat von auswärtigen Regierungen bei Reorganisation des Taubstummenbildungswesens eingeholt; zahlreiche Taubstummenlehrer des In- und Auslandes strömten nach Weißenfels, um ihn beim Unterricht zu sehen und von ihm zu lernen — und keiner verließ leer oder unbefriedigt die Stätte seiner Wirksamkeit. Fachvereinigungen verliehen ihm die Ehrenmitgliedschaft, so auch solche in Italien und England, sowie verschiedene Staatsregierungen Ordensauszeichnungen, so Dänemark, Schweden, Oldenburg, Anhalt, Österreich und auch Preußen.

Über Hills Familienleben ist wenig zu sagen; er war zweimal verheiratet, aber beide Ehen waren kinderlos. Er war eine kalte Natur, der Verstand beherrschte ihn vollständig, deshalb kann es auch nicht wundernehmen, wenn er in der letzten Zeit seines Lebens von sich als von einem »Fichtenbaum, einsam auf kahler Höhe stehend« sprach und sich nach dem »Frieden, der so süß und doch so schwer zu erringen ist,« sehnte. Sein körperliches Befinden ließ in seinen letzten Lebensjahren viel zu wünschen übrig. Er sah sich deshalb genötigt, wiederholt kürzere oder längere Zeit auszuspannen. Von einer Erholungsreise nach Schleiz kehrte er im Sommer 1874 anscheinend gestärkt zurück. Da erkrankte seine zweite Frau, die ihm nach kurzem Leiden entrissen wurde — und bald folgte er ihr nach. Eine Lungenentzündung raffte den fast neunundsechzigjährigen Mann am 30. September desselben Jahres hinweg. Die Taubstummenlehrer Deutschlands und des Auslandes errichteten ihm auf seiner Ruhestätte ein würdiges Denkmal in Form eines schlichten Kreuzes aus weißem Marmor mit passender Inschrift. Ein dauernderes Denkmal hat sich aber unser Altmeister Hill selbst in den Herzen seiner zahlreichen Schüler und Jünger gesetzt, die sich bemühen, mit seinem Erbe zu wuchern und sich an seinem arbeitsreichen Leben, an seinem unermüdlichen Schaffen ein Beispiel nehmen. Ein Ansporn möge die Erinnerungsfeier am 100. Geburtstage Hills allen Taubstummenlehrern sein, in ihrem schweren Berufe nicht zu ermüden; ihre ganze Kraft den Taubstummen zu widmen, eingedenk des Spruches, der auch sein Grabmal schmückt: »Tue deinen Mund auf für die Stummen und für die Sache aller, die verlassen sind!« (Sprüche Salomonis 31, 8.)

---

3. Hofrat Dr. Paul Schubert †.

Am 21. August d. J. endete das arbeits- und erfolgreiche Leben des als Arzt und Schulhygieniker weit über die Grenzen seiner Wirkungsstätte hinaus bekannten Hofrats Dr. Paul Schubert in Nürnberg. Geboren am 17. Januar 1849 als Sohn eines Landmannes in Neiße, studierte er, nachdem er als Freiwilliger an den Kämpfen der großen Jahre 1870/71 teilgenommen, in Breslau, Berlin, Wien und Würzburg, wo er 1875 auf Grund einer Dissertation über Physiologie der Ernährung promoviert

6*

wurde und 1876 das Staatsexamen ablegte. Nachdem er sich in der Klinik des Dr. Hermann Cohn, Professor der Augenheilkunde in Breslau, mit allen Zweigen der Augenhygiene eingehend beschäftigt und bei Professor Politzer in der Ohrenheilkunde tüchtig ausgebildet, ließ er sich im Jahre 1879 in Nürnberg als Augen- und Ohrenarzt nieder. Hier eröffnete er eine eigene Augen- und Ohrenklinik, in der viele Tausende leidender Menschen die erhoffte Heilung fanden, in der er auch zahlreiche Schüler zu tüchtigen Ärzten ausbildete.

Seine Hauptarbeitskraft galt der Augenhygiene in den Schulen, einem Gebiete, das er ungefähr 25 Jahre unermüdlich bearbeitete, auf dem er sich einen unbestrittenen Platz unter den Augenhygienikern der ganzen Welt gesichert hat. Seine hierhergehörigen schulhygienischen Schriften behandeln besonders die Steilschrift (Heftlage, Schriftrichtung, Körperhaltung).

In den letzten Jahren seines Lebens wandte er sein Interesse der praktischen Frage der Einführung von Schulärzten zu. Seinem Eifer und seinem Einfluß ist es zu danken, daß Nürnberg zu den Städten unseres Vaterlandes gerechnet werden muß, die das segensreiche Institut der Schulärzte verhältnismäßig früh einführten. Literarisch betätigte er sich in diesem Zweige der medizinischen Wissenschaft als Redakteur des »Schularzt«, einer Beilage zu der von Dr. Kotelmann begründeten und zur Zeit von Professor Erismann geleiteten »Zeitschrift für Schulgesundheitspflege«, sowie durch das in diesem Jahre bei Leopold Voß in Hamburg verlegte inhaltsreiche Werk: »Das Schularztwesen in Deutschland.« Dieses für die Schularztfrage ohne Zweifel bedeutendste Buch enthält die Ergebnisse einer Umfrage bei den Magistraten und Kreisärzten in mehr als hundert deutschen Städten mit 550 Schulärzten.

Der Lehrerschaft ist er durch Wort und Schrift alle Zeit ein treuer Helfer und Berater gewesen. Für Reins Encyklopädisches Handbuch bearbeitete er die Artikel: Augengläser, Augenkrankheiten, Farbenblindheit, Kurzsichtigkeit, Schielen, Steilschrift. Ebenso brachte er in Kehrs Pädagogischen Blättern für Lehrerbildung wichtige schulhygienische Fragen zur Behandlung.

Seine umsichtige Tätigkeit als Generalsekretär des großen Internationalen Kongresses für Schulhygiene zu Nürnberg im vorigen Jahre brachte ihm die Bewunderung und Verehrung aller Teilnehmer ein.

Neben seinen ausgedehnten Berufsgeschäften und zahlreichen literarischen Arbeiten fand er immer noch Zeit, auch als liberaler Stadtverordneter für Nürnbergs Wohl zu raten und zu taten.

»Schubert war das Ideal eines Arztes.«

Halle a/S.   Ed. Schulze.

4. Ein Kurs der medizinischen Psychologie mit Bezug auf Behandlung und Erziehung der angeboren Schwachsinnigen.

Zu dem Plan dieses Kurses [1]) sind mir von Ärzten und Lehrern aus verschiedenen Teilen Deutschlands Zustimmungserklärungen und vorläufige Anmeldungen zugegangen, so daß ich die weiteren Schritte tun kann. Als Zeit kommt mit Rücksicht 1. auf den Kongreß für experimentelle Psychologie in Würzburg vom 10. bis 13. April 1906, 2. auf den Kongreß für Kinderforschung und Jugendfürsorge, 3. auf die Versammlung des deutschen Vereins für Psychiatrie nur die Zeit von Montag, den 2. bis Samstag, den 7. April in Betracht. Ort: Gießen, Klinik für psychische und nervöse Krankheiten.

Der Kursus wird folgende Themata umfassen:

1. Die verschiedenen Formen der Idiotie.
2. Ursachenforschung, Prophylaxe und Therapie im Gebiet der Idiotie.
3. Untersuchung der Schädel-Abnormitäten mit praktischen Übungen.
4. Medizinische Psychologie mit Bezug auf Behandlung und Erziehung der angeboren Schwachsinnigen mit psychophysischen Übungen.
5. Experimentelle Didaktik mit Bezug auf die angeboren Schwachsinnigen.
6. Das Hilfsschulwesen.
7. Die Zwangserziehung.
8. Die strafrechtlichen Beziehungen des angeborenen Schwachsinnes.
9. Jugendliches Verbrechertum.
10. Der angeborene Schwachsinn im Militärdienst.
11. Die Anstalten für Schwachsinnige usw. mit Besichtigungen.

Als Vortragende werden außer dem Unterzeichneten und Herrn Privatdozent Dr. Dannemann voraussichtlich noch Herr Prof. Dr. Weygandt-Würzburg und Herr Seminarlehrer Lay-Karlsruhe mitwirken.

Außerdem werden bei den Übungen die Herren Oberarzt Dr. von Leupoldt, Dr. Dannenberger und Dr. Berliner helfen.

Das genauere Programm der Vorträge und Übungen soll Ende Februar 1906 versandt werden.

Die Einschreibgebühr wird je nach den Kosten der Vorbereitung usw. 10 bis 20 M betragen. Zu dem Kurs sind alle an der Behandlung und Erziehung der angeboren Schwachsinnigen ernsthaft interessierten Personen besonders Ärzte und Lehrer eingeladen.

Gießen, Ende Oktober 1905.   Prof. Sommer.

----

5. Unsere Stellung zu diesem Kurs.

Auch wir haben die Einrichtung dieses Kursus durch eine briefliche Mitteilung an Herrn Professor Sommer mit Freuden begrüßt. Jeder, der

------

[1]) Vergl. Psychiatrisch-neurologische Wochenschrift 1905, Nr. 20.

in hingebender Weise ohne Nebenabsichten der guten Sache dienen will,
muß unbedingt unterstützt werden.

Unsere Leser wissen freilich zur Genüge, wie die »Psychiatr.-Neur.
Wochenschrift« und Herr Professor Weygandt über Pädagogik, Lehrerstand und über die Erziehung unglücklicher schwachsinniger Kinder
denken. Es läßt sich in die Worte zusammenfassen: leider gebührt der
Pädagogik »der Löwenanteil« an der Behandlung Abnormer, aber wenn
Pädagogen Anstalten für dieselben leiten, so entsprechen diese nicht »der
Erfahrung, der Wissenschaft und der Humanität«. Wir nehmen nicht
an, daß Herr Professor Sommer sich zu einem Werkzeug solcher Tendenzen
hergeben will, wir geben ihm aber hiermit die Gelegenheit, sich öffentlich
darüber zu erklären, unter Hinweis auf die zahlreichen Artikel in unserer
Zeitschrift über Medizin und Pädagogik. [1] Eine Teilnahme der
Lehrer an solchen Kursen ist nur dann empfehlenswert, wenn
die Wahl der Dozenten von vorneherein die Gewähr bietet,
daß auf diesem Gebiete die Pädagogik der Medizin als ebenbürtig geachtet und behandelt wird.

In diesem Sinne hatte ich sofort direkt an Professor Sommer geschrieben. Er erklärte darauf:

»1. Medizin und Pädagogik werden bei dem Kurs als völlig gleich-
wertige Faktoren behandelt. (Vergl. das Programm.)

2. Die Personenwahl hat sich im Anschluß an den Kongreß für
experimentelle Psychologie in Gießen von selbst ergeben.

3. Da der Kurs einen methodischen Unterricht bezweckt, sind alle
prinzipiellen oder persönlichen Streitigkeiten ausgeschlossen«,
und meinte, daß ich einen Gedanken, den ich »mit Freude begrüßt habe,
nunmehr aus persönlichen Motiven bekämpfen wolle.«

Doch, und das habe ich ihm eingehender brieflich begründet, treffen
diese Sätze in keinem Punkte meinen Einwand.

Würde Herr Professor Sommer die Gleichwertigkeit betonen, dann
müßte schon äußerlich die Zahl der Dozenten ungefähr gleich verteilt
sein, aber soviel ich sehe, hat er nur einen Pädagogen, Herrn Dr. Lay,
neben 6 Medizinern, und Lays Arbeitsgebiet liegt zudem nicht einmal in
der Richtung der Heilerziehung. Doch das ist nicht das Wichtigste, es
ist nur das Äußere der Frage und mehr Nebensache. Wenn es sonst
kein Fragezeichen gäbe, so könnte auch noch der eine Pädagoge fehlen.

Selbstverständlich glaube ich, daß Prof. Sommer bei dem Kurs alle
prinzipiellen und persönlichen Streitigkeiten ausschließen wollte. Aber
ebensowenig gab ich ihm Anlaß zu der Annahme, »aus persönlichen
Motiven seine Sache bekämpfen zu wollen«. Nicht um die Person des
Herrn Prof. Weygandt handelt es sich für uns. Die Person Weygandts
ist uns vollständig gleichgültig. Aber den Verfasser der Schrift: »Die
Behandlung idiotischer und imbeciller Kinder in ärztlicher und päda-

---

[1] »Zeitschrift für Kinderforschung« Jahrgang II, 157; III, 58, 154, 191;
IV, 58, 188; V, 71, 210, 279; VI, 46, 141, 193; VII, 1; VIII, 271; IX, 111, 160,
214, 279; X, 209; XI, 96.

gogischer Beziehung« als Instrukteur für Erziehungs-»Masseure« der
nach Herrschaft Strebenden zu empfehlen, das wird man uns doch
nicht zumuten wollen.

Es handelt sich für uns durchaus um eine Sache, und zwar um
eine große Sache, um das Wohl von mehr als 100000 Kindern und
Jugendlichen. Denn die Proklamierung des Satzes, daß, wenn Erziehungsanstalten für diese nicht von Psychiatern nach Art des Herrn Professor
Dr. Weygandt und im Sinne der »Psych.-Neur. Wochenschrift« geleitet werden, sie nicht »der Erfahrung, der Wissenschaft und der Humanität« entsprechen, drückt nicht bloß eine gegen die Pädagogik und den
ganzen Lehrerstand geradezu beleidigende Parteistellung aus, sondern läßt
auch der Sache kein Recht und keine Gerechtigkeit widerfahren. Mit
solchen Männern ist überhaupt auch über die Sache nicht mehr zu diskutieren, und ein Nachdenksamer kann sich unmöglich von ihnen In-
formation holen wollen. Das habe ich ja schon wiederholt nachgewiesen.
Genügt es nicht, so kann noch deutlicher geredet werden.

Meine Bemerkungen sind darum nicht aus persönlichen Motiven hervorgegangen, sondern sind durchaus sachliche und berühren eine sachlich überaus weittragende Frage.

Ich nehme an, daß Herr Prof. Sommer über die ganze Sache nicht
hinreichend und nur einseitig unterrichtet ist. Ich lege ihm darum auch
nichts weiter zur Last, möchte nur von dem anscheinend übel Unterrichteten an den besser zu Unterrichtenden appellieren und möchte vor
allen Dingen ein Wort reden zum Hand in Hand arbeiten zweier
Berufsstände, die immer und immer wieder aufeinander angewiesen sind, und möchte insbesondere wünschen, daß der Kurs diesem
Dienste sich so widme, daß auch der leiseste Gedanke eines mit Mißachtung erfüllten Standesinteressenkampfes ausgeschlossen bleibt.

Trüper.

---

6. Vorläufige Mitteilungen über den Kongress für Kinderforschung und Jugendfürsorge.

Den letzten Mitteilungen[1]) zufolge hatte der in Berlin erwählte Ausschuß einen Vorstand zu wählen. Die Wahl fiel — nach der Stimmen-
zahl aufgeführt — auf die Herren

Geh. Med.-Rat Prof. Dr. Ziehen-Berlin,
Institutsdirektor Trüper-Jena,
Prof. Dr. Rein-Jena,
Geh. Med.-Rat Dr. Heubner-Berlin,
Direktor Dr. Klumker-Frankfurt a/M.,
Geh. Reg.-Rat Prof. Dr. Münch-Berlin.

---

[1]) Trüper, Ein Kongreß für Kinderforschung und Jugendfürsorge. Langensalza, Hermann Beyer & Söhne (Beyer & Mann). Wird vom Verleger unentgeltlich
verabfolgt.

Dem Wunsche des geschäftsführenden Ausschusses des deutschen
Lehrervereins um Beteiligung an den Vorarbeiten des Kongresses und um
Einreihung seines Vorsitzenden, Lehrer Röhl in Berlin, in den vor-
bereitenden Ausschuß ist durch Rundschreiben mit allen gegen eine
Stimme stattgegeben worden.

Der Vorstand wählte aus seiner Mitte für die Geschäftsführung Prof.
Ziehen und Direktor Trüper. Auf Vorschlag von Prof. Rein wurde
noch Dr. Ament-Würzburg als Schriftführer hinzugewählt.

Herr Prof. Ziehen lehnte aber den Vorsitz ab und beharrte unbedingt bei seiner Ablehnung. Nunmehr wurde Geh. Reg.-Rat Prof.
Dr. Münch-Berlin an seiner Stelle gewählt.

Die Ortsfrage mußte aufs neue erörtert werden. Denn für das
Zustandekommen des Kongresses zu Ostern in Frankfurt hatten sich
allerlei unüberwindliche Schwierigkeiten ergeben. Von der Mehrzahl der
Ausschußmitglieder wurde auf schriftlichem Wege nun zwar in erster
Linie Jena und Trüper als Vorsitzender in Vorschlag gebracht, jedoch
die mündlichen Verhandlungen des Ausschusses und Vorstandes, die in
Halle am 28. Oktober stattgefunden haben, ergaben, daß für einen ersten
Kongreß sich auch hier Schwierigkeiten bieten würden und Berlin aus
vielen Gründen dafür der geeignetste Ort sei. Unter anderm wurde in
die Wagschale geworfen die zentrale Lage, die Rücksichtnahme auf das
Vorhandensein der großen Laboratorien der Professoren Ziehen und
Stumpf, sowie auf die dort in sicherer Aussicht stehenden Vorführungen
reichen Anschauungsmaterials und psychologischer Untersuchungsmethoden.

Als Zeit des Kongresses glaubte man zwar in der Ausschuß-
sitzung in Halle noch an der Osterwoche des nächsten Jahres festhalten
zu sollen, es ergaben sich jedoch nachträglich so entschiedene Bedenken
bezw. Hindernisse für Ostern und ebenso für Pfingsten (so die Tatsache
mehrerer gleichzeitig tagender Vereine und Kongresse), daß von jenen
Terminen endgültig Abstand genommen werden mußte. Der geschäftsführende Vorstand in Verbindung mit den Berliner Ausschußmitgliedern
hat nun die Zeit vom 1.—3. Oktober 1906 festgesetzt, für welche auch
der Gesamtausschuß seine Zustimmung gab. Darnach soll am Sonntag
den 30. September Begrüßungsabend sein und die folgenden Tage werden
dann den Verhandlungen dienen.

In Betreff des Verlaufes des Kongresses wurde in der Aus-
schußsitzung zu Halle einmütig gewünscht, daß auf jede festliche Veranstaltung verzichtet werde und daß auch die sogenannten offiziellen Begrüßungen fortfallen mögen, um die kostbare Zeit nicht zu verkürzen.
An den Arbeitstagen sollen dann vormittags die wissenschaftlichen Vorträge, die so viel als möglich auch praktische Einblicke zu bieten haben,
entgegengenommen werden. Die Reihenfolge der Vorträge soll tunlichst
gemeinsame Beziehungspunkte aus der Mannigfaltigkeit zum Ausdruck
bringen.

An den Nachmittagen soll einer Tagung der bereits erfolgreich
wirkenden selbständigen Vereinigungen und Verbände, die ihren Anschluß

an den Kongreß bekundet haben, Raum gegeben werden. Auch bleibt vorbehalten, daß der Kongreß nach Bedürfnis noch besondere Gruppen bildet, die dann ebenfalls ihre Verhandlungen am Nachmittage zu pflegen haben. Die Einzelbestimmung darüber muß dem Vorstande und dem Ortsausschusse überlassen werden. Die übrige Zeit der Nachmittage soll zum Besuche der geplanten Ausstellungen von Anschauungsmitteln auf dem Gebiete der Kinderkunde und Jugendfürsorge dienen.

Eine besondere Einladungsschrift, die außer den eben genannten Erwägungen alles das enthalten soll, was ein klares Bild von den Zwecken und Zielen des geplanten Kongresses geben kann, wurde in Halle eingehend besprochen. Es erwies sich aber als notwendig, daß in erster Linie der vorbereitende Ortsausschuß in Berlin im Einverständnis mit den Unterzeichneten und unter Berücksichtigung der dort gegebenen Verhältnisse den Inhalt näher bestimme, um alsdann den endgültigen Wortlaut derselben bekannt zu geben.

Die vorläufige Anmeldung von Vorträgen, über deren Annahme die Entscheidung dem Gesamtvorstande vorbehalten bleibt, nimmt entgegen und nähere Auskunft erteilt

der geschäftsführende provisorische Vorstand:

Geh. Reg.-Rat Prof. Dr. W. Münch-Berlin W. 30, Luitpoldstr. 22,
Anstaltsdirektor J. Trüper-Jena-Sophienhöhe,
Privatgelehrter Dr. phil. W. Ament-Würzburg, Sanderglacisstr. 44.

---

7. Ein neues Heilerziehungsheim

besteht seit Juni d. J. unter der Firma: »Stellings Heilpädagogium Hannover-Kirchrode, durch die Provinz Hannover unterstützte Erziehungsanstalt für schwachbefähigte, nervöse und fehlerhaft beanlagte Kinder gebildeter Stände.« Fachärztlicher Berater ist der Nervenarzt Prof. Dr. med. Bruns, Hannover, Hausarzt Dr. med. Brauns, Hannover.

Aus dem Prospekt des auch unsern Lesern nicht unbekannten Begründers und Leiters heben wir folgende Punkte hervor:

1. Zwischen den Idiotenanstalten und Hilfsschulen einerseits und den Privatinstituten andrerseits besteht eine unverkennbare Lücke. Diese auszufüllen — wenigstens den Anfang damit zu machen — hat sich das Heilpädagogium zur Aufgabe gestellt. Die von dem hannoverschen Provinzialausschusse dem Begründer gewährten Vergünstigungen setzen ihn in stand, die Verpflegungssätze so zu bemessen, daß auch den Kindern gebildeter, minder bemittelter Eltern die Aufnahme in die Anstalt ermöglicht werden kann, ohne daß deswegen von anderer Seite um so höhere Unterhaltungskosten gezahlt werden müssen.

2. Aufnahme finden solche Kinder, die geistig zwar nicht so tief stehen, daß sie einer Idiotenanstalt zugeführt werden müssen, die aber von dem für Normalbegabte berechneten Unterricht so gut wie gar keinen Nutzen haben. Ausgesprochen Idiotische müssen demnach ausgeschlossen werden.

3. In der heilpädagogischen Anstalt werden Mediziner und Pädagoge es sich gemeinsam angelegen sein lassen, in hygienischer und pädagogischer Hinsicht solche Verhältnisse zu schaffen, daß allen Anforderungen Genüge geleistet wird, die an ein pädagogisch-medizinisches Institut gestellt werden müssen.

4. Erziehungshaus und Schule sollen Hand in Hand gehen, indem sämtliche Zöglinge mit der Familie des Anstaltleiters und den Angestellten des Heilpädagogiums eine große Familie bilden, das Ganze also ein familienartiges Gemeinschaftsleben darstellt.

5. Namentlich soll die Ausbildung der Hand eine größere Berücksichtigung finden und neben der Lernschule soll so die Arbeitsschule zu ihrem Recht kommen und der praktischen Arbeit (Fröbelsche Beschäftigungen, Handfertigkeitsunterricht, weibliche Handarbeiten, leichte Haus- und Gartenarbeit) soll im Erziehungsplan des Heilpädagogiums ein wichtiger Platz eingeräumt werden.

6. Eine häufige Begleiterscheinung der schwachen Begabung bilden die Sprachstörungen. Solche Fehler zu heilen, dürfte einem Taubstummenlehrer, der zu wiederholten Malen mit bestem Erfolge den Lautentwicklungskursus bei den kleinen unmündigen Taubstummen geleitet hat, keine Schwierigkeiten bereiten. Eine genaue Bekanntschaft mit derartigen Störungen aller Art hat derselbe überdies auch in der von ihm abgelegten Prüfung als Vorsteher an Taubstummen-Anstalten nachweisen müssen. Er hat zu dem Ende auch während der Beurlaubung zum Zwecke der Vorbereitung auf diese Prüfung die Gelegenheit benutzt, um an der Berliner Universität Vorlesungen über Sprachstörungen zu hören. —

Die fünf erstgenannten Forderungen sind seit 1890 auch Programmpunkte meines eigenen Erziehungsheims und in theoretischer Beziehung auch solche dieser Zeitschrift. Wir freuen uns, daß dieselben immer mehr Anerkennung finden und daß immer mehr Versuche gemacht werden, neue Anstalten nach diesen Grundsätzen zu errichten. Zu dem Dr. Großmannschen Institut in Pinehurst (Nordamerika), dem Schreuderschen medizinisch-pädagogischen Institut in Arnheim und dem Zimmerschen Heilerziehungsheim für Mädchen im Pubertätsalter in Zehlendorf bei Berlin gesellt sich nun auch das Stellingsche und bietet in dreifacher Hinsicht etwas Beachtenswertes:

1. Wie dem Schreuderschen Institut wird auch das seine von den Behörden unterstützt und gefördert. Die Provinzialregierung hat ihn aus seinem Amte als Taubstummenlehrer pensionsberechtigt beurlaubt und ihm damit für den Anfang eine große Sorge für sich und seine Familie abgenommen. Soviel ich weiß, hat auch der preußische Kultusminister sich persönlich für das Unternehmen interessiert.

Das ist ein erfreulicher Fortschritt, sofern die Regierungsbeamten als Gegenzahlung nicht die Bevormundung beanspruchen. Nicht jede Privatanstalt kann sich sonnen in den Strahlen des Wohlwollens von den Lichtern der grünen Tische. Die Geschichte der Privaterziehungsanstalten könnte in Bänden erzählen von dem Unverstand und der Interesselosigkeit mancher Verwaltungsbeamten für solche Unternehmungen und ihre ideellen Aufgaben.

Was Fröbel seinerzeit in Blankenburg erfuhr, haben andere nach ihm erfahren und bitter empfinden müssen. In einem überhöflichen Tone bittet er den Bürgermeister, ihm doch das bis dahin bewilligte Zimmer im Gemeindehause für seinen Kindergarten zu belassen; in einem fast despektierlichen Tone antwortet dieser, daß die Gemeindeverwaltung die Zimmer in eine — Kneipe umwandeln wolle.[1]) Auch heute noch gibt es Erziehungs- und Heilanstalten, die von der Verwaltung weit schlechter als Kneipen behandelt werden. Glücklicherweise hängt in der Welt das Gedeihen des Guten aber nicht ab von der Gnadensonne und dem Interesse solcher Verwaltungsbehörden. Den hannoverschen Behörden aber sei um so mehr für dieses Interesse Anerkennung gezollt. Sie haben begriffen, daß ideelle Güter auch verwaltet sein wollen und daß Privatanstalten immer noch die Aufgabe der Pfadfinder und Bahnbrecher auf pädagogischem Gebiete haben.

2. Herr Stelling will besonders die mittlere Bürgerschicht, vor allem aber das Beamtentum berücksichtigen. Das ist ebenfalls ein gutes Vorhaben. Für die abnormen Kinder der Masse ist durch allerlei Staats- und Wohltätigkeitsanstalten z. T. gesorgt. Diese können natürlich nur auf die große Volksmasse und auf eine Massenbehandlung berechnet werden. Für den unbemittelten Gebildeten ist es aber sehr hart, ein abnormes Kind in einer Anstalt sozial tiefer behandelt zu wissen, als es daheim gehalten wird. Mancher Leser wird das nicht verstehen und mich deswegen antisozial schelten. Allein, wer für die allgemeine Gleichmacherei mit dem Schlagwort: »das Ministerkind neben das Straßenkehrerkind auf dieselbe Schulbank!« schwärmt, der möge mit gutem Beispiel vorangehen und mit seiner ganzen Familie statt mit seinesgleichen mit der untersten Arbeiterschicht gesellschaftlich verkehren. Dann soll er ein Recht für jene Losung haben. Ich wünsche und arbeite dafür, daß die unteren Volksschichten kulturell gehoben werden und wünsche darum gute Schulen und Anstalten für sie; aber gehobene Schichten hinabzudrücken, der Gleichmacherei zu Liebe, das ist vielleicht politisch demokratisch, aber in kultureller Beziehung durch und durch antisozial. Die Absichten Stellings und die der hannoversch-preußischen Behörden muß ich darum als wahrhaft soziale loben. Es wird manchen Eltern des Mittelstandes dadurch ermöglicht, auch ihrem Schmerzenskinde eine familiengemäße Anstaltserziehung zu teil werden zu lassen.

Ohne irgend welche Unterstützung war es mir in meiner Anstalt leider nicht möglich, die Pensionsgelder so niedrig zu stellen, wenn ich es nicht aufgeben wollte, auf andere Weise für die unglücklichen Kinder unbemittelter Eltern zu wirken, und wenn ich nicht das Ganze meiner Anstalt so tief hinabdrücken wollte, daß sie auf Vorbildlichkeit keinen Anspruch mehr erheben konnte. Zwei Verpflegungsklassen innerhalb einer Anstalt

---

[1]) Diese klassischen Briefe fand ich unlängst im Fröbelmuseum zu Eisenach. Vergl. auch: Eleonore Heerwart, Wilhelmine Fröbel, Friedrich Fröbels erste Gattin. Nach Quellenschriften aus dem Fröbelmuseum bearbeitet. Eisenach H. Kahle, 1905. S. 320.

einzuführen, hielt ich dagegen für unpädagogisch. Überlegt habe ich es
oft. So blieb mir nichts anderes übrig, als höchstens einzelne Kinder in
aller Stille zu einem niedrigen Satze aufzunehmen. Aber um bestehen zu
können, konnten es immer nur einzelne sein. Ich begrüße darum die
Anstalt Stellings noch besonders als eine Ergänzung zu der meinen
auch in dieser Hinsicht.

3. Stelling will auch abnorme Kinder mit Sprachstörungen
aufnehmen. Das ist wiederum ein Verdienst. Kinder, welche leichte
Sprachstörungen und Hörfehler haben, finden ja in allen Schulen und
Privatanstalten Aufnahme. Aber als früherer Taubstummenlehrer erscheint
mir Stelling besonders berufen zu sein, solche mit schwereren Sprach-
und Gehörgebrechen, wie auch ich sie ablehnen muß, anstaltlich zu versorgen. Auch für solche Kinder sei das Heilpädagogium in Kirchrode
darum besonders empfohlen.

Dem Leiter aber wünschen wir, daß er sich stets bewußt bleibe:
eine Privatanstalt hat in obigem Sinne auch öffentliche, soziale Verpflichtungen: sie hat der öffentlichen Fürsorge die Wege zu
suchen.   Trüper.

---

8. Kinderaussagen.[1]

Was für einen Wert Geständnisse von beschuldigten Kindern
oft genug haben, zeigt wieder einmal folgender drastischer Fall, über den
die Jen.-Ztg. berichtet. In Weimar sollte ein 13jähriger Knabe ein
Paket, das er für einen Major a. D. zur Post tragen sollte und das beim
Adressaten nicht angekommen war, unterschlagen haben. Der Knabe hatte
anfänglich jede Schuld in Abrede gestellt, dann aber, von dem ihn ver-
nehmenden Kriminalbeamten hart und drohend angelassen, ausgesagt, er
habe das Paket geöffnet, sich 20 M daraus angeeignet und diese z. T.
vernascht, z. T. im Schießhaushölzchen vergraben, das Paket selbst aber
in die Ilm geworfen. Daraufhin wurde vom Staatsanwalt Anklage erhoben. Nicht lange danach stellte sich heraus, daß das Paket richtig auf
der Post eingeliefert, der Adressat aber am Bestellungsort lange nicht gefunden worden war, so daß er die Sendung erst verspätet erhielt. Auf
dem Postamt hatte man, als die Polizei nachforschte, in einer falschen
Liste gesucht und daher die Aufgabe nicht verzeichnet gefunden.

                                                        Tr.

---

[1] Vergl. Stern, Beiträge zur Psychologie der Aussage. Leipzig, Joh.
Ambrosius Barth, 1905.

C. Literatur.

Dr. **Maennel,** Rektor in Halle, Vom Hilfsschulwesen. 6 erweiterte Vorträge,
gehalten im Jenaer Ferienkursus. 73. Bändchen der Sammlung »Aus Natur und
Geisteswelt«. Leipzig, B. G. Teubner, 1905.

Die Schwierigkeiten einer Darlegung der Hilfsschulorganisation sind bedeutend;
sie sind nicht allein in der Neuheit der Stoffbearbeitung, auch in der Verschiedenheit der jetzt bestehenden Hilfsschulen begründet. Es läßt sich deshalb kaum
schlechthin von dieser Schulart Allgemeingültiges behaupten oder fordern, ohne
Gemeinplätze der Rede und des Denkens zu betreten. Siehe Maennels Lehrziele
für die einzelnen Fächer S. 96 und 97. Der Verfasser selbst bescheidet sich bei
dieser Sache schließlich in dem Gedanken: »Ein einzelner Bearbeiter wird überhaupt die Lehrplanfrage nicht lösen können.«

Ich möchte hinzufügen: Selbst der beste Lehrplan für eine Hilfsschule hat
im Hinblick auf deren therapeutischen, individual-pädagogischen Charakter nur be-
dingte Gültigkeit.

Die Ungeklärtheit der Theorie über das Hilfsschulwesen drängte den Verfasser dazu, seine besonderen Erfahrungen in Halle nicht zu verschweigen. Und
diese wie alle andern Mitteilungen über bestimmte Hilfsschulen und individuelle
pädagogische Ansichten in Maennels Schrift begrüßen wir mit besonderem Interesse — als eine Quelle reicher Anregung für den Hilfsschullehrer zu erneuter
kritischer Betrachtung der eignen Schulorganisation und der eignen Meinung, als
Bausteine für eine erst in der Zukunft zu errichtenden Theorie der deutschen
Hilfsschulpädagogik.

Mag man Maennels Ansichten im einzelnen beipflichten oder nicht, — mag
man z. B. nicht die einklassige, sondern die zweiklassige Hilfsschule als wünschenswerten Embryo begrüßen, wie im Königreiche Sachsen, das der einklassigen Volksschule überhaupt jede pädagogische Berechtigung abspricht — mag man Bedenken
hegen, zur Erkundung über ungeordnete Familienverhältnisse der Schüler die
Namensliste der Neuaufgenommenen an die amtliche Auskunftsstelle der städtischen
Armenverwaltung einzureichen — mag man die hervorragende Betätigung des
Arztes in der Hilfsschule zu Halle bewundern oder bemängeln: in den meisten und
wesentlichen Punkten wird man doch dem Verfasser beistimmen.

Plauen i/V.   Delitsch.

Gjems-Selmar, Ågot, Die Doktorsfamilie im hohen Norden. Ein Buch
für die Jugend. Übersetzung von Francis Mara. München, Dr. J. Machlewski
& Co. 158 S.

Wie weit die moderne Bewegung zur sexuellen Jugendbelehrung ihre Wellen
geworfen hat, geht daraus hervor, daß deren Andrang auch die Hochburg des Konservativismus in sexualmoralischen Fragen, die Konferenz der deutschen Sittlichkeits-
vereine, keinen Widerstand mehr leisten konnte und auf ihrer jüngsten Tagung in
Magdeburg für eine geschlechtliche Aufklärung der Kinder eintrat. Die Nachfrage
nach methodischen Anweisungen für die sexuelle Belehrung ist seitens der pädagogischen und Elternkreise im Wachsen; es darf aber konstatiert werden, daß
unser schreiblustiges Zeitalter bemüht ist, diese Nachfrage durch ein überreiches
Angebot zu decken.

Von den früheren Schriften ist immer noch des verdienstvollen Mitherausgebers dieser Zeitschrift, Kochs vortreffliches Büchlein »Die Vermehrung des Lebens« (Stuttgart, D. Gundert, 1901) an erster Stelle zu nennen.

Von den neuesten Publikationen greife ich zwei Bücher nordischen Ursprungs heraus, da sie mir am empfehlenswertesten von allen dünken.

Ein herzlicher und herziger Ton, voll Poesie und Gemüt, ist in Ågot Gjems-Selmars Jugendschrift angeschlagen. Es ist die Erzählung von den großen und kleinen Erlebnissen der frohen Kinderschar, welche ein Arztenshaus an der See im hohen Norden belebt. Der Leser wird, freudig und stimmungsvoll angeregt durch die wunderbar dichterische Sprache, angezogen durch die reizvollen Schilderungen eines großartigen Naturlebens, hingerissen von der gemütreichen Wiedergabe der häuslichen Erlebnisse dieser frohgemuten Jugend, hundertundfünfzig Seiten von den hundertundachtundfünfzig, die das Buch zählt, durcheilen, ohne die geringste Beziehung zu unserem sexuellen Erziehungsprobleme zu entdecken. Da, auf den letzten Seiten, in dem Schlußkapitel »Das Leben im Walde«, kommt es, wie von selbst, ohne daß man's recht merkt, zu einer Aussprache über die großen Tatsachen, auf welchen die Erhaltung und Vermehrung alles Lebens beruht. Es hieße, zarte, duftige Maiblüten mit rauher Hand zerpflücken, wollte man versuchen, in der trockenen Rezensentenprosa die Familienszene hoch oben auf dem steilen Felsabhange zu zergliedern, den wunderbaren Aufbau, der ausgehend vom Leben der Pflanzen sich durch das Tierreich bis zum Menschenleben emporhebt, kritisch zu analysieren. Es liegt eine verklärende Weihe über der ganzen Episode, die auch der verspüren muß, der gewohnt ist, den großen Fragen des Lebens mit nüchternem Forschungstriebe gegenüber zu stehen.

Freilich wird es einem an diesem poetischen und pädagogischen Meisterstücke klar, welchen Klippen die sexuelle Belehrung ausgesetzt ist: sie wird erst dann des letzten Restes von geheimnisvollem Sinnesreiz entkleidet sein, wenn sie sich, wie in diesem Buche, harmlos und unaufdringlich einreiht in eine großangelegte Unterweisung im Leben der Natur und wenn sie weiter sich eines sprachlichen Ausdruckes bedient, welcher der großen Sache würdig ist.

Das Buch ist in der Tat ein Buch für die Jugend, der es unbedenklich in die Hand gegeben werden kann, aber auch ein Buch für Eltern und Erzieher, die es ausstattet mit dem stofflichen und formalen Rüstzeug, das die geschlechtliche Aufklärung erfordert, und mit der glühenden Begeisterung für die ebenso verantwortungs-, als hoheitsvolle Aufgabe.

Mannheim.   Dr. med. Moses.

Oker-Blom, Max, Beim Onkel Doktor auf dem Lande. Ein Buch für Eltern. Übersetzung von Leo Burgerstein. Wien u. Leipzig, A. Pichlers Witwe & Sohn, 1905. 39 S.

Oker-Bloms Büchlein ist ausschließlich dem sexualpädagogischen Probleme gewidmet. In Form von sieben Erzählungen wird alles für die Jugend Wissenswerte und -nötige vorgetragen, frisch, lebendig und anschaulich, frei vor allem von jedem lehrhaften Tone. Die Schrift ist für Knaben bestimmt: sie behandelt neben der Aufklärung über die biologischen Fragen der Entstehung und Fortpflanzung des Lebens auch die sexuelle Hygiene. Mit den Pflanzen geht's auch hier an; die erste Erzählung führt in das Geschlechtsleben derselben ein, um ungezwungen zu dem der Vögel überzugehen, von dem die zweite Erzählung ausschließlich handelt. Die dritte Erzählung »Bellas Junge« beschäftigt sich mit den Geburtsvorgängen bei

Säugetieren, um am Schlusse auf die menschliche Mutterschaft zu sprechen zu kommen. Die Erzählung »Ein kleines Mißgeschick« enthält eine sehr zartsinnige Mahnung zum Unterlassen jeder Manipulation an den Geschlechtsteilen, eine Mahnung, die noch durch die nächstfolgende Schilderung »Ein schlimmes Abenteuer« kräftig und wirkungsvoll unterstützt wird. Das Kapitel »Eine gelungene Jagd« ist das einzige, mit dem wir uns nicht zu befreunden vermögen. Die Öffnung eines auf der Jagd geschossenen trächtigen Hasen zur Demonstration der anatomischen Verhältnisse erscheint mir nicht als ein Vorwurf, der vor dem Forum der ästhetischen und ethischen Erziehungslehre standhält. Um so gelungener ist der letzte Abschnitt »Vor der Abreise«, der in einer äußerst geschickten Form die wichtigsten sexualhygienischen Unterweisungen enthält.

Das Büchlein ist sicher eine hochbedeutsame pädagogische Erscheinung; seine Benutzung erscheint in der auch von dem Verfasser befürworteten Weise angezeigt: Unter Mitwirkung der Eltern soll die Lektüre durch die Knaben erfolgen. Sehr lesenswert ist auch das einleitende Wort an die Eltern, ebenso wie das Geleitwort des Übersetzers. Letzterer hat dem Büchlein ein Arrangement gegeben, das eine Ausschaltung des für die Eltern bestimmten Abschnittes bei der Übergabe der Schrift an die Knaben ermöglicht.

Pädagogische Kreise werden in dem vortrefflichen Buche wertvolle Anleitungen dafür finden, wie man in der sexuellen Belehrung auch des sprödesten Stoffes Meister wird.

Mannheim.   Dr. med. Moses.

Trüper, J., Personalienbuch. Langensalza, Hermann Beyer & Söhne (Beyer & Mann), 1905. II u. 16 S. Quartformat. Preis 0,30 M. (Selbstanzeige.)

Unser Personalienbuch hatte ich zunächst nur bestimmt für die Zwecke unseres eigenen Erziehungs- und Erholungsheims für leicht abnorme Kinder. Da aber der von mir früher in meiner Schrift »Psychopathische Minderwertigkeiten im Kindesalter« mit veröffentlichte Fragebogen sehr viel nachgefragt worden ist und mir es bisher an der Neubearbeitung des seit vielen Jahren vergriffenen Buches an Zeit fehlte, so kam mir der Gedanke, daß ich mit der Veröffentlichung dieses Buches auch noch andern Mitarbeitenden an der Erziehung und Heilbehandlung Abnormer, Ärzten und Lehrern, ja vielleicht auch manchen Eltern, einen Dienst erweisen könnte. Für Schulen und Anstalten für Geistesschwache leuchtet das von selber ein. Viele führen ja auch schon begrenztere »Individuallisten«, »Gesundheitsbogen« oder wie sie sonst genannt sein mögen. Für Rettungs- und Fürsorgeanstalten liegt der Wert eines solchen Bogens eigentlich auf der Hand. Er könnte hier vielerorts im guten Sinne noch geradezu revolutionierend wirken. Doch auch in Schulen für Normale erbittet unser Personalienbuch Eingang. Man wird im allgemeinen es gewiß noch nicht für nötig halten, für jedes Kind ein derartiges Individuenbuch zu führen. Aber bei allen solchen Kindern, die in den öffentlichen Schulen irgend welche nennenswerte Schwierigkeiten im Unterrichte wie in der Erziehung bieten, sich die in dem Personalienbuch gestellten Fragen zu beantworten oder beantworten zu lassen und über die Veränderung regelmäßige Eintragungen zu machen, dürfte wesentlich die Unterrichts- und Erziehungsarbeit erleichtern wie manche Unzufriedenheit von Eltern und Lehrern durch ein besseres Verstehenlernen des Individuums fernhalten und vor allem manches Kind vor einer drohenden Entwertung und Verderbnis schützen. Ja, ein solches Personalienbuch könnte auch nach der Schulentlassung noch oft zu einem Schutzbrief für die Heranreifenden werden, worüber in meinen »Psychopathischen Minderwertigkeiten als Ursache von Gesetzesverletzungen Jugendlicher« (Langensalza 1904) das Nähere gesagt ist.

Medizin und Pädagogik.

Von Herrn Dr. **Stadelmann** erhielten wir folgende Zuschrift:

»Geehrter Herr,

da ich zu einer Entgegnung auf eine Besprechung aufgefordert wurde und eine Entgegnung gegeben habe, habe ich das gute Recht zu verlangen, daß diese auch in vollem Umfange den Lesern gegeben wird. Es fehlt meiner im November-heft 1905 S. 62 von »Die Kinderfehler« zum Abdruck gelangten Entgegnung der von mir geschriebene einleitende Satz. Ich ersuche um diesbezügliche Richtigstellung.

Hochachtend
gez.: Dr. med. Stadelmann, Nervenarzt.«

Mit Vergnügen wollen wir ihm für dieses »gute Recht« noch nachträglich den Raum als Opfer bringen. Nur der Einfachheit und Raumersparnis halber hatten wir den Satz fortgelassen; denn wann Herr Dr. St. den Abdruck erhalten und welchen Aufdruck der Briefumschlag hatte, hat doch absolut nichts mit der Frage zu schaffen, über die ich ihn um Klarstellung ersuchte. Der Satz lautet: »Am 11. Sept. 1905 wurde mir ein Sonderabdruck aus Heft 5, Jahrgang 1905 der Zeitschrift »Die Kinderfehler« von »Trüpers Erziehungsheim und Kinder-sanatorium auf der Sophienhöhe bei Jena in Thüringen« zugeschickt. Dieser Separatabdruck enthält eine Besprechung meiner Schrift »Schwachbegabte« usw.« (Forts. siehe S. 62 November-Heft).

Gegenüber diesem zarten Empfinden des Herrn Dr. St. für das »gute Recht« wollen wir nicht verfehlen nochmals festzustellen, wie andere dieses »gute Recht« handhaben.

Die »Psychiatr.-Neur. Wochenschrift« unter der Redaktion des Ober-arztes Herrn Dr. Bresler in Lublinitz läßt mich durch Herrn Dr. Weygandt in unerhörter Weise sogar einer strafbaren Handlung beschuldigen. Eine Entgegnung, die mir auf Grund des Preßgesetzes schon zusteht, wird in unhöflicher Form ab-gelehnt. Ein zweiter Brief mit der Anfrage nach dem Grund der Ablehnung kommt mit dem Vermerk zurück »Annahme verweigert«. Herr Dr. Weygandt wird dreimal mit dem Versuch, sich durch eine Beleidigungsklage von meinen abwehrenden Vorwürfen zu reinigen, zurückgewiesen. Bisher hat die »Psych.-Neur. Wochenschrift« es aber noch nicht für notwendig gehalten, im Interesse der »Erfahrung, der Wissenschaft und der Humanität« diese Tatsache ihren Lesern bekannt zu geben und zu bekennen, daß auch sie uns unrecht getan hat. Es soll mich wundern, ob sie es überhaupt tut. Wir werden später unsern Lesern darüber berichten.

Da freut es uns doppelt, daß Herr Dr. Stadelmann durch obiges Schreiben indirekt in der denkbar schärfsten Weise gegen solche Handlung des Organs einiger seiner Spezialkollegen protestiert und damit zugleich zwischen ihm und uns eine streng sachliche Weitererörterung der weittragenden strittigen Grenzfrage ermöglicht. Möge sie recht bald zu einem für beide Teile befriedigenden Abschluß kommen!

Trüper.

Druck von Hermann Beyer & Söhne (Beyer & Mann) in Langensalza.

A. Abhandlungen.

1. Beitrag zur fruchtbringenden Gestaltung des Rechenunterrichts in unseren Schulen für normale und abnorme Kinder.

Von

H. Schreiber in Würzburg.

Als ich meine »Tyrannei der Zahl«[1]) schrieb, wollte ich einen Kampf heraufbeschwören gegen die Unnatur im Rechenunterricht, gegen die Herrschaft der nackten Zahl, gegen den Leitfadenunfug, den die ausschließliche Benutzung eines Rechenbuches darstellt, das für ein großes Absatzgebiet zugeschnitten ist und so wenig individuelles Gepräge aufzeigt wie ein Oberbayer, der in Berlin unter den Linden als Stutzer lustwandelt. In den Kritiken meines Büchleins fand ich, daß es wie ein spitzer Stachel in das Fleisch der Rechenbuchverfasser und Rechenbuchverehrer fuhr, daß es aber auch Gedanken auslöste, die nichts anderes waren als eine freudige Zustimmung zu dem Kriegszug gegen einen Erbfeind in unserer deutschen Schule. Seitdem ist gar mancher Mitkämpfer auf den Plan getreten: GROSSE brach mit seinen »Historischen Rechenbüchern usw.« eine Lanze für den Sachrechenunterricht, SCHARRELMANN begoß in seinem »Herzhaften Unterricht« die üblichen Schulrechenaufgaben mit beißendem Spott, WAGNER tritt in den verschiedensten Zeitschriften ein für den Ausgang von individuellen Problemen usw. Leider werden wir es nicht mehr erleben, daß im großen und ganzen sich an der traurigen Lage

---

[1]) Altenburg, Pierer.

des Rechenunterrichts etwas Merkliches ändert. Gut' Ding will Weile haben! Dieses Wort muß nach allem Anschein hier mehr angewendet werden als auf jedem andern Gebiet. Es ist eben zu bequem, an der Hand eines Faulenzers von Aufgabe zu Aufgabe zu gehen, mit nackten Zahlen Regeln einzuüben, es zu machen wie man es im Seminar gelernt und dann getrieben hat. Doch darf uns dieser matte und schädliche Konservativismus die Arbeit, welche der Besserung unserer Schulverhältnisse dient, nicht lahm legen. Im Dienst an der Kindesseele, im gemeinsamen Schaffen mit den Leitern der fachlichen Presse müssen wir, was am Alten faul ist, zertreten und das Neue, welches den Kindern Lust und Liebe und einen wirklichen Nutzen für das Leben bringen soll, erproben, verklären und so ans offene Licht stellen, daß sein Gegensatz mit dem Hergebrachten zum ernsten Nachdenken und zur freudigen Mitarbeit anregt.

Den Wert des Sachrechnens, die Freude der Kinder im Umgang mit der individuell eingekleideten Zahl kenne ich nicht erst seit gestern und heute. Zwanzig Jahre stehe ich jetzt hier auf meinem Posten und habe in dieser Zeit mich noch niemals von einem Rechenheft zum Buchhalter erniedrigen lassen. Auch in der Bäckerfachschule, die ich seit fünf Jahren leite, wußte ich mich von den gedruckten Fesseln frei zu halten, weil ich mich an das Leben wandte und dadurch soviele Dinge entdeckte, welche eine zahlenmäßige Behandlung vertragen und verlangen, daß ich stets eine Überfülle von Aufgaben hatte, die unsere älteren Bäckerlehrlinge und jüngeren Gehilfen immer mit großem Vergnügen rechneten, das besonders gesteigert war, wenn durch ein Resultat sich eine Erkenntnis ergab, die sich leicht zur Lebensregel stempeln ließ, oder wenn ein Ergebnis die Richtigkeit unserer Meinung bestätigte, welche wir uns von einer Sache gebildet hatten. Einen solchen reichen Ertrag hat das Rechnen, wenn die Fortbildungsschule in eine Fachschule umgewandelt wird und wenn sich dann in derselben der Verkehr mit den Zahlen und geometrischen Formen engstens an den Beruf der Schüler anschließt.

In der Erziehungsschule, in der Schule, welche vor allem der Charakterbildung dient und im allgemeinen noch absieht von dem Stand, dem sich der eine oder der andere Zögling sicher zuwenden wird, da ist der Unterrichtsstoff, welcher dem Schuljahr ein ganz eigenartiges Gepräge gibt, neben dem Leben, das unsere Kinder umflutet, der Beziehungspunkt für das Rechnen, für die Übungen in den verschiedenen Operationen, für den Umgang mit den üblichen Maßen, für den Gebrauch des Zirkels und Lineals. So kommt dann ein herrliches Leben in die Rechenstunden, welche die eingeführten Rechenbücher in der Regel zu dem Unfruchtbarsten und Ödesten machen, das unsere heutige Schule allen denen bietet, die Augen zum Sehen haben. Wo man dem Konzentrationsstoff und Sachunterricht nahe bleibt, wo man nicht rechnet, um mit Zahlen und Ziffern die Zeit zu vertreiben, wo man durch die Zahl Sachverhältnisse aufklären, den Sinn für Wahrheit und Genauigkeit schärfen und Entdeckungen aller Art machen lassen will, da freut man sich von Stunde zu Stunde auf die elementare Mathematik, die dem Bedürfnis entgegenkommen muß wie die Einführung in die Wort- und Sprachlehre, welche sich dem Aufsatzunterricht angliedert. Ich bilde mir ein, daß auch in dem Privatunterricht, den ich früher in Dr. Stadelmanns Schule für nervenkranke Kinder in Würzburg erteilte, mir die Lösung des Problems gelang, die Rechenstunden zu wahren Freuden- und Erkenntnisstunden auszugestalten. Gerade die Erfahrungen, welche ich hierbei reichlich sammelte, bestimmten mich zu dem Aufsatz, den ich jetzt der Öffentlichkeit mit den besten Wünschen vorlege.

In einer Klinik wechselt in der Regel der Patientenstand fortwährend; man hat die kleinen Leute Wochen, Monate, nicht viel länger zur heilunterrichtlichen Behandlung, dann nimmt sie das Elternhaus zurück — oft genug zum Unglück der Kinder, an denen man sichtliche Fortschritte wahrnahm infolge eines verhältnismäßig kurzen aber der Individualität entsprechenden Unterrichts, dem immer ein hochinteressanter Konzentrationsstoff zu Grunde gelegt wurde. Einen kleinen, sehr gut beanlagten Epileptiker hatte ich mehrere Jahre hindurch und konnte ihn nach meinem besten Wissen und Können vorwärts leiten in den elementaren Wissenschaften und Fertigkeiten. Wir lebten uns nacheinander in den Robinson, in die Sage vom Bayernhelden Adel'ger, in die heidnische Heldenzeit der Nibelungen, in die Jahrhunderte der Bekehrung und endlich in das Ritterzeitalter ein und zwar an der Hand episch-breiter Quellen und hervorragender Literaturschätze, von welchen ich z. B. den Heliand nenne, der uns durch das Bestreben, den alten Deutschen das Evangelium mundgerecht zu machen, eine Fülle von Freuden bescherte. Von dem Geschichtsunterricht, der im Zentrum der ganzen Unterweisung stand, ließen wir alles andere sonnig bestrahlen. In den Rechenunterricht kam zuerst ein großer Zug, als wir im Nibelungenjahr den deutschen Wald besuchten und in seiner Schönheit kennen und lieben lernten. Im Sommer und Winter waren wir draußen bei den Riesen, die ihre Häupter zum Himmel strecken. Dabei gewannen wir auch einen ziemlich bedeutenden Einblick in den Nutzen, welchen die Gemeinden,

der Staat, die armen Leute, der Waldfreund, der Jäger usw. haben.
Wir lobten die Voraussicht der Waldbesitzer, die sich uns bei der
Beobachtung der Waldpflege und Waldverjüngung kundtat. Im Winter
wurden die gefällten Großen gemessen, die Kleinen gezählt, die auf-
gebauten Scheite nach allen Dimensionen untersucht und die auf-
geschichteten Wellen geschätzt und deren Schätzung geprüft. So war
jetzt schon das Rechnen etwas ganz anderes als eine Beschäftigung
mit toten Zahlen und Ziffern. Und Leben war es auch zu Hause,
wo wir den Nutzen des Waldes zum Hauptthema in den Rechenstunden machten und an der Hand von Anzeigen der Holzverstriche, von
Verstrichsergebnissen und amtlichen Taxregistern und Statistiken die
Zahlen zu den mannigfachsten Übungen in großem Umfange gewannen. Hochinteressant müßte es auch sein, auf Grund einer ausführlichen gemeindlichen Forstrechnung von den Schülern nach und
nach durch stete Anspannung zur Selbsttätigkeit ein originelles, weil
individuelles Rechenheft anlegen zu lassen. Als unser Thema vielseitig
behandelt war, da hatte mein Zögling, der sich ja schon einen schönen
Erfahrungsschatz im Walde angesammelt, eine so tiefe Erkenntnis
vom Wert des Waldes, daß er oft in seiner Weise ein Loblied sang
auf den Ort, wo ihn im Sommer kühlender Schatten, Blumenduft
und Vogelsang empfingen und wo im Winter der Schlag der Axt und
das Schnarren der großen Holzsäge an den Stämmen vorbei in das
lauschende Ohr drangen.

Ein neuer weiter Blick in das Natur- und Menschenleben tat
sich meinem kleinen Freunde auf, als ich ihn in die große Zeit der
Bekehrung unserer Vorfahren einführte, für die unsere Lokalsagen
von den fränkischen und bayerischen Heiligen und die herrliche Geschichte von dem wilden und schließlich doch gezähmten Helden
Ingraban eine tiefe und breite innere Regsamkeit schufen, die es
wagen ließ, wiederum allen Unterricht an das Jahrespensum anzuschließen. In der Naturkunde wendeten wir uns von dem Walde
weg und der Wiese, dem Felde und Garten zu. Die Landwirtschaft
war ja auch das wirtschaftlich Neue, was die Glaubensboten, was
Bonifazius voran den deutschen Stämmen zugleich mit dem heiligen
Evangelium brachten. Durch die neue Arbeit sollte der Held vom
Kriegspfad zurückgehalten werden, sollten Seßhaftigkeit, Schollenliebe
und Bezähmung der Leidenschaften in die bisher wildbewegte Nation
kommen. Der Bau des Landes wurde auch im Rechnen das A und
O für unsere Fortschritte auf dem Gebiete der Zahlen und ihrer
mannigfaltigen Verbindungen. Leicht hätte dabei ein Irrweg eingeschlagen werden können, nämlich dann, wenn der Standpunkt des

Landmanns eingenommen worden, wenn den einzelnen Aufgaben ein fachliches Gepräge aufgedrückt worden wäre, wie es in einer landwirtschaftlichen Fortbildungsschule nur am Platze ist. Damit die Erziehungsschule nicht den Anstrich einer Berufsanstalt erhält, muß man den Standpunkt des Konsumenten hervorkehren, muß man das Verhältnis rechnerisch ausdenken, in dem der Ökonom zum Volksgenossen, der Bauernstand zum Volksganzen steht. An schönen Aufgaben war nie Mangel. Und um die Selbsttätigkeit zu pflegen, die als eine der besten Quellen für Kinderlust und Schüleraufmerksamkeit zu preisen ist, mußte der 11—12 jährige Zögling die Köchin ausfragen, die Marktberichte durchsehen, seine Spaziergänge auch zum Markte manchmal machen, in Kalendern und Jahrbüchern nachschlagen und die Briefe mitbedenken, welche ich an Freunde und Bekannte dann schrieb um lebenswahre Aufstellungen zu erhalten. Soviel als möglich mußte der Junge auch die Aufgaben selbst bilden, so oft als möglich mußte er auch sinnen, wie die ersten Probleme sich verändern und erweitern ließen. Daß sich als Lehrmittel dazu nichts besser eignet als ein engliniges Heft, das nach und nach zu einer ganz eigenartigen Aufgabensammlung und zu einer elementaren Rechenlehre wird, das liegt auf der Hand.

Nun will ich die Aufgaben selber mitteilen, die wir im »Bekehrungsjahr« selbst formten ohne irgendwelche Anlehnung an einen gedruckten Leitfaden. Sie sind vielleicht manchem Leser ein willkommener Stoff zur individuellen Abänderung, unter allen Umständen aber ein Ding, das der Überlegung und Nachahmung wert ist. So und nur so kommen wir los von dem, was ich mit dem Namen »Tyrannei der Zahl« vor Jahren treffen wollte.

1. In unserer Anstalt werden täglich 25 bis 30 l Milch gebraucht. Wie hoch ist die Ausgabe für dieses gute Getränk in der Woche, im Monat und im Jahre, wenn das Liter 17 Pf. kostet?

2. Die Klinik verbraucht wöchentlich 200 bis 300 Eier. Sind diese billig, dann kostet das Hundert 4,50 M; in teueren Zeiten stellt sich der Preis auf 7,20 M. Wie hoch kommt die Eierrechnung im Jahr, wenn wir für jeden Preis 6 Monate ansetzen?

3. Unsere Anstalt bekommt in jeder Woche eine 9 Pfd.-Kiste mit Butter, von der das Pfund 1,25 M kostet. Das Zustellen kommt stets auf 10 Pf. Wie groß ist die Ausgabe im Jahre?

4. In einer Familie kauft man in der Woche $^3/_4$ Pfd. Rahmbutter à 33 Pf., $^1/_2$ Pfd. gewöhnliche Butter zu 45 bis 50 Pf. und zweimal im Jahre je 25 Pfd. Auslaßbutter à 75 bis 80 Pf. Wieviel beträgt die Jahresausgabe für Butter?

5. Jemand bestellte auf einer 5 Pf.-Karte 1³/₄ Ztr. Äpfel à Ztr. 8,50 M. Als das Obst ankam, wurden 1,32 M für Fracht und 12 Pf. Trinkgeld bezahlt. Das Fortschicken der leeren Körbe kostete einen Frachtbrief zu 3 Pf., 15 Pf. auf der Trambahn und 33 Pf. am Güterbahnhof. Wie hoch kommen die Äpfel, wenn man zum Wegschicken des Geldes eine 20 Pf.-Postanweisung brauchte? Wie hoch kann man ¹/₄ Ztr. an seinen Freund abgeben?

6. Es bestellte jemand auf einer 5 Pf.-Karte Birnen à Ztr. 6 M. Da wurden 112 Pfd. geschickt, von welchen 52 Pfd. an einen guten Bekannten abgegeben wurden, der den leeren Korb fortschickte und dafür dem Besteller 20 Pf. anrechnete, welcher seinerseits 1,50 M für Fracht und 20 Pf. für die Postanweisung zahlte. Wie gestaltete sich die Abrechnung?

7. Jemand bestellte in einem Brief 2 Ztr. Äpfel à 8 M, deren Fracht auf 1,70 M kam, zu denen als Auslagen noch 43 Pf. für das Zurückschicken der Körbe und 20 Pf. für eine Postanweisung gerechnet werden mußten. ¹/₅ des Obstes wurde bis jetzt faul. Auf dem Markt kann man für 11 Pf. das Pfund der schönsten Äpfel haben. War da der Großeinkauf klug?

8. Eine Familie kaufte im Sommer 12 Pfd. Weichseln à 18 Pf., 25 Pfd. Johannisbeeren à 16 Pf., 3 l Erdbeeren à 40 Pf., im Herbste 75 Pfd. Zwetschen à Ztr. 6 M, 15 Pfd. Preißelbeeren à 24 Pf. und 8 Pfd. Einmachbirnen à 12 Pf. Im Spätherbst wurden noch gekauft 12 Pfd. Quitten à 15 Pf., 3¹/₂ Ztr. Äpfel à 7,50 M mit 4 M Auslagen und 60 Pfd. Kochbirnen à Ztr. 6 M mit 1,20 M Auslagen. Wieviel wurde so für Obst ausgegeben?

9. In unserer Anstalt braucht man 14¹/₂ Ztr. Kartoffeln à 2,80 M bis 3 M. Wie groß ist die Ausgabe, wenn für das Anfahren 1 M und als Trinkgeld 25 Pf. gegeben wurden?

10. Jemand kaufte 7¹/₂ Ztr. Kartoffeln à 3,50 M. Da hörte er, daß ein Bauer den Zentner um 2,80 M verkaufte und ruft aus: »Was hätte ich da ersparen können!«

11. Ein Mann kaufte im Jahre 4¹/₂ Ztr. Kartoffeln à 3,50 M. Sein Nachbar holte dieselbe Menge mäßchenweise auf dem Markte. Was warf dieser hinaus, wenn das Mäßchen 3 Pfd. wiegt und durchschnittlich 12 Pf. kostet?

12. Unsere Köchin ging auf den Markt und kaufte 10 Stauden Wirsing à 6 Pf., 6 Knöten Sellerie à 5 Pf., 10 Bund Lauch à 7 Pf., 10 Pfd. Petersilie à 7 Pf. und 5 Köpfe Blumenkohl à 25 Pf. Was macht die Rechnung und wieviel wurde auf 20 M herausgegeben?

13. Was kosten 47 Krautköpfe, wenn das Hundert 17 M, 73 Köpfe,

wenn das Hundert 18 M, 116 Köpfe, wenn es 19 M und 251 Köpfe, wenn es 20 M kostet?

14. Was macht die Rechnung für 7 Tauben à Paar 70 Pf., 3 Hähnchen à Paar 75 Pf., eine Gans zu 4,50 M, eine Ente zu 1,80 M und ein altes Huhn zu 90 Pf. und was die Herausgabe bei 15 M Hingabe?

15. Die Anstalt bekommt täglich für 50 Pf. Weißbrot, 1 Steinmetzbrot zu 35 Pf. und 2 Laibchen Schwarzbrot à 34 Pf. Wieviel macht die Ausgabe und wie hoch kommt dieselbe pro Woche, Monat und Jahr?

16. Der Zentner Korn kostet jetzt 7 M. Beim Mahlen gibt es 22 % Kleie, 75 % Mehl und 3 % Verstäubung. Der Zentner Kleie ist 5,50 M wert. $4^1/_2$ Pfd. Mehl geben einen 6 pfündigen Laib Brot, der bei dem Bäcker 68 Pf. kostet. Was würde jemand verdienen, der das Getreide bei dem Bauern einkauft, wenn der Zentner 80 Pf. zu mahlen, der Laib Brot 5 Pf. zu backen kostet und wenn man zu jedem Laib 50 g Salz à Pfd. 10 Pf. braucht?

17. Was verdient eine Familie auf diese Weise, die jeden Tag im Jahre einen 3 pfündigen, was eine andere, welche täglich einen 6 pfündigen Laib Brot braucht?

18. Man rechne die 16. Aufgabe so, daß sich zuletzt alles auf einen Laib zuspitzt!

19. Wie ändert sich das Ergebnis, wenn wir in der 16. Aufgabe einen Kornpreis von 7,50 M, einen Brotpreis von 69 Pf. und als Mahlgeld 90 Pf. annehmen?

20. Jemand wollte nicht ·immer reines Kornbrot essen. Da kaufte er zum Roggen auch noch Weizen, von dem der Zentner nicht 7,50 M sondern 9,20 M kostete. Beim Mahlen, das auf 90 Pf. kam, ergaben sich bei der neuen Frucht 72 Pfd. Mehl, 25 % Kleie, von welcher der Zentner einen Wert von 5 M hat, und wieder 3 % Verstäubung. Was verdient man an einem Laib und im ganzen, wenn das gemischte Brot beim Bäcker 70 Pf. kostet, und alles, was noch zur Ausrechnung nötig ist, in der 16. Aufgabe gefunden werden kann?

21. Wieviel Prozent schenkt jemand nach der 16., 19. und 20. Aufgabe her, wenn er sein Brot bei dem Bäcker kauft?

22. Man könnte sich nicht nur ein billiges Brot verschaffen, sondern auch einen wohlfeilen Haustrunk, wenn man sich Äpfel kaufen würde und diese keltern ließe. Wieviel Prozent wirft man hinaus, wenn 1 Ztr. Äpfel 3 M kostet, wenn 3 Ztr. 1 hl Most geben, wenn diese 1 M zu keltern kosten, wenn 1 Faß zu 5 M angeschafft werden muß und wenn sich der Wirt 24 Pf. für das Liter zahlen läßt?

23. Wie ändert sich das Resultat, wenn der Zentner Äpfel 4 M und das Liter Apfelwein 30 Pf. im Einzelkauf kostet, wie, wenn sich die Äpfel im Preise auf 5 M stellen und der Apfelmost im Kleineinkauf auf 36 Pf. kommt?

24. Jemand kauft einen Apfelbaum, der $4^1/_2$ Ztr. Äpfel trägt, um 10 M. Daraus macht er Apfelmost, den er selbst keltert und in einem schon vorhandenen Faß aufhebt. Was wird er dadurch gewinnen, wenn das Liter Apfelwein im Wirtshaus 24 Pf. kostet? Auch in Prozenten den Gewinn bestimmen!

25. Wieviel Prozent sind $^1/_2$, $^1/_4$, $^1/_5$, $^1/_{10}$, $^1/_{20}$, $^1/_{25}$, $^1/_{50}$, $^3/_4$, $^4/_5$, $^7/_{10}$, $^{13}/_{20}$, $^{19}/_{25}$ und $^{47}/_{50}$ vom Ganzen?

26. Den wievielsten Teil von einer Sache bilden 2%, $2^1/_2$%, $3^1/_3$%, 4%, 5%, $6^1/_4$%, $6^2/_3$%, $8^1/_3$%, 10%, $12^1/_2$%, $16^2/_3$%, 20%, 25%, $33^1/_3$%, 50%, 75%, 60%, $66^2/_3$%, 32%, 48%, 90% und 96%?

27. Ein kluger Mann kaufte bei einem Bauern ein Schwein, das nach dem Schlachten und nach der Entnahme der Eingeweide und der Zunge 152 Pfd. wog, von denen eines 49 Pf. kostete. An Auslagen hatte er 1,50 M als Lohn für den Hausmetzger, 40 Pf. für Bier und Schnaps,[1]) 30 Pf. für Rindsdärme, 6 M für Rindfleisch und Rindseingeweide, 1 M für Gewürz, 30 Pf. für Schnüre und 1 M für Holz. Durch das Schlachten bekam man 36,2 Pfd. Fleisch zum Räuchern, 29,9 Pfd. Schinken, 1,7 Pfd. Speck, 35,3 Pfd. Knöchlein (Beine), 13,9 Pfd. Pressack, 2,7 Pfd. Blutwurst, 5 Pfd. Frankfurter Leberwurst, 38 Paar kleine Leberwürste, 18 Paar Bratwürste, 58 Stück Blutwürstchen und 12 Pfd. Fett. Wieviel Prozent gewann der Kluge, wenn seine Fleischwaren folgenden Ladenpreis hatten: das Pfund Fleisch 60 Pf., das Pfund Schinken 70 Pf., das Pfund Speck 80 Pf., das Pfund Knöchlein 55 Pf., das Pfd. Pressack 65 Pf., das Pfund Blutwurst 65 Pf., das Pfd. Leberwurst 80 Pf., das Pfund Fett 75 Pf., das Paar Leberwürste 12 Pf., das Paar Bratwürste 20 Pf. und das Blutwürstchen 10 Pf.?

28. Was würde der Mann gewonnen haben, wenn das Pfund Fleisch wie heute 56 Pf. gekostet und die Fleisch- und Wurstware einen um 5% höheren Wert gehabt hätten?

29. Unser Bayernland hat 7 586 900 ha. Davon kommen 36% auf das Ackerland, $32^1/_2$% auf die Forsten, $17^1/_{10}$% auf die Wiesen, $6^1/_2$% auf Haus- und Hofraum, Wege und Ödungen, $4^1/_2$% auf die Futterpflanzen und $3^2/_5$% auf Viehweiden. Wieviel Hektar sind das jedesmal?

[1]) Den beansprucht der Hausmetzger!

30. Das Königreich Bayern hat 2 731 284 ha Ackerland, 2 465 742,5 ha Wald, 1 297 359,9 ha Wiesen, 493 748,5 ha Hofraum usw., 341 410,5 ha Futterland und 257 954,6 ha Viehweiden. Wieviel Prozent sind das jedesmal vom Ganzen, wenn dieses 7 586 900 ha hat?

31. Die Bodenfläche unseres Heimatlandes hat 75 869 qkm. Davon treffen $32^1/_2$ % auf die Forsten, $17^1/_{10}$ % auf die Wiesen, $6^5/_{10}$ % auf Haus und Hof usw., $4^5/_{10}$ % auf das Futterland und $3^4/_{10}$ % auf die Viehweiden. Wieviel Quadratkilometer kommen dann auf das Ackerland?

32. In Bayern kommen 2 731 284 ha auf das Ackerland. Davon kamen im Jahre 1900 auf Gerste 11,89 %, auf Hafer 15,52 %, auf Hülsenfrüchte 2,74 %, auf Kartoffeln 10,95 %, auf Rüben 2,21 %, auf Kraut und Feldkohl 0,97 %, auf Flachs 0,27 %, auf Hopfen 0,78 %, auf Tabak 0,06 %, auf Klee 10,92 %, auf die Brache 8,26 %, auf die Ackerweide 0,94 % und auf die Gärten 2,45 %. Wieviele Hektar kommen auf das Brotgetreide?

33. Wieviele Quadratmeilen kommen auf das Brotgetreide, wenn eine Meile 7500 m hat und wieviel trifft von diesem Land auf Weizen und Korn, wenn beide im Verhältnis von $12^3/_4 : 18^1/_5$ stehen?

34. In voriger Aufgabe wurde nicht zwischen Weizen und Spelz unterschieden. Beide verhalten sich wie 10,3 : 2,43. Wieviel Hektar kommen auf beide, wenn vorhin bei genauerer Ausrechnung das Weizenland 64,0815 Quadratmeilen umfaßte?

35. In unserem Königreich wohnen 5 887 753 Bayern, 181 548 Nichtbayern und 10 675 Ausländer. Jeder Mensch braucht jährlich im Durchschnitt 150 kg Korn und 90 kg Weizen. Wieviel Tonnen Getreide hat Bayern zur Ernährung seiner Einwohner nötig, wenn eine Tonne 1000 kg hat?

36. Wieviel Hektoliter macht Bayerns Bedarf an Brotgetreide aus, wenn 1 hl Roggen 71 kg und 1 hl Weizen 75,2 kg wiegt?

37. Wieviel Hektoliter Brotgetreide müßte 1 Quadratmeile, 1 qkm und 1 ha tragen, wenn Bayern seine vielen Einwohner selbst mit Brot ernähren könnte, d. h. wenn es keinen Import nötig hätte?

38. Nach einem uns zu Gesicht gekommenen statistischen Ergebnis braucht in Deutschland, das für den Kopf durchschnittlich 159 kg Brotgetreide baut, jeder Mensch aber ungefähr 180 kg. Wenn es nun in Bayern gerade so ist, wieviel Brotgetreide baut es dann und wieviel muß es aus fremden Ländern einführen (importieren)?

39. In Deutschland, das im Jahre 1903 für Roggen 72 Millionen Mark und für Weizen aber 230 Millionen Mark ins Ausland schickte, haben die einzelnen Bundesstaaten folgende Einwohnerzahlen: Anhalt

316085, Baden 1.867944, Bayern 6176057, Braunschweig 464339, Bremen 224882, Elsaß-Lothringen 1719470, Hamburg 768549, Hessen 1119493, Lippe 138452, Lübeck 76775, Mecklenburg-Schwerin 607835, Mecklenburg-Strelitz 102602, Oldenburg 399180, Preußen 34472507, Reuß ä. L. 68346, Reuß j. L. 139213, Königreich Sachsen 4202216, Sachsen-Altenburg 194914, Sachsen-Koburg-Gotha 229550, Sachsen-Meiningen 250731, Sachsen-Weimar 362873, Schaumburg-Lippe 43132, Schwarzburg-Rudolstadt 93059, Schwarzburg-Sondershausen 80898, Waldeck 57818 und Württemberg 2169480. Wenn nun sämtliche Staaten im gleichen Maße ausländisches Getreide bedürfen, wieviel Millionen zahlt dann Bayern für seinen Import?

40. Wieviel Prozent macht diese Summe vom Ganzen aus? Man mache ferner mit dem Ergebnis die Probe auf das in voriger Aufgabe herausbekommene Resultat!

Leider wurde dieser Gang im Rechnen jäh abgebrochen. Dr. STADELMANNS Klinik, in der mein Zögling drei Jahre lang als Patient war, wurde von Würzburg nach Dresden verlegt. Noch vieles war vorgenommen. Das Thema sollte auf das ganze deutsche Reich ausgedehnt werden, es sollte der ganze Volksbedarf, soweit er von der heimischen und fremden Landwirtschaft befriedigt wird, zur rechnerischen Ausnutzung kommen. Es war aber auch schon jetzt ein schönes Resultat erreicht, wie es sich bei dem schließlichen Rückblick auf die unterrichtliche Führung des Schülers zeigte. Mein kleiner Freund wird die Landwirtschaft ehren, solange er lebt; er weiß, was der einzelne und das gesamte Volk dem ehrenwerten Stand der Bauern verdanken. Er weiß aber auch, wie man das Verhältnis zu ihm wirtschaftlich ausgestalten muß, wenn man von den Zwischenhändlern und Zwischenberufen nicht gar zu sehr gerupft sein will. Im Umgang mit den Zahlen und Ziffern, d. h. im mündlichen und schriftlichen Rechnen brachte er es zu einer Fertigkeit, welche von dem Besitzer der Anstalt immer angestaunt wurde. Und dabei ist noch zu betonen, daß der Rechenunterricht wie alle Unterweisung oft mehrere Tage und länger ausgesetzt werden mußte, wenn sich die bösen Anfälle einstellten und häuften. Zudem kamen auf das Rechnen in jeder der vier Wochenstunden nie mehr als 10 oder 15 Minuten. Wo Interesse an der Sache vorhanden ist, leitet man mit diesem Sprungbrett über alle Schwierigkeiten hinweg, und leistet in der kürzesten Zeit mehr als in vielen Stunden dort, wo kein Zug in den Aufgaben lebt, wo es nicht gilt ein großes anziehendes Thema auszuschöpfen, wo infolge der Zerstreuung und Lebensentfremdung, wo aus Mangel an Selbsttätigkeit der Schüler und sachlichem Gepräge des Gegen-

standes weder Hunger noch Durst im Geiste nach der Zahlenarbeit
vorhanden ist. Was Großes die HERBART-ZILLERsche Schule hat, das
erkannte ich in den Fortschritten, die mein kranker Zögling in allen
Gegenständen, besonders aber im Rechnen machte. Die kulturgeschichtliche Gestaltung des Unterrichts, die Beziehung der Fächer aufeinander
und die psychologische Durcharbeitung der einzelnen Aufgaben tun
Wunder, wenn der Schüler nicht ganz ohne Begabung und der Erzieher nicht ohne berufliche Begeisterung ist. Die Konzentration,
welche auch das Rechnen als dienendes Glied in ein Ganzes einstellt,
wird zu einer Heilsmaßnahme für jedes Kind, ganz besonders aber
für Mädchen und Knaben, die infolge ihrer körperlichen Organisation
wenig angestrengt werden dürfen. Dazu gehörte — wie gesagt —
auch mein epileptischer Schüler. Daß er trotz seiner vielen Leiden
so geistig frisch und mutig blieb und stetig fortschritt in den unterrichtlichen Disziplinen, diesen freundlichen Umstand schrieb Herr
Dr. STADELMANN zum großen Teil auf die Rechnung des konzentrierten
(assoziierenden) Unterrichts, in dem das Ideale und das Reale mit
gleicher Liebe gepflegt und mit gleichem Verlangen angeeignet
wurden.

Nachschrift der Schriftleitung. Der vorstehende Aufsatz des Herrn
Schreiber bietet zwar für den modernen Didaktiker keinerlei neue Gesichtspunkte;[1]
die prinzipiellen Fragen, auf die er so nachdrücklich hinweist, sind alte und viel
erörterte. Leider sind sie aber noch immer so wenig beachtet, daß aus diesem
Grunde die erneute Anregung an diesem Orte nicht überflüssig, sondern sehr verdienstvoll erscheint, zumal er in sorgfältig ausgewählten Beispielen zeigt, wie sie
in der Praxis durchzuführen sind.

Eine kurze, aber vorzügliche Orientierung über diese Frage gibt A. Rude in
seiner »Methodik des gesamten Volksschulunterrichtes« (Osterwieck a. H.,
Verlag von A. W. Zickfeld, 1905). Der Leser ersieht dort, daß der Kampf gegen
»die Tyrannei der Zahl« bereits durch Rochow vor mehr als 100 Jahren begonnen
wurde. Daß er noch immer geführt werden muß, ist eine bedenkliche Tatsache,
die verschiedene Gründe hat. Von diesen Gründen interessiert uns vor allen Dingen
der eine: die ungenügende oder gänzlich fehlende Psychologie in der
landläufigen Rechenmethode.

Unglaubliches leistet darum »die Tyrannei der Zahl« oft bei schwachbegabten
Kindern. Hier ist es eine bekannte Tatsache, daß in erster Linie die Fähigkeit,
Zahlen zu bilden und Zahlen anzuwenden, geschwächt ist und manchmal gänzlich
fehlt. Warum das so ist, und ob und wie daran zu ändern ist, darüber sind zum
Teil selbst diejenigen hinweggegangen, die sich speziell mit dem Rechenunterricht
der Schwachsinnigen befaßt haben. Was darum vor allen Dingen vor jeder Ab-

---

[1] Mit meinen Ausführungen wollte ich vor allen Dingen zeigen, wie durch
das Rechnen als Fach, in dem man heute fast ausschließlich mit nackten Zahlen
und zusammenhangslosen Textaufgaben operiert, ein interessanter roter Faden
gehen kann. Sch.

fassung eines Rechenbuches oder einer Anleitung für den Rechenunterricht bei
Schwachsinnigen notwendig wäre und worauf ich schon wiederholt hingewiesen habe,
das wäre eine psychologische Untersuchung der Fragen:

1. **Wie entsteht die Zahl naturgemäß**, d. h. ohne künstliches Zutun der
   »Zahltyrannen«,
   a) **bei normalbegabten Kindern,**
   b) bei schwachbegabten Kindern?
2. Worin bestehen hier die hemmenden Ursachen dieser Unfähigkeit, genügende Zahlvorstellungen zu bilden.
3. Läßt sich irgend etwas tun, um die psychologische und physiologische
   Ursache dieser Unfähigkeit zu beseitigen? Muß die letzte Frage verneint
   werden, dann gibt es nicht bloß eine Tyrannei der Zahl sondern auch eine
   Tyrannei des Rechnens bei unsern Armen am Geiste.

Ich will aus meiner eigenen Erfahrung ein paar Beispiele anführen:

Ein Bursche, der es bis zur Untertertia gebracht hatte, schätzte die Höhe
meines Zimmers auf 20 m und war unfähig die Länge eines Zimmers mit dem
Metermaße auszumessen. Selbstverständlich hatte er soviel sog. Rechnen gelernt,
daß er in die Untertertia versetzt werden konnte. Auszuführen, wie das möglich
war, würde uns hier zu weit führen. Ich will aber nur bemerken, daß ein einigermaßen gut begabter Papagei auch auswendig sagen kann: 7×8 ist 56.

Ein Mädchen lernte ich kennen, das durchaus unfähig war, im Kreise bis 10
mit Zahlen und Ziffern zu operieren. Es war aber fähig, einen Tisch für etwa
20 Personen selbständig zu decken, wovon jede Person ihr eignes mit Namen und
Nummern bezeichnetes Besteck hatte. Es konnte also 20 untereinander gemischte
Messer, Gabeln und Löffel genau unterscheiden.

Ein dritter Knabe war unfähig eine Geschichte zu erzählen. Es machte ihm
aber gar keine Mühe, Geburtstage und Jahre von 90 Personen jederzeit präsent zu
haben, Tag und Stunde von oft geringen Anlässen, selbst von Witterungswechsel
und ähnlichem mehr, die Jahre zurückliegen, noch im Gedächtnis zu haben. Dabei
versagte aber die sichere Anwendung der Zahl auf die einfachsten praktischen Verhältnisse.

Wie sind solche und ähnliche Fälle mehr psychologisch zu erklären und wie
sind sie didaktisch zu behandeln?

Ferner will das **Verhältnis der Zahl zu dem sachlichen Wissen** (in
Geschichte, Geographie, Naturkunde, Volkswirtschaftskunde, Familienkunde usw.)
psychologisch erläutert und begriffen sein, wenn man Regeln für die
Didaktik, welche Allgemeingültigkeit beanspruchen, aufstellen will.

Auch hier liegt ein dankbares Feld für die psychologische Beobachtung und
Betrachtung.

Soviel steht aber wenigstens für mich auf alle Fälle gegenüber dem Unfug
des rein formalistischen Zahlen- und Ziffernexerzierens bis zum Überdrusse der
Kinder fest, daß Dörpfeld, dem auch Schreiber hier zustimmt, durchaus recht
hat, wenn er in seinen »Grundlinien einer Theorie des Lehrplans« so
nachdrücklich betont, daß die Verbindung des Rechenunterrichts mit den Wissens-
fächern für beide Teile große Vorteile bringt: »Der Vorteil der Wissensfächer besteht darin, daß dort die betreffenden Verhältnisse durch das Hineinleuchten der
Zahlen klarer und anschaulicher werden. Es ist ein eigentümlich Ding um die Zahl;
es wohnt ihr eine eigenartige Leuchtkraft bei. Bei den Zahlen hört nicht nur —
wie man zu sagen pflegt — die Gemütlichkeit auf, sondern auch das Nebeln und

Schwebeln; sie bringt Klarheit, Bestimmtheit ... Der Vorteil des Rechenunterrichtes besteht darin, daß er mannigfaltiger, belebter, interessierter wird.« Ich möchte noch hinzufügen, daß er dadurch überhaupt erst einen Zweck bekommt und daß im andern Falle Comenius noch heute recht hätte zu mahnen: »Der Papageienunterricht ist nicht zum Muster zu nehmen.«

Die interessante Probe des Herrn Schreiber bestätigt diese Dörpfeldsche Behauptung und weist von neuem auf alle diese psychologischen Probleme hin. Es sollte mich freuen, wenn der eine oder der andere unserer Leser sich an dieselben hinanwagen würde.

Unklar bleibt es bei den kurzen Ausführungen Schreibers, inwieweit bei seinen Aufgaben die Entwicklung der Zahlvorstellungen und ihre Beziehungen zueinander (in Form der Operationen) schrittweise und sicher vor sich gehen kann.[1) Es ist also eine weitere didaktische Aufgabe, für die verschiedenen Schulen und Klassen 1. die Sachen nach sachlichen Gesichtspunkten auszuwählen, 2. einen sicheren Rechengang aufzustellen und 3. beide miteinander in eine gute Beziehung zu bringen.

Endlich ist zur Genüge bekannt, daß der Rechenunterricht mit seinen Übungen im abstrakten Zahlendenken mehr wie irgend ein anderer Unterrichtsgegenstand ermüdet. Läßt sich durch die Konzentrationsmethode des Herrn Schreiber diese Ermüdung vermeiden oder nicht?[2) Das ist eine Frage der geistigen Hygiene, welche sein Aufsatz stellt.

Wir stellen gerne diese Frage zur Diskussion in unserer Zeitschrift, bitten aber wegen Mangel an Raum um kurze und präzise Fassung, sofern es sich nicht um eine selbständige Untersuchung handelt. Eine psychologische Monographie über die eine oder die andere Frage ist uns als »Abhandlung« im Umfange derselben willkommen.   Trüper.

2. Eine Lücke im Arbeitsfelde der empirischen Kinderpsychologie.
Von Theophil Fries in Frankfurt a. M.

Unter allen Gebieten, auf welchen die Vertreter der Kinderpsychologie Beobachtungen und Versuche angestellt haben, um das Erkeimen und Entfalten des menschlichen Geisteslebens zu erforschen, ist keines rückständiger geblieben als das der Zahlenerkenntnis.

[1) Als es an das neue Pensum ging, von dem hier ein Teil vorgelegt wurde, konnte mein Zögling alle Grundrechnungsarten; er war auch schon eingeführt in den unbegrenzten Zahlenraum. Neu war ihm das Rechnen mit Prozenten, dessen Wesen er aber nach der 26. Aufgabe ganz erfaßt hatte. — Die Entwicklung der Zahlvorstellungen und die Lehre von ihren Beziehungen muß immer dort eintreten, wo ein Bedürfnis vom Schüler gefühlt wird. Ängstliche Systemreiterei ist von Übel. Sch.

[2) Das Rechnen dreht sich um zwei Pole, um den Stoff und um das Kind, dessen Kraft weder über — noch unterschätzt werden darf. Meinem Zögling durfte ich infolge seiner Begabung für den Umgang mit der Zahl schon manche schwere Nuß zum Knacken vorlegen. Er machte sich mit Vergnügen an die Arbeit und empfand bei derselben immer neue Lust. Bei einer Klasse liegen die Verhältnisse nicht ungünstiger. Im Gegenteil! Man kann die Heimat mehr ausbeuten wie bei einem Fremdling, es fließen die Schülerbeiträge reichlicher usw.   Sch.

Die Forschungen nach dem Vorhandensein, der Art und dem Umfange von Zahlenvorstellungen bei Tieren sind vielfacher und sorgfältiger
betrieben worden, als die der ersten Stufen in der Entwicklung der Zahlenauffassung bei jenem Wesen, das man mit ebensoviel Stolz als Recht die
Krone der Schöpfung zu nennen pflegt.

Zwar erscheint es bedenklich, allzufrüh und allzuweitgehend didaktischen Gebrauch von den bis jetzt vorliegenden Ergebnissen der Forschungen über das kindliche Seelenleben zu machen, allein eine planmäßige
Weiterbildung dieses Wissensgebietes, eine geordnete Zusammenstellung
einheitlich gewonnener Ergebnisse, müssen auch für die Unterrichtsarbeit
im Laufe der Zeit wertvoll werden.

In der Erforschung des Werdens zeigt sich das Gewordene erst in
seinem wahren Lichte, durch tiefere Erfassung des Anfangs werden für
Fortgang und Vollendung die Bahnen geläuterter Erkenntnis geebnet.

Soll man denn nun auf diesem so wichtigen Felde unterrichtlicher
Tätigkeit, wie es in der Zahlenlehre vorliegt, nicht auch Erfahrungen aus
der vorschulpflichtigen Zeit sammeln, soll man nicht ermitteln, in welchem
Umfange und auf welchen Wegen der in den sechs ersten Lebensjahren
erwachsene Zahlenschatz entstanden ist? Abgesehen von allen Vorteilen
im einzelnen, würde ein Wissen über diese Dinge unzweifelhaft den Gewinn haben, nicht jene hoch gespannten Voraussetzungen an die geistige
Disposition für Zahlenverständnis unsrer Kleinen zu stellen, wie man noch
vielfach zu tun pflegt. Andrerseits würde dadurch aber auch vor dem
Übel bewahrt, im ersten Rechenunterricht einen geradezu embryonalen Zustand der Zahlenerkenntnis unsrer jungen Schüler anzunehmen, wie er in
manchen didaktischen Handbüchern der Zahlenlehre vorausgesetzt ist.

Von den Schriften, welche für die Didaktik sonst wertvolle Aufzeichnungen über das Aufkeimen und die weitere Entwicklung des kindlichen
Seelenlebens enthalten, hat nur das Preyersche Buch »Die Seele des
Kindes« der Zahl einige Beachtung geschenkt. Aber das Wenige, was hier
als Ergebnis von Beobachtungen niedergelegt ist, erscheint im Verhältnis
zu der sonst behandelten Materie so nebensächlich und geringfügig, daß
sein didaktischer Wert vollkommen belanglos ist und noch dadurch verkümmert wird, daß dabei Sache und Zeichen, d. h. Zahl und Zahlwort
nicht säuberlich genug voneinander gehalten sind. Die »Untersuchungen
über die Kindheit« von Dr. James Sully (übersetzt von Dr. Stipfl)
enthalten über Herausbildung von Zahlenvorstellung und Zahlenbegriff rein
gar nichts, obgleich die Beobachtungen vereinzelt bis zum 6. Lebensjahre
fortgesetzt sind. In Compayrés Buch »Die Entwicklung der Kinderseele« (übersetzt von Ufer) ist kaum etwas Beachtenswertes über Zahlenauffassung enthalten. Ebenso hat Sigismund in »Kind und Welt«
(herausgegeben von Ufer) Beobachtungen über die Zahl nicht verzeichnet.

Als meine Kinder noch klein waren, hatte ich dem Wesen und Gange
der Zahlenerkenntnis nicht das Interesse gewidmet, das mich zu planmäßigen Beobachtungen und Festlegungen hätte bestimmen können. Nun
ist das Interesse lebendig, aber die »Versuchskaninchen« fehlen mir.
Wenn ich in längeren Zeiträumen meinen kleinen Enkel wieder sehe,

dann ist bei der Beobachtung seiner geistigen Entfaltung im allgemeinen, mein Augenmerk im besonderen aber auf die Zahl gerichtet. Sind auch meine Wahrnehmungen nur Einzelbilder im Entwicklungsgange der Zahlenauffassung, denen gerade an sehr wichtigen Stellen das verbindende Glied fehlt, so können sie vielleicht immerhin Anregung und auch Anhaltspunkte für dauernde planmäßige Beobachtungen auf jenem noch vollkommen unbebauten Felde der Kinderpsychologie bieten, das die Zahlenvorstellungen und Zahlenbegriffe zum Gegenstande seiner Arbeit hat.

Meine erste Begegnung mit dem Kinde fiel in die sogenannte »dumme Zeit«, d. h. in jenen Lebensabschnitt, in welchem das psychologische Leben noch auf einem Tiefpunkt stand, bei dem von Zahl und Zahlenverständnis überhaupt noch keine Rede sein konnte.

Als ich den Jungen nachdem wieder sah, war er zwei Jahre alt. Es war zu Weihnachten, und er hatte ein Kegelspiel bekommen. Preyer verzeichnet in seinem Buche die merkwürdige Tatsache, daß man einem 10 Monate alten Kinde einen von seinen neun Kegeln nicht fortnehmen konnte, »ohne daß es (zu gleicher Zeit) bemerkt wurde«[1] Es reizte mich natürlich, zu erfahren, wie es bei dem kleinen Mann um diesen Fall bestellt war, und nicht zum geringsten war dieses Verlangen für den Großvater bestimmend gewesen, seinem Enkel auch ein Kegelspiel auf den Weihnachtstisch zu stellen. Versuche, die ich in jener Richtung nun anstellte, waren im Sinne meiner Erwartungen vollkommen ergebnislos. Ich begann damit, nachdem der Junge schon 8 Tage mit seinen Kegeln hantiert hatte und setzte meine Beobachtungen nach der beregten Seite hin bis zum Schlusse seines nahezu 14tägigen Aufenthaltes fort, stets mit dem gleich negativen Erfolg. Bei dem Preyerschen Kinde war die empfundene Veränderung offenbar quantitativer Natur, denn es muß doch angenommen werden, daß die Kegel, außer dem König in Größe und Form vollkommen gleich und auch alle von einerlei Färbung waren. Es kann sich also um nichts weniger gehandelt haben als um die bewußte Wahrnehmung von der Veränderung einer bestimmten Menge. Preyer fügt noch in Klammern hinzu »zu derselben Zeit«. Auch ich ließ zwischen der Aufnahme des Vorstellungsbildes und dem Anschauen der vorgegangenen Reduzierung des Bestandes nur einen Augenblick verschwinden, währenddem ich den Knaben zum Umschauen abgelenkt hatte. Eine Abspielung des Vorganges der Wegnahme unter seinen Augen wäre ja vollkommen wertlos gewesen. Der temporale Abstand war aber so geringfügig, daß im Sinne des Sprachgebrauches hier das Wort gleichzeitig vollkommen anzuwenden ist.

Ich hatte den Jungen zunächst mit den Dingen und ihrer Handhabung vertraut zu machen. Das begriff der kleine Bengel überraschend schnell. Schon nach einigen Tagen wußte er die Kugeln mit annehmbarer Sicherheit zu dirigieren. Er schob nicht eher, bis alle Kegel, die seine Augen wahrnehmen konnten, aufgestellt waren. Sah er, daß noch einer lag, so versuchte er, ihn selbst aufzurichten oder quälte durch unaus-

---

[1] »Seele des Kindes.« 5. Aufl., S. 227.

gesetztes Rufen des Wortes »ander« solange, bis ich ihn aufgesetzt hatte.
Nahm ich nun nach aufgesetztem Spiel hinter seinem Rücken schnell
einen, zwei, drei und auch mehr Kegel weg, so reagierte er darauf nicht
im geringsten, sondern schob ruhig los. Schmolz natürlich die Anzahl bis
auf 2 oder 3 zusammen, so wurde er stutzig und in den Worten »ander«,
»ander« löste sich sein Verlangen nach dem Beistellen weiterer Kegel
aus. Gewöhnlich genügten wieder 2 oder 3, um ihn zu befriedigen.
Waren sie hinzugefügt, so warf er ohne Anstand.

Vorerst setzte ich ihm die Kegel vollkommen regellos auf und als
ich mich überzeugt hatte, daß ein Quantitätsunterschied beim Auslassen
oder Wegnehmen einer geringen Anzahl gar nicht empfunden wurde, versuchte ich es mit dem Aufstellen in der gebräuchlichen Anordnung (übereck
stehendes Quadrat mit dem König in der Mitte) und veranlaßte ihn häufig
zur Beobachtung der gegebenen Form. Als ich nun nach einiger Zeit anfing, einen oder den andern auszuschalten oder, hinter seinem Rücken zu
entfernen, so ließ er sich dadurch im Wurf gar nicht beirren. Aber zuletzt wurde er stutzig, wenn der vordere Eck-Bauer fehlte, und er hatte
keine Ruhe, bis ich die Lücke ergänzte. An dem Fehlen eines anderen
Kegels, selbst auch des Königs nahm er keinerlei Anstand. Die Abwesenheit gerade dieses Kegels war zweifellos dadurch veranlaßt, daß er bei
der Position zum Wurf unmittelbar in der Visierlinie lag und darum beim
Schieben am schärfsten in die Augen fiel. Das Fehlen wurde offenbar
nicht als Quantitäts-, sondern als Formenänderung empfunden, als De-
struktion eines Quadrates gerade an jener Stelle, die der Wahrnehmung des
Kleinen am sinnfälligsten offen lag.

Die angestellten Vornahmen ergaben also ein Bewußtwerden von
Mengenunterschieden, aber in so weiten und unbestimmten Umrissen, daß
der Abstand von der feinen Art der Auffassung, wie sie von dem Preyer-
schen Knaben berichtet wird, gegen die meines Enkels, der sich sonst
geistig recht lebhaft und geweckt zeigte, ein mächtig weitgehender war.
Beobachtungen, einheitlich und auf breiter Basis angestellt, könnten hier
die erforderlichen Mittelwerte schaffen, um im Durchschnitt festzulegen, wann
und in welchem Verhältnisse Quantitätsunterschiede zuerst empfunden werden.

Wenn nun Preyer berichtet, daß dasselbe Kind »mit $1\frac{1}{2}$ Jahren
wußte, ob eines von seinen zehn hölzernen Tieren fehlte oder nicht«, so
schien mir die Anstellung ähnlicher Versuche vollkommen zwecklos.
Waren die Figuren von roher Arbeit und gleicher Färbung, so daß das
edle Roß von dem sanften Lamm sich kaum unterscheiden ließ, dann lag
wohl die Veranlassung vor, die Wahrnehmungen für das Bewußtwerden
von quantitativen Veränderungen zu halten. Handelte es sich aber um
Nachbildungen von Tieren, die in Farbe, Größenverhältnissen und Gestalt
feiner gehalten waren und scharf charakteristische Unterschiede aufwiesen,
dann liegt es ungleich näher und ist sogar mit Sicherheit anzunehmen,
daß für das Empfinden des Verlustes Vorstellungen qualitativer Natur bestimmend waren. Versuchsobjekte dieser Art und Beobachtungen in dieser
Richtung sind als Maßstab für den Stand der Zahlenerkenntnis des Kindes
vollkommen wertlos.

Haben nun die Versuche mit dem Kegelspiel, wie ich sie mit meinem Enkel anstellte, ergeben, daß bei ihm trotz seiner zwei Jahre von einer Unterscheidung von 8 und 9 Kegeln, wie es bei dem von Preyer vorgeführten 10 monatlichen Knaben war, auch nicht eine Spur zu finden und überhaupt noch kein fester Umfang für zahlenmäßiges Vorstellen zu ergründen war. so gab mir die Beschäftigung mit der Sache doch Gelegenheit, mich von der vorstelligen Beherrschung der Zweizahl meines Kleinen zu überzeugen.

Preyer erzählt von seinem eigenen Kinde, daß es im Alter von 18 Monaten, »nachdem es daran gewöhnt war, seiner Mutter zwei Handtücher zu bringen, die es dann an ihre frühere Stelle zurücktrug, einmal nur eins wieder erhielt, dann mit fragendem Blick und Ton der Stimme kam, um dann das zweite zu holen«. Eine solche Beobachtung wird wohl vielfach im Elternhaus gemacht worden sein, wenn es sich auch nicht dabei gerade um Handtücher gehandelt hat. So erinnere ich mich, daß eines meiner Kinder, das schon frühzeitig dazu angeleitet worden war, mir beim Ausgang das Schuhwerk beizutragen, nicht eher seines Dienstes waltete, bis es beide Stiefel zusammen wahrnahm. Fehlte einer, so quälte es solange, bis er herbeigeschafft war, dann trug es einen nach dem anderen heran.

Bei meinem kleinen Enkel waren die beiden Kegelkugeln der Gegenstand der Wahrnehmung. Anfangs warf er, wenn ihm schon eine Kugel zur Hand war, ohne jeglichen Einwand. Aber bald wollte er nicht eher schieben, bis er im Besitze beider Kugeln war. Konnte er eine nicht bemerken, so rief er sein »ander« solange, bis ich sie aufgesucht und ihm übergeben hatte. Reichte ich ihm nun statt der Kugel einen Kegel, so fuhr er in die Ecke, und das »ander« ertönte weiter. Auch ein Gummiball in fast gleicher Größe mit der Kegelkugel befriedigte nicht, auch er wurde weggeschleudert und der kleine Mann hörte nicht auf sein »ander« weiter zu rufen, bis er im Besitze beider Kugeln war.

In der Vorstellung des Kindes hatte sich also die Zweiheit einen festen Platz erobert. Das Verlangen nach der zweiten Kugel entsprang rein quantitativen Beweggründen. Die zur Zahlbildung nötige Voraussetzung, die Synthesis getrennter begrifflich gleich geordneter Einheiten, lag also in aller Form vor. Weder der ganz formverschiedene Kegel, noch der ähnliche Gummiball — der, nebenbei gesagt, auch verschiedenfach zum Wurf benützt worden war — konnten befriedigen. Die Vorstellung der Zweiheit war also eine vollkommen deutliche und bestimmte, sie trat nicht bloß in scharfen Gegensatz zur Einheit, sie war auch von qualitativ durchaus gleichen Einheiten als Vorstellungsinhalten gefüllt.

Mein Bemühen nun, die im Bewußtsein ohne Einschränkung gesicherten Vorstellungen der Einheit und Zweiheit in den Zahlwörtern »eins« und »zwei« auszulösen, wollte mir nicht gelingen, und ich glaube, das größte Hindernis bestand darin, daß der Junge schon zählen konnte. Beim Vernehmen der Klänge eins, zwei löste sich sogleich der Knoten in der Reihe der erworbenen Sprechvorstellungen und weiter ging es dann: drei, vier, fünf und von da an durcheinander sieben, neun usw.

Der Junge mußte im Verlauf dieser unfruchtbaren Studien fort, und
nach ³/₄ Jahren sah ich ihn wieder. Jetzt hatte sich zwar das Verhältnis zwischen Zahl und Zahlwort für die Einheiten »eins« und »zwei«
einigermaßen geklärt, namentlich wußte er die paaren Körperteile (Augen,
Ohren usw.) von den einmal vorhandenen (Nase, Mund usw.) zahlenmäßig
genau zu bestimmen. Aber die Sicherheit verließ ihn, wenn er anderem
Anschauungsmaterial gegenüber stand.

Mehr als durch alles Schulmeistern wurde diese Sicherheit durch
einen eigenartigen Vorgang herbeigeführt. Bei einem Spaziergang lasen
wir Roßkastanien auf, die teilweise noch in ihren Kapseln steckten. Es
machte ihm besondere Freude die zumeist schon aufgesprengten Hülsen
ganz zu öffnen und die Früchte aus ihrem Kerker zu befreien. Das
Volumen stand dabei im Vordergrunde seines Interesses und »groß«,
»groß« rief er freudig aus, wenn ihm besonders dicke Exemplare in die
Hände kamen, während er dünne Früchte mit dem Ausdrucke der Verachtung »zu klein« von sich warf. Plötzlich kommt er mit strahlendem
Antlitz auf mich zu und wird nicht müde »zwei«, »zwei« zu rufen.
Und als ich zusehe, hat er eine Zwillingsfrucht gefunden, die deutlich gegliedert aus der halb geöffneten Hülse heraus gearbeitet ist. Seine Freude
wollte kein Ende nehmen, als ich nun die beiden Früchte vollends aus
der Schale nahm und sie ihm getrennt vorzeigte. Schnell steckte er die
beiden Kastanien wieder in ihre Schale und gab sie mir zur Aufbewahrung,
die anderen schleppte er selbst in seinen Taschen. Sein ganzes Sinnen
und Suchen war nun auf das Zahlenmäßige gerichtet. Wie sich die Enttäuschung beim Öffnen der meisten Hülsen in »ein« auslöste, so fand
später nochmals sein ungemessenes Vergnügen beim Auffinden einer paaren
Frucht wieder in »zwei«, »zwei«! seinen Ausdruck.

Die Qualitätswahrnehmungen »groß« und »klein« waren vollkommen
in den Hintergrund gedrängt worden, die Zahl führte das Regiment im
Bereiche des beziehenden Denkens. Auf dem Rückwege wurden ohne
äußere Veranlassung Hunde, die uns begegneten, ein- und zweipferdige
Kutschen, überhaupt alle Wahrnehmungen, die an den Jungen herantraten,
insoweit die Ein- und Zweiheit dabei in Betracht kamen, zahlenmäßig eingeschätzt. Das dauerte einige Tage lang, und das Interesse für die Zahl
trat dann allmählich in den Hintergrund. Aber die Verschmelzung von
Zahl und Zahlwort war nun eine vollkommene, durchaus sichere geworden, wovon mich täglich angestellte Proben überzeugten.

Mein Bemühen, den Jungen nun in die Dreiheit einzuführen, d. h. in
ihren Inhalt und seine Benennung, vollzog sich nicht so einfach und
schnell, wie ich glaubte. Zwar wußte er schon bei einer früheren Begegnung, wenn von den 3 Wagen seines Fuhrparks einer fehlte. Allein es
waren hier die Form- und Größeunterschiede so bedeutend und sinnfällig,
daß die Annahme einer zahlenmäßigen Einschätzung des Bestandes ganz
unsicher erscheint. Jetzt aber, als die Kastanien sein ganzes Interesse in
Anspruch nahmen, machte ich Proben nach den verschiedensten Seiten
hin, um mich zu überzeugen, ob er die Dreiheit vorstellend beherrsche.
Es ergab sich, daß dies in vollem Umfange der Fall war, aber in

der numerischen Bezeichnung des Vorstellungsinhaltes zeigten sich Hemmungen, die auch wieder offenbar durch das gedächtnismäßige Erlernen der Zahlwörter veranlaßt waren.

Ich mußte abreisen, ohne die Trias zum Abschluß gebracht zu haben. Als ich ihn im Alter von $3\frac{1}{2}$ Jahren wiedersah, war die Dreizahl vollkommen sein geistiges Eigentum geworden. Insofern sie nicht überschritten war, bestimmte er zahlenmäßig die Enten und Gondeln auf dem Teich, die Tauben auf dem Dache, die Hühner im Hofe, überhaupt alles, was in seinen Gesichtskreis kam und zur Zahlenbildung Veranlassung gab. Waren mehr als drei Dinge gleicher Art vorhanden, so verneinte er meine Frage mit den Worten »kann nicht sagen«. Merkwürdigerweise habe ich den Ausdruck »viel« nicht über seine Lippen gehen hören. Ich habe ihn auch nicht damit bekannt gemacht, da ich erwartete, er könnte immerhin damit vertraut sein und ihn in spontaner Weise einmal anwenden. Aber er blieb aus. Durch einen Zufall machte ich auch die Entdeckung, daß die Dreiheit nicht nur im räumlichen Nebeneinander, sondern auch im zeitlichen Nacheinander in seinem Bewußtsein lebendig war.

Bei meinen Spaziergängen durch den Frankfurter Palmengarten ließ ich ihn in einem kleinen Karussell einige Rundtouren machen, gewöhnlich zwei. Einmal, als ich ihn nach dem zweiten Gange wieder herunter nehmen wollte, sagte er mit bittender Miene: »drei fahren«, wodurch er seinem Verlangen nach einer weiteren Fahrt Ausdruck gab. Das Erstaunen darüber, daß auch die Dreizahl in der Succession verinnerlicht war, machte den Großvater willfährig, und lustig ging unter Drehorgelmusik die gewünschte dritte Rundfahrt los.

Bei einem weiteren Wiedersehen — es war kurz nach Vollendung seines vierten Lebensjahres — stellte ich Proben über den geistigen Besitz der Vierheit mit dem Kleinen an. Aber die Ergebnisse zeigten sich so schwankend, die zahlenmäßige Bestimmung von vier Dingen so unsicher, daß diese Zahlengröße noch als vollkommen unfertiges Vorstellungs- und Begriffsgebilde anzusehen war. Ich habe mich um ihre Konsolidierung nicht weiter bemüht, ich hoffe aber, daß sie bei meiner nächsten Begegnung mit dem Jungen — Alter 4 Jahre 7 Monate — nach Inhalt und Form erfaßt sein wird.

So lückenhaft ja die hier verzeichneten Beobachtungen, Versuche und Ergebnisse erscheinen müssen, so können sie vielleicht doch immerhin Anregung geben, auf diesem fast noch ganz unbebauten Felde des psychologischen Studiums planmäßig zu arbeiten.

Welch erfolgreiche Arbeiten liegen über die Entwicklung des kindlichen Sprachvermögens vor! Wie eingehend und vielseitig ist nach dieser Richtung geforscht worden! Welche Sorgfalt richtet man gerade in der jüngsten Zeit auf die Art der Herausbildung des Formensinnes in den ersten Stufen seiner Entfaltung! Pestalozzi hat aber neben Form und Sprache auch die Zahl als ein Elementarmittel jeglichen Unterrichtes bezeichnet, warum nun soll man sich um die Erforschung der geheimnisvollen Art ihres Werdens in der kindlichen Psyche weniger bemühen?

8*

Es könnten dabei etwa Ermittlungen über folgende Punkte angestellt und die Ergebnisse genau verzeichnet werden:

1. In welchem Lebensalter zeigten sich die ersten Spuren der Zahlenerkenntnis?

2. Wann und unter welchen Umständen trat die Vorstellung der Zweiheit hervor?

3. Wann gesellte sich zu dem quantitativ aufgefaßten Inhalt der Zweizahl ihre Bezeichnung im Zahlwort?

4. Nach welchen Zeiträumen und in welcher Art kam die Erfassung der weiteren Zahlengrößen nach Inhalt und Form in die Erscheinung und wann konnte jede derselben als gesichertes geistiges Besitztum angesehen werden?

5. Welche besonderen Förderungen und Hemmungen zeigten sich bei Auffassung und Benennung jeder der einzelnen Zahlen?

6. Welche sinnlichen Reize und welche Anschauungsformen führten am ersten und nachhaltigsten zur Erfassung der Zahlen im allgemeinen und welche für diese oder jene Zahl im besonderen?

7. In welcher Anordnung oder Gruppierung wurden jenseits der Dreiheit die Zahlen am sichersten erkannt und bestimmt?

8. Hatte das Kind vor Erfassung der Zahleninhalte das mechanische Hersagen der Zahlwörter (etwa bis 5 oder 6) beherrscht und war dieses Können für Erkennen und Benennen der Zahlengrößen hemmend oder fördernd?

9. Wann und bis zu welchen Zahlen zeigte sich neben der Auffassung im räumlichen Nebeneinander auch ein Verstehen beim Auftreten der Einheiten im zeitlichen Nacheinander?

10. Welchen Umfang hatte der Zahlenschatz, über den das Kind in seinem sechsten Lebensjahre, also vor Eintritt in die Schule mit Sicherheit verfügte?

11. Inwieweit war das Kind im stande innerhalb dieses Zahlenraumes rechnerisch zu operieren?

12. Welche Art der Förderung oder besonderer Schulung hatte das Kind auf jeder einzelnen Stufe der Zahlenerkenntnis erfahren?

Alle diese und noch viele andere Fragen könnten die Grundlage für eine einheitliche und systematische Forschung auf dem hier bezeichneten, noch sehr des Ausbaues harrenden Gebiete sein.

Zweifellos würde durch diese Tätigkeit mit der Zeit ein Material herausgearbeitet werden, das nicht allein von allgemeinem wissenschaftlichen Werte an sich schon wäre, sondern das auch wichtige und wertvolle Anhaltspunkte für eine planmäßige zielbewußte Lehrarbeit im Schulrechnen bieten würde.

Also ihr jüngeren Kollegen, frisch ans Werk! In und mit der Arbeit wird eure Freude und Kraft wachsen!

3. Die Lehrmittel in den Schulen für schwachbefähigte Kinder.

Von Alwin Schenk, Breslau.

(Schluß.)

Die geschichtlichen Belehrungen umfassen außer einigen Bildern aus der engeren Heimat vorzugsweise die Zeit der drei Kaiser, der Befreiungskriege, des alten Fritzen und des großen Kurfürsten, sowie einige kulturgeschichtliche Mitteilungen. In den Breslauer Hilfsschulen sind als Wandschmuck die Bilder der drei Kaiser und der Königin Luise bestimmt. Ferner werden benutzt 4 Lohmeyersche Wandbilder für den Geschichtsunterricht und zwar: Der große Kurfürst bei Fehrbellin, Friedrich II. bei Zorndorf, Blücher in der Schlacht an der Katzbach, Wilhelm I. in der Schlacht bei Gravelotte. Hierzu kommen die Bilder von Bismarck und Moltke (Wachsmuths Verlag in Leipzig). An kulturgeschichtlichen Bildern sind zwei im Lehrmittelverzeichnis aufgenommen worden: Germanisches Gehöft und die Ritterburg aus der A. Lehmannschen Sammlung. Auch Ansichtspostkarten (z. B. mit Denkmälern) dürften hier ihren Platz finden. — Kleine Lehrmittel, die bei der Behandlung einzelner kulturgeschichtlicher Stoffe gute Verwendung finden können, lassen sich ebenfalls leicht besorgen. Wer auf die Einführung der Buchdruckerkunst eingehen will, wird sich gewiß einige Lettern beschaffen. Für die kurze Besprechung der Erfindung des Schießpulvers habe ich mir zusammengestellt: Salpeter, Schwefel, Holzkohle, Schießpulver, Schrot, Patronen verschiedener Art usw. — Die Herstellung eines interessanten Bilderbuches möchte ich für alle die, die günstige Hilfsmittel hierfür haben, empfehlen. Der Geschichtsunterricht soll uns nicht nur mit der Vergangenheit bekannt machen, er soll uns u. a. auch für die Ereignisse der Gegenwart interessieren. Zur Erreichung dieses Zweckes fand ich in einer gut geleiteten Londoner Volksschule ein brauchbares Hilfsmittel. Wie bei uns, so bringen auch englische Zeitschriften zu den wichtigsten Tagesneuigkeiten neben Beschreibungen zahlreiche Bilder. Diese werden von den Kindern gesammelt; die besten davon werden mit kurzen Beschreibungen in einem der Schule gehörigen Buche zusammengestellt. Wird alle Jahre ein neues Buch angelegt, so gewinnt die Schule eine interessante, durch Bilder geschmückte Zusammenstellung der wichtigsten Ereignisse eines Jahres, der die Kinder unbedingt Interesse entgegenbringen.

Die Lehrmittel für die naturgeschichtlichen Belehrungen sind wiederum sehr mannigfacher Art. Hier gilt vor allem der Satz: Was uns die Natur in Wirklichkeit bietet, soll man nicht durch Modell und Bild ersetzen. Empfehlenswert sind alle Jahre wiederkehrende Besuche von zoologischen Gärten. Um den Kindern lebende Tiere im Wasser vorzuführen, hat man in der Hilfsschule in Kassel, wie ich 1895 gesehen habe, ein Aquarium ausgestattet. Raupenkästchen, für die die Kinder gern Raupen mitbringen, um ihre Umwandlungen zu beobachten, habe ich in verschiedenen Hilfsschulen gefunden. Die Pflanzen werden den Kindern auf Spaziergängen, beim Gartenbau, in Töpfen und in einzelnen Exemplaren vorgeführt. Das Gebiet der Mineralogie ist in der Hilfsschule wenig umfangreich. Im Breslauer Lehrmittelverzeichnis sind aufgenommen worden: Feuerstein, Marmor, ein Eisenerz, Roheisen, Stahl, Steinsalz, Bernstein, Steinkohle, Braunkohle, Torf, versteinerte Muschel, ein Abdruck (Fisch oder Pflanze) und Schwefel. — In zweiter Linie möchte ich die Sammlungen von ausgestopften Tieren, von Schlangen, Insekten, Früchten u. dergl. erwähnen. Empfehlenswert sind ferner Zusammenstellungen, die die Verwendung einzelner Naturprodukte erkennen lassen: Flachs und seine Verwendung, die Entstehung der Schulfeder usw. An naturwissenschaftlichen Bildertafeln ist kein Mangel. Die bekanntesten sind von A. Lehmann, Meinhold, Engleder und für das niedere Tierreich von Niepel.

Einen selbständigen Unterricht in der Naturlehre treibe ich nicht, obgleich die Schüler über mancherlei physikalische Vorgänge, die sie im Leben brauchen, unterrichtet sein müssen. Bisher habe ich diese Belehrungen in den allgemeinen Anschauungs- und in den Leseunterricht aufgenommen. Wie weit man diese Unterweisungen ausdehnen kann, hängt von dem geistigen Standpunkt der Schüler ab. Nur einige Beispiele seien genannt. Angenommen die Wanduhr bleibe zurück. Soll ich stillschweigend die Uhr in Ordnung bringen, oder soll ich dies in Gemeinschaft mit den Kindern tun? Ich habe mich unlängst für das letztere entschieden, da ich meine Schüler zu der Erkenntnis der hier obwaltenden Gesetze führen kann. Sie können es verstehen, daß der Gang der Uhr durch das Uhrpendel geregelt wird. Wenn das Pendel schneller geht, dann wird die Uhr auch schneller gehen. Ein kleiner Versuch mit einem langen und kurzen Pendel wird die Kinder leicht zu der Erkenntnis bringen, daß kürzere Pendel schneller als längere schwingen. Es würde sich also zur Regulierung der Uhr um ein Verkürzen des Pendels handeln. Das kann nun ein Schüler vornehmen. — Auch die Frage, wodurch die Körper ausgedehnt und wodurch sie zusammengezogen werden, können die Kinder durch einfache Beobachtungen leicht selbst beantworten. Ein Thermometer muß in jedem Klassenzimmer aufgehängt sein; an diesem können sie auf ganz einfache Weise zu der Erkenntnis geführt werden, daß die Wärme das Quecksilber ausdehnt und daß die Kälte es zusammenzieht. Die hier gemachten Beobachtungen übertragen die Kinder leicht auf andere Körper. Ebenso leicht können die Kinder zu der Einsicht geführt werden, daß man von einem in Bewegung befindlichen Wagen nur in der Fahrtrichtung abspringen darf. In der Turnstunde wird einer im schnellen Lauf befindlichen Turnabteilung unvermutet das Kommando »Halt« gegeben. Kein Schüler wird auf der Stelle stehen bleiben können. Der Grund dieser Erscheinung wird gesucht und auf die vorhin angeregte Angelegenheit übertragen.

2. Der Unterricht im **Deutschen** zerfällt für die vorliegende Arbeit in einen Lese- und Schreibunterricht. Die im ersten Leseunterricht angewendeten Lehrmittel sind meist den am Orte im Gebrauch befindlichen Fibeln und Schreibalphabeten angepaßt, so daß hier von allerorts zu verwendenden Lehrmitteln nicht gesprochen werden kann. Es könnte sich

nur um kleine und große Buchstaben für deutsche und lateinische Druckschrift handeln, wie sie von verschiedenen Buchhandlungen herausgegeben worden sind. Die bei der Erklärung der verschiedenen Lesestücke erforderlichen Lehrmittel dürften mit denen des Anschauungsunterrichtes im allgemeinen zusammenfallen. Von neuen Lehrmitteln kann hier keine Rede sein. — Für den Schreibunterricht würde sich eine Zusammenstellung von im Leben häufig zu verwendenden Formularen sehr empfehlen. Eine solche Formularmappe, die jeder Lehrer selbst zusammenstellen kann, müßte folgende Formulare enthalten: Postkarten, Postanweisungen, Postpaketadressen, Formulare für Telegramme, Kuverts, Quittungen, Rechnungen u. dergl.

3. Der Gesang in der Hilfsschule erfordert keine besonderen Lehrmittel. Über Gesanghefte zu sprechen verbietet mein Thema, da ich nur die Lehrmittel, nicht aber die Schulbücher behandeln soll.

4. Die für den weiblichen Handarbeitsunterricht vorzuschlagenden Lehrmittel will ich dem Breslauer Lehrmittelverzeichnis entnehmen. Es sind da genannt: Schallenfelds Wandtafel für den Handarbeitsunterricht und Holzpilze für den Stopfunterricht.

5. Eigene Lehrmittel für den Anfang im Handfertigkeitsunterrichte für Knaben sind bereits genannt worden. (Siehe Beschäftigungsunterricht.) Welche Lehrmittel für den Fortgang in diesem Unterrichtszweige zu empfehlen sind, entzieht sich meiner Kenntnis, da ich hierin noch keine praktischen Erfahrungen sammeln konnte.

6. Die geringsten Erfolge erzielen wir im Hilfsschulunterrichte im Rechnen. Der Wunsch, hier recht viele Veranschaulichungsmittel zu suchen, wäre darum wohl berechtigt. Wenn ich aber alle Verhältnisse berücksichtige, so kann ich trotzdem nur folgende 4 Gruppen als empfehlenswert bezeichnen: 1. Einzeldinge wie Würfel, Kugel, Bälle, Äpfel, Kastanien und vor allem die Finger, 2. die russische Rechenmaschine in ihren mannigfaltigen Abänderungen, Verbesserungen und Ergänzungen (Fritsche, Witteler u. a.), 3. den Tillich-Heerschen Rechenapparat in seinen Ergänzungen von P. Mittmann in Breslau und endlich 4. Zahlenbilder. Da die Punkte kein Interesse bei den schwachbefähigten Kindern erwecken, hat man vielfach die Zahlenbilder durch Gruppierungen von den Kindern interessanten Bildchen ersetzt. So stellte man zusammen Abbildungen von Soldaten, Tieren, Kreuzen, Lampen u. dergl. — Man hat ferner den Rechenunterricht mehr auf das praktische Leben zugeschnitten. In der Erziehungsanstalt zu Idstein ist eine große Nachbildung eines Kaufladens aufgestellt. Ein Kind spielt den Kaufmann; andere Kinder kaufen für wirkliches Geld die verschiedensten Sachen ein, die wir bei jedem Kaufmann erhalten können. Die Anschaffung und Aufstellung eines solchen Ladens ist mit größeren Kosten und mancherlei Schwierigkeiten verbunden. Darum möchte ich nicht die Anschaffung eines solchen empfehlen. Aber eins möchten wir daraus lernen: Dem praktischen Leben muß im Rechnen soviel als möglich Rechnung getragen werden. Dafür nur einige Beispiele. — Die Kinder müssen mit den verschiedenen Münzen vertraut gemacht werden. In Idstein und Leipzig verwendet man

dazu wirkliches Geld; in Rotterdam hat man hierfür nachgemachtes Geld, das aus Papiermasse besteht. Die Kinder lernen die Längen- und Hohlmaße kennen und üben deren Verwendung. Eine Wage mit einem Satze von Gewichten dient zum Abwägen von verschiedenen Gegenständen. Bei Briefen wird z. B. festgestellt, ob das Porto für einfache oder Doppelbriefe zu zahlen ist. Warenpreisverzeichnisse werden erörtert. Die bekanntesten Waren wie Kaffee, Reis, Pfeffer usw. werden vorgezeigt und kurz besprochen.

7. Der Religionsunterricht in der Hilfsschule stellt sich in der Hauptsache als biblischer Religionsunterricht dar. Katechismus und Kirchenlied können nicht als besondere Gebiete betrachtet werden, sondern müssen im engsten Anschluß an die biblische Geschichte behandelt werden. Die Lehrmittel für den Religionsunterricht würden also bezüglich der Anschauungsbilder für den Unterricht in der biblischen Geschichte sein. Als die besten sind die kolorierten von J. Schnorr von Carolsfeld zu nennen. Es sind dies im ganzen 30 Bilder für das gesamte Stoffgebiet der biblischen Geschichte. Zur Ergänzung für einzelne Geschichten könnten die von Wangemann noch genannt werden. — Wer Karten von Palästina für den Religionsunterricht wünscht, findet eine reiche Auswahl. Im Breslauer Verzeichnis ist die Karte von Kozenn aufgenommen worden.

8. Es erübrigt sich wohl, in der vorliegenden Zusammenstellung auf die Geräte im Turnen einzugehen; nur auf das Klavier als Lehrmittel im Turnbetriebe möchte ich hinweisen. Dasselbe habe ich in zahlreichen Schulen und Anstalten beim eurhythmischen Turnen im Gebrauch gefunden. Bei diesem führen die Kinder nach dem Klange einer leichten, stark rhythmischen Musik zusammenhängende Bewegungen aus. Für jede Übung gibt es ein bestimmtes Musikstück. Die Musik regelt alle Bewegungsäußerungen; sie gibt den Anfang an, leitet ihre Ausführungen und bestimmt ihr Ende. Als Vorteile dieses Systems gibt der Oberarzt der Brüsseler Hilfsschule Dr. Demoor in seinem größeren Werke über »die anormalen Kinder« folgende an: »1. Der nach dieser Methode gegebene Turnunterricht gefällt den Kindern sehr. Es herrscht dabei eine vollkommene Disziplin. Der Lehrer kann die regelrechte Ausführung der Übungen ausgezeichnet überwachen. Da keine Langeweile herrscht, führen die Kinder die Übungen mit Frische aus und haben davon für ihren Organismus großen Vorteil. 2. Dank der Musik werden die Kombinationen der Muskelübungen mit der größten Leichtigkeit im Gedächtnis behalten. Daher kann man dem Kinde ziemlich verwickelte Verbindungen von Muskelübungen beibringen, ohne irgend welche geistige Ermüdung zu verursachen, und so den ästhetischen Wert des Turnunterrichts sehr erhöhen. 3. Dank den Hirnassoziationen, welche diese Übungen voraussetzen, wirkt dieser Unterricht hinsichtlich der Erziehung und der Aufmerksamkeit sehr heilsam. 4. Da die Turn- und Musikkombinationen sehr zahlreich sind, so können alle Muskelsysteme in Tätigkeit gesetzt werden und die Bewegungen werden von den Kindern hinsichtlich des Verlaufs und der Genauigkeit leicht nach Wunsch ausgeführt.« Das eurhythmische Turnen habe ich in belgischen, französischen und englischen Schulen überall ge-

sehen. Ein Versuch mit dieser Form des Turnens dürfte auch bei uns nicht ohne Interesse und Nutzen sein.

9. Besondere Lehrmittel für den Zeichenunterricht sind an dieser Stelle nicht mehr zu nennen. Wer den Zeichenunterricht an das Stäbchenlegen usw. anschließen will, der findet unter den im Kapitel »Beschäftigungsunterricht« genannten Lehrmitteln reiche Auswahl.

B. Neben den Lehrmitteln für bestimmte Unterrichtsfächer sind in den Hilfsschulen und Erziehungsanstalten auch Lehrmittel mehr allgemeiner Natur im Gebrauch. Ich möchte nur auf zwei kurz eingehen. Das eine fand ich in der Antwerpener Hilfsschule. Dort steht man auf dem sehr richtigen Standpunkte, daß man nicht nur die geistigen Mängel bei den schwachsinnigen Kindern, soweit dies überhaupt möglich ist, beseitigen, sondern auch deren körperliche Gebrechen lindern will. Für Kinder, die unsicher im Gebrauch ihrer Hände sind, hat man beispielsweise eine größere Tafel in einem Klassenzimmer aufgehängt. Auf derselben befinden sich zahlreiche, ganz verschieden große runde Öffnungen. In jeder derselben steckt ein Stöpsel mit Griff. Kinder, die unsicher im Gebrauch ihrer Hände sind, müssen nun alle Tage eine kurze Zeit einige der Stöpsel herausnehmen und wieder hineinstecken. Man hofft durch derartige Übungen, die auch vom Leichteren zum Schwereren fortschreiten, die Kinder zur Sicherheit im Gebrauche ihrer Hände zu bringen.

Das zweite Lehrmittel, das ich der Vollständigkeit wegen auch noch angeben will, führt uns nach Paris in die dortige große Idiotenanstalt für Knaben. Bei meinem dortigen Besuche wurden mir die umfangreichen Einrichtungen der Anstalt nach einem festgelegten Programme vorgeführt. Ein Punkt desselben bildete die Vorführung einer Reihe von Lichtbildern in einem dunklen Raume. Die Bilder waren verschiedenen Gebieten entnommen: Tierbilder, Pflanzen, Geräte, einzelne Buchstaben u. dergl. An die Vorführung der Bilder schloß sich eine kurze Besprechung. Anstalten und Schulen, die über einen guten Lichtbilderapparat und über ein angemessenes Dunkelzimmer verfügen, werden den Kindern durch Vorführung von Bildern z. B. aus Märchen und Sagen, aus schönen Gegenden usw. viele Freude bereiten; auch für die Schultätigkeit selbst dürfte manche Anregung abfallen.

Wie schon in der Einleitung gesagt worden ist, sollen die gebotenen Ausführungen nun eine Grundlage bilden für eine Weiterausgestaltung der ganzen Lehrmittelfrage.[1]) Möchte es gelingen, den Ausbau derselben zu einem recht befriedigenden Ziele zu führen.

---

[1]) Ergänzende Mitteilungen und kurze kritische Bemerkungen sind darum willkommen. Die Schriftleitung.

B. Mitteilungen.

1. Vom 10. Kongresse der »Internationalen Kriminalistischen Vereinigung«.

Von H. Kielhorn in Braunschweig.

Die I. K. V. hat vom II.—15. September d. J. zum ersten Male in Deutschland getagt und zwar in Hamburg auf Einladung des Senates.

Die Tagesordnung wies folgende Gegenstände auf: 1. »Die Schwierigkeiten des Strafproblems in der Gegenwart«. Vortrag von Prof. Prins, Brüssel. 2. »Das internationale Verbrechertum und seine Bekämpfung«. Berichterstatter: Regierungsassessor Dr. Lindenau, Berlin und Rat Dr. Hopff, Hamburg. 3. »Wie kann für bestimmte Kategorien von Rückfälligen der Begriff der Gemeingefährlichkeit des Täters an die Stelle des heute zu ausschließlich angewandten Begriffs der verbrecherischen Tat gesetzt werden?« Berichterstatter: Prof. Dr. Prins, Brüssel und Advokaten Jaspar und Dupont, Brüssel. 4. »Die Behandlung der vermindert Zurechnungsfähigen.« Berichterstatter: Geh. Rat Prof. Dr. von Liszt, Berlin. 5. »Die Rehabilitation.« Berichterstatter: Untersuchungsrichter G. le Poittevin, Paris und Dr. Delaquis, Berlin. 6. »Die Konzentration der vergleichenden internationalen Kriminalistik.« Berichterstatter: Prof. von Hamel, Amsterdam. 7. Die Aufhebung der strafrechtlichen Folgen des Rückfalles infolge von Zeitablauf, tätiger Reue und ähnlicher Ursachen. Berichterstatter: Prof. Foinitzky, St. Petersburg.

Das Thema No. 4 veranlaßte den Vorstand des »Verbandes der deutschen Hilfsschulen«, seinen zweiten Vorsitzenden (den Verfasser dieses Berichtes) zu beauftragen, den Verband auf dem Kongresse zu vertreten. Die Erzieher geistig minderwertiger Kinder haben längst erkannt, daß die Minderwertigen bislang in der Gesetzgebung und Rechtspflege nicht genügend berücksichtigt worden sind und haben deshalb wiederholt ihre Stimme erhoben.[1] Unter den Ärzten war es

---

[1] U. a. Falch: 3. Konferenz für das Idiotenwesen 1883. — Kielhorn: 5. Konferenz für das Idiotenwesen 1887 (»der Schwachsinnige Mensch im öffentlichen Leben«) derselbe auf der 6. Konferenz für das Idiotenwesen, auf dem 2. Verbandstage der deutschen Hilfsschulen und auf der Jubiläumsversammlung des braunschw. Landeslehrervereins 1900. — Trüper: Psychopathische Minderwertigkeiten im Kindesalter. Gütersloh, Bertelsmann, 1893. Zur Frage der Erziehung unserer sittlich gefährdeten Jugend. Langensalza, Hermann Beyer & Söhne (Beyer & Mann), 1900. Die Anfänge abnormer Erscheinungen im kindlichen Seelenleben. Altenburg, Oskar Bonde, 1902. Psychopathische Minderwertigkeiten als Ursache jugendlicher Gesetzesverletzungen. Langensalza, Hermann Beyer & Söhne (Beyer & Mann), 1904. — Das Organ des Verbandes deutscher Hilfsschulen, die Zeitschrift für Kinderforschung, hat in den 10 Jahren ihres Bestehens immer wieder in zahlreichen Artikeln auf die Bedeutung dieser Frage hingewiesen.

namentlich der Mitherausgeber dieser Zeitschrift, der hier bahnbrechend gearbeitet hat.[1]

Der Vorstand des Hilfsschulverbandes hat sich ebenfalls in mehreren Sitzungen mit der fraglichen Angelegenheit befaßt und hat im Laufe des vorigen Jahres einen »Ausschuß zum Rechtsschutze für die geistig Minderwertigen« eingesetzt, bestehend aus 2 Rechtsgelehrten, 2 Ärzten und 2 Hilfsschullehrern. Diesem Ausschusse ist insonderheit die Aufgabe gestellt, Material zu sammeln für die in Aussicht stehende Umarbeitung des Reichsstrafgesetzbuches.

Auch anderweit ist in juristischen und ärztlichen Kreisen darauf hingewiesen, daß die geistig Minderwertigen mehr und besonders berücksichtigt werden müssen. Vergl. Nolte auf dem 4. und 5. Verbandstage der deutschen Hilfsschulen, sowie die Verhandlungen auf dem deutschen Juristentage. Von seiten des Hilfsschulverbandes ist es freudig begrüßt worden, daß die I. K. V. sich der vermindert Zurechnungsfähigen, insonderheit der geistig Minderwertigen, energisch angenommen hat — und sich voraussichtlich fernerhin mit ihnen beschäftigen wird.

Der »Verband« hat also in der »Vereinigung«, welche vorzugsweise aus Juristen und Ärzten besteht, ohne Frage einen bedeutenden Bundes-

[1] Koch, Dr. J. L. A., Über die Grenzgebiete der Zurechnungsfähigkeit. Irrenfreund, 1881. — Der Einfluß der sozialen Mißstände auf die Zunahme der Geisteskrankheiten. 20. Heft der Sozialen Zeitfragen. Minden i. W., Bruns, 1888. — Leitfaden der Psychiatrie. 2. Aufl. Ravensburg, 1888. — Ein psychiatrischer Wink für den Hausarzt. Irrenfreund, 1888. — Anleitung zur gerichtsärztlichen Untersuchung und Begutachtung der psychopathischen Zustände. Börners Reichs-Medizinal-Kalender, 1890 ff. — Die Psychopathischen Minderwertigkeiten. I. bis III. Abteilung. Ravensburg, 1891/93. — Fürsorge für Geisteskranke. Thesen, 1891. — Die Lehre von den psychopathischen Minderwertigkeiten in ihrem Verhältnis zu den Degenerationstheorien. Irrenfreund, 1892. — Die Bedeutung der psychopathischen Minderwertigkeiten für den Militärdienst. Ravensburg, 1894. — Die Frage nach dem geborenen Verbrecher. Ravensburg, 1894. — Das Nervenleben des Menschen in guten und bösen Tagen. Ravensburg, 1895 ff. — Einige Fälle von Verkennung des Irreseins und der Psychopathien überhaupt. Irrenfreund, 1895. — Pädagogik und Medizin. Päd. Magazin und in Reins Encyklopäd. Handbuch der Pädag., 1896. Langensalza, H. Beyer & Söhne (Beyer & Mann). — Die überwertigen Ideen. 3 Artikel im Zentralblatt f. Nervenheilkunde u. Psychiatrie, 1896. — Soll man seinen Schmuck verkaufen? Kinderfehler, 1896. Langensalza, Hermann Beyer & Söhne (Beyer & Mann). — Ist das Rauchen und das Trinken wirklich so schädlich? Ebenda. — Die Überbürdung der Schüler mit Hausaufgaben. Ebenda. — Geschlechtliche Anomalien. Ebenda 1897. — Zur Orientierung über die verschiedenen Arten von geistiger Störung. Ebenda 1899. — Abnorme Charaktere. V. Heft der Grenzfragen des Nerven- und Seelenlebens. Wiesbaden, 1900. — Die menschliche Freiheit, Verantwortlichkeit, Zurechnungsfähigkeit. Württ. Med. Korr.-Blatt, 1901. — Die psychopathischen Minderwertigkeiten in der Schule. Beitrag zu Baur, Das kranke Schulkind. Stuttgart, 1902 ff. — Die erbliche Belastung bei den Psychopathien. Kinderfehler, 1903. Langensalza, Hermann Beyer & Söhne (Beyer & Mann). — Die Schulhygiene mit Rücksicht auf die psychopathischen Minderwertigkeiten. Beitrag zu Baur, Die Hygiene des kranken Schulkindes. Stuttgart, 1903.

genossen gefunden. Und von führender Stelle aus wurde in Hamburg
anerkannt, daß die Hilfsschule und deren Vertreter in gleicher Richtung
mit der »Vereinigung« wirke. Professor von Liszt hob in seinem einleitenden Vortrage hervor, es sei erfreulich, daß die Bestrebungen der
»Vereinigung« auch unter den Pädagogen Widerhall gefunden haben und
daß insonderheit die Hilfsschule auf dem Kongresse vertreten sei. [1]

Die »I. K. V.« stellt sich zur Aufgabe: Wissenschaftliche Erforschung
des Verbrechens, seiner Ursachen und der Mittel zur Bekämpfung. Sie
fordert: das Verbrechen nicht nur vom juristischen, sondern auch vom
anthropologischen und soziologischen Standpunkte aus zu betrachten —
sodann die Ursachen des Verbrechens zu beseitigen.

Die »Hamburgische Zeitung« drückte sich in ihrem Willkommengruß
folgendermaßen aus: »Die juristische, einseitige Betrachtungsweise der
Kriminalität, die in dem Verbrecher einen Menschen sieht, wie alle anderen
Menschen, der aber eine durch Gesetzesparagraphen verbotene und strafbare Handlung beging, soll also durch die wissenschaftliche ergänzt werden,
die nach der Natur des Verbrechens und des Verbrechers fragt, die eine
Analyse vornimmt, um die Bedingungen zu erforschen, unter denen jemand
zum Verbrecher wird. Nach der wahren Natur des Verbrechens aber
sollen sich, nach den Ansichten dieser die Methoden der Naturwissenschaft
auf das kriminelle Gebiet anwendenden Männer, auch die Methoden zur
Bekämpfung des Verbrechens richten. Es genügt, um im Bilde zu sprechen,
nach der Ansicht dieser kriminalistischen Schule also nicht, einzelne Zweige
und die Beeren einer Giftpflanze zu beseitigen, wenn man das schädliche
Gewächs für immer vernichten will. Nach den Wurzeln muß gegraben
werden, wenn dem Übel gründlich abgeholfen werden soll.«

Und der Herr Bürgermeister Dr. Mönckeberg sprach in seiner Rede
bei dem offiziellen Empfange im Rathause: »Wenn Sie als Ihre Aufgabe
bezeichnen: die wissenschaftliche Erforschung des Verbrechens, seiner Ursachen und der Mittel zu seiner Bekämpfung und zwar nicht nur vom
juristischen, sondern auch vom anthropologischen und soziologischen Standpunkte aus, so ist das eine Aufgabe, die nicht nur die Angehörigen eines
einzelnen Volkes, sondern die Gebildeten aller zivilisierten Nationen auf
das lebhafteste interessiert.«

---

[1] Auch der »Verein für Kinderforschung« hat sich fast auf jeder
Jahresversammlung bald in dieser und bald in jener Richtung mit dem Werden
des abnormen Ethos, mit der Frage des jugendlichen Verbrechertums und seiner
psychologischen wie psychopathologischen Erklärung eingehend beschäftigt. Wir
verweisen auf die in der »Zeitschrift für Kinderforschung« erstatteten und auch in
Sonderausgaben bei Hermann Beyer & Söhne (Beyer & Mann) in Langensalza erschienenen Jahresberichte. Der zuletzt in Leipzig über diese Frage gehaltene Vortrag ist soeben in erweiterter Form erschienen in der Ziehen-Zieglerschen »Sammlung« (Berlin, Reuther & Reichard) VIII, 5, 1905 unter dem Titel: »Über den
moralischen Schwachsinn, mit besonderer Berücksichtigung der kindlichen
Altersstufe von O. Binswanger, Professor an der Universität Jena. Ich möchte
den Vortrag gerade in diesem Zusammenhange der besonderen Beachtung empfehlen,
wenn auch die Hauptgedanken unsern Lesern bereits aus dem Berichte bekannt sind.

Tr.

Dem Grundsatze folgend, sich mehr mit dem Täter, als mit der begangenen Straftat zu befassen, entsprachen in erster Reihe die beiden Beratungsgegenstände Nr. 3 und Nr. 4.

In seinem einleitenden Vortrage zu Nr. 3 legte Professor Prins dar: Die klassische Schule habe nur die Tat bestraft, die moderne Schule beschäftige sich auch mit dem psychischen und sozialen Zustande des Verbrechers. Die sozusagen instinktmäßige Aussöhnung beider Schulen trete jetzt zu Tage, indem man Maßnahmen gegen den Verbrecher treffe für das, was er getan habe, aber auch für das, was er sei. Beweis hierfür sei die Einstimmigkeit, mit der man den Lisztschen Gesetzentwurf über Maßnahmen gegen gemindert zurechnungsfähige Verbrecher aufgenommen habe, ferner, daß man mehr und mehr (besonders in Belgien) Bettel und Landstreicherei als Zustände ansehe, die gemeingefährlich werden und deshalb eine längere Internierung nach sich ziehen können. Ebenso fordere man vielfach für den Gewohnheitstrinker einen längeren Aufenthalt in Trinkerasylen, und auch die Kriminalität der Kinder wurde als gemeingefährlicher Zustand angesehen, der längere Unterbringung in eine Erziehungsanstalt erheische.

Diese Betrachtungsweise könne man auch auf die Rückfälligen anwenden. Das heutige Verfahren, allein die Tat des Rückfälligen zu berücksichtigen und einen Verbrecher mit unzähligen Vorstrafen eine verhältnismäßig kurze Zeit zu inhaftieren, sei illusorisch. Man müsse, sobald die Vorstrafen auf Gemeingefährlichkeit schließen lassen, ihn längere Zeit unschädlich machen.

So sei man im Jahre 1904 in England vorgegangen. Überall schreie aber das Übel nach Abhilfe. Man würde dann dazu kommen, Arbeitshäuser oder Bewahranstalten zu errichten, die besser als Gefängnisse bei längerer Freiheitsentziehung seien.

In der Praxis würde es darauf ankommen, festzustellen, wann die Gemeingefährlichkeit beginne, um sie für das, was der Verbrecher getan habe, aber auch was er sei, zu strafen.

Dem fügte der Mitberichterstatter (Dupont) hinzu: Die Verbrechen würden meist von Berufsverbrechern begangen, es seien deshalb besondere Maßregeln gegen solche am Platze, besonders da sich die Berufsverbrecher nicht auf eine Spezialität würfen, sondern überhaupt antisoziale Individuen würden, deren Unschädlichmachung dringend notwendig sei. Unsere heutigen Repressivmittel seien dazu nicht ausreichend. Sie hätten nur die Tat im Auge; die Gemeingefährlichkeit würde nur bei der Strafzumessung berücksichtigt. Die Wirkung kurzfristiger Strafen sei für solche Verbrecher gleich null, zumal da die geringeren Vergehen, berufsmäßig betrieben, verhältnismäßig sicher und sogar einträglich seien. Dazu komme, daß zu häufig mildernde Umstände angenommen und die Untersuchungshaft angerechnet werde. Die zu frühe Entlassung der Rückfälligen sei dann eine weitere Gefahr für das Milieu, aus dem sie hervorgegangen seien.

Dringend notwendig seien daher strengere Maßnahmen gegen die Rückfälligen. Es müssen Schutzmittel gegen sie gefunden werden, die im Verhältnis stehen zur Gefahr für die menschliche Gesellschaft. Sie müßten also nicht bloß beurteilt werden nach dem, was sie getan hätten, sondern nach dem, was sie seien (Gemeingefährlichkeit). Die Gemeingefährlichkeit könnte man prinzipiell nach der Zahl der Verurteilten feststellen. Berücksichtigt müsse aber auch dabei werden die Natur, die Schwere und Vielseitigkeit der Verbrechen. Dem Richter müsse ein gewisser Spielraum gegeben werden, innerhalb dessen er von Fall zu Fall die Gemeingefährlichkeit festzustellen hätte, und den höheren Gerichten läge es ob, durch ihre Judikatur zur Festlegung des Begriffs beizutragen.

Die Behandlung der gemeingefährlichen Rückfälligen würde sich anschließen können an die, die den Bettlern, Vagabunden und jugendlichen Verbrechern zu teil würde, nämlich Freiheitsentziehung in Arbeits- und Korrektionshäusern und Asylen. In allen diesen müßte jedoch nicht eine strenge Zucht wie in Gefängnissen herrschen. Sonst würde man durch eine solche überlange Freiheitsstrafe das allzu große Mitleid der Richter und der öffentlichen Meinung erregen.

Das französische Gesetz von 1885 über die Deportation rückfälliger schwerer Verbrecher habe wenig Erfolg gehabt, wie die statistischen Zahlen dartäten; deshalb müsse man danach streben, die leichteren Rückfälligen durch eine längere, bisweilen sogar unbeschränkte Freiheitsentziehung unschädlich zu machen und zu bessern, eine Freiheitsstrafe, die aber gleichzeitig durch die Möglichkeit bedingungsweiser Freilassung und milderer Behandlung gemäßigt würde.

Aus der sehr lebhaften Debatte sei folgendes hervorgehoben:

Dr. Finkelnburg, Strafanstaltsdirektor in Düsseldorf, vertritt den Standpunkt der Milde. Ein besonderes Gesetz gegen Rückfällige sei nicht nötig. Im Gegenteil, schon heute würde eventuell ein Mann, der zum zweiten Male eine Hose stehle, zu mehreren Jahren Zuchthaus verurteilt.

Prof. Dr. Aschaffenburg aus Köln, der längere Zeit Gefängnisarzt war, stimmt dem Vorredner zwar zu, daß ein Teil der Rückfälligen harmlos sei; der größte Teil sei das aber nicht, zu retten seien sie doch nicht. Energische Maßregeln seien erforderlich. Wenn der Zustand der Gefährlichkeit festgestellt wäre, dann müßten unbestimmte Strafen ausgesprochen werden.

van Hamel, Universitätslehrer in Amsterdam, will die Gemeingefährlichkeit nicht von der Minderwertigkeit trennen. Sei jemand schon bei der ersten Straftat gefährlich, dann sei er auch minderwertig. Die Frage sei rein praktisch: wir müßten eine praktische Anstalt bauen. Wer in diese hineingehöre, soll der Arzt, nicht der Richter entscheiden. Dem tritt Prof. Dr. v. Hippel aus Göttingen energisch entgegen. Ebenso wie Kammergerichtsrat Dr. Kronecker. Wucherer und Zuhälter hätten z. B. gewöhnlich ihr gefährliches Treiben schon lange geübt, bevor sie zum ersten Male bestraft würden. Schon bei der ersten Bestrafung zeigten sie sich als gefährlich. Andrerseits könnten Gewohnheitsverbrecher gefährlich, aber auch völlig harmlos sein.

Die Versammlung beschloß, die vorliegende Frage zur erneuten Prüfung auf die nächste Tagesordnung zu setzen.

(Schluß folgt.)

2. Fortbildungskursus für Hilfsschullehrer in Bonn.

Auf dem letzten Verbandstag der Hilfsschulen Deutschlands zu Bremen (25.—27. April 1905) war von mehreren Seiten der Wunsch laut geworden nach Einrichtung von besonderen Fortbildungskursen für Hilfsschullehrer. Angesichts der eigenartigen Aufgaben, welche die Erziehung der schwachsinnigen Kinder an den Hilfsschullehrer stellt, und angesichts des Umstandes, daß die seminaristische Ausbildung unmöglich eine eingehendere Vorbildung für dieses Sondergebiet in sich schließen kann, ist solch Bedürfnis zweifellos vorhanden.

Die Unterzeichneten haben sich zur Abhaltung eines derartigen Kursus für die Theorie und Praxis des Hilfsschulunterrichts vereinigt. Die ursprüngliche Absicht, bereits im Spätherbst dieses Jahres hiermit vorzugehen, konnte nicht verwirklicht werden, da die diesbezügliche Veröffentlichung zu spät erfolgte.

Es ist nunmehr in Aussicht genommen, diesen Kursus in Bonn in der Zeit vom 5. bis 26. März stattfinden zu lassen.

Der Kursus soll umfassen:

A. Praktische Vorführungen und Übungen, und zwar: 1. Hilfsschulpraxis bei den verschiedenen Altersstufen der (fünfklassigen) Bonner Hilfsschule. 2. Sprachheilkursus der Bonner Volksschulen. 3. Übungen in Falt- und Fröbelarbeiten sowie im Modellieren.

B. Theoretische Vorträge (zum Teil mit Demonstrationen): 1. Schulgesundheitslehre. 2. Anatomie und Physiologie des gesunden und kranken Nervensystems. 3. Die verschiedenen Formen des Schwachsinns; ihr Wesen, ihre Ursachen und Erscheinungen. 4. Pädagogische Pathologie. 5. Sprachstörungen. 6. Lehr- u. Lektionsplan für die Hilfsschule. 7. Organisation der Hilfsschule. 8. Fürsorge für die entlassenen Zöglinge. 9. Gymnastik für Hilfsschüler. 10. Literatur, Lehr- u. Lernmittel für die Hilfsschule.

Die Verteilung dieser Lehrgegenstände auf die einzelnen Tage der Woche ist auf dem nebenstehenden Arbeitsplan ersichtlich. Dabei mag bemerkt sein, daß kleine Verschiebungen innerhalb des Stundenplans vorbehalten sind. An einem Tage der Woche soll noch ein besonderer Diskussionsabend stattfinden.

Die Zahl der Teilnehmer an dem Kursus soll 40 nicht überschreiten. Das Honorar für den ganzen Kursus ist auf 40 M festgesetzt. Eine Bescheinigung der Teilnahme wird am Schlusse des Kursus ausgehändigt.

Anmeldungen müssen spätestens bis zum 1. Februar 1906 eingereicht sein. Sie werden der Reihe nach berücksichtigt. Über die Zahl von 40 etwa hinausgehende Meldungen werden für einen späteren Kursus vorgemerkt.

Alle Anmeldungen sowie Anfragen sind zu richten an Sanitätsrat Dr. F. A. Schmidt in Bonn, Coblenzerstraße 23.

Die Leiter des Kursus:

Privatdoz. Dr. Rich. Förster, Oberarzt a. d. Provinzial-Heil- u. Pflege-Anstalt in Bonn. H. H. Lessenich, Leiter der Hilfsschule in Bonn. H. Horrix, Leiter der Hilfsschule in Düsseldorf. Dr. F. A. Schmidt, Sanitätsrat in Bonn.

C. Literatur.

Dr. med. **Neter,** Kinderarzt in Mannheim, Die Bedeutung der chronischen
Stuhlverstopfung im Kindesalter. Heft XIV d. Beitr. z. Kinderforschg. u.
Heilerziehg. Langensalza. H. Beyer & Söhne (Beyer & Mann), 1905. 23 S. 0,45 M.

In dieser Abhandlung ist alles zusammengefaßt, was der Erzieher über den
Gegenstand wissen muß. In 3 Abschnitten werden die Ursachen, das Krank-
heitsbild und die Behandlung der sogenannten habituellen Obstipation besprochen.

Als Ursachen lernen wir die unzweckmäßige Ernährung und namentlich
die »kräftige Kost« (Milch, Fleisch, Eier) und die »einseitige Kost« (zu reichlich
Fleisch, nur nach dem Nährwert ausgewählte Diät, Mästung mit Milch) kennen;
ferner: die verkehrte Lebensweise (unregelmäßiges Aufsuchen des Klosetts, Hast und
Unruhe, langes Sitzen in der Schule usw.) und schlechte Gewohnheiten (Mangel an
Körperbewegung, falsche Scham, Korsett und Schnüren, Gewöhnung an Klystiere usw.).
Referent möchte hierbei noch darauf aufmerksam machen, daß die meisten unserer
Kinder, namentlich die Mädchen, nicht genügend und nicht ausgiebig zu
atmen verstehen; das Atmen müßte in allen Schulen regelmäßig geübt werden,
da mangelhaftes Atemholen die Ursache vieler Krankheitserscheinungen und so
auch nicht selten die Ursache der Obstipation ist. Höchst beachtenswerte Worte
widmet Dr. Neter der chronischen Verstopfung als Begleiterscheinung der Nervenschwäche und der Hysterie bei Knaben und Mädchen.

Im 2. Abschnitt wird als das hervorstechendste Symptom die Stuhlverhaltung
genannt, die 2—4 Tage, aber auch 1—2 Wochen andauern kann. Wenn sich die
stagnierenden Stoffe zersetzen, erfolgt nicht selten eine Reizung der Darmschleim-
haut, die dann eine neben der Verstopfung bestehende Diarrhoe von charakteristisch
aussehenden Massen zur Folge hat. Häufig ist trotz täglicher Stuhlentleerung doch
chronische Verstopfung vorhanden, dann nämlich, wenn der Kot in unzureichender
Menge entleert wird. Verfasser beschreibt das Aussehen, die Farbe und die Kon-
sistenz der Fäkalstoffe bei habitueller Obstipation, die nicht selten dabei auftretende
Urinverhaltung (die ihrerseits wieder die Ursache des Einnässens werden kann —
Ref. —) und die krankhaften Erscheinungen, welche die Verstopfung außerhalb des
Darmes hervorruft. Es kommt dabei zu Fiebererscheinungen mit nervösen Er-
regungszuständen und Koliksohmerzen und in schweren Fällen sogar zu ernsten
Gehirnerscheinungen (Ohnmacht, Schlafsucht, Krämpfe). In den im Darme stag-
nierenden Massen bilden sich Giftstoffe, die ins Blut aufgenommen werden und nun
Nesselsucht, Juckblattern, nässende Ausschläge und Ähnliches hervorrufen. Ferner
erzeugt die chronische Obstipation Appetitlosigkeit, unruhigen Schlaf und Blutarmut,
Nierenreizung mit ihren Folgen und Störung der Herztätigkeit, Nervenschwäche und
unter Umständen Hysterie, ja selbst Epilepsie. Verfasser belegt das mit Beispielen.
Erfolgreiche Behandlung der chronischen Verstopfung beseitigte die krankhaften Erscheinungen. In eingehender Weise wird der Zusammenhang der Verstopfung mit
derartigen Erscheinungen erläutert.

Zur Behandlung der Affektion dienen diätetische und hygienische Maßnahmen. Verfasser gibt an, in welcher Weise die Diät verändert werden, der
Stuhlgang reguliert, Bewegung im Freien genommen und das Kind psychisch beeinflußt werden muß u. a. m.

Das Büchlein ist so recht aus der praktischen Erfahrung heraus und in überaus klarer und faßlicher Weise geschrieben. Wir können seine Anschaffung nur
dringend anraten; es gebührt ihm ein Platz im Bücherschatz jedes Erziehers und
vor allem auch in dem jedes Heilpädagogen.   Dr. Fiebig-Jena.

Druck von Hermann Beyer & Söhne (Beyer & Mann) in Langensalza.

A. Abhandlungen.

1. Warum und wozu betreibt man Kinderstudium?
Von
A. J. Schreuder, Direktor des Medizinisch-Pädagogischen Instituts zu Arnheim.

(Forts.)

4. Methodik.[1]

1. Die allgemeine Methode für psychologische Untersuchung, nämlich die Selbstbeobachtung, ist bei der Kinderpsychologie naturgemäß so gut wie ausgeschlossen. Doch nicht ganz. Sie kann dann in zweierlei Formen auftreten und zwar: a) die Selbstbeobachtungen werden in späterem Alter als Jugenderinnerungen aufgeschrieben und b) sie werden von dem Kinde selbst aufgeschrieben, entweder in einem Tagebuch oder in intimen Briefen.

a) Jugenderinnerungen können nie ein reines Bild geben von demjenigen, was man in der Jugend selbst erlebt hat; nicht nur, daß sie nur Fragmente geben, sondern wir sehen und fühlen diese Erinnerungen auch stets anders und schöner, als wir sie erlebten. Doch haben sie großen Wert, besonders wenn sie von klardenkenden, scharfen, ehrlichen, sich selbst erkennenden Menschen geschrieben sind. Eins der besten Werke dieser Art ist die schöne

---

[1] Vergl. über die Methodik und verwandte Fragen der Kinderforschung auch: Ufer, Kinderpsychologie, Kinderforschung, Child-study. Encyklopädisches Handbuch der Pädagogik von Wilhelm Rein. 4. Bd. 1897. S. 113—123. — Stumpf, Zur Methodik der Kinderpsychologie. Zeitschrift für Pädagogische Psychologie. II. Jahrgang. 1900. S. 1—21. — Überblick bei Ament, Fortschritte. S. 161—164. — Einzelbeiträge hierzu in der »Zeitschrift für Kinderforschung« sind zusammengestellt bei Schulze a. a. O. S. 19.

Jugendbeschreibung der GEORGE SAND (AURORE DUPIN) in ihrer »Histoire de ma Vie«. Bekannt sind auch die von GOETHE, »Aus meinem Leben« (1811), von TOLSTOI, »Jugend und Jünglingsjahre«, von FREDERIK VAN EEDEN, »Der kleine Johannes« (holländisch 1886, deutsch 1892), von GOLTZ, »Das Buch der Kindheit« (1847), von MRS. FRANCES BURNET, »Der kleine Lord«, um nicht mehr zu nennen; eines der ältesten ist wohl die Jugendbeschreibung des AUGUSTINUS.[1]

SULLY nennt es ein erstes Erfordernis für einen Kinderbeobachter, daß er lebhafte Erinnerungen aus seinen eignen Kinderjahren habe; dadurch kann man gleichsam eine Vorschule durchmachen und auch sich viel besser in die Kinderwelt versetzen.

Sehr richtig gesehen ist es denn auch, daß man in mehreren amerikanischen Seminaren für die Lehrer systematisch ihre eignen Jugenderinnerungen als Anschauungsmittel benutzt. An dem Seminar zu Westfield[2] z. B. werden von jedem Seminaristen seine Jugenderinnerungen aufgeschrieben über folgende Gegenstände: Furcht, Begriff von dem Werte des Geldes, Spiel, Spielzeug, Gespenster, Aberglaube, Sinn für Gerechtigkeit, kindliche Vorliebe, Sammlungen und zwar als Antwort auf einen zweckmäßigen Fragenbogen. Diese Vertiefung in die Jugenderinnerungen dient als Ausgangspunkt für die ferneren psychologischen und kinderpsychologischen Studien.

Auch in andrer Richtung hat man versucht, die Jugenderinnerungen der Untersuchung zugänglich zu machen. So hat ein amerikanischer Untersucher COLGROVE hundert ihm bekannten Personen eine Reihe Fragen gestellt, die ihr Gedächtnis betreffen, von denen eine Anzahl sich auf die Jugenderinnerungen beziehen,[3] während V. und C. HENRI eine ähnliche Untersuchung nach Jugenderinnerungen anstellten; diese bekamen eine Antwort auf ihren Fragenbogen von 123 Personen aus verschiedenen Ländern.[4] Die Bearbeitung zu

---

[1] In seinen »Bekenntnissen«. Als eine gute und billige Ausgabe empfehle ich die Übersetzung von OTTO LACHMANN in Reclams Universal-Bibliothek.
Überblick über Kindheits- und Jugenderinnerungen bei SULLY, Einleitung, für die englische, und bei AMENT, Entwicklung von Sprechen und Denken, S. 8—10, für die deutsche Literatur.
[2] Wir bringen darüber in einem der nächsten Hefte Näheres von dem Direktor des Seminars, Prof. WILL. S. MONROE. Tr.
[3] F. W. COLGROVE »Individual Memories«. Dissertation für die Erwerbung des Doktorgrades in der Philosophie an der Clarkuniversität zu Worcester. Mass. Zu finden in dem »American Journal of Psychology« vom Januar 1899.
[4] L'année Psychologique, III. 1897. Nach diesen Untersuchungen tritt »der unabgebrochne Erinnerungsstrom« erst drei Jahre nach der ältesten einzeln für sich stehenden Erinnerung auf.

einem Ganzen der auf diese Weise gesammelten Angaben ist natürlich mit großen Schwierigkeiten verknüpft.

Vielleicht sind noch andere Methoden möglich, um auf retrospek-
tivem Weg Erscheinungen aus dem Kinderleben kennen zu lernen.
Manche Patienten scheinen in hypnotischem Zustande zu denken und
zu fühlen wie in ihren Kinderjahren. Es gibt Personen, die im
Traum Vorfälle aus ihrer Kinderzeit wiedererleben. SULLY erzählt
von einem jungen Manne, der im Schlafe Vorfälle aus seinem dritten
Lebensjahre erlebte und besonders, wenn ihn fror. Wenn man diese
Erscheinungen genauer kennt, auch in ihren Ursachen, wäre auf
diese Weise vielleicht ein neuer Untersuchungsweg gefunden.

b) Tagebücher und Briefe können Wert haben. AMENT gebraucht
in mehrgenanntem Werke über die Entwicklung des Sprechens und
Denkens mehrere Kinderbriefe. Eine große Anzahl Kinderbriefe sind
gedruckt und herausgegeben; u. a. teilt schon GOLTZ deren mit. Natürlich
sind sie nicht immer ganz rein. Tagebücher sind dies meistens wohl,
doch die bekommt man selten zu sehen und zeigen eine bezeichnende
Vermischung äußerer Ereignisse und eigner Gedanken und Gefühle.
So fand ich in dem Tagebuch eines 11jährigen Dorfjungen, der sich
in seine Cousine verliebt hatte, in einem Atem mitgeteilt: »Die Liebe
·wird stärker. Ein Pferd geht durch.«

2. Die Hauptmethode bleibt jedoch die objektive Beobachtung.
Aus den Äußerungen des Kindes machen wir uns eine Vorstellung
von seinem innern Leben. Man kann sich hierbei beschränken auf:
a) einfache Beobachtung, oder b) man kann auf verschiedene Weise
auf das Kind wirken und so Äußerungen in vorher bestimmter
Richtung hervorrufen, also experimentieren.

a) Die einfache Beobachtung von Kindern ist keineswegs einfach
und leicht und erfordert, wenn man es gut machen will, viel Kenntnis
und Erfahrung. Schon gilt dies für die Beobachtung der Äußerungen
an sich, besonders bei dem sehr jungen Kinde. Eine junge Mutter
wird z. B. meinen, daß ihr Kind in den ersten Tagen schon lacht,
während diese Bewegung gar nichts mit Lachen zu tun hat. Das
Weinen der jungen Kinder ist durchaus nicht immer eine Äußerung
von Schmerz oder Betrübtheit. PREYER nennt es einen Atmungsreflex
und nach COMPAYRÉ ist es sicher, daß das Kind oft Freude hat an
seinem Schreien. Allgemein ist der Fehler, den ersten Äußerungen
wie Weinen, Lachbewegungen und Gebärden, viel mehr Bedeutung
zuzuerkennen, als sie verdienen, während sie eigentlich nicht viel
anderes als Gymnastik der Organe sind.

Wenn das Kind anfängt zu sprechen, scheint es viel leichter zu

9*

werden, dasselbe zu verstehen; doch dann treten wieder neue Schwierigkeiten auf: das Kind äußert lange nicht immer, was in ihm vorgeht,
manchmal verbirgt es sein inneres Leben absichtlich und wenn es
auch offenherzig ist, so können wir seine Seelenregungen doch nicht
immer verstehen. Die freien kindlichen Zeichnungen, die solche
köstlichen Anweisungen geben, sind auch mit der nötigen Umsicht
zu lesen, und der Mangel an Übung und der Materialwiderstand sind
in Abzug zu bringen.

Außer Übung und psychologischer Kenntnis ist für die genaue
und feine Beobachtung von Kindern noch eine gewisse intuitive Gabe
nötig, eine schwer zu beschreibende geistige Verwandtschaft, die uns
die wahre Bedeutung des kindlichen Tuns noch mehr empfinden
als mit dem Verstande begreifen läßt. Bringe einige Personen, sagt
Sully, in ein Zimmer zu einem kleinen Kinde, und bald wirst du
bemerken, wer diese Gabe hat, an der Leichtigkeit, mit der sich ein
Verhältnis des gegenseitigen Verstehens herstellt. Richtig bemerkt
er, daß diese Gabe immer die Frucht der Kinderliebe ist, »a divining
faculty, the offspring of childlove«, und daß wahrscheinlich die allgemein anerkannte größere Kenntnis der Kindernatur bei der Frau
dem Umstande zu verdanken ist, daß sie diese Gabe in höherem
Maße als der Mann besitzt. Ein gutes Beispiel dieser einfachen Beobachtung von demjenigen, was sich in dem Kind selbst regt, findet
man in Berthold Sigismund, »Kind und Welt«, 1856, aufs neue herausgegeben von Ufer, 1897.

Wie wertvoll diese Methode auch sein möge zum Studium der
spontanen Entwicklung, in vielen Fällen muß sie ergänzt werden
durch

b) zielbewußte Untersuchung und Experimentierung.[1]) Dabei
ist genaue Kenntnis und wissenschaftlicher Sinn ein noch wichtigeres
Erfordernis als bei der einfachen Beobachtung. In häuslicher Form
experimentieren wir eigentlich fortwährend mit unsern Kindern. Jede
Frage ist ein Experiment, insofern, als man sich davon vergewissern
will, was das Kind über einen gewissen Punkt weiß oder denkt.
Die wissenschaftliche Untersuchung tritt in den verschiedensten
Formen auf, von denen wir einige Beispiele anführen werden.

Kussmaul, ein deutscher Arzt und bekannter Pädologe, stellte
Untersuchungen an nach den ersten Geschmacksempfindungen, indem

---

[1]) Vergl. über das Experiment: Ament, Das psychologische Experiment an
Kindern. Bericht über den I. Kongreß für experimentelle Psychologie in Gießen
vom 18. bis 21. April 1904. 1904. S. 98—100.

er bei etwa zwanzig eben gebornen Kindern den Mund mit einem Pinsel mit einer Auflösung von Zucker, Chinin, Salz und Weinsäure benetzte. — Eine genaue Feststellung der bei der Geburt bestehenden Reflexe erlangte PREYER, indem er an allerlei Stellen kitzelte, stach und blies.[1] Manche Mutter ergreift hier Furcht vor Vivisektion, doch alle diese Untersuchungen können so eingerichtet werden, daß das Kind keinerlei Schaden oder Unannehmlichkeit dabei erfährt. Es liegt auf der Hand, daß für diese Art Untersuchungen der Arzt die gewiesene Person ist, auch schon deswegen, weil jedem andern von Hebamme und Wöchnerin zu dergleichen Zwecken unzweifelhaft der Eintritt ins Wochenzimmer untersagt werden würde, wie SULLY bemerkt. — Dr. SCHUYTEN aus Antwerpen untersuchte die Kneifkraft von Hunderten von Antwerpener Schulkindern im Laufe eines Jahres und fand, daß die Kneifkraft dem Einfluß der Jahreszeiten unterworfen ist.

Für die experimentelle psychologische Untersuchung von Erwachsenen sind verschiedene Methoden im Gebrauch, die jedoch nur mit umsichtiger Abänderung auf die Untersuchung von Kindern angewendet werden können. Dem Niederländer Dr. A. H. OORT gebührt das Verdienst, daß er zuerst die sogenannte kontinuierende Methode auf Schulkinder angewendet hat. Er ließ die Kinder aus den beiden obersten Klassen einer Elementar-Schule in Franeker während der ersten Schulstunde am Donnerstag, Freitag, Samstag, Montag und Dienstag Addierungen machen. Die zu addierenden Zahlen von einer Ziffer standen schon gedruckt in besonders für das Experiment verfertigten Büchlein in Reihen untereinander. Jedesmal wurden zwei aufeinanderfolgende Zahlen addiert und die Summe daneben aufgeschrieben, jedoch ohne die Eins des Zehners. Nach jeden fünf Minuten ertönte ein Signal durch die Klasse, worauf die Kinder einen Strich machten bei der Zahl, wo sie in dem Augenblick angelangt waren. So konnte man die Anzahl Addierungen, die jedes Kind in 5 Minuten gemacht, zählen und indem der Untersucher diese Anzahl annahm als Maß für die geistige Arbeitskraft, konnte er nach allen Richtungen hin Folgerungen machen und zwar über die Rechenschnelligkeit, die Übung, die Ermüdung, den Übungsverlust, die Ver-

---

[1] Beispiel: »Bei der Berührung der Nasenspitze kneift das neugeborene Kind beide Augen zu, bei der eines Nasenflügels meist nur das Auge der gereizten Seite, nach stärkerer Reizung beide Augen, während der Kopf dann etwas zurückgebogen wird: angeborene Reflexe mit dem Charakter der Abwehr.« PREYER, Die Seele des Kindes. 4. Aufl. S. 68.

änderung der Arbeitsschnelligkeit, den Einfluß des Alters und Geschlechtes usw.[1])

Um die geistige Ermüdung zu untersuchen, welche infolge des Unterrichtes eintritt, läßt man die Kinder ihre gewöhnliche Arbeit verrichten und macht nach jeder Stunde kurze Experimente, so kann man nach jeder Stunde 5 Minuten lange Rechenaufgaben machen, auswendig lernen, ausgelassene Wörter einfüllen, Buchstaben zählen lassen usw., und aus der Quantität der in diesen 5 Minuten gelieferten Arbeit Schlußfolgerungen machen in Bezug auf den in dem Augenblick bestehenden Grad der Ermüdung. Oder auch man untersucht nach jeder Stunde die körperlichen Folgen der Gehirnermüdung, sowie die Abnahme der Muskelkraft, oder die Änderung des Vermögens, Tasteindrücke zu unterscheiden. Wir können alle diese Methoden nicht bis in Einzelheiten besprechen; indem man sie auf Kinder und besonders in Klassen anwendete, ist man auf große Schwierigkeiten gestoßen.

Ganz andere Untersuchungsweisen sind in großem Maßstabe angewendet in Amerika und England mittels Fragenlisten über bestimmte Gegenstände, die von einer so groß wie möglichen Anzahl Eltern und Lehrern beantwortet werden. Diese Methode ist zuerst vorgeschlagen und in Einzelheiten auseinandergesetzt von Dr. G. STANLEY HALL in seiner kleinen Schrift »The Study of Children«.[2]) Seitdem hat er selbst eine Anzahl auf diese Weise entstandene Abhandlungen herausgegeben. Aber bei all den Vorteilen in der Hand eines ausgezeichneten Führers und gewissenhaften Mitarbeiters hat sie den Nachteil, daß sie so leicht nachzuahmen ist, ein Nachteil, der besonders im Lande des »humbug« stark ans Licht getreten ist. Infolge der großen Leichtigkeit, mit der eine Fragenliste gedruckt werden kann, ist in Amerika der Dilettantismus auf diesem Gebiet zu bedenklicher Höhe gestiegen. Prof. BARNES sagt, daß heutzutage die Hälfte solcher Untersuchungen keinen Sinn hat, und daß die Hälfte der andern keinen guten Sinn haben,[3]) und er führt die Meinung eines andern Amerikaners, des Professors JAMES an, daß die Wahrscheinlichkeit groß sei, daß das nächste Geschlecht diese Fragenlisten zu den gefährlichen Krankheiten rechnen wird. Dies alles lehrt uns,

----

[1]) Dr. A. H. OORT, Proeven met doorloopenden hersenarbeid genomen op Schoolkinderen. (Experimente mit anhaltender Gehirnarbeit auf Schulkinder.) Dissertation. Leiden 1900.

[2]) Somerville 1885.

[3]) The Paidologist. Vol. I. Nr. 1. S. 15.

daß wir nur nach gründlichem Studium mit solch einer Fragenlisten-Untersuchung anfangen.

Als Muster von Dr. Halls Art zu arbeiten nenne ich seine Untersuchung über Furcht.[1]) In dem Fragenverzeichnis waren eine Anzahl furchterregende Ursachen gruppenweise angegeben, folgendermaßen geordnet: 1. Kosmische Erscheinungen, wie Donner, Blitz, Sturm, Nacht, Finsternis. 2. Feuer, Brand, Wasser, Furcht vor Ertrinken oder Fallen, Höhlen, Dunkelheit und Einsamkeit in einem Walde. 3. Lebende Wesen; allerhand Tiere, Räuber und Diebe, Freunde, Gäste. 4. Furcht vor Krankheiten, dem Tode, Verlust von Freunden. 5. Furcht vor übernatürlichen Dingen, wie Geister, Gespenster, Hexen, Strafen im Jenseits. 6. Allerlei Art plötzlicher Ereignisse. Ferner grundlose Angstzustände. Bei jedem Fall mußte das Eintreten, die Dauer und der Grad des Angstzustandes genau angegeben werden, der Einfluß auf das Tun und Treiben des Kindes und die körperlichen Erscheinungen während und nach der Furcht.

Das Fragenverzeichnis wurde einer großen Anzahl Personen zugeschickt und in den empfangenen Antworten wurden 6500 Fälle der Furcht angegeben bei 1700 Personen. Und die Frucht dieser riesenhaften Arbeit? Erstens ein Verzeichnis betreffs der Vielfachheit der Furcht bei jeder der genannten Erscheinungen; dann ein Verzeichnis, woraus erhellt, daß Mädchen öfter Angst haben als Knaben, und schließlich eine Statistik nach dem Alter, woraus hervorgeht, daß manche Furchterscheinungen das ganze Leben hindurch sich zeigen, daß die meisten jedoch, besonders die grundlosen, mit den Jahren abnehmen und einzelne, nämlich die wirklich begründete Furcht vor Ungewitter, Räubern, kriechenden Tieren mit den Jahren zuzunehmen scheint. An diesem Beispiel wird es uns auch klar, daß viele Psychologen dieser Methode nicht den geringsten Wert beimessen. Sie verarbeitet zwar eine riesenhafte Menge Beobachtungen, aber ob diese Beobachtungen miteinander vergleichbar, und in Bezug auf die zu untersuchende Erscheinung gleichwertig sind, das muß dahingestellt bleiben.

Wenn die oben beschriebenen Beobachtungen an einem und demselben Kinde gemacht sind, spricht man von der biografischen Methode. Diese ist zuerst von Preyer streng wissenschaftlich angewendet. Preyer hat jedoch die an seinem Sohne gemachten Beobachtungen mit denen andrer Beobachter ergänzt und hieran an-

---

[1]) Zeitschr. f. Päd., Psych. u. Path. 2. Jahrg. 2. Heft. S. 113 u. w.

schließend die Hauptprobleme der Kinderkunde behandelt. Nach ihm
ist die biographische Methode ausgezeichnet angewendet von Miß
Shinn bei der Beschreibung ihrer Nichte,[1]) von Frau Hogan, ebenfalls
einer Amerikanerin, bei der Beschreibung ihres Sohnes.[2])

Man spricht von einer monografischen Behandlung, wenn nur
ein bestimmtes Detail das Ziel der Untersuchung gewesen ist. Als
ausgezeichnete Beispiele davon nenne ich das schon genannte Werk
Aments über die Entwicklung des Sprechens und Denkens beim
Kinde, die beiden Studien des Queyrat über die Phantasie[3]) und
über das Urteil bei Kindern[4]) oder wieder in anderer Richtung die
Aufsätze des J. van der Wal in Wesepe (Holland) über die Entwicklung des bildenden Zeichnens[5]) und vor allem muß genannt
werden die ausführliche Arbeit des Pérez über die Entwicklung
des kindlichen Kunstsinnes.[6])

Von der Anwendung der statistischen Methode haben wir
schon Beispiele gesehen bei den Fragenverzeichnissen und bei der
experimentellen Untersuchung. Noch eine andere Anwendung der
zahlenweisen Bearbeitung der Beobachtungen will ich anführen, die
außerdem dienen kann als Beispiel pädagogischer Kinderuntersuchung,
nämlich die Untersuchungen nach dem Inhalte des kindlichen Gedankenkreises in gewissen Altersstufen. So hat Dr. Berthold Hartmann, Vorsteher einer Schule zu Annaberg (Erzgebirge) eine Untersuchung angestellt nach dem Vorstellungskreise der eben in die
Schule gekommenen Kinder, zusammen 1312, vom Alter von $5^3/_4$
bis $6^3/_4$ Jahren und zwar an der Hand von 100 sorgfältig gewählten
Fragen. Dergleichen Untersuchungen waren auch früher schon angestellt von Stoy zu Jena (1864) und Bartholomäi in Berlin (1870).
Für die Einrichtung der Untersuchung, die Ergebnisse, deren Bedeutung für den anfänglichen Unterricht, die früheren Anwendungen

---

[1]) Miss M. W. Shinn, Notes on the Development of a Child. University of
California Studies. Berkely, Cal. 1893/93. Deutsch: Körperliche und geistige Ent-
wicklung eines Kindes in biographischer Darstellung nach Aufzeichnungen. Von
W. Glaßbach und Gertrud Weber. 1905.

[2]) Louise E. Hogan, A Study of a Child. London and New-York 1898.

[3]) Frédéric Queyrat, l'Imagination et ses variétés chez l'enfant. Étude de
psychologie expérimentale appliquée à l'éducation intellectuelle. 2. éd. Paris 1896.

[4]) Derselbe, La Logique chez l'enfant et la culture. Étude de psychologie
appliquée. Paris 1902.

[5]) In »School en Leven«. Jahrg. 1901, Nr. 36, 37 und 38. Jahrg. 1902,
Nr. 49 u. w.

[6]) Bernard Pérez, l'Art et la Poésie chez l'enfant. Paris 1888. Leider ver-
griffen.

dieser Methode und ihre weitere wissenschaftliche Vollendung verweise ich auf die lesenswerte Schrift selber.[1]

Wenn man sich nicht darauf beschränkt, Beobachtungen zu sammeln, aber die Erfahrungen verschiedener Beobachter untereinander vergleicht und so versucht, ein allgemeines Bild des Entwicklungsganges zu entwerfen und die dabei wirkenden Gesetze ans Licht zu bringen, so spricht man von der vergleichenden Methode. Außer den genannten Werken des Sully und Compayré nenne ich als Beispiele dieser Behandlungsweise der Kinderpsychologie die Werke des Pérez[2]) und des Tracy,[3]) von dem das letzte wegen seiner verhältnismäßigen Knappheit für Lehrer empfehlenswert ist.

Die höchste Stufe der wissenschaftlichen Arbeit wird aber erst erreicht, wenn auf die Sammlung und Vergleichung der Tatsachen die Erklärung folgt, wobei ein Vergleich mit der Erscheinungen bei Erwachsenen, ungebildeten Rassen und Tieren eine wichtige Rolle spielen kann. Man spricht dann von den genetischen Methode und der vollständigste und kühnste, aber auch voreiligste Versuch nach dieser Richtung hin ist das Buch des amerikanischen Psychologen Baldwin.[4]) (Schluß folgt.)

[1]) Berthold Hartmann, Die Analyse des kindlichen Gedankenkreises. Annaberg 1885. 3. Aufl. 1896. Vergl. auch über die statistische Methode: Ament, Die Entwicklung der Pflanzenkenntnis beim Kinde und bei Völkern. Mit einer Einleitung: Logik der statistischen Methode. 1901.

[2]) Bernard Pérez, Les trois premières années de l'enfant. Paris 1878. Fortsetzung: L'Enfant de trois à sept ans. Paris 1886.

[3]) Frederick Tracy, The Psychology of Childhood. Boston 1901. 5. Ed. Deutsch: Psychologie der Kindheit. Von Joseph Stimpfl.

[4]) James Mark Baldwin, Mental Development in the Child and the Race (Methods and Processes). New-York and London 1899. 4. Ed. Deutsch: Die Entwicklung des Geistes beim Kind und bei der Rasse (Methoden und Verfahren). Von Arnold E. Ortmann. Mit einem Vorwort von Theodor Ziehen. 1898. Französisch von M. Nourry. Paris 1897.

2. Zur Frage der Behandlung unserer jugendlichen Missetäter.

Von

J. Trüper.

I. »Ein Fehlschlag unserer Fürsorgeerziehung«.

So überschreibt die »Köln. Zeitung« einen sehr beachtenswerten Leitartikel in No. 1105 vom 24. Oktober vorigen Jahres. Darin heißt es u. a.:

»Vier Zöglinge der Fürsorgeerziehungsanstalt Freimersdorf bei Köln hatten sich am 3. August d. J. zusammengerottet und mit vereinten Kräften den von ihnen tiefgehaßten Aufseher Nikolaus Schiefer mißhandelt zu dem ausgesprochenen Zweck, durch die Straftat sich eines Verbrechens schuldig zu machen, dessen Bestrafung sie in das Gefängnis brächte, um dadurch der strengen Behandlung der Fürsorgeerziehungsanstalt zu entgehen. Die vier Zöglinge haben ihren Zweck erreicht: in einem Aufsehen erregenden Prozeß sind sie am vergangenen Samstag vom Schwurgericht in Köln unter Freisprechung von der Meuterei wegen gemeinschaftlicher schwerer Körperverletzung zwei zu je einem Jahre Gefängnis, einer zu zehn Monaten Gefängnis und einer zu 14 Tage Haft verurteilt worden. Trotz der Schwere der Vergehen kam als strafmildernd in Betracht, daß nicht lediglich Brutalität der Anlaß der Tat gewesen sei, sondern auch der Wunsch, die Anstalt Freimersdorf mit dem Gefängnis zu vertauschen.

Dieser Tatbestand entrollt vor uns ein Kapitel aus dem Gebiet der provinziellen Fürsorgeerziehung, das schon häufiger auch von dieser Stelle zu eingehender Betrachtung und warnender Befürchtung gemacht worden ist, das aber nach dieser schrecklichen praktischen Probe auf das Exempel aus dem Bereich der theoretischen Erörterungen in den der praktischen Reform treten muß, wenn anders nicht weitere Schäden ähnlicher Art die Bevölkerung beunruhigen sollen. Denn darüber wird sich offenbar die Provinzialverwaltung selbst klar sein, daß unleugbare Schäden vorhanden sind, wenn junge Menschen lieber in die Strafanstalt kommen wollen, als in die Fürsorgeerziehungsanstalt, die Anstalt mit dem humanen Namen aber den Schrecken des Schlagbockes und der körperlichen Züchtigung. Darüber darf — ganz abgesehen von irgend einer vereinzelten, persönlichen Beschuldigung und daß vorläufig hier auf die entschuldbaren Gründe eingegangen werden soll — ein Mißverständnis nicht walten, daß es nicht im Sinne des Fürsorgeerziehungsgesetzes und nicht im Sinne eines modernen Besserungssystems liegt, auch nicht die Billigung der öffentlichen Meinung finden kann, wenn die Fürsorge durch derartige Strafmittel geübt wird, daß die Narben der Schläge noch nach Wochen sichtbar sind, daß das Hemd des Gezüchtigten mit Wasser von dem wundgeschlagenen Körper gelöst werden muß, wenn wir diese Ausführungen des Verteidigers als richtig anerkennen dürfen. Ja, man muß es als den gänzlichen Mißerfolg eines Besserungssystems bezeichnen, wenn der Betroffene das als milder vorgesehene System mit einem härtern zu vertauschen strebt und kein Mittel dazu, selbst nicht eine schwere Straftat, unversucht läßt, wenn die Zöglinge der Fürsorgeerziehung Schutz im Gefängnis suchen. Wenn die Fürsorgeerziehung diese Wirkung hat, so hat sie ihren Beruf verfehlt.«

Der Artikel hebt nun hervor, wie unverantwortlich es sei, daß der Staat ein Gesetz schafft, ohne die Folgen übersehen zu können, und dann nicht die Mittel habe, die zur Ausführung des Gesetzes notwendigsten Anstalten zu treffen, und daß obendrein dann noch bei der Unterbringung Mißgriffe über Mißgriffe erfolgen. Es sei eine scharfe Kritik, wenn einer der vier bestraften Zöglinge erklärte: »Wenn ich mit 21 Jahren herauskomme und sage, ich sei bis dahin in Brauweiler[1]) gewesen, dann laufen die Leute vor mir fort.«

Eine verfehlte Grundlage des Gesetzes wie der Verwaltungspraxis sei es, daß zwei ganz verschiedene Klassen von Fürsorgezöglingen unter eine Art der Behandlung gestellt werden: die gänzlich schuldlosen Kinder, deren Erziehung wegen der Verfehlungen der Eltern gefährdet ist, und die vorbestraften, selbst kriminellen Jugendlichen. Das Gesetz gebe hier keine genügend scharfe Scheidung, und infolge dieses Mangels fände man auch bei der Ausführung in der Verwaltung — sicherlich trotz besten Bemühens — eine Vermischung, die für die Zöglinge wie für das System der Erziehung ungünstig ist.

Der Artikel schließt dann:

»Was soll nun mit den tausenden Zöglingen geschehen, über die die Provinzial-verwaltungen Elternstelle angenommen, die sie aber teilweise in Zwangsarbeits-anstalten unterbringen? Hier muß Wandel geschaffen werden. Der Staat hat nun einmal das Fürsorgeerziehungsgesetz erlassen, und so muß es dann auch als ein Gesetz der Fürsorgeerziehung gehandhabt werden. Die Zöglinge müssen in eine Fürsorgeerziehungsanstalt, nicht in ein Korrigendenhaus gebracht werden. Die neuen Fürsorgeerziehungsanstalten sind aber nicht allein äußerlich von der Arbeitsanstalt zu trennen, in ihnen muß auch ein anderer Geist herrschen, der des Mitleids mit den, wer weiß aus welchen sozialen Gründen verkommenen jugendlichen Seelen, damit sie der Menschheit wiedergewonnen, nicht aber reif werden für das Gefängnis, nach dem sie sich sehnen.«

Man muß, um zu einer objektiven Beurteilung zu kommen, noch den Bericht der »Köln. Volkszeitung« vom 21. Oktbr. daneben lesen, in dem aus leicht erklärlichen Gründen manche Dinge unter einen andern Gesichtswinkel kommen, wonach z. B. Landesrat Schmidt behauptete, die Behandlung in Freimersdorf sei durchaus human. In einem Gegenartikel »Zur Frage der Fürsorgeerziehung« in No. 1128 v. 30. Okt. vorigen Jahres verteidigt auch die rheinische Provinzialverwaltung selbst ihre Einrichtungen wie die Behandlung der Zöglinge in Freimersdorf. Sie klagt aber zugleich die Vormundschaftsgerichte hart an, welche den Fürsorgeerziehungsanstalten »Elemente überweisen, die schon vielfach oft mit jahrelangem Ge-

---

[1]) Freimersdorf ist die Nebenanstalt von Brauweiler.

fängnis vorbestraft sind, sich von der Schule ab arbeitslos und vielfach in verrufenen Häusern umhergetrieben und Dinge schlimmster
Art verübt haben.«

»Seit dem Bestehen des (Fürsorgeerziehungs-) Gesetzes bis heute sind von
rheinischen Vormundschaftsgerichten noch nicht drei Beschlüsse ergangen, in denen
Überweisung eines Minderjährigen wegen bereits eingetretener sittlicher Verwahrlosung und Aussichtslosigkeit der Fürsorgeerziehung abgelehnt worden wäre.«

Im Grunde bestätigt sie damit die von uns und vielen andern
nachgewiesene Behauptung, daß die Beschäftigung der Richter mit
den jugendlich Gefährdeten vielfach nicht nur allein unzweckmäßig
und nutzlos, sondern für die Individuen und die Gesellschaft geradezu
schädlich ist. Die einzelnen Richter handeln ja nur nach den Buchstaben des Gesetzes, sie tun »ihre Schuldigkeit«; aber die ganze Institution ist von Grund aus verfehlt.

Aber die rheinische Provinzialverwaltung übersieht dabei, daß
alle in Frage kommenden Individuen bei der von ihr gutgeheißenen
Erziehung weder in den Fürsorgeerziehungsanstalten noch in den
Gefängnissen gebessert werden können. Tatsächlich sind die Ein-
gesperrten in beiden Anstalten ja nicht einmal während der Ein-
sperrung gegen die Verübung neuer Verbrechen und die Gesellschaft
gegen die Ertragung derselben geschützt. Jener Fall ist z. B. keineswegs der einzige in Freimersdorf und Brauweiler. Schon im Juni
vorigen Jahres wurden wegen gleicher Vergehen ein Bursche zu
18 Monaten und ein zweiter zu 15 Monaten Gefängnis veurteilt. Und
jetzt, Mitte Januar berichten die Zeitungen wieder von einer dritten
Gerichtsverhandlung über Freimersdorfer Zöglinge. Sie wurden ebenfalls wegen gleicher Vergehen zu gleich schweren Strafen verurteilt,
jedoch dieses Mal der psychiatrischen Beobachtung üeerwiesen. Bei
einigem sachverständigen Nachdenken über das ganze Problem sollte
man es doch als selbstverständlich erachten, daß jeder Zögling
in Freimersdorf vom ersten Tage an von jedem Erzieher zugleich
psychiatrisch beobachtet und — behandelt werde. Aber eben, da
fehlt es.

Auf alle Fälle aber liegt hier ein ganz entsetzliches Jugend-
elend vor uns, wobei es sich nicht bloß um die moralische, geistige
und sittliche Existenz unserer jugendlichen Kriminellen handelt,
sondern wovon der größte Teil bei einer falschen Behandlung nach
Entlassung aus solchen Anstalten auf die übrige Menschheit los-
stürzen wird wie der Wolf, wenn er eine Herde Schafe findet. Es
handelt sich also dabei um einen Akt der Selbsterhaltung der
menschlichen Gesellschaft.

Unsere Bedenken gegen das Fürsorgegesetz haben wir bereits

geltend gemacht, als es noch im Entwurfe war.[1]) Wir haben auch
sonst immer wieder darauf hingewiesen[2]) und wiederholt erklärt: die
Fürsorgeerziehung ist vielfach keine Erziehung und auch keine Fürsorge und kann es auch kaum sein, u. a. weil sie aus ganz andern
als erzieherischen Prinzipien und Bestrebungen erwachsen ist.

Die tiefere Ursache der fast wirkungslosen oder gar negative
Erfolge zeitigenden Behandlung des ganzen Problems liegt unseres
Erachtens vor allem darin, daß es im öffentlichen maßgebenden
Leben eigentlich keine Erziehungswissenschaft in Theorie und Praxis
als etwas Normgebendes gibt. Schon allein die eine Tatsache reicht
dafür als Beweis aus, daß es neben den Fakultäten der Rechtswissenschaft
(mit Einschluß der Staatswissenschaft), der Theologie und der Medizin
keine pädagogische Fakultät an den deutschen Universitäten gibt. Ja die
meisten Universitäten haben ja nicht einmal einen besondern Lehrstuhl
für Pädagogik und für genetische oder Jugendpsychologie. Infolgedessen
sinken alle Erzieher in den Augen der Maßgebenden zu Subalternen
hinab und deren Wissenschaft zu Anleitungen oder Instruktionen für
den Dienst einer Art Seelenpflege und äußerer Disziplinierung. Der
Mediziner verkündet zwar, daß den Pädagogen der »Löwenanteil«
der Arbeit selbst an krankhaft abnormen Kindern zufällt, aber er
stellt sie neben die Masseure. Der Theologe betrachtet sie mehr als
Kirchendiener, ja die katholische Kirche überträgt das Erzieheramt
sogar am liebsten Mönchen und Nonnen. Was den Juristen und
namentlich den Verwaltungsbeamten die Pädagogik und der Erzieher-
beruf gilt, beweist die eine Tatsache, daß der frühere preußische
Kultusminister v. PUTTKAMER sie in einer stundenlangen Rede als
»eleusinische Geheimnisse« der Lehrer ungetadelt verspotten und
den seiner Fürsorge unterstellten Lehrerstand öffentlich im Land-
tage mit Mißachtung behandeln durfte.[3]) In gleichem Ansehen stehen
ihre Hilfswissenschaften, insbesondere die Psychologie des Kindes-
und Jugendalters. Wir haben also keinen vollgeachteten und
darum hinreichend wissenschaftlich wie praktisch aus-
gerüsteten Berufsstand für eine der allerschwersten öffentlichen Aufgaben.

[1]) Zur Frage der Erziehung unserer sittlich gefährdeten Jugend. Heft II der
»Beiträge f. Kinderf. u. Heilerz.« Langensalza, Hermann Beyer & Söhne (Beyer
& Mann), 1900.

[2]) Nachweis bei SCHULZE, Inhaltsverzeichnis der ersten zehn Jahrgänge. Zeitschrift f. Kdf. Langensalza, Hermann Beyer & Söhne (Beyer & Mann), 1906.
S. 28 u. 29.

[3]) Vergl. DÖRPFELD, Beiträge zur Leidensgeschichte der Volksschule. Ges.
Schriften. Bd. 9. Gütersloh, Bertelsmann.

Erfreulich ist es darum, daß endlich auch ein preußischer
Regierungsrat es ausspricht, was wir seit je empfanden und betonten.
In seinem Vortrage »Die Pädagogik und das akademische
Studium« (»Neue Jahrbücher«, Jahrg. 1905. II. Abt. XVI. Bd.
10. Heft) sagt WILHELM MÜNCH:

> »Daß die Pädagogik eine Wissenschaft überhaupt nicht sei und nicht werden
> könne, daß die Katrederfähigkeit ihr abgehe, erhielt z. B. vor einigen Monaten
> wieder einmal ein in unsere Reichshauptstadt entsandter Ausländer zu seinem
> großen Erstaunen von wissenschaftlich hochangesehener Seite zur Antwort: er war
> gekommen, um diesem Fachgebiet in seinem Heimatlande die gebührende aka-
> demische Stellung zu sichern, und glaubte dazu in dem klassischen Lande der
> Pädagogik (so drückt man sich draußen gerne aus) den rechten Anhalt zu finden.
> Man kommt eben vom Auslande her immer wieder mit der Überzeugung zu uns,
> daß nirgend in der Welt so wie bei uns über Jugenderziehung nachgedacht worden,
> nirgends die Aufgabe so groß gesehen, nirgends so heiliger Ernst daran worden sei,
> und daß man hier unmöglich darauf verzichten könne, der Wissenschaft von der
> Erziehung ihrer Würde zuzuerkennen. Und so ist es z. B. auch immer wieder
> Gegenstand der Verwunderung und Enttäuschung, daß man bei uns die Doktor-
> würde erwerben könne in Nationalökonomie oder Soziologie, in Musikwissenschaft
> wie Zahnheilkunde, in Handels- oder Wechselrecht usw., aber nicht in Erziehungs-
> wissenschaft mit allen ihren mannigfachen Gebieten, auf preußischen Universitäten
> jedenfalls schlechterdings nicht. Und auch daß regelrechte Lehrstühle für das Fach
> tatsächlich an unsern Universitäten fehlen (denn entweder wird Pädagogik nur vom
> Philosophen anhangsweise behandelt, oder die als solche berufenen Vertreter des
> Faches bleiben außerhalb der Fakultät), auch das also wird von den Fremdlingen
> nicht verstanden — um so weniger als gegenwärtig gerade durch die Kulturwelt
> ein Gefühl davon geht, wie bedeutungsschwer die ernsteste Erfassung der Er-
> ziehungsaufgabe für die gesunde Gestaltung oder für die zu erstrebende Gesundung
> des allgemeinen Lebens sei, und wie wenig durch momentane praktische Organi-
> sationsmaßnahmen das Rechte verbürgt werde, wie gewiß die Probleme in der
> Tiefe angefaßt, in die Tiefe verfolgt werden müssen.«

In Jena ist unter den deutschen Universitäten ja seit langem
die Pädagogik am besten vertreten gewesen: sie hat seit Jahrzehnten
doch wenigstens einen eigenen Lehrstuhl und eine Übungsschule,
also eine pädagogische »Klinik«, dennoch haben sogar Russen auch
hier ihre Verwunderung ausgesprochen, daß die Professur nur eine
außerordentliche sei, daß Laboratorien und dergl. fehlen. Kurz, die
Pädagogik als Wissenschaft wie Kunstlehre für eine täglich 4 bis
24 stündliche Behandlung von 18 Millionen Kindern und Jugendlichen
spielt eine derart unselbständige und untergeordnete Rolle.

In dieser Mißachtung der Erziehung und ihrer Wissenschaft
liegt eine der bedeutsamsten Ursachen dieser Übelstände. Neben
dieser Ursache gibt es noch viele, darauf haben andere hingewiesen.
Wir möchten, ja müssen diese aber immer wieder nachdrücklich
betonen.

Über unsere Lehrerseminare wird viel geklagt, am meisten von denjenigen, die ihren Geist 3 bis 6 Jahre lang haben kosten müssen. Ich erinnere nur an die Anklagen der allgemeinen deutschen Lehrerversammlungen, ohne damit diese Urteile und übertriebenen Forderungen unterschreiben zu wollen. Aber viele Klagen würden verstummen, wenn wir zunächst in der Universität ein Seminar der Seminarlehrer und -Leiter hätten. Diese treten durchweg beruflich ungenügend vorgebildet in ihr Amt. Es fehlt eben an einer Bildungsstätte, weil die Universität nur Gelehrte, aber keine Lehrer, geschweige denn Erzieher beruflich ausbildet. Die Volksschullehrer werden in ihren Seminarien auch nur für die normalen Schulverhältnisse ausgebildet. Für die Heranbildung der Erzieher abnormer Kinder, wohin auch die kriminellen Jugendlichen gehören, bestehen vollends gar keine öffentlichen Einrichtungen. Da nehmen die Maßgebenden nicht selten alles, was sie für den allerschwierigsten Dienst der Fürsorgeerziehung an Bereitwilligen finden: Theologen, die ihren Predigerberuf bald mehr, bald weniger verfehlt haben, Lehrer, die Schiffbruch irgendwie erlitten, Offiziere a. D., Unteroffiziere a. D., Militäranwärter, Diakone, die früher Handwerker waren, Mönche usw. Ich sage vielfach, um nicht manchem, den Mitleid mit den Hilfsbedürftigen und Berufsneigung zu dieser Arbeit drängte und auch bei autodidaktischer Vorbildung Bedeutendes leistet, zu nahe zu treten. Diese müssen aber unter dem Übelstande doppelt schwer leiden. Es würde ja gewiß in der Welt schlecht aussehen, wenn der Fortschritt und der Arbeitswert für die Gesellschaft nur davon abhinge, auf welchen Schulbänken und in welchen Hörsälen der einzelne gesessen. Im Gegenteil sind auf fast allen Gebieten die weitgehendsten Reformen von sogenannten Laien ausgegangen. Die eben berührte Frage hat auch nicht hier ihren Schwerpunkt, sondern er liegt darin, daß diese »Laien« im maßgebenden Falle selten maßgebend sind, ja gleich den Ketzern im eigenen Lager sogar mißachtend beiseite geschoben und ihre Ansichten grundsätzlich totgeschwiegen werden. So geschieht es auch hier auf dem Gebiete der Abnormenfürsorge von Juristen, Verwaltungsbeamten und Medizinern um die Wette. Manche, die hier herrschen, statt dienen wollen, keunen Männer wie PESTALOZZI, WICHERN, WERNER, DIESTERWEG, ZILLER, DÖRPFELD usw. kaum dem Namen nach. So kommt die Leitung von großen Anstalten oft in Hände, denen der Erzieher nicht mehr gilt als der Heilgehilfe und Gefängniswärter und die den Leichnamen mehr Interesse, Zeit und Kraft widmen als den lebendigen Seelen, wie an deren eigenen Jahresberichten nachgewiesen werden kann.

Wir haben auch für die Behandlung andere Forderungen vertreten[1]) und verweisen insbesondere auf die HAGENschen Reiseberichte.[2]) Wir weisen darum es nachdrücklich ab, daß die Heilpädagogik irgend etwas mit den gerügten Mißständen zu tun hat, wie einige Psychiater behaupten, die ihre pädagogischen Sachkenntnisse damit bekunden, daß sie die neuzeitliche Pädagogik mit der mittelalterlichen Mönchszucht in einen Topf werfen. Wir haben im Gegenteil immer wieder betont, daß das Fürsorgegesetz keine wahre fürsorgende Erziehung leisten kann und die jugendlichen Verbrecher nicht vermindern wird.

Den Maßgebenden des öffentlichen Lebens werden aber auch diese Mißstände in Freimersdorf noch nicht die Augen öffnen, damit sie schaffen, was unbedingt not tut: wissenschaftlich und praktisch sorgfältig vorgebildete und ethisch unantastbare Kräfte als Leiter und Lehrer für Schulen und Anstalten ethisch wie auch intellektuell Abnormer, und als Bedingung dafür pädagogische Fakultäten oder doch Lehrstühle oder Seminare für die Ausbildung von solchen Kräften zu diesem schweren und bedeutungsvollen Berufe.

Wie andere Völker uns darin leider überholen, werden wir in zwei weiteren Artikeln dartun.　　　　　　　　(Forts. folgt.)

B. Mitteilungen.

1. Vom 10. Kongresse der »Internationalen Kriminalistischen Vereinigung«.

Von H. Kielhorn in Braunschweig.

(Schluß.)

Der Frage über die Behandlung der vermindert Zurechnungsfähigen brachte die Versammlung ein ungemein lebhaftes Interesse entgegen, was schon daraus ersichtlich ist, daß die Verhandlung unter vielseitiger Beteiligung von morgens 9$\frac{1}{4}$ Uhr bis mittags 12$\frac{3}{4}$ Uhr währte und zwar bei voller Hingabe an die Sache seitens der Zuhörer.

Prof. von Liszt hatte folgende Leitsätze vorgelegt:

1. Für die Minderwertigen (mit verminderter Zurechnungsfähigkeit auf Grund innerer Ursachen) soll der Gesetzgeber, ob sie straffällig ge-

---

[1]) TRÜPER, Zur Frage der ethischen Hygiene unter besonderer Berücksichtigung der Internate. Altenburg, Bonde, 1904. — Ders., Psychopathische Minderwertigkeiten als Ursache jugendl. Gesetzesverletzungen. »Beitr. z. Kdf.« Heft VIII.

[2]) Jahrg. 1903 Heft I, II, III u. Jahrg. 1904 Heft II u. III.

worden sind oder nicht, wenn sie für sich selbst, für ihre Umgebung oder für die Gesellschaft gefährlich geworden sind, Schutzmaßnahmen (besondere Beaufsichtigung, Internierung in Sicherungsanstalten u. a. m.) ins Auge fassen.

2. Für die minderwertigen Straffälligen, mögen sie gefährlich sein oder nicht, soll neben den bestehenden Bestimmungen über die mildernden Umstände eine besondere gemilderte Strafe vorgesehen werden.

3. Was a) die geistig minderwertigen Verbrecher anlangt, so hat das Strafgericht festzusetzen, ob der Zustand der Gemeingefährlichkeit vorliegt, und, falls das auf eine geringere Strafe lautende Urteil nicht vollstreckt werden kann, die vorläufige Verwahrung anzuordnen; dem ordentlichen Zivilrichter steht es zu, endgültig über die erforderlichen Sicherheitsmaßnahmen zu entscheiden. Was b), die nicht verbrecherischen geistig Minderwertigen anlangt, so ist es immer Aufgabe des ordentlichen Zivilrichters, zu entscheiden, ob der Zustand der Gefährlichkeit vorliegt und sowohl provisorisch wie endgültig die erforderlichen Maßnahmen zu treffen.

4. Sache des ordentlichen Zivilrichters ist es ferner, in jedem Falle, über die provisorische oder endgültige Entlassung eines geistig Minderwertigen, gegen welchen Sicherheitsmaßregeln getroffen worden sind, zu entscheiden.

Herr von Liszt hob in einer kurzen einleitenden Rede gerade die Punkte hervor, die der Aufklärung bedürften und wies in äußerst geschickter Weise der nachfolgenden Debatte die Wege. Vorweg bemerkte Redner, daß er von schulpflichtigen Kindern überhaupt nicht spreche, da diese nicht vor den Strafrichter gehören. Solange jemand der Schulpflicht unterworfen sei — bei geistig Minderwertigen auch über das 14. Lebensjahr hinaus — solle man ihn bei Gesetzesübertretungen nicht vor den Strafrichter stellen; denn Kinder folgen augenblicklichen Impulsen und seien sich der Strafbarkeit bei Gesetzesübertretungen meist nicht bewußt. Die Ansicht des Vortragenden war dahin aufzufassen, daß Kinder, solange sie unter gesetzlicher Schulpflicht stehen, dem Erzieher zu überweisen sind. — Fürsorgeerziehung usw. Des weiteren legte der Redner dar: Über die Behandlung der vermindert Zurechnungsfähigen gehen die Meinungen seit Jahren auseinander. Auch innerhalb der I. K. V., die sich von Anfang an mit dieser vielleicht wichtigsten Materie beschäftigt hat, sind größere Verschiedenheiten in den Ansichten über die Regelung dieser Frage zutage getreten, namentlich zwischen der deutschen und französischen Landesgruppe. Letztere macht dem »system allemand« zum Vorwurf, daß es den Minderwertigen, der straffällig geworden sei, gewissermaßen in zwei Hälften teile, die eine, die zurechnungsfähige, werde, wenn auch etwas milder, bestraft, und die andere, die unzurechnungsfähige, sperre man später noch in eine Bewahranstalt. Demgegenüber stehen die Franzosen bekanntlich auf dem Standpunkt, daß ein geistig Minderwertiger überhaupt nicht straffällig werden kann, und deshalb nicht durch den Strafrichter zu verurteilen, sondern durch den Psychiater zu behandeln sei. Die Deutschen könnten dem Einwande der französischen

Kriminalisten nur entgegenhalten, daß sich heute weder ein deutscher noch ein anderer Gesetzgeber finden werde, der einen minderwertigen Straffälligen dem Strafrichter vollständig entziehen werde. Deshalb habe er in seinen Thesen die mittlere Linie gewählt. In diesen seinen Thesen spreche er zunächst ganz allgemein von Minderwertigen, also nicht nur von den straffällig Gewordenen. Ferner sei zu berücksichtigen, daß er auch für alle noch nicht straffällig Gewordenen in der ersten These besondere Schutzmaßregeln verlange, sofern sie für sich selbst, für ihre Umgebung oder für die Gesellschaft gefährlich geworden seien. Er habe dabei z. B. Epileptiker, Alkoholiker, Kleptomanen, Hysterische, Morphinisten im Auge. Es seien dies also Personen, die einerseits als zurechnungsfähig und andrerseits doch nicht als vollständig zurechnungsfähig zu bezeichnen seien. Er denke sich die Behandlung dieser Leute etwa so, wie sie das neue Fürsorgegesetz für die Jugendlichen ins Auge fasse. Die minder Gefährlichen unter ihnen, wie Kleptomanen, Hysterische, Epileptiker leichterer Art, könnten der Familienpflege überwiesen, Gefährlichere, wie Senile, Alkoholiker usw. auf das Land gebracht und die ganz Gefährlichen behördlich interniert werden.

Der Redner wandte sich dann der zweiten Gruppe der minderwertigen Straffälligen zu, für die eine Strafmilderung, bezw. eine mildere Strafe gefordert werden müsse, weil nur auf diesem Wege etwas bei ihnen und mit ihnen zu erzielen sei. Er forderte die anwesenden »Sachverständigen« auf, darüber Aufschluß zu geben, ob die geistig Minderwertigen durch Strafen zu bessern seien, bezw. darüber, was für Maßnahmen bei Straffälligen dieser Gruppe zu treffen seien.

Die wichtigste Frage sei, wer die Entscheidung darüber treffen solle, ob eine solche Person gemeingefährlich ist, und darüber, daß für sie eine Verwahrung, eine Unterbringung in Frage zu kommen hat. Er erinnere an die bei Sensationsfällen im Gerichtssaale herrschende Erregung: Fälle, wie z. B. der des Studenten Fischer in Eisenach, der seine Geliebte erschoß und dessen Zurechnungsfähigkeit in Frage stand, erregten bei ihrer Verhandlung nicht nur das Publikum, sondern auch die Richter. Die Erregung spiegele sich in den Reden des Staatsanwalts ebensogut wieder, wie in denen der Verteidiger; und da sei es ungemein gefährlich, in diesem Stadium die Frage zur Entscheidung zu bringen, ob ein solcher Mann für sein ganzes Leben zu internieren sei. Ganz anders bei dem von ihm vorgeschlagenen zivil-prozessualischen Verfahren. Da sei die Möglichkeit ruhiger, leidenschaftsloser Prüfung gegeben, auch die einer wiederholten Beurteilung des Geisteszustandes des straffällig Gewordenen durch den Psychiater. Andrerseits verlange er in seinen Thesen ausdrücklich, daß der Strafrichter das Recht der vorläufigen Verwahrung erhalte, damit der gemeingefährliche Verbrecher nicht nach Einlegung eines Rechtsmittels vorläufig seine Freiheit erhalte und damit zugleich die Möglichkeit, weiterhin straffällig zu werden. Er wiederhole zum Schluß, daß er eine Einigung über die vorliegende Materie erhoffe. (Lebhafter Beifall.)

Die Debatte erstreckte sich vorzugsweise auf Leitsatz 2 und zwar:
a) nach der juristischen, b) nach der psychiatrisch-pädagogischen Seite hin.

Von seiten der Juristen wurde mehr der Begriff der Strafe in den
Vordergrund der Besprechung gestellt: Professor Torp aus Kopenhagen
verwarf den Leitsatz 2, obwohl er den Forderungen der deutschen Wissenschaft entspreche. Das deutsche Strafrecht kenne keine mildernden Umstände für den vermindert Zurechnungsfähigen und man verlange darnach;
in Dänemark hätte man sie und man sei nicht damit zufrieden. Die
Strafen seien meistens ohne Wirkung. Wenn man strafen wolle, so seien
milde Strafen nicht am Platze. Dieser Redner ist ein entschiedener Gegner
von einem Kompromisse zwischen der »alten Schule«, welche der »Vergeltungstheorie« huldigt und derjenigen Richtung, welche die »Zweckstrafe«
fordert, er warnt auch vor gesetzlichen Bestimmungen, die den Simulanten
zugute kämen. Prof. Prins-Brüssel verwirft ebenfalls den Leitsatz 2,
entsprechend der französischen Landesgruppe, welche Minderwertige nicht
bestrafen will.

Prof. Aschaffenburg, sich gegen den Leitsatz 2 wendend, führt in
längerer Rede aus, die Strafen, wie jetzt üblich, seien meistens unwirk-
sam; man solle nicht strenge, aber wirksam bestrafen. In vielen Fällen
sei es unzulässig, vermindert Zurechnungsfähige überhaupt zu bestrafen;
in anderen Fällen sei Strafe angebracht; das müsse von Fall zu Fall erwogen werden; oftmals führe Strafe zur Besserung, aber die Strafe dürfe
nicht strenge sein, sondern sie müsse lange dauern. Besser wäre es, hier
gar nicht von Strafe zu reden, sondern von Behandlung. Es sei
vor allem wichtig, die richtige Einteilung der vermindert Zurechnungsfähigen zu treffen, dann werde auch der richtige Weg zur Behandlung
gefunden werden.

Kielhorn bemerkt vorweg, daß seine Ausführungen sich nur auf den
engeren Kreis der geistig Minderwertigen erstrecken und spricht
der »I. K. V.« seinen Dank aus — nicht im Namen der Hilfsschulen,
sondern im Namen der geistig Schwachen —, daß sie sich dieser Gruppe
von Menschen angenommen habe; deren Zahl sehr groß sei. Hamburg
lasse gegenwärtig in seinen 9 Hilfsschulen mehr als 1000 Kinder erziehen
und berge in seinen Mauern mindestens 6000 geistig Minderwertige im
Alter von 14 und mehr Jahren. Diese könne eine geringfügige Verknüpfung von Umständen zu Falle bringen und zu Gesetzesübertretern
machen. Würden sie Gesetzesübertreter, so sei es nicht ihre Schuld,
würden sie es nicht, so sei es nicht ihr Verdienst. Etwa zwei Prozent
sei als geborene Verbrecher zu bezeichnen, weil ihnen wegen Gemütsarmut das Gefühl für Recht und Unrecht, Gut und Böse mangele und
nicht beizubringen sei.

Außerdem seien alle geistig Minderwertigen sehr leicht gefügige Werkzeuge in der Hand des geriebenen Verbrechers. Allerdings könne man
die allermeisten Menschen dieser Art durch geeignete Strafen bessern,
d. h. nicht durch kurzfristige Haft- oder Gefängnisstrafen, sondern durch
lange währende Erziehung und durch Gewöhnung an Arbeit. Für sie
müßten statt Strafanstalten Erziehungs- und Arbeitshäuser unter ärztlich-

10*

pädagogischer Leitung geschaffen werden; den Gefangenwärter, der seine Studien auf dem Exerzierplatze gemacht habe, könne man dort nicht gebrauchen. Die Hilfsschulen — wenn sie die Erziehung in den Vordergrund stellen — seien geeignet, der Kriminalität vorzubeugen, es sei aber notwendig, sich der schulentlassenen Kinder anzunehmen, bevor sie auf der Straße verkommen und dem Vagabunden- und Verbrechertum verfallen. Redner bittet die Versammlung im Interesse der geistig Schwachen, sich durch Kompromisse zu einigen, damit aus der Beratung etwas Handgreifliches hervorgehe.

Prof. van Hamel (Amsterdam) greift energisch in die Debatte ein und bezeichnet die vorliegende Frage als die »aktuellste« des heutigen Strafrechts. Die Frage sei: Soll man den Rubikon überschreiten oder nicht? Er sei bereit, den Rubikon zu überschreiten, d. h. dahin zu wirken, daß in der Behandlung der Minderwertigen Wandel geschaffen werde. Man solle lieber gar nicht von vermindert Zurechnungsfähigen, sondern von Minderwertigen sprechen; die ganze Sache sei praktisch — nicht theoretisch — anzufassen. Mit dem Begriffe der Zweckstrafe trete die Behandlung in den Vordergrund und müsse die Vergeltung fallen.

Rechtsanwalt Dr. Oppenheimer teilt aus eigener Erfahrung verschiedene tragische Fälle mit, aus denen hervorgeht, daß Krankhafte zu Verbrechern gestempelt worden sind und dadurch deren Familie die Ehre geraubt worden ist; das sei unendlich traurig und müsse in Betracht gezogen werden; sei jemand verantwortlich, so müsse er bestraft werden — sei er aber krank, so dürfe man ihn nicht als Verbrecher behandeln.

Medizinalrat Leppmann rät, die ganze Angelegenheit praktisch anzufassen, die vermindert Zurechnungsfähigen milde zu bestrafen, den Strafvollzug milde zu gestalten. Im übrigen müsse dem Rechtsbewußtsein im Volke Rechnung getragen werden, welches noch auf dem Standpunkte der Vergeltungstheorie stehe. Es werde immer Grenzfälle geben, bei denen der Richter in Verlegenheit komme; deshalb sei für diesen Bewegungsfreiheit geboten.

Von nun an spitzte sich die Debatte ausschließlich auf den Wortlaut des Leitsatzes 2 zu, woran sich eine größere Zahl praktischer Juristen und Universitätslehrer beteiligten. Schließlich einigte sich die Versammlung dahin, den Leitsatz folgendermaßen zu fassen:

»Bei den vermindert zurechnungsfähigen Verbrechern — ob sie gemeingefährlich sind oder nicht — ist eine besondere Art der Strafe oder der Behandlung anzuwenden.«

Prof. von Liszt hatte seinen Leitsatz zu Gunsten dieser Fassung zurückgezogen.

Damit wurden die Leitsätze 1 und 2 einstimmig angenommen. Die Leitsätze 3 und 4 wurden nicht zur Abstimmung gestellt. Prof. von Liszt behielt sich vor, darauf später zurückzukommen.

Für den Erzieher und Verwahrer geistig Zurückgebliebener bot die Versammlung ein erhebendes Bild. Da fand ein gewissenhaftes Suchen statt nach dem rechten Wege und den rechten Mitteln, den geistig

Schwachen zu helfen und sie zu schützen — andrerseits aber auch, um die Gesellschaft vor ihnen zu schützen, wenn sie gefährlich werden.

Wenn man sich vergegenwärtigt, daß man vor 25 Jahren nur schüchtern von der Erziehung der schwachbefähigten Kinder sprechen durfte und oft nur ein mitleidiges Lächeln, wohl gar Spott erntete und man vergleicht damit, wie sich jetzt die Koryphäen der Wissenschaft in allen Kulturstaaten mit dieser Angelegenheit befassen, so ist das etwas Erfreuliches, wobei dem alten Hilfsschullehrer das Herz im Leibe lacht. Den Hilfsschulen aber muß man mahnend zurufen: Verzichtet darauf, die schwachen Köpfe der Kinder mit Wissensstoff zu füllen, den sie nicht verarbeiten können. Gebt ihnen aber Anleitung, ihren Weg durch das Leben unsträflich zu finden!

Die Versammlung bot des Lehrreichen nach mancherlei. Höchst interessant waren die Erörterungen über das internationale Verbrechertum. Auch auf diesem Gebiete bedarf es noch eines eifrigen Studiums — nicht nur seitens der Kriminalisten; auch der Psychologe wie der Psychopathologe findet hier ein Feld der Forschung.

Zwar wurden die internationalen Verbrecher als gewiegte Köpfe bezeichnet, als gesellschaftlich gewandt, kunstfertig in ihrem Fache, der Gesetzgebung und Rechtspflege, auch der Polizei überlegen, leichtfüßig und sicher sich der neuesten und besten Verkehrsmittel bedienend. Aber bei genauem Studium ihrer Person dürfte doch festgestellt werden, daß man es mit einseitig Beanlagten zu tun hat, deren seelisches Dasein nach anderen Seiten verkümmert ist — eine dem »Kinderforscher« bekannte Tatsache.

Den wissenschaftlichen Teil des Kongresses schloß Prof. Dr. von Mayer (früher Unterstaatssekretär in Straßburg) mit den Worten ab, der Kongreß sei eine Arbeit der Aussaat gewesen — nicht eine Arbeit der Ernte. An anderer Stelle wurde indessen von Regierungsvertretern in Aussicht gestellt, man werde bestrebt sein, die ausgestreute Saat zu befruchten. So dürfen auch wir Erzieher geistig schwacher Kinder hoffen, es werden in nicht zu ferner Zeit für unsere Schutzbefohlenen reife Früchte abfallen.

Neben dem rein wissenschaftlichen Teile fanden verschiedene Veranstaltungen statt, welche der Belehrung gewidmet waren: Besichtigung des Kriminalmuseums der Polizeibehörde, der Irrenkolonie und des gesicherten Hauses für geisteskranke Verbrecher in Langenhorn, der Gefängnis- und Korrektionsanstalt in Fuhlsbüttel, des Asyls für Obdachlose, der Verbrecherkeller u. a.

Auch die Geselligkeit und die Erholung kamen zu ihrem Rechte: Am 11. September Empfang im Uhlenborster Fährhause seitens des Ortsausschusses, am 12. Empfang im Rathause durch den Senat, am 14. Festdiner im Zoologischen Garten unter Vorsitz des Bürgermeisters auf Einladung des Ortsausschusses, am 15. Empfang auf dem Dampfer Viktoria Luise der Hamburg-Amerika-Linie.

Bei allen diesen festlichen Veranstaltungen — wie auch in der Eröffnungssitzung am Morgen des 11. September — wurde manches er-

hebende und beherzigenswerte Wort gesprochen. Doch hierüber zu berichten geht über die uns gestellte Aufgabe hinaus. Es wurde eben Aussaat gehalten!

2. Pawlows Untersuchungen über den Einfluß der Psyche auf die Verdauungstätigkeit.

Von Dr. Eugen Neter, Kinderarzt in Mannheim.

In meiner als Heft XIV der »Beiträge für Kinderforschung
und Heilerziehung« erschienenen Abhandlung: »Die Bedeutung der
chronischen Stuhlverstopfung im Kindesalter« erwähnte ich gelegentlich die interessanten physiologischen Untersuchungsergebnisse des
Russen Pawlow. Auf besonderen Wunsch der Schriftleitung teile ich an
dieser Stelle im nachstehenden Näheres darüber mit. Doch beschränke ich
meine Ausführungen auf die Versuche und Ergebnisse, die den innigen
Zusammenhang zwischen der Psyche und unsern Verdauungsorganen zum
Gegenstand der Untersuchung haben.

Hier ist es nun in erster Linie der Einfluß psychischer Vorgänge
auf die Magentätigkeit, den nachzuweisen dem russischen Physiologen in
vortrefflichen Experimenten gelungen ist. Einer dieser schönen Versuche
sei hier etwas ausführlicher angeführt, auch vor allem deshalb, weil er
uns Aufschluß über das Wesen und die Bedeutung des »Appetits« für die
Funktion des Magens gibt. Die Experimente wurden mit großer Geschicklichkeit und Zuverlässigkeit an Hunden ausgeführt. Diese Tiere hatten
eine künstliche Magenfistel, d. h. der Magenhohlraum stand durch ein
Loch in der vorderen Magenwand und in den Bauchdecken in direkter
Verbindung mit der Außenwelt. Von hier aus wurden die Tiere auch
gefüttert, da an denselben Tieren durch eine zweite Operation die Verbindung zwischen Magen- und Mundhöhle dadurch unterbrochen war, daß
die Speiseröhre am Halse durchschnitten wurde; die beiden Stümpfe der
Speiseröhre heilten in die Winkel der Hautwunde ein. Die so operierten
Hunde erholten sich bei guter Pflege vollkommen und lebten viele Jahre
in bester Gesundheit. An diesen Tieren ließ sich nun folgender Versuch
anstellen: Wenn man dem Hund Fleisch zu fressen gibt, so fällt es natürlich durch den oberen Abschnitt der durchschnittenen Speiseröhre wieder
heraus; aus dem gänzlich leeren, vorher mit Wasser reingespülten Magen
beginnt aber eine ergiebige Sekretion (Absonderung) von vollkommen reinem
Magensaft, die solange andauert, als das Tier Fleisch frißt und sogar
noch einige Zeit länger. Es können durch diese »Scheinfütterung« sehr
große Mengen (bis 700 ccm) reinsten Magensaftes gewonnen werden. Was
wirkt nun bei dieser Scheinfütterung erregend auf die Absonderung des
Magensaftes? Naheliegend war die Annahme, daß mechanische und chemische
Reize der Mundschleimhaut — ähnlich wie bei den Speicheldrüsen — so
auch bei den Drüsen der Magenschleimhaut reflektorisch die Sekretion
hervorrufen. Diese Auffassung findet in zahlreichen anderen Versuchen
Pawlows ihre Widerlegung; so ließ Pawlow z. B., um das mechanische

Moment zu prüfen, die Hunde Steine schlucken, die natürlich aus dem Stumpf der Speiseröhre wieder herausfielen; hierbei zeigte sich keine Spur von Magensaft. Andrerseits vermochte schon der Anblick des Fleisches bei den Hunden eine Absonderung von Magensaft auszulösen. Die Versuche ergaben: je gieriger der Hund frißt, desto mehr Saft wird abgesondert und desto verdauungskräftiger ist dieser. Die meisten Hunde ziehen Fleisch dem Brot vor; und in Abhängigkeit hiervon wird bei der Scheinfütterung mit Brot weniger und schwächerer Saft abgesondert als bei der Fütterung mit Fleisch.

Es beruht bei dem Akte des Fressens, bei der Scheinfütterung, die Erregung der Drüsennerven des Magens auf einem psychischen Moment, welches hier zu einem physiologischen geworden ist. Durch den leidenschaftlichen Instinkt der Eßlust hat die beharrliche und unermüdliche Natur das Suchen und Finden der Nahrung mit dem Anfang der Verdauungsarbeit verknüpft. Es ist leicht zu erraten, daß diese Tatsache im engsten Zusammenhang mit einer alltäglichen Erscheinung des menschlichen Lebens — dem Appetit — steht. Dieses Agens, das im Leben so wichtig und für die Wissenschaft so geheimnisvoll ist, bekommt hier durch Pawlows Untersuchungen endlich Fleisch und Blut, verwandelt sich aus einer subjektiven in eine präzise Tatsache des physiologischen Laboratoriums. Es erscheint deshalb als berechtigt zu sagen, daß der Appetit der erste und mächtigste Erreger der sekretorischen Nerven des Magens ist, daß sich in ihm dasjenige verkörpert, was bei der Scheinfütterung der Hunde den leeren Magen veranlaßt, große Mengen des stärksten Saftes abzusondern. Ein guter Appetit beim Essen ist von Anfang an gleichbedeutend mit einer ergiebigen Sekretion starken Saftes; wo kein Appetit, da gibt es auch diesen (»Appetit«-)Saft nicht; einem Menschen den Appetit wieder geben, heißt, ihm eine große Portion Magensaft zu Beginn der Mahlzeit sichern.

Diese Versuchsresultate lassen die Bedeutung der Maßnahmen, die wir mit dem Essen verbinden, in ihrem Wert richtig erkennen und bekräftigen die alte empirische Forderung, daß man die Speise mit Aufmerksamkeit und mit Vergnügen einnehmen soll; jedes andere Essen, das Essen auf Befehl, aus Überzeugung usw. wird schon mehr als Übel angesehen, und der Instinkt der menschlichen Gesundheit sträubt sich dagegen; die Ausnützung der auf diese Weise widerwillig genossenen Speisen ist deshalb auch eine geringere gegenüber jenen Speisen, die mit Lust gegessen und die den Appetit und damit auch die Absonderung reichlichen Appetit-Saftes kräftig geweckt haben.

Interessant ist auch folgende Beobachtung Pawlows: Die Hunde haben bekanntlich die Gewohnheit, sich bei Verwundungen die verletzte Stelle abzulecken. Wenn man nun einen Hund irgendwo am Körper mit einem Paquelin (einem auch bei der Brandmalerei angewandten Brennapparat) eine kleine Verletzung beibringt, fließt sofort Speichel aus der Ohrspeicheldrüse, deren Ausführungsgang in die Mundhöhle mündet. Es genügt nun bei Hunden, die mehrmals zu dem Versuch gedient haben, den Paquelin im Zimmer anzuheizen, um eine Speichel-Absonderung hervorzurufen. Die einzige Stelle des Körpers, deren Verbrennung keinen Speichelfluß macht, ist die Oberseite des Kopfes; auch die einzige, die der Hund mit der Zunge nicht erreichen kann.

3 Zum Kursus in Giessen.

a) Erwiderung.

Zu den Bemerkungen des Herrn Direktor Trüper-Jena über den in Gießen vom 2. bis 7. April 1906 stattfindenden Kurs der medizinischen Psychologie mit Bezug auf Behandlung und Erziehung der angeboren Schwachsinnigen erwidere ich folgendes.

1. Der rein methodische Standpunkt, den ich in der Sache einnehme, ist in meiner ersten Veröffentlichung[1]) deutlich gekennzeichnet:

»Auf die Dauer wird in dem zur Zeit ausgebrochenen Streit über die Leitung der Anstalten für Schwachsinnige und in dem ganzen Gebiet der Behandlung geistig abnormer Kinder diejenige Gruppe durchdringen, welche die besten Kenntnisse über die Psychologie und Psychopathologie des Kindes hat und sie in richtige Art der Behandlung umsetzt. Es handelt sich also im Grunde um einen Wettstreit in der methodischen Erkenntnis, nicht um bloße Kraftprobeu der um die Führung streitenden Ärzte, Lehrer und Geistlichen.«

Es geht daraus hervor, daß bei dem Kurs jede prinzipielle Streitigkeit über Standesvorherrschaft usw. ausgeschlossen ist und derselbe gerade ein Zusammenwirken von Ärzten und Lehrern im Auge hat.

2. Es ist selbstverständlich, daß jeder einzelne Vortragende lediglich auf dem Boden dieses Programmes an dem Kurs mitarbeitet.

3. Was die Person der Mitwirkenden betrifft, so war ich selbstverständlich zunächst auf die Kräfte der Klinik angewiesen, in welcher der Kurs stattfindet. Dabei kamen als Dozenten Oberarzt Dannemann und ich in Betracht. Ferner habe ich es für richtig gehalten, auch die Namen der andern Ärzte der Klinik zu nennen, die bei den Übungen im Schädelmessen, bei den psychophysischen Experimenten usw. mit Opferung von Zeit und Arbeit helfen werden. Andere Hilfskräfte hierzu zu werben, erschien ganz unzweckmäßig, da diese Tätigkeit eine völlige Vertrautheit mit dem Instrumentarium der Klinik voraussetzt.

Außer den Angehörigen der Klinik sind bisher 2 auswärtige Herren an der Durchführung des Programmes beteiligt, und zwar ein Psychiater Herr Prof. Weygandt in Bezug auf die Themata 1. die verschiedenen Formen der Idiotie und 2. Ursachenforschung, Prophylaxe und Therapie im Gebiete der Idiotie, und ein Pädagog Herr Seminarlehrer Lay in Bezug auf 5. Experimentelle Didaktik mit Bezug auf die angeborenen Schwachsinnigen und 6. Hilfsschulwesen. Die Wahl dieser Herren hat sich aus dem Zusammenwirken bei dem Kongreß für experimentelle

---

[1]) Vergl. Psychiatrisch-neurologische Wochenschrift VII. No. 20.

Psychologie in Gießen, bei dem Psychologen, Arzte und Pädagogen
einträchtig zusammen waren, von selbst ergeben.

Es ist also nur scheinbar richtig, die Zusammensetzung der vortragenden Ärzte und Lehrer mit 6/1 zu bezeichnen, indem nach dem vorläufigen Programm außer den Angehörigen der Klinik ein Arzt und
ein Pädagog mitwirken sollte. Außerdem habe ich mich schon früher
an den Vorstand des deutschen Hilfsschulverbandes mit der Bitte um
aktive Mitwirkung in Form von Vorträgen über das Hilfsschulwesen gewendet. Aus äußeren Gründen hat diese Verhandlung erst vor
einiger Zeit zu dem Resultat geführt, daß hoffentlich ein Vorstands-
mitglied dieses Verbandes als Vortragender teilnehmen wird, was als
weitere Garantie für mein völlig unparteiisches Verhalten dienen kann.
Ferner wird Herr Doktor Klumker aus Frankfurt die Bestrebungen der
Zentrale für private Fürsorge in einem Vortrag erläutern. Es ist also ersichtlich, daß ich durchaus eine gleichmäßige Vertretung der medizinischen und pädagogischen Methodik zu erreichen gesucht habe.

4. Ich bin prinzipiell dagegen, Streitigkeiten zwischen einzelnen
Vertretern verschiedener Stände zum ausschlaggebenden Grunde bei
sachlichen Fragen zu machen. Als ich aufgefordert wurde den Kongreß
für Kinderforschung mit zu fördern und in den Ausschuß desselben einzutreten, in dem ich mit Herrn Direktor Trüper zusammenwirken sollte,
habe ich, trotzdem mir der Streit zwischen diesem und Herrn Professor
Weygandt einigermaßen bekannt war, nicht gezögert, die Wahl in den
Ausschuß anzunehmen.

Die gleiche Unabhängigkeit habe ich bewahrt, als ich Herrn Weygandt,
der sich mit den klinischen Formen der Idiotie beschäftigt hat, rein aus
sachlichen Gründen gebeten habe, die Behandlung dieses Teiles unseres
Programmes zu übernehmen, wodurch ich entlastet wurde. Ich bitte in
diesem Verhalten nichts als das Streben nach völliger Unparteilichkeit zu
erblicken, und erkläre bestimmt, daß bei dem geplanten Kurs jede Standes-
Interessenvertretung ausgeschlossen ist und derselbe vielmehr das methodische Zusammenarbeiten von Arzt und Lehrer fördern soll.

Gießen. Prof. Sommer.

b) Unsere Stellung zu vorstehenden Auffassungen.

Zu 1 u. 2. Ich anerkenne es als ein besonderes Verdienst von
Herrn Prof. Sommer, daß auch er als Psychiater die Standesinteressen
zur Seite schieben und dafür mit uns die sachlichen Interessen in den
Vordergrund rücken will. Für uns kann die Frage aber nicht so gestellt
werden, wie es in dem aus der »Psychiatr.-Neurolog. Wochenschrift«
zitierten Satz geschehen ist; falls man sie überhaupt stellen will, was wir
nur immer abwehrend getan haben, muß gefragt werden: Ist die
Hauptarbeit an den abnormen Kindern eine erzieherische oder
eine medizinische? Der erhoffte Wettstreit läßt sich in gerechter
Weise auch nur dann entscheiden, wenn man beiden Streitenden dieselben
Bedingungen gibt, d. h. u. a., wenn man an den Universitäten und sonstwo

für die Pädagogik die entsprechend gleichen Aufwendungen wie für die
Medizin macht. Auch nicht die »methodische Erkenntnis« des Zustandes
entscheidet, sondern es kommen noch viele andere gleich- oder mehr-
wertige Faktoren hinzu.

Zu 3. Die Aufklärung in Absatz 1 nehme ich dankend entgegen.
Es ist absolut nichts dagegen einzuwenden.

Auch gegen Absatz 2 wäre nichts einzuwenden, wenn man von Herrn
Prof. W. eine unbefangene Erörterung der »Prophylaxe und Therapie im
Gebiet der Idiotie« erwarten dürfte. Das halte ich nach den bisherigen
Erfahrungen für gänzlich ausgeschlossen. Der Name Weygandt bedeutet
auch nach den letzten Vorgängen auf dem Psychiatertage in Dresden in
diesem Punkte für uns vor allem einen mit einer gewissen Mißachtung
geführten Kampf um die Standesvorherrschaft. Genügen die erbrachten
Beweise nicht, so kann ich schwerwiegendere beibringen.

Was Herr Prof. Sommer weiter mitteilt, begrüße ich mit Freuden.

Zu 4. Mit dem Inhalt des ersten Satzes bin ich sehr einverstanden.
Im übrigen bin ich fest überzeugt, daß Herr Prof. Sommer meine Aufforderung sogar mit Entrüstung zurückgewiesen haben würde, wenn ich
es gewagt hätte, in Form einer These oder Resolution zu behaupten,
gewisse Anstalten, die von Psychiatern geleitet werden, entsprechen nicht
der Erfahrung, der Wissenschaft und der Humanität, und in Zeitschriften,
die von Psychiatern herausgegeben werden, kann der Angegriffene eines
andern Standes sich persönlicher Invektiven nicht erwehren, usw.[1]) Das
übersieht Herr Prof. Sommer. Ohne solche Angriffe würde ich auch
niemals in der Streitfrage das Wort der Abwehr ergriffen haben. Denn
ich stehe in keinem Gegensatze zur Psychiatrie und den Psychiatern,
sondern ich habe 10 Jahre hindurch für ihren Einfluß auf die Pädagogik
unablässig gearbeitet.

Obgleich meine Einwände nicht alle beseitigt sind, will ich doch
hoffen, daß unsere beiderseitigen Auseinandersetzungen uns über die
traurige Streitfrage mit hinweghelfen und die gute Sache fördern.

Trüper.

4. Kongress für Kinderforschung und Jugendfürsorge.

Unser Jahrhundert hat als Erbteil aus den letzten Jahrzehnten des
vorigen Jahrhunderts das erneute und vielseitig gepflegte Interesse für
das Kind und seine Entwicklung in gesunden und kranken Tagen übernommen. Wie in andern Kulturländern, so sind auch bei uns im deutschen Sprachgebiete vielverzweigte Bestrebungen auf zuverlässige wissen-

---

[1]) Vergl. den Doppelartikel: »Medizin und Pädagogik« in Reins Encyklopäd.
Handbuch der Pädagogik von Irrenanstaltsdirektor Dr. Koch und Trüper; ebenso
die entsprechenden Artikel in der »Zeitschrift für Kinderforschung« Jahrg. II, 157;
III, 58, 154, 191; IV, 58, 188; V, 71, 210, 279; VI, 46, 141, 193; VII, 1;
VIII, 271; IX, 111, 161, 214, 279; X, 209.

schaftliche Erforschung der Natur des Kindes nach der leiblichen wie seelischen Seite gerichtet, sowohl in seiner Einzelentwicklung als im Zusammenhange mit den Problemen der sogenannten Völkerpsychologie. Allen diesen Bestrebungen fehlt indessen bis jetzt eine gemeinsame Zentralstätte und den Vertretern dieser Forschung eine Gelegenheit zu unmittelbarem geistigen Austausch.

In gleichem Maße ist aber auch das Interesse gewachsen für die großen praktischen Fragen der Erziehung des Kindes wie der gesamten Jugendfürsorge, so daß sich die Pädagogik, die im Laufe des 19. Jahrh. je länger desto mehr zu einer bloßen Schulpädagogik oder gar nur Schuldidaktik sich zu verengen drohte, wieder zu einer Erziehungswissenschaft im großen Stil zu erheben strebt. Ihr dienen denn auch eine Reihe aufblühender praktischer Organisationen für Jugendfürsorge in mannigfachem Sinne. Doch auch hier fehlt die Möglichkeit gegenseitiger Berührung, Kenntnisnahme und Verbindung. Und weiter fehlt noch ganz und gar die Brücke zwischen jenen forschenden und diesen fürsorgenden, volkserzieherischen Bestrebungen, die wünschenswerten Anknüpfungen zwischen den theoretischen und den praktischen Betätigungen.

Ein solcher Mangel an gegenseitiger Fühlung bedeutet aber offenbaren Nachteil für die theoretische Erkenntnis für die Praxis und damit auch eine Schädigung der Volksinteressen. (Es sei nur an die Behandlung der jugendlichen Kriminellen erinnert.)

Dieser Einsicht entsprang der Plan zu einem deutschen Kongreß für Kinderforschung und Jugendfürsorge.

Der Kongreß will also für die ganze auf Verständnis, Schutz und entwickelnde Pflege der Kindheit und Jugend gehende Bewegung der Gegenwart einen festen Zusammenschluß erstreben.

Er ladet daher ein alle Forscher auf dem erstgenannten Hauptgebiete, dem grundlegenden und theoretischen, die Physiologen, Psychologen, Biologen, sowie die Vertreter des zweiten Gesamtgebietes mit den wichtigen Problemen der theoretischen und praktischen Gesamtpädagogik einschließlich der Hygiene, also die Lehrer und Leiter aller Schulgattungen, wie diejenigen der Fürsorgeanstalten für anormale und pathologisch veranlagte Kinder und Jugendliche, der schwachsinnigen, taubstummen, blinden, moralisch gefährdeten, entarteten, verwahrlosten, kriminellen, wie auch die Kinderärzte, Psychiater, Juristen, nicht minder aber die an der Jugenderziehung direkt interessierten Eltern, Vormünder und sonstige Jugendfreunde.

Der Kongreß soll in den ersten Tagen des Oktober zu Berlin abgehalten und so organisiert werden, daß zwar auch alle besonderen, einem der obengenannten Gebiete geltenden Vereine für ihre Beteiligung und die Erörterung ihrer Angelegenheiten Raum finden, jedoch Vorträge und Verhandlungen von möglichst allgemeinem Interesse in den Vordergrund treten. Im ganzen sollen die zu haltenden Vorträge wesentlich der Art sein, daß sie dem mit dem betreffenden Gebiete noch nicht Vertrauten eine Anschauung geben, sowohl von dem bisher darin Geleisteten wie von den schwebenden Fragen und den zu lösenden Aufgaben.

Es soll auf diese Weise nicht nur eine innere Verbindung für jetzt erleichtert, sondern womöglich eine organische Vereinigung für die Zukunft eingeleitet werden.

Der Kongreß ist als solcher für alle Länder deutscher Zunge gedacht. Indessen soll die Teilnahme auch von Ausländern als Gästen sowie ihre Beteiligung an den Verhandlungen willkommen sein.

Ein bestimmtes, im bevorstehenden Sommer zu veröffentlichendes Programm wird über die Räume für die Verhandlungen, die Abfolge der Themen, die Bildung von Sektionen oder Gruppen und anderes Auskunft geben. Schon jetzt sei bemerkt, daß eine Beschränkung der verfügbaren Zeit durch einleitende Begrüßungen und begleitende Festlichkeiten vermieden werden soll und daß der von den Teilnehmern zu entrichtende Beitrag auf 4 M sich belaufen wird, wofür später die gedruckten Verhandlungen geliefert werden.

Die Wahl der Referenten behält sich der für die Veranstaltung des Kongresses gebildete Vorstand bezw. der mit den Vorbereitungen betraute Ausschuß vor. Zugleich werden freiwillige Angebote bis zum 1. März dankend entgegengenommen, über deren Aufnahme in das Programm allerdings die Entscheidung dem Vorstande überlassen bleiben muß. Ferner ist die Anmeldung teilnehmender Vereine schon jetzt erwünscht.

Anmeldungen und Anfragen sind zu richten an einen der drei erstgenannten, mit der Geschäftsführung betrauten Vorstandsmitglieder.

Der vorbereitende Ausschuß und Vorstand:[1]

Dr. **W. Münch**, Geh. Regierungsrat u. Prof. a. d. Universität Berlin W. 30, Luitpoldstr. 22, Vorsitzender.

J. Trüper, Direktor des Erziehungsheims auf Sophienhöhe bei Jena, stellvertretender Vorsitzender.

Dr. **W. Ament**, Privatgelehrter in Würzburg, Sanderglacisstr. 44, Schriftführer.

Dr. A. Baginsky, Prof. der Kinderheilkunde und Direktor des Kaiserin Friedrich-Kinderkrankenhauses in Berlin. Pastor Dr. Hennig, Direktor des Rauhen Hauses in Horn bei Hamburg. Geh. Med.-Rat Dr. **Heubner**, Prof. der Kinderheilkunde und Direktor der Universitäts-Kinderklinik in Berlin. Dr. **Chr. Klumker**, Dir. der Zentrale f. private Fürsorge in Frankfurt a/M. Amtsgerichtsrat Dr. Köhne, Vormundschaftsrichter in Berlin. Dr. E. Meumann, Prof. der Pädagogik und Psychologie a. d. Univ. in Königsberg. Dr. Petersen, Dir. des stäat. Waisenhauses in Hamburg. H. Piper, Erziehungsinspektor d. Idiotenanstalt in Dalldorf. Dr. **W. Rein**, Prof. der Pädagogik u. Direktor des pädagog. Universitätsseminars in Jena. Röhl, Volksschullehrer u. Vorsitzender des Ausschusses des deutschen Lehrervereins in Berlin. Dr. Sickinger, Stadtschulrat in Mannheim. Dr. **Sommer**, Prof. der Psychiatrie in Gießen. Vatter, Direktor der Taubstummenanstalt in Frankfurt a/M. Wiedow, Direktor der Blindenanstalt in Frankfurt a/M. Geh. Med-Rat Dr. **Th. Ziehen**, Prof. der Psychiatrie und Direktor der psychiatrischen Klinik der Charité in Berlin.

[1] Die Namen der Vorstandsmitglieder sind fett gedruckt.

5. Der Verband der Hilfsschulen Westfalens

tagte am 21. Oktober in Hagen, um, von einem Referat des Herrn Kliem (Hagen) ausgehend, Stellung zu nehmen zu der Forderung: der Handfertigkeitsunterricht muß Ausgangs- und Mittelpunkt des gesamten Hilfsschulunterrichtes werden! Weil jedoch die Ansichten über die Bedeutung des Werkunterrichtes in der Hilfsschule noch weit auseinander gingen, und darum das Fach noch nicht auf allen Lehrplänen zu finden ist, so wurde die Beschlußfassung über den Antrag Dortmund, der dem Handarbeitsunterricht die geforderte Stellung in der Hilfsschule einräumt, bis zur Frühjahrskonferenz hinausgeschoben.

Auf dieser Versammlung in Dortmund soll in einigen Hilfsklassen praktisch die Möglichkeit und in einem Referat die Notwendigkeit dieses Unterrichtsverfahrens nachgewiesen werden.

Herr Junker (Dortmund) führte in anschaulicher Weise den Fritscheschen Mosaikkasten vor. Obschon in einigen Dortmunder Hilfsschulen seit Jahren ähnliche Würfel und Holzplättchen zum Bildersetzen benutzt werden, wurden die Vorteile des vorgeführten Mosaikkastens rückhaltlos anerkannt und derselbe zur Anschaffung empfohlen.

Von den gegenseitigen Mitteilungen in der Versammlung scheint erwähnenswert, daß in Hagen bereits eine Haushaltungsschule für Hilfsschülerinnen besteht und eine solche in Lüdenscheid demnächst eingerichtet wird. Ferner, daß die Hilfsschulen in Unna, Hagen und Lüdenscheid Schulgärten entweder schon besitzen oder doch in nächster Zeit erhalten.

Dortmund.   Middeldorf.

6. Eine Ruhmestat des österreichischen Justizministers.

»Ein Douglas vor meinem Angesicht wär ein verlorener Mann«, sagt König Jakob in der bekannten Ballade; mit einer Variante dieses berühmten Wortes muß heutzutage jeder Gefängnisvorstand sagen: »Ein Jugendlicher vor meinem Angesicht wird ein verlorener Mann«, denn die Gefängnisstrafe erfüllt bei der heutigen Art ihrer Durchführung nicht den Besserungszweck an den jugendlichen Missetätern, sondern sie treibt sie weiter in die Bahn des Lasters und des Verbrechens hinein. Die Statistik redet darüber eine traurige Sprache.

Dem österreichischen Justizminister Dr. Klein, der schon vor seiner Ernennung zu seinem jetzigen hohen Amte einen weit über Österreichs Grenzen hinausgehenden Ruf genoß, ist das Verdienst zuzuschreiben, durch einen großartigen Organisationsentwurf diese so wichtige Frage energisch angepackt zu haben.

Was die Unterbringung der jugendlichen Missetäter anbelangt, so ordnet der Justizminister an, daß bis zur Errichtung besonderer Anstalten für die Jugendlichen in den Gefängnissen Jugendgruppen einzurichten sind. Der höchste Aufsichtsbeamte über das Gefängnis soll sich teils durch persönlichen Verkehr, teils durch die Akten ein Bild von jedem einzelnen jugendlichen Gefangenen machen und die nach der Art und Zeitdauer ihrer Strafe und nach ihrem Wesen zusammenpassenden Gefangenen derselben Gruppe zuweisen. Jeder Verkehr der Jugendgruppen mit den erwachsenen Gruppen soll ausgeschlossen sein.

Mustergültige Bestimmungen trifft der Minister über die Beschäftigung der jugendlichen Gefangenen. Er geht davon aus, daß die Gefangenen, wenn sie das Gefängnis verlassen, nur dann vor dem Verderben gerettet werden können, wenn sie rege an Geist, gesund an Körper und gewöhnt an nützliche Arbeit sind. Deshalb verbietet der Minister schlechthin jede rein mechanische Arbeit, die den Geist ermüdet, wie Tütenkleben oder Federnschleißen. Statt dessen soll dem jungen Menschen Gelegenheit gegeben werden, nützliche Handwerke zu erlernen bezw. sich in ihnen zu vervollkommnen. Auch Garten- und Feldarbeit soll nach Möglichkeit getrieben werden. Dient in gesunden Räumen und ohne Überanstrengung ausgeführte Arbeit schon der Kräftigung des Körpers, so soll dieser Zweck noch weiterhin dadurch gefördert werden, daß die Gefangenen sich nicht nur, wie es sonst üblich ist, auf langweilige Rundgänge im Gefängnishofe beschränkt sehen, sondern daß sie zu körperlichen Übungen und Spielen angehalten werden, wie Turnen, Laufen und Springen. Hierfür verlangt der Minister täglich mindestens zwei Stunden. Der Entwicklung des Geistes soll ein Fortbildungsunterricht dienen, der mindestens acht Stunden wöchentlich umfassen soll. Auch soll der geistigen Entwicklung dadurch Rechnung getragen werden, daß von der für die körperliche Arbeit bestimmten Zeit täglich eine Stunde abgezogen werden soll, die mit Schularbeiten zu verbringen ist. Um den mannigfachen Anforderungen des Aufsichtsdienstes zu genügen, soll das beste vorhandene Material an Aufsichtsbeamten für die Jugendlichen reserviert werden.

Endlich sind die Jugendlichen nach ihrer Entlassung im Auge zu behalten und es ist nach Möglichkeit darauf zu sehen, daß sie zweckentsprechende Arbeit bekommen. Die Gerichte sollen darum in fortgesetzter Fühlung mit den diesen Zwecken dienenden Vereinen bleiben. Der Minister ist Praktiker genug, um zu wissen, daß das ersprießliche Zusammenwirken von Behörden und privaten Veranstaltungen durch den Hochmut und die Formalitäten der Bureaukratie oft unmöglich gemacht wird. Er sagt deshalb: »Es muß vermieden werden, die Hilfsbereitschaft jener Anstalten und Vereine durch Festhalten an überflüssigen Förmlichkeiten oder durch Weitläufigkeiten der Geschäftsbehandlung zu hemmen oder zu ersticken.«

Man wird der Zeitschrift »Das Recht«, die in dankenswerter Weise die Verordnung des Ministers zum Abdruck gebracht hat, gewiß zustimmen dürfen, wenn sie sagt, Dr. Klein habe sich dadurch nicht nur als Jurist, sondern auch als Mensch ein Denkmal dauernder als Erz gesetzt. Wir in Deutschland vermissen in unserer Justiz leider schon seit langem Männer von der großartigen Initiative Kleins, aber wenn wir schon keine Originaldenkmäler setzen können, so sollten wir uns wenigstens einen Abguß des österreichischen Denkmals verschaffen. Die Strafrechtspflege ist eine der wichtigsten Einrichtungen, denn sie berührt, woran nicht immer genug gedacht wird, nicht nur die so und so viel hunderttausend Missetäter, sondern auch die Allgemeinheit, die von Missetaten möglichst verschont bleiben will.   »Deutschland«.

C. Literatur.

Brohmer, R., u. Kühling, M., Übungsbuch zum Gebrauch beim Rechen-
unterrichte in Taubstummenanstalten, Hilfsschulen und ver-
wandten Schulgattungen. Halle, Schrödel. 0,80 M.

Schon der Titel enthält eine psychologische Unmöglichkeit: denn was bei
Taubstummen, also intellektuell Ungeschwächten anwendbar ist, kann man doch
nicht kritiklos in die Hilfsschule oder wohl gar in die Idiotenanstalt übertragen.
Bei Durchsicht des Buches gewinnt diese Behauptung greifbare Gestalt. »In möglichst kleine Zahlenkreise zerlegt« bieten die Verfasser folgende Gruppen 1—5,
1—10, 1—20. Das ist angängig bei intellektuell Normalen, bei Taubstummen. Der
Schwachbegabte dagegen muß zunächst erst ganz allgemeine Zahlbegriffe bekommen:
nichts, viel, wenig, mehr. Und das dauert oft schon recht lange. Ein normales
Kind weiß das, Verfasser setzen es daher wohl auch mit Recht bei Taubstummen
voraus. Weiterhin müssen die Zahlenkreise für Schwachbegabte noch mehr be-
schnitten werden, wir müssen als ersten den von 1—3 einfügen und dann zunächst
nur das Zuzählen üben. Das Abziehen darf erst auftreten nach Beendigung der
Zahlenkreise 1—10. Erst muß ein Verfahren gründlich aufgefaßt und verstanden,
die Bahnen tüchtig ausgeschliffen sein durch Vereinigung der optischen, akustischen
und motorischen Vorstellungsbilder, dann erst darf das Abziehen auftreten. Nunmehr ist ein Irren, wenn auch nicht ganz ausgeschlossen, so doch kaum noch zu
erwarten. Das Teilen und Malnehmen findet seinen Platz im Zahlenraum bis 20,
darf aber nur aus Reihen abgeleitet werden.

Zum andern kann man den von den Verfassern gebrauchten Zahlenbildern
nicht das Wort reden beim Unterricht für Schwachbegabte. Die Zahlenbilder
sollen hier das Symbol der Zahl sein, mithin muß die Anordnung derselben gestatten, daß jedes folgende aus dem vorhergehenden ohne Veränderung des alten
gewonnen werden kann, ohne dabei unübersichtlich zu werden. Stelle ich aber
5 einzelne Punkte in gerader Linie nebeneinander, so ist kein normales Kind, geschweige denn ein abnormes im stande zu sagen, wieviel das sind. Nur 3 höchstens
4 gleichartige, nebeneinanderliegende Dinge sind mit einem Blick zu überschauen.
Deshalb ist eine andere Anordnung besser, nämlich die, wo immer 2 Punkte unter-
einanderstehen und der folgende oben, der nächstfolgende unten danebengesetzt
wird. Von den Zahlen 6—10 geben Verfasser überhaupt keine Zahlenbilder.

Alle diese Argumente beziehen sich nur auf die Schulen für Schwachbegabte.
Ein Taubstummer kann sehr wohl an der russischen Rechenmaschine — denn dort
haben Verfasser ihre Bilder entlehnt — in den hier abgesteckten Zahlenräumen
rechnen lernen.

Der Gang des Buches ist lückenlos und bietet eine Fülle von Übungsstoff
übersichtlich und gut geordnet, dazu für die Kinder leicht verständlich. Eine große
Zahl von Aufgaben mit benannten Zahlen und viele angewandte Aufgaben gliedern
sich an. Da die Verfasser hierin selbst den Vorzug ihres Buches sehen, ist es
notwendig, auch hierauf einzugehen.

Es heißt im Vorwort »die angewandten Aufgaben sollen den Schüler veranlassen, die erlangte Rechenfertigkeit zur Lösung der Rechenfälle, wie sie das gewöhnliche Leben bietet, zu verwenden«. Wären nun die Aufgaben denen, die das
Leben stellt, gleich, so wäre das Buch zweifellos das beste, bisher erschienene.
Prüfen wir an einigen Beispielen diesen Vorzug.

1. Max hat 6 Kugeln; er gewinnt 4. Wieviel hat er nun?
2. Ein Bauer hat 5 Pferde. Er kauft noch 3. Wieviel hat er nun?
3. Ida hat 15 Pfennige. Anna hat 7 Pfennige weniger. Wieviel hat sie?
Das Leben stellt die Aufgaben aber gerade umgekehrt.
1. Max gewinnt 4 Kugeln. Wieviel hat er jetzt, wenn er schon 4 hatte?
2. Ein Bauer kauft 3 Pferde, wieviel hat er jetzt, wenn schon 4 im Stalle
stehen?
3. Anna hat 7 Pfennige weniger als Ida, die 15 hat. Wieviel hat sie? Oder
aber noch besser, man läßt die 2. Angabe weg. Dann müssen die Kinder erst
fragen, denn sonst können sie nicht rechnen. Also so etwa: Anna hat 7 Pfennige
weniger als Ida. Wieviel hat sie? Die Kinder müssen dann erst selbst finden, ich
kann so nicht rechnen, ich muß zunächst wissen, wieviel Geld Ida hat.

Das Leben stellt also, wie wir sehen, seine Aufgaben gerade umgekehrt, auch
macht es nicht alle Angaben. Der Rechner muß sich selbst umschauen, muß selbst
überlegen und fragen. Dieser Unterschied scheint doch kaum in die Wagschale zu
fallen, braucht mithin nicht beachtet zu werden! Und doch, schon jetzt muß man
so verfahren, wie es das Leben tut; denn wohl jeder hat die Erfahrung gemacht,
daß gute Schulrechner sich oft herzlich schlecht im Leben bewähren. Viel klarer
tritt das Mißverhältnis zu Tage, wenn wir Aufgaben aus der Regeldetri, der Zins-
rechnung usw. nehmen. Die Aufgaben aller Rechenbücher geben in ihrem Wortlaut den beim Rechnen einzuschlagenden Weg an. Das tut das Leben nie. Es
sagt: Wo kaufe ich billiger, wie richte ich mich mit meinem Gelde am vorteil-
haftesten ein, wo lege ich mein Geld an, wieviel kostet die Aussaat für meinen
Acker, was kostet ein Fußbodenanstrich? usw. Das Rechenbuch gibt in seinen
Aufgaben alle Maße, Gewichte, Werte, Verhältnisse, Entfernungen usw. an, zeichnet
den Weg vor und dann geht's ans Rechnen. Nehmen wir z. B. die letzte Frage
des Lebens: Was kostet der Fußbodenanstrich. Keine Zahlen, keine Aufschlüsse
gibt sie. Der Rechner muß nun überlegen, ich muß die Länge und Breite wissen,
muß den Preis der Farbe, des Pinsels kennen, muß die Arbeit einschätzen und
dann kann er rechnen. Übt man mit Schwachbefähigten nicht solche Aufgaben, so
sind sie dem Leben nimmermehr gewachsen. Neben die bisher gebräuchlichen angewandten Aufgaben müssen solche aus dem Leben treten. Mehr zur Begründung
kann hier nicht gesagt werden.

Fassen wir zusammen, so müssen wir das Rechenbuch für Hilfsschulen und
ähnliche Schulgattungen ablehnen, können es aber bis auf die angewandten Aufgaben für Taubstummenanstalten empfehlen.

Sophienhöhe bei Jena.   G. Major.

Der sogenannte **Hilfsschulkalender** (Kalender für Lehrer und Lehrerinnen
an Schulen und Anstalten für geistig Schwache), den die Herren Frenzel Gerhard
und Schulze herausgeben, hat sich mit seinem ersten Jahrgang so vorteilhaft eingeführt, daß der zweite Jahrgang in Vorbereitung ist und gleichzeitig vor Beginn
des neuen Schuljahres erscheinen soll (Verlag von K. G. Th. Scheffer in Leipzig,
Preis 2 M). Hervorzuheben ist das reiche statistische Material über das gesamte
Hilfsschulwesen und die Personalien der Hilfsschullehrer, das sich in keinem
andern Werke so ausführlich findet.

Druck von Hermann Beyer & Söhne (Beyer & Mann) in Langensalza.

A. Abhandlungen.

1. Warum und wozu betreibt man Kinderstudium?

Von

A. J. Schreuder, Direktor des Medizinisch-Pädagogischen Instituts zu Arnheim.

(Schluß.)

5. Geschichte.

Als erste wissenschaftliche pädologische Arbeit werden gewöhnlich die Beobachtungen des deutschen Professors in der Philosophie
DIETRICH TIEDEMANN über seinen Sohn genannt, 1787 unter dem Titel
»Über die Entwicklung der Seelenkräfte der Kinder«, erschienen in
den Hessischen Beiträgen für Wissenschaft und Kunst. Früher hatte
ROUSSEAU jedoch durch seinen »Emile« (1762) und andere Schriften
das Interesse für Kinder neu erweckt, und wie Dr. SPITZNER[1]) aus
Leipzig dargetan, hat TIEDEMANN unter dem Einfluß des ROUSSEAU gestanden.[2])

Diese Arbeit TIEDEMANNS hat jedoch keinen Einfluß ausgeübt, ist
gänzlich vergessen, und ist erst fast ein Jahrhundert später von
französischen Kinderpsychologen entdeckt und aufs neue heraus-

---

[1]) In seinen Vorträgen über das Kinderstudium während des Jenaischen
Ferienkursus.

[2]) Soweit die Sache bis jetzt verfolgt werden konnte, geht diese Forschung
zurück auf Locke und Leibniz. Die Tiedemannsche Schrift ist nicht die einzige
ihrer Art im 18. Jahrhundert gewesen. Die Kinderforschung erlebte damals schon
als Folgeerscheinung der Erfahrungsseelenkunde eine förmliche erste Blütezeit, über
die im nächsten Jahre auf dem Kongreß für Kinderforschung und Jugendfürsorge ihr Erforscher, Herr Dr. AMENT-Würzburg, einen Vortrag halten will.
Tr.

gegeben worden. Eine neue deutsche Ausgabe ist 1897 von UFER besorgt.

In der ersten Hälfte des vorigen Jahrhunderts kamen nur Jugenderinnerungen heraus. Aus der Mitte des vorigen Jahrhunderts datiert eigentlich der Anfang des wissenschaftlichen Kinderstudiums, dessen erste Periode ihren Abschluß findet in der Erscheinung von PREYERS Werk (1882). In dieser Periode waren es besonders Ärzte und Lehrer, die in den Vordergrund traten. Von ersteren müssen genannt werden LÖBISCH, der 1851 seine »Entwicklungsgeschichte der Seele des Kindes« herausgab und die schon früher genannten Untersucher KUSSMAUL, SIGISMUND und PLOSS. Von den Lehrern gehören außer den schon angeführten Autoren BARTHOLOMÄI und STOY, in diese Periode TUISKON ZILLER, der in seiner »Einleitung in die allgemeine Pädagogik« (1856) gute Kapitel über Kinderpsychologie gebracht hat[1]) und die späteren Schriftsteller KARL LANGE mit »Dem Vorstellungskreis unserer sechsjährigen Kleinen« (1879), und LUDWIG STRÜMPELL mit seiner »Psychologischen Pädagogik« (1880). Als Beiblatt war hinzugefügt eine Reihe Notizen über die Entwicklung eines Mädchens in den ersten zwei Jahren. Auch kamen in dieser Zeit heraus EMIL EGGER, »Observations et réflexions sur le développement de l'intelligence et du language chez les enfants« (1877). Deutsch von HILDEGARD GASSNER, mit einer Einleitung von WILHELM AMENT. 1903.

In dieser Periode nahmen andere wissenschaftliche Gruppen noch sehr wenig an der Untersuchung teil. TAINE gab in seinem Buch »de l'Intelligence« viel Gutes und CHARLES DARWIN gab 1877 eine Reihe Notizen über seinen Sohn heraus, die er 1840 schon aufgeschrieben hatte (A Biographical Sketch of an Infant. Mind 1877. S. 285). Auch Philologen fingen an, der Entwicklung des Sprechens bei dem Kinde Aufmerksamkeit zu widmen. Weder von philosophischer, noch von naturwissenschaftlicher Seite war also bis ungefähr 1880 großes Interesse gezeigt worden und die Fachpsychologen selber hatten sich ganz im Hintergrunde gehalten.

Noch ein anderes Kennzeichen dieser ersten Periode ist dieses, daß die meisten Untersucher, die Pädagogen ausgenommen, keine Fühlung untereinander hatten und daß nur Bruchstücke behandelt wurden. Man hatte noch keinen Begriff von Kinderstudium als einem großen Ganzen, einer Wissenschaft des Kindes.

---

[1]) Von diesem Buch ist kürzlich von des Autors Sohn eine neue Ausgabe besorgt worden, die ich unseren Lesern empfehle. Langensalza, Hermann Beyer & Söhne (Beyer & Mann), 1901. Preis 1.80 M.

Da erschien das Werk WILHELM PREYERS. Dieser, von Haus aus Physiologe, hatte ausführliche Studien gemacht über die Lebensverrichtungen des menschlichen Embryos und wollte nun, besonders auf Antrieb SIGISMUNDS, dieselbe ausbreiten durch eine Untersuchung der Entwicklung nach der Geburt. Dazu machte er an seinem 1877 geborenen Sohne einige Jahre lang täglich methodische Beobachtungen,. 1880 erschien schon seine »Psychogenesis«, ein Entwurf zu einer Wissenschaft der Kinderseele und 1882 sein berühmtes Werk »Die Seele des Kindes«, welches der Kinderpsychologie eine neue Periode erschloß (1904 6. Aufl.).

PREYERS Verdienst ist es, daß er durch eine meisterhafte Vereinigung der von TIEDEMANN und SIGISMUND angewendeten bloßen Beobachtung mit dem von KUSSMAUL u. a. eingeführten Experiment die biografische Methode zu großer wissenschaftlicher Höhe gebracht hat und dies zudem auf solche Art, daß jeder sie verstand und viele sich zu der Anwendung derselben angeregt fühlten. Da PREYER jedoch seines Faches Physiologe und nicht Psychologe war, ist sein Werk nur vollkommen wissenschaftlich in dem physiologisch-psychologischen Teil — wir führen hier das Urteil AMENTS an [1]) — in der Behandlung also der Sinne und der Bewegungen; doch seine Untersuchungen über die Entwicklung des Verstandes und des Sprechens waren ungenügend. Nach AMENT war er hier nicht dazu fähig, die richtigen Probleme aufzustellen, da er sich in die psychologischen und logischen Grundbegriffe nicht genug vertieft hatte. Hieraus läßt es sich auch wahrscheinlich erklären, daß diejenigen, von denen doch eigentlich das größte Interesse hätte erwartet werden können, nämlich die Fachpsychologen, sich stets in einiger Entfernung hielten, ja, daß sogar ein Gelehrter wie der berühmte Oxforder Professor MAX MÜLLER höhnisch von »Kinderstubenpsychologie« sprach. [2]) Merkwürdig ist es, daß ebenso wie TIEDEMANNS Buch in Deutschland selber unbekannt blieb, auch jetzt PREYERS Werk in dem eigenen Lande wenig zur Geltung kam. Ganz anders jedoch im Auslande, namentlich in Nord-Amerika, England und Frankreich.

Es wäre geradezu unmöglich, ein Verzeichnis zu geben von der umfassenden Literatur, die sich in diesen Ländern nach und durch

---

[1]) L. c. S. 15.

[2]) »Es droht Gefahr von der Menageriepsychologie, aber noch viel mehr von der Kinderstubenpsychologie.« »The Science of Thought« 1887, in deutscher Übersetzung angeführt bei AMENT, l. c. S. 19.

PREYER entwickelt hat.[1]) Die in den Vordergrund tretenden Personen und Werke haben wir ja schon alle kennen gelernt.

Nun bleibt uns noch übrig ein Wort zu sagen über die Vereine für Kinderstudium. Der erste wurde errichtet im Jahre 1893 in Amerika während der Weltausstellung in Chicago, von STANLEY HALL, »The National Association for the Study of Children«, welcher Verein seitdem in ganz Amerika blühende Abteilungen bekommen hat. Die Blüte dieses Vereins wird vielleicht am besten bezeichnet durch eine Tatsache wie diese, daß auf der Jahresversammlung im Jahre 1899 zu Los Angelos in Californien alle Abteilungen vertreten waren mit 800 Abgeordneten im ganzen. Die besten amerikanischen Zeitschriften für Kinderstudium sind »the Child Study Monthly«, 1896 gegründet und »the Pedagogical Seminary«, das schon länger besteht.

Dem Beispiel der Amerikaner folgte man im Jahre 1894 in England, indem man die »British Child Study Associaton« stiftete, die nach dem Jahresbericht von 1901 8 Abteilungen und 860 Mitglieder zählt. Sie gibt seit 1899 eine eigne Zeitschrift heraus, »The Paidologist«, die dreimal pro Jahr erscheint, 2 sh. kostet und sehr empfehlenswert ist.

In Deutschland besteht der auf TRÜPERS Anregung entstandene »Allgemeine Verein für Kinderforschung«,[2]) nach einigen Jahren vorläufiger Arbeit 1899 begründet; er hat seinen Vorort in Jena, sein Organ ist die seit 1896 bestehende Zeitschrift für Kinderforschung »Die Kinderfehler«, Hauptredaktion TRÜPER und UFER (monatlich im Umfang von je 2 Bogen, Preis jährlich 4 M). Dieser Verein zählt auch mehrere ausländische Mitglieder. Ferner bestehen örtliche Vereine zu Hamburg, Berlin und Mannheim, während auch die Psychologischen Vereine zu Berlin, Breslau und München viel Interesse für

---

[1]) Für ausführliche Literaturangaben verweise ich auf UFERS Aufsatz »Kinderpsychologie« in REINS Encyklopädischen Handbuch der Pädagogik, auf AMENT »Die Entwicklung von Sprechen und Denken« und besonders »Fortschritte der Kinderseelenkunde 1895—1903« einschl. der Fortsetzungen, auf SCHULZE, Inhaltsverzeichnis der ersten zehn Jahrgänge der »Zeitschrift für Kinderforschung«. (Die Kinderfehler.) Langensalza, Hermann Beyer & Söhne (Beyer & Mann). 1906 und auf CHRISMANS »Paidologie« (nur bis 1895) und für die Geschichte außerdem auf den ausgezeichneten Aufsatz des Dr. J. STIMPFL über den Stand der Kinderpsychologie in Europa und Amerika in der Zeitschrift für Päd. Psychologie. I. Jahrg. 1899. S. 344—361.

[2]) Die Berichte über die Jahresversammlungen, die letztere erstattet von Dr. med. STROHMAYER und W. STUKENBERG, sind erschienen bei Hermann Beyer & Söhne (Beyer & Mann) in Langensalza.

Kinderstudium zeigen. Das Organ der vier zuletzt genannten Vereine
ist die 1899 von J. KEMSIES begründete »Zeitschrift für Pädagogische
Psychologie, Pathologie und Hygiene«, die 6 mal pro Jahr erscheint und
10 M kostet.

In Paris ist Ende des Jahres 1900 errichtet die »Société libre
pour l'étude psychologique de l'enfant,« die jeden Monat zusammenkommt und ein »Bulletin« herausgibt.

In Antwerpen hat Dr. SCHUYTEN eine »Pädologische Gesellschaft«
errichtet, die auch mehrere Nordniederländer zu ihren Mitgliedern
zählt, alle 2 Monate zusammenkommt, einen blühenden Zweigverein
in Gent hat und zum Organ das Pädologische Jahrbuch gewählt
hat, das seit 1900 erscheint; jährlicher Beitrag 4 Fr.

In Holland nimmt das Interesse für Kinderstudium auch schnell
zu. Unter den Lehrern wird sie vielleicht am meisten gefördert
durch die »Fachzeitschrift für Lehrer«, das seit seiner Errichtung
pädologische Aufsätze gegeben hat und das durch seine Abteilung
»Aus der Klasse« pädagogisches Kinderstudium im täglichen Schulleben zu fördern suchte. Das Interesse unter den Eltern wird bei
uns ausgezeichnet angeregt durch das alle vierzehn Tage erscheinende
Blatt »Das Kind« (Red. Dr. J. H. GUNNING Wz). Auch »Schule und
Leben« (Red. JAN LIGTHART und R. CASIMIR), die »Zeitschrift f. Unterricht und Handfertigkeit (Red. KL. DE VRIES) und HAANSTRAS »Monats-
blatt« widmen dem Kinderstudium viel Aufmerksamkeit.

Das rein wissenschaftliche Kinderstudium ist bei uns auch damit
beschäftigt, sich einen eignen Weg abzugrenzen. Die Professoren
WINKLER, JELGERSMA, HEILBRONNER, STRAUB, ZWAARDEMAKER sind hierbei
die führenden Personen. Zu einem Verein für Kinderstudium ist es
noch nicht gekommen. Zu einer vielseitig-wissenschaftlichen, tüchtigen
Führung eines solchen Vereins ist die Teilnahme von größeren Kreisen
eine unerläßliche Bedingung.

Von Zeitschriften verdient noch besonders genannt zu werden
die »Sammlung von Abhandlungen aus dem Gebiete der Pädagogischen
Psychologie und Physiologie«, unter Redaktion von Prof. H. SCHILLER,
Leipzig, an dessen Stelle nach seinem Tode Prof. TH. ZIEGLER in
Straßburg trat, und Prof. TH. ZIEHEN, Berlin.

*   *   *

Seitdem das obige geschrieben wurde, sind wieder überall große Fortschritte gemacht. Der Erste Internationale Kongreß für Schulhygiene
zu Nürnberg, April 1904, hat sich eingehend mit dem Studium des
Kindes befaßt. Innerhalb des Ersten internationalen Kongresses für

Erziehung und Kinderschutz in der Familie zu Lüttich, September 1905, hat als erste Sektion ein kleiner aber sehr guter Kongreß für Kinderstudium stattgefunden. In Holland ist ein ständiges Comité gebildet worden, das unter Führung des Herrn Professors Dr. C. Winkler-Amsterdam, das Kinderstudium in Holland weiter führt und sich augenblicklich namentlich den wissenschaftlich-pädagogischen Schüleruntersuchungen widmet. Und nun ist in Deutschland wieder der Kongreß f. Kinderforschung und Jugendfürsorge[1]) geplant worden, der Oktober 1906 in Berlin tagen und hoffentlich Anlaß geben wird zu einem ganz frischen Emporblühen eines allseitigen Studiums des Kindes im deutschen Sprachgebiete.

Von den wichtigsten neuen Publikationen nenne ich schließlich noch: »Die experimentelle Pädagogik« von Meumann und Lay, »Eos«, Vierteljahrsschrift für die Erkenntnis und Behandlung jugendlicher Abnormer, von Brunner, Krenberger, Mell und Schlöss, und »Fortschritte der Kinderseelenkunde« von Ament. Und besonders möchte ich erwähnen das neue umfangreiche Werk des G. Stanley Hall, »Adolescence. Its Psychology and its relation to Physiology, Anthropology, Sociology, Sex, Crime, Religion and Education.« 2 Vol. London 1905. Siding Appleton. Damit ist ein bis jetzt noch viel zu wenig erforschtes Terrain der Kinderforschung in glänzender Weise eröffnet worden.

2. Zur Frage der sexuellen Jugendbelehrung.

Vortrag, gehalten in der Vereinigung für Kinderforschung in Mannheim.

Von

Dr. med. **Julius Moses**-Mannheim.

Eine gedeihliche Entwicklung und befriedigende Lösung des uralten, aber neuerdings wieder mit großer Lebhaftigkeit und stürmischem Verlangen aufgeworfenen Problems der sexuellen Jugendbelehrung wird wohl nur dann gewährleistet, wenn die Frage vor dilettantenhafter Behandlung beschützt und in die Hände physiologisch und psychologisch geschulter Pädagogen und Ärzte gelegt wird. Vor vollendetem Ausbau einer genetischen Physiologie und

---

[1]) Trüper, Ein Kongreß für Kinderforschung und Jugendfürsorge. Langensalza, Hermann Beyer & Söhne (Beyer & Mann), 1905. — Münch, Trüper und Ament, Vorläufige Mitteilungen über den Kongreß für Kinderforschung und Jugendfürsorge. Ztschr. f. Kdf. 1906, S. 87 ff. — Dieselben, Kongreß f. Kinderforschung und Jugendfürsorge. Ztschr. f. Kdf. 1906, S. 154 ff.

Psychologie des sexuellen Empfindens und Denkens beim Kinde, für die bis jetzt nur wenige Ansätze vorhanden sind, darf auf eine bestimmte Antwort auf die vielerörterte Frage kaum gehofft werden. Mangels der Existenz einer wissenschaftlichen Lehre vom Wesen, der Bedeutung und der Genese des Sexuellen beim Kinde dürfen wir auch nicht erwarten, durch die heutige Diskussion des Themas in einem Kreise sachverständiger mit der Erziehung und Behandlung des Kindes vertrauter Herren und Damen zu einem greifbaren Resultate zu gelangen. Ich darf daran erinnern, daß auch größere fachmännische, ähnlich wie unsere lokale Vereinigung — aus Medizinern und Pädagogen — zusammengesetzte Versammlungen, wie z. B. die IV. Jahresversammlung des allgemeinen deutschen Vereins für Schulgesundheitspflege in Bonn 1903 oder die Sektionssitzung C des I. internationalen Kongresses für Schulhygiene in Nürnberg 1904 nach längeren Debatten über die gleiche Frage, ohne ein klares und klärendes Endresultat erzielt zu haben, auseinander gegangen sind. Was ich Ihnen als Einleitung zu der heutigen Diskussion bieten will und kann, ist lediglich eine knappe Übersicht über die Fragen, welche das Problem der sexuellen Jugendbelehrung in sich schließt mit besonderer Hervorkehrung jener Momente, die ein psychologisches Interesse darbieten und eine Durchforschung nach physiologischen und psychologischen Gesichtspunkten verdienen und erheischen.

Es gibt erfahrungsgemäß kein Lebensalter, in dem das Sexuelle vollständig ausgeschlossen erscheint. Die traurigen ziemlich zahlreichen Mitteilungen von Masturbation bei Säuglingen lehren, daß schon in der allerfrühesten Periode des Lebens sexuelle Regungen vorhanden sein können. Ich verfüge über die Beobachtung eines Masturbanten im jugendlichen Alter von zwei Jahren. Fürbringer schreibt, daß Schaukelbewegungen, welche bei kleinen Kindern und selbst Säuglingen als Ausdruck onanistischer Reizung beobachtet worden sind und mit dem Begriffe der bewußten unnatürlichen Handlung nichts gemein haben, der Reflexaktion und der unwillkürlichen Betätigung eines allgemeinen Behaglichkeitsgefühles näher stehen, als der Onanie. Als weniger harmlos schon seien die unter sichtlich wachsenden Erregungen vollzogenen Reizungen der Genitalien seitens kleinerer Kinder zu betrachten, zumal wenn Erektion und konvulsivische Zustände ins Spiel kommen. Jedenfalls handelt es sich in der frühesten Kindheit um eine instinktmäßige Betätigung des Geschlechtstriebes, die von keinerlei sexuellen Vorstellungen begleitet ist, die Entwicklung des Körpers und die Gesundheit des Zentralnervensystems aber schwer gefährdet. Es gibt indes schon in

dem vorschulpflichtigen Alter Kinder, die mit einer abnorm reichen
Empfindungs- und Einbildungskraft ausgestattet, sich bewußt mit
sexuellen Dingen beschäftigen, frühreife Kinder mit nervöser Belastung und Disposition, von denen Koch sagt, daß sie schon in ganz
frühen Lebensjahren, schon vor dem Besuche der Schule, auf Abwege
geraten, weil da schon lüsterne Ahnungen ihren Schatten hinein-
werfen. In allen diesen Fällen haben wir es, wenn sie auch häufig
genug sind, mit Ausnahmen zu tun. Die Regel ist, daß in der ersten
Zeit der Kindheit, in dem vorschulpflichtigen Alter, von einem Denken
über sexuelle Dinge und Beschäftigen mit eigenem oder fremdem
Geschlechtsleben nicht die Rede ist. Das Interesse an den Dingen,
die in der Sexualsphäre liegen, beschränkt sich lediglich auf die Frage
nach der Herkunft des Menschen, eine Frage, die der einfachsten
Wißbegierde des Kindes entspringt. Diese Frage wird dem Kinde
mit dem Storchmärchen oder ähnlichen Erzählungen beantwortet. Das
Kind ist durch diese Antwort befriedigt und glaubt das bereitwillig,
was ihm erzählt wird. Es ist schwer zu sagen, wie lange einem
Kinde, wenn es von allen fremden Einflüssen behütet würde, die
Legenden, die man ihm über die Herkunft des Menschen erzählt, genügen würden: es ist aber, auch bei der größten Vorsicht kaum möglich, solche Einflüsse fernzuhalten. In einem Lebensalter, das nicht
viel später liegen wird, als der Eintritt in die Schule, werden sicher
die ersten Zweifel an der Richtigkeit des Märchens auftauchen, weil
dieses mit dem erlangten Grade der Intelligenzentwicklung im Widerspruch steht und das Kind anfängt, Erklärungen abzulehnen, die sich
in den bereits gewonnenen Kreis von Erfahrungen nicht einfügen.
Dazu treten nun die Einflüsse von außen, von Spielgenossen ge-
äußerte Zweifel und Andeutungen, und eine Menge von Anregungen,
die seine Aufmerksamkeit auf sexuelle Dinge lenken. Mag der Erzieher noch so angestrengt darauf bedacht sein, alles Sexuelle dem
Kinde fernzuhalten, dessen physischem und psychischem Gesichts-
kreise strömen eine Reihe Anreize zum Nachdenken über sexuelle
Fragen zu. Das Leben im Hause, z. B. die Ankunft eines jungen
Brüderleins oder Schwesterleins, das Leben auf den Straßen der
Großstädte, die sexuellen Vorgänge bei den Tieren auf dem Lande
schaffen eine Summe von Gelegenheiten zur Beschäftigung mit
sexuellen Dingen. Dazu tritt bald die Lektüre der Zeitungen, die
ja der Jugend nicht absolut unerreichbar gemacht werden können.
Jedenfalls werden die Zweifel an der Richtigkeit der empfangenen
Lehre von der Herkunft des Menschen in dieser Lebensperiode den
ethnologischen, sozialen, häuslichen Verhältnissen usw. entsprechend

etwas früher oder später erschüttert. Je nach der individuellen Veranlagung des Kindes verzichtet dieses auf die Erlangung einer neuen Erklärung oder es erbittet eine solche von den Eltern, um von diesen gewöhnlich wieder auf das alte Märchen verwiesen oder kurzerhand abgewiesen zu werden. Wenn die berufenen Organe versagen, kommt die Aufklärung von unberufener Seite; gleichaltrige, schon aufgeklärte oder ältere Gespielen übernehmen die Aufklärungsarbeit; selbstverständlich nicht in Form einer klaren, sachgemäßen Belehrung, die sie selbst nie empfangen haben, sondern die Mitteilung erfolgt in mystischen Andeutungen, wodurch nicht selten der erste Keim zu einer lüsternen Auffassung des ganzen geschlechtlichen Problems gelegt wird. Oft genug verbindet sich mit der theoretischen Unterweisung die praktische Verführung zur Onanie.

Es läßt sich nicht leugnen, daß in diesem Lebensabschnitte, in welcher der Märchenglaube nur noch bei ganz vereinzelten kindlichen Individuen anzutreffen ist, sich unser Erziehungssystem in Widerspruch setzt zu seinen sonstigen Prinzipien und Gepflogenheiten. Man sieht einfach über das, was die kindliche Seele bewegt, hinweg. Durch das Vertuschen, Verschweigen und die Geheimnistuerei schlägt man eine Bresche mitten hinein in das sonst ganz auf Offenheit und Vertrauen aufgebaute Verhältnis zwischen Erzieher und Kind und läßt dieses ohne Aufklärung über seine alltägliche Beobachtungen. In der Schule eilt der Lehrer über sexuelle Dinge rasch hinweg. Der Mangel einer Belehrung und Führung macht sich ganz besonders empfindlich dann bemerkbar, wenn die Geschlechtsreifung heranrückt. Die Umwälzungen im Organismus bilden einen mächtigen Antrieb zur Beschäftigung mit dem sexuellen Leben; der Eintritt des Geschlechtstriebes beim Knaben, der Beginn der ersten geschlechtlichen Funktionen beim Mädchen können von einem intelligenten Wesen dieses Alters nicht mit Gleichmut wahrgenommen werden — und in dieser Epoche der gewaltigsten körperlichen und seelischen Veränderung im Leben entbehrt die Jugend der Aufklärung, der Stütze und des Haltes und ist darauf angewiesen, in heimlichen Verstecken bei erfahreneren Schulgenossen Belehrung zu suchen. Was auf diesem Wege erlangt ist, wird selbstverständlich ängstlich vor den Eltern verschlossen. Die letzteren begeben sich der Beeinflussung ihrer Kinder in diesem Alter, die Schule versagt ganz, über die Stellen sexuellen Inhalts, die jetzt die Lektüre bietet, gleitet der Lehrer hastig hinweg, dadurch erst recht eine lüsterne Neugierde wachrufend, die unter Zuhilfenahme des Lexikons im verschwiegenen Winkel befriedigt wird. In dieser Zeit ist die Verführung zur

Masturbation und die blinde Hingabe an dieselbe am stärksten. Knaben beginnen den Geschlechtsverkehr, meistens mit Prostituierten der allerniedrigsten Sorte, und legen hier schon nicht selten den Grund zu späterem körperlichen, geistigen und sittlichen Elend.

Indes, wenn die geschlechtlichen Verirrungen in der Zeit der Pubertätsentwicklung und nach derselben auch sehr zahlreich sind und die Masturbation zu einem allgemeinen, fast keinem Knaben wenigstens unbekannt bleibenden, Laster wird, so gibt es doch verhältnismäßig viele Kinder, welche den körperlichen und seelischen Abirrungen des Geschlechtstriebes nur kurze Zeit oder nur gelegentlich sich überlassen und aus der gefährlichen Pubertätsperiode rein oder gar mit einer gefestigten Anschauung über die sexuelle Frage hervorgehen. Es spielen hier die physiologischen und psychologischen individuellen Differenzen eine bedeutsame Rolle, wie z. B. die nervöse Disposition, die Stärke des Geschlechtstriebes, die Entwicklung der Geschlechtsorgane, dann aber auch die moralischen Eigenschaften, das häusliche Milieu. Es ist ja eine Tatsache, die ich in den schwarzmalenden Schriften und Aufsätzen, die neuerdings so zahlreich zur Frage der geschlechtlichen Aufklärung der Jugend erschienen sind, nicht berührt finde, daß in dieser Zeit der Geschlechtsreifung platonische Neigungen zum andern Geschlechte häufig aufsprießen, welche frei sind von jedem lüsternen Einschlag. Ich werde auf diesen Punkt noch zurückkommen.

Die zahlreichen Autoren, die sich über die unheilvolle Wirkung der üblichen Erziehungsweise auf die Entwicklung des sexuellen Denkens und Fühlens beim Kinde geäußert haben, kommen zu der Schlußfolgerung: Machen wir endlich Ernst! Weg mit der gefährlichen Heuchelei, die sonst in unserm ganzen Erziehungswesen unerhört ist! Geben wir unserer Jugend in Haus und Schule volle klare Aufklärung über die geschlechtlichen Vorgänge! Einem Widerspruche begegnet diese Forderung bei denen, die sich ernsthaft mit der Frage beschäftigen, kaum mehr. Und wenn sich auch der eine oder andere aus angeborener oder anerzogener Scheu gegen jegliche Behandlung der sexuellen Frage in der Jugend auflehnen wollte, es wäre vergebliches Mühen, einer in den ganzen Zeitgeist gewissermaßen verflochtenen und mit diesem unaufhaltsam fortrollenden Idee in die Speichen zu fallen. Differenzen ergeben sich indes noch über Zeit, Ort und Umfang der geschlechtlichen Belehrung. Die Diskussion hat drei Hauptfragen an die Oberfläche geworfen, über die eine volle Klarheit und Einigkeit noch nicht erzielt ist:

1. Wann soll die Aufklärung beginnen?

2. Durch wen soll sie erfolgen?

3. Was soll den Kindern gesagt werden?

Diese drei Fragen lassen sich selbstverständlich nicht getrennt behandeln, sondern sind eng untereinander verkettet. Das Was hängt vom Wann und dieses wieder vom Was ab und ebenso ist von der Person und Autorität des Belehrenden abhängig, was gesagt werden soll und kann.

Unter den vielen Schriften und Aufsätzen, die zu unserem Gegenstand erschienen sind, scheint mir die obengenannten Fragen am detailliertesten das Büchlein von Koch, »Die Vermehrung des Lebens«, das schon 1901 erschienen ist, zu behandeln. Gut zusammengefaßt und mehr vom Standpunkte der Hygiene aus erörtert sind die einschläglichen Fragen in dem Aufsatze von Schlesinger, »Die geschlechtliche Aufklärung der Jugend«. Die letztere Schrift gibt uns Veranlassung zu einer allgemeinen Bemerkung, die unsere nachfolgenden Ausführungen über Zeit, Ort und Methode der Belehrung einleiten soll. Sie finden in der modernen literarischen Behandlung des Themas, insbesondere in der von medizinischer Seite erfolgten, zwei Fragen untereinander vermischt, die sicher einen engen Zusammenhang aufweisen, aber doch aus gewichtigen Utilitätsgründen mehr getrennt erörtert werden sollten. Daß die Frage der sexuellen Jugendbelehrung neuerdings in den Vordergrund des allgemeinsten Interesses gerückt ist, darf sicher nicht zum geringsten Teil auf die in unseren Tagen aufgetretene und in lebhaftem Fortschritte begriffene Bewegung zur Bekämpfung der Geschlechtskrankheiten zurückgeführt werden. Indem diese Bewegung den bisher schon aufgetretenen Anregungen bezüglich der sexuellen Jugendbelehrung noch ein neues Problem hinzufügte, die Belehrung über die gesundheitlichen Gefahren des illegitimen Geschechtsgenusses, gab sie der ganzen Frage der sexuellen Aufklärung, auch soweit diese nichts mit Geschlechtskrankheiten zu tun hat, neuen Anstoß. Wir haben es jetzt mit z weierlei Aufgaben zu tun: es soll erstens eine Unterweisung der Jugend stattfinden über die physiologisch-biologischen Fragen des Geschlechtslebens und zweitens eine Belehrung über die Gefahren der Geschlechtskrankeiten. Ich meine, die letztere Aufgabe könne auf alle Fälle heute erfüllt werden, unabhängig davon ob die erstere, deren Lösung sicher noch in weiter Ferne steht, in Angriff genommen wird oder nicht. Art, Zeit und Ort der Belehrung bereiten hier wenig Schwierigkeiten. Es liegen Versuche vor, die zur Nachahmung ermuntern. Den jungen Leuten, die in den obersten Klassen der höheren Schulen sitzen, den abgehenden Fortbildungsschülern kann und soll von dem Schulleiter

oder einem besonders hiezu geeigneten Lehrer eine klare, eindringliche Mahnung über die Gefahren des Geschlechtsgenusses mit auf
den Weg gegeben werden. Die Eltern entziehen sich im allgemeinen
dieser Unterweisung, die Schule kann sie erteilen. Als ein Beispiel
einer derartigen Belehrung sei die vom Gymnasialdirektor STRACH auf
dem I. internationalen Kongresse für Schulhygiene mitgeteilte Ansprache erwähnt. Die Schule kann sich dieser neu an sie herantretenden Aufgabe ebensowenig entziehen, wie auf anderen hygienischen Gebieten z. B. bei der Bekämpfung der Tuberkulose, des
Alkoholismus usw. Man darf hoffen, daß in kurzer Zeit sich die
Forderung einer derartigen sexualhygienischen Belehrung durch die
Schule durchgesetzt haben wird. Jedenfalls braucht damit nicht bis
zur Lösung der übrigen pädagogischen Probleme in Bezug auf die
geschlechtliche Aufklärung zugewartet zu werden. Freilich wird auch
die Belehrung über die Geschlechtskrankheiten eine nachhaltigere und
wirkungsvollere sein, wenn sie nicht isoliert auftritt, sondern sich
einfügen und einreihen kann in eine früher schon stattgehabte methodische Einführung in das Wissen vom sexuellen Leben. Das ist der
von mir schon angedeutete Zusammenhang der eben besprochenen
erzieherischen Aufgabe mit den übrigen Fragen der geschlechtlichen
Jugendbelehrung. Die Unterweisung über die Gefahren des aktiven
Geschlechtslebens soll gleichsam den Schlußstein bilden in dem ganzen
zu schaffenden System der Aufklärung; ich habe erläutert, warum
es nützlich und wie es möglich ist, an diese Schlußaufgaben sofort
heranzutreten.

Allgemein ergibt sich als Zweck und Ziel der ganzen Aufklärungsarbeit die Vermittlung positiver Kenntnisse von der Entstehung und Vermehrung des Lebens. Es gilt, den Schleier des Ge-
heimnisses hinwegzuziehen von Dingen, die natürlich sind. Der Reiz
des Geheimnisvollen wirkt stimulierend auf die Sinnlichkeit und
Lüsternheit. Nur möchte ich nachdrücklich warnen vor der irrtüm-
lichen und meines Erachtens gefährlichen Auffassung, die jetzt durch
das Breitschlagen der Aufklärungsfrage in allen möglichen Versammlungen und Vereinen leicht erzeugt wird, daß die geschlechtliche
Belehrung der Jugend das Alpha und Omega der ganzen sexuellen
Hygiene bildet. Sie kann nur immer ein Teilglied der Erziehung
sein, die auf die geschlechtliche Hygiene gerichtet ist und die sich
aus vielfachen Maßnahmen körperlicher, geistiger und sittlicher Natur
zusammensetzt. Ja man kann a priori nicht einmal mit Bestimmtheit
erklären, daß die Masturbation beseitigt würde, wenn die jetzige Er-
ziehungsmethode des Verschweigens und Vertuschens durch eine volle

Aufklärung ersetzt würde. Die Ätiologie und Pathogenese der Onanie, die ausführlich hier zu entwickeln uns weit von unserm Thema entfernen würde, gibt uns bestimmte Hinweise dafür, daß zur Verhütung der Masturbation noch eine Reihe anderer Maßnahmen, außer der Belehrung, nötig sind. Sicher erscheint indes das eine, daß Aufklärung über die gesundheitlichen und ethischen Gefahren der Selbstbefleckung eine Eindämmung dieses Lasters herbeiführen würde; und diese Aufklärung hinwiederum würde seitens des Erziehers um so eher und öfter gegeben werden und auch um so wirkungsvoller sein, wenn der Erzieher auch sonst gewohnt wäre, mit seinem Zöglinge von den geschlechtlichen Dingen zu reden. Die Aufnahme positiver biologischer Kenntnisse von der Entstehung und Vermehrung des Lebens erscheint hier wiederum als das zuerst Notwendige. Das Kind wäre dann auf naturwissenschaftlicher Grundlage so vorbereitet, daß die geschlechtlichen Vorgänge am eigenen Körper bei der Geschlechtsreifung im Zusammenhange mit dem ganzen Leben in der Natur aufgefaßt werden könnten.

Wie man frühzeitige Aufklärung als ein Vorbeugungs- und Kampfmittel gegen die Masturbation angesehen hat, so soll die sexuelle Jugendbelehrung auch die wirksamste Prophylaxe gegen keimende geschlechtliche Perversitäten darstellen. So plädiert BRAUN-SCHWEIG (Das dritte Geschlecht, 1902) energisch für die Beseitigung des Storchmärchens und der verlogenen Moral unseres vertuschenden Erziehungssystems als Grundlage zu einer Bekämpfung der konträren Sexualempfindungen. Eine sachgemäße biologische Unterweisung wäre des weiteren vorzüglich dazu angetan, läuternd auf den ästhetischen Geschmack des Kindes zu wirken, insbesondere auch in Bezug auf dessen Lektüre. Schriften, in denen das sexuelle Problem in naturwissenschaftlicher Darstellung geboten wird, vielleicht in einer edlen poetischen Sprache, zu der ja die wunderbaren geschlechtlichen Phänomen verleiten, wären geeignet, schlechte, die Sinne kitzelnden Bücher, die von der Jugend aus Neugier nach dem Geheimnisvollen bevorzugt werden, zu verdrängen.

Abgesehen von der durch die Beobachtung individueller Neigungen und Vorkommnisse in dem Geschlechtsleben des Kindes nötig werdenden Belehrungen und Unterweisungen halte ich demgemäß meinerseits als das Wesentlichste und Wichtigste einer sexuellen Aufklärungsarbeit die Mitteilung von biologischen Kenntnissen über die Entstehung und Vermehrung des Lebens. Die didaktische Methode für eine derartige Unterweisung steht freilich noch nicht fest, aber es dürfte für die Pädagogen keine zu schwierige Aufgabe darstellen,

sie zu finden. Als wertvolle Vorarbeiten hierzu empfehle ich außer
der genannten Schrift von KOCH zwei Bücher nordischer Autoren:
»Die Doktorsfamilie im hohen Norden« von AGOT GJEM-SELMAR und
»Beim Onkel Doktor auf dem Lande« von MAX OKER-BLOM. [1]) Wenn
diese Schriften besonders für die elterliche Belehrung wertvolle
Anregungen geben, so scheint doch die Entwicklung der ganzen
sexuellen Aufklärungsfrage immer mehr dahin zu tendieren, daß die
Schule zunächst die Belehrung übernimmt. Es ist eine Art Kompe-
tenzstreit entstanden, ob Haus oder Schule. Nicht als ob Haus und
Schule jede für sich die Belehrung in Anspruch nehmen wollte,
nein, umgekehrt, der eine will es auf den andern abschieben. Man
sieht aus dieser Scheu, daß tausendjährige Gewohnheit doch nicht so
leicht überwunden werden kann. Ich möchte mich für die Kompetenz
der Schule aussprechen. Sie hat die Pflicht und das Recht der Belehrung, sobald eben die Notwendigkeit einer sexuellen Jugend-
aufklärung im Prinzipe angenommen ist. Selbst ein Konflikt mit den
Gewohnheiten des Elternhauses ist nicht zu scheuen. Einem solchen
Konflikte setzt sich die Schule auch sonst bei hygienischen Belehrungen z. B. in der Alkoholfrage oft aus. Freilich kann gerade
in der sexuellen Frage bei der heutigen Auffassung der Dinge der
aufklärende Lehrer leicht in ein schiefes Licht kommen; es ist deshalb wohl begreiflich, daß die Lehrer vielfach verlangt haben, wenn
sie zu der geschlechtlichen Aufklärung verpflichtet würden, dann
müßte der ganze Inhalt der Belehrung im strikten Wortlaute vorgezeichnet werden. Dann erkennen die Lehrer auch selbst den
Mangel ihrer eigenen biologisch-physiologischen Kenntnisse, zu deren
Gewinnung in den Vorbildungsanstalten bis jetzt nichts geschehen
ist. So müßte allerdings zunächst eine entsprechende Ausbildung
der Lehrer ihrer erzieherischen Tätigkeit auf diesem Gebiete vorausgehen. Dann wird allerdings die Schule die beste Vorbereitung sein
für die sexuelle Aufklärung im Hause. In der Familie ist die Macht
der Konvention noch stark, abgesehen davon, daß Unverstand, Un-
bildung, mangelhaftes pädagogisches Talent die Lösung der Aufgabe
durch die Elternkreise oft illusorisch machen würde. Da muß zuerst
eine neue Generation von Eltern durch die Schule gegangen und
dort selbst ihre geschlechtliche Unterweisung empfangen haben. So
wird allmählich aus der Schule die Idee in die Volksmassen getragen
werden.

---

[1]) Siehe die Besprechung, die ich über die beiden Schriften in No. 3 dieser
Zeitschrift gegeben habe.

Angesichts der zahlreichen Vorfragen, die noch zu lösen sind, von denen ich einige angedeutet habe und unter denen ich hier noch einmal ganz besonders den ungenügenden wissenschaftlichen Ausbau der auf die Entwicklung und Bedeutung des Sexuellen beim Kinde hervorhebe, wird man wohl der von Professor Schuschny auf dem Nürnberger Kongresse ausgesprochenen Meinung beitreten, daß noch Jahrzehnte hingehen werden, bis die Frage der sexuellen Jugendbelehrung geklärt und praktisch gelöst sein wird. Es erscheint zu einer ruhigen, gleichmäßigen Entwicklung der Frage unbedingt nötig, daß sie vor dilettantenhafter Behandlung bewahrt und seitens physiologisch und psychologisch geschulter Pädagogen und Ärzte gründlich vorbereitet wird. Das ist, wie ich ja eingangs meines Referates erwähnt, der Grund, warum ich Ihnen heute das Problem der sexuellen Aufklärung zur Diskussion vorlegte. Es sind weit weniger positive Behauptungen und Urteile, die ich Ihnen unterbreiten möchte, als Fragen, ungelöste Fragen, deren Klärung, wenn auch nicht Lösung, ich von Ihnen erhoffe.

Aber eine Frage bitte ich noch mit in das Bereich Ihrer Verhandlungen zu ziehen, die sich mir bei der Betrachtung des ganzen Problems aufdrängt.

Das ist die Frage, ob wir mit dem Verlassen des bisherigen Erziehungssystems nicht doch auch manches opfern und preisgeben, was für die kulturelle Förderung der Menschheit nicht ohne Bedeutung gewesen ist.

Es ist sicher nicht eine lediglich sentimentale Stimmung, aus der heraus man die Unbefangenheit des Kindes in sexuellen Dingen festhalten möchte. Es ist ein Stück der normalen Psyche des Kindes, die Unwissenheit in geschlechtlichen Dingen. Es gibt z. B. Kinder, die sehr früh für sexuelle Regungen zugänglich sind und dem andern Geschlechte gegenüber einen Drang nach Berührungsempfindungen, die sie genießen, ohne von dem eigentlichen Ziele, auf das sie hinweisen, eine Ahnung zu haben. Das ist das unbefangene, unbewußte Liebesspiel, über das ein Hauch von Poesie ausgebreitet ist, den wir uns scheuen, zu zerreißen. Groos zitiert als zartestes Beispiel, bei dem der sexuelle Reiz nur eben merklich hindurchschimmert, eine Stelle aus Gottfried Kellers Roman: Romeo und Julia auf dem Dorfe:

Auf einen ganz mit grünen Kräutern bedeckten Plätzchen legte sich das Dirnchen auf den Rücken, da es müde war, und begann in eintöniger Weise einige Worte zu singen, immer die nämlichen und der Junge kauerte daneben und half, indem er nicht wußte, ob er

auch vollends umfallen sollte, so lässig und müßig war er. Die Sonne
schien dem singenden Mädchen in den geöffneten Mund, beleuchtete
dessen blendendweiße Zähnchen und durchschimmerte die runden
Purpurlippen. Der Knabe sah die Zähne, und dem Mädchen den
Kopf haltend und dessen Zähnchen neugierig untersuchend, rief er:
»Rate, wieviel Zähne hat man? Das Mädchen besann sich einen
Augenblick, als ob es reiflich nachzählte, und sagte dann auf Gerate-
wohl: 7 Hundert!« »Nein zweiunddreißig!« rief er, »wart, ich will einmal zählen!« Da zählte er die Zähne des Kindes, und weil er nicht
zweiunddreißig herausbrachte, so fing er immer wieder von neuem
an. Das Mädchen über ihn, umschlang seinen Kopf, er sperrte das
Maul auf, und es zählte: »Eins, zwei, sieben, fünf, zwei, eins;« denn
die kleine Schöne konnte noch nicht zählen. Der Junge verbesserte
sie und gab ihr Anweisung, wie sie zählen sollte, und so fing auch
sie unzähligemal von neuem an, und das Spiel schien ihnen am
besten zu gefallen von allem, was sie heut unternommen. Endlich
aber sank das Mädchen ganz auf den kleinen Rechenmeister nieder,
und die Kinder schliefen ein in der hellen Mittagssonne.

Es ist sehr schwer, sich vorzustellen, daß nach einer stattgehabten
geschlechtlichen Aufklärung dieses kindliche Spiel in einer derartigen
Keuschheit und Unbefangenheit verlaufen wäre. Stecken nicht doch
in diesen psychologisch meisterhaft geschilderten Vorgängen und Beziehungen des kindlichen Lebens Winke und Mahnungen, des Kindes
Unwissenheit über geschlechtliche Dinge zu erhalten, solange es möglich ist. Wir haben heute nun allerdings ausführen müssen, daß die
kindliche Unbefangenheit unter dem jetzigen von der ganzen Kultur-
welt sanktionierten System oft früh genug in einer gefährlichen Weise
durch eine unberufene Aufklärung beendet wird, der wir begegnen
müssen dadurch, daß die Erziehung selbst die Belehrung in die Hand
nimmt. Und wir wollen ein Erziehungssystem aufbauen, das die
Kinder vor gesundheitlichen, sittlichen und ästhetischen Schäden
schützt. Aber dem alten Erziehungssystem verdanken wir doch das
eine: indem es jeweils in der heranwachsenden Jugend die Empfindung erzeugte, daß geschlechtliche Dinge nur mit Diskretion und
Verschwiegenheit behandelt werden dürfen, hat es die Schamhaftigkeit zu einem Kulturfaktor im Leben der Völker machen helfen, der
für die Volkswohlfahrt insbesondere für das Familienleben von hoher
Bedeutung geworden ist. Unsere Kultur hat die geschlechtlichen Vorgänge in eine gewisse Verborgenheit verlegt, und es gehört mit zu
der Lebensführung eines Kulturvolkes, daß die Verrichtungen des
sexuellen Lebens nicht die breite Öffentlichkeit in Anspruch nehmen

und das übrige kulturelle Leben überwuchern. Es wird eine reiz-
volle pädagogische Aufgabe bilden, das neue Erziehungssystem der
sexuellen Aufklärung mit Kautelen zu versehen, die auch fürder die
Erziehung des Menschengeschlechts zu einer mit Prüderie nicht zu
verwechselnden Schamhaftigkeit verbürgen.

3. Zur Frage der Behandlung unserer jugendlichen Missetäter.

II. Jugendgerichte.

In der »Deutschen Juristenzeitung« vom 15. Juni 1905
bringt Amtsgerichtsrat Dr. KÖHNE einen Artikel über die auch von
uns immer wieder vertretenen »Jugendgerichte«. Er sagt darin u. a.:

»Die Behandlung jugendlicher Angeklagter im Rahmen des gegenwärtigen
Strafprozesses ist seit langer Zeit Gegenstand lebhafter Angriffe;[1] sie hat folgende
Nachteile:

1. Den jugendlichen Angeklagten wird Gelegenheit zu unbeaufsichtigtem Ver-
kehre mit anderen verbrecherischen Elementen gegeben, welche sie sonst nicht
kennen lernen würden. Auf den Korridoren und in den Warteräumen der Kriminal-
gebäude werden Straftaten und Gerichtsurteile offen besprochen. Angeklagte und
Zeugen müssen längere Zeit auf die Verhandlung ihrer Sache warten; dadurch ergibt sich Gelegenheit zur Anknüpfung von Beziehungen zwischen älteren und jüngeren
Elementen, die gleicherweise der Verbrecherlaufbahn zustreben oder sich in ihr
schon befinden.

2. Noch bedenklicher ist das Zusammensperren verbrecherischer Elemente in
der Untersuchungshaft. Selbst wenn hier Erwachsene von Jugendlichen getrennt
werden, finden doch die letzteren Gelegenheit, sich gegenseitig zu verderben.

3. Die jugendliche Neigung zu Prahlerei und Großmannssucht wird durch den
schweren Apparat der öffentlichen Gerichtsverhandlung und die darauf folgenden
Berichte in der Tagespresse mächtig genährt.

4. Es findet eine unliebsame Konkurrenz zwischen den Anordnungen statt,
welche der Strafrichter auf Grund des § 56, Abs. 2 Str.-G.-B. und welche der Vormundschaftsrichter auf Grund des Fürsorgeerziehungsgesetzes trifft.

5. Der Strafrichter, welcher nur gelegentlich Jugendliche aburteilt, hat keine
Möglichkeit, ihrer Eigenart gerecht zu werden. Die Wissenschaft vom Kinde ist
neu[2] wie ihr Name — Pädiatrie. Sie kann nicht gelegentlich erworben werden.[3]

---

[1] Vergl. STARKE, Jugendliche Verbrecher in der Stadt Berlin, 1880, S. 15,
»Die Behandlung jugendlicher Verbrecher und verwahrloster Kinder« 1892, S. 138 ff.;
von LISZT im 73. Jahresbericht d. Rhein.-Westf. Gefängnisgesellschaft S. 130; Ver-
handl. d. 26. Juristentages Bd. 3, S. 229, 255; d. 27. Juristentages Bd. 1, S. 120,
Bd. 4, S. 337 ff.

[2] Neu zwar nicht. Sie nahm schon mit Locke und Rousseau ihren Anfang;
aber sie ist den Maßgebenden neu oder für sie überhaupt noch keine Wissenschaft. Tr.

[3] Sehr richtig. Daher unsere Forderungen im vorigen Hefte S. 141 ff. Tr.

Überdies fehlt in den Strafakten das Material zur psychischen Beurteilung des Kindes. Dort ist nur der objektive Tatbestand festgestellt. Über Herkunft, Erziehung, Charakter des Angeklagten findet der Richter kaum die dürftigsten Notizen. Er nimmt an, daß der Jugendliche die zur Erkenntnis seiner Strafbarkeit erforderliche Einsicht besessen hat, wenn seine Intelligenz halbwegs normal ist. Es fehlt ihm auch die Möglichkeit, Straf- und Erziehungsmittel miteinander zu kombinieren, weil er in den allermeisten Fällen zur Anordnung der letzteren geschäftsordnungsmäßig nicht zuständig ist.

Nicht minder fehlerhaft ist in Preußen das Verfahren des Vormundschaftsrichters gegenüber solchen Minderjährigen, deren Verwahrlosung zu befürchten oder schon eingetreten ist. Werden sie von ihren Eltern oder Erziehern mißhandelt, vernachlässigt, zum Bösen verleitet, so liegt dem Vormundschaftsrichter ob, den letzteren ihre Rechte zu nehmen und das Kind gegen sie zu schützen. Es werden denn auch zahlreiche Beschlüsse in dieser Richtung erlassen. Selten aber haben sie praktischen Erfolg. . . . .

Die in der Rechtsprechung des Kammergerichts ständig vertretene Auffassung, daß die Fürsorgeerziehung nur als letztes Mittel zur Verhütung der Verwahrlosung angewendet werden dürfte, wird von den untern Instanzen dahin verstanden, daß alle möglichen Versuche zur Rettung Minderjähriger erschöpft sein müssen, ehe zur Fürsorgeerziehung gegriffen werden kann. Es werden Beschlüsse auf Beschränkung der elterlichen Gewalt erlassen, es wird mit Armenbehörden, Fürsorgevereinen, Einzelpersonen korrespondiert; die Akten schwellen an, es vergehen Monate, mitunter sogar Jahre und inzwischen ist das Kind, um dessen Rettung es sich handelt, zu Grunde gerichtet.[1] . . . .

Auch sonst ist die Langsamkeit und Schwerfälligkeit des preußischen[2] Fürsorgeerziehungsverfahrens, wenigstens in größeren Orten, sehr zu beklagen. Bevor der Richter einen Beschluß erläßt, ist er verpflichtet, die Eltern und Vertreter des Kindes, den zuständigen Geistlichen, den Schulleiter, die Polizeibehörde und Kommunalvorstand zu hören. Die Anhörung der Behörden geschieht fast durchweg auf schriftlichem Wege. Der einzige, welcher sich rasch und mit einiger Zuverlässigkeit zu äußern vermag, ist der Leiter (wohl besser der Klassenlehrer Tr.) der Schule, in welcher sich das Kind befindet. Die andern Behörden müssen erst Nachforschungen anstellen, welche in Großstädten häufig Monate dauern; sie betrauen mit diesen Nachforschungen ihre unteren Vollzugsorgane, deren Qualifikation hierzu vielfach recht zweifelhaft ist. Dem Richter gehen dann die schriftlichen Äußerungen zu, häufig ohne Angabe des Materials, auf Grund dessen sie abgegeben sind. Das Kind wird selten vernommen.

Das Verfahren ist ein Inquisitionsprozeß und leidet an allen Mängeln, welche dem ehemaligen heimlichen und schriftlichen Strafverfahren des Mittelalters anhafteten.

Den Weg zum Fortschritt haben uns die Amerikaner gewiesen. Seit etwa 15 Jahren bestehen dort in fast allen größeren Städten besondere Gerichtshöfe für Jugendliche (juvenile courts). Die Aburteilung jugendlicher Verbrecher wird einzelnen Richtern als Spezialgebiet übertragen. Diese Richter haben das Recht, sowohl Straf- als Erziehungsmittel in Anwendung zu bringen; sie halten ihre Sitzungen

---

[1] Vergl. Zeitschr. f. Kinderforschung XI, S. 19 f.: »Die Erziehung psychopathisch-minderwertiger Zöglinge. Tr.

[2] Anderswo im Reiche ist es auch kaum anders. Tr.

an Orten oder zu Zeiten, in denen eine Berührung jugendlicher Angeklagter mit
anderen Delinquenten ausgeschlossen ist; sie vermeiden es, soweit möglich, Untersuchungshaft zu verhängen, und arbeiten stets Hand in Hand mit den großen Er-
ziehungsvereinen. Aus Chicago wird berichtet, daß der Jugendgerichtshof dort in
wenigen Jahren mehr zur Verhinderung von Verbrechen getan habe, als alle Straf-
gerichtshöfe zusammen seit 20 Jahren.

Die Grundgedanken der amerikanischen Einrichtungen sind für deutsche Verhältnisse verwertbar. Freilich bedürfte es zu ihrer umfassenden Durchführung
einer Gesetzesänderung, da nach dem G.-V.-G. ein Teil der jugendlichen Angeklagten
von den Landgerichten abzuurteilen ist, während die Verwaltung des Vormundschaftswesens zur Zuständigkeit der Amtsgerichte gehört. Indessen hat sich die
große Mehrzahl der jugendlichen Angeklagten schon jetzt vor den Schöffengerichten
zu verantworten, und ihre Zahl wird infolge der kürzlich im Reichstage zur Ver-
abschiedung gelangten Novelle zum G.-V.-G. noch wachsen. Wenn man sich im
Wege der Geschäftsverteilung allgemein dazu verstehen wollte, den Schöffenrichter
bezw. den mit der Strafjustiz befaßten Amtsrichter zugleich zum Vormundschaftsrichter zu machen, so könnten die Nachteile des bisherigen Verfahrens größtenteils
vermieden werden. Es müßten dann die Strafsachen gegen Jugendliche besonderen
Abteilungen überwiesen und die Richter dieser Abteilungen zu Vormundschafts-
richtern über die Angeklagten gemacht werden. Sofern eine Vormundschaft oder
Pflegschaft schon besteht, hätte der bis dahin geschäftsordnungsmäßig zuständige
Vormundschaftsrichter seine Akten an den Strafrichter abzugeben. Wird in denselben Akten eine Vormundschaft über mehrere Geschwister geführt, so würde der
Strafrichter die Weiterbearbeitung auch für die nicht angeklagten Geschwister übernehmen müssen. Wenn dann noch die Amtstätigkeit dieses Richters an einen Ort
oder in eine Zeit verlegt wird, in welcher andere Strafverhandlungen nicht stattfinden, so hat die Kombination folgende günstige Wirkung:

Durch die Heranziehung der Vormundschaftsakten erhalten die Strafakten eine
notwendige oder doch wünschenswerte Ergänzung nach der persönlichen Seite hin.
Haben die vormundschaftlichen Organe ihr Amt pflichtmäßig verwaltet, so muß die
Eigenart des Angeklagten und seine Straftat schon eine gewisse Erklärung finden.
Ist dies aber auch nicht der Fall oder sind Vormundschaftsakten noch garnicht vorhanden, so hat doch der Richter die Möglichkeit, vor Eröffnung der Hauptverhandlung noch Beweiserhebungen zu veranstalten, welche über den Charakter des Angeklagten Aufschluß geben. Mit der vormundschaftlichen Fürsorge, deren die große
Mehrzahl jugendlicher Angeklagter jedenfalls bedürftig ist, kann sofort begonnen
werden. Meist wird in der Hauptverhandlung an den Spruch des Schöffengerichts
ein Beschluß des Vormundschaftsrichters sich gleich anschließen können. Die Anhörung der Polizei und Gemeindebehörde hätte im Termin stattzufinden; die bezeichneten Behörden müßten geladen werden. Die Verwaltungsbehörden werden
leicht einen geeigneten Beamten zu diesen Sitzungen delegieren können, die ja
wöchentlich nur einige Stunden in Anspruch nehmen. In der mündlichen Verhandlung mit den Angeklagten, ihren Eltern, Erziehern, den Anklagezeugen ist ein weit
zuverlässigeres Material für die Beurteilung der Frage zu gewinnen, welche vormundschaftlichen Maßregeln angebracht sind, als in dem jetzigen, schleppenden,
schriftlichen Verfahren. Es empfiehlt sich ferner, Vertreter der großen Erziehungsvereine zu laden, welche dem Richter Auskunft geben könnten, ob eine der Eigenart
des Kindes entsprechende Unterbringung ohne Anordnung der Fürsorgeerziehung
möglich sein würde. Die Angeklagten könnten gleich zwangsweise auf dem Gerichte

festgehalten und in solche Stellen übergeführt werden. Freilich mag der Schulleiter und der Geistliche nicht immer geladen werden können. Diese beiden müssen sich schriftlich äußern. Sofern ihre Äußerung bis zum Hauptverhandlungstermine nicht eingegangen ist, würde der vormundschaftsrichterliche Beschluß, für den in der Hauptverhandlung das grundlegende Material beschafft ist, ohne Schaden etwas später ergehen. Untersuchungshaft brauchte nie verhängt zu werden, wäre vielmehr durch vorläufige Unterbringung auf Grund des Fürsorgeerziehungsgesetzes zu ersetzen.

Nur ein Verfahren, wie es hier geschildert ist, gibt die Möglichkeit, jugendlichen Angeklagten völlig gerecht zu werden, Straf- und Erziehungsmittel gegeneinander abzuwägen und miteinander richtig zu kombinieren. Nur ein solches Verfahren gewährt auch die Möglichkeit, einen Stamm von Richtern mit den besonderen Aufgaben vertraut zu machen, welche der heutige Stand der Wissenschaft denjenigen stellt, die über Kinder als Straf- und Vormundschaftsrichter zu verfügen haben.«

Wir begrüßen diese Vorschläge KÖHNES als einen erfreulichen Fortschritt, denn die Behandlung der jugendlichen Gesetzesbrecher, und nicht selten freilich auch die von Erwachsenen, vor und von den Gerichten, ist dem gewöhnlichen oder dem sogenannten gesunden Menschenverstande manchmal unbegreiflich.

Vor ein paar Jahren hörte ich zufällig wie in J. einer zum hundertsten Male öffentlich verurteilt wurde und jüngst feierte wieder in A. einer sein 100 maliges Verbrecher-Jubiläum vor dem Landgericht. Meines Erachtens sollte doch ein einziges solches Vorkommnis genügen, um zu erklären, daß unsere Strafgerichte weder diese Verbrecher zu bessern noch die menschliche Gesellschaft gegen sie zu schützen vermögen, sie in vielen Fällen vielmehr auf Staatskosten eine überflüssige Arbeit tun.

Über die Behandlung der Jugendlichen vor Gericht und durch den Strafvollzug haben wir uns bereits wiederholt ausgesprochen. Die mitgeteilten Fälle können noch beliebig vermehrt werden. Man findet ja Beispiele alle Tage darüber in der Tagespresse. Nur einer, der augenblicklich wieder durch die Zeitungen geht, sei hier noch erwähnt. Diesen unglaublichen Fall von Strafvollzug in der oldenburgischen Strafanstalt Vechta brachte in einer Versammlung der Lübecker Bürgerschaft Rechtsanwalt Dr. WITTERN zur Sprache. Ein noch nicht konfirmierter Knabe aus dem Fürstentum Lübeck war von der Lübecker Strafkammer zu 1 Jahre Gefängnis verurteilt worden, weil er für 25 Pf. Kohlen gestohlen hatte. Er kam zur Verbüßung seiner Strafe nach Vechta, wo alle aus dem Fürstentum Lübeck stammenden und von der Lübecker Strafkammer Abgeurteilten ihre Strafe abbüßen müssen. Dort wurde der noch schulpflichtige Knabe zunächst in Einzelhaft gehalten, dann aber mit zwei Männern zusammengesperrt, von denen der eine 12 Jahre Zuchthaus wegen

Totschlags, der andere 2 Jahre wegen Sittenverbrechens zu verbüßen hatte. Über diesen Fall sei an das oldenburgische Justizministerium berichtet und auch eine Untersuchung eingeleitet worden. So wenigstens berichten die Tageszeitungen.

Bessern kann das Individuum wie die Gesellschaft nicht der Strafrichter, sondern nur die Erziehung unter Mitwirkung des Arztes und des Richters. Das Bessern liegt auch gar nicht in der Aufgabe des Strafrichters. Das wird vor allem bei der ganzen Frage übersehen.

Das gesteht auch KÖHNE an einem andern Orte[1]) zu:

»Jugendlichen Angeklagten kann nur dann Gerechtigkeit widerfahren, wenn sie von Richtern abgeurteilt werden, denen Zeit und Beruf die spezielle Beschäftigung mit der kindlichen Psyche gestattet. ... Der strafrechtliche Vergeltungsgedanke gegenüber Unerwachsenen hat keinerlei innere Berechtigung. Die Behandlung der straffälligen ist ebenso wie die der verwahrlosten und mißhandelten Minderjährigen ein Erziehungsproblem.« Aber »aus den Händen des Strafrichters oder gar aus den Händen der Strafanstalt empfängt der Vormundschaftsrichter das Kind in einer sittlichen und geistigen Verfassung, welche ferneren erziehlichen Einflüssen die größten Schwierigkeiten entgegenstellt. Die englischen Erfahrungen, welche es verbieten, ein Kind zunächst der Straf- und dann der Erziehungsanstalt zu überweisen, haben bei uns[2]) noch kaum Beachtung gefunden.«

KÖHNE will also, daß die Aburteilung Minderjähriger in die Hand desselben Richters gelegt werde, der ihnen auch vormundschaftlichen Schutz zu gewähren hat. Das sind seine »Jugendgerichte«. Wir verstehen zwar etwas mehr darunter. Aber auch diese Art Jugendgerichte würden wir schon als großen Fortschritt begrüßen, zumal wenn man aus dem, was sie »können«, ein sie »sollen« machen wollte:

»Diese können sich die Lehren moderner Kinderforschung zu nutze machen; sie haben Zeit und Gelegenheit, ein reiches Erfahrungsmaterial zu sammeln. ... Die Hilfe erfahrener Pädagogen, Psychiater und Kinderfreunde ist in weitestem Umfange in Anspruch zu nehmen. Aber diese Jugendgerichte dürfen sich nicht loslösen von den allgemeinen Gerichten, sie bedürfen des stetigen, lebendigen Zusammenhangs mit der theoretischen Entwicklung und praktischen Handhabung des Strafrechts, Familienrechts und Vormundschaftsrechts.«

»Völlig genügen« können sie uns jedoch nicht. Zunächst meinen wir, daß die schulpflichtigen Kinder wohl vor ein Gericht gehören, aber nicht vor das öffentliche der Juristen, oder doch jedenfalls nur bei Fällen schweren Verbrechens, und sodann, daß das Jugendgericht der übrigen Minderjährigen anders zusammengesetzt sein sollte, als das Vormundschaftsgericht.

Wie unsere Leser aus dem KIELHORNschen Bericht (in Heft IV

---

[1]) Monatsschrift für Kriminalpsychologie u. Strafrechtsreform. 1905. S. 575.
[2]) D. h. in den juristischen Kreisen. Tr.

u. V. d. J.) über den Hamburger internationalen Kriminalistenkongreß
ersehen haben, stimmen uns in der erstgenannten Forderung je länger
je mehr auch namhafte Juristen wie von Liszt bei. Das Problem ist
bei ihnen jedoch nicht gelöst, sondern nur verschoben, wenn sie das
strafpflichtige Alter hinaufschieben. Die Vergehen bleiben, nur werden
sie nicht mehr oder anders in der Statistik aufgezählt.

Köhne schließt seinen sehr beachtenswerten Artikel:

»Die Vereinigten Staaten von Nordamerika sind mit der Schaffung von Jugend-
gerichten vorangegangen; wir werden ihnen folgen müssen, wenn wir nicht eine
schwere Schuld gegen die heranwachsende Jugend auf uns laden wollen.«

Die Jugendgerichte sollen also aus Amerika als amerikanische
Reformen bei uns eingeführt werden. Warum muß man die Forderungen von Deutschen immer erst über Amerika bei uns durchführen?
Die deutsche Pädagogik hat die Jugendgerichte schon seit länger
als einem halben Jahrhundert als Forderung erhoben. Ich nenne
nur die Namen Curtmann, Mager, Scheibe, Dörpfeld, Ziller u. a.
Warum werden die Forderungen der Pädagogik immer aufs neue
totgeschwiegen, da doch die Zustände, welche sie bessern können,
oft geradezu himmelschreiend sind? Auch wir haben sie wiederholt
und nachdrücklich erhoben,[1]) wie Köhne weiß.

Außer in Amerika sind diese Forderungen der deutschen Pädagogik
auch in einem andern, vom bureaukratischen und gelehrten Kasten-
und römischen Rechtsgeiste unabhängigeren Staate durchgeführt, nämlich in Norwegen. Über die Behandlung der jugendlichen Gesetzesbrecher in diesem Lande werden wir darum in der nächsten Nummer
von Direktor Hagen-Drontheim einen besonderen Artikel bringen.

Zuvor mag uns aber ein Amerikaner belehren, wie die jugendlichen Gesetzesbrecher dort behandelt werden.

Unter dem Titel »State Reformatories« (staatliche Besserungs-
anstalten) veröffentlicht das Oktoberheft 1903 der Vierteljahresschrift:
»Bulletin of Jowa State Institution« S. 508 ff. einen Vortrag von
Fred E. Haynes, Professor der Volkswirtschaft und Soziologie in Sioux
City, den wir hier in Übersetzung mit einigen Kürzungen wiedergeben.

Nordamerika hat in den letzten Jahrzehnten auf dem ganzen
Gebiete des Erziehungswesens staunenswerte Fortschritte gemacht, ja
uns vielfach schon weit überholt. Das ist auch der Fall in der Behandlung des jugendlichen Verbrechertums in den State Reformatories,

---

[1]) Trüper, Psychopathische Minderwertigkeiten als Ursache jugendlicher Gesetzesverletzungen. Beiträge zur Kinderforschung, Heft VIII. Langensalza, Hermann
Beyer & Söhne (Beyer & Mann), 1904. — Polligkeit, Strafrechtsreform u. Jugendfürsorge. Heft XII. Ebendaselbst.

die HAYNES uns unter Benutzung der Schrift: The Reformatories
System in the United States, prepared by Rev. S. J. Barrow, for the
International Prison Commission in 1900, näher charakterisiert. Im
Hinblick auf die im I. und II. Artikel erörterten Fragen wie auf die
bevorstehende Reform der Strafgesetzgebung dürfte es sich darum
doppelt verlohnen, uns das amerikanische System etwas näher zu betrachten.

Für das Studium der ethischen Defekte der Jugend sind die
Erfahrungen in den Reformatories ebenfalls wertvoll, und ihre Heil-
erziehungsmethoden verdienen nicht bloß bei den jugendlichen Ge-
setzesbrechern, sondern in der Erziehung schlechthin Beachtung.

Von den deutschen Anstalten, die ich aus eigener Anschauung
kennen lernte, befolgt das »Erziehungsheim am Urban« in
Zehlendorf bei Berlin[1]) dieselben Grundsätze wie die amerikanischen
Reformatories, auf die wir übrigens schon wiederholt hingewiesen
haben.[2])   TRÜPER.

III. State Reformatories.

Nach einem Vortrag von Prof. Fred E. Haynes in Sioux City, übersetzt von
H. Üllner-Zeitz.

In früherer Zeit verfolgte man bei der Behandlung von Verbrechern
einzig und allein den Zweck, diese für ihr Verbrechen zu bestrafen, sie
dadurch an der Verübung weiterer Verbrechen zu hindern und andere vor
ähnlichen Übertretungen des Gesetzes zurückzuschrecken. Um diesen
Zweck zu erreichen, verhängte man selbst über geringfügige Vergehen
außerordentlich schwere Strafen. Das englische Gesetzbuch bestrafte noch
im 18. Jahrhundert eine ganze Reihe von Verbrechen mit dem Tode. An
die Zukunft des Verbrechers dachte man absolut nicht. Um den Strafvollzug jener Zeit war es ebenso schlecht bestellt, wie um die christliche
Nächstenliebe; denn der Schutz der Gesellschaft wurde für viel wichtiger
angesehen als das Seelenheil des Verbrechers. Der Geist jener Zeit zeigt
sich deutlich in der Eingabe der Bewohner Wiens, in der man um Ver-
legung des Marterplatzes der Verbrecher nach einem entfernteren Ort ein-
kam, damit ordentliche Bürger nicht durch das Geschrei der Opfer in ihrer
Berufsarbeit gestört würden. Übrigens, wenn wir uns die Zustände mancher
unserer Zuchthäuser und Gefängnisse vergegenwärtigen, haben wir durchaus keinen Grund die alte Zeit und ihre Einrichtungen einer zu strengen
Kritik zu unterziehen.

In unserer Zeit sind Männer aufgetreten, denen für die Natur des

---

[1]) KOSSATZ, Das Erziehungsheim »Am Urban« in Zehlendorf bei Berlin. Die
Verwirklichung sozial-pädagogischer und sozial-politischer Ideen. Berlin, Carl Hey-
mann, 1905.

[2]) I, 22; II, 192; III, 130; IV, 183.

Verbrechens wie des Verbrechers ein größeres Verständnis aufgegangen ist. Ein sorgfältigeres Studium der Erziehungsmethoden, ein tieferes Verständnis für die Betätigung des menschlichen Geistes, besonders für den Zusammenhang der körperlichen und geistigen Beziehungen hat zu Versuchen geführt, die, wenngleich sie das Verbrecherproblem nicht lösen, doch wenigstens röntgenstrahlartig eine Fülle von Licht auf manche sonst in tiefstes Dunkel gehüllte Dinge werfen. Seit 1870 haben sich an den verschiedensten Orten eine Anzahl von Pionieren damit befaßt, eine Methode zu entwickeln, welche in der Tat drei Viertel der Personen, die unter ihren Einfluß gebracht werden, der Besserung entgegenführt.

Sie erfüllt viel besser als andere Methoden den Zweck der alten Strafrechtslehrer, die danach strebten, den Menschen vor dem Begehen des Verbrechens zurückzuschrecken; sie steht hoch über demselben und sucht dem Leben der Menschen, die auf die eine oder andere Weise mit ihrer Umgebung in Disharmonie geraten sind, eine solche Richtung zu geben, daß diese befähigt werden, sich wieder als normale und nützliche Glieder der Gesellschaft zu rehabilitieren. Bahnbrechend war vor allem das Werk des bekannten Leiters der Elmiraanstalt Mr. Brockway. Es ist nicht meine Absicht, eine erschöpfende Darstellung der neuen Methode zu geben, ich will sie nur kurz beschreiben, um so eine Grundlage für ihre Wertschätzung und damit die Aussicht auf ihre Anwendbarkeit bei der Behandlung der Verbrecher in Jowa zu schaffen. Ich möchte über die Arbeit in Elmira sprechen, weil sie uns so außerordentlich wichtig erscheint, stütze mich mit meinen Bemerkungen jedoch hauptsächlich auf die erzieherische Arbeit in den Korrigendenanstalten für Männer und Frauen in Concord und Sherborn in Massachusetts. Ich kenne die Arbeit dieser beiden Anstalten aus eigener Anschauung und eine meiner wertvollsten Erinnerungen ist die an die Persönlichkeit der Mrs. Ellen C. Johnson, die der Besserung der weiblichen Verbrecher in Massachusetts ihr ganzes Leben gewidmet haben.

Die Elmira-Anstalt nimmt Verbrecher, die notorisch zum erstenmal gefallen sind in einem Alter von nicht unter 15 und nicht über 30 Jahren auf. Die Dauer ihrer Haft ist ganz unbestimmt und wird von den Anstaltsleitern nach deren Gutdünken und je nach der Führung des Sträflings bemessen. Die Dauer der Haft darf das Maximum der Zeit, die auf das betreffende Vergehen gesetzt ist, nicht überschreiten. Während ihres Aufenthaltes in der Anstalt werden die verschiedenartigsten Besserungsversuche an den Sträflingen gemacht und zwar durch Erziehung, Beschäftigung und Gewöhnung an regelmäßige Lebensweise. Die Gefangenen werden in Grade eingeteilt. Diese Grade werden durch eine Tabelle bestimmt, die sich nach dem Besserungsfortschritt des Gefangenen richtet. Wenn der Gefangene den höchsten Grad erreicht hat, wird ihm Freilassung auf Ehrenwort in Aussicht gestellt und eine gewisse Zeit nach Abgabe seines Ehrenwortes verdient er sich durch fortgesetztes gutes Betragen Befreiung von jeglicher Beaufsichtigung und wird so wieder sein eigner Herr. Dies sind die Elemente der Behandlungsweise der jugendlichen Verbrecher: Verurteilung auf ungewisse Zeit, erzieherischer Einfluß und bedingungsweise Freilassung. Jeder einzelne Sträfling wird durch einen Beamten der Besserungsanstalt, nicht durch einen Polizeibeamten nach Elmira gebracht. In dem Amtszimmer des Direktors wird er einer genauen Untersuchung unterworfen. Er wird einem mittleren oder neutralen Grade zuerteilt, mit den Regeln der Anstalt bekannt gemacht und der Arbeit und der Klasse zugewiesen, welche für ihn am geeignetsten erscheint. Es hängt nun von seiner Arbeit in der Werkstatt und Schule sowie von seiner sittlichen Führung ab, in welche Stufe er einrückt. Wenn er unter einen gewissen Grad sinkt, kommt er in die unterste Stufe; hält er sich jedoch 6 Monate lang, so wird er allmählich in die erste Stufe befördert, wo er, falls er eine befriedigende Führung 6 weitere Monate lang behauptet, ein Anwärter auf bedingungsweise Freilassung wird. Aber ehe er selbst bedingungsweise entlassen wird, muß eine Stellung für ihn gefunden werden, in der er seinen Lebensunterhalt verdienen kann. Nach 6 monatlicher guter Führung kann und wird er gewöhnlich von jeglicher Kontrolle befreit.

80% der auf diese Weise Entlassenen sind tatsächlich gebessert. Diese Zahl ist das Ergebnis sorgfältigster Untersuchung. Vor ungefähr 10 Jahren wurden von den Leitern der Anstalt eingehende Erkundigungen darüber eingezogen und zwar beschäftigten sie einen intelligenten und erfahrenen Beamten fast ein Jahr damit, daß er den Tatsachen betreffs aller Elmira-Sträflinge, die bis zu der Zeit auf Ehrenwort entlassen, nachspürte. Das Resultat dieser Erkundigungen bestätigte die jährlich eingelaufenen Berichte. Die Zahl der bis zum 1. Oktober Eingelieferten betrug 9865; die Zahl der auf Ehrenwort Entlassenen 6190; die Zahl der im Gewahrsam Verbliebenen 1384. Von den 2291 noch in Betracht kommenden wurden 841 entweder im Staatsgefängnis oder in der Irrenanstalt untergebracht, 1151 wurden nach Ablauf ihrer Strafzeit entlassen, 27 ohne Abgabe des Ehrenwortes entlassen, 39 begnadigt, 179 starben in der Anstalt, 26 entkamen und 28 wurden wegen eines bei der Verurteilung gemachten Fehlers in Freiheit gesetzt. Weniger als 9% scheinen daher in andere Gefängnisse oder in Irrenanstalten überführt worden zu sein. Selbst wenn wir die Zahl 2291 als Fälle des Mißerfolges ansehen, so bleiben doch immer noch gegen 77% Gebesserte übrig. — Am 1. Oktober 1896, also nach zwanzigjährigem Bestehen der Anstalt befanden sich 1373 Sträflinge in Haft, von denen 52, d. h. nicht ganz 4%, nachdem sie auf Ehrenwort entlassen, wieder zur Anstalt zurückgebracht worden waren. Aber diese 52 betrugen nur ungefähr 1% der Gesamtzahl der in den 20 Jahren auf Ehrenwort Entlassenen (5083), von denen beinahe 5000 vermutlich noch am Leben waren. Diese Rückfälligen hatten Gefängnisstrafen von durchschnittlich 2 Jahren erhalten, obgleich das Maximum der verhängten Strafe im Durchschnitt mehr als das Doppelte betrug. Von 1355 auf unbestimmte Zeit Inhaftierten befanden sich nur 74 auf der untersten, der sogenannten Strafstufe, 485 auf der neutralen Stufe, 498 waren auf der unteren 1. Stufe und 298 auf der oberen 1. oder Entlassungsstufe. Von den letzteren erreichten 66 diese Stufe nach einer 6 monatlichen Probezeit; 57 nach einer 7—9 monatlichen; 25 nach einer 10—12 monatlichen —

d. h. 148 oder die Hälfte innerhalb eines Aufenthaltes von einem Jahre. Bei 329 Sträflingen, die alle im selben Jahre auf Ehrenwort entlassen waren, zeigten sich im ersten Jahr nach ihrer Freilassung folgende Tatsachen: 83 wurden infolge ihrer guten Führung ganz frei; 165 waren bei guter Führung noch im Dienst der Anstalt, 2 waren tot, 2 nach Ablauf ihrer Strafzeit entlassen; 9 waren ins Gefängnis geschickt, 68 standen mit dem Vorstande des Elmira nicht mehr in Beziehung und man nahm an, daß etwa die Hälfte, also 34 wieder auf schlechte Wege gekommen waren. Betrachten wir nun alle die Fälle, über die keine positiven Berichte vorliegen, als Mißerfolge, so bleiben immerhin noch 75°/₀ übrig, die wirklich als gebessert angesehen werden können.

(Schluß folgt.)

B. Mitteilungen.

1. Zur Frage der Anstaltsleitung.

Von Regierungsrat Müller, Chemnitz-Altendorf.

Im Kampf um die Beantwortung der Frage, wer für die Fürsorge minderwertiger, schwachsinniger Kinder, besonders für die Leitung von Anstalten zur Unterbringung und Behandlung solcher geeigneter sei, der Arzt oder der Pädagog beziehentlich Theolog, sind in letzter Zeit aufgefallen:

a) der einstimmige Beschluß der Psychiater auf dem Kongreß in Dresden, der vollkommen einseitig lediglich dem Arzt die Befähigung und das Recht zuspricht, Anstalten für Schwachsinnige und die gesamte Fürsorge für sie zu führen;

b) der Vortrag des königlichen Gerichtsarztes Dr. Schwabe in der 9. Konferenz »der deutschen evangelischen Rettungshausverbände und Erziehungsvereine«, in welchem ebenso einseitig unter Leitsatz II 1—3 die Fähigkeit zur Beurteilung eines Schwachsinnigen und der Erziehungsmöglichkeit desselben lediglich dem Arzt zugesprochen wird, und

c) der dazu im wohltuenden Gegensatz stehende, sachlich gerechte Ausspruch des Professor Sommer in Gießen, »daß auf die Dauer in dem zur Zeit ausgebrochenen Streit über die Leitung der Anstalten für Schwachsinnige und in dem ganzen Gebiet der Behandlung abnormer Kinder diejenige Gruppe durchdringen werde, welche die besten Kenntnisse über die Psychologie und Psychopathologie des Kindes hat und sie in richtige Art der Behandlung umsetzt«.

Dieser letztere Ausspruch, welcher ganz offenbar ohne jede Voreingenommenheit die gerechte Auffassung der Sache darstellt, veranlaßt mich, längst gehegte Gedanken dazuzufügen auf Grund der Frage: Warum muß und wird Professor Sommer mit diesem Ausspruch für die Zukunft recht behalten, und in welcher Form wird er sich erfüllen?

1. Daß jemand Medizin studiert hat und Arzt geworden ist, macht ihn noch lange nicht geeignet zum Verständnis schwachsinniger Menschen, ebenso wie auch ein Pädagog als solcher noch lange nicht zur Behandlung Schwachsinniger sich eignet. Es hat genug Mediziner, praktische Ärzte gegeben, und gibt sie heute noch, welche von den inneren Zuständen eines Schwachsinnigen, seinem Seelenleben und seiner Behandlung so gut wie nichts Rechtes wissen, wie es ebenso solche unter Pädagogen gab und noch gibt. Wer den Schwachsinnigen verstehen, beurteilen, behandeln lernen will, muß Spezialist werden durch Studium der Psychologie und Psychopathologie und durch Erfahrung. Die Wissenschaft aber über das normale wie unnormale Seelenleben eines Menschen ist sowohl durch die philosophische wie durch die physiologische Psychologie und ihre Erkenntnisse gefördert worden, also ebensosehr durch Pädagogen wie Herbart und andere, als durch medizinisch vorgebildete Physiologen. Und selbst wenn zugegeben wird, daß durch die physiologischen Untersuchungen eine weitgehende Klärung über die natürlichen Zustände und Vorgänge als die Grundlagen und Bedingungen des menschlichen Seelenlebens herbeigeführt worden ist und noch weiter kommen wird, so ist doch der historische Anteil der Pädagogik an der Weckung des besseren Verständnisses abnormer Menschenkinder nicht zu bestreiten. Was nun aber von medizinisch-physiologischer wie von pädagogischer Seite zur Aufklärung der psychopathologischen Minderwertigkeiten gefunden, festgestellt und in systematischer Form dargeboten worden ist, das dient nicht bloß Medizinern, sondern ebenso Pädagogen zum Spezialstudium, und wer durch dieses Spezialstudium hindurchgegangen ist, der kommt gut vorbereitet zum Verständnis der Schwachsinnigen.

Wohl verstanden, »gut vorbereitet«. Denn zu dieser wissenschaftlichen Theorie muß nun erst noch die praktische Erfahrung kommen, erst durch vielfache und jahrelange Beobachtung Schwachsinniger und sonstiger Minderwertiger läßt sich wirkliche Klarheit in ihrer Beurteilung gewinnen. Darum war auch der Weg, den unsere »Zeitschrift für Kinderforschung« für ihre Aufgabe ankündigte und auch verfolgt hat, nach meiner Schätzung insofern der richtige, als Theorie und Praxis einander zum Verständnis der Minderwertigkeiten bei Menschenkindern helfen sollen.

2. Im Kampf um die Führung der Fürsorge speziell für die Schwachsinnigen handelt es sich nun aber weiter um die Aufgabe, diese richtig zu behandeln. Was soll und will man mit ihnen und an ihnen tun, was hält man für den Segen, welchen die fürsorgende Behandlung ihnen bringen soll? Wenn man in den Schwachsinnigen lediglich Kranke, Hilfsbedürftige, Unnormale sieht, und in Mitleid sie schützen will vor Ungerechtigkeiten des Lebens, und ihnen dazu die rechte, liebevolle Pflege bieten will: nun dann erscheint es berechtigt, sie in Anstalten der Pflege und der Barmherzigkeit aufzunehmen und zu behalten. In diesem Geist und zu diesem Zweck sind in Deutschland besonders die sogenannten Idiotenanstalten der innern Mission eingerichtet worden; zu demselben Zweck haben Mediziner beziehentlich Psychiater zum Beispiel in Amerika oder in Frankreich die Initiative in der Schwachsinnigenfürsorge ergriffen,

wo es noch keine Geschichte der innern Mission und ihrer Barmherzig-
keitsanstalten gab. Man kann daher bezüglich der Frage nach dem Recht
der Führung auf diesem Gebiet wohl sagen: Pflegeanstalten der Idioten
gehören in Deutschland entweder unter die Leitung eines Arztes, welcher
psychologisch, psychiatrisch vorbereitet und durch gewonnene Erfahrung
geeignet dazu ist, oder eines Vertreters der innern Mission, der nach ge-
hörigem Spezialstudium in Psychologie und Psychopathologie nicht bloß
liebevoll sondern auch verständnisvoll die zu verpflegenden Schwachsinnigen
zu beurteilen und zu behandeln geschickt ist. Doch ist diese Verpflegung
Schwachsinniger in Pflegeanstalten durchaus nicht das Ideal einer richtigen
Behandlung. Vielmehr liegt letzteres darin, möglichst viele von ihnen mit
allen möglichen Mitteln allmählich aus ihrer Schwachheit zu heben und zu
fördern zu geistiger Betätigung und zur Fähigkeit einer sich steigernden
Arbeitsleistung, damit diesen Menschenkindern selbst das Lebensbewußtsein
und die Lebensfreude geschafft und erhöht, ihren Familien die Sorge um
sie vermindert, und der Volksgemeinschaft die Kosten des Unterhaltes
einer lebensunfähigen Person verringert beziehentlich ganz beseitigt werde.

Dazu aber ist unbedingt zweierlei nötig: a) daß man die Schwachsinnigen nicht alle als Kranke, als Idioten in einen Topf werfe, sondern
überall — wie es im Königreich Sachsen schon seit 1846, beziehentlich
und besser seit 1888 geschieht — die bildungs- und erziehungsfähigen
darunter scheidet von den bildungs- beziehentlich erziehungsunfähigen, und
daß man dann die bildungsunfähigen in eine reine Pflegeanstalt zur Versorgung, die bildungsfähigen aber in eine ordentliche Erziehungsanstalt
unterbringt, in welcher mit allen dazu geeigneten Mitteln methodischer
Erziehung darnach gestrebt wird, die vorhandenen wenn auch minderwertigen Geisteskräfte Schritt für Schritt auszubilden und zu erhöhen —
durch fortlaufenden Schulunterricht —, und zugleich durch sachverständig
geregelten und fortschreitenden Handfertigkeitsunterricht mitzuhelfen, daß
die Zöglinge auch im Verständnis und in der Ausrichtung ordentlicher
Arbeit möglichst weit gebracht und für Verrichtung von nährender Arbeit
im späteren Leben vorgebildet werden. Es ist längst praktisch erwiesen,
wie ungeahnt viel sich dadurch erreichen läßt, wie viele solcher als kleine
Kinder schwachsinnig gewesener Zöglinge allmählich bis zum Alter von
14—16 Jahren lebenskräftige — nicht bloß körperlich sondern geistig
lebenskräftige Menschen werden. Und was für ein Segen wird dadurch
gewonnen für Eltern und Volk.

b) Zur Ausrichtung solchen Werkes aber an bildungs- und erziehungsfähigen Schwachsinnigen gehört doch unbedingt der gegebene Erzieher.
Und das ist nicht der Arzt, sondern der Pädagog, der mit den gewonnenen
psychologischen und psychopathologischen Kenntnissen die Kenntnisse und
Erfahrungen eines methodisch geschulten Erziehers vereinigt; oder der
Theolog, der immer auch theoretische Vorbildung als Pädagog gewonnen
hat, und zugleich durch psychologische Studien wie praktische Erfahrung
Spezialist auf dem Gebiet der Fürsorge für minderwertige Menschenkinder
geworden ist.

Im Königreich Sachsen ist Trennung wie Einrichtung und Leitung solcher Anstalten für Schwachsinnige in der gekennzeichneten Art durchgeführt und wird noch weiter in dieser Art ausgebaut. Hoffentlich wird auch in andern Ländern die Notwendigkeit der Unterscheidung Schwachsinniger nach Bildungsfähigkeit und -unfähigkeit bald allgemein anerkannt, dann wird sich von selbst die Lösung der Frage nach der rechten Leitung finden: Bildungs- und erziehungsunfähige Schwachsinnige, also Idioten, kommen in reine Pfleganstalten unter Leitung eines psychiatrisch gebildeten Arztes — oder eines geeigneten Geistlichen der innern Mission; bildungs- und erziehungsfähige kommen in Erziehungsanstalten unter pädagogischer Leitung.

2. Darf die Schulbehörde gegen den Willen der Eltern ein Kind der Hilfsschule überweisen?

Der Frankfurter Zeitung (5. Februar 1906) wird aus Berlin geschrieben: Das Kammergericht hatte sich mit der Frage zu beschäftigen, ob die Eltern verpflichtet sind, ihre Kinder in eine Schule zu senden, welche für schwachsinnige und geistig minderwertige Kinder eingerichtet ist. Ein Mädchen war nach Ansicht der Lehrer geistig minderwertig und machte in der Volksschule nicht die erforderlichen Fortschritte. Dem Vater des Mädchens wurde darauf mitgeteilt, daß er seine Tochter fernerhin in die städtische Hilfsschule zu senden habe, die nur von schwachbegabten Kindern besucht werde. Als der Vater dieser Aufforderung nicht nachkam, wurde er auf Grund einer Regierungspolizeiverordnung in Strafe genommen. Er bestritt, daß seine Tochter geistig minderwertig sei, und behauptete, nach §§ 46 ff. II 12 des allgemeinen Landrechts brauche er sein Kind nur in die ordentliche Volksschule zu senden. Seine Beschwerde wurde sowohl vom Regierungspräsidenten als auch vom Minister abgewiesen. Auch war dem Mädchen der Besuch der Volksschule und einer höheren Töchterschule nicht gestattet worden. Sowohl das Schöffengericht als auch das Landgericht verurteilten ihn zu einer Geldstrafe wegen Schulversäumnis seiner Tochter, da die städtische Hilfsschule zu den öffentlichen Volksschulen zu rechnen sei, die von der Stadt unterhalten und vom Staat beaufsichtigt werden. Diese Entscheidung focht er durch Revision beim Kammergericht an und betonte, eine Volksschule sei eine Anstalt, die von jedem Kinde besucht werden könne, die Hilfsschule sei lediglich eine pädagogische Versuchsanstalt. Das Kammergericht wies die Revision als unbegründet zurück, da das Landgericht mit Recht annehme, daß er seine Tochter in die Hilfsschule schicken mußte. Die Hilfsschule gehöre zu den Volksschulen, welche nach § 46 II 17 des allgemeinen Landrechts solange von den Kindern besucht werden müsse, bis sie die erforderlichen Kenntnisse nach dem Befunde des Schulinspektors erworben haben. U.

3. II. österreichische Konferenz der Schwachsinnigen-fürsorge.

Der Verein »Fürsorge für Schwachsinnige und Epileptische«, der sich zur Aufgabe gestellt hat, die Fürsorgebewegung für diese Unglücklichen in ganz Österreich gleichmäßig zu fördern, hält am 7. und 8. April 1906 in Wien seine zweite Jahreskonferenz ab.

Tagesordnung:

A. Samstag, den 7. April 1906, 4 Uhr nachmittags, VI. Haydn-gasse (Österreichisches Schulmuseum): Eröffnung der Spezialausstellung: »Lehr- und Beschäftigungsmittel für Hilfsschulen und Anstalten schwach-sinniger Kinder« unter dem Protektorate Ihrer Durchlaucht Frau Prinzessin Ernestine von und zu Auersperg. Vortrag des Herrn Fachlehrers Lorenz Cassimir aus Würzburg über »Bilder mit beweglichen Figuren«.

Samstag, 6 Uhr abends, VI. Mariahilferstraße 81, Hotel Savoy (Eng-lischer Hof), Telephon No. 4097, Telegramme: Savoyhotel Wien. 1. Er-öffnung durch den Präsidenten. 2. Begrüßungsansprachen. 3. Vorträge: a) »Rechtsschutz der Schwachsinnigen.« Referent: Dr. jur. Baron Albin Spinette, Präsident des Vereines »Fürsorge für Schwachsinnige und Epileptische«. b) »Organisation der Hilfsschule.« Referent: Mitglied des k. k. Bezirksschulrates und Oberlehrer der Wiener Hilfsschule Hans Schiner. c) »Die Ausgestaltung der Schwachsinnigeninstitute.« Referent: Dr. med. Karl Herfort, Direktor des »Ernestinum«, Pflege- und Er-ziehungsanstalt für schwachsinnige Kinder in Prag.) d) »Zur Geschichte der Guggenbühlforschung.« Referent: Fachlehrer Max Kirmsse (Braun-schweig).

B. Sonntag, den 8. April 1906, 9 Uhr vormittags, VI. Maria-hilferstraße 81, Hotel Savoy: Vorträge: a) »Ohren-, Nasen- und Rachen-krankheiten bei Schwachsinnigen.« Referent: M. U. Dr. Richard Imhofer-Prag. b) »Geschichte und Methode des Unterrichtes bei Schwachsinnigen.« Referent: Direktor Dr. phil. S. Krenberger, Herausgeber der heilpäda-gogischen Zeitschrift »Eos«. c) »Der Hilfsschullehrer.« Referent: Hilfs-schullehrer Franz Pulzer-Graz.

1 Uhr: Gemeinsames Mittagsmahl im Hotel Savoy, VI. Mariahilfer-straße 81.

Alle eventuellen Anfragen werden von der Auskunftsstelle des Ver-eines, Wien, XVIII/₁ Anastasius Grüngasse 10 (Oberlehrer Hans Schiner), beantwortet.   Die Vereinsleitung.

4. Kursus über die Behandlung schwachsinniger Kinder in Dalldorf.

Infolge mehrfach an mich gerichteter Anfragen beabsichtige ich einen Kursus über die Behandlung schwachsinniger Kinder (Symptomatologie, Ätiologie, Erziehung, Behandlung der Sprachgebrechen, Lehrstoff und Lehrmethode der einzelnen Unterrichtsfächer, praktische Übungen im Modellieren, Historisches usw.) im Monat April cr. abzuhalten und zwar an den Tagen vom 2. bis 11. und vom 18. bis 21. April.

Anmeldungen sind bis zum 24. März cr. an den Unterzeichneten zu richten. H. Piper,

Erziehungs-Inspektor der städtischen Idiotenanstalt Dalldorf.

C. Literatur.

Internationales Archiv für Schulhygiene, herausgegeben von Albert Mathieu-Paris, Lauder Brunton-London, Axel Johanessen-Christiania und Herm. Griesbach-Mülhausen i. E. I. Band. Leipzig, Verlag von Wilh. Engelmann. Preis 30 M.

Was wir auf allgemein-pädagogischem Gebiete schon längst nötig hätten, eine durchaus internationale Zeitschrift, wird auf dem Sondergebiete der Schulgesundheits-pflege, wie es scheint, mit Erfolg, versucht. Allerdings besteht der Erfolg einst-weilen nur darin, daß die Zeitschrift ausgezeichnete Arbeiten liefert. Ob sie sich bei der fast unumgänglichen Vielsprachigkeit auf die Dauer wird halten können, muß abgewartet werden. Vor einer Reihe von Jahren gründete man in London eine groß angelegte belletristische und allgemein-wissenschaftliche Zeitschrift, die »Cos-mopolis«, in der von den hervorragendsten Schriftstellern deutscher, englischer und französischer Nationalität ausgezeichnete Arbeiten erschienen. Man hätte meinen sollen, diese Zeitschrift werde eine große Zukunft haben, aber sie brachte es nur bis zu einem Jahrgang. Hoffentlich ergeht es dem »Archiv für Schulhygiene« nicht ähnlich. Um unsern Lesern von dem reichen Inhalte des ersten Bandes eine Über-sicht zu geben, drucken wir auf Wunsch der Schriftleitung das Inhaltsverzeichnis der einzelnen Hefte gern ab, bitten aber für die Zukunft um Zusendung der Hefte.

No. I: H. Griesbach, Einführung und Ausblicke. — Albert Mathieu, Pédagogie physiologique. — Julius Moses, Gliederung der Schuljugend nach ihrer Veranlagung und das Mannheimer System. Mit 1 Figur im Text. — G. Schleich, Die Augen der Schüler und Schülerinnen der Tübinger Schulen. — K. Speidel, Die Augen der Theologiestudierenden in Tübingen. Untersuchungen aus der Tübinger Universitäts-augenklinik. — Y. Sakaki, Ermüdungsmessungen in vier japanischen Schulen. Mit 25 Figuren im Text. — Patricio Borobio y Diaz, Les colonies scolaires ou colonies de vacances à Saragosse (Espagne). — Armin von Domitrovich, Die Hygieniker und die Schulbank. — F. Ingerslev, Skolelaegevaesenet i Danmark. Mit deutschem Résumé. — Grancher, Préservation scolaire contre la tuberculose. — Emile Bocquillon, Hygiène de l'éducation et de la pédagogie.

No. II: Victor Bridou, Le rôle de la gaieté dans l'éducation. — C. J. Thomas, Some forms of congenital Aphasia in their educational aspects. (With 3 figures in text.) — Kuno Burmeister, Über die Verwendung von staubbindenden Fußböden-ölen in Schulen. Aus dem königl. hygienischen Institut zu Posen. — M. A. Rudnik, Zur Frage der Verbreitung des Kropfes unter den Schulkindern. — A. Hannstrup, Schulbauten in Dänemark. (Mit 4 Figuren im Text.) — Willy Hellpach, Die Hysterie und die moderne Schule. — Albert Mathieu, Neurasthénie et Dispepsie chez des jeunes gens. — Jean Philippe et G. Paul Boncour, A propos de l'Examen médicopédagogique des Ecoliers épileptiques. — Cervera Barat, Funcion de la Alegria en la Higiene escolar. Avec un Résumé français. — A. Magelssen, Über das Kopfweh — hauptsächlich Migräne — an der Mittelschule. — Ralf Wichmann, Über die Lage und Höchstzahl der täglichen Unterrichtsstunden an Mädchenschulen. — F. Ingerslev, Jahresbericht für 1904 über die schulhygienische Literatur Dänemarks. — Ernst Feltgen, Bericht über die zur Schulhygiene in Beziehung stehenden Veröffentlichungen in Luxemburg vom Jahre 1904. — Ley, La littérature d'hygiène scolaire en Belgique en l'anné 1904. — John A. Bergström, The American School Hygiene Literature for the year 1904. — Bibliogr.

No. III: H. Griesbach, Weitere Untersuchungen über Beziehungen zwischen geistiger Ermüdung und Hautsensibilität. (Mit 7 Figuren im Text.) — Bibliogr.

No. IV: Carlo Ferrai, Ricerche comparative di Psicologia sperimentale sui Sordomuti. (Con 12 figure nel testo.) Conclusione italiana e tedesca. — Armin de Domitrovich, Le banc d'école en Allemagne, et son état actuel. — L. J. Lans, Soll man die Steilschrift aus der Praxis verbannen? — F. Zollinger, VI. Jahresversammlung der schweizerischen Gesellschaft für Schulgesundheitspflege in Luzern, 14. und 15. Mai 1905. — F. Zollinger, V. Schweizerische Konferenz für das Idiotenwesen in St. Gallen, 5. und 6. Juni 1905. — Berichtigung von Dr. Gustav Hergel. — Giuseppe Badaloni, Rivista annuale della letteratura italiana sulla igiene scolastica per l'anno 1904. — C. J. Thomas, The Literature of School Hygiene in Great Britain during 1904. — Bibliogr. — Errata.   Ufer.

Oppenheim, Die Entwicklung des Kindes. Deutsch von Gassner. Mit einer Einleitung von Dr. Ament. Leipzig, Wunderlich, 1905.

Wir haben auf dieses Werk schon kurz nach seinem Erscheinen in englischer Sprache (New-York, Macmillan, 1898) empfehlend aufmerksam gemacht, und zwar in Heft III des IV. Jahrganges (1899) dieser Zeitschrift. Diese Empfehlung können wir mit Bezug auf die Übersetzung, die zwar nicht besonders gut, doch brauchbar ist, wiederholen. Wie wir schon damals hervorhoben, ist das vorliegende Buch eines der besten, mit denen uns Nordamerika auf dem Gebiete der Kinderpsychologie beschenkt hat. Es muß aber ausdrücklich bemerkt werden, daß wir es hier nicht mit einer vollständigen Psychologie des Kindes zu tun haben. Das Buch besteht aus einer Reihe von abgerundeten Arbeiten über verschiedene Einzelfragen. Zu den interessantesten und jedenfalls wichtigsten Ausführungen gehört für uns die eingehende Vergleichung des Kindes mit dem Erwachsenen. Besonders nachdrücklich bekämpft der Verfasser den Irrtum, daß das Kind nicht ein Wesen eigener Art, sondern ein kleiner Erwachsener sei. In einem andern Kapitel wird die Bedeutung von Erblichkeit und Umwelt vergleichend behandelt, wieder in einem andern der Wert des Zeugnisses der Kinder vor Gericht. Die Artikel über die Entwicklung des jugendlichen Verbrechers und über die Entwicklung als Faktor des Genies und der Degeneration gehören zu dem Umsichtigsten, was uns in dieser Beziehung überhaupt bekannt geworden ist. Auch die Behandlung einzelner pädagogischer Fragen im engern Sinne verdient das Interesse des Lesers.

Auch die Einleitung, das Dr. Ament dem Buche mitgegeben hat, ist dankenswert. Wenn er allerdings bemerkt, daß das Buch Oppenheims im Original in Deutschland nicht bekannt gewesen oder doch nicht gewürdigt worden sei, so müssen wir dem, soweit wir in Frage kommen könnten, doch widersprechen.

                                                                    Ufer.

A. Abhandlungen.

1. Die Psychologie der Aussage in ihrer pädagogischen Bedeutung.

Von

Mittelschul-Rektor **H. Großer** in Breslau.

Die experimentelle Psychologie, noch vor 50 Jahren in ihren Anfängen, hat mit der Zeit den Umfang ihrer Untersuchungsgebiete und Methoden so erweitert, daß der nicht unmittelbar interessierte Pädagoge kaum die einzelnen Arbeitsgebiete, geschweige denn ihre Ergebnisse überschauen kann.

Am bekanntesten sind noch die älteren Untersuchungen über die Beziehungen zwischen Empfindung und äußerem Reiz, mögen sie sich nun erstrecken auf das wechselseitige Verhältnis im allgemeinen (FECHNER, WEBER) oder auf einzelne Sinnesgebiete im besonderen (HELMHOLTZ, HERING). Aber gerade diese Forschungen sind wenig geeignet, den praktischen Pädagogen zu fördern. Sie wollten von dem einigermaßen bekannten Boden der Physiologie der Sinnesorgane den ersten Schritt tun hinüber in das Gebiet des rein Seelischen. Natürlich mußte der Schritt, wenn er gelingen sollte, sehr kurz bemessen und das Ziel sehr nahe gesteckt werden. Denn nur so hatte man einige Aussicht, den unberechenbaren, störenden Einfluß fremder Verhältnisse, die nicht zur Untersuchung standen, auszuschalten und einigermaßen zuverlässige Resultate zu gewinnen. So wählte man denn als Ziel die einfache Sinnesempfindung. Was hierbei herauskam (das WEBERsche Gesetz, daß die Empfindungsstärken proportional den Logarithmen der zugehörigen Reize wachsen, die verschiedenen Theorien des Sehens und Hörens usw.) war für die große Mehrzahl der Pädagogen, die es mit Vollsinnigen zu tun hat, zumeist nur von geringem praktischen Werte.

Aber auch vom Standpunkte der Theorie haben diese Untersuchungen nicht ganz den Erfolg gehabt, den man sich anfangs versprach. Die gewonnene Einsicht erwies sich nicht als ein hinreichend festes Fundament, auf dem man Schritt für Schritt weiter bauen konnte in das Reich des Psychischen. FECHNER glaubte, das WEBERsche Gesetz, so wie er es formuliert hatte, sei der zahlenmäßige Ausdruck der Gesetzmäßigkeit zwischen der physischen und psychischen Welt. Mehr und mehr aber verstärkt sich die Vermutung, daß die gesetzmäßige Abschwächung des Reizes ihre Ursache habe in Energieverlusten bei der Fortleitung durch die Nerven.

Hatte es sich mithin als sehr schwierig erwiesen, das Seelische in der Weise zu erforschen, wie man eine Kolonial-Eisenbahn Kilometer für Kilometer vortreibt, so stand nichts mehr im Wege, sich einmal mitten in die komplizierten seelischen Erscheinungen hineinzuwagen und sie experimentell zu untersuchen, wie ja auch Historiker und Nationalökonomen mitten in ihr Arbeitsgebiet hineintreten, die Tatsachen beobachtend, die Beobachtungen ordnend und das Gesetzmäßige aufzeigend, wobei allerdings nicht vergessen werden darf, daß die Schwierigkeiten wachsen, je verwickelter die Vorgänge sind, daß insbesondere die Fehlerquellen zuletzt so zahlreich und unfaßbar werden, daß die gefundene Gesetzmäßigkeit nur als eine gewisse Tendenz angesprochen werden kann, von der man Allgemeingültigkeit erst dann behaupten kann, wenn sie durch eine sehr große Zahl von Versuchen bestätigt wird. Das hat man nun wohl beachtet und trotzdem Ergebnisse erzielt, die dem praktischen Pädagogen nicht gleichgültig sein können. Allerdings wollen auch die neueren Forscher in erster Linie der Wissenschaft dienen, aber mehr und mehr denken sie auch an die Verwendung in der Praxis der Erziehung, der Psychiatrie, der Rechtspflege. So wählte man in steigendem Grade die komplizierteren Erscheinungen des Seelenlebens zur experimentellen Untersuchung. Man prüfte, ob die Schüler überbürdet sind, ging aber auch bald über zur allgemeinen Untersuchung, wie >die geistige Leistungsfähigkeit nach Umfang, Rhythmik und Beeinflußbarkeit durch Unterricht, Stundenpläne, häusliche Arbeit, Examina usw. beschaffen sei< (STERN). Bekannt sind die Versuche über das Gedächtnis, die EBBINGHAUS Anfang der achtziger Jahre mit solchem Erfolge begann,[1] daß bald eine ganze Reihe von Forschern dieses Ge-

---

[1] EBBINGHAUS, Über das Gedächtnis. 1885.

biet nach den mannigfaltigsten Richtungen unter Ausbildung der· verschiedensten Methoden untersuchten.

Eins der jüngsten unter diesen Spezialgebieten ist die experimentelle Untersuchung der Aussage. Sie geht von der jedem Lehrer geläufigen Tatsache aus, daß Aussagen über früher Erlebtes· oft falsch sind, ohne daß die Absicht vorliegt, die Unwahrheit zu sagen, und »daß die Fehlerhaftigkeit der Aussage abhängt von den verschiedenen Bedingungen, die an ihrem Zustandekommen beteiligt sind«. Kinder sind z. B. weniger zuverlässig als Erwachsene; etwas, was nur einmal und flüchtig beobachtet worden ist, kann eher falsch wiedergegeben werden, als was oft und gründlich erlebt wurde; die Aussage verliert an Treue, wenn sie unter dem Drucke eines Affektes gegeben wird. — Durch Experimente sucht man nun nachzuweisen, ob und welche Gesetzmäßigkeit bei dem Einflusse dieser Bedingungen obwaltet.

Was auf diesem Spezialgebiete psychologischer Forschung in Deutschland bis jetzt geleistet worden ist, findet man in der Hauptsache vereinigt in den »Beiträgen zur Psychologie der Aussage«, die mit besonderer Berücksichtigung von Problemen der Rechtspflege, Pädagogik, Psychiatrie und Geschichtsforschung von Dr. L. WILLIAM STERN in Breslau herausgegeben werden.[1] Neben Dr. STERN, der der Hauptarbeiter auf diesem Gebiete in Deutschland ist, wirkt in Frankreich in gleicher Richtung BINET.

Soweit diese Arbeiten für den Pädagogen wichtig sind, sollen sie im folgenden kurz dargestellt und in ihrer pädagogischen Bedeutung gewürdigt werden.

1. Darstellung der Schüleruntersuchungen.

a) Dr. STERNS Schüleruntersuchungen[2] wurden im Winter 1901/02 an 35 Volksschulkindern — 5 Mädchen und 6 Knaben der· Unterstufe, 6 Mädchen und 6 Knaben der Mittelstufe, 6 Mädchen und 6 Knaben der Oberstufe — 6 Präparanden und 6 Seminaristen vorgenommen. Von jeder Stufe wurden 2 schwache, 2 mittelmäßige und 2 gute Schüler ausgewählt. Bei den Mädchen war infolge eines Versehens eine der beiden schwächeren Schülerinnen der Unterstufe weggeblieben, so daß hier nur 5 geprüft werden konnten.

Diesen Personen wurde einzeln in einem leeren Schulzimmer ein buntes Anschauungsbild der Bauernstube (aus den »Bildern zum

---

[1] Verlag von J. A. Barth, Leipzig. 1. Folge. 4 Hefte. Zusammen 541 S. 17 M. 2. Folge (im Erscheinen). Bis jetzt 3 Hefte.

[2] Beiträge zur Psychologie der Aussage. 1. Folge. 3. Heft.

ersten Anschauungsunterricht für die Jugend« von E. WALTHER. Verlag von J. F. Schreiber in Eßlingen und München) mit der Aufforderung vorgelegt, es sich genau zu betrachten und dann das Gesehene anzugeben. Nach einer Minute wurde das Bild weggenommen und das Kind aufgefordert, zu erzählen. Nach diesem Berichte wurde das übrige an der Hand einer Verhörsliste, welche in 76 Fragen alles einigermaßen Bemerkenswerte umfaßte, abgefragt. Von diesen Fragen gingen 4 auf die Existenz von Personen, 26 auf die Existenz von Sachen, 5 auf die Tätigkeiten der Personen, 9 auf Ortsangaben, 18 auf Farben, 11 auf andere Merkmale und 3 auf Zahlen. Unter diese waren noch 12 Suggestivfragen nach gar nicht vorhandenen Gegenständen eingestreut. Bei jedem Schüler ergab sich also eine doppelte Aussage, ein spontaner Bericht und ein Verhör (auf die Fragen), und alle diese Angaben wurden dann gewertet als richtig oder falsch oder unbestimmt. Jede Angabe, mochte sie wesentlich oder unwichtig sein, mochte es sich um ein Merkmal oder um eine Relation handeln, wurde als 1 gezählt. $9^1/_2$ Wochen nach diesen primären Versuchen wurden die erreichbaren Schüler (33) ohne Vorzeigung des Bildes noch einmal geprüft. Die Bearbeitung dieses sekundären Versuches steht aber noch aus.

b) Diese Versuche wurden fortgeführt durch eine Untersuchung von ROSA OPPENHEIM: Über die Erziehbarkeit der Aussage bei Schulkindern.[1]) Die Versuche wurden angestellt mit 30 Mädchen im Alter von 10—12 Jahren, die zur Hälfte aus Volks-, zur Hälfte aus höheren Mädchenschulen waren. Das Versuchsverfahren war dasselbe. Es wurden aber 3 Bilder, außer der Bauernstube noch das Feld und das Wasser hintereinander benutzt. Da nicht feststand, ob die Bilder gleich schwierig waren, wurden die Mädchen in 3 Gruppen von je 10 Schülerinnen geteilt, für die jedesmal ein anderes Bild als erstes zur Verwendung kam. Nach der ersten Prüfung mußten die Kinder — und darin bestand die Erziehung — »das Bild noch einmal beliebig lange ansehen, um selbst zu prüfen, ob sie etwa Fehler gemacht hätten. Dann wurden sie auf die Fehler aufmerksam gemacht, die sie bei der eigenen Korrektur nicht gefunden hatten, und ermahnt, bei allen Gelegenheiten, bei denen sie irgend welche positiven Aussagen zu machen hätten, sorgsam zu sein.« Darauf folgte nach etwa 3 Monaten die Untersuchung am 2. und nach etwa 6 Monaten die am 3. Bilde, um festzustellen, ob eine Besserung der Resultate eingetreten sei.

---

[1]) Beiträge zur Psychologie der Aussage. 2. Folge. 3. Heft. S. 52—98.

c) Nach einer andern Richtung wurden die STERNschen Untersuchungen ergänzt durch RODEWALDT[1]), der unter strenger Innehaltung der Versuchsanordnung STERNS 50 Sanitätssoldaten der Sanitätsschule Breslau prüfte.

Anders angeordnet und darum mit den vorgenannten wenig vergleichbar sind die experimentellen Beobachtungen von MARX LOBSIEN in Kiel.[2]) Dieser prüfte 4 Mädchen- und 5 Knabenklassen in folgender Weise: Er zeigte 1. eine Tafel mit der Abbildung von 12 Gegenständen 5 Sekunden lang vor und ließ dann Zahl und Namen der Gegenstände aufschreiben. Er ließ 2. reines Wasser riechen und schmecken und machte den Versuch, Geruchs- und Geschmacksvorstellungen zu suggerieren. Er las 3. viermal je 3 Wörter, die in besonderem Maße diesen oder jenen Gedächtnistypus zu interessieren geeignet schienen, vor und ließ sie niederschreiben, und endlich 4. zeigte er das für solche Zwecke wenig geeignete KEHR-PFEIFFERsche Bild: Knabe und Fischlein zwei Minuten lang vor, um nach Entfernung des Bildes 12 Fragen beantworten zu lassen.

2. Die Ergebnisse in ihrer pädagogischen Bedeutung.

a) Umfang der Aussagefälschung.

Wie nicht anders zu erwarten ist, steigt die Merkfähigkeit mit dem Alter: die Soldaten machten die meisten Angaben. Aber nicht ohne weiteres zu erwarten war die Tatsache, daß bei allen diesen Untersuchungen keine Aussage fehlerfrei war. Selbst Gebildete machen hier keine Ausnahme.

In seinen früheren Versuchen mit Studierenden forderte STERN die Prüflinge auf, unter ihren schriftlichen Angaben diejenigen zu unterstreichen, die sie, wenn es sich um eine gerichtliche Aussage handelte, beschwören würden. Trotzdem waren in diesem »beeidigten« Teile noch 11 % Fehler, gegenüber 20 % in dem Reste.

Man kann sagen: Eine fehlerfreie Aussage ist nicht die Regel, sondern die Ausnahme.

b) Bericht und Verhör.

Merkwürdig ist das Verhältnis des spontanen Berichts (Erzählen) zum Verhör (Abfragen). Während bei STERN im Bericht durchschnittlich nur 6 % Fehler gemacht wurden, stieg die Fehlerzahl beim Abfragen auf 33 %, bei R. OPPENHEIM betrugen die entsprechenden Zahlen 5 % und 33—24 %, bei RODEWALDT 6 % und 32,3 %. Stets wurden

---

[1]) Dr. med. E. RODEWALDT, Über Soldatenaussagen. Beiträge zur Ps. d. A. 2. Folge. 3. Heft. S. 1—51.

[2]) MARX LOBSIEN, Aussage und Wirklichkeit bei Schulkindern. Beiträge z. Ps. d. A. 1. Folge. 2. Heft. S. 26—89.

bei dem Verhör vier- bis fünfmal soviel Fehler gemacht als beim
freien Erzählen.

Man hat deshalb mit Recht verlangt, daß bei der Vernehmung
von Zeugen das Verhör soviel als möglich zurücktrete, daß insbesondere
der Vorsitzende den spontanen Bericht nicht durch Fragen unter-
breche oder abschneide. Aber auch für den Unterricht ist diese
Forderung am Platze. Man muß sich nur einmal den ganz verschiedenen psychischen Vorgang klarmachen. Beim Bericht disponiert der Erzähler frei über seinen Vorstellungsschatz. Was am
deutlichsten ist, wird ungehindert reproduziert. Auch andere nur
wenig unter der Schwelle des Bewußtseins liegende Vorstellungen
werden mit emporgerissen. Zuweilen treten Pausen ein. Der Erzähler besinnt sich. Er holt Vorstellungen herauf, welche weniger
klar sind; aber immerhin reicht seine gesteigerte Aktivität hin, sie
ohne äußeres Eingreifen emporzuheben. »So ist denn der Bericht
nicht etwa ein passives Abrollenlassen der Vorstellungsketten, sondern
eine höchst aktive Leistung: ein Bemerken und Erfassen, ein Wählen
mit der Aufmerksamkeit und Behaltenwollen schon bei der Wahrnehmung, ein Abtasten und Hervorholen, und die stärkere oder geringere Inhaltsfülle, die der selbständige Bericht enthält, ist daher
nicht die Wirkung der passiven Sinnes- und Gedächtnisbeschaffen-
heiten, sondern auch — und, wie mir scheint, zum größeren Teile —
Ergebnis einer stärkeren oder geringeren Spontaneität, einer mehr
oder minder kräftigen und selbständigen Willenstätigkeit« (STERN).

Anders beim Abfragen. Die Frage übt einen gewissen Zwang
aus. So kommt es, daß zunächst Antworten gegeben werden, die
weiter nichts als Angst- oder Suggestionsprodukte sind, wertlos für
das Wissen und höchst verderblich für die Erziehung zum selbständigen Wollen. Aber auch sonst ist die Wirkung der Frage recht
zweischneidig, sie hilft, aber sie verführt auch. Diese Doppel-
wirkung kommt durch die Ergebnisse des Verhörs zum Ausdruck.
Auf 35 richtige Angaben kamen bei STERN 17 falsche (bei RODEWALDT
und R. OPPENHEIM ist die Zahl der falschen Angaben etwas geringer).
Die Hilfe besteht zumeist darin, daß die in der Frage gebotene Vorstellung früher damit verbundene Elemente emporhebt. Das mögen
nun vielfach die Vorstellungen sein, die bei der Betrachtung des
Bildes gewonnen worden sind, und dann ist die Antwort die richtige.
Vielfach aber ist das auf dem Bilde Dargestellte in anderer Form
früher so oft gesehen worden, daß es den Kindern etwas Gewohntes,
Alltägliches geworden ist. Das Neue war nicht im stande, die gewohnten Assoziationen zu lösen, wohl aber stark genug, um eine

Hemmung herbeizuführen. Nun zwingt die Frage das Kind zur Stellungnahme. Natürlich siegen die alten festgewurzelten Assoziationen, und die Wiege, welche auf dem Bilde ausnahmsweise blau ist, gilt als »gelb« oder »braun«, das Zimmer hat zwei Fenster usw.

Eine andere Wirkung der Frage liegt vor, wenn der Schüler durch sie auf eine Lücke in seinem Wissen aufmerksam gemacht und veranlaßt wird, sie selbständig auszufüllen, »sei es, daß er die verschiedenen Möglichkeiten der Entscheidung durchmustert, um zu prüfen, welche in das Gesamtbild am besten passe, sei es, daß er logisch aus gewissen ihm bekannten Vorbedingungen schließt, das Gefragte müsse oder werde sich wohl so oder so verhalten haben« (STERN). Diese zweite Wirkung ist wertvoller. Aber auch sie ist ein Gehen auf Krücken, wobei die Kraft der eigenen Gliedmaßen nur unvollkommen zur Wirkung kommt; denn, da die Nötigung zu diesen Operationen von außen und nicht aus dem eigenen Innern kommt, wird oft nur ein beschränkter Teil des Gedankenkreises in Bewegung gesetzt, vor allem wird oft die gebotene Vorsicht aus dem Auge gelassen. So entstehen die zahlreichen Fehler. Dabei ist noch mit in Betracht zu ziehen, daß auch die richtigen Angaben vielfach nur ein Werk des Zufalls sind. Wäre die Wiege auf dem Bilde zufällig braun gewesen, so wären viele der falschen Antworten richtig gewesen, ohne daß die geistige Leistung höher war. Ob es sich bei dem Frage-Feuerwerk, was immer noch in so vielen Schulen losgelassen wird, nicht ganz ebenso verhält? Ob nicht die größere oder geringere Leistungsfähigkeit einer Klasse auf diesem Gebiete in der Hauptsache zurückzuführen ist auf die Geschicklichkeit des Lehrers, in seiner Frage so viele Krücken zu geben, daß die richtige Assoziation zum mindesten wahrscheinlich ist? Der Kampf, der schon seit langem gegen den Fragenunfug geführt wird, findet also in den Ergebnissen der Aussageuntersuchungen kräftige Stützen.

c) Suggestibilität der Kinder.

In allen vorgenannten Untersuchungen wird der Versuch gemacht, die Suggestibilität der Kinder zu prüfen. Zu diesem Zwecke waren bei STERN und RODEWALDT 12, bei OPPENHEIM je 10 Fragen nach gar nicht vorhandenen Gegenständen eingestreut und in eine besonders suggestive Form gekleidet. (Stehen nicht auch Gläser auf dem Tische? Ist nicht auch ein Ofen im Zimmer?) Der Erfolg war, daß bei STERN von den Normalfragen 66 %, bei den Suggestivfragen nur 59 %, bei RODEWALDT gar nur 47,3 % (gegenüber 67,7 % bei den Normalfragen) richtig beantwortet wurden. Bei OPPENHEIM waren es beim ersten Versuche ebenfalls $59^1/_2\%$, beim 2. aber $73^1/_2$ und beim 3. gar 80%. Durch die schlechten Erfahrungen beim ersten Versuche vorsichtig gemacht, wurden also die Suggestivfragen zuletzt besser beantwortet als die Normalfragen. Zum Teil erklären sich diese Resultate aus der Art und Weise, wie in den Schulen im Anschauungs-, Geographie- und Geschichtsunterrichte Bilder benutzt werden. Wir zeigen den Storch auf der Wiese und sagen, daß er dort Frösche sucht, obwohl das auf dem Bilde nicht zu sehen ist. Wir beschreiben den Strom und reden von den verschiedenen Fahrzeugen, die darauf schwimmen, obwohl unser Bild zufällig kein Segelboot zeigt. Kurz, unsere Bildbetrachtung ist nicht in erster Linie scharfes kritisches Anschauen, sondern das Bild liefert uns nur einen Teil des Materials zum Aufbau eines umfassenderen Phantasiebildes. Kein Wunder, wenn die Frage: Sucht der Storch nicht Frösche? in der Mehrzahl mit »ja« beantwortet wird. Der Fehler ist also nicht schlimmer, als wenn statt einem Fenster deren zwei angegeben werden oder das Vorhandensein von Gardinen in der Bauernstube geleugnet wird, weil eben die Bauernstuben gewöhnlich zwei Fenster ohne Gardinen haben. Ob es unter diesen Umständen nicht gut wäre, wenn der Anschauungsunterricht zuweilen wirklich das wäre, was der Name besagt, soll hier nicht erörtert werden. Daß allerdings bei den Suggestivfragen (bei STERN) noch 7% mehr Fehler gemacht wurden als bei den Normalfragen, ist sicher auf die suggestive Wirkung der Frageform zurückzuführen, und wie sehr sich diese Wirkung auch bei Erwachsenen steigern kann, wenn die Suggestion von autoritativer Stelle kommt, beweist der Versuch an Soldaten.

Nun ist die Suggestion durchaus nicht immer vom Übel. In der Erziehung spielt sie sicher eine nützliche Rolle. In den Unterricht aber gehört sie unter keinen Umständen. Die persönliche Stellungnahme, die dort erstrebt wird, soll nicht einfach übernommen werden, sondern als Einsicht in dem Gedankenkreise des Schülers begründet sein. Suggestionen erniedrigen den Menschen zum Herdentiere, sie verhindern jedes kraftvolle, persönliche Handeln, sind die Ursache von geistigen Epidemien aller Art. Nun kann der Lehrer im Unterrichte auf recht verschiedene Weise suggestiv wirken, z. B. durch die Art seines Vortrages, vor allem aber durch ein Fragen, welches, wie man zu sagen pflegt, die Antwort in den Mund hineinstreicht. Das beste Gegenmittel ist die Selbsttätigkeit bei möglichster Selbständigkeit. So gelangen wir auch hier zur Verurteilung des Frageunfugs.   (Schluß folgt.)

2. Zur Frage der Behandlung unserer jugendlichen Missetäter.[1]

III. State Reformatories.

(Schluß.)

Was nun die Besserungsmethode in Elmira betrifft, so hat man sich bestrebt, möglichst naturgemäß zu verfahren. Das alte Erziehungssystem, nach welchem die einzige Tätigkeit des Lehrers darin bestand, des Knaben Geist zu bilden und wobei des Knaben Körper nur als ein notwendiges Übel angesehen wurde, das nur den Zweck hatte, den Lehrer zu quälen, hat einem verständnisvollen Eingehen auf die Beziehungen von Körper und Geist Platz gemacht. Diesem Prinzip wird in Elmira durch militärischen Drill und körperliche Erziehung entsprochen. Körperliche Erziehung ist seit 1886 eingeführt, in größerem Umfang seit 1890. Sie hat hauptsächlich Anwendung gefunden bei den stumpfsinnigen und körperlich-abnormen Insassen, die Dr. Wey folgendermaßen beschreibt: »Ein krankhafter Geist und ein unentwickelter, schlecht genährter und kranker Körper hat sie dumm, langsam und selbst bei vorhandenen Fähigkeiten unlustig gemacht, ihren Geist mit nützlichen Kenntnissen zu bereichern. Viele sind Analphabeten und manche sind nahezu Idioten. So lange haben sie gelebt, ohne daß ein Versuch gemacht worden ist, ihre Fähigkeiten zu entwickeln, daß ihr Gehirn, wenn überhaupt, nur ganz langsam auf die gewöhnlichen Einflüsse der Erziehung reagiert. Nach ihrer Führung rechnen sie zu den Unverbesserlichen, oft weil ihnen die Fähigkeit recht und unrecht zu unterscheiden abgeht.« Bei dieser Sorte nun hat die körperliche Erziehung einen ungemein günstigen Einfluß gehabt. Zu dieser Klasse gehören jährlich 150 bis 250 je nach der Gesamtzahl der in der Anstalt befindlichen. Die auf diese Weise erlangte Erfahrung hat viel Licht auf die sogenannte Klasse der Entarteten (»degenerates«) geworfen: es fand sich, daß eine beträchtliche Anzahl dieser Entarteten einer guten körperlichen Erziehung zugänglich war. Zudem werden alle neuen Insassen eine Zeitlang in der Turnhalle besonders vorgenommen, bis ihre körperliche Beschaffenheit eine ganz befriedigende ist.

---

[1] Richtigstellung: Der erste Artikel in Heft 5 S. 143 hat infolge der Auslassung eines Satzes (des gesperrten) nach einer Zuschrift zu einem Mißverständnis Anlaß gegeben. Auf die Frage als solche werde ich im Schlußartikel zurückkommen. Einstweilen bitte ich den Satz so zu verbessern: »Für die Heranbildung der Erzieher abnormer Kinder, wohin auch die kriminellen Jugendlichen gehören, bestehen vollends gar keine öffentliche Einrichtungen. Da nahmen die Maßgebenden nicht selten alles, was sie für den allerschwierigsten Dienst der Fürsorgeerziehung an Bereitwilligen fanden: Theologen, Volksschullehrer, Offiziere a. D., Unteroffiziere a. D., Diakone, Handwerker, Mönche usw. Daß auch die beiden erstgenannten Gruppen vielfach eine durchaus ungenügende Vorbildung für diese Arbeit besitzen und besitzen müssen, liegt nahe. Ich sage vielfach usw.« Tr.

Wenige Menschen ahnen, wie häufig es vorkommt, daß die erstmalig Verurteilten überhaupt keinen Beruf haben, durch den sie sich ihren Lebensunterhalt verdienen. Wenn sie dazu befähigt werden und ihnen auch Gelegenheit gegeben wird, ihr Brot ehrlich zu verdienen, sind sie besser als auf irgend eine andere Weise vor Rückfall bewahrt. Zu diesem Zwecke ist in Elmira eine große technische Fortbildungsschule eingerichtet worden, in welcher mehr als 1200 junge Männer in mehr als 30 bestimmten und fortwährend ausgeübten Gewerben unterwiesen werden. Von diesen 1200 hatten $^9/_{10}$ keinen regelrechten Lebensberuf gehabt, noch Verlangen nach einem solchen getragen. Im Laufe des Jahres 1902 erhielten über 1900 Unterweisung im kaufmännischen Beruf. Alle gewöhnlichen Handwerker und Kunsthandwerker, nach welchen in New York, Pennsylvania und New-England, wohin die Entlassenen meist zuerst hingehen, Nachfrage besteht, sind in den Plan aufgenommen. Von den 384 auf Ehrenwort Entlassenen fanden im selben Jahre 217 oder 57% nach ihrer Freilassung Beschäftigung in dem in der Anstalt erlernten Gewerbe.

Auch der Handelsschulunterricht hat sich mit dem Zunehmen der Anstalt allmählich entwickelt. Im Jahre 1884 wurde dieser Unterricht versuchsweise in größerem Umfange eingeführt.

Außerdem ist in Elmira ein faßlicher und praktischer Lehrplan für Schulunterricht aufgestellt worden. Die Schule und die Bibliothek, ergänzt durch die einzig in ihrer Art dastehende Wochenschrift »The Summary«, sorgen nicht nur im allgemeinen für das Wohl des Sträflings, sondern fördern im hohen Maße die Disziplin und unterstützen den gewerblichen Unterricht ganz bedeutend. Um diesem Zwecke auch wirklich zu entsprechen, hat man dreierlei ins Auge gefaßt:

1. Anstellung von nur erstklassigen Lehrkräften. 2. Häufiges Halten von Vorträgen, Privatlektüre und regelmäßig wiederkehrende schriftliche Prüfungen; endlich Schärfung des Verstandes durch Diskussionen über wichtige Fragen, welche bewirken sollen, daß der Geist des Sträflings durch freie Meinungsäußerung vor Abstumpfung bewahrt bleibt. Der Kursus in praktischer Ethik, an dem etwa 300 der vorangeschritteneren Schüler teilnehmen, bildet den Höhepunkt des Schulsystems; in demselben finden Debatten über höhere sittliche Fragen statt. Wenige, die diesen Debatten beigewohnt, werden die Lebhaftigkeit und den Scharfsinn der leidenschaftlichen Redner je vergessen.

Ich möchte noch mit einigen Worten auf die Gefängniszeitschrift »The Summary« hinweisen. Sie wurde zuerst versuchsweise im Jahre 1883 herausgegeben. Sie wird als Organ für die Veröffentlichung von Vorschriften und Mitteilungen in Bezug auf das Verhalten in der Anstalt benutzt; es hält die Insassen auf dem Laufenden mit den Begebenheiten in der Welt und wurde von den Mängeln der gewöhnlichen Zeitschriften freigehalten. Augenblicklich werden wöchentlich etwa 2500 Exemplare gedruckt, von denen über 1600 in der Anstalt verwendet werden, während die übrigen in verschiedene Städte und Länder verschickt werden, wo Auskunft betreffs der Elmira-Anstalt gewünscht wird.

Da sich Mr. Brockway und seine Freunde nicht damit zufrieden gaben, Hoffnung und Furcht, Belohnung und Strafe als Zuchtmittel in Anwendung zu bringen, haben sie ein kunstvolles aber symmetrisch arbeitendes Nebeneinander von täglicher Schulung, Beschäftigung, Hygiene, Drill sowie moralischer und geistiger Zucht geschaffen, welches jene erstgenannten Wirkungen fortgesetzt zeitigt. Der Sträfling wird in eine Reihe von Betätigungen gestellt, die ihn nicht nur unwillkürlich mitziehen, sondern auch früher oder später — und gewöhnlich ziemlich am Anfange des Prozesses — seinen Willen auf die Förderung der eigenen Besserung hinlenken. Dieser Weg wird für ihn weniger leicht als wünschenswert gemacht. Infolgedessen steht im allgemeinen der Sträfling mit dem Gefühl auf seiten der Besserung. Härte im eigentlichen Sinne des Wortes, kommt nicht vor. Wohl wird große Strenge gehandhabt, aber noch viel mehr Nachsicht und Erbarmen. Der Sträfling wird vor jener geistigen Trägheit bewahrt, welche sprichwörtlich als »des Teufels Werkstatt« bezeichnet wird; ebensowenig wird ihm jene körperliche Trägheit gestattet, welche die Gesundheit untergräbt und ruiniert. Er erhält Unterweisung in einem praktischen Gewerbe, welche Gelegenheit er nie zuvor gehabt, und wenn er sie sich zu nutze macht, hat er Aussicht, ein nützliches Glied der Gesellschaft zu werden. Und alles dies hat sich als ein besserer Schutz der Gesellschaft erwiesen als die blutigen Sühnestrafen des vergangenen Jahrhunderts.

3. Kinderstudium in den Vereinigten Staaten.[1])

Von **William S. Monroe,** Professor der Psychologie in der State Normal School zu Westfield, Massachusetts.

Es sind 25 Jahre vergangen, seit G. Stanley Hall in den Vereinigten Staaten die Kinderstudium-Bewegung anregte. Im Verlauf des eben vergangenen Vierteljahrhunderts ist eine außerordentliche Arbeit geleistet auf dem neuen Gebiet der psychologischen Forschung; und auch das Ergebnis ist — nach der Zahl der Mitarbeiter, der veröffentlichten Bücher und Artikel — ein außerordentliches gewesen. Die Bewegung wandte sich auf einmal an eine große Zahl solcher, die in vielen Gebieten menschlicher Erfahrung tätig sind, an Eltern, Lehrer, Ärzte, Psychologen, Hygieniker, Ethiker und Philosophen. Zahlreiche Lehrer beschäftigen sich mit dem Studium des Kindes, in der Hoffnung, in engere Berührung mit der wissenschaftlichen Grundlage des kindlichen Seelenlebens gebracht zu werden. Normal Schools (Seminarien) machten das Studium des Kindes zu einem wesentlichen Teil ihres Lehrplans, um eine genetisch-psychologische Grundlage zu bieten als Rückhalt für theoretische wie praktische Pädagogik.

Die folgenden Kurse für Kinderstudium und Psychologie einer amerikanischen Normal School mögen als Beispiel ähnlicher Kurse dienen, sowohl

---

[1]) Vorgelesen auf dem ersten internationalen Kongreß für Erziehung und Kinderschutz in der Familie in Lüttich im September 1905.

in andern amerikanischen Normalschulen als für Kurse in andern Instituten zur Ausbildung von Lehrern, mit Einschluß der Lehrer - Colleges
und Erziehungsabteilungen der Universitäten.

a) Elementarpsychologie. — Der Kurs in Elementarpsychologie
schließt ein 1. Studium der Physiologie des Gehirns und Zentralnervensystems und seine Beziehung zur geistigen Entwicklung; besondere Achtung
schenkt man der Natur und Ausbildung des Gesicht-, des Gehörs- und
des Tastsinnes; 2. Studium der einfacheren Phasen der Aufnahmefähigkeit
(perzeption), des Gedächtnisses, der Phantasie, des Denkens, der Erregungen
und Bewegungen und ihre Entwicklung während der Elementarschulzeit;
3. Studium der persönlichen Erinnerungen aus der Kindheit der Studenten,
um sie in dem Studium subjektiver geistiger Erscheinungen zu üben und
die Auffassung ihrer eignen Kindheit zu vertiefen und zu erweitern; 4. sorg-
fältiges Lesen und Überblicken eines der vorzüglichen Werke über die
Kindheit, die das rückblickende Gedächtnis schuf, wie Pierre Loti's Story
of a Child, Tolstoi's Childhood, Boyhood and Youth, John Stuart Mill's
Autobiography usw.; 5. Studium einer einzelnen Kinderpersönlichkeit.
Halleck's Psychology and Psychic Culture, James's Psychology (kürzerer
Kurs), Kirkpatrick's Inductive Psychology and Rooper's Study in
Apperception werden als Text gebraucht für den jüngeren Jahrgang im
ersten und zweiten Kurs[1]) wöchentlich zwei Stunden.

b) Physiologische Psychologie. — Mehr ins einzelne gehendes
Studium des Wachstums und der Verrichtungen des Gehirns und Zentral-
nervensystems; Bedeutung desselben für die Erziehung; Sinnesdefekte und
Schularbeit; Umstände, die das Wachstum der Kinder beeinflussen; Be-
ziehungen zwischen Tätigkeit, Schlaf und Ernährung zu Wachstum und
geistiger Entwicklung. Donaldson's Growth of the Brain, Carpenter's
Mental Physiology, Ziehen's Physiological Psychology, M'Kendrick and
Snodgrass's Physiology of the Senses, James's Principles of Psychology,
Titchener's Outlines of Psychology, ebenso wie die Werke von Külpe,
Wundt, Sully, Thorndike, Baldwin, Ladd, Calkins, Bain,
Spencer, Ribot and Sanford werden als Nachschlagebücher verwendet
(jüngerer Jahrgang: dritter Term, zwei Stunden wöchentlich).

c) Genetische Psychologie. — Studien über die physische, intellektuelle und moralische Entwicklung jüngerer Kinder; Umstände, die
die geistige Entwicklung bedingen, wie Vererbung und Umgebung; geistige
Ermüdung und ihre Beziehung zu geistiger Arbeit; Entwicklung der motorischen Fähigkeiten; vergleichende Studien der Seele niederer Tiere und
der Wilden mit fehlerhaften oder verbrecherischen Kindern; Beobachtungen
und Beurteilung der Sinnestätigkeit, des Gedächtnisses, der Aufmerksamkeit, des Bewegungstriebes, der Ermüdung usw. einzelner Kinder, und
Sammeln und Erörtern von derartigen Tatsachen. Der Kurs in genetischer
Psychologie soll die Tatsachen bieten, soweit sie wissenschaftlich fest-
stehen, über Natur und Entwicklung des Seelenlebens während der Kindheit und Jugendzeit, um den künftigen Lehrer mit gesunden Kriterien

---

[1]) »Terms«, wovon in der Regel drei auf das Jahr entfallen.

zu versehen, Theorien über die Kindesseele zu beurteilen und entsprechende Übung zu geben für das konkrete Studium des Lebens der Kinder. Benutzt werden Preyer's Development of the Intellect and Senses and Will, Tracy's Psychology of Childhood, Kirkpatrick's Fundamentals of Child Study, Barnes's Studies in Education, Rowe's Physical Nature of the Child, Sully's Studies of Childhood, Hall's Adolescence, zusammen mit den Schriften von Warner, Chamberlain, Oppenheim, Miss Shinn, Mrs. Moore, Russell, Compayré, Perez und Baldwin (älterer Jahrgang: zwei Terms, zwei Stunden wöchentlich).

Die Normalschulen und Colleges erstreben, die künftigen Lehrer in Berührung mit dem Kindesleben zu bringen und gleichzeitig den Lehrerstudenten einige wissenschaftliche Kenntnis der Naturgeschichte des Kindes zu geben und der Umstände, die seine physische und psychische Entwicklung beeinflussen.

Methoden des Kinderstudiums haben sich demgemäß entwickelt, um den Bedürfnissen dieser verschiedenen Arbeitsgebiete zu genügen.

Präsident G. Stanley Hall, der den Anstoß zur Bewegung des Kinderstudiums in Amerika gab, hat ausgedehnten Gebrauch von der Fragemethode gemacht; und viele Normalschulen, einige der Colleges und Universitäten sind in beträchtlichem Umfange demselben allgemeinen Plane gefolgt.

Verteidiger der Fragemethode haben mit Recht behauptet, daß sie in hohem Maße wertvolle Bedingungen der geistigen Tätigkeit der Kinder, daß sie bestimmte Gesetze von dauerndem Wert ergibt, welche als Grundlage in der praktischen Erziehung dienen können, und daß sie für den künftigen Lehrer demzufolge größeren Wert als irgend eine andere Methode haben muß. Auf der andern Seite ist behauptet worden, daß die Methode von Personen angewandt werden muß, die nur wenig psychologische Schulung haben, und daß die Ergebnisse, selbst wenn sie durch Sachverständige gesichert werden, von durchaus zufälligem und unwesentlichem Charakter sind, und wahrscheinlich geben sie nur in wenigen Fällen typische und sichere Beispiele von der Art kindlichen Denkens, Fühlens und Handelns. Professor Earl Barnes, der viele tausend Antworten bearbeitet hat, die durch die Fragemethode in England und Amerika erhalten sind, behauptet, daß, wo immer die Probe einfach ist und gut ausgeführt wurde, die Ergebnisse ebenso zuverlässig und gesetzmäßig sind wie jene, die man erhält durch das Studium irgend welcher anderer Tatsachen, die sich aus der Zergliederung der Erscheinungen des menschlichen Lebens ergeben. Eine Art des Kinderstudiums, welche bis zu gewissem Grade die Methode des Laboratoriums verwendet hat, ist für gewisse spezifische Probleme, die die physischen Eigenschaften der Kinder betreffen, angewandt worden. Die Versuche bestanden in Messungen, und die Forschungen fanden statt unter der Leitung geschulter Psychologen. Die Gesetzmäßigkeit für das Wachstum, die Bewegungsfähigkeit der Kinder, Augen-, Ohr- und andrer Sinnesdefekte, Umstände, die Ermüdung veranlassen — das sind einige Probleme, die eingehender durch physikalische Belege und Messungen studiert sind. Professor Edward L. Thorndike hat kürzlich darauf gedrungen, dieselbe Methode müsse für Messungen der geistigen Eigenschaften der Kinder verwandt werden. Er sagt: Könnten wir dem entsprechende Messungen erschöpfend ausführen, wir könnten eines Mannes Seele als so und so viel Einheiten jener erregenden Kraft, so viele dieser Sinneskraft und sofort durch eine wohl nahezu unendliche Reihe möglicher geistiger Eigenschaften beschreiben. Wir würden dann fähig sein, genau den Unterschied zwischen zwei beliebigen menschlichen Wesen festzustellen, zwischen dem Zustand einer Person vor und nach einem Studienkursus oder anderem erziehlichen Einfluß; wir könnten die Ergebnisse verschiedener Erziehungssysteme vergleichen, die Veränderungen beschreiben, die der Reife verdankt werden, oder die persönliche Wirkung verschiedener Lehrer berechnen.

Gegenwärtig wenigstens erfordern ausgedehnte Messungen eine genaue psychologische Schulung, die man durch Rang und Stellung eines Lehrers nicht allein besitzt. Die »beratenden Psychologen«, die Professor Josiah Royce empfiehlt, würden in gewissem Grade diese Schwierigkeiten beseitigen. Solche Laboratorien für das experimentelle Kinderstudium sind bereits tätig in Chicago und Antwerpen (Belgien).

Das Kind mit verspäteter geistiger Entwicklung erregte das Interesse der Studierenden der Kindheit in unserm Lande wie in Europa; und viele Methoden sind für das Studium fehlerhafter Kinder empfohlen worden. »Abnormalität — wie Professor Edwin Kirkpatrick in seinen neuen »Fundamentals of Child Study« sich ausdrückt — kann als jene Form der Individualität angesehen werden, die zerstörend wirkt,« und daher muß der künftige Lehrer mit gewissen Phasen des jugendlichen pathologischen Geistes bekannt gemacht werden. Kinder mit geringeren psychischen Abnormitäten — geringerer Aufmerksamkeit, schwachem Gedächtnis, schlecht koordinierter Bewegung, wie mit Fehlern der Sinne — sind für besondere Beobachtung ausgewählt werden.

Auch die Einrichtungen für Taube und Blinde, Schwachbegabte und jugendliche Verbrecher werden als Beobachtungsschulen für die verwandt, welche das Kind studieren.

Colleges und Normalschulen haben beim Kinderstudium ausgedehnten Gebrauch von Erinnerungen gemacht. Ein wohl bekannter Kindheitsforscher sagt, daß Lehrer bei ihrer Arbeit mit Kindern wahrscheinlich bei der Erklärung des Handelns der Kinder unter ihrer Aufsicht sich mehr auf die Erinnerungen ihrer eigenen Kindheit als auf die Kenntnisse verlassen, die sie vielleicht durch das Studium der Psychologie und der Erziehung sich erworben haben; und er betont auch die Notwendigkeit, daß die künftigen Lehrer die Eindrücke ihrer Kindheit klären und schärfen.

Zahlreiche Methoden »allgemeiner Beobachtung« sind in Verbindung mit Normal- und Übungsschulen entwickelt, und ausgedehnte literarische Verwendung haben die zahlreichen experimentellen Studien an Kindern erfahren, die in den letzten 25 Jahren veröffentlicht wurden. Der Wert dieser Art des Kinderstudiums ist in Frage gezogen worden und steht zweifellos den Einwürfen offen, die man gegen die Ergebnisse des Studiums auf irgend einem Gebiet des menschlichen Denkens erheben kann. Wir besitzen eine große Zahl wissenschaftlich klarer Tatsachen über Kinder, und das sorgfältige Studium wie die Erwägung solcher Studienergebnisse ist ohne Frage für die künftigen Lehrer wertvoll bei der Bildung pädagogischer Urteile.

Man wird fragen: »Was hat das Kinderstudium in den Vereinigten Staaten während der vergangenen 25 Jahre erreicht?« Es ist zu früh für eine Schlußfolgerung von dauernd wissenschaftlichem Wert, aber die weiteren und allgemeineren Wirkungen der Bewegung mögen so charakterisiert werden: 1. Vertiefung des Interesses für das Leben des Kindes und erweiterte Kenntnis der geistigen Eigenschaften der Kinder; 2. wissenschaftliche Erforschung der physischen Umstände, die das Schulleben beeinflussen, wie Gesicht, Ermüdung, Beweglichkeit usw.; 3. sorgfältige Studien der erzieherischen Werte und der Interessen der Kinder an den Gegenständen, die in Elementarschulen gelehrt werden; 4. die Bildung von Muttervereinen und Elterngesellschaften für die Verbesserung der sozialen und sittlichen Wohlfahrt der Kinder im Elternhause und in der Gemeinde. Der Hauptnutzen des Kinderstudiums in den Vereinigten Staaten muß jedoch eher in seiner Verfolgung überhaupt als in dem Ergebnis gesucht werden. Die Wirkung auf Lehrer und Eltern ist sehr groß gewesen. Kinderstudium hat direkt zum Wohle der Beobachter gewirkt, indirekt zum Wohle des Kindes und nebenher zu Gunsten der Wissenschaft einer genetischen Psychologie.

B. Mitteilungen.

1. Eine eigentümliche epidemische Erkrankung von Schulkindern.

I. In Meißen ist an der II. mittleren und einfachen Bürgerschule eine Krankheit aufgetreten, die man hier Zitterkrankheit nennt. Darüber teile ich folgendes mit:

1. Verlauf der Epidemie. Im Oktober erkrankte ein 13jähriges Mädchen an dem Zittern, das vom Arzt als ungefährlich bezeichnet wurde, weshalb das Kind die Schule weiter besuchte. Wenn auch bald etliche andere Fälle auftraten, so legte man doch der Sache weiter keinen großen Wert bei. Erst vom Januar ab nahm die Krankheit epidemischen Charakter an. Die Zahl der Erkrankten stieg am 16. I. auf 63, so daß der Unterricht in den betreffenden Klassen ausgesetzt wurde, ohne daß eine Abnahme der Erkrankungen stattfand. Nach fünf Tagen wurde der Unterricht wieder begonnen. Jetzt verminderte sich die Zahl erheblich, so daß am 5. Februar nur noch 25 Erkrankungen zu verzeichnen waren. Von da an aber nahm die Krankheit wieder zu, so daß am 19. II. 82, am 20. II. 102, am 21. II. **134** Kinder fehlten. Darum wurde die Schule bis 15. März

geschlossen.[1]) Im benachbarten Dorfe Zaschendorf sind 2 Fälle gemeldet.
Ein Beweis für die leichte Übertragbarkeit dieser »geistigen Seuche« ist,
daß der Direktor, der die Kinder untersuchte, etliche mal selbst von
heftigem Zittern befallen wurde.

2. Symptome. Die Krankheit verläuft mit wenigen Ausnahmen
folgendermaßen. In der linken Ferse fangen die Schmerzen an, gehen in
die linke Wade bis zum Knie, springen in die rechte Schulter; von dort
ziehen sie über die Brust ans Herz, das sehr schnell und unregelmäßig
schlägt. Nun wird die linke Schulter ergriffen, und es stellen sich
Zuckungen in den Händen ein. Bei ausgespreizten Fingern schlagen die
Hände heftig auf und nieder oder die Arme stoßen kräftig vor und zurück,
so daß der, der sie halten will, mit fortgerissen wird. Im weiteren Verlauf stellen sich heftige Gliederschmerzen ein, Gesichtsschmerzen im Gebiete des Trigeminus, Augenschmerzen und veitstanzähnliche Gesichts-
zuckungen. Die Kinder weinen sehr leicht. Bei heftigen Erkrankungen
versagen die Beine den Dienst, der Körper wird heftig im Kreuz ge-
schüttelt. Die Hände usw. sind mit kaltem Schweiß bedeckt. Die Krankheit befällt Kinder aus allen Lebenskreisen, starke und schwächliche,
vom 7.—14. Lebensjahr, Mädchen und Knaben. Allerdings bemerke ich,
daß der Anfang bei einem Mädchen (13j.) war.

3. Meinungen. Nach Ansicht des Schularztes ist es eine Form der
Hysterie, die zu irgend welchen Befürchtungen keinen Anlaß gibt, da sie harmlos verlaufe. Die Kinder sollen streng isoliert bleiben, womöglich im Bett,
und die Wohnung erst verlassen, wenn sie wieder vollständig gesundet sind.

Auch in Laienkreisen werden die verschiedensten Meinungen laut, die
vielleicht dem Sachverständigen einen Weg zu seinen Untersuchungen
zeigen könnten. Der Vater des zuerst erkrankten Kindes kam aus
Brasilien (?) und war an Malaria erkrankt. Im Dezember hielten sich
vier Matrosen (Brüder von Erkrankten) hier auf. Es soll die Krankheit
aus den heißen Ländern eingetragen sein!? Ein anderer führt sie auf
Überreizungen der Nerven durch folgende Einrichtung zurück. In jedem
Klassenzimmer ist ein elektrisches Läutewerk, das durch die Uhr selbsttätig den Schluß der Stunde anzeigt. Durch das unerwartete Einsetzen
des furchtbaren Rasselns ist allerdings eine schreckhafte Störung des
Nervenapparats möglich. Ein dritter sucht die Ursache in elektrischen
Strömen, die vom Kreuzungsmast der Telephonleitung, der auf dem Schulgebäude steht, ausgängen.

So sind der Stand der Krankheit und die Ansichten darüber. Für
jede Auskunft und Aufklärung wäre ich jedem dankbar.

4. Literatur: Von der mir bis jetzt über Hysterie und Chorea bei
Schulkindern bekannten Literatur erwähne ich:

1. Die Abhandlungen in dieser Monatsschrift: Monroe, Chorea unter
den Kindern öffentlicher Schulen. Jahrg. III, 5. Heft. — Prof. Dr. Oppen-

---

[1]) Der Unterricht wurde dann wieder begonnen, es mußten aber sofort wieder
Klassen geschlossen werden. Am 27. 3. wird wieder berichtet: Die Erkrankungen
nehmen zu — jetzt über 200. Am ersten Schultag stieg die Zahl der neu Erkrankten
auf 42. Im nahen Zaschendorf sind auch bereits 5 Fälle aufgetreten.   Tr.

heim, Über die ersten Zeichen der Nervosität des Kindesalters. Jahrg. IX,
2. H. — Dr. med. Wiedeburgs Übersetzung von Schularbeit u. Schul-
zucht in ihrer Bedeutung hinsichtlich der Entstehung v. Chorea. VI. Jahrgang, 1. H.

2. Prof. Dr. Binswanger, Über den moralischen Schwachsinn.
S. 22 usw. Berlin, Reuther. — Prof. Dr. Pick, Über einige bedeutsame
Psycho-Neurosen des Kindesalters. Halle a. S., Marhold. — Wanke,
Psychiatrie und Pädagogik. Wiesbaden, Bergmann. — Heller, Grundriß
der Heilpädagogik. Leipzig, Engelmann.

Meißen, 26. II. 1906.　　　　　Lehrer Walther Dix,
　　　　　　　　　　　Vors. d. Abtlg. f. physiol. Psychologie.

Nachschrift der Schriftleitung.

1. Beachtenswert sind die Auffassungen und Maßnahmen der Behörden.
Der Stadtrat, Abteilung für Schulsachen, in Meißen erließ am
24. Februar folgende Bekanntmachung:

»Die mit Zittern verbundene nervöse Erkrankung von Schülern der
II. mittleren und einfachen Bürgerschule an der Dresdner Straße hat in
den letzten Tagen einen größeren Umfang angenommen. Es waren am
21. Februar 134 Schüler und Schülerinnen in den verschiedensten Klassen
erkrankt. Die Schulverwaltung hat daher beschlossen, alle die Klassen
auf 3 Wochen zu schließen, in denen Erkrankungsfälle vorgekommen sind
oder künftig vorkommen. Der Stand der Krankheit gibt zu irgend welchen
Befürchtungen keinen Anlaß, zumal die Krankheit durchaus harmlos verläuft. Wenn sich die Schulverwaltung schon jetzt zum Schlusse der von
der Krankheit betroffenen Klassen entschlossen hat, so geschieht dies
weniger aus dem Grunde, weil sie in der Fortsetzung des Unterrichts
eine besondere Gefährdung der gesunden Kinder erblickt, als vielmehr um
den Versuch· zu machen, durch eine einschneidende Maßnahme einer
weiteren Verbreitung der Krankheit in der Schule selbst, als auch einer
Übertragung der Krankheit auf andere Schulen vorzubeugen. Dieses Ziel
wird indessen nur erreicht werden können, wenn die Schulverwaltung
dabei auf eine verständnisvolle und tatkräftige Unterstützung der Eltern
und Erzieher in der Richtung rechnen kann, daß erkrankte Kinder, soweit
dies nur überhaupt durchführbar ist, streng von anderen Kindern abgeschlossen werden. Es ergeht daher an alle Eltern und Erzieher die
dringende Bitte, dafür zu sorgen, daß erkrankte Kinder nicht mit noch
gesunden Kindern insbesondere auf der Straße und beim Spiele in Berührung kommen, also möglichst im Bett verbleiben und die Wohnung
erst dann verlassen, wenn sie wieder vollständig gesundet sind.

Wir machen dabei darauf aufmerksam, daß mittellosen Eltern armen-
ärztliche Behandlung gewährt wird, und daß erkrankte Kinder, wenn sie
etwa zu Hause die erforderliche Pflege und Beaufsichtigung entbehren
sollten, im städtischen Krankenhause untergebracht werden können.«

Bereits am 28. Februar wurde eine zweite »Bekanntmachung« erlassen:

»Mit Rücksicht auf das Auftreten der Zitterkrankheit in hiesiger II. Bürgerschule an der Dresdner Straße werden folgende Ratschläge zur Behandlung erkrankter Kinder und zur Verhütung des weiteren Umsichgreifens der Krankheit öffentlich bekannt gegeben und deren Befolgung allen beteiligten Kreisen dringend angeraten.

Die Krankheit ist nervöser Natur und durchaus ungefährlich, insbesondere ist die Ursache der Erkrankung nicht im Schulbetriebe selbst oder in der Beschaffenheit der Schulräume und dergleichen zu suchen. Von der Krankheit werden vornehmlich nervös-reizbare oder schwächliche Kinder befallen. Die Krankheit greift um sich durch unwillkürliche Nachahmung, der schwächliche oder nervös-reizbare Kinder eben leichter zum Opfer fallen als vollkräftige und ganz gesunde; auch ist mehrfach beobachtet worden, daß erkrankt gewesene und scheinbar geheilte Kinder nach einem Schreck oder einer sonstigen seelischen Erregung von der Krankheit aufs neue befallen wurden.

Die Krankheit ist in erster Linie durch psychisch wirkende Mittel zu bekämpfen, das heißt durch solche Maßregeln, die auf den Willen der Kinder einwirken. Es empfiehlt sich, erkrankte Kinder mit ruhigem Ernste zu behandeln, ihnen durch Ermahnung zu verweisen, den krankhaften Reizungen nachzugeben, ihnen auch durch entsprechende Maßnahmen die Lust zu benehmen, krank sein zu wollen, und durch all dieses bei ihnen den Willen und die Fähigkeit zu heben, den krankhaften Neigungen Widerstand entgegenzusetzen.

Völlig unrichtig ist es, wenn Eltern und Erzieher den Kindern gegenüber eine schwächliche Empfindsamkeit zur Schau tragen, Besorgnis verraten — wozu gar keine Veranlassung vorliegt — und den Kindern aufgeregte Teilnahmebezeigungen und Mitleid merken lassen. Dies alles fördert nur die Verbreitung der Krankheit aus dem einfachen Grunde, weil hysterische Kinder sich in dem Gedanken gefallen, daß ihr Zustand das Mitleid und Interesse anderer erregt. Auch sind gesunde Kinder von dem Anblicke erkrankter fern zu halten, damit nicht in ihnen die Neigung wachgerufen wird, die Krankheitserscheinungen nachzuahmen. Deshalb ist es weiter unbedingt notwendig, daß erkrankte Kinder, solange die Krankheitserscheinungen auftreten, von den gesunden Kindern abgeschlossen werden, wie wir dies schon oft angeraten haben.

Weiter empfiehlt es sich, den Wunsch der erkrankten Kinder, wieder gesund zu werden, dadurch zu fördern, daß ihnen das Kranksein nicht angenehm gemacht wird — wie dies aus falsch angebrachter Teilnahme geschehen könnte —, daß sie insbesondere, solange sie krank sind, ins Bett gesteckt werden, und wenn sich die krankhaften Erscheinungen verloren haben, angehalten werden, zu Hause tüchtig und ihren Kräften angemessen bei der Arbeit zu helfen usw. Nach überstandener Krankheit sind viel Bewegung in der freien Luft, Bewegungsspiele, also ausgiebige körperliche Betätigung, zeitiges Zubettgehen und sofortiges Verlassen des Bettes nach dem Erwachen anzuraten; vor allem sind also die Kinder durch angemessene Beschäftigung und Ablenkung ihrer Gedanken davor zu bewahren, daß sie üblen Neigungen und törichten Gedanken nachgehen.

Um Mißverständnissen vorzubeugen, soll endlich ausdrücklich darauf hingewiesen werden, daß es durchaus unrichtig wäre, auf die erkrankten Kinder durch harte Maßnahmen, Schläge, heftiges Schelten usw. einzuwirken. Da es sich um eine Erkrankung des Nervensystems handelt, würde eine solche Behandlung statt einer Besserung nur eine Verschlechterung des Leidens herbeiführen.

Meißen, am 26. Februar 1906.

Der Königl. Bezirksarzt.   Der Stadtrat,   Der Schularzt.

Med.-Rat Dr. Erler.   Abteilung für Schulsachen.   Dr. Freih. von Keller.
Niedner.«

2. Wir haben früher über eine ähnliche Erscheinung aus Braunschweig wie die in Meißen berichtet.[1]) Zum Vergleich sei besonders darauf hingewiesen.

3. Die Literatur kennt bereits eine Reihe von derartigen epidemischen Erscheinungen. Ein beachtenswertes Urteil aus sachverständiger Feder sei hier mitgeteilt. Über hysterische Epidemien schreibt Binswanger.[2])

»Die phantastische Sinnesart kann gewissermaßen gezüchtet werden durch unzweckmäßiges Beispiel und Lehre in Schulen, besonders dann, wenn jenes seltsame Gemisch von erotischer und religiöser psychischer Spannung einseitig gepflegt wird. Die hysterischen Epidemien in weltlichen Pensionaten und Klosterschulen, die in der Literatur so zahlreich bekannt gegeben sind, sind die schlagendsten Belege hierfür. Es macht sich hier, wie auch bei den hysterischen Epidemien, die in Krankenhäusern, in Klöstern, in Fabriken, sowie bei gewaltigen religiösen und sozialen Erregungen der Volksseele zum Ausdruck gelangen, außer der gemütlichen Erschütterung das ursächliche Moment der psychischen Infektion in ausgeprägtem Maße geltend. Hier wird sowohl der mächtige Einfluß der Imitation als auch derjenige der Suggestion wirksam. Erstere tritt uns am reinsten in der Übertragung hysterischer, vorwaltend motorischer Krankheitserscheinungen auf andere Personen entgegen. Vor längeren Jahren erkrankten in der hiesigen Klinik drei Wärterinnen bei der Pflege einer choreakranken Patientin nacheinander unter Erscheinungen der hysterischen Chorea. Wir hatten damals einen kleinen Vorgeschmack von der psychisch-infektiösen Kraft des Veitstanzes, welche besonders in den großen Epidemien des Mittelalters (Volks- und Klosterepidemien) in erschreckender Weise zu Tage trat.

Daß auch in jetziger Zeit größere Epidemien hysterischer Chorea vorkommen können, beweisen die Mitteilungen von Wichmann (Deutsche Med. Wochenschr. 1890), welche sich auf 26 Fälle bei Kindern, die ge-

---

[1]) Oppermann, Erkrankung von Schulkindern in Braunschweig. Jahrg. IV. S. 74 ff. und: Nachtrag zu diesem Bericht. IV, S. 103.

Während der Korrektur geht uns ein neuer Bericht von Herrn Stadtschulinspektor Oppermann zu. Wir bringen ihn noch S. 213 mit zum Abdruck.

[2]) Binswanger, Die Hysterie. Wien, Hölder, 1904. S. 66 ff.

meinschaftlich eine Schule besuchten, beziehen. Es handelt sich bei dieser Epidemie um 5 Fälle echter Chorea minor und 21 Fälle von hysterischer Chorea, welche des näheren von Wichmann als Chorea rythmica bezeichnet werden. In einem Falle (Mädchen von 13 Jahren) stellten sich neben zuckenden Bewegungen im rechten Unterschenkel und Schmerzen in der rechten Ferse zwei hystero-konvulsivische Anfälle ein, in welchen das Mädchen mit geballten Fäusten und mit den Füßen um sich schlug und »Mäuse« schrie. Während des zweiten Anfalles, der sich einen Tag später als der erste abspielte, soll das Mädchen gesungen haben. Für beide Anfälle bestand Amnesie. Als disponierende Momente für die Entwicklung dieser Schulepidemie werden von Wichmann angeführt: a) das Alter kurz vor der Pubertätsentwicklung, b) neuropathische erbliche Veranlagung und c) die sozialen Lebensbedingungen der Kinder, welche der wenig bemittelten ja der ärmsten Klasse angehörten und »mit den Bedürfnissen des menschlichen Lebens, zum Teil mit der Not schon früh Bekanntschaft gemacht hatten«. Wichmann verneint die ätiologische Bedeutung der Nachahmung und psychischen Ansteckung, er glaubt vielmehr, daß bei diesen Kindern mit labilem Nervensystem eine Art von langsamen Shock durch den stetigen Anblick und den Verkehr mit choreatischen Kindern entstanden sei. Aus seinen weiteren Ausführungen geht aber hervor, daß hinter dieser Ausdrucksweise dennoch sich das verbirgt, was andere Beobachter eben als Nachahmung und psychische Ansteckung bezeichnet haben. »Es entstanden im Gehirn der Kinder die Vorstellungsbilder der Krämpfe, welche sie sahen, gleichsam auf dem Wege der Autosuggestion, unbewußt. Waren diese Bilder erst einmal perzipiert, so waren sie auch geeignet, als Reiz zu wirken und sich in unwillkürliche Bewegungen der Muskeln zu übertragen.«

Pitres hat über die epidemische Erzeugung der Hysterie sehr bemerkenswerte Ausführungen gegeben, in welchen er u. a. zwei in abgelegenen Gegenden aufgetretene Epidemien, nämlich diejenige von Morzine aus den Jahren 1861—1865 und diejenige von Verzegnis 1878 genauer schildert.

Er führt den Nachweis, daß diese hysterischen Epidemien durch vereinzelte Fälle gewöhnlicher Hysterie erzeugt worden sind. Von der Ansteckung im engeren Sinne, wie dies die älteren Autoren annehmen, kann hierbei natürlich keine Rede sein, vielmehr handelt es sich auch hier in erster Linie um affektive Erregungszustände, welche bei nervös disponierten Individuen durch den Anblick konvulsivischer hysterischer Zustände oder hysterischer Delirien erzeugt werden. Doch ist sicher nicht ausschließlich die emotionelle Spannung bei der weiteren Ausbreitung solcher hysterischer Anfälle ausschlaggebend, sondern es wird, wie schon Hecker und Calmeil hinsichtlich der epidemischen Geistesstörung gezeigt haben, auch durch die Erweckung bestimmter Vorstellungen jener eigenartige, psychische Zustand geschaffen, welcher die Grundlage hysterischer Krankheitsäußerungen ist. Die Einförmigkeit der hysterischen Krankheitsbilder bei solchen Epidemien ist vornehmlich auf die Macht der Imitation und auf die besondere psychische Atmosphäre zurückzuführen, welcher die erkrankten Individuen ausgesetzt waren. Wie im Mittelalter die hysterischen Vorstellungskreise, die monomanischen Ideen sich in den Halluzinationen und Illusionen dieser Kranken widerspiegeln, so finden wir auch heute noch, wenn die Überbleibsel einer nur scheinbar überwundenen religiös-mystischen Denkweise den geeigneten Nährboden finden, ganz die gleichen epidemischen Erkrankungen.[1]) Die Epidemien werden besonders an den Orten auftreten, wo die Bevölkerung von den großen Verkehrsstraßen abgeschlossen, in mittelalterlichen Anschauungen verharrt und den ererbten Aberglauben hartnäckig pflegt.

Auch bei uns in Deutschland sind während der letzten Dezennien, epidemisch auftretende, psychische Volkskrankheiten auf mystisch-religiöser Basis in Gegenden mit einer wenig aufgeklärten Bevölkerung vorgekommen. Wir erinnern nur an die sich an das Wunder von Marpingen anschließenden Anfälle von Hysterie.

Wir stimmen darin mit Pitres überein, daß bei diesen epidemischen Krankheitsfällen in erster Linie die neuropathisch belasteten Individuen der psychischen Infektion ausgesetzt sind, dagegen glauben wir nicht, daß immer die spezielle hysterische Veränderung allen Erkrankten vorher anhaftet. Vielmehr wirken die vorher erwähnten Schädlichkeiten umgestaltend auf die gesamten psychischen Reaktionen widerstandsunfähiger Individuen ein und schaffen so erst die hysterische Veränderung.«

4. Die Frage der psychischen Ansteckung ist für Schulen und Anstalten eine wichtige, nicht bloß dort, wo sie als Epidemie in die Erscheinung tritt. Auch wir möchten darum die Bitte des Herrn Dix um Einsendung von Beobachtungsmaterial und Literaturangaben lebhaft unterstützen.

Wir hoffen dann später unsern Lesern eine monographische Bearbeitung der Frage bieten zu können. Tr.

---

2. Hysterische Zufälle bei Schulkindern.

S. 74 u. 75 unserer Zeitschrift, 4. Jahrgang (1899), wurde über eine Epidemie von hysterischen Zufällen in einer Bürgerschule in Braunschweig berichtet. Da auch an einigen andern Orten ähnliche Krankheitserscheinungen vorgekommen sind, so dürfte manchem Leser der »Kinderfehler« eine ausführlichere Erklärung der Krankheit und eine Angabe über die einschlägige Literatur erwünscht sein.

1. Zur Erklärung der Krankheit. Der Ober-Schularzt in Braunschweig, Herr Sanitätsrat Dr. v. Holwede, hat auf Grund sorgsamster Untersuchungen und Beobachtungen Berichte veröffentlicht im »Neuen Braunschweigischen Schulblatt« 1898, S. 206 ff., und im »Jahrbuch für Kinderheilkunde« (1898) S. 229—234.

---

[1]) Eine sehr anschauliche Darstellung der mit religiösen Vorstellungen durchsetzten Hysterie findet sich in dem bekannten Werke von Zola »Lourdes«.

Einige wichtige Punkte aus letztgenannter Abhandlung stellen wir hier zusammen.

In Braunschweig legten die von den Zufällen betroffenen Kinder, ·nachdem sie kurz zuvor über Kopfschmerz geklagt hatten und ihr Gesicht sich gerötet hatte, den Kopf auf den Schultisch, begannen zu zittern, wurden am ganzen Körper schlaff, sanken unter die Bank und gerieten in einen rausch- oder schlafähnlichen Zustand. Nur bei einigen zeigten sich schwach ausgeprägte klonische Krämpfe.

Man machte bei den so daliegenden Kindern allerlei Versuche, sie aus ihrem Zustand zu erwecken, allein vergeblich. Ein Erwachen erfolgte von selbst meist nach einer halben Stunde. Während des Schlafes waren die Pupillen mittelweit und träger Reaktion. Die Augen standen unter Tränen, die Bindehaut sowie auch das Gesicht waren gerötet. Die Gliedmaßen zuckten oder zitterten. Eine einzige lebhaftere Äußerung auf äußere Reize zeigte sich in Form von Abwehrbewegungen, sobald ein etwas stärkerer Druck auf die Nackenmuskulatur ausgeübt wurde.

Das Erwachen aus diesem traumartigen Zustande erfolgte allmählich. Die Kinder erhoben sich langsam, sahen erstaunt um sich, konnten sich nur langsam auf die Vorgänge besinnen und begannen mit schwankenden Schritten im Zimmer umherzugehen. Nachdem etwas weitere Erholung eingetreten war, sah man sich genötigt, die Kranken mittels Sanitätswagen oder unter Führung anderer Kinder in ihre Wohnung zu schaffen. Die so geleiteten Kinder hatten schlürfenden Gang und klagten über Schmerzen in den Gelenken. Irgendwelche nachteilige Folgen der Anfälle ließen sich nicht feststellen.

Die erkrankten 42 Mädchen standen im Alter von 8—14 Jahren und waren von durchaus verschiedener Körperbeschaffenheit: es waren unter ihnen schwächliche, blutarme und wiederum kräftige, robust gebaute von blühendem Aussehen.

Dr. v. Holwede gibt a. a. O. folgende Erklärung.

Das zuerst erkrankte Kind — auffallender war es durchaus nicht belastet — bekommt aus irgend welcher Ursache, angeblich nach anstrengendem Turnen, jene geschilderten Zufälle. Sofort macht ein zweites, als stark nervös bekanntes Kind unbewußt den Anfall nach, und es folgen nun unwiderstehlich zur Imitation hingerissen andere gleich Veranlagte. Bei dem mangelhaft ausgebildeten Urteilsvermögen der Kinder überhaupt kommt die Kraft des gegebenen Beispiels stark zur Geltung und wirkt wie ein unwiderstehliches Kontagium (Szegö). Die Epidemie ist fertig.

Wie kommen nun aber die Anfälle bei jenen Kindern zu stande, die solche nicht gesehen hatten? Die Konzentration der Aufmerksamkeit auf Vorgänge, die zu jener Zeit die Kinder und deren Eltern auf das lebhafteste beschäftigten, führte zu einer Art Hypnose; die unbewußte Imitation wurde durch Suggestion ersetzt. Daß jene eine unbewußte war, zeigte sich dadurch, daß eine Reihe von Mädchen nicht im stande waren, sich dem Einflusse, den die erste Erkrankung auf sie ausübte, zu entziehen — sie wurden unwiderstehlich zur Nachahmung gezogen.

2. Zur Behandlung. Wie bei andern Epidemien, so liegt auch bei der Bekämpfung der geistigen Seuche der Schwerpunkt der Behandlung in der Prophylaxe: die ersten Fälle müssen in ihrem Wesen schnellstens erkannt und ausgemerzt werden. Von großem Schaden ist das Hineintragen solcher Erkrankungen in die breite Öffentlichkeit durch die Presse. Die deutlich herbeigeführte Beunruhigung der Gemüter teilte sich in erwähntem Falle durch die Eltern den Kindern mit, und, deren Phantasie erregend, setzte sie die Widerstandskraft herab.

Frühzeitiges Erkennen der ersten Fälle, schnelles Entfernen der Erkrankten, länger dauerndes Fernhalten der Erkrankten, tunlichst unauffälliges Gebaren gegenüber der Öffentlichkeit — sind die uns zu gebote stehenden Mittel, um solcherlei Leiden zu beseitigen.

3. Literatur. Außer den genannten Abhandlungen von Sanitätsrat Dr. v. Holwede:

1. Dr. Palmer: Eine psychische Seuche in der obersten Klasse einer Mädchenschule in Biberach. Zentralblatt f. Nervenheilkunde u. Psychiatrie. 1892, Juli-August-Heft.

2. Prof. Dr. Hirt-Breslau: Eine Epidemie von hysterischen Krämpfen in einer Dorfschule. Berliner klinische Wochenschrift. 1892, No. 50.

3. Medizinalrat Dr. Rembold-Stuttgart: Akute psychische Kontagion in einer Mädchenschule. Berliner klinische Wochenschrift. 1893, No. 27.

4. Dr. Szegö: Über die Imitationskrankheiten. Jahrbuch für Kinderheilkunde. 1896. Bd. XLI.

5. Dr. Steiner: Beiträge zur Kenntnis der hysterischen Affektion der Kinder. Jahrbuch für Kinderheilkunde. 1897. Bd. XLIV.

Braunschweig. Schulinspektor E. Oppermann.

---

3. Wirkung von Indianergeschichten?

Der »Täglichen Rundschau« (10. März 1906) wird aus Wien berichtet:

»Der 13jährige Schulknabe Johann E. wohnt bei seinen Eltern in Währing. Bis vor kurzer Zeit zeichnete sich der Knabe durch musterhafte Führung zu Hause und in der Schule aus. Plötzlich ging mit ihm eine Veränderung vor, die bei den Eltern das wahrste Entsetzen hervorrief. Der Junge blieb wiederholt von Hause weg, stahl seinem Vater Geld und Wertsachen; letztere wurden verkauft und der Gesamtertrag mit gleichalterigen Knaben vergeudet. So hätte er es trotz der Bitten und Beschwörungen seiner Eltern fortgetrieben, wenn nicht am 7. März in Simmering seine Verhaftung erfolgt wäre, als er einen Handwagen, den er gestohlen hatte, verkaufen wollte. E. war Mitglied der sogenannten »Indianerplatte«, einer aus sechs Köpfen bestehenden Bande von Schulknaben. Die Jungen hatten untereinander noch keinen Führer gewählt, sondern in einer Besprechung ausgemacht, derjenige, der zuerst ein blutiges Messer bringe, sei ihr »Häuptling«. Diese Abmachung wirkte auf E. geradezu suggestiv. Der Junge legte sich in die Lade seines

Nachtkästchens ein großes Küchenmesser. Es lag stets so, daß er es
sofort erreichen konnte. Und so entsetzlich hatte der Wahnwitz in ihm
Wurzel gefaßt, daß Johann E., um den Ruhm des Häuptlings zu erlangen,
vor ungefähr einer Woche den — eigenen Vater töten wollte, um
mit dem vom Blute des Vaters gefärbten Messer die Würdigkeit zu erlangen. Und wirklich erhob er sich damals um 1 Uhr nachts vom Lager,
faßte leise das große, scharfe Messer und schlich sich zum Bette des
Vaters. Doch Herr E. hatte den Jungen gehört und war zu seinem und
des Knaben Glück erwacht. So wurde das Entsetzliche vereitelt. Johann E.
ist ein für sein Alter ziemlich großer Junge. Er ist ein ausgesprochenes
Opfer der Indianergeschichten; sie waren sein ausschließlicher Lesestoff,
und seine Lieblingsbücher wurden die mit blutrünstigen Bildern ver-
sehenen Geschichten der Abenteuer Buffalo Bills. Durch diesen Lesestoff
wurde seine Einbildungskraft krankhaft aufgeregt. Diesem Lesestoff ist
auch das Entstehen der »Indianerplatte« zu danken. Herr E. wird seinen
unglücklichen, verblendeten Sohn in eine Besserungsanstalt bringen.«

Es läßt sich schwer annehmen, daß die Indianergeschichten auf den
Knaben einen solch schlimmen Einfluß ausgeübt haben würden, wenn die
schlechte Saat nicht auf einen stark pathologischen Boden gefallen wäre.
Eine genauere Nachforschung über das Wesen und die Entwicklung des
Jungen würde aller Wahrscheinlichkeit nach auf pathologische Dinge
stoßen. Es ist sogar nicht ausgeschlossen, daß die ganze »Indianerplatte«
aus krankhaft veranlagten Individuen bestand, da solche Elemente einander
anziehen.

Ob das, was man gewöhnlich unter »Besserungsanstalt« versteht, dem
Knaben wirklich zur Besserung verhilft, ist sehr fraglich.   U.

4. Was wird aus dem Kinde werden?

Über ein empörendes Vorkommnis, das sich in Colmar ereignete,
berichtet die »Els.-Lothr. Volkspartei«. Der 5jährige Knabe Gustav Böhm
lockte ein 4jähriges Mädchen aus dem Hofe des Anwesens Grillenbreit-
straße 39, führte dasselbe dann in den Mittlachweg und stieß das Kind
ohne jeden Anlaß in die dort vorbeifließende ziemlich tiefe Lauch. Der
14 Jahre alte J., welcher der Tat zusah, schrie um Hilfe, und es gelang
den Rebleuten Gebr. Hild, das Kind ans Land zu schaffen. Auf die
gleiche Weise hatte Gustav Böhm im Vorjahre den 4 Jahre alten Knaben
Hirn in den Sinnbach gestoßen und hierdurch dessen Tod durch Ersticken
veranlaßt. Der junge Verbrecher ist ein Sohn des Raubmörders Böhm.

Dazu bemerkt ein konservativ-nationalliberales Blatt: »Solche Bestien
müssen im Interesse der menschlichen Gesellschaft für immer unschädlich
gemacht werden. Oder will man aus schwächlich-sträflicher Humanitäts-
duselei abwarten, bis das junge Scheusal erst noch ein paar Menschen
ums Leben gebracht hat?!«

Wie mag man sich die Unschädlichmachung »für immer« denken? Soll
man es auch ertränken? Oder soll man es zu lebenslänglichem Kerker

verurteilen? Und wer? Der Strafrichter ist nicht zuständig. Der Mörder hat ja noch nicht das strafmündige Alter. Und könnte es tatsächlich vor den Strafrichter kommen, so müßte wegen Unzurechnungsfähigkeit Freisprechung erfolgen. Es bleibt nur Fürsorgeerziehung. Soll die ihm nun täglich und lebenslänglich einschärfen: Du warst ein Mörder und darum bist du in der Zwangserziehung für immer? Soll man bei dem Kinde eines Mörders nicht auch an die Möglichkeit einer Besserung glauben? Wäre es nicht besser, das Kind würde niemals wieder an seine Missetat erinnert? Jede Erinnerung, selbst durch harte Strafe, kann den Antrieb, meistens den unbewußten, oft sogar den zwangsartigen, zu einer Wiederholung wecken.

Wir möchten den Fall gerne weiterverfolgen und richten darum an unsere Leser in Colmar die Bitte, uns Näheres über erbliche Belastung, über körperliche und geistige Beschaffenheit des Kindes, über seine bisherige Entwicklung und erziehliche Behandlung, über das familiäre und sonstige soziale Milieu wie auch über die näheren Ursachen und Umstände, unter denen die verbrecherische Handlung erfolgte, mitzuteilen.

Tr.

5. Die Österreichische Gesellschaft für Kinderforschung.

Die Anregung zur Begründung der Österreichischen Gesellschaft für Kinderforschung erfolgte durch den nachfolgenden Aufruf:

Österreich hat von jeher an allen wissenschaftlichen Bestrebungen regen Anteil genommen. Es ist deshalb befremdend, daß unser Vaterland bis jetzt eine mächtige Bewegung achtlos an sich vorüberziehen läßt, welche eine Neugestaltung der Pädagogik herbeizuführen im Begriffe steht. Die Erwägung, daß eine empirische Wissenschaft vornehmlich auf empirischem Wege behandelt werden müsse, hat eine Reihe hervorragender pädagogischer Denker bewogen, die Phänomene des kindlichen Seelenlebens nach den Methoden der modernen Psychologie zu studieren; die hierdurch herbeigeführten Untersuchungen begründeten eine neue Disziplin, die Kinderforschung oder Pädologie. Wenn die Nachforschungen dieser Wissenschaft schon für die Erkenntnis des normalen Kindes von großer, geradezu grundlegender Bedeutung sind, so trifft dies in erhöhtem Maße zu, insoweit es sich um Erziehung und Unterricht geistig abnormer, blinder, taubstummer und sonst körperlich defekter Kinder handelt. Für diese stellt sie die Gesichtspunkte fest, aus welchen ihre psychische Verfassung beurteilt werden muß, gewinnt sie jene Grundsätze, nach welchen die Entwicklung solcher Kinder zu beeinflussen ist, um sie mit einem größtmöglichen Ausmaß von Leistungsfähigkeit und Selbstbestimmung auszurüsten.

Noch umfassender sind diese Bestrebungen durch die Mitwirkung von Ärzten geworden. Durch den exakten Nachweis der Übelstände, welche die geistige und körperliche Entwicklung der Kinder gefährden, haben die Bestrebungen des Kinderschutzes und der Kinderfürsorge eine wissenschaftliche Grundlage erhalten. Als praktische Erfolge des gemein-

samen Wirkens von Ärzten und Pädagogen ist die Begründung von Hilfsschulen, Landerziehungsheimen, Schulen für nervenkranke Kinder, von
Krüppelasylen und ähnlichen Instituten anzusehen. In naher Beziehung
zur Pädologie stehen die Schulärzte, denen die gesundheitliche Überwachung der Schuljugend obliegt.

Auch der Fürsorge-Erziehung sittlich defekter und bedrohter Kinder
hat die Kinderforschung neue Wege gewiesen. Eine Reform des Straf-
gesetzes in Rücksicht auf die Vergehen und Verbrechen der Jugendlichen
ist längst als notwendig erkannt worden. Es wäre daher die Mitarbeit
juristischer Fachmänner aufs wärmste zu begrüßen, die berufen sind,
das bis jetzt vorliegende Material zu prüfen, neues zu sammeln und die
Ergebnisse dieser Untersuchungen den maßgebenden Körperschaften zur
Verfügung zu stellen.

Der erste internationale Kongreß für Schulhygiene, der im April 1904
in Nürnberg tagte, hat gezeigt, welche wertvollen Ergebnisse das Zusammenwirken aller auf dem Gebiete der Kinderforschung kompetenten
Faktoren zu liefern vermag. Viele wichtige pädologische Themen sind
dort von österreichischen Teilnehmern wirkungsvoll behandelt worden. Es
liegt in dieser Tatsache geradezu eine Verpflichtung, daß in unserem
Vaterlande die große Zahl tüchtiger Pädologen zur gemeinsamen, wohl-
organisierten Tätigkeit vereinigt und der Anschluß an die eingangs dar-
gelegte wissenschaftliche Bewegung herbeigeführt werde.

Zu diesem Zwecke soll in Österreich eine Gesellschaft
für Kinderforschung ins Leben gerufen werden.

In Deutschland besteht seit Jahren eine solche Vereinigung, welche
alljährlich Kongresse abhält, eine eigene Zeitschrift herausgibt und hervorragende Ärzte, Pädagogen und Juristen zu ihren ständigen Mitgliedern und
Mitarbeitern zählt. Amerika und England, sowie die nordischen Länder
besitzen seit längerer Zeit bedeutende Gesellschaften für Kinderforschung,
auch Ungarn ist uns in der Begründung einer solchen vorangegangen.
Diesen Bestrebungen und Veranstaltungen gegenüber dürfen wir in Österreich nicht länger in Untätigkeit verharren. Auch wir wollen uns an dem
Aufbau jener Wissenschaft beteiligen, die unser Liebstes, das Kind, betrifft. Professor Stumpf hat die Kinderpsychologie als die moderne
scientia amabilis bezeichnet, als die Wissenschaft vom Teuersten und
Liebenswürdigsten, was wir auf der Welt haben. Sind auch nicht alle
Gebiete der Kinderforschung so herzerfreuend, so bieten sie doch aus-
nahmslos Probleme von höchstem Interesse, deren Behandlung allen Freunden
der Jugend zu einer Quelle der Belehrung und nachhaltiger Anregung
werden kann

Bei weitgehender Berücksichtigung theoretischer Erwägungen soll
dennoch der Schwerpunkt der Bestrebungen auf die praktische Seite der
Pädologie verlegt werden. In diesem Sinne wird es die wichtigste Aufgabe der österreichischen Gesellschaft für Kinderforschung sein, durch
streng wissenschaftliche Arbeit die Prinzipien zu ermitteln, welche einer
umfassenden Jugendfürsorge in unserem Vaterlande zu Grunde gelegt
werden müssen. Ein tatkräftiges, tüchtiges Geschlecht kann nur aus einer

gesunden, glücklichen Jugend erwachsen. Darin ist die soziale Bedeutung unserer Gesellschaft begründet, und wir hoffen in Ansehung dieses hohen Zieles zuversichtlich auf die Mitwirkung aller österreichischen Forscher, die nach Beruf und Neigung der Kinderforschung nahestehen.

Dr. Theodor Altschul, k. k. Sanitätsrat in Prag.   Dr. Gabriel Anton, kgl. Universitätsprofessor und Vorstand der psychiatrischen Klinik in Halle a. S. Emanuel Bayr, Volksschuldirektor in Wien.   A. Bruhns, Bürgerschullehrer, Fachschulprofessor u. Präsident der Pädagogischen Gesellschaft in Wien.   Dr. Fr. Freiherr von Call, k. k. Oberlandesgerichts-Präsident und Obmann des Jugendfürsorgevereines in Innsbruck, Tirol.   Dr. Theodor Escherich, k. k. Universitätsprofessor, Direktor des St. Annen-Kinderspitales und der Universitäts-Kinderklinik in Wien.   Dr. Hans Groß, k. k. Univertsiätsprofessor in Graz.   Dr. Franz Hamburger, Assistent der k. k. Universitäts-Kinderklinik in Wien.   Eduard Hartmann, Prof. an der k. k. Lehrerinnen-Bildungsanstalt in Wien.   S. Heller, Direktor der Blindenanstalt Hohe Warte in Wien.   Dr. Theodor Heller, Direktor der Erziehungsanstalt, Wien-Grinzing.   Dr. F. Hillebrand, k. k. Universitätsprofessor in Innsbruck.   Dr. M. Hirn, k. k. Landesgerichts-Vizepräsident in Innsbruck.   Dr. A. Höfler, k. k. Universitätsprofessor in Prag.   Dr. F. Hueppe, k. k. Universitätsprofessor und Direktor des hygienischen Universitäts-Institutes in Prag.   Dr. Wilhelm Jerusalem, k. k. Gymnasialprofessor und Privatdozent an der Universität in Wien.   Franz Janisch, k. k. Bezirksrichter und Präsident des Vereines »Kinderschutz« in Friedland (Böhmen).   Dr. Friedrich Jodl, k. k. Universitätsprofessor in Wien.   Dr. Heinrich Jordan, k. k. Hofrat u. Universitätsprofessor in Krakau.   Dr. L. Kellner, k. k. Universitätsprofessor in Czernowitz, Dr. Heinrich Lammasch, k. k. Hofrat und Universitätsprofessor in Wien. Dr. A. Löffler, k. k. Universitätsprofessor in Wien.   Dr. J. Loos, k. k. Universitätsprofessor und Direktor der Universitäts-Kinderklinik in Innsbruck.   Dr. Ernest Mach, k. k. Hofrat und Universitätsprofessor i. P. in Wien.   W. Merkl, Hauptlehrer a. d. Landes-Taubstummenanstalt in Wiener-Neustadt.   Dr. Ernst Mischler, k. k. Universitätsprofessor in Graz.   Dr. M. Pfaundler, k. k. Universitätsprofessor und Direktor der Universitäts-Kinderklinik in Graz.   Dr. Eugen von Philippovich, k. k. Hofrat und Universitätsprofessor, derzeit Rektor der Universität in Wien.   Dr. A. Pick, k. k. Universitätsprofessor und Direktor der psychiatrischen Klinik in Prag.   Dr. Kl. Freiherr von Pirquet, Assistent der k. k. Universitäts-Kinderklinik in Wien.   Dr. Heinrich Reicher, Privatdozent an der Universität in Wien.   Dr. A. Schattenfroh, k. k. Universitätsprofessor und Direktor des hygienischen Universitäts-Institutes in Wien.   Dr. G. Schuster von Bonnott, k. k. Gerichtssekretär unf Referent für Kinderschutz beim Oberlandesgericht in Wien.   Dr. Bernhard Sperk, leitender Arzt des Vereines »Säuglingsschutz« in Wien.   Dr. Karl Stooß, k. k. Universitätsprofessor in Wien.   Dr. K. Twardowski, k. k. Universitätsprofessor in Lemberg.   Dr. R. Wahle, k. k. Universitätsprofessor in Czernowitz.   Dr. Stefan Wittasek, k. k. Universitätsprofessor in Graz.   Dr. A. Zucker, k. k. Hofrat und Universitätsprofessor in Prag.

Die konstituierende Versammlung fand am Samstag, den 3. Februar 1906 um 7 Uhr abends im Saale des Wissenschaftlichen Klubs statt.

Privatdozent Dr. Heinrich Reicher, zum Vorsitzenden gewählt, begrüßte die Versammlung im Namen des engeren vorbereitenden Komitees, welches aus den Herren k. k. Universitätsprofessor und Direktor der Kinderklinik Dr. Theodor Escherich, Privatdozent Dr. Heinrich Reicher, Direktor Dr. Theodor Heller und Assistent der k. k. Universitätskinderklinik Dr. Klemens Freiherr von Pirquet bestand.

Der Vorsitzende führte aus, daß die Kinderforschung in erster Linie ein Hilfsmittel der psychologischen Wissenschaft ist, welche das Studium des Kindes betreibt, um das Kind zu kennen und die psychischen Gesetze zu ermitteln, daß aber das Studium des Kindes neben diesem rein gelehrten Interesse auch noch ein anderes praktisches Interesse berührt, indem die Kunde des Kindes zur selbständigen Grundlage der Tätigkeit aller jener werden muß, welchen leibliches, geistiges und seelisches Wohl der Jugend anvertraut ist.

Die Pädagogik in Haus und Schule, die Psychiatrie und die Pädiatrie, der Vormundschafts- und der Strafrichter, sowohl die private als auch die öffentliche Fürsorge für die Jugend haben ein Interesse an der Kinderforschung. Nur so können sie der Eigenart des Kindes gerecht werden und wissen, wie eine Erscheinung im Leben des Kindes zu deuten, von welchen Bedingungen sie abhängig ist und unter welchen Bedingungen ein Zustand sich fördern, hemmen oder beseitigen läßt. Unter den Folgen des mangelhaften Verständnisses leiden unendlich viele Kinder. Die Gesellschaft für Kinderforschung will nun weiten Kreisen die Anregung und Anleitung für eine richtige Behandlung des Kindes geben. Da die Erziehung des Kindes eine Erziehung der ganzen Persönlichkeit sein muß, so soll auch die Aufgabe, welche sich die Gesellschaft für Kinderforschung stellt, Körper und Seele des Kindes, wie die gesamte Erziehung und Fürsorge der Jugend in gesunden und kranken Tagen umfassen. Damit ist ein Boden zur Vereinigung aller Forscher, die auf diesem Gebiete tätig sind, zu planmäßiger, zielbewußter Arbeit geschaffen. Es gibt aber eine große Zahl von pädologischen Problemen, die von vielseitigem Interesse sind und zu deren Beurteilung eine gewisse Einheitlichkeit in hohem Grade erwünscht ist.

Die Gesellschaft, deren Begründung heute stattfinden soll, wird die Aufgabe zu erfüllen haben, der Kinderforschung in Österreich eine Heimstätte zu bieten, dem Kinderschutz und der Jugendfürsorge eine wissenschaftliche Grundlage zu schaffen. In den Sitzungen der Gesellschaft sollen Themen behandelt werden, welche die verschiedenen Gebiete der Kinderforschung betreffen. In erster Linie erhoffen wir anregende, neue Gesichtspunkte bietende Vorträge, die sich noch fruchtbarer gestalten werden durch Debatten, welche denselben folgen werden. Damit die auf diese Weise gewonnenen Beiträge zur Kinderforschung der Öffentlichkeit zugänglich werden, ist die Herausgabe einer Vereinsschrift bei entsprechendem Stande des Vereinsvermögens ins Auge gefaßt. Das bedingt einen hohen Mitgliederbestand. Das allseitige Interesse, das die Fragen der Kindheit finden, läßt hoffen, daß sich zahlreiche Mitglieder zum Beitritt zur Gesellschaft bereit finden werden.

Der Vorsitzende führt einige Themen beispielsweise an, die sich für Vorträge in der Gesellschaft für Kinderforschung eignen würden. Für die Erziehung des normalen Kindes in Familie und Schule würden sich Vorträge empfehlen: Pädagogik und Psychologie. Die Willenserziehung des Kindes in Schule und im Elternhaus. Die sittliche Bildung des Kindes. Über Jugendlektüre. Über moderne Mädchenerziehung. Über körperliche Erziehung. Über Veranlagung der Kinder und deren Berücksichtigung bei Erziehung und Unterricht. Die Frage der sexuellen Aufklärung.

Für das Schulkind kämen folgende Vorträge in Betracht: Die Kurzsichtigkeit in der Schule. Hörschärfe des Kindes. Skoliose und Schule. Der Schularzt. Über moderne Schulhygiene.

Das weitere Fortkommen des schulentlassenen Kindes berührend wären anzuführen: Der Handfertigkeitsunterricht und dessen Bedeutung für die Volkserziehung. Der Schutz der kindlichen Arbeitskraft. Die Berufswahl des Kindes und die Fürsorge für die schulentlassene Jugend.

Vortragsthemen, welche das abnorme Kind berühren: Die sprachliche Entwicklung und deren Anomalien. Über den Unterricht und die Erziehung blinder und sehschwacher Kinder. Über den Unterricht und die Erziehung taubstummer und schwerhöriger Kinder. Über die Erziehung nervöser Kinder. Über die Erziehung schwachsinniger Kinder. Die Fürsorge für körperliche, defekte und epileptische Kinder.

Auf die mißhandelten und vernachlässigten Kinder bezöge sich ein Vortrag über Erziehungsrechte und Erziehungspflichten der Eltern. Der Schutz gegen den Mißbrauch der elterlichen Rechte und die Vernachlässigung der elterlichen Pflichten durch den Staat. Die Verwahrlosung und ihre Ursachen. Über Fürsorgeerziehung. Medizinische Beiträge zur Frage der Fürsorgeerziehung.

Der Ersatz des Familienschutzes für das Waisenkind und das uneheliche Kind regt zu einem Vortrage über die Organisation der Vormundschaft an.

Für das gemeindearme Kind käme ein Vortrag: Über die Armenerziehung in den Gemeinden; für das Findelkind ein Vortrag über das Findelwesen in Österreich und anschließend hieran ein Vortrag betreffend die Zieh- und Haltekinder in Betracht.

Für das kranke Kind wird außer vielen andern Vorträgen über Spitalsambulatorische und häusliche Behandlung auch die Erörterung der Frage: Wirken die Kinderkrankheiten im Sinne einer Auslese? sowie Tuberkulose und Kind, von Interesse sein.

Für den Kriminalisten kommt in Betracht das Kind als Verbrecher und das Kind als Zeuge. Über das Kind als Verbrecher könnte ein Vortrag über die Strafmündigkeit, über das Kind als Zeuge, ein Vortrag zur Psychologie der Kinderaussage vom Standpunkte der Kinderforschung wertvolle Beiträge liefern.

Weite Perspektiven eröffnen sich auf dem Gebiete der Kinderforschung: Probleme der Pädagogik und Psychologie, der Psychiatrie und Pädiatrie, aber auch Aufgaben, welche der Rechtsfortbildung und der Rechtsanwendung, der sozialen Hilfstätigkeit und der Verwaltungstätigkeit gestellt sind, lassen sich im Rahmen der Kinderforschung behandeln. Die Hauptsache ist nur, daß sich die Kräfte finden, welche den Rahmen dieser möglichen Vorträge mit einem tatsächlichen Inhalte ausfüllen und die Vorträge und Referate übernehmen.

Von der Gesellschaft für Kinderforschung erhofft Redner, daß sie die Kunde des Kindes in weiten Kreisen verbreitet, das Interesse und die öffentliche Meinung in dieser Beziehung anregt, und damit einen Wandel zum Bessern herbeiführt.

Die Arbeit der Gesellschaft will sich den gemeinsamen Bestrebungen der Kinderforschung eingliedern und will in den Besitz der betreffenden Publikationen auf dem Wege des Austausches gelangen.

Von dem Stande der diesfälligen Bestrebungen, wie von dem Stande des Kinderschutzes und der Jugendfürsorge in Österreich sollen die Mitglieder der Gesellschaft durch die Vereinszeitschrift fortlaufend in Kenntnis erhalten werden.

Berichte der Vereine, Anstalten und Verwaltungen, soweit sie für die Gesellschaft und ihre Zwecke in Betracht kommen, sollen in der Vereinszeitschrift daher berücksichtigt werden. Die Gesellschaft ist eine österreichische Gesellschaft für Kinderforschung, welche ihre Mitarbeiter in allen Teilen des Reiches willkommen heißt und Aufklärung und Verständnis für die Fragen der Kindheit im ganzen Reiche verbreiten will.

Redner richtet schließlich an die Anwesenden die Bitte, Mitarbeiter und Mitglieder der Gesellschaft zu werden und für die Ideen der Gesellschaft Anhang zu werben und derselben neue Freunde zu gewinnen.

Nur durch das Zusammenwirken vieler, die einig sind in dem Bestreben, unsere heranwachsende Generation zu fördern, wird die Gesellschaft ihre im Interesse der Allgemeinheit liegenden Aufgaben wirkungsvoll erfüllen können.

Die Ausführungen des Redners wurden von der zahlreichen Versammlung, in der sich Vertreter des Unterrichtsministeriums, der Landesschulbehörde, der österreichischen Gesellschaft für Gesundheitspflege, des internationalen Komitees für Schulhygiene, namhafte Universitätsprofessoren, Ärzte, Pädagogen und Juristen befanden, sehr beifällig aufgenommen. In den Vorstand der Gesellschaft wurden gewählt die Herren Privatdozent Dr. Heinrich Reicher als Präsident, die Universitätsprofessoren Dr. Theodor Escherich und Dr. Friedrich Jodl als Vizepräsidenten, Direktor Dr. Theodor Heller und Universitäts-Assistent Dr. Klemens Freiherr von Pirquet als Schriftführer. Der Jahresbeitrag wurde auf 2 K. festgesetzt, um allen jenen, die der Kinderforschung nahestehen, den Beitritt zu ermöglichen.

Wien-Grinzing.   Dr. Theodor Heller.

6. Ausbildungskursus in der Kinderfürsorge.

Wie früher veranstaltet die Zentrale für private Fürsorge zu Frankfurt a/M. auch heuer vom 23. April bis 5. Mai einen Ausbildungskursus in der Kinderfürsorge. Zur sachgemäßen Ausbildung von freiwilligen und besoldeten Hilfskräften in Fragen der Organisation und Technik moderner Kinderfürsorge werden die wichtigsten Anstalten besucht, woran sich erläuternde Vorträge von hervorragenden Fachleuten anschließen. Zur Verhandlung kommt diesmal das Gebiet der Säuglingsfürsorge, des Vormundschaftswesens und der Sorge für gefährdete, verwahrloste und schwach-befähigte Kinder. Sowohl die ärztlichen Maßnahmen zur Bekämpfung der Säuglingssterblichkeit, wie die Aufgaben der Berufsvormundschaft zur Besserung der Lage der unehelichen Kinder, deren Rechtsschutz und Berufsausbildung werden eingehend untersucht. Aus dem Gebiete des Kampfes gegen Verwahrlosung und Verbrechen Jugendlicher seien als Verhandlungsthemen hier nur erwähnt: Erziehungsverfahren nach dem B. G.-B. und Armengesetzgebung, Vormundschaft und Zwangserziehung, Mitwirkung von Gemeindewaisenrat und Schule, Beobachtungsstation für Zwangszöglinge, deren Unterbringung in Familienpflege, Fürsorge für jugendliche Gefangene. Im Zusammenhang damit wird dann die Erziehung geistig und sittlich Minderwertiger in Hilfsschulen und Arbeitslehrkolonien, erörtert. Das reichhaltige Programm verspricht für die Teilnehmer, die sich wie in früheren Jahren aus Mitgliedern der öffentlichen und privaten Fürsorge zusammensetzen werden, mannigfaltige Anregung.

Eine Programmschrift »Ausbildungskurse in der Fürsorgearbeit 1904«, die gegen Einsendung von 80 Pf. von der Geschäftsstelle der Zentrale, Börstenstraße 20 I, zu beziehen ist, gibt nähere Auskunft über die Einrichtung dieser Kurse. Das ausführliche Programm wird jedem Interessenten auf Verlangen zugesandt. Anmeldungen sind bis spätestens 10. April d. J. an die obige Geschäftsstelle zu richten.   U.

7. Vereinigung für Kinderforschung in Mannheim.

Im Wintersemester 1905/6 wurden bis jetzt folgende Vorträge gehalten:

Dr. Moses: Über die Abartungen des kindlichen Phantasielebens,
Hauptlehrer Lacroix: Kinderpsychologisches bei Gottfried Keller.
Dr. med. Oskar Katz: Die deutschen Landerziehungsheime.
Oberlehrer Berg: Die Jugendspielbewegung.

8. Gesellschaft für experimentelle Psychologie.

Der diesjährige Kongreß dieser Gesellschaft findet am 18.—21. April in Würzburg statt. Referate werden erstatten: F. Krüger über die Beziehungen zwischen experimenteller Phonetik u. Psychologie. — O. Külpe über den gegenwärtigen Stand der experimentellen Ästhetik. — F. Schumann über die Psychologie des Lesens. — R. Sommer über Psychiatrie und Individualpsychologie.

Die Mitglieder der Gesellschaft sowie diejenigen, die bereits zu dem vorigen Kongresse eine Einladung erhalten haben, gelten ohne weiteres als eingeladen. Für die Mitglieder der Gesellschaft ist die Teilnahme unentgeltlich, die von den übrigen Teilnehmern zu entrichtende Gebühr ist auf 10 M festgesetzt.

Anmeldungen betreffend Teilnahme, Vorträge u. dergl. sind an den Vorsitzenden des Lokalkomites, Herrn Prof. Dr. O. Külpe zu Würzburg, Sanderglacisstraße 1 zu richten.

9. Die 6. Generalversammlung des Landesvereins Preussischer Volksschullehrerinnen

wird in den Osterferien dieses Jahres vom 8.—12. April in Altona tagen. Volksschullehrerinnen aus allen Provinzen sind bereits angemeldet.

»Die Ausbildung der Volksschullehrerinnen« und »Die Kunst dem Volke« werden in den öffentlichen Versammlungen Gegenstand der Verhandlungen sein. Nach Erledigung der Tagesordnung wird die Wirtschaftliche Hilfskasse des Landesvereins ihre Generalversammlung haben und eine Versammlung abstinenter Lehrerinnen stattfinden.

C. Literatur. [1]

An **Druckerzeugnissen** gingen ein:

Reicher, Dr. Heinr., Die Fürsorge für die verwahrloste Jugend. II. Teil. Pflegschaftsschutz und Besserungsanstalt in Österreich. Wien, Manzsche Buchhandlung, 1906. IV u. 496 S.

Pfeiffer, Dr. Emil, Geh. Sanitätsrat, Verhandlungen der XXII. Versammlung der Gesellschaft für Kinderheilkunde und der Abteilung für Kinderheilkunde der 77. Versammlung der Gesellschaft deutscher Naturforscher und Ärzte in Meran 1905. Wiesbaden, Bergmann, 1906. XVI u. 305 S.

Griesbach, Prof. Dr. med. et phil., Schule und Gesundheit. Separat-Abdruck aus »Der Arzt als Erzieher«. 1906, Heft 1.

Ellies, A. Caswell. associate Professor of Education, School Buildings. Bulletin of the University of Texas. General-Series, No. 13. 1905.

Derselbe, Educational Psychology, Reprinted from the Teachers College Record. Vol. vi. No. 1. Jan. 1905.

Derselbe, A Study of the Accuracy of the Present Methods of Testing Fatigue. Reprinted from the Commemorative Number of the American Journal of Psychology. Vol. XIV, pp. 232—245, July-Septbr., 1903.

»Die Deutsche Schule.« Im Auftrage des Deutschen Lehrervereins herausgeg. von Robert Rißmann. Monatsschrift. Jahrgang X, Heft 2. Leipzig und Berlin, Julius Klinkhardt. Inhalt:

Gesundheitspflege in ausländischen und deutschen Schulen, auf Grund eigner Beobachtungen. Dargestellt von Direktor Dr. A. Pabst, Leipzig. — Zur Bereicherung unserer Arbeit. Von H. Scharrelmann in Bremen. — Rehmkes Lehre vom Willen. Von Fritz Lauterbach in Weißwasser O./L. — Umschau. — Ansichten und Mitteilungen: An die Mitglieder und Freunde des Deutschen Lehrervereins. — Lehrerbildung und Seminarbesuch. — Großbetrieb. — Notizen: Zur Frage der Pädagogischen Akademie. — Englischer Lehrerbund. — Kurze Hinweise. — Personalien. — Literaturberichte: Religion. — Naturgeschichte. — Literarische Mitteilungen. — Zeitschriften.

[1]) Wegen nachträglicher Einschaltung der Mitteilung S. 213—215 mußte der Literaturbericht für das nächste Heft zurückgestellt werden.

Druck von Hermann Beyer & Söhne (Beyer & Mann) in Langensalza.

A. Abhandlungen.

1. Die Psychologie der Aussage in ihrer pädagogischen Bedeutung.

Von

Mittelschul-Rektor **H. Großer** in Breslau.

(Schluß.)

d) Altersfortschritt und geistige Entwicklung.

In der Praxis des Schulunterrichts geht man fast allgemein von der Ansicht aus, daß die geistige Entwicklung im Durchschnitt gleichmäßig mit dem Alter fortschreitet. Darum ist man bei Aufstellung von Lehrplänen bemüht, den Stoffumfang und die Schwierigkeiten gleichmäßig anwachsen zu lassen. Darum läßt man die Zahl der Unterrichtsstunden bis zur Erreichung der Höchstzahl allmählich zunehmen. Dieser Grundsatz ist aber nicht unbestritten. In mehrklassigen Schulen — ganz gleich ob Volks- oder höhere Schulen — gelten gewisse Altersstufen als besonders schwierig, bei Mädchen das 4. und 5., bei Knaben das 7. und 8. Schuljahr (Tertianer). Untersuchungen, die man bezüglich kleinerer Zeiträume angestellt hat, zeigen eine Periodizität des geistigen Lebens, einen Wechsel zwischen energischer Betätigung und Ruhe, Energieabgabe und -aufnahme. Es fragt sich, ob dies auch für längere Zeiträume gilt. Die STERNschen Untersuchungen sprechen dafür. Sie zeigen eine ganz »deutliche Diskontinuität der geistigen Entwicklung« und zwar verschieden für Knaben und Mädchen.

Es zeigt sich dies sowohl im Wissen, d. i. der Summe aller im Bericht und im Verhör gemachten Angaben als auch in der Treue, d. i. in dem Prozentsatze der richtigen Angaben.

Tabelle I.

Es betrug durchschnittlich pro Schüler	das Wissen überhaupt	davon im spontanen Berichte	die Treue überhaupt %/₀	Treue bei den Suggestiv-fragen %/₀
1. Bei Mädchen der Unterstufe (7 J.) .	71,9	11,9	67¹/₂	49
2. „ „ „ Mittelstufe (10,2 J.)	74,6	13,6	63	51
3. „ „ „ Oberstufe (14,7 J.) .	90,8	29,2	82	82
Durchschnitt der Mädchen	79,0	18,2	71,8	61
1. Bei Knaben der Unterstufe (7,3 J.) .	80,7	14,3	68	51
2. „ „ „ Mittelstufe (11 J.) .	90,2	25,8	78	72
3. „ „ „ Oberstufe (13,7 J.) .	88,3	29,7	80	81
Durchschnitt der Knaben	86,4	23,3	75,3	68
1. Präparanden (15³/₄ J.)	84,8	27,3	81	94
2. Seminaristen (18³/₄ J.)	88,0	36,9	82	85¹/₂
Durchschnitt der jungen Leute . .	86,4	32,1	81¹/₂	90

Bei den Mädchen nimmt der Umfang des Wissens vom 7. bis 10. Jahre nur um ein Geringes zu, während die Treue sogar zurückgeht. In der Zeit vom 10.—15. Jahre dagegen nimmt beides ganz außerordentlich zu. Die Knaben entwickeln sich rasch im Alter von 7,3 bis 11 Jahren, um dann verhältnismäßig langsam zuzunehmen.

Die Erklärung für diese Erscheinung liegt nahe. »Fällt doch in diese Altersperiode ein Vorgang, der zwar zunächst physischer Natur ist, der aber, wie schon längst bekannt, mit ungeheuren Wandlungen auch des psychischen Lebens verbunden ist: die Pubertät.« »Daß die Pubertät eine Periode rapiden Fortschritts ist, weiß man ja; dennoch ist es überraschend, mit welcher Stärke sich dieser Fortschritt auch an psychischen Funktionen bekundet, die mit dem Sexualleben in gar keiner näheren Beziehung stehen, am Grade der Merkfähigkeit, an der Widerstandsfähigkeit gegen Suggestion, an der Spontaneität des Wissens. Daß die Periode starken Fortschritts, die unsere Versuche zeigen, mit der Pubertät zusammenhängt, beweist in einer jeden Zweifel ausschließenden Weise ihre Zeitlage und vor allem ihre verschiedene Zeitlage bei Knaben und Mädchen; fällt sie doch bei den männlichen Individuen in die Zeit zwischen 14 und 18 Jahren, bei den weiblichen dagegen, entsprechend der früheren Geschlechtsreifung in die Zeit zwischen 10 und 15 Jahren« (STERN).

Die Diskontinuität der kindlichen Entwicklung wird man auf Grund der STERNschen Untersuchungen ebenso anerkennen wie die vorstehende Erklärung. Daraus erwachsen aber der Pädagogik ganz überraschende Ausblicke. Nicht eine gleichmäßige Steigerung der Unterrichtsleistungen nach Umfang und Schwierigkeit kann bei Aufstellung eines Lehrplans fernerhin Prinzip sein, sondern eine Steigerung, die dem Tempo der kindlichen Entwicklung genau folgt, und ganz dasselbe muß gelten für Unterrichtszeit und -methode und Bemessung der Fehler. Bei diesen Ausblicken müssen wir uns aber vorläufig beruhigen; denn für die Verwirklichung in der Praxis brauchen wir mehr: genaue zahlenmäßige Feststellung des Verhältnisses der verschiedenen Epochen. Solche können nur durch ganz umfangreiche Untersuchungen gefunden werden. Vorläufig aber stehen die STERNschen Ergebnisse noch allein.

In dem kürzlich erschienenen Werke von KERSCHENSTEINER: »Die Entwicklung der zeichnerischen Begabung«,[1] welches auf Grund eines Materials von 300 000 Kinderzeichnungen abgefaßt worden ist, läßt sich zwar auch vielfach eine Diskontinuität der Entwicklung erkennen; man kann auch oft dieselben Entwicklungsstufen unterscheiden. Aber es gibt auch viele Fälle, wo die Knaben von 11 bis 14 Jahren schneller fortschreiten als von 7—10 Jahren, und gar nicht zu vergleichen sind die gewonnenen Zahlen. In der Hauptsache kommt dies wohl daher, daß ganz verschiedene Aufgaben gestellt wurden, denen gegenüber sich die verschiedenen Altersstufen verschieden verhalten. Auf jeden Fall aber beweist die Tatsache, daß jetzt schon Schulaufsichtsbeamte, die gewiß keine Zeit haben, dürren Theorien nachzuforschen, an so mühevolle Untersuchungen bezüglich der geistigen Entwicklung gehen, wie außerordentlich wichtig für die Schule das Problem ist, das STERN durch seine Untersuchungen zwar nicht aufgestellt, wohl aber der Lösung ein ganzes Stück entgegengeführt hat.

Eine zweite landläufige Meinung geht dahin, daß das Kind ein Erwachsener im kleinen ist, wenigstens steht unser Unterricht noch stark unter dem Einflusse dieser Anschauung. Wenn COMENIUS für seine Mutterschule die Anfänge fast aller der Fächer vorschreibt, die er für die oberen Klassen wünscht, wenn wir ängstlich darauf halten, daß schon vom ersten Schuljahre an Katechismus, Kirchenlied, Erdkunde usw., wenn nicht als selbständige Fächer, so doch in Verbindung mit andern getrieben werden, wenn man als geeignete Lek-

---

[1] München, Karl Gerber. 12 M.

15*

türe für Kinder nur das zulassen will, was auch für den Erwachsenen gut ist, betrachtet man das Kind als einen Mann im kleinen, der alle Eigenschaften, Fähigkeiten und Kräfte des Mannes in geringem Grade schon besitzt.

Die STERNschen Untersuchungen wie auch zahlreiche andere neuere Beobachtungen erklären diese Ansicht für falsch. **Die menschliche Entwicklung ist eine Additiv- und keine Proportionalentwicklung.** »Bekanntlich waren in den Aussagen viele Kategorien: Personen, Sachen, Handlungen, Merkmale usw. enthalten. Der Entwicklungsprozeß verläuft nun nicht etwa so, daß bei den Kleinen von jeder Kategorie wenige Elemente, bei den größeren Schülern von jeder Kategorie viele zur Nennung kommen, sondern so, daß bei den Kleinen nur wenige Kategorien, bei den großen viele vertreten sind. Die Kategorien treten deutlich hintereinander auf, und es zeigt sich, daß, »wenn sie sich überhaupt einstellen, sie meist wie Minerva aus dem Haupte des Zeus entspringen, d. h. in ziemlicher Vollständigkeit auftreten und in sich keine große Entwicklung mehr zeigen« (STERN).

Die 7jährigen Kinder nannten spontan nur Personen und Sachen und zwar gleich in ziemlicher Fülle, aber in unverknüpfter Reihe. Das Verhör zeigte, daß sie auch zu Angaben über Eigenschaften, Tätigkeiten und Relationen fähig waren; aber spontan dachten sie nicht daran. (Substanzstadium.) Unter diesen Elementen interessierten die Personen mehr als die Sachen.

»Die Mädchen-Mittelklasse zeigte ein konzentriertes Interesse für das Tun der Personen. Sie zeigte das Aktionsstadium in voller Reinheit. Für sie war das Bild nur die Darstellung einer menschlichen Handlung.« Bei den Knaben muß diese Stufe zwischen Unter- und Mittelstufe liegen.

Auf der 3., der Qualitäts- und Relationsstufe, erscheinen die Raum- und Zahlenangaben, die Angaben von Farben und andern Merkmalen. »Bei den Knaben zeigt schon die Mittelklasse, bei den Mädchen erst die Oberklasse diese Etappe. Die Angaben von Qualitäten (Farben und Merkmale) kommen am spätesten; erst bei den Seminaristen erreichen sie einen größeren Umfang.«

Das ist merkwürdig. Gerade die Farben sind auf dem benutzten Bilde so grell, daß man sie an erster Stelle erwarten müßte. Aber nicht die größere oder geringere Lebhaftigkeit des Sinneseindruckes entscheidet über die Auswahl der aufzunehmenden Eindrücke, sondern das Intersse, das sich wieder richtet nach dem persönlich-praktischen Werte. Der Wille also ist es, der sich die Vorstellungswelt erbaut, die ihn dann rückwirkend leitet, nicht umgekehrt. Für die Kinder haben aber Personen den größten Wert, bei Erwachsenen (Soldatenversuche) treten sie vielfach hinter die Sachen zurück. Die Tätigkeiten der Personen wieder haben mehr Wert als Qualitäten und Relationen.

Wären alle diese Ergebnisse allgemeine Wahrheiten und nicht Sätze, die aufgestellt worden sind auf der schmalen Unterlage von Aussagen, die 35 Schulkinder und 12 junge Leute über ein einziges Thema, ein einfaches Bild, gemacht haben, so könnte man frischweg eine Menge von wichtigen pädagogischen Fragen der Lösung naheführen. Für die Frage der Stoffauswahl für die einzelnen Stufen wäre in obigen Kategorien ein fester Anhalt geschaffen. Man würde nicht mehr im Zweifel sein, wovon der erste Anschauungsunterricht und die Fibel auszugeben haben (von Personen). Man würde bei Personen und Tieren . zuerst nur angeben, was sie tun, aber Beschreibungen nach Form und Farbe, nach der gegenseitigen Lage und Stellung unterlassen. Überflüssige Zeit würde man trotzdem nicht haben, wenn man sich entschließen wollte, die Personen und Sachen, wenn nicht plastisch nachbilden, so doch wenigstens zeichnen zu lassen. Das wäre Selbsttätigkeit und Selbständigkeit in den Grenzen des kindlichen Könnens. Man würde es nicht mehr tadeln, wenn die Fibel nicht gleich zu zusammenhängenden Sätzen kommt; die befragten Kinder der Unterstufe gaben ihren spontanen Bericht auch nicht in dieser Weise. Wir hätten einen Anhalt, wie das Lesebuch für die einzelnen Stufen beschaffen sein müßte, wir würden als erste Aufsatzübungen (Mittelstufe) schreiben lassen, was die Schüler selbst, was Vater, Mutter, die Geschwister, bekannte Personen, einzelne Haustiere zu gewissen Zeiten tun, und nicht, wie der Federhalter beschaffen ist, oder wie es in irgend einem Teile unseres Vaterlandes aussieht, das letztere schon deshalb nicht, weil wir Erdkunde auf die Relationsstufe verweisen würden, die bei Mädchen im Alter von 10 Jahren noch nicht erreicht ist. Der merkwürdige Vorschlag, den Unterricht, entsprechend der Entwicklung unserer Erde, mit Naturbeschreibung beginnen zu lassen und den Menschen als das jüngere Geschöpf (mit Religion, Geschichte usw.) erst am Schlusse auftreten zu lassen, würde dann sofort unter den Tisch fallen, vielleicht gar nicht erst gemacht worden sein.

Das alles können wir nicht, dazu ist der Versuch nicht beweiskräftig genug. Wenn aber ohnedies aus der pädagogischen Praxis heraus Reformen vorgeschlagen werden, die sich in der vorgenannten Richtung bewegen, wird man zur Unterstützung wohl auf die Ergebnisse des Aussagestudiums zurückgreifen dürfen, und wenn in einer Frage Schulmeinung gegen Schulmeinung steht, wird man erwarten dürfen, daß sie dem Unentschiedenen, dem Schwankenden die Entscheidung erleichtern werden. Darin aber werden alle einverstanden sein, daß es wünschenswert ist, derartige Forschungen weiterzuführen, und dazu kann das Interesse der Lehrer viel beitragen.

e) Die Geschlechter.

In neuerer Zeit ist die Frage nach den typischen Unterschieden zwischen Mann und Frau sehr oft und — sehr verschieden beantwortet worden. Allzuinnig ist das Problem mit der Frauenfrage verknüpft, die für viele so sehr eine Herzens- und Gewissensfrage geworden ist, daß für sie nüchterne, objektive Beobachtungen beweislos sind. Anatomen und Nervenärzte sind auf Grund ihrer Untersuchungen geneigt, die Frau überall dort für minderwertig zu erklären, wo es sich um höhere geistige Leistungen handelt, ideal gesinnte Pädagogen und Führerinnen der Frauenbewegung leugnen zumeist einen wesentlichen Unterschied in den Geisteskräften; die vorhandenen Abweichungen sind ihnen Folgen einer durch die Jahrhunderte fortgesetzten verkehrten Behandlung des Weibes, die schwinden müssen, sobald sich die Behandlung ändert. Eine dritte Richtung erklärt: Die Geisteskräfte von Mann und Frau sind verschieden, aber gleichwertig. Alle drei Anschauungen aber haben ein wesentliches Interesse, die Unterschiede im einzelnen kennen zu lernen, wenn auch nur in der Hoffnung, damit ihren einmal eingenommenen Standpunkt verteidigen zu können.

Dazu kommen neuerdings sehr wichtige praktische Gründe. Sollen die Mädchen, welche die Reife zum Universitätsstudium erstreben, auf den Bildungsgang der Knaben verwiesen werden, oder soll man einen eigenen, der weiblichen Natur entsprechenden Weg eröffnen? Soll man Knaben und Mädchen gemeinsam oder getrennt unterrichten? Für die Beantwortung dieser Fragen ist die Kenntnis der Unterschiede unbedingtes Erfordernis, und man wird, wie man sich auch zu obigen Fragen stellen mag, denen Dank wissen, welche sich an die Bearbeitung dieser Aufgabe gemacht haben.

Die Hauptunterschiede in der Aussageleistung hat STERN in folgender Tabelle zusammengestellt: [1]

---

[1] Beiträge zur Ps. d. A. 1. Folge. 3. Heft. S. 102.

Tabelle II.

	Knabenleistungen in Prozenten der entsprechenden Mädchenleistungen		
	Wissen %	Treue %	Spontaneität %
Gesamtaussage	120	105	
Teile der Gesamtausgabe { Bericht .	121	99	109
Verhör .	113	109	
Teile des Verhörs { Suggestivfragen . . .	106	111	
Farbenfragen	124	112	
Übrige (Normal-)Fragen	108	104	

»Die Tabelle zeigt — mit einer Ausnahme — lauter Werte über 100, die Knabenleistungen übertreffen also in den Gesamt- durchschnitten fast durchweg die der Mädchen« (Stern). Das ist aber noch nicht entscheidend. Es fragt sich, welche Leistungen die wertvollsten sind.

Die Treue im Bericht, bei der die Mädchen ein wenig im Vorteil sind, hat die Eigentümlichkeit, daß sie mit steigendem Alter nicht zunimmt. Die siebenjährigen Knaben und Mädchen machten 6 % Fehler und etwa ebenso viel auch die Seminaristen, Soldaten und Studenten. Sie verbessert sich auch nicht durch Belehrung. Bei R. Oppenheim wurden im 1. und 3. Versuch 5 % Fehler gemacht, trotz der Belehrung und Übung, die dazwischen lag. Ganz anders verhält es sich mit dem Umfange des Berichts. Die Mädchen der Unterstufe machten durchschnittlich 12,6 die der Oberstufe 29,8, die Knaben der Unterstufe 15,2, die Seminaristen aber 39,5 Angaben Es ist also die Merkfähigkeit eine Funktion, die einer fortschreitenden Entwicklung fähig ist. Hier aber sind die Knaben den Mädchen um 21 % überlegen.

Ein ähnliches Verhältnis besteht zwischen den Normal- und den Suggestiv- und Farbenfragen.

In der Treue gegenüber den Normalfragen sind die Knaben den Mädchen nur um 4 % überlegen. Aber diese Funktion zeigt nur eine geringe Entwicklung. Die kleinsten Knaben machten hier 29 %, die kleinsten Mädchen 28 % und die Seminaristen 22 % Fehler. Ganz anders bei den Suggestiv- und Farbenfragen.

Tabelle III.

		Suggestivfragen		Farbenfragen	
		Wissen %	Treue %	Wissen %	Treue %
Mädchen	Unterklasse	38 } 52	49 } 61	27²/₃	40
	Mittelklasse	48	51	34¹/₂	40
	Oberklasse	70	82	48¹/₂	55
Knaben	Unterklasse	50 } 55	51 } 68	32¹/₂	38
	Mittelklasse	60	72	47	53¹/₂
	Oberklasse	55	81	57²/₃	60
Junge Leute	Präparanden	81 } 73	94 } 90	47¹/₂	55
	Seminaristen	65	85¹/₂	53¹/₂	69

Hier ist ein erhebliches Anwachsen sowohl des Wissens als auch
der Richtigkeit der Antworten zu konstatieren. Aber hier überwiegen
auch die Knabenleistungen ganz bedeutend.

Man kann also sagen: Zwischen Knaben und Mädchen besteht **kein** großer Unterschied, wo es sich um Leistungen
handelt, die einer wesentlichen Steigerung **nicht** fähig sind; die
Knaben sind aber den Mädchen überlegen, sobald Schwierigkeiten zu überwinden sind. Kürzer hat man dies ausgedrückt
durch die Formel: »Je höher die psychische Funktion, um so
größer die individuellen Abweichungen.« [1]

Eine ganz überraschende Bestätigung finden diese Sätze in den
Ergebnissen der so umfangreichen Untersuchungen KERSCHENSTEINERS
über die Entwicklung der zeichnerischen Begabung (Siehe S. 227).
KERSCHENSTEINER hat sämtliche Zeichnungen nach dem Grade ihrer
Vollendung in 3—5 Gruppen geteilt. Bei den Menschendarstellungen
unterscheidet er: reines Schema, Schema vermischt mit Erscheinungs-
oder Formgemäßem, erscheinungsgemäße Darstellung und formgemäße
Darstellung; bei der Zeichnung eines Trambahnwagens aus dem Gedächtnis: reines Schema, Aufriß und perspektivische Darstellung, jede
Stufe mit zwei Unterabteilungen. Das Ergebnis ist, daß in den ersten
drei Schuljahren, in welchen die niederste Form, das Schema, fast
ausschließlich zur Anwendung gelangt, der Unterschied nicht sehr

---

[1] BINET et HENRI, La psychologie individuelle. Année psychologique 2. Zitiert
nach Beiträge I, 3. S. 103.

groß ist, wenn auch die Knaben besser zeichnen und vereinzelt schon hier zu höheren Darstellungsformen übergehen. Je höher aber die Leistungen werden, desto mehr bleiben die Mädchen zurück, so daß ihre Zahl bei den Höchstleistungen nur noch beträgt: bei Menschendarstellungen $1/14$, bei der Zeichnung der Trambahn $1/6$, bei der Darstellung eines Schneeballgefechts $1/6$ von der der Knaben. Bei Blumenzeichnungen kommen die Mädchen den Knaben nahe, sie übertreffen sie, soweit das rhythmische Gefühl in Frage kommt, unter den Höchstleistungen allerdings ist auch hier die Zahl der Knaben, in Prozenten berechnet, mehr als doppelt so groß.

KERSCHENSTEINER erklärt auf Grund dieser Tatsachen[1]): »Die Begabung für den graphischen Ausdruck der Gesichtsvorstellungen ist bei den Knaben wesentlich größer als bei den Mädchen. Die Ursache dieser Erscheinung liegt nicht in einer größeren Fähigkeit der Beobachtung der Einzelheiten einer Erscheinung, sondern in der rascheren und vollständigeren Auffassung der Gesamterscheinung. .... Die Differenzierung der graphischen Ausdrucksfähigkeit ist bei Kindern gleichen Geschlechts bis zum 8. Lebensjahre nicht beträchtlich, wächst aber von da ab bis zum 14. Lebensjahre sehr bedeutend.«

Als praktische Konsequenz würde sich aus alledem ergeben: Gemeinsamer Unterricht nach gleichem Lehrplan ist allenfalls angängig für die ersten drei Schuljahre, nicht aber für die spätere Zeit, wenn nicht Beobachtungen vorhanden wären, die das Problem verwickeln.

Bei d) Altersfortschritt und geistige Entwicklung (S. 225—230) ist schon angegeben worden, daß sich nach den STERNschen Untersuchungen Knaben und Mädchen in ganz verschiedenem Tempo entwickeln. Tabelle I (S. 226) zeigte, »daß die Zeit vom 7. bis zum 10. (11.) Jahre für die Knaben eine Periode starker, schneller Entwicklung ist, während bei den Mädchen in der gleichen Zeit das Wissen nur wenig zunimmt, die Zuverlässigkeit sogar zurückgeht; in der Zeit vom 10. zum 14. Jahre aber holen die Mädchen durch rapide Entwicklung das Versäumte nach, überholen sogar ein wenig die Knaben.« (STERN).

Dieser Feststellung entsprechen im allgemeinen die Resultate der LOBSIENschen Untersuchungen und die Prüfungen, welche EBBINGHAUS auf Wunsch der Breslauer Schuldeputation über die Leistungsfähigkeit

---

[1]) S. 486 u. 487.

der Schulkinder anstellte.[1]) Sie werden aber im allgemeinen nicht
bestätigt bei KERSCHENSTEINER, wo von einem Einholen keine
Rede sein kann, wo im Gegenteil die Differenz immer
größer wird, da das Tempo der Mädchen, wenn es auch vom
10.—14. Jahre schneller ist als vom 6.—10. Jahre, immer
noch nicht an das der Knaben heranreicht. Ganz wahrscheinlich liegt der Unterschied daran, daß die Höchstleistung bei KERSCHEN-
STEINER auch für die ältesten Kinder sehr schwer, in allen andern
Untersuchungen aber leicht war. Die Ursachen einer solchen, wahrscheinlich nur scheinbaren Nichtübereinstimmung können am besten
durch weitere und ausgedehntere Untersuchungen aufgeklärt werden,
darum ist es außerordentlich wünschenswert, bei weiteren Versuchen
immer möglichst beide Geschlechter zu berücksichtigen.

Schon jetzt aber kann man sagen: Die bisherigen Untersuchungen sprechen für die Zeit nach dem 10. Lebensjahre
gegen einen gleichen Lehrplan für Knaben und Mädchen;
damit würde aber auch die Coëdukation hinfallen.

Aber nicht nur die Leistungen, sondern auch die Art des Interesses am Unterrichte ist bei Knaben und Mädchen verschieden. Man
sagt gewöhnlich: die Knaben lernen mehr aus Interesse an der Sache,
die Mädchen mehr, um dem Lehrer eine Freude zu machen. Darum
spielt ja auch die Persönlichkeit des Lehrers in Mädchenschulen eine
so große Rolle; darum gehen die Klassenleistungen so rapide zurück,
wenn der Lehrer das Unglück hat, das Mißfallen der Schülerinnen
zu erregen. Auch dafür liefern die Untersuchungen Belege. »Die
Mädchen bevorzugen bei dem Berichte mehr die persönlichen, die
Knaben mehr die sachlichen Kategorien« (STERN). Zu den persönlichen sind hierbei gerechnet die Personen und ihre Handlungen, zu
den sachlichen alles übrige. »Während die persönlichen Kategorien
bei den Mädchen $\frac{1}{3}$ des gesamten Berichtsinhalts einnahmen, bildeten
sie bei den Knaben nur $\frac{1}{4}$ des Berichts.« Daher kommt es wohl
auch, daß die Mädchen länger auf den niederen Stufen (dem Sub-
stanz- und Aktionsstadium) stehen bleiben, die Knaben aber schnell
dem Qualitäts- und Relationsstadium, also dem mehr Theoretischen,
zustreben.

Hoch interessant ist das Verhalten gegenüber den Farben. »Die

---

[1]) Zeitschrift für Psychologie 13. (1897.) EBBINGHAUS stellte fest, »daß die
Mädchen im Alter von 10 Jahren gegenüber den gleichalterigen Knaben ganz be-
sonders stark rückständig sind, daß sie aber die bedeutende Überlegenheit der
Knaben im 16. Lebensjahre so gut wie vollständig eingeholt haben.«

Mädchen standen an Interesse, Wissen und Zuverlässigkeit bezüglich der Farben beträchtlich hinter den Knaben zurück.«

Das widerspricht eigentlich aller Erfahrung. Ich glaube aber, daß STERN den Widerspruch in befriedigender Weise löst, wenn er schreibt[1]): »Das weibliche Farbeninteresse ist mehr subjektiv, das männliche mehr objektiv. Wenn es gilt, das persönliche Ich in der Außenwelt darzustellen, das eigene Temperament und Stimmungsleben optisch zu verkörpern, den Leib und das Heim zu schmücken, da bedienen sich die Frauen der Farbigkeit mit Hingebung, Verständnis und feinster Abstufung; da beachten und behalten sie die Farben gern und gut. Für den Mann ist die Farbe weniger Hülle und Ausdruck des Ich als der Welt; sie wird ihm zum sachlichen Merkmal der Objekte. Er achtet ihrer nicht so sehr, wenn er im persönlichen Bannkreis befangen ist, sondern gerade, wenn er mit »interesselosem Wohlgefallen« oder mit theoretischem Wissenstrieb den Objekten schauend gegenübertritt.«

Auch hier liegen die praktischen Konsequenzen nahe. Ein Unterricht, der sich nur auf den Höhen reiner Theorie bewegt, wird an sich die Mädchen kalt lassen. Nur ein Lehrer, der durch seine Persönlichkeit einen ganz besonderen Einfluß hat, wird damit Erfolge, aber auch nur augenblickliche, erzielen. Mädchen verlangen einen praktischen Unterricht, der in Religion stets auf die Beantwortung der Frage hinarbeitet: Was geht das mich an? der bei der Geschichte längst vergangener Zeiten nie die Beziehung auf die Gegenwart, bei der Erdkunde ferner Länder nie die Verbindungsfäden von diesen Gegenden zur Heimat, in den Naturwissenschaften nie ihre Anwendung in Haus und Küche aus dem Auge läßt. Er verliert dadurch durchaus nicht seinen allgemein bildenden Wert, sondern er erhält ihn erst dadurch, da er nur so das Mädchen im Mittelpunkte seines Interesses faßt.

Die vorstehenden Ausführungen enthalten keine neuen praktischen Vorschläge, sie liefern aber meines Erachtens in der Darstellung der Aussagestudien für eine ganze Reihe bekannter Reformbestrebungen neue Stützen. Das ist aber nicht ihr Hauptzweck. Dieser besteht in der Hoffnung, daß vielleicht der eine oder der andere Leser daran erkennt, wie auch in der Pädagogik die Erfahrung der beste Lehrmeister ist, allerdings nicht Erfahrung in der Form rohen Empirismus, sondern methodisch geordnet in der der Untersuchung.

---

[1]) Beiträge I. 3. S. 142.

2. Zur Frage der Behandlung unserer jugendlichen Missetäter.

IV. Die Behandlung verwahrloster Kinder in Norwegen.

Von J. Chr. Hagen, Direktor des Schulheims in Falstad bei Drontheim, Norwegen.

»Welches sind, abgesehen von den gewöhnlichen Erziehungsmitteln, die besten Maßregeln, welche geeignet sind, die moralisch verwahrlosten Kinder vor dem Untergang zu schützen und die Rückkehr solcher lasterhaften Kinder, die mit den Strafgesetzen noch nicht in Konflikt geraten sind, zu geordnetem Lebenswandel zu bewirken?«

Die oben stehende Frage findet sich im Programme des VII. internationalen Kongresses für das Sträflingswesen in Budapest, der im letzten September tagte. — Dieselbe bedeutet, daß man erkennt, daß die gewöhnlichen, landläufigen Erziehungsmittel — sei es die des Hauses oder der Schule — nicht genügen. Trotz der Fortschritte des Unterrichtes im allgemeinen, trotz der raschen Entwicklung der Gesetzgebung im letzten Jahrhundert, trotz der Schultechnik und Schulhygiene und der pädagogischen Prinzipien und Methoden stehen wir heutigen Tages noch einem drohenden Anwachsen der Menge junger Menschen gegenüber, die dem Heere der Verbrecher und Proletarier (Paupers) zuströmen und zwar aus den sämtlichen Gesellschaftsklassen. Ganz natürlich bestrebt sich darum die Gesellschaft, das Übel an der Wurzel zu treffen, und widmet immer mehr und mehr den vorbeugenden Maßregeln ihre Aufmerksamkeit, um — wenn möglich — die zunehmende Entsittlichung zu beschwören.

Je mehr man sich in die sozialen und auch die individuellen Entwicklungsbedingungen der hier zu erwähnenden Kinder vertieft, desto mehr muß man zugeben, was u. a. Herr Professor Stoos einst hervorgehoben hat: »Die Kinder brauchen weder Strafe noch Besserung im engeren Sinne dieses Wortes, sondern der Erziehung.« Eben von dem mangelhaften Verständnis der Erziehung — ihrer Wichtigkeit sowohl als ihrer Erfordernisse — rührt der Grundschaden der modernen Gesellschaft her.

Zur Erläuterung des Gesagten und als Ausgangspunkt für die folgenden Bemerkungen will ich den hervorragenden norwegischen Rechtsgelehrten, Dr. B. Getz, anführen. — Er sagt in seinen Vorarbeiten zum norwegischen Fürsorgegesetze:[1])

»Die zunehmende Dichtigkeit der Bevölkerung steigert die Versuchungen zur Ausschweifung, bewirkt eine Verminderung der Fürsorge seitens der Familie und ihrer Freunde und ist zudem der Grund, daß man mehr sich selbst überlassen ist. — Hierzu kommen folgende Faktoren: die größere Freiheit gegenüber der Autorität der Eltern, die Irreligiosität, die politische und soziale Unruhe, die der Gesellschaft ihr Gepräge verliehen haben. ... Zugleich hat die stets zunehmende Entwicklung des industriellen

---

[1]) Es ist abgedruckt in meiner Schrift: Zur Frage der Erziehung unserer sittlich gefährdeten Jugend. Beiträge z. Kdf. Heft III. Langensalza, Hermann Beyer & Söhne (Beyer & Mann). Tr.

Lebens, welche die Eltern vom Hause abzieht und die Kinder sich selbst überläßt, die früh eintretende Verderbnis der Jugend gefördert. Zur selben Zeit ist die Trunksucht im Zunehmen begriffen gewesen und hat selbstverständlich unter den körperlich geschwächten und seelisch vernachlässigten Kindern sehr viele zu Opfern ihrer verbrecherischen Neigungen und Impulsen gemacht. ... Man darf sich wohl fragen, ob nicht der Umstand, daß die europäischen Staaten, was die Rechtssicherheit und den Rechtsgehorsam betrifft, vielmehr das Gegenteil des Fortschrittes aufzuweisen scheinen, sich dadurch erklärt, daß die Sorgfalt derselben für die Erziehung der Jugend und deren Schutz gegen schlechte Eltern und andere Gefahren mit den Ansprüchen nicht Schritt gehalten haben, die in dieser Hinsicht die Umbildung des sozialen Lebens und die allmählich durchgeführten Änderungen der Gesetze, der Sitten und der Gebräuche herbeigeführt haben.«

Die Umbildung des sozialen Lebens erscheint in unserer Epoche besonders darin, daß das Heim als das fundamentale Prinzip der Gesellschaft nach und nach in moralischer Beziehung seine Bedeutung verliert; es hat in weiten Kreisen der Gesellschaft aufgehört ein Heim zu sein. Der Industrialismus hat eine Revolution nicht allein in der Arbeitsweise, sondern auch in den Bedingungen der Arbeit und des Lebens überhaupt herbeigeführt; wir sind ja heutzutage Zeugen eines immer bittereren Kampfes um das tägliche Brot! Und eine stets größer werdende Anzahl von Eltern sieht in der Gestaltung des Heimes keine besondere Aufgabe. Die Frage der Erziehung, d. h. der Schutz des physischen und geistigen Wohlseins der Kinder, ist von ganz anderen Interessen verdrängt worden.

Gegen die sittliche Gefahr, die in dieser Weise die Kinder bedroht, müssen Schutzmaßregeln ergriffen werden. Vor allem muß diesen unglücklichen Kindern ein Heim geschaffen werden, d. h. ein Heim, das mit Eifer und Liebe, Verständnis und Einsicht die Aufgabe anfaßt: die Kinder »zu erziehen«.

Es wird vielleicht interessieren, hier von einigen der Bestrebungen zu hören, die in dieser Beziehung in Norwegen durchgeführt sind.

Den 1. September 1900 wurde ein Zwangserziehungsgesetz erlassen, »Gesetz (vom 6./6. 96) die Behandlung moralisch verwahrloster Kinder betreffend«. — Wir wollen daraus diejenigen Punkte hervorheben, die für die obige Frage von Bedeutung sind.

Das genannte Gesetz betrifft nicht allein die verbrecherischen Kinder; es will auch mit der öffentlichen Fürsorge diejenigen Kinder erreichen, deren moralische Vernachlässigung — oder Lasterhaftigkeit — befürchten läßt, daß sie Verbrecher werden könnten: darum wird es in demselben u. a. festgestellt, daß der Staat — unter gewissen bestimmten Bedingungen — eingreifen soll, auch um derartige Kinder möglichst rechtzeitig einer gesunden Pflege und rettenden Erziehung zu übergeben.[1]) — Das Kind soll auf eine der folgenden Weisen unter-

---

[1]) Ein Fall wie der im Oktoberheft d. J. S. 19 aus dem »Rettungshausboten« erwähnte ist bei uns wegen dieses Grundsatzes des norwegischen Gesetzes ausgeschlossen.

gebracht werden: entweder 1. bei einer zuverlässigen und rechtschaffenen
Familie oder 2. in einer Kinderbewahranstalt, deren Plan vom Könige genehmigt ist, oder 3. in einer sogenannten Zwangsschule d. h. auf Grund
des Gesetzes können die Gemeinden gegen staatliche Subvention spezielle
Schulen errichten, die besonders auf Faulenzer, Schulschwänzer und sonst
ungezogene, schulpflichtige Kinder abzielen und auch als Beobachtungsanstalten dienen, oder 4. in Schulheimen, d. h. Erziehungs- und Rettungsanstalten. Diese Schulheime zerfallen in 2 Gruppen: a) »die milderen«
und b) »die besonderen« Schulheime.

Hinsichtlich der Altersgrenze ist zu bemerken, daß es betreffs der
unter 1 und 2 genannten Verfügungen keine Altersgrenze nach unten gibt;
die Zwangsschule nimmt nur Kinder innerhalb der Grenzen des schulpflichtigen Alters auf und die milderen und besonderen Schulheime wieder
nehmen kein Kind unter 6 bezw. 12 Jahren auf.

Das Organ, das von Staatswegen den unglücklichen Kindern die
rettende Hand reichen und, wenn nötig, die Überführung derselben aus
den ungünstigen Verhältnissen in eine schützende Umgebung besorgen soll,
ist der Schutzrat (Fürsorgerat) [norw.: »Vaergeraad«]. Dieser besteht aus
7 Mitgliedern, nämlich dem Richter (Amtsrichter) und dem Pfarrer des
betreffenden Bezirks samt fünf andern Mitgliedern, unter denen sich ein
Arzt und eine oder zwei Frauen befinden müssen; diese 5 Personen
werden für je 2 Jahre von dem Gemeinderat gewählt. — Durch diese
Zusammensetzung sind sowohl der Staat als das Laienelement vertreten
und zwar durch Personen, die infolge ihres Gewerbes und ihres Standes
die erforderlichen Voraussetzungen besitzen um das Milieu, innerhalb
dessen die Heil- oder Wohlfahrtsmaßregeln durchzuführen sind, und zugleich die zu rettenden Individuen zu kennen und zu verstehen; in der
Praxis finden sich im Fürsorgerate durchgehend auch berufsmäßige
Erzieher, im Gesetze aber ist darüber nichts vorgeschrieben. Daß diese
Einrichtung des Schutzrats (Conseil de tutelle, norw. Vargeraad) den
sittlich gefährdeten und lasterhaften Kindern einen sehr zuverlässigen
Schutz gewährt, geht nicht allein aus der Art und Weise hervor, in der
diese Einrichtung zusammengesetzt ist, sondern auch aus den weitgehenden
Befugnissen, die ihr übertragen sind. — Es steht dem Schutzrat völlig
frei, die erforderlichen Untersuchungen vorzunehmen; er kann Zeugen vernehmen und vereidigen und andere nötige Nachforschungen anstellen. Er
kann beschließen: a) Die Unterbringung des Kindes auf eine der schon
erwähnten Weise, b) dem Vater oder der Mutter oder beiden die elterliche Gewalt — und zwar indem er die Unterbringung beschließt — ab-
zusprechen,[1]) c) wenn eine Unterbringung nicht beschlossen wird, sowohl
dem Kind als den Eltern oder deren Vertreter einen ernsthaften Verweis

---

[1]) In Norwegen steht die elterliche Gewalt den beiden Eltern zu. Wenn
diese Gewalt dem Vater oder der Mutter abgesprochen wird, ist dies dem norwegischen Strafgesetz zufolge Scheidungsgrund. Deshalb wird in diesem Punkte
mit der größten Vorsicht verfahren.

und Ermahnung zu erteilen, d) den Vorgesetzten des Kindes[1]) im Hause oder in der Schule aufzugeben, das Kind in Gegenwart von Zeugen gesetzmäßig und in geeigneter Weise zu bestrafen.

Dem Schutzrat ist also eine sehr bedeutende Gewalt verliehen; jedoch ist den Eltern gestattet die Entscheidung des Kultusministeriums einzuholen. Sowohl wegen seiner Personal- und Lokalkenntnisse als kraft seiner gesetzmäßigen Gewalt und unbeschränkten Untersuchungsmöglichkeit ist dieser Rat im stande, nicht nur die Kinder, bei denen sich verbrecherische Neigungen gezeigt haben, sondern überhaupt ein jedes Kind, das der öffentlichen Fürsorge bedarf, zu erreichen.

Die Ausführung der verschiedenen Bestimmungen des Gesetzes hat das Kultusministerium durch einige Erlasse näher geregelt. Nach diesen Erlassen sollen ganz kleine Kinder sowohl als schulpflichtige oder beinahe schulpflichtige Kinder, die nicht so entsittlicht sind, daß deren Betragen oder Schulbesuch die übrigen Kinder sittlich gefährdet, vorzugsweise bei einer Familie oder — subsidiarisch — in einem Asyl oder bezw. Kleinkinderbewahranstalt untergebracht werden, dagegen in keinem Fall in Rettungsanstalten oder wie es bei uns heißt: Schulheimen. Der Schutzrat beauftragt seine Mitglieder oder andere Personen, eine geeignete und dazu bereite Familie ausfindig zu machen. Daß diese Art der Pflege und Erziehung genügt, dafür bürgt die Bestimmung, daß die betreffende Familie von dem Schutzrat gutgeheißen werden muß, und daß derselbe verpflichtet ist, die untergebrachten Kinder und deren Behandlung zu überwachen und zugleich in jedem Fall etwaigen Mängeln oder Mißständen abzuhelfen. Zu diesem Zwecke ernennt der Schutzrat, wenn die Überwachung nicht von seinen eigenen Mitgliedern durchgeführt werden kann, besonders wenn das Kind in einer andern Gemeinde untergebracht ist, einen Fürsorger.

Dank dieser Organisation geben diese administrativen Maßregeln bedeutungsvolle Anregungen und ermöglichen eine Herzlichkeit und liebevolle Sorgfalt und zwar in einer ausgedehnten Weise, wie sie sonst nur selten den administrativen Organismus charakterisiert. Es dürfte dieser Umstand eine Stärkung des Schutzes bedeuten, mit dem die Gesellschaft diese Stiefkinder des Lebens zu schirmen wünscht. Und auch in erzieherischer Hinsicht dürfte dieser Einrichtung Bedeutung beigelegt werden dadurch, daß das Kind sich zu jeder Zeit von seiten der Gesellschaft sorgfältig überwacht sieht; denn unwillkürlich wird sich das Gefühl entwickeln, daß es seinen Mitmenschen d. h. der Gesellschaft keineswegs gleichgültig ist, daß es im Gegenteil zu dieser gehört und ein Glied derselben ist. In dieser Weise darf auch die Ausbildung des Solidaritätsgefühls bei dem Kinde gefördert werden, eine Charaktereigenschaft, die eben den Gesell-

---

[1]) »Die Vorgesetzten« d. h. Eltern, Vormünder, Lehrer oder sonstige Schulbehörden; Lehrer oder Schulbehörden sind zwar nicht gesetzlich verpflichtet, dieser Auferlegung zu folgen, in der Praxis werden jedoch nie derartige Auferlegungen verweigert.

schaftsschichten, denen die hier erwähnten Kinder angehören, in besonderem Grade fehlt.

Wie schon oben erwähnt, können durch Beschluß des Schutzrates Kinder unter 15 Jahren in einer Zwangsschule — aber höchstens nur 6 Monate — untergebracht werden. Einen solchen Beschluß faßt der Schutzrat wenn: 1. Der Aufschub der Sache — z. B. durch Abwarten der Untersuchungsergebnisse — nicht ohne Gefahr ist, oder 2. die endgültige Entscheidung über die Art der Unterbringung wegen mangelhafter Kenntnis des Charakters des betreffendes Kindes — oder dergl. — nicht stattfinden kann. In diesem Fall ist die Unterbringung als eine vorläufige anzusehen.

Es muß also den Zwangsschulen wegen des eben erwähnten eine Bedeutung als Beobachtungsanstalten beigelegt werden. Die Idee ist meines Erachtens nicht so konsequent durchgeführt worden, wie es zu wünschen wäre, aber die Einrichtung bietet doch eine Gelegenheit dar, einigermaßen die nötige psychologische Diagnose festzustellen, ehe man über die Behandlungsweise entscheidet, und wird so eine Veranstaltung, die der zweckmäßigen Durchführung der sittlichen Rettungsarbeit besondere Förderung leistet.

Für die verwahrlosten und lasterhaften, überhaupt die fürsorgebedürftigen Kinder sollte nach meiner Meinung eine derartige Organisation wie die der norwegischen Zwangsschule in ausschließlicherem Maße dem Zweck der Beobachtung dienen. Zu dem Zwecke ist aber erwünscht, daß die Arbeit solcher Beobachtungsanstalten sich auf methodisch befolgte, psychologische und psychiatrische Prinzipien stützen muß, und daß sie durchschnittlich viel mehr Zeit als 6 Monate braucht.

Es läßt sich nicht leugnen, daß wenn so viele schon im Kindes- und Jugendalter gerade unter unsern Augen in den Strom des Pauperismus und der Kriminalität hinabgleiten, die Ursache darin liegen mag, daß weder das Heim noch die Schule für die individuelle Entwicklung, wie sie in der Kinderseele vorgeht, und für deren Ursachen das erforderliche Verständnis haben. Sie ahnen kaum die Kausalitätsverhältnisse zwischen physische und psychische — vielleicht noch gar nicht zu Tage getretenen — Störungen auf der einen Seite und ethischen (bezw. intellektuellen) Minderwertigkeiten auf der andern.

Die wenigsten ahnen noch in unserer Zeit, daß die ethische Haltung sowohl als die intellektuelle Energie und Elastizität, wenn auch nicht auf physiologischen Bedingungen beruhend, doch durch diese besonders beeinflußt werden.

Treffend bemerkt Trüper: »... Es fragt sich, ob wenn rechtzeitig das Minderwertige oder Psychopathische in einem werdenden Menschen erkannt wird, die Gesetzesübertretungen und die Schäden, die dadurch im Volkskörper erwachsen, nicht hätten verhütet werden können. ...«

Meines Erachtens sind die Beobachtungsanstalten, wenn es eine systematische Anwendung der moralisch vorbeugenden Maßregeln gilt, unentbehrlich, gegenüber allen Kindern, die der Sorge des Staates bedürfen. Sollen aber diese Anstalten dem hier angedeuteten Zwecke entsprechen, so muß man noch einen Schritt weiter gehen als das norwegische Gesetz es tut.

Die oben erwähnten norwegischen »Zwangsschulen« sind nämlich vor allem Schulen für Schulschwänzer und die Unterbringung in demselben darf — wie gesagt — nicht eine Zeit von 6 Monaten überschreiten; es wird bei der Wahl der Vorsteher und Lehrer auch nicht nach einer andern Qualifikation als der gewöhnlichen Volksschullehrerbildung gefragt.

Die Beobachtungsanstalten müßten die in Frage stehenden Kinder solange behalten können, bis ein zuverlässiges Individualitätsbild sich ergibt, um die zweckmäßigste Behandlung festzustellen. Ein sicheres Resultat läßt sich kaum binnen 6 Monaten schaffen.

Selbstverständlich müßten diese Anstalten sowohl die physische als die psychische Pflege vor Augen haben; sie müssen gewissermaßen das Gepräge einer heilpädagogischen Anstalt haben.

Ich habe schon vorher gesagt: Es müssen die vorbeugenden Bestrebungen in unserer vom Industrialismus geprägten Zeit abzielen, ein Heim zu schaffen; ich möchte nun hinzufügen, dieses »Heim« muß dem individuellen Bedürfnis möglichst angepaßt sein — d. h. die günstigen Anlagen entwickeln und den ungünstigen entgegenarbeiten. Von diesem Gesichtspunkte aus und übereinstimmend mit den in der Beobachtungsanstalt erworbenen Erfahrungen sollten meines Erachtens die Pflegeheime gewählt werden. Ich denke mir also die Ordnung in folgender Weise: Kein verwahrlostes Kind sollte in der Regel weder in einer Familie noch in einer Anstalt endgültig untergebracht werden können, ohne zuerst eine Beobachtungsanstalt durchgemacht zu haben. Dann erst wären die Kinder — je nach ihrer Individualität — zur Pflege bei einer geschickten Familie, in ein »milderes« oder ein »besonderes« Schulheim unterzubringen.

Es würde jedoch zu weit führen, in diesem Aufsatze die Art und Tätigkeit der erwähnten Beobachtungsanstalten darzustellen. Nur möchte ich eine Forderung besonders betonen: Der, welcher an der Spitze einer derartigen Wirksamkeit stehen soll, muß neben den Eigenschaften eines liebevollen Herzens und einer reichen pädagogischen Erfahrung noch die wissenschaftliche Voraussetzung in Beziehung auf Psychologie und Psychiatrie besitzen. Und weiter: Ihm zur Seite ist ein spezieller Psychiater (und Physiologe) als Gehilfe erforderlich. Hier — wenn jemals — muß die Pädagogik und die Medizin nebeneinander arbeiten; es gilt ja dem körperlichen sowie dem seelischen Zustand des Individuums auf den Grund zu kommen, damit man sich nicht eine einseitige Beurteilung oder besser ein oberflächliches Feststellen der schließlich zu wählenden Behandlung zu schulden kommen läßt.

Zum Schluß noch eine Bemerkung. Wenn ich auf einer Organisation wie die oben erörterte so fest bestehe, so gründet sich diese Ansicht auf die Tatsache, daß die charakteristischen Züge von psychopathischen Minderwertigkeiten unserer modernen Gesellschaft, die nervöse Unruhe und Erregbarkeit, der Mangel an Pietät, an religiösem Sinn und an Respekt vor der Autorität einen bei weitem günstigeren Boden für die ethischen Anomalien abgeben als die früheren gesellschaftlichen Verhältnisse.

Es findet ja jetzt — genau besehen — die Unterbringung in eine Familie oder Rettungsanstalt nach willkürlichem und flüchtigem Dafürhalten statt, während das allerwichtigste Moment — zu dem das Kind sogar ein Recht haben sollte — vernachlässigt wird, nämlich die Herbeiführung einer genauen Kenntnis des Kindes, d. h. seiner individuellen Bedürfnisse.

Fürwahr! man verfährt bei weitem vorsichtiger, genauer, wenn es einen Acker zu bebauen gilt! Mit der minutiösesten Sorgfalt werden sowohl die Erdart als der Düngerstoff und die Saat gewogen und gebrackt — untersucht und analysiert! Gegenüber der Kinderseele sollte man sich doch auch zur sorgfältigsten Analyse aufgefordert fühlen; denn auch die Kinderseele ist ein Saatland, nach dessen Beschaffenheit die Behandlung und die Art der Saat sich richten müssen. Überhaupt: wenn die pädagogische Behandlung der Kinder nicht in höherem Grade Rücksicht auf die Individualität nehmen will, und wenn sie sich zu diesem Zweck nicht auf die physiologische und psychopathologische Untersuchung stützen will, dann scheint die Anklage ziemlich berechtigt, die u. a. Henry George vorgebracht hat:

»Die Gesellschaft unserer Tage bildet selbst die Barbaren heran, die die Kultur der Zeit umzustürzen drohen!«

---

3. Die Sprache meiner Kinder.[1])

Nach Tagebuchaufzeichnungen zusammengestellt.

Von **Martha Silber**, geb. **Prusse** in Königshütte (O./Schles.).

Ohne besonderen Zweck, nur aus Freude über die Fortschritte meiner Kleinen, finden sich verstreut Sprachversuche, die ich hier geordnet wiedergeben will. Zweifellos handelt es sich um körperlich und geistig interessante Kinder, einen Knaben von jetzt 4 und ein Mädchen von 1 Jahr 10 Monaten. Sprachtalent mögen sie von beiden Eltern ererbt haben, von meiner Seite erhöht durch eine Ahnenreihe, die durch 5 Generationen tüchtige Geistliche waren. Ebenso kommt das musikalische Gehör der Kinder in der Sprache dadurch zur Geltung, daß sie alles von den ersten Lauten an in schönen Tönen und in einer unendlichen Fülle von Modulationen hervorbrachten, ganz im Gegensatz zu der Sprache fast aller Kinder, oft bis zur Schulzeit, die eine unangenehme, quäkende, kreischende, monotone, grunzende Stimme haben mit vielen häßlichen, das Ohr be-

---

[1]) Wir bringen diese Aufzeichnungen einer Mutter als Ergänzungen wie zum Vergleich der Abhandlung des Herrn Dr. Tögel, 16 Monate Kindersprache. Die Kinderfehler. Zeitschr. f. Kinderforschung. Jahrg. 1905. Langensalza, Hermann Beyer & Söhne (Beyer & Mann).

leidigenden Tönen. Ebenso auffallend ist der große Sprachschatz, die Ausdrucksfähigkeit und, auch für fremde Ohren, Deutlichkeit der Sprache meiner Kinder. Einfluß von außerhalb ist natürlich, wie fast regelmäßig, in stärkstem Maße die Mutter; fast gar nicht kommt der vielbeschäftigte Vater in Betracht, ebenso hat sich jeder Besuch als einflußlos bewiesen. Dienstboten, denen die Kinder sehr wenig überlassen sind, haben doch manches polnische oder drastische Wort eingeführt. Doch die Sprache der Oberschlesier, obgleich hart, ist immer rein und deutlich, fast ohne grammatische Fehler. Mit dem Knaben, als erstem Kinde, habe ich mich natürlich weit mehr beschäftigen können, ihm viel erzählt und Gedichte gesagt, was bei der Kleinen fast ganz fehlt, sie ist auch noch lebhafter als der Knabe. Dadurch fehlt es an Gelegenheit, auch steht ihr eine größere Wohnung als einst dem Jungen zur Verfügung. Aufgewachsen sind die Kinder in unserer häßlichen, schwarzen Stadt, erst seit $1\frac{1}{2}$ Jahren haben wir ein kleines Gärtchen für sie geschaffen. Nach auswärts, außer zur Großmutter, kommen sie nicht zu Besuch, aber gehen gern mit einkaufen, der Knabe auch ganz allein. Mit ihm war ich jeden Sommer 3—6 Wochen auf dem Lande, wo er sehr viel Fortschritte machte, dies Jahr mit beiden 6 Wochen an der See. Wir sprechen den Kindern von Anfang an alles klar und deutlich vor, ohne sie sprechen zu »lehren«. Es ist ihnen nie etwas beigebracht, nur auf ihren Wunsch wiederholt worden, da ich gern sehen wollte, wie und in welcher Zeit ein Kind selbständig reden lernt. Körperlich werden die Kinder, ohne Fanatikern zu folgen, ganz natürlich, d. h. wie's die Tiere mit ihren Jungen tun, gezogen und genährt. Ich habe beide, 8 Monate No. I und 13 Monate No. II, gestillt und es sind schöne, kräftige Menschenblumen mit besonders klugen Augen geworden. Trotzdem wir Eltern zart sind und zu Hause immer die Angstkinder waren, hatte ich die Freude, den Jungen mit $10\frac{1}{2}$ Monaten, das Mädchen mit fast 10 Monaten absolut frei herum laufen zu sehen, auch über Schwellen, Rinnsteine, Ziegeln usw.

No. I. Hellmuth, geboren den 16. August 1901.

Sein erstes Wort deutlich gesprochen war »Anna«, das Dienstmädchen, die er sehr liebte, nicht sein Kindermädchen. Er war $10\frac{1}{2}$ Monat alt und sprach es, als sie uns in der Sommerfrische besuchte, und er ihr, sie erkennend, entgegenlief.

Mit 11 Monaten kam deutlich »Mama«, dann hörten wir ihn häufig »bah« rufen, zweimal hintereinander. Das erste Mal eine ganze Tonleiter aufwärts, das zweite Mal gleich darauf abwärts. Wir kamen dahinter, daß er so sein Kätzchen bezeichnete und das Mauzen nachahmte.

Mit 13 Monaten finde ich »acha«, dann »cha« mit heftigem Kopfnicken für »ja« bezeichnet, wofür er die größte Vorliebe hat. Als er einmal Fahnen an Sedan sah, machte er das Klatschen »ksch, ksch« nach. Zwei Monate später sah er auf einem Bilde Fahnen, fuchtelte von selbst mit dem Ärmchen und machte »ksch, ksch« dazu.

Mit 15 Monaten sprach er das einzige Wort, was ich ihn je gelehrt, »Bapa« Papa, was ihm durch das P am Anfang große Schwierigkeiten

16*

machte. Ich ging von den Worten »babá«, für häßlich in der Kindersprache, aus und »Babau«, wie er den Verband bezeichnete, den er nach
einem Sturz um den Kopf erhielt. Jetzt meldet er auch seine Bedürfnisse mit dem üblichen »Aá« und lernt verneinen, »nananana«, meist statt
»na«, um der Sache, die ihm große Freude machte, mehr Nachdruck zu
geben. Dazu stürmisches Schütteln des Kopfes. Nun kommen dazu eine
ganze Reihe von Hauptworten, die eigentümlicherweise nur aus Konsonanten,
mit Fortlassen der Vokale gebildet werden. Z. B. »Mf« Muff, »Bf« Buch,
»Nkn« Onkel usw. An ähnlich klingenden Worten, die er konsequent
auseinanderhält, und wiederholt habe ich verzeichnet: »lingling« Ringlein,
»lengleng« Engel, »langlang« Schlange. Er macht uns husten, niesen usw.
nach.

Mit 16 Monaten ahmt er die Klingel »nlingnlingnling« nach, ruft
die Katze »tz—tz—tz«, hier üblich »tsch—tsch«, und benutzt die Worte
»Affe«, »Adla« Adler, »Abeit« Arbeit, wie er sein Spielen, das immer
nützlich sein muß, selbst benennt, »Apf« Apfel, »brahm« gram. Ich sagte
ihm im Scherz oft »Junge, ich bin Dir ganz gram«. Nun ist er auch
vielem »brahm«.

Mit 17 Monaten bezeichnet er Hungergefühl mit »A« Ei, seiner
Lieblingsspeise, Durst mit »pappen«, »hm« für weiter beim Erzählen oder
eine Wiederholung. »Lala«, früher nur »La« (kurzes a) Schokolade, »Belle«
Libelle, »Adlala« Anfasser in der Küche, wo er mir besonders gern hilft,
»Rch« Rauch, »Gls« Glas, »Bls« Blase, »Brch«, später »Barr«, »Karp«
für Quark, den er sehr liebt, »rrrrrr« unendlich lang, statt »rauf«, wenn
er genommen werden will, »Mommp« Mond, später Mon. Dazu kommen
eine Reihe polnischer Worte, ziemlich deutlich für Gegenstände seiner
Kleidung und Körperteile und »schättesche«, setz' Dich aus dem Polnischen. An Vaters Geburtstag nach Vorsagen »Lia Bapa, ich gablagabla«:
Lieber Papa, ich gratuliere!

Nach 18 Monaten benennt er sich selbst »Hella«. Auf die Frage:
Wie heißt Du? ganz von selbst: »Heiß Hella.« Das »nein« ist deutlich;
seine bekannten Lieder bezeichnet er, wenn die Melodie angestimmt wird,
sofort z. B. »Piep-piep« bei »Kommt ein Vöglein geflogen«, »hoppapa«
ein Springliedchen. Das Wort »Mf« Muff verwandelte sich in »Amf« (er
hörte also, oder probierte einen Vokal, wenn auch den falschen und an
unrechter Stelle), dann »Maff«, jetzt »Miff«, wie es einige Zeit bleibt.

Mit 19 Monaten hatte er ein Bild mit einem Stiefmütterchen in der
Hand. Ich fragte: »Was ist denn das?« Antwort: »Mama.« Ich zählte
jetzt die Worte zusammen, die er gebraucht, nicht auf Vorsagen, sondern
selbständig. Es mögen manche fehlen, 149 sind verzeichnet. Allerdings
sind sie nur korrekt aufgeschrieben, ich füge von denen, wo ich es noch
weiß, dazu, wie er sie sprach. (Jetzt nennt er sich auch selbst »Hella
Unnu«, Hellmuth Unnütz, wie wir oft zu ihm sagten.)

Papa	Bapa	Messer	—	Gram	Bram
Mama	—	Gabel	—	Ludwig	—
Bruder	Buda	Löffel	—	Guten	
Großpapa	Opapa	Engel	Lengleng	Morgen	—
Großmama	Omama	Puppe	—	Guten Tag	Dach
Onkel	Onkn	Himmel	Himm	bitte	—
Tante	—	Stern	Tenn	danke	—
Mann	—	Ring	Lingling	essen	—
Anna	—	Kette	Tette	anziehn	—
Helene	Helé	Schlüssel	—	spazieren-	eschäsche
Butter	{Karp	Kaffee-	} Mille	gehn	(sch weich)
Quark	{Barr	mühle		aufmachen	aw
Apfelsine	—	Nagel	Nal	abbeißen	—
Apfel	—	Nadel	Neel	weinen	—
Ei		Geld	—	blau	—
Schokolade	—	Knopf	Deß sp. Kepse	hinauf	rrrrr
Zucker	—	Buch	—	hinunter	--
Salz	Lalß	Album	—	weg	—
Nuß	—	Bilder	—	da	—
Heringe	Hängire	Noten	Nu	ja	—
Flasche	Feschla	Baum	—	nein	—
Schaum	—	Blume	—	ich	—
Hund	—	Rauch	Rch	du	—
Katze	—	Ball	—	dich	—
Kuh	—	Hampel-		kalt	—
Vogel	Pieppiep	mann		heiß	ha
Wolf	Loff sp. Woff	Mohr	Moa	lieb	—
Hase	—		{Momp}	auf	aff
Hirsch	Husch	Mond	{Mo} nacheinander in 8 Woch.	zu	ziu
Lämmchen	—		{Mon}	halt	—
Affe	—		{Mf}	pst	—
Frosch	- -		{Amf}	pfui	feu
Fisch	—	Muff	{Meff}	bravo	bavo
Eule	—		{Miff}	au	—
Hahn	Kikiki	Schiff	—	ach	—
Adler	Adla	Wagen	—	O	—
Libelle	liebe Belle	Fahne	ksch-ksch	Jeses	Seses
Ente	—	Bart	Ba	nu	—
Gans	—	Nupe (d. h. einer, der am Dämmchen saugt)	Nu	hoppla	—
Schlange	Langlang			hoppapa	—
Ohr	Oa			puff	—
Nase	Näse	Ofen	—	stich	—
Mund	—	Anfasser	Adlala	klingling	—
Auge	—	Wind	—	husch husch	—
Tisch	—	Verband	Babau	wau wau	—
Stuhl	—	Loch	—	miau	—
Licht	Lich	Kalide-	} Lidl-lidl	nochmal	—
elektrisch		straße		nimm mich	—
Licht	nipp von knips	(sein Spazierweg)		Aá (Bedürfnis)	—
Uhr	—	Bülow	—	Semmel	—
Brille	—	Lotte	Lich sp. Lo	Liebling	—
Bleistift	Blß	Sophie	Fi	Schuh-	—
Tinte	—	Hellmuth	Hella	knöpfer	
Cigarette	—	Unnütz	Unnu		
Tasse	—				

20. Monat. Von seinen 20—30 Liedern kennt er jedes heraus, sobald ich am Klavier die ersten Töne spiele. Interessant ist, wie er die

Lieder benennt, immer die Worte, die den größten Eindruck auf ihn machen. Puff! bei »Fuchs du hast die Gans gestohlen«, Dolat (Soldat) bei »Ein scheckiges Pferd«, Baua bei »Der Bauer hat ein Taubenhaus«. Im Sprechen macht er große Fortschritte. Alles benennt er und drückt sich mit Worten aus. Für seine Zärtlichkeitsworte braucht er eine ganze Skala von Tönen. Den Salon benennt er »Lalon«, will er genommen sein, »Schosch«, d. h. auf den Schoß.

21. Monat. Seine Sprache wird immer reicher und deutlicher, manchmal probiert er schon in Sätzchen zu sprechen. Jetzt machte ich eine Entdeckung, die uns verblüffte. Der Junge kann den ganzen Struwwelpeter auswendig und die Gedichte, die ich ihm sage. Man kann aufhören, wo man will, er spricht das nächste Wort. Ich lasse gern die letzten Worte der Zeilen fort, die er dann ersetzt. Besonders niedlich ist: »Da kam der große — Nickerle (Nikolas) mit seinem großen — Tinterle (Tintenfaß).« Er liebt schwere Worte und Redewendungen, die wir ihm unzählige Male wiederholen müssen, davon hat er großen Genuß. Z. B. Hellmuth laß die Hortensie. Er begießt immer seine »Hottenise«. Viele Worte dreht er um, z. B. Hängire — Heringe, Lowe — Wolle, Loff — Floh, Feschla — Flasche, später Faschle, Babarrer — Rhabarber. Den merkte er sich, als er sah, wie ich ihn auf dem Markt kaufte. Er hörte das Wort einmal und wußte es. Er war gewöhnt, nur auf der Straße zu gehen; einmal nahm ich ihn auf eine Wiese mit. Als er überall Himmel statt Häuser sah, breitete er die Arme weit aus und rief mit dem glücklichsten Gesichtchen: Licht! — Licht! Dann spielte er mit einem »Mäla«, Mädchen. Zu Matrose sagt er »Tatjone«.

Mit 22 Monaten wurde er geimpft und interessierte sich sehr für seine »Blappern«. Er bildet niedliche Sätze und erinnert sich selbst, wie er noch schlecht sprach. Da sagt er plötzlich mit leuchtenden Augen: Mütterle — Micka (oder Dintenne, Wuppe, sa). Ich nachher fragend: Micka? und er: Ja, Micka!! Ich ganz erstaunt: »Ach!« Dann er übermäßig lachend: »Nein Mixa« (der Kaufmann) oder: Gießkanne, Suppe, ja usw. Wasserfall, Federhalter, Menschenkind und ähnliche lange Worte sagt er ganz richtig nach und macht uns gern auf unsere Angewohnheiten aufmerksam. Während wir uns unterhalten, kommt plötzlich eine Stimme aus dem Hintergrund: Mama sagt immer: hmhm, aha, Papa sagt: Soso! Neulich hob ich Wäsche auf und ordnete alles laut zählend nach Nummern, der Junge war im Zimmer und spielte. Er zählte, als ich fertig war, bis 12 (soweit habe ich die Wäschepacke), zwar nicht in der Reihe, kennt aber jede Ziffer. Er zählt nun alles: Zahnstocher, Knöpfe, Streichhölzer. Mit Spielsachen spielt er nie. Uns gibt er die zärtlichsten Namen: Päpchen, Päpse, Psäpse, Papiserle, Vätchen, auch Voata —, Mütterle, Mammerle, Mamaliezchen. Wenn er von den Dienstboten was haben will, sagt er Annerle, Majierle und nennt sie »Sie«. Sobald er im Hof ein Mädchen sieht, sagt er, indem er mit dem Finger droht: Du, Du, Du Mäderle! Ungefähr so drückt er sich aus: Uhr zeige, Schoß nehme. Seit ein Schlosser im Haus war, hält er ihn für allmächtig. Ist sein Stift abgebrochen, heißt es: Losser holen, oder sogar: Nase kümmert, Losser holen! Einst saß er auf dem Töpfchen und mühte sich vergeblich, endlich rief er: Nein, Mama, geht nicht, Losser holen. — Heut früh war sein erstes Wort: Papa fläfst Du? Dann im Flüsterton: Ja, juhig, Papa fläft. Es »bitzelt« auch nicht mehr bei ihm, sondern blitzt und aus dem »Gasl« wurde ein Glas. Wenn er spielt, hält er lange Selbstgespräche: »Hellerle, tell Tuhl nicht so, fällst junta, tell ihn so, jetzt kekel jauf« usw., ununterbrochen quatscht er. Oder er sagt zu mir: »Hella Küche wollt.« (H. will in die Küche.) Was willst Du denn da? sage ich. »Kochen.« Was denn? »Sleisch, Koffeln, Müse.« (Fleisch, Kartoffeln, Gemüse.) Reizend ist der Tonfall seiner Sprache mit unzähligen Abstufungen. Zu einem enttäuschten »nein« braucht er eine ganze Oktave von Tönen. Manchmal sagt er Lieder und Gedichte vor sich her, natürlich läßt er viele Worte aus, doch die Hauptsache bleibt immer. Z. B. Kuckuck, Wald, singen, springen, Fühling kommt bald, oder: Helene türzt, Hanne, Tante, Kaffeekanne, geht klrrr — klippklapp — Onkel kiegt ab.

26 Monate. Nun kommt eine große Lücke im Tagebuch, wir waren inzwischen in der Sommerfrische und erst am 13. Oktober, fast 3 Monate später, beginnt es wieder. Unzählige Male, besonders beim Flaschetrinken sagt er: »Mutter, sing (nie erzähle) vom Talle (Stalle)!« Ebenso muß ich ihm Geschichten und Gedichte »singen«. Nun muß ich alle Einzelheiten, die er sich gemerkt, erzählen, wehe, wenn ich was auslasse, da werde ich sofort verbessert! Da sagte ich neulich mal: Dann gießt der Kuhmann die Milch in den Kühler, sofort rief er: Nein, erst schaubt er das Wasser auf. Die ganze Behandlung der Milch ist ihm geläufig, sogar die »Céntifuge« erklärt er. Er war 14 Tage an einem Ruhranfall krank und macht nun wenig Fortschritte. Manchmal nimmt er mich um den Hals und sagt mit rührender Stimme: »Mutterle, geh fort nicht, nein!« Daß ich immer Angst bekomme, als müßte ich zu früh fort, oder: »Mutterle, sei böse nicht!« Beides, ohne daß etwas vorangegangen wäre. Das »ich« benutzt er noch nicht. Über den Tisch kommt er zu mir gekrochen und sagt: »Mutters Schoß kommst Du, auf mein Schoß,« oder: »Mutters Bett kommst Du, in mein Bett.« Früh wenn ich klingle: »Anna holt Dich nicht, nein, nein, nein« (zum Anziehn), in demselben beruhigenden Ton, wie ich's ihm früher sagte, nach einer Weile setzt er hinzu: »Anna vespert noch.« Alle Türen, selbst fremde und Gartenpforten reißt er auf: »Gute Luft jeinlassen« heißt's dabei. Manchmal kriecht er aufs Fenster und ruft: Klappertorch, bing ein Büderßen! Frägt man ihn, was er haben will, dann sagt er: Kein Büderßen, kein Feschterßen, bloß einen Jungen. Sein Gedächtnis ist vorzüglich, jeden Weg, den er einmal gegangen, kennt er wieder und weiß, was er erlebt hat. Im Frühjahr gingen wir mal mit ihm und er lief ins junge Getreide. Da sagten wir: Du, der Bauer kommt. Seitdem gingen wir den Weg nicht mehr, bis neulich. An derselben Stelle lief der Junge in den Sturzacker und rief: »Der Baua kommt!« Nun singt er auch schon: Fuchs, du hast die Gans gestohlen, Kommt ein Vöglein, und sagt fast den ganzen Struwwelpeter her. Doch verlange ich nie, daß er jemandem etwas vorträgt. Seine Phantasie ist blühend. Er sieht ein Hunderle unter seinem Stuhl sitzen

und schreit, es beiße ihn, zeigt auch, wo und jagt es fort. Meine Nadeln und Knöpfe legt er schlafen und spricht mit den Möbeln. Da tut er, als ob sie weinen, und tröstet sie.

Inzwischen kam sein Schwesterchen, »Fesperchen« nannte er's. Die Freude war rührend. Immer kam er an mein Bett und fragte: Mutter, bauchst Du was? um es dann sofort zu holen. Er machte sich die Türen auf, indem er in der Hand immer sein Stühlchen trug und sich darauf stellte. »Mein geliebtes Tüßel« nannte er's. Wenn er weiter nichts wußte, brachte er eine »tooke Wildel«, trockne Windel »für's Kind«. »Unse kleine Frausche, unser geliebtes Kinderle« nennt er sie.

Mit 2 Jahr zwei Monate singt er mir, als ich nach der Kleinen zu Bett lag immer das Lied:

> Guten Tag Hea Geatneasmann (Herr Gärtnersmann)
> Hahm Sie die Lavendel (Haben Sie Lavendel)
> Joßmajien und Timahahn (Rosmarin und Thymian)
> Und ein wenig Kandwel, (Und ein wenig Quendel)
> Busse hol den Sessel jein (Bursche hol den Sessel rein)
> Mit den goldnen Tessen (Mit den goldnen Tressen)
> Die Madam wird müde sein,
> Sich ein bissen setzen; was ich ihm vorgesungen hatte.

Ende November brachte ich ihm zum ersten Mal ein Verschen zu Großmutters Geburtstag bei. Er lernte es nicht gern, ich konnte es ihm nie öfter wie dreimal mit Nachsagen vorsprechen:

> Ich wünße dir Goßmüttalein
> Du sollst sund und glück-glück sein
> (Ich wünsche dir Großmütterlein
> Du sollst gesund und glücklich sein.)

Er konnte es längst, wollte nur nicht lernen und wenn er's satt hatte, schnatterte er halb böse, halb übermütig:

> Ach wanße da Gaßmattala,
> Da sallst sand and glack-glackla.

Ebenso verdrehte er oft Lieder die er kannte in dieser Weise, indem er sie auf a, i und ä sprach. Z. B.: Kimmt ien Viegel gefliegen usw.

Pause bis zum 21. Februar, 28—30 Monate. Ich war krank, dann Umzug, was für den Jungen die herrlichste Zeit war. Er unterschied immer »die alte Wohnung« und »die Wohnung«. Wenn jemand sagt, er will das Schwesterchen nehmen, stößt er energisch den Finger auf den Tisch: »Nein, sie wird in der Wohnung bleiben.« Bis Ende Januar hatten wir die Handwerker, was möglich war, erklärte ich ihm. Er ist nun Tischler, Tapezierer, Monteur usw. Einmal stieg er auf die Leiter, drehte sich um und rief: »Anna, passen Sie mal recht gut auf den Jungen (meint sich) auf, ich habe keine Zeit, bin Monteur.« Als die Nachtglocke angebracht wurde, stellte er sich davor und flehte hinauf: »Gute, neue Nachtglocke, klingle nicht, Hellmuth möchte erschrecken.« Den Tapezier-gehilfen, einen ganz stumpfsinnigen Kerl, führte er an der Hand zu allen unseren Schätzen und erklärte sie ihm. Auf Böcklinsche Reproduktionen weisend: Und das hier ist alles von Böcklin. Jeden Besuch macht er aufmerksam: Haben Sie schon die neuen Tapeten gesehen und die Goldleisten, den neuen Teppich usw., sofort, ehe er guten Tag sagte. Faßte einer der Handwerker an die Tapete, so schrie er ganz aufgeregt: »Mein Gott, wenn das die Frau Mojawiez sieht« (Morawiez, Hauswirtin). Gehen wir durchs dunkle Zimmer, dann nimmt er meine Hand: »Komm Mutter, muß dich führen, daß Du Dich nicht stößt.« Einst fragte er: »Hast Du keine Angst im Finstern?« Ich: Nein. »Dann bist Du wohl ein Mann?« Warum denn? »Nun, Männer haben doch keine Angst.« Unzählige Male, auch nachts, sagt er: »Aber ist das schön in unserer Wohnung, Hellmuth ist sehr gern in der Wohnung.« Mich nennt er jetzt »gnäd'ge Fau« oder »Fau Doktor«, den Vater »Herr Doktor« und »Sie«. Er kam von selbst darauf und behielt es vielleicht 4 Wochen bei. Auch von uns sagte er nur so, dann einige Zeit »Frau Mutter«. Den Vater »Äwin« (Erwin) beim Vornamen.

31 Monate. Nach einer stürmischen Auseinandersetzung, die er mit dem Vater hatte, kam er auf meinen Schoß: »Mutter, was hat der Vater geschümpft?« »Du weißt ja.« Nach einer Weile: »Ja, der Vater hat geschümpft, aber er ist doch gut.« Als von uns Photographien kamen, sagte er strahlend: »Ach, das soll wohl etwa gar unser Äwin sein.« Dann weiter: »Mir scheint, das ist gar unsre Kleine.« An der Taufe wollte ihm die Kochfrau Fleisch geben, er wies es, wie er's auch stets beim Fleischer tut, zurück: »Lassen Sie, ich bin Vegetarier« (die Kinder werden ganz vegetarisch erzogen) und zum Onkel, der ihm Wein anbot: »Ich bin ja Tempejenzler.« Er trinkt nur »olkeines Bier und Wein« (alkoholfrei). Abends kommt er oft aus dem Bett gestiegen ins Wohnzimmer. Da er weiß, daß ich böse bin, bringt er irgend was mit sanfter Stimme hervor: »Wollte bloß mal der Kleinen einen Kuß geben,« oder: »Wie geht's Dir denn, geliebtes Mütterchen?« Vorigen Monat, wenn er nachts aufwachte, und oft am Tage, sagte er mit rührendem Tonfall zu mir: »Sei glücklich.« Manchmal frägt er: »Wer hat denn die Kleine gebracht?« Du weißt ja. »Na ja, der Klapperstorch. Aber wer hat sie gemacht?« oder: »Ich bin vom Doktor Silber, von wem bist Du, Mutter?«

Da der Knabe nun vollständig in Sätzen spricht, erübrigt es sich, weiter fortzufahren. Er hat nun auch das r sprechen gelernt, das er wohl anfangs konnte, aber als die Sprache reicher wurde, wieder vergaß. Am Anfang wurde es wie j, in der Mitte wie a, einmal wie g (Säge, Schere) gesprochen. Der Onkel jeitet auf dem Feade (Pferde). Geatnea (Gärtner). Nach a wurde das r meist ausgelassen, z. B. bav — brav, auch nach u Buda — Bruder. Geblieben ist das Wort »Ulßlolo« für Umschlag, obgleich er es längst richtig sprechen kann, noch $1/_2$ Jahr, und bis heute »Fitt« für die großen Bedürfnisse, in ganz früher Zeit mal von Wurst abgeleitet, wohl weil es die ganze Umgebung gebrauchte.

(Schluß folgt.)

B. Mitteilungen.

1. Wie wird in massgebenden Kreisen die Pädagogik gewertet?

Zu denjenigen Staaten im Deutschen Reiche, welche das meiste Verständnis für die Pädagogik als Wissenschaft bekundet haben, gehört unser Großherzogtum Sachsen-Weimar. War doch Jena lange Zeit hindurch die einzige Universität, welche einen Lehrstuhl für Pädagogik besaß, und ist sie doch auch heute meines Wissens noch die einzige, welche eine Übungsschule, eine Erziehungs-Klinik, besitzt. Und dennoch kann selbst hier ohne die geringste Bemerkung, sozusagen als etwas Selbstverständliches, folgende Notiz durch die Tagespresse gehen:

»Zu Ostern verlassen an den beiden Landesseminaren in Weimar und Eisenach die Oberlehrer W.... und H... ihre Stellungen, dieser, um eine neue Stellung an der höheren Töchterschule in Hannover, jener, um die neu gegründete Diakonatstelle in Weimar anzunehmen. Als Nachfolger sind für Weimar Pfarrer K....-Stetten a. d. Rhön, für Eisenach Pfarrer P....-Troistedt ausersehen. Altem Herkommen gemäß werden die ersten Seminarlehrerstellen mit Theologen besetzt.«

Also: die ersten Lehrer der Landesseminare sind keine Fachmänner. Wie der Geistliche so im Nebenamte ohne besondere Vorbildung und ohne besondere praktische Erfahrung durch Selbstbetätigung Schulinspektor in den meisten deutschen Ländern werden kann, so kann er auch in gleicher Weise nicht etwa Seminarhilfslehrer, sondern Seminaroberlehrer, d. h. erster Lehrer der Lehrer werden. Nach ein paar Jahren — man muß doch Lehrjahren sagen — wobei die künftigen Lehrer als Übungsmaterial dienen, tritt der Seminaroberlehrer wieder ins Pfarramt oder sonstwohin zurück, und der Fall wiederholt sich von neuem. Und dieses »alte Herkommen« findet man so selbstverständlich, daß niemand auf den Mißstand hinweist.

Würde es in irgend einer Berufsschule auch nur denkbar sein, daß der erste Lehrer einfach und grundsätzlich aus einem andern Berufsstande gewählt wird? Und ist die Ausbildung der Lehrer unseres Volkes so unbedeutsam, daß für sie das weiter nichts bedeutet? Und sagen die Theologen sich denn nicht vor der Annahme einer solch verantwortungsvollen Stellung, daß sie als solche nicht dafür ausgebildet sind und sein können?

Doch ich weise darauf hin nicht aus Mangel an Sympathie mit dem geistlichen Stande. Ich stehe durchaus freundlich zu ihm. Erst recht hat der Hinweis nichts mit den genannten Personen zu tun. Ihre Namen sind rein zufällig; ich habe sie deswegen auch nicht ausdrucken lassen. Auch ist Weimar, wie schon gesagt, darin nicht besonders rückständig; die Frage ist oder war bis vor kurzem in den deutschen Staaten fast überall dieselbe. Sie ist für uns eine grundsätzliche, die das zufällige Beispiel nur veranschaulichen soll.

In der Prüfung für Rektoren in Preußen vom 1. Juli 1901 heißt es zwar in § 1: »Die Befähigung zur Anstellung als Seminardirektor, als Seminarlehrer, als Vorsteher an öffentlichen Präparandenanstalten, als Kreisschulinspektor, als Leiter von höheren Mädchenschulen, von Mittelschulen, von Volksschulen mit sechs oder mehr aufsteigenden Klassen und von solchen Schulen, welche herkömmlich von einem Rektor geleitet werden, sowie die Befähigung zur Übernahme der Leitung mehrklassiger Privatschulen wird durch Ablegung der Rektorprüfung erworben.« Wird aber selbst in Preußen dieser Befähigungsnachweis von Seminaroberlehrern, Kreisschulinspektoren usw. auch tatsächlich, wenn auch nur als Regel, gefordert? Wenn z. B. die Regierung auch nur ein halbes Dutzend solcher Schulinspektoren für die ganze Monarchie verlangte, wurde dann nicht diese Forderung von den »staatserhaltenden« Parteien der Konservativen und des Zentrums abgelehnt, fiel dann nicht allemal das Interesse der Sache dem politischen Parteigetriebe zum Opfer? Und wenn Kreisschulinspektoren im Hauptamte ernannt werden, so rücken vielfach Theologen und Philologen, fast lediglich auf Grund ihres theoretischen, examinierbaren Wissens, ohne praktische Erfahrung gleich in die leitenden Stellen ein. Dennoch bedeutet diese Prüfungsordnung einen ungeheuren Fortschritt gegen früher. Das »Herkommen« ist auch nicht im Handumdrehen aus der Welt zu schaffen, weil eine Seminarbildung im allgemeinen für den Posten nicht genügt und die Universität nur Gelehrte, aber keine Lehrer ausbildet und in hinreichender Menge ausbilden kann, solange wir keine pädagogischen Fakultäten besitzen.

Die neuerdings so genannten Oberlehrer, die doch auch nur als Gelehrte die Universität verlassen, sind aber für solchen Posten noch weniger als die Geistlichen befähigt, weil diese doch wenigstens in ihrem praktischen Amte mit den Volksschichten Fühlung bekommen, für die die Lehrer gebildet werden sollen, während jene solche Berührungen leider oft geflissentlich vermeiden. Jüngst wurde mir z. B. ein pädagogisches Wochenblatt der Oberlehrer ins Haus geschickt, worin der Leitartikel in Tönen, als wenn ein Weltuntergang bevorstehe, die Tatsache mitteilte, daß ein preußischer Minister nur dann das amtliche Material für einen Kalender der höheren Schulen zur Benutzung hätte preisgeben wollen, wenn derselbe auch die »Elementar-« und technischen Lehrer dieser Schulen mit anführe, und der dann himmelhoch darüber jauchzte, daß endlich das Ministerium davon Abstand genommen habe, der Kalender also jetzt elementarlehrerrein, wie gewisse Bäder judenrein, erscheinen dürfe. Wenn ein solcher Geist in die Lehrerseminare einziehen sollte, so bedeutete das geradezu ein nationales Unglück für unser im Innern ohnehin schon tiefzerrissenes Volk. Woher soll dann die Erziehung zum Bewußtsein der innigen Zusammengehörigkeit aller Volksschichten kommen, wenn die berufenen Volkserzieher den innersten Spalt schärfer als die »Genossen« gegenüber der »einen reaktionären Masse«, wie umgekehrt, zur Schau tragen? Würden die Probleme der Volkserziehung mit zu den Prüfungsgegenständen für Oberlehrer gehören und würde man von ihnen verlangen, daß sie neben den Kollegs über die untergegangenen Völker der Griechen und Römer

auch solche über die erzieherischen Bedingungen für das Fortbestehen des
eigenen Volkes, über die gesamte Volkserziehung, hören müßten und hören
könnten, so wären solche öffentliche Ausfälle undenkbar, und dann, aber
auch nur dann, wären sie die Berufenen, auch Oberlehrer unter den
Lehrern der Lehrer zu werden. Bis dahin ist aber der Geistliche noch
vorzuzie .en.

Unsere oft berührte Frage reicht also weit über Kinderpsychologie
und Jugendfürsorge hinaus: es ist zugleich ein volkserhaltendes Problem.

Tr.

2. Ein seltener Fall aus dem Gebiete der Psychopathia sexualis.

Obwohl die Bücher über die Verirrungen des Geschlechtstriebes von
Auflage zu Auflage an Material zunehmen, haben doch die Gerichtsärzte
von einem vor einiger Zeit in Berlin verhandelten Falle erklären müssen,
daß er sehr selten sei.

Ein 22jähriger Student der Technischen Hochschule in Charlottenburg
war angeklagt, in den Straßen Berlins mehreren Mädchen die Zöpfe abgeschnitten zu haben. Nach seiner eigenen Angabe hat er sich dieses
Vergehens in 16 Fällen schuldig gemacht; in seinem Schreibtische fand
man eine Sammlung von 31 Zöpfen. Wie er selber mitteilte, hat er einen
unbezwinglichen Drang, in den Besitz blonden Frauenhaares zu kommen,
wobei es gar nichts ausmacht, ob die Trägerin jung oder alt, schön oder
häßlich ist. Den krankhaften Drang hat er von Jugend auf empfunden,
im 16. Jahre aber nicht mehr bekämpfen können und zuerst seiner
Schwester das Haar abgeschnitten. Das Haar hat er zu Hause aufbewahrt,
häufig geküßt und unter sein Kopfkissen gelegt. Nach Aussage der Ärzte
ist der junge Mann erblich belastet und weist zahlreiche Degenerationszeichen auf. Eine Schwester von ihm ist geisteskrank. Seine geistige
Befähigung ist gut, besonders in der Mathematik. Er hegt die Meinung,
zu Großem bestimmt zu sein, und hat sich deshalb von seinen Kameraden
oft zurückgesetzt gefühlt. Er ist Mitglied des studentischen Keuschheits-
bundes.

Es erfolgte Freisprechung in der Erwartung, daß die Familie den
jungen Mann in eine Irrenanstalt bringe.

Bemerkenswert ist aus den Verhandlungen noch, daß eines der Mädchen, die ihres Haares beraubt wurden, einen Nervenchok erlitten hat,
dessen Wirkungen andauern.   U.

3. Die Bedeutung der nervösen und psychischen Anomalien des schulpflichtigen Alters.

Mit einer Probevorlesung über dieses Thema habilitierte sich unser
Mitarbeiter Herr Dr. med. Wilh. Strohmayer an der Universität Jena.
Er wird auch während des Sommersemesters über dieses Kapitel Vor-
lesungen halten. Wir begrüßen dieselben als ein weiterer Schritt, der
Jugendkunde an den Universitäten eine Heimstätte zu bereiten.   Tr.

4. Universitätsferienkurs 1906.

Ende Juli findet auch in Würzburg ein Universitätsferienkurs für Volksschullehrer statt. Anfragen und Anmeldungen sind zu richten an Lehrer Dr. Friedrich Schmidt, Theresienstraße 11. Das Nähere wird noch bekannt gegeben werden. I. A. Dr. August Mayer.

C. Literatur.

Meumann, E., o. Professor a. d. Universität Königsberg i. Pr., und **Wirth, A.,** a. o. Professor a. d. Universität Leipzig, Archiv für die gesamte Psychologie. Herausgegeben unter Mitwirkung von Prof H. Höffding in Kopenhagen, Prof. F. Jodl in Wien, Prof. A. Kirschmann in Toronto (Canada), Prof. E. Kraepelin in München, Prof. O. Külpe in Würzburg, Dr. A. Lehmann in Kopenhagen, Prof. Th. Lipps in München, Prof. G. Marius in Kiel, Prof. G. Störring in Zürich und Prof. W. Wundt in Leipzig. 6. Band. 1.—4. Heft. Leipzig, Wilh. Engelmann, 1905. Preis 20 M.

Es ist mir eine angenehme, weil hoffnungsfreudige Pflicht, unsere Leser auf das »Archiv für die gesamte Psychologie« empfehlend hinzuweisen. Immer wieder haben wir betonen müssen: wir kommen mit den großen Fragen der Erziehung der normalen wie der abnormen Jugend nicht genügend voran, weil die Grundfesten dafür nicht sicher liegen. Der Teufel flüstert uns zwar auch auf diesem Gebiete das sinnlose Wort ein: »Grau teurer Freund ist alle Theorie«, und die Toren glauben ihm. Die Einsichtsvollen erkennen aber nur die Losung an: »Eine richtige Theorie ist das Praktischste, was es gibt« (Dörpfeld.) Eine richtige Theorie der Erziehung des heranwachsenden Menschengeschlechts setzt aber als Vorbedingung eine richtige Einsicht in das Wesen und Leben der Jugendseele voraus. Diese Einsicht können wir teils auf dem von uns seit 10 Jahren begangenen Wege des Studiums des Kindes in gesunden und kranken Tagen durch Beobachtung, Zergliederung und Experiment gewinnen, teils sind wir aber angewiesen auf die psychologische Forschung und Lehre schlechthin, auf die Verarbeitung der Ergebnisse der Gesamtpsychologie für pädagogische Zwecke, auf ihre Anwendung und Übertragung auf die Kunde vom Kinde und auf die Methode seiner natur- und planmäßigen Erziehung. Darum forderten wir immer wieder nicht bloß selbständige und mehr Lehrstühle für Pädagogik, sondern auch besondere Lehrstühle für Psychologie. Einige Universitäten besitzen solche, leider aber nicht alle. Jena hat z. B. einen Lehrstuhl für Pädagogik aber keinen für Psychologie. Anderswo ist es umgekehrt. Bahnbrechend war auf psychologischem Gebiete Leipzig. Die Schüler Wundts haben in allen Weltgegenden nach dem Leipziger Muster ihre Laboratorien eingerichtet und forschen bald mehr bald weniger von der Methode des Altmeisters abweichend.

Unter diesen Forschern interessiert uns vor allem Meumann. Während manche namhafte Gelehrte vollständig indifferent sind gegen das, was aus den Forschungsergebnissen für das Menschenleben wird, und nur forschen, um zu forschen, ja nicht selten die Berührung ihrer Wissenschaft mit so gewöhnlichen Dingen wie Pädagogik, Kriminalistik, Seelsorge usw. von sich weisen, steht Meumann zugleich mitten in den Problemen der Pädagogik und widmet sich mit besonderer

Vorliebe unserm Sondergebiet des Kinderstudiums. Meumanns Arbeiten haben darum in der Regel ein besonderes Interesse für den Pädagogen und Kinderpsychologen.

Wenn man auch nur einen oberflächlichen Blick in das »Archiv« tut und sieht, mit welcher Sorgfalt und Umsicht auf dem ganzen Gebiete des Seelenlebens hier geforscht und gesammelt wird und sich dann sagt, welche Bedeutung diese Ergebnisse haben könnten, wenn Lehrstühle und Einrichtungen genug vorhanden wären, um sie auf das Kind und auf die Behandlung desselben zu übertragen, dann wird man für die Zukunft hoffnungsfreudig gestimmt. Und wenn ich dann zurückdenke in die 70er Jahre des vorigen Jahrhunderts, wo Dörpfeld mit den dürftigsten Mitteln seine Monographien der pädagogischen Psychologie begann und mir klarmachte, daß ohne die monographische Bearbeitung zahlreicher Einzelfragen der Psychologie die Pädagogik nicht aus dem Wirrwarr herauskommen könne, und nun sehe, wie hier überall in damals nie geahnter Weise geschafft wird, dann dürfen wir gewiß auch hoffen, daß einmal im deutschen Reiche die Maßgebenden genötigt werden, die Pädagogik an unsern vielgepriesenen Universitäten aus ihrer Aschenbrödelstellung zu befreien und zwar nicht um eines wissenschaftlichen Sportes oder einer Liebhaberei willen, sondern im Interesse der Förderung der Lebensinteressen unseres Volkes, der Kräftigung und Gesunderhaltung des heranwachsenden Geschlechtes in körperlicher, geistiger und sittlicher Beziehung.

Die Kinderseelenkunde, welcher unsere Zeitschrift gewidmet ist, ist nur ein Teilgebiet der Gesamtpsychologie. Es liegt darum nicht im Rahmen unserer Aufgabe, über den Inhalt des »Archivs« im einzelnen zu berichten. Doch ohne Berücksichtigung der Grundfragen der allgemeinen Psychologie und ohne Verarbeitung ihrer Fortschritte verliert die Kinderpsychologie wie auch die pädagogische Psychologie an wissenschaftlichem Wert. Und darum müssen wir auch aus diesem Grunde wünschen, daß unsere Mitarbeiter und Leser nicht unbeachtet an den fleißigen Forschungsarbeiten und den umfangreichen Berichten des »Archivs« vorübergehen.

Trüper.

Ziehen, Leitfaden der physiologischen Psychologie in 15 Vorlesungen. Siebente, teilweise umgearbeitete Auflage. Jena, Gustav Fischer, 1906. gr. 8⁰. 280 S.

Ziehens Leitfaden der Psychologie hat in 15 Jahren 7 Auflagen erlebt. Obwohl man namentlich in unsern Tagen eine hohe Auflagenzahl durchaus nicht immer als Beweis für den Wert eines Werkes ansehen darf, so steht doch hier beides im Einklang. Ziehens Leitfaden — eine Bezeichnung übrigens, die uns nie recht gefallen hat — ist so bekannt, daß er einer Anzeige kaum mehr bedarf. Nur in Rücksicht auf die jüngern Pädagogen, aus deren Kreisen oft Anfragen wegen psychologischer Literatur an uns gelangen. gehen wir auf das Buch näher ein, als wir es sonst tun würden.

Die Ziehensche Arbeit gilt allgemein als eine verhältnismäßig leichte Einführung in die Psychologie, und das mit Recht. Der Verfasser besitzt, wie bereits aus seiner Jenenser Lehrtätigkeit bekannt geworden ist, ein hervorragendes Darstellungstalent, das in seinem Leitfaden noch besser hervortritt als in seinen andern Schriften, soweit sie uns bekannt geworden sind. Wenn man die Vorlesungen aufmerksam liest, so glaubt man sich in den Hörsaal versetzt. Allerdings würde der Wert des Buches in dieser Beziehung durch eine genaue Durchsicht in sprachlicher Hinsicht noch gewinnen.

Für die Leser unserer Zeitschrift besteht ein besonderer Vorzug des Buches darin, daß auch die krankhaften Erscheinungen des Seelenlebens Berücksichtigung finden: einmal tritt dadurch manche normale Erscheinung in hellere Beleuchtung, und sodann wird der Zugang zum Pathologischen geöffnet. Daß das letztere namentlich in den Lehrbüchern der pädagogischen Psychologie nicht schon längst geschah, ist sehr bedauerlich, denn wäre es in zweckmäßiger Weise geschehen, so würde man für die pädagogische Pathologie mehr Verständnis haben, als es noch in der Gegenwart leider der Fall ist. Neuerdings hat man angefangen, in den Lehrbüchern der pädagogischen Psychologie Pathologisches in einem Anhang zu behandeln. Das ist zwar besser als nichts, aber viel Erfolg können wir uns davon nicht versprechen. Den besten Weg hat entschieden Ziehen eingeschlagen, indem er Pathologisches allenthalben im engen Zusammenhang mit dem Normalen darstellt. Bei dieser Gelegenheit sei darauf aufmerksam gemacht, daß Ziehen auch eine Psychiatrie (Berlin, Wreden) geschrieben hat. die zwar, wie sich das wohl von selbst versteht, für Ärzte bestimmt ist, die aber auch von dem Pädagogen mit Nutzen gebraucht werden kann, wenn er den Leitfaden genau durchgearbeitet hat. Die Ziehensche Psychiatrie wird namentlich auch dem von Nutzen sein, der die zahlreichen einschlägigen Artikel Ziehens in Reins Enzyklopädischem Handbuch der Pädagogik in ihrer oft recht knappen Fassung besser verstehen will.

Was nun die Ziehensche Auffassung der psychischen Erscheinungen betrifft, so schließt sie sich im wesentlichen eng an die englische Assoziationspsychologie an. Ziehen bemüht sich auch, für die Assoziationen eine physiologische Grundlage oder Parallelerscheinung zu finden, ist aber vorsichtig genug, ausdrücklich zu betonen, daß in dieser Beziehung noch vieles als durchaus hypothetisch anzusehen sei (S. 178). Bemerkenswert erscheint, daß nach Ziehens auch an anderer Stelle geäußerter Ansicht bei der Assoziation und Reproduktion der Vorstellungen nicht die Ähnlichkeit sondern die Gleichzeitigkeit die Hauptrolle spielt. Der Verfasser warnt ausdrücklich davor, die Assoziation auf Grund der Gleichzeitigkeit als etwas Äußerliches, Oberflächliches, die Assoziation auf Grund der Ähnlichkeit als das Tiefere, Innerliche anzusehen. Sollte sich diese Auffassung als zutreffend herausstellen, so würde das für die Pädagogik natürlich von großer Bedeutung sein; wir werden aber gut tun, die Entscheidung abzuwarten.

Auch in einem andern Punkte können wir dem Verfasser noch nicht recht zustimmen, nämlich in seiner Lehre von den Gefühlen. Ziehen leitet die Gemütsbewegungen (Affekte) weder, wie Herbart, von der Wechselwirkung, von den Hemmungs- und Förderungsverhältnissen der Vorstellungen her, noch sieht er in ihnen, wie die James-Langesche Hypothese, eine Begleiterscheinung gewisser motorischer und vasomotorischer Innervationsverhältnisse; sondern er führt die Gemütsbewegungen auf die Betonung der Empfindungen zurück: Die betonten Empfindungen hinterlassen betonte Vorstellungen und damit die Grundbestandteile nicht nur des intellektuellen, sondern auch des Gefühlslebens. Nun hat aber Th. Ribot in seiner »Psychologie des sentiments« (von mir unter dem Titel »Psychologie der Gefühle«, Altenburg 1904, ins Deutsche übersetzt) auf Grund einer Umfrage an zuständigen Stellen nachgewiesen, daß bei sehr vielen Menschen trotz starker Betonung der Empfindungen das Gedächtnis z. B. für das Schmerzgefühl sehr gering ist, trotz der großen Genauigkeit und Lebhaftigkeit des Gedächtnisses für die Berührung. Obwohl Ziehen das Werk Ribots erwähnt, geht er doch auf diesen Umstand, der seiner Theorie zu widersprechen scheint, nicht ein. In einer neuen Auflage, die wahrscheinlich nicht lange auf sich warten läßt, müßte das doch wohl geschehen.

Noch einen andern Wunsch können wir nicht unterdrücken. Er betrifft die Literaturangaben. Hierüber sagt der Verfasser im Vorwort zur ersten Auflage: »Bezüglich der Zitate habe ich zu bemerken, daß dieselben lediglich bezwecken, das weitere Studium auf geeignete Wege zu leiten; eine Angabe aller Arbeiten, auf welche die Seiten des Textes sich stützen, ist nicht beabsichtigt.« Wenn der Verfasser seine Arbeiten daraufhin genau ansieht, wird er kaum finden, daß er seiner Absicht allenthalben treu geblieben sei. Wir sehen darin aber durchaus keinen Fehler; im Gegenteil möchten wir eine wesentliche Erweiterung der Literaturangaben befürworten, und zwar sowohl in Rücksicht auf Autoren vom Verdienst, als auch zur genaueren Orientierung derer, die sich durch das Ziehen sche Buch in die Psychologie einführen lassen. Einmal würde sich dann auch für den einen oder andern Namen, den man jetzt mit Überraschung und Bedauern vermißt, ein entsprechendes Plätzchen finden, und sodann hätte der Verfasser Gelegenheit mit kurzen kritischen Bemerkungen auf die Einwände seiner Gegner einzugehen, was im Texte nicht wohl angebracht wäre. Sollte der Stoff umfangreich werden, so ließe er sich zweckmäßig in besondern Abschnitten am Schlusse der einzelnen Vorlesungen oder auch in einem Anhange unterbringen. Ein nachahmenswertes Vorbild hätte der Verfasser an Volkmanns Lehrbuch der Psychologie.　　　　Ufer.

Einen wissenschaftlichen Katalog über die gesamte Literatur der Schulhygiene wird der Begründer und Leiter des Museums für Schulhygiene Berlin-Rixdorf herausgeben. Das Museum dürfte den Besuchern des 1. internationalen Kongresses für Schulhygiene in Nürnberg, Ostern 1904 — noch in bester Erinnerung sein. Es hat sich zur Aufgabe gemacht, alles auf Schulhygiene (Schulbau, Schuleinrichtungen, Lehr- und Lernmittel, Bibliothek) bezügliche in natürlichen Objekten, Modellen, Apparaten, Präparaten, Wandtafeln, Plänen, Zeichnungen, Photographien, Broschüren, Jahresberichten, Zeitschriften, wissenschaftlichen und methodischen Arbeiten zu sammeln und zu deren Verbreitung beizutragen. Dieser Zweck wird durch die ständige Ausstellung, die Besuche in- und ausländischer Interessenten derselben und durch fortlaufende Berichterstattung in dieser Zeitschrift, durch Auskunfterteilung, durch Teilnahme an Hygiene-Ausstellungen usw. zu erreichen gesucht. Die Bibliothek des Institutes ist die umfangreichste auf diesem Gebiete. Um den vielen Wünschen des Interessenten zu entsprechen, soll der Katalog der Schulhygiene-Bibliothek erscheinen. Derselbe wird außer der wissenschaftlich geordneten Literatur der einzelnen Gebiete der Schulhygiene literarische Beiträge, Bildnisse und Biographien hervorragender Schulhygieniker bringen. Im Interesse der Wissenschaft, der Schulhygieniker, staatlicher und städtischer Behörden, Verfasser und Verleger dürfte es geboten sein, das Unternehmen dieser Zentralstelle der Schulhygiene nach jeder Hinsicht zu fördern. Um Irrtümer zu vermeiden und ein möglichst vollkommenes Literaturverzeichnis veröffentlichen zu können, ergeht an die verehrten Interessenten die höfliche Bitte, dem Herausgeber die Veröffentlichungen, Kataloge, Prospekte usw. zuzuschicken und ihn in Zukunft von Neuerscheinungen in Kenntnis zu setzen. Sendungen und Zuschriften sind zu richten an Museumsvorstand E. Fischer in Berlin SO.-Rixdorf, Kneesebeckstraße 21—23.

Druck von Hermann Beyer & Söhne (Beyer & Mann) in Langensalza.

A. Abhandlungen.

1. Das psychophysische Prinzip der Übung.

Von

Adolf Gerson.

Übung macht den Meister — noch lange nicht. Das alte Sprichwort ist aus der Mode gekommen, und heute im Zeitalter der Ge-
werbefreiheit heißt's statt dessen: Das Kapital macht den Meister.
Die Maschine und die fortgeschrittene Arbeitsteilung im Zusammenhang mit der Entdeckung neuer Arbeitsmethoden haben das Handwerk in der Gegenwart auf eine neue Grundlage — das Kapital —
gestellt und die alte Grundlage, die durch Übung erworbene körperliche Geschicklichkeit verdrängt. Denn um die neuen Arbeitsmethoden
einführen zu können und um im Verfolg dessen Maschinen anschaffen
und ein der Arbeitsteilung entsprechendes zahlreiches Personal einstellen zu können, mußte der Meister zum Kapitalisten werden und
auf das alte Prinzip des Handwerks, die selbsterlernte Kenntnis durch
Übung, verzichten.

Warum ich zur Einleitung dieser psychologischen Studie so weit
aushole? Um zu zeigen, daß das Prinzip der Übung eine weit über
den Kreis des individuellen psychologischen Lebens hinausgehende
Bedeutung für die Völker- und Menschheitspsyche hat, daß demnach
die Untersuchung der Grundlagen jenes Prinzips der Übung von
großem Werte nicht nur für die Psychologie und Pädagogik, sondern
auch für die soziologischen Gesichtspunkte vieler andern Wissenschaften ist.

Was wir eben vom Handwerk sagten, daß das Prinzip der Übung
durch die moderne kapitalistische Produktionsweise verdrängt worden

sei, das gilt nämlich auch von vielen andern Berufen. Auch von den
geistigen. Die Wissenschaft war früher handwerksmäßig auf das
Prinzip der Übung gebaut. Als die Bücher teuer und selten waren,
die Schrift nur von wenigen gekannt wurde und die Wissenschaft
noch geringen Umfang hatte, da trugen wohl die Gelehrten und
Lehrer ihre ganze Wissenschaft im Kopfe umher. Was man schwarz
auf weiß besaß, galt damals noch wenig, was man sich durch unermüdliches Lernen ins Gehirn geschrieben hatte, das galt. Die
Wissenschaft konnte früher nur »Wissen«, d. h. Auswendiggelerntes
sein, weil ihr vornehmlich die Methode der empirischen Forschung
als Grundlage fehlte und weil der Ideenaustausch und die Tradition
des Wissens noch der ausgiebigen Hilfe des geschriebenen bezw. des
gedruckten Wortes ermangelten. Die Zeit, wo mancher Gelehrte
sagen konnte: Omnia mea mecum porto ist nun leider (oder sollen
wir sagen: gottlob?) vorüber. Heutzutage macht vielleicht weniger das
Wissen als der wissenschaftliche Apparat den Gelehrten. Nur der
kann sich heute auf dem Felde der Wissenschaft mit Erfolg betätigen,
dessen Geldmittel ihm erlauben, sich eine reiche Fachbibliothek, die
oft tausende von Bänden zählen muß, anzuschaffen, der diese Bibliothek durch den Erwerb der fast Tag um Tag neu erscheinenden
Schriften vervollständigen und sich so in seiner Wissenschaft auf
dem Laufenden erhalten kann. Noch mehr Anforderungen an Geld
und materielle Opfer stellen jene Forschungsgebiete, die die Anschaffung teurer Apparate und Präparate, die Vornahme langwieriger
Experimente oder ausgedehnte Reisen notwendig machen. Die Bedeutung des Lernens, der geistigen Übung und des Wissens ist für
die Wissenschaft gegenüber der Bedeutung ihrer materiellen Grundlagen völlig zurückgetreten. So gilt auch auf dem Gebiete der Wissenschaft in gewissen Grenzen das Wort, daß nicht die Übung, sondern
das Kapital den Meister macht. Alle Erscheinungen des sozialen
Lebens, nicht nur das Handwerk und die Wissenschaft, gehorchen
eben denselben Gesetzen der gesellschaftlichen Entwicklung. Diese
Entwicklung führt vom Individualismus zum Kollektivismus hinüber
und die treibende Kraft dieser Entwicklung ist das Kapital. Für das
Zeitalter des Individualismus war das Prinzip der Übung die treibende
Kraft der Entwicklung: die dem Kollektivismus zustrebende Gegen-
wart verdrängt es auf der ganzen Linie durch die kapitalistische
Produktionsweise.

Ob zum Segen der Menschheit? Und wohin wird dies führen?

Aus dem Vorangehenden geht hervor, daß das Prinzip der Übung
nur noch auf den Gebieten des individuellen Lebens in voller Kraft

bestehen kann, und es muß als eine wesentliche Aufgabe der wissenschaftlichen Pädagogik gelten, daß sie das Prinzip der Übung für die Erziehung der Individuen nutzbar zu machen hat. Diese Zeilen verfolgen nun den Zweck, die Bedeutung der Übung als eines Erziehungsmittels neu und umfassend darzustellen und nachdrücklich zu betonen.

Die Menschen üben vielerlei: Der eine übt seine Arme und Beine, ein anderer seine Augen und Ohren, ein dritter seine Muskeln, ein vierter seine »Kräfte«, ein fünfter sein Gedächtnis; in der Schule üben wir das Lesen, Schreiben, Rechnen, das Anschauen, Sprechen usw. Gegenüber diesem Vielerlei, auf das sich die Übung erstrecken soll, muß man sich doch fragen, worin hier die tatsächliche Leistung und der eigentliche Vorgang bestehe. Da muß denn zunächst mit aller Schärfe jener verbreiteten Meinung entgegen getreten werden, nach welcher die körperlichen und die geistigen Funktionen des Menschen zwei voneinander völlig unabhängige Gebiete der Übung wären. Die moderne Psychologie hat mit aller Bestimmtheit nachgewiesen, daß die psychischen Funktionen untrennbar mit physiologischen Funktionen unseres Körpers, besonders des Nervenapparates verbunden sind. Demgemäß kann von einer Übung geistiger Funktionen, wie Gedächtnis, Anschauen, Sprechen usw. immer nur in dem Sinne die Rede sein, daß durch die Übung[1]) die jenen geistigen Funktionen parallel gehenden physiologischen Prozesse beeinflußt und abgeändert werden. Die Übung kann sich also direkt immer nur[2]) auf den Körper und seine Organe erstrecken. Faßt man nun den Begriff der Übung[1]) in diesem Sinne, so ist die Untersuchung des Wesens der Übung eine Aufgabe jener Wissenschaft, die sich mit der Erforschung der Funktionen des lebenden Körpers befaßt, der Physiologie. Da jedoch die durch die Übung beeinflußten physiologischen Vorgänge in unserm Bewußtsein psychische Erscheinungen hervorrufen, so befinden wir uns bei der Untersuchung des Wesens der Übung eigentlich auf einem Grenzgebiete zwischen Physiologie und Psychologie, das man je nach den abweichenden Gesichtspunkten Psychophysik, physiologische Psychologie, experimentelle Psychologie u. a. genannt hat.

Von den Teilen unseres Körpers sind nun, wie man meinen sollte, diejenigen einer Beeinflussung durch die Übung gar nicht fähig, die einer willkürlichen Bewegung nicht fähig sind. Man sollte meinen, die Knochen, das Herz, der Magen und das ganze vegetative System unseres Körpers fielen außerhalb des Bereichs der Übung. Aber was vermag der Mensch nicht alles? Er übt sie, wenn nicht

---

[1]) auch?!

[2]) Das »nur« ist wohl ebenso gewagt. TH.

17*

direkt, so indirekt. Durch anhaltendes Bergsteigen und Atmen von
Höhenluft kann man Herz und Lunge üben, durch einseitige Muskelübung kann man auf den Knochenbau einwirken. Der indische Fakir
kann die Tätigkeit des Herzens und den Blutkreislauf nach Gefallen
verlangsamen, hemmen und fördern; die Taucher vieler Küsten- und
Inselvölker können minutenlang unter Wasser bleiben, ohne Atem
schöpfen zu müssen, und der Neger, der seinen Magen an Stiefel-
sohlen, Nägel und Petroleum gewöhnt hat, ist in unseren Schaubuden
keine Seltenheit. Bleiben also allenfalls die Leber nnd die Milz als
Organe, die man nicht durch Übung beeinflussen kann und die außer
dem Bereich unserer Untersuchung bleiben müssen.

Nachdem wir so das Gebiet der Wissenschaft und das des organischen Körpers abgegrenzt haben, das bei unserer Untersuchung über
das Wesen der Übung in Betracht kommt, gehen wir auf den der
Übung zu Grunde liegenden physiologischen Prozeß ein. In Bezug
auf diesen unterscheidet W. Wundt[1]) zwischen direkter und indirekter Übung. Nicht in dem Sinne, wie wir es eben taten, indem
wir als direkte Übung die Übung jedes einer willkürlichen Tätigkeit
fähigen Organes, als indirekte Übung die Beeinflussung des einer
willkürlichen Tätigkeit nicht fähigen Organes durch die Übung eines
einer willkürlichen Tätigkeit fähigen Organes bezeichneten. Wundt
unterscheidet zwischen direkter und indirekter Übung in einem wesentlich andern Sinne. Direkte Übung nennt er den bei der Übung jeder
Tätigkeit sich in den Nervenfasern abspielenden Nervenprozeß, indirekte Übungserfolge nennt er die in den Anhangsgebilden der
Nervenfasern, den Muskeln, Sehnen, Knochen usw., infolge dieser
Übung auftretenden Veränderungen; denn jede Übung dieser Anhangs-
gebilde der Nervenfasern kann nur durch die Intätigkeitsetzung des
Nervenapparates erfolgen, und der Muskel bewegt sich nur auf einen
durch die Nervenfaser vermittelten Anreiz hin. Wir wollen uns diese
Unterscheidung Wundts nicht zu eigen machen, da sie nicht allen
Formen der Übung gerecht wird.

I. Alle Formen der Übung, die wir weiterhin darstellen werden,
haben nur einen Erfolg: Kraftersparnis. Die Kraftersparnis aber
kann auf zwei Wegen erfolgen: 1. durch Anpassen eines Organes an
eine bestimmte Tätigkeit, 2. durch Modifikation des nervösen Prozesses.

Untersuchen wir zunächst, inwiefern durch die Übung die Anpassung eines Organes an eine bestimmte Tätigkeit erfolgen kann.

-----

[1]) Wundt, W., Grundzüge der physiologischen Psychologie, 5. Aufl. Leipzig
1902. Bd. I. S. 71 f.

Wird nämlich ein Muskel zur häufigen Ausführung einer bestimmten Bewegung veranlaßt, so erfolgt ein stärkeres Zuströmen des Blutes zu demselben, zugleich wird durch die Arbeit des Muskels und das Zuströmen des Blutes der Stoffwechsel innerhalb des Muskels angeregt; die Ernährung des Muskels und sein Umfang nehmen zu, und auch die mit ihm verbundenen Körperteile, wie die Haut, die Knochen, die Sehnen, werden in ihrer Ernährung gefördert. Wird die Muskeltätigkeit längere Zeit auf einen einzelnen Muskel beschränkt, so wird den nicht geübten Muskeln die Blutzufuhr gemindert, die Ruhe und die mangelnde Blutzufuhr machen den Stoffwechsel der ruhenden Muskeln träge, ihre Ernährung ist mangelhaft und ihr Umfang verringert sich, mit ihnen zugleich leiden die mit ihnen verbundenen Knochen, Gelenke, Sehnen usw. Aus der einseitigen Bevorzugung einer Muskelübung können auf diese Weise Deformitäten des Muskel- und Knochenbaues entstehen, wie man sie an Leuten, die einseitige Muskelübungen bis zum Extrem betreiben, an professionellen Radfahrern, Athleten, Artisten u. a., wahrzunehmen häufig Gelegenheit hat.[1] Die Umbildung des Muskel- und Knochenbaues, die so im Gefolge der Muskelübung aufzutreten pflegt, stellt eine Anpassung des Bewegungssystems unseres Körpers an Tätigkeiten von bestimmter Form dar. Diese Anpassung ist erfolgt nach dem in der ganzen Natur herrschenden Prinzip des kleinsten Kraftmaßes; denn der umgebildete Muskel vollzieht die bestimmte Tätigkeit, der er angepaßt wurde, mit einem geringeren Kraftaufwand als der frühere Muskel. Man wird einwenden, der Kraftaufwand, der dazu gehört, um 1 kg zur Höhe von 1 m zu heben, sei immer derselbe und richte sich nicht nach der Beschaffenheit der hebenden Kraft, sei diese Muskelkraft oder Wärme oder Elektrizität oder sonst eine Form der allgemeinen Energie. In unserm Falle ist aber die Zeit zu berücksichtigen in der die bestimmte Muskeltätigkeit ausgeführt wird. Der umgebildete Muskel vermag die Arbeit viel schneller zu leisten, als es der frühere Muskel vermochte, weil er diesem an Umfang und Kraft überlegen ist und weil infolge seiner zweckmäßigen, der Tätigkeit angepaßten Struktur die Zahl der der Tätigkeit entgegentretenden Hemmungen in der Muskelsubstanz geringer ist als bei dem früheren unzweckmäßig konstruierten Muskel. Die Zeitersparnis, die der umgebildete Muskel so erreicht, stellt zugleich auch eine Kraftersparnis dar. Man stelle sich zum Vergleiche

---

[1] Wie die nach Geschlecht, Alter, Wohnort, sozialer Lage, Beruf verschiedene Inanspruchnahme des Körpers diesen formt, zeigt an einer reichen Zahl von Beispielen J. RANKE »Der Mensch«, 2. Aufl. Bd. II besonders S. 89 ff.

zwei ganz gleiche Eisenbahnzüge vor, von denen der eine eine bestimmte Strecke in 6 Stunden, der andere dieselbe Strecke in 3 Stunden zurücklegt. Beide vollbringen eigentlich dieselbe Kraftleistung,
das Produkt von Wegstrecke und Last, und doch wird die Lokomotive
des langsameren Zuges mehr Kohlen verfeuert haben als die des
schnelleren, wegen des unausbleiblichen Verlustes von Feuerungskraft,
die ungenutzt zum Schornstein und sonstwo hinausgeht; z. B. ist der
Wärmeverlust infolge der Abkühlung der Maschine durch die Luft
bei 6 stündiger Fahrt doppelt so groß als bei 3 stündiger. Auch bei
der Muskeltätigkeit geht ein Teil der motorischen Kraft als Reibung,
Wärme u. a. verloren und der Verlust ist um so größer, je länger
die Muskeltätigkeit andauert. Daraus folgt, daß bei der Muskeltätigkeit Zeitersparnis gleich Kraftersparnis ist. Dasselbe werden wir
weiterhin auf dem Gebiete der rein nervösen Tätigkeit erschließen.

Die Umbildung des Muskels und die daraus resultierende Kraftersparnis ist ein direkter Erfolg der Übung. Diese Tatsache ist von
großem Belange für die Entwicklungswissenschaft, denn damit erscheint die Übung als das biologische Prinzip, das der Anpassung
der Bewegungsorgane der Organismen an veränderte Lebensbedingungen
und der genetischen Entwicklung der Bewegungssysteme zu Grunde liegt.

Wir gehen nun von dem Gebiet der motorischen Übung zu dem
der sensorischen über, um auch auf diesem die oben ausgesprochene
Behauptung zu erweisen, daß durch die Übung Kraftersparnis erfolge
und zwar auf dem Wege der Anpassung des Organes an die spezifische Funktion. Bei den sensorischen Organen handelt es sich um
deren Anpassung an bestimmte Empfindungsreize. Unserer Behauptung von der Anpassung der Sinnesorgane an die Empfindungsreize
steht die noch von vielen Physiologen vertretene Lehre von den
spezifischen Sinnesenergien entgegen. Nach dieser Lehre, die
von dem berühmten Physiologen JOHANNES MÜLLER begründet und
von HELMHOLTZ weiter ausgebaut worden ist, soll die Qualität der
Empfindung, d. h. das Vermögen, die Sinneseindrücke als Druck,
Wärme, Geruch, Geschmack, Schall, Licht, Farbe usw. zu unterscheiden,
eine der Substanz jedes Sinnesnerven eigentümliche Funktion sein.
Wir sollen also einen Lichtreiz als solchen und in dem bestimmten
Grade seiner Intensität und Färbung empfinden, nicht weil der Lichtreiz eine spezifische Wirkung auf das Auge und den Gesichtsnerven
ausübt, sondern weil sich in uns eine durch die ganze Reihe der
Organismen vererbte spezifische Sinnesanlage zur Aufnahme und
Unterscheidung von Lichtreizen befindet. Diese Annahme hat mit
der Nutzbarmachung des Entwicklungsgedankens für die Physiologie

und mit dem Fortschreiten der vergleichenden Physiologie beträchtlich an Boden verloren. Die Schwierigkeit, hier eine Entscheidung zu treffen, beruht wesentlich darauf, daß man bei den Sinnesorganen eine Anpassung an bestimmte Funktionen durch Übung nicht so leicht anatomisch nachweisen kann, wie dies bei den Bewegungsorganen möglich ist. Allenfalls noch beim Auge. Hier pflegt die häufige Übung des Lesens und Schreibens eine Anpassung der Linsenkrümmung an diese Tätigkeit herbeizuführen, die die bekannte Ursache der verbreiteten Kurzsichtigkeit ist. Aber diese Anpassung der Linse ist eigentlich ein motorischer und kein sensorischer Übungserfolg. Ein sensorischer Übungserfolg ließe sich nur durch Strukturveränderungen in der Netzhaut des Auges, im Sehnerven oder im Sehzentrum des Gehirns beweisen, und solche hat die Anatomie bisher nicht nachweisen können. Ebensowenig lassen sich Strukturveränderungen an anderen Sinnesorganen im Verfolg einseitiger Reizungsübung nachweisen. Es besteht aber ein hoher Grad der Wahrscheinlichkeit dafür, daß die hohe Ausbildung einzelner Sinne infolge fortgesetzter Übung — man denke an die Sehschärfe bei Malern, die Hörschärfe bei Musikern, die Tast- und Gehörsempfindlichkeit bei Blinden usw. — daß diese hohe Ausbildung sich auf Strukturveränderungen in den Sinnesorganen gründet. Der anatomische Nachweis dieser Veränderungen ist deshalb schwierig, weil niemand seine Augen und Ohren zu wissenschaftlichen Experimenten hergeben mag und etwa in der Weise wird jahrelang einseitig üben wollen, wie es mancher, durch Beruf oder Laune veranlaßt, mit einem einzelnen Muskel tut. Man ist also bei der Vornahme von Experimenten auf Tiere, Blinde und Taubstumme angewiesen, und bei diesen ist die Aussicht auf Erfolg aus verschiedenen Gründen gering. Tatsächlich knüpfen fast alle Experimente, die man auf physiologischem Forschungsgebiete vornimmt, an die Funktion des Muskels an, und die Möglichkeit, die Sinnesorgane auf dem Wege experimenteller Methode zu erforschen, scheint als ausgeschlossen zu gelten.

Ist es nun auch nicht die Anatomie der Sinnesorgane und das physiologische Experiment, die Belege für unsere Behauptung von der Anpassung der Sinnesorgane an die Sinnesfunktion darbieten, so geschieht dies dafür durch die Entwicklungsgeschichte der Sinnesorgane und durch die vergleichende Physiologie. Diese hat mit Sicherheit festgestellt, daß sich alle spezifischen Sinne der höheren Tiere aus dem Hauptsinnesorgan der niederen einzelligen Lebewesen entwickelt haben. In dem Hauptsinnesorgan dieser Wesen und wohl auch in der formlosen Masse des tierischen Protoplasma selbst ver-

mögen tonische, chemische und Lichteindrücke undifferenzierte Empfindungen auszulösen, und wenn sich aus den undifferenzierten Sinnes-
anlagen dieser Organismen bei den aufsteigenden Gattungen der Tierwelt allmählich differenzierte Sinnesorgane entwickelt haben, so kann
dies nur eine Folge davon sein, daß unendlich oft wiederholte Reizwirkungen Strukturveränderungen im Hautsinnesorgan und im Protoplasma der niederen Wesen hervorbrachten und daß die fortgesetzte
Übung eine Anpassung einzelner Teile an spezifische Sinneseindrücke
hervorbrachte.[1]) So sehen wir das Prinzip der Übung auch auf sen-
sorischem Gebiete die Grundlage bilden für die genetische Entwicklung in der Organismenreihe der Tierwelt.

Wie auf dem Gebiete motorischer und sensorischer Lebens-
betätigung, so ist auch auf dem geistiger Lebensbetätigung das
Prinzip der Übung als das Grundprinzip der Entwicklung anzusehen.
Während Sehen und Hören, Lallen und Körperbewegung in gewisser
Hinsicht angeboren sind, können Denken und Sprechen, Lesen und
Schreiben nur durch unermüdliches Üben erworben werden. Für den
Säugling und das Schulkind, den Lehrling und den Studenten, ja für
uns alle ist Übung und wieder Übung und noch einmal Übung das
Geheimnis und der Urgrund alles Könnens und insbesondere der
geistigen Entwicklung.

Die Übung der geistigen Funktionen wird gemeinhin der Tätigkeit der Gehirnmasse zugeschrieben. Es würde nun unsere Aufgabe
sein, zu zeigen, daß durch Übung eine Anpassung des Denkorgans
an seine Funktionen entsteht und daß der Erfolg der Übung auch
auf geistigem Gebiete Kraftersparnis ist. Während es uns auf sen-
sorischem Gebiete nahezu unmöglich war, eine Anpassung der Sinnesorgane an bestimmte Funktionen und daraus resultierende Kraftersparnis nachzuweisen, dürfte es auf dem Gebiete der Gehirntätigkeit
eher gelingen. Hier ist vor allen Dingen die Tatsache zu erwähnen,
daß die Größe und die Form des Gehirns und die Furchung der
Gehirnoberfläche wesentlich von dem Grade der geistigen Übung abhängig sind, die das Gehirn erfahren hat. Ist das Gehirn in reger
Tätigkeit, so steigt das Blut rascher hinzu, man spürt's an der Steigerung der Temperatur des Kopfes, an der Rötung des Gesichts und
bei Überarbeitung wohl auch an etwa eintretenden Kopfschmerzen.
Infolge des reicheren Blutzuflusses vergrößert sich der Umfang des
Gehirns; das Gehirn des denkenden Kulturmenschen ist größer und
windungsreicher als das eines Wilden; und geistig bedeutende Männer,

---

[1]) Siehe WUNDT, a. a. O. Bd. I. S. 367 ff.

wie Kant, Darwin, Goethe, Schiller, Bismarck u. a. zeichneten sich
durch einen umfangreichen Schädel und ein entsprechend großes und
schweres Gehirn aus.[1])

Daß sich bestimmte Teile des Gehirns bestimmten geistigen
Funktionen anpassen, ist bisher nur in einem Falle mit Sicherheit
nachgewiesen worden. GALL, der Begründer der bei den Gehirn-
physiologen in Verruf gekommenen Phrenologie, hat mit glücklicher
Intuition eine Stelle in der Rinde der linken Großhirnhemisphäre als
Zentrum des Sprachvermögens entdeckt.   Wird dieses Sprachzentrum beschädigt oder beseitigt (durch Krankheit, Verwundung
oder Exstirpation), so tritt eine gänzliche oder teilweise Aphasie, eine
Störung des Sprachvermögens ein. Nun hat sich aber in vielen Fällen
gezeigt, daß bei Personen, die von Aphasie betroffen waren, im Laufe
der Zeit eine allmähliche Restitution des Sprachvermögens eintrat.
Dieser Vorgang kann nur dadurch erklärt werden, daß die dem links-
seitigen Sprachzentrum entsprechende Stelle der rechtsseitigen Großhirnhemisphäre oder eine andere Stelle des Gehirns die Funktionen
des gestörten Zentrums übernahm. Es muß also in diesem Falle
unzweifelhaft eine Anpassung einer Gehirnregion an eine geistige
Funktion erfolgt sein. Diese Anpassung erfolgte aber nur dadurch,
daß der von Aphasie Befallene wieder von neuem und ganz nach
der Weise eines Säuglings durch Übung sprechen lernte. Also muß
die Übung auch auf dem Gebiete der Gehirntätigkeit als Prinzip der
Anpassung und der Entwicklung gelten. Leider ist die Gehirnphysio-
logie noch nicht so weit fortgeschritten, daß wir diesem Satz für alle
Teile und Funktionen des Gehirns in gleicher Weise zur unbestrittenen
Geltung verhelfen könnten; doch steht zu erwarten, daß man einst
auch das Gehirn im ganzen so als ein Produkt der durch Übung
erfolgten Anpassung wird ansehen dürfen, wie wir es schon heute
von den Bewegungs- und Sinnesorganen tun.

Wir haben·oben dargetan, daß der durch die Übung umgebildete
Muskel die Funktion, der er sich angepaßt hat, schneller ausführt
wie vordem und daß diese Zeitersparnis eine Kraftersparnis im Gefolge habe. Bei der sensorischen und geistigen Tätigkeit muß das
einer bestimmten Funktion angepaßte Organ — vorausgesetzt, daß

---

[1]) Wir stützen diese Behauptungen auf die Forschungen zahlreicher Anthro-
pologen, doch bestehen nach anderen hinsichtlich des Schädel- und Gehirnumfanges
zwischen höheren und niederen Rassen keinerlei Unterschiede. Wir können auf
diese Streitfrage hier nicht genauer eingehen, entscheiden uns aber aus guten
Gründen für die Annahme eines Wachstums von Gehirn und Schädel mit fortschreitender Entwicklung des Menschen, wie aller Vertebraten.

auf geistigem Gebiete eine solche Anpassung allgemein nachweisbar
ist — ebenfalls diese Funktion schneller ausführen, und diese Zeitersparnis stellt dann naturgemäß wieder eine Kraftersparnis dar. Die
Erfahrung lehrt, daß auch Auge, Ohr und Tastsinn, falls sie auf die
Auffassung bestimmter Reize eingeübt sind, diesen gegenüber viel
empfindlicher werden und dieselben schneller übermitteln. Eine Lichtempfindung soll nach Mach[1]) im Durchschnitt in 0,047 Sek. zu stande
kommen, und die Zeitersparnis, die durch fortgesetzte Übung für die
Auffassung einer bestimmten Lichtempfindung erreicht werden könnte,
kann demnach nur unmeßbar klein sein; immerhin kann sie aber in
manchen Fällen infolge Summation der Zeitersparnisse an den einzelnen
Empfindungen von Bedeutung werden. So ist es z. B. möglich, daß
bei der Zunahme der Schnelligkeit des Lesens beim Schulkinde auch
die Zeitersparnis mitspricht, die das an die Auffassung der Buchstabenbilder geübte Auge macht. Wir benutzen dieses Beispiel zugleich für die Inbetrachtziehung der Gehirnfunktionen. Die Schnelligkeit des Lesens hängt ja wesentlich von der Schnelligkeit der Ausführung seiner Teilfunktionen ab. Diese sind folgende: 1. Die
einzelnen Buchstabenbilder werden vom Auge aufgenommen (s. oben)
und dem zentralen Lesemechanismus übermittelt. 2. Die Buchstabenbilder wecken die entsprechenden Lautvorstellungen. 3. Die einzelnen
Lautvorstellungen werden zum Worte verbunden. 4. Das lautlich
vorgestellte Wort weckt die Artikulationstätigkeit, die wieder ein durch
mannigfache Assoziation komplizierterer Vorgang ist; das Wort wird
ausgesprochen. 5. Das ausgesprochene Wort wird apperzipiert. 6. Der
Funktion 5 assoziiert sich die Vorstellung des in der Wortbedeutung
enthaltenen Gegenstandes. — Bei längeren Wörtern werden die
Funktionen 3—5 gewöhnlich nicht am ganzen Worte, sondern an
den einzelnen Silben vorgenommen. Jeder macht als Schulkind an
sich die Erfahrung, daß alle diese Vorgänge durch Übung bedeutend
abgekürzt werden können. Das Kind, das eben erst lesen lernt,
braucht, wie ich mich durch wiederholte Versuche überzeugte, im
Durchschnitt 10—20mal so viel Zeit zur Ausführung aller dieser Teilfunktionen als das Kind, das schon geläufig liest. Der Vorgang
erfährt noch eine Abkürzung dadurch, daß beim Schnelllesen von
den häufig vorkommenden Wörtern nur ein Teil des Wortes perzipiert,
das übrige aber erraten wird, ebenso kann es beim Überfliegen der
Zeilen vorkommen, daß einige Wörter aus dem Zusammenhang heraus

---

[1]) Sitzungsbericht der Wiener Akademie, math.-naturw. Klasse II. Bd. 51.
1865. S. 142.

erraten werden, ohne daß an ihnen die oben genannten Funktionen 1—3 ausgeführt worden wären. Wie bedeutsam gerade die diesem Erraten der Wörter und Satzteile zu Grunde liegenden Assoziationen für die Schnelligkeit des Lesens sind, erkennt man beim Lesen eines Stückes in einer unbekannten Sprache. Hier ist das erreichbare schnellste Lesetempo viel geringer als beim Lesen eines Stückes in einer bekannten oder in der Muttersprache. Ein Stück in lateinischer Sprache, das ein Knabe, der des Lateinischen unkundig war, aber das deutsche geläufig las, in ca. 4 Minuten vollendete, las ein gleichaltriger des Lateinischen kundigerer Knabe in ca. 2 Minuten, während beide zu einem Stücke in deutscher Sprache von gleicher Buchstabenzahl wenig über 1 Minute Zeit brauchten. Die Bildung und Erhaltung aller jener Assoziationen, auf denen die Schnelligkeit des Lesens beruht, kann nur erfolgen auf dem Wege fortgesetzter Leseübung, und auch die Promptheit und Schnelligkeit mit der eine Reproduktion durch eine ihr assoziierte andere beim Lesen ausgelöst wird, kann nur eine Folge fortgesetzter Leseübung sein. Der größte Gelehrte würde wie ein Schulkind lesen, falls er nicht die nur durch Übung zu erlangende mechanische Lesefertigkeit erworben hätte. Die mit der Schnelligkeit des Lesens verknüpfte Zeitersparnis ist aber naturgemäß auch eine Kraftersparnis. Wir können also für die motorische, sensorische und (in gewissen Grenzen) auch für die intellektuelle Tätigkeit des Menschen das gleiche feststellen: daß wiederholte Übung eine Anpassung des Organes an die spezifische Funktion hervorbringt, wodurch die Ausübung der Funktion beschleunigt wird, aus welcher Zeitersparnis wieder eine Kraftersparnis resultiert.

II. Wir wenden uns nun zu der andern Form der Kraftersparnis, die, wie wir oben sagten, durch Modifikation des nervösen Prozesses erzielt wird. Während es bei der bisher besprochenen Form der Übung nur darauf ankam, daß die geübte Tätigkeit sich an Qualität und Intensität völlig gleichblieb, kommt es bei dieser zweiten Form außer auf die Qualität und Intensität auch auf die Zeitfolge der Tätigkeit an: sie betrifft Tätigkeiten, die sich in einem bestimmten Tempo und ununterbrochen aus vielen gleichartigen Einzeltätigkeiten zusammensetzen, wie das Gehen, das Tanzen, das Schreiben und eine unendliche Zahl beruflicher Verrichtungen, wie das Treten der Nähmaschine, das Drehen des Rades, das Feilen, das Hobeln, die Fingerbewegungen beim Maschinenschreiben, beim Klavierspielen, Stricken, Nähen usw. Alle diese Tätigkeiten lassen sich in eine Reihe gleichförmiger ununterbrochen

in demselben Tempo ausgeführter Teilfunktionen zerlegen. Selbstverständlich wird auch bei dieser Form der Übung eine Anpassung
des Organs an die bestimmte Funktion erzielt; aber außer dieser
durch Anpassung hervorgerufenen Kraftersparnis erfolgt hierbei noch
eine andere von viel bedeutenderem Werte. Sie gründet sich auf
die der Nervensubstanz eigentümlichen Anlagen. Wird nämlich
eine Nervenfaser durch einen äußeren Reiz gereizt, so tritt die Reizwirkung nicht sofort, sondern erst nach einiger Zeit und nur allmählich zunehmend ein, überdauert aber dafür auch die Dauer des Reizes
um ein beträchtliches. Die Nachwirkung von Reizen kann jeder häufig
an sich selbst beobachten; insbesondere bleiben von intensiven Lichtreizen häufig Eindrücke auf der Netzhaut zurück, die die Lichtempf-
findung noch lange nachwirken lassen, nachdem der Lichtreiz schon
verschwunden ist; auch bei intensiven Schall-, Druck-, Geruchs-
und Geschmacksreizen kann man die Nachwirkung des Reizes sehr
häufig beobachten. Der Verlauf des durch einen Reiz ausgelösten
Nervenprozesses kann auch ·graphisch dargestellt werden. Man bedient sich bei diesem Experiment eines mit einem Muskel in Zusammenhang stehenden Nerven und befestigt am freien Ende des
Muskels einen Stift, der die berußte Fläche einer rotierenden Platte
berührt. Wird nun die Nervenfaser durch einen äußeren Reiz, sei
es durch den elektrischen Strom oder durch eine mechanische Einwirkung gereizt, so zeichnet der Stift infolge der durch den Reiz be-
wirkten Muskelzuckung eine Kurve auf die Platte. Die Zuckung des
Muskels pflegt, falls der Reiz momentan war, 0,08—0,1 Sekunde zu
dauern, wovon 0,01 Sekunde auf die zwischen dem Reiz und der
beginnenden Zuckung verfließende Zeit kommt. Jeder Muskel hat
eine besondere Reizschwelle. Wenn nun die Muskelzuckung erst
einige Zeit nach dem Reize eintritt, so rührt das daher, daß die Veränderungen, die der Reiz in der Nervensubstanz hervorbringt, anfänglich noch so gering sind, daß die Reizwirkung unter der Reizschwelle des Muskels verbleibt. Die Reizwirkung in der Nervensubstanz wächst erst allmählich an und erreicht mit der durch den
Kulminationspunkt der Kurve angedeuteten Zeit ihre höchste Höhe,
um von da ab wieder zu verfliegen. Sobald die verfliegende Reizwirkung wieder unter die Reizschwelle herabsinkt (am Ende der
Kurve), so hört die Muskelzuckung auf. Die Nachwirkung des Reizes
dauert aber unter der Reizschwelle noch längere Zeit fort.

(Schluß folgt.)

2. Die Sprache meiner Kinder.
Nach Tagebuchaufzeichnungen zusammengestellt.

Von **Martha Silber**, geb. **Prusse** in Königshütte (O./Schles.)

(Schluß.)

Bis 1 Jahr 9 Monate wurde Zopf—Weps gesprochen. Bis zum dritten Jahre wurden die Hosen mit Lotta, in früher Zeit vom polnischen Galotti abgeleitet, bezeichnet. Ebenso lange wurde Huppakeh statt »Huckepack« auf dem Rücken tragen, gebraucht, trotzdem es längst richtig gesprochen werden konnte.

Merkwürdig war das Zählen bis 2½ Jahre. Als er es mit fast zwei Jahren selbständig erlernte, hieß es: einz, zei, dei usw., plötzlich wurde zwei konsequent ausgelassen: einz, dei, vier, er machte auch die Sachen ent-drei mit 2¼ Jahr. Ich zählte oft laut, indem ich z w e i betonte vor mich hin, der Erfolg war, daß der Junge nun so zählte: einz, drei, drei, vier. Schließlich kam ich drauf, er kann das Wort nicht sprechen, ebenso wie 12, was weniger aufgefallen war. Ich ließ ihn nun zwei nachsprechen, es kam ßdrei, statt 12 ßdrölf, für längere Zeit benutzt, heraus. Durch Schneewittchen hörte er von den Zwerglein und sprach das Zw hier nur Z = Zerglein. Von diesem Tage an hörte auch die Umständlichkeit von 2 und 12 auf, es wurde zei und zölf gesprochen.

Ebenso sind »Ptumlum« (Petroleum) und »Pisitus« (Spiritus) den richtigen Worten gewichen und damit hat alles für andere nicht ganz Verständliche aufgehört. Was nun im Tagebuch folgt, ist mehr von Interesse für Charakter und Denkvermögen, Talente und Auffassungskraft. Augenblicklich spricht der Knabe ein schönes, reines Deutsch, dem sich gelegentlich Angewohnheiten, aus dem Volke stammend, anschließen, aber immer gerügt und schnell ausgemerzt werden. Jetzt z. B. nee, werf, eß, unsrer Garten, vom Kinderfräulein angewöhnt. Eigentümlich ist, daß er sich in 4 Wochen, die sein Vetter mit an der See war, dessen Tonfall und äußere Eigentümlichkeiten in der Sprache unbewußt angewöhnt hat. Er spricht noch gern ß statt sch und sp und st getrennt und läßt häufig »werden« im Satz fort: Der Stall muß zugemacht z. B., oder: Das kann nicht mehr besorgt.

Ich fahre nun mit No. II fort:

Irmgard, geboren den 25. Oktober 1903.

Sie ist noch einen Teil lebhafter als der Knabe, ihr Gefühlsleben viel feiner ausgebildet. Ein unfreundliches Wort kann sie auf Stunden in sich zurückgezogen und oft· tief unglücklich machen. Sie ist die wandelnde Zärtlichkeit, sehr gern bemutternd und den Bruder schon zur Ordnung und Gehorsam anhaltend. Sie kann in Tränen ausbrechen, wenn er nicht gleich folgt. Eine impulsive, von einem Extrem ins andere leicht zu bringende, echt weibliche Natur. Körperlich sehr wild, gewandt, nie sitzend, lief mit fast 10 Monaten frei umher. Leider war sie öfter krank, zweimal schwer an Vergiftungen. Da ich selbst viel kränkelte, mußte sie weit mehr als der Knabe den Dienstboten überlassen bleiben. Sie hat wenig Neigung, sich erzählen, mehr, sich vorsingen zu lassen. Meist spielt

sie ganz emsig allein oder mit dem Bruder, weshalb ihre Ausdrucksfähigkeit mehr dem Kinde entspricht, während Hellmuth sich meist so wie
ich ausdrückte. Ich werde wieder nach dem Tagebuch berichten.

6 Monate (24. April). Sie trillert nun wie ein Frosch und macht
Hellmuths Spielzeug nach, dem Esel und der Katze. Sie versucht, schon
alles mögliche zu sprechen. Wenn man sie aufs Töpfchen gebracht hat,
sagt sie ›ach — ach‹ und macht »Brummerle«.

7 Monate. Am 23. Mai erwachte ich durch nie gehörte Töne:
Adadlada, abababa, mamama. Das war die Kleine, sie hatte plötzlich
sprechen gelernt. Einzelne Laute, krähen, trillern, jauchzen, waren schon
längst da, diese Laute aber waren so menschenähnlich, gut klingend und
viele aneinandergereiht, es nahm gar kein Ende. Das war so gekommen:
Am Nachmittag vorher war eine Bekannte mit ihrem $3^1/_2$ Monate älteren
Knaben dagewesen, der in ähnlicher Weise Laute von sich gab. Ich sah
dabei unserem Kinde an, daß das tiefen Eindruck machte. Sie lauschte
jedem Ton und verschlang den Knaben mit den Augen, wobei sie lebhaft
Lippen und Zunge bewegte. Ab und zu kam aber nur ein Jauchzer.
Nun muß sie im Wagen liegend geübt haben, bis sie es konnte, und hat
die höchste Freude daran.

8 Monate, 27. Juni. Nun wird von ihrem ewig quatschenden Mund
gesprochen. Ihre Laute belaufen sich auf: Dat, adat, adladat, dladladla,
dattala, dattel, datdat, ohne damit etwas speziell zu bezeichnen.

18. Juli. Wenn man frägt, wo der Bruder, der Kutscher, die Pferd-
chen usw. sind, guckt sie strahlend hin und sagt »dä« (da).

9 Monate, 25. Juli. Wenn sie einen Umschlag bekommt, sagt sie
f—f—f, um die Kälte zu bezichnen, wie ich auch. Seit gestern benennt
sie mich mit: Mama, meist Mam—mam und Tata (Vater).

2. August. Nun sagt sie auch »Oda« (Olga) zum Kindermädchen
und wenn man frägt: Wo ist der oder das usw., sagt sie »adä—dä«,
statt da. Sie kennt den ganzen Hof (in der Sommerfrische).

10 Monate, 28. August. Heut war sie das erste Mal zärtlich zu
mir. Beim Kosen sagte sie: »äh—äh« (ei—ei). Sie hat auch nun Nicken
gelernt. Wo sie ging und stand, übte sie es. Den Vater nennt sie »Hatta«
oder »Datta«.

6. September. Sie benennt sich nun selbst »Ila«. Wenn man frägt:
»Wer kommt denn da?« folgt blitzschnell ein strahlendes »Ila«. Das
Trinken an der Brust bezeichnet sie »nänne«.

11 Monate, 1. Oktober. Sie hat eine schwere Krankheit durchgemacht. Deswegen wenig Fortschritte. Sie sagt auch Papa, Mama, babá
(häßlich in der Kindersprache), adá (adieu), nebm — nehmen, hahm —
haben, Z—Z — Zucker, Aa — ihre Bedürfnisse.

16. Oktober. Den Hellmuth ruft sie »Heddl«. Ich sagte zu meinem
Manne vorhin: Hellmuth hat die Hosen naß, da faßte sie es anders auf,
lief zu ihm und flüsterte: »Heddl aá—aá.« Im Nachsprechen ist sie
sehr geschickt, heut sagte sie »Imgad« (Irmgard).

12 Monate, 4. November. Wenn etwas herunterfällt, macht sie ein
spitzes Schnütchen und sagt »O—O—O—O«. Den Bruder nennt sie

»Ella«, statt ja braucht sie »ha« oder »cha—cha«, wozu sie heftig nickt.

13 Monate, 30. November. Sie hört nun auf ganz einfache Geschichten, die ich gern so stelle, daß sie ihre Worte selbst anbringt. Die Kuckucksuhr benennt sie »Gu gu«.

14. Dezember. Nun fängt sie an zu verneinen und sagt energisch »nee« zu allem, was sie gefragt wird, oder kurzes »ä« mit verächtlichem Achselzucken. Den zahmen Spatz Hansel ruft sie »Asel« und ahmt ganz natürlich das Zwitschern nach. Sie imitiert auch den Schrei des Spieleesels so naturgetreu, daß man's nicht unterscheiden kann, und den Ruf der Kuckucksuhr in der Kinderstube. Sie schwatzt fortwährend unglaubliches Zeug.

14 Monate, 22. Januar. Sie war wieder mal krank. Ihr Sprachschatz ist recht gewachsen. Ich habe verzeichnet:

klettern	kle-kle	Mädel	Nädl oder Mäla
trinken	nänne (Brust)	Mann	Ma
	tuttu (Flasche)	Taler	Dala
klingeln	kli-kli	Gans	Daß
nehmen	nehm	Ticktack (Uhr)	tatta
haben	hahm	Spiegel	Idel
Kuckuck	jetzt Keke	Pferde	Hetta (wie hier die
Flasche	Lalla oder Lilili		Kutscher rufen)
Mama	—	danke	datto
Papa	—	adieu	adü
Piesel (Koseform für	Piesa	guten Tag	u-tat
Papa)		kikeriki (vom Hahn)	kä-kä-ka
Vater	Tata oder Hahta	hoppsaßa	happasa
Hertha	Hatta	trallala	tallala
Hansel	Asel	ja	ha oder cha
Hellmuth	Hetta, Ella, Hedla	aha	—
Lunze (Kosename für	Lunne	nein	na und nee
Hellmuth		nun eben	na ehm (sehr beliebt und oft gebraucht)
Ilchen (wird sie gerufen)	Ila		

15 Monate, 30. Januar. Hinzugekommen sind:

Stuhl	Brohl	Licht	Li
Brosche	Broh	horch	hoddl, das sagt sie bei jedem Geräusch
dalli	dalli, polnisch für flink, sehr oft gebraucht	Libelle	Balla
doll	doll, ebenso beliebt, bei allem, was erzählt wird, sagt sie es	Großmutter	Grechmama, auf Vorsprechen

17 Monate, 30. März. Wenn sie etwas verschüttet, sagt sie, ein paar mal mit dem Finger drohend, O, wa! (O, warte), dann holt sie einen Hader und wischt auf, oder den Besen und kehrt zusammen. Jeden Mann nennt sie nun »Tata« und Frauen »Tante«. Alle Kinder im Hofe kennt und benennt sie; den Max »Babke«, den Salo »Lolo«. Beim geringsten Räderrollen jagt sie ans Fenster und schreit »Feh«, Pferde. Sie versucht, sich auf alle Weise verständlich zu machen. Neulich hüpfte sie vor dem Geschirrschranke wie ein Gummiball und rief »twte«. Ich hob sie, sie nahm das Töpfchen heraus, aus dem die Kinder trinken und lief zur

Wasserleitung. Sie hatte tutu (für trinken) gemeint. Auch Tusche sagt sie ganz deutlich und eigentümlicherweise »Hacke« statt Schaukel, sogar jetzt noch »Hocke«. Statt ja sagt sie nun »la«. In der Wut ruft sie: Tu—tu (Du—Du). Ihr wird im Gegensatz zu dem Jungen das P leicht und das B schwer zu sprechen, ebenso t gegen d, weshalb sie bis heute die harten Laute gern an Stelle der weichen setzt.

9. April. Ihre Sprache wird immer reicher. Nun packt sie mich an allem und benennt es: Ohe (Ohr), Aue (Auge), Nahe (Nase), Mau (Mund). Wenn sie hinausgehen soll, kommt sie von selbst, gibt die Hand, macht ein Knixchen und sagt: Kakéh (Adieu).

19. Monat, 25. April. Unaufgefordert sagt sie: Guten Tag, adieu und danke, wenn sie was bekommt. Die Worte, die sie von selbst spricht, zusammengefaßt:

Vater	Tata	Junge	Unge	danke	dakéh
	Hahta	Tante	Tate	bitte	bette
	Vata	Mann	Mannt	ja	la und ja
Mama	—	Füße	Fitte	nein	nan
Mimi	der Kosename für Mutter	Mund	Munt	nochmal	oka
Irmgard	Ila	Äuglein	Eu—ei	mit	minn erst. jetzt mit
Hellmuth	Hella	Haare	Hae		
Lunz } Spitz- namen v. Hulle} Hollmuth	Lunn	Nase	Nahe	alle	
	Ulla	Hammer	Hamma	ich	iß
Hertha	Hetta	Decke		du	tu
Ella	—	Hatza	(polnisch ins Tuch gewick. tragen)	meins	meinz
Emilie	Milla			deins	teinz
Max	Babke sp. Mapk	Wehweh	f. Schmerz	weg	wenn
		Fitt	für ein großes Bedürfnis	o warte	o wa
Salo	Lolo	Aa	für ein kleines	Ach, Ah, Oh	—
Morawiez	Momame	Kaffemühle	Mille	da	
Lotte	Lo	Tusche	Tuße	horch	hoddl
Anna	erst Alla jetzt Anna	Schaukel	Hacke	das	daß
		Schaufel	—	na	—
Hans	Hanz	Zucker	Kuke	aua	Schmerz
Franziska	Kaka	Butter	Bute	hm	
Ei	A	Buch	Buh	auf	au—w
Apfelsine	Affeli—e	Acker	Acka	tot	dott
Apfel	Affel	Peitsche	Peite	klingling	nling-nling
Nuß	Nut	Püppchen	Püppe	lala	singen
Cakes	Käk	Kutscher	Kuke	tuht	v. d. Pfeife
Wasser	erst Awa jetzt Waffi	Flasche	Faffe	pfui	pui
		haben	hahm	hopp	
Hund	Wauwau	nehmen	nehm	stich	hal
Katze	Tatze	aufheben von der Erde	adodó	heiß	ha
Pferde	Fähte			miau (Katze)	mi-mi
Pferd	Fäht	anziehen	atudú	ksch (jagen)	kß
Kuckuck	Guku	abmachen	atuttú	psch-psch	pß-pß
Elefant	E—e fan	einpacken	apatú	(schlafen, so wiegt sie die Puppe)	
Vogel	Voel	trinken	tuttu		
Henne	Tiepe	sehen	zeh	kickeriki	kikiki
Spatz	Patz	schlafen	ninni	(Hahn)	
Gans	Datz	aufknacken	akaká	herzlich	hetze
Affe	—	gucken	kuke	häßlich	hässe
Ziege	Äge	guten Tag			
Mädel	Mäla	adieu	} kakéh		
		gute Nacht			

Gebrauch der Worte nach der Häufigkeit, die Namen abgerechnet:

haben.　　Sie will alles haben und spricht verhältnismäßig wenig Hauptworte deswegen. Erst durch die Frage: Was willst du haben?, die ich jedesmal von nun an stellte, lernte sie, sich mit Hauptwörtern auszdrücken.

sehen.　　Genau dasselbe wie oben.

trinken

ich.　　Sie gebraucht statt ihres Namens seit 3 Monaten stets ich. Z. B. wer will die Flasche? — Ich.

ja

nein

bitte.　　Ohne daß sie speziell angehalten wird, sagt sie bei allem, was sie bekommt, konsequent »danke« und macht aus freien Stücken einen Knix dazu.

Begrüßungen

Alle

Eßsachen

Pferde

alle Tiere.

　　Jeden Mann nennt sie mit Schelmengesicht »Tatta«, da sie weiß, ich habe es nicht gern, Frauen »Tante«. Ich sehe, daß der Junge im gleichen Alter mehr Worte benutzte, trotzdem glaube ich nicht, daß er klüger ist. Er kam nur weniger hinaus, man mußte sich mehr mit ihm befassen, es war Winter. Er war auch, obgleich sehr lebhaft, seßhafter wie die Kleine, die noch selten Verlangen nach Bilderbüchern hat. Ebenso war er allein, hielt sich darum nur an mich, hatte nie einen Spielkameraden. Auch hatte ich damals gute Dienstboten, die den Jungen liebten, mit ihm plauderten, während das jetzt nicht der Fall ist. Man hat ihm auch mehr vorgesprochen, erzählt und gezeigt. Bei zweien widmet man sich naturgemäß geistig mehr dem Älteren, während man das Kleine pflegt und kost. Sie spielt auch am liebsten mit dem Bruder. Körperlich ist sie noch weiter und viel geschickter, als der Junge war. Seit heute versucht sie Satzbildungen insofern, als sie zwei Worte immer zusammenstellt und mit dem Finger zeigt: Mamma — Tatta (Mutter und Vater), Fähte — Kucke (Pferde und Kutscher).

　　Nun ist wieder eine große Lücke im Tagebuch. Inzwischen war sie wieder einmal schwer krank und kam darum nicht viel weiter. Juli—August waren wir an der See, dort erholte sie sich und fing an, bedeutend mehr und deutlicher zu sprechen. Auch Fremde verstehen sie, bisher meist die so ähnlich klingenden Ausdrücke nur ich. Der Junge nennt mich Mutter, während sie nur Mama sagte. Eines Tages kam sie früh in mein Bett und rief: Mutterle, Butterle, Mutterle, seitdem ist »Mama« ganz verschwunden, niemand hat sie dazu veranlaßt. Oft auch als Kosenamen, wie sie es sehr liebt, ruft sie mich »Mimile«, je lieber sie einen grade hat, desto mehr »le«, also »Mimilelele« kommen daran. Auch »Mutter dute« sagt sie zu mir. Um ihre Aussprüche aus dieser Zeit festzuhalten, will ich eine Anzahl Worte, bis Ende August gebraucht, aufführen:

Foila	Fräulein
Enta-Enta	für Enten und badende Menschen, ganz allein ausgedacht
Danß	Gans
dutt	gut
Tuß	Kuß
Tatze	Katze. Doch als wir im Juni eine anschafften, sagte sie Wawerle oder Walerle von Wauwau abgel. Sie kannte bisher nur Hunde in Wirklichkeit
Tante	—
Mucke (eine Base)	—
Mücke	—
Vetter	Vetta
naß	—
dott	dort
Faffe bald darauf Fasche	Flasche
jaus	raus
jein	rein
schunta	herunter
Kucke	Zucker
Botta	Butter
Szitte	Schnitte
Szitte Botta	Butterschnitte
„ Fett	Fettschnitte
zuletzt oft schon richtig gewünscht	Botta-Szitte
Daß	Glas
'n Moge	guten Morgen
Kakö jetzt Adsö	Adieu
Hacke	Schaufel
Hocke	Schaukel
Hucke	a. d. Ringen schaukeln
Tinte	—
Henne	Hände
Be-ha	Becher
anz	an und ausziehn
Chu	Schuh
Zumps	Strumpf
iß und ich	ich
pin	bin
Anst	Angst
Puppe	—
Bomme	Bommel
Hutta	Hut
Habe	Haube
Mütte	Mütze
nein gut	nicht gut
schingt	singt
Siek	Musik
feint	weint
Atopie	Automobil
Zeische	Streichhölzer
Ziesche	Küche
Delt und Telt	Geld
Kanke	danke
Faffe oder Kacke	Kaffee
Tette	Kette
I. d. Reihenfolge Awa, Waffi, Faffi, Wassa	} Wasser
tink	trinken
tinkt	trinke nicht
meck	es schmeckt
meckt	„ „ nicht
mag	ich mag es
magt	„ „ „ nicht
meinz	meins
teinz	deins
wir	—
alles richtig gebraucht	
Engengeng	Engelchen
bette	bitte
haß	heiß
Bää	Bär
Pott	Kompott
putt	kaputt
fui	pfui
hemp	heb mich
minne	nimm mich
Wöle	Löwe
(schämt sich, daß sie's nicht besser sagen kann)	
Aas	Eis
Muhmann	Kuhmann
alta	alter
Molle-molle	(er grüßte Mojen, Mojen)
alle	fort
Wumm	Regenwurm
Fille	Fliege
Meckaka	Schmetterling
Feck alle	alle weg
Pöcka	Becker
Müttata	Mütterchen
Fehtata	Väterchen
Tint	Kind
Einzei	Soldat
So nannte sie von selbst Eins-zwei vom Marschieren abgeleitet die Soldaten, jetzt alles was Uniform trägt	
Huja	Honig
Hemmematschele	Hemdenmätzchen
Pinne	Birne
Wurz	Wurst
Fasche	Flasche
Jaje	Schokolade
Hockojaje	dt. auf Vorsagen
Fiß	Fisch und Schiff
nicks jetzt nipps	elektr. Licht ausdrehn
Pinne	Spinne
Tieje	Ziege

Schüsche	Schlüssel	Pule	Pudel
huiß	ruhig	Finnt-Mille	Windmühle
Mips	Shlips	Puch	Buch

Wenn sie schimpft, setzt sie immer »alter« davor. Z. B. Alte Muhmann, Fille, Mücke (Kuhmann, Fliege, Mücke). Alle ninni (alle schlafen), Mimmile ninnile (Mutter schläft), Huiß, Vater ninni (ruhig, Vater schläft). Jeden Satz, den sie unvollständig bildet, z. B. Tette um (ich hab eine Kette um), veranlaßt sie mich energisch, vollständig und gut auszusprechen, oft 3—4 mal. Wehe, wenn man es nicht tut, da wird sie wütend, sonst nickt sie befriedigt. Eine schunta, ich hole (Eine Birne usw. ist heruntergefallen, ich hole sie). Duscht-Fasche, Mutter (Ich habe Durst, will die Flasche). Auffallend ist, daß sie fast in jedem Satz und zu jedem Wort Mutterle dazu setzt. Mutta, Mizzele Fitt, fui, tinkt. (Mutter, Miezerle hat vollgemacht, pfui das stinkt). O watte Fäula, Vata sagn, nipps. (O warte Fräulein, ich werde es dem Vater sagen, du hast Licht gemacht.) Drollig ist, daß sie jetzt immer das Echo des Jungen bildet. Was er auch sagt, schwatzt sie sofort nach, und ist der Satz zu lang, dann wenigstens die letzten Worte. Sie ist 1 Jahr 10 Monate alt. Nach Vorsprechen sagt sie ganz schwere lange Worte richtig. Andern Kindern gegenüber betont sie immer den Besitzunterschied. Während sie gewöhnlich von Mutter, Katze usw. spricht, heißt es, wenn Besuch da ist, stets: Unse Mutte, unse Tatze. Sie zählt alle gleichen Gegenstände, Geld, Streichhölzer, tippt auf alles mit dem Finger: eins—zei—eins—zei. Auch eine starke Phantasie hat das Mädel. Früh bei mir im Bett entdeckt sie in den Flecken der Tapete die Mutter, einen Mann usw. Manchmal ruft sie auch: Da Meckaka, oder Filla, oder Mücke, fang! Ich tue, als ob ich einen Schmetterling fange, und gebe ihn in ihre Hand. Sie beguckt sich ihre halbgeöffnete Hand und ruft strahlend: Ach, Meckaka und bewundert ihn, dann läßt sie ihn fliegen: »alle« und sagt: Noch, Mutter!

Erst die Arbeit von Herrn Dr. Tögel machte mich aufmerksam, daß man sich mit der Sprache junger Kinder wissenschaftlich befaßt. Daraufhin suchte ich das Bemerkenswerte in den Tagebüchern zusammen. Zwar ist alles willkürlich, ohne System niedergeschrieben — ich kannte damals weder Preyer noch seine Nachfolger — auch lückenhaft, da ich oft aus Mangel an Zeit nicht aufzeichnen konnte. Doch sind vielleicht diese Beiträge für die vergleichende Kinderforschung nicht ganz wertlos.

B. Mitteilungen.

1. Eine ungarische Laura Bridgman.

Von E. Blumgrund in Budapest.

Durch den gleichzeitigen ursprünglichen Mangel oder den frühen Verlust des Sehens und Hörens ist ein menschliches Wesen mitten in der lebenden Welt übler daran, als in der Einsamkeit eines tiefen Kerkerverließes. Bei der äußersten Dürftigkeit seiner psychischen Beziehungen zur Umgebung infolge jener furchtbaren Sinnesbeschränkung ist es doch tausendfachen, zum großen Teil unsanften äußeren Einflüssen ausgesetzt, deren Unverständlichkeit ihn fortwährend in verwildernder Erregung erhält. Die Intelligenz eines solchen Unglücklichen, dem selbstredend auch die Sprache fehlt, bleibt in so hohem Grade umnachtet, daß selbst ein Tier im Vergleiche zu ihm als ein Wesen höherer Ordnung erscheinen muß.

In einem derartigen, bejammernswerten Zustand befand sich Laura Bridgman, die seit dem zweiten Lebensjahre infolge eines Scharlachfiebers taub und blind war und auch am Geschmacks- und Geruchssinne wesentliche Einbuße erlitten hatte, als ihr im Alter von acht Jahren die Stunde der unerwarteten, ungeahnten Rettung schlug. Es war im Jahre 1838, als Dr. Howe den Entschluß faßte, sie in das Perkinsche Blindeninstitut in Boston aufzunehmen und sie einem von ihm erdachten pädagogischen Experiment zu unterziehen. Durch die Großartigkeit des Erfolges gestaltete sich diese Tat zu einem der denkwürdigsten Beispiele der Betätigung edler Menschlichkeit. Das Wunder wurde von Howe dadurch vollbracht, daß er der Taubblinden eine Sprache gab: es war die Fingersprache der Taubstummen, die Laura durch den Tastsinn entziffern und an andere weiterzugeben lernte. Bei der alsbald erwachten Wißbegierde des Kindes erwies sich diese Art der Verständigung in solchem Maße zureichend, daß in den möglichen Bahnen eine flugartige Entfaltung der Geisteskräfte ungehindert platzgreifen konnte. Dirkens gibt in dem Kapitel »Boston« seiner »American Notes« die rührende Schilderung seiner Begegnung mit Laura, die sich (seit vier Jahren) zu einem geistig normalen, lebensfrohen und liebenswürdigen Kinde entwickelt hatte.

Howes Werk hat im Laufe der Zeit an verschiedenen Orten Nachahmung gefunden. Um nur auf völlig ebenbürtige Fälle hinzuweisen, möge erwähnt werden Marie Heurtin aus Frankreich, Hertha Schulz aus Deutschland, über die ihr Erzieher G. Riemann (»Taubstumm und blind zugleich«) eine Studie veröffentlichte und endlich die allgemein bekannte amerikanische Berühmtheit Helen Keller, die im Alter von 21 Jahren eine fesselnde Selbstbiographie geschrieben hat.

Seit mehr als Jahresfrist ist es nun — so berichtet der bekannte Ophtalmologe Professor Szily in der Jubiläumsnummer des Orvosi Hetilap — auch einem Budapester Pädagogen beschieden, ein blindes und taubes Kind zu erziehen. Der bisher erzielte Erfolg sichert ihm schon jetzt den Anspruch auf Beachtung.

Im Sommer 1905 erblindete G r e t e E g r i, ein wohlentwickeltes Kind von nicht ganz sieben Jahren infolge der Entzündung der Hirnhäute. Die Untersuchung der Augen führte zur Überzeugung, daß hier das Sehvermögen bis·auf die letzte Spur der Lichtempfindung völlig und unwiederbringlich verloren war. Auch nur ein geringer Grad des Hörvermögens war vorhanden, der wenigstens zeitweilig, durch Schreien ins Ohr, eine gewisse Verständigung ermöglichte. Von ohrenärztlicher Seite war auch die Unheilbarkeit der wahrscheinlich bald eintretenden völligen Taubheit ausgesprochen. Da vorläufig das Sprachvermögen ein noch völliges war, so mußte im Interesse der Erhaltung desselben rasch gehandelt werden.

Grete Egri kam unter die Obhut des Blinden- und Taubstummenlehrers S. A d l e r, der die dringliche Aufgabe erkannte, dem Kinde die unschätzbare Fähigkeit der Lautsprache für den Verkehr mit der Umgebung zu erhalten und sie zur Entgegennahme von Mitteilungen durch die Fingersprache zu befähigen. In kurzer Zeit hatte das Kind zunächst die erhabene Buchstabenschrift entziffern und setzen, dann die Braillesche Punktschrift schreiben und lesen gelernt. Von Anfang an wurde ihr nur lautes Lesen gestattet, wovon auch in Zukunft nicht abgewichen wird, da dem Kinde noch viele neue Begriffe hauptsächlich durch die Lektüre zufließen, deren richtige Bezeichnungen auch den Sprachschatz bereichern sollen. Da auch das Gehör ganz verschwunden war, mußte bei Zeiten an die Verwendung der Fingersprache zur Verständigung dem Kinde gegenüber gedacht werden. Hier wurde zu dem Zwecke (wenigstens für den Anfang) nicht die Fingersprache der Taubstummen benutzt. Diese ist bei uns gewissermaßen als obsolet zu bezeichnen, da sie schon seit Jahrzehnten beim Unterricht der Taubstummen zu Gunsten der Lippensprache vernachlässigt wird. Es erschien am zweckmäßigsten, die Braillesche Schriftzeichen auch als Eigensprache einzuüben, der sich nach einiger Orientierung jeder schulgemäß erzogene Blinde ihr gegenüber bedienen kann.

Die Tastfläche, auf welcher die Schriftzeichen abgesetzt werden, ist die Innenfläche dreier benachbarter Finger, ohne Einbeziehung des Daumens. Für den der Brailleschen Schrift Kundigen sei bemerkt, daß die drei Finger gegen den kleinen Finger hin die drei Reihen vertreten, in denen die Punkte zu setzen sind. Jede Berührung eines Fingers bedeutet einen Punkt in der betreffenden Reihe. Bei einer beträchtlichen Zahl von Buchstaben, bei der Punktierung auch die mittlere Reihe einbezogen ist, wird einfach über die Finger gestrichen; bei den übrigen wird jeder Punkt besonders getupft. Bei einiger Übung ist diese Art der Kommunikation eine leichte und genügend rasche; um so mehr, da das Mädchen jedes ihr auf die Finger geschriebene Wort ebenfalls laut auszusprechen hat, wobei sie nur dadurch, daß sie die gewöhnlicheren Ausdrücke zumeist schon nach den ersten Buchstaben und nicht selten schon nach ein paar Worten den ganzen Satz richtig errät und ausspricht, den zu ihr Sprechenden zu Abkürzungen veranlaßt, die die Konversation beschleunigen.

Grete Egri ist für ihr Alter geistig sehr entwickelt. Sie verfügt über Kenntnisse, die selbst einem normalen Kinde gleichen Alters Ehre

machen würden. Bemerkenswert ist die tadellose Orthographie ihrer
schriftlichen Übungen und ihrer Briefe. Sie ist stets heiter und bekundet
dankbare Zärtlichkeit allen, die sich ihr gegenüber freundlich erweisen.
Wenn sie zu Besuche ist oder Besuche empfängt, befühlt sie sich, um
sich zu überzeugen, daß alles nach Wunsch in Ordnung ist. Welcher Ver-
ödung die Intelligenz dieses Kindes heute schon anheimgefallen wäre,
hätte es ohne geeignete Leitung leben müssen, läßt sich wohl nicht
genau bestimmen. Allein die Tatsache, daß schon jetzt die Sprache
unter falscher Betonung leidet, läßt auf einen bedeutenden allgemeinen
Rückschritt schließen, der eine unabwendbare Folge der geistigen Isolierung der Taubblinden (und später gewiß auch Stummen) gewesen
wäre.

2. Die II. österr. Konferenz des Schwachsinnigen-Wesens zu Wien, am 7. und 8. April 1906.

Von M. Kirmsse-Neu Erkerode bei Braunschweig.

Der äußerst rührige »Verein für Schwachsinnige und Epileptische«
mit dem Sitze in Wien, welcher 1902 gegründet, bereits 1904 eine
kleinere Tagung veranstaltet hatte, hielt nunmehr seine II. Konferenz ab,
welche von mehr als 100 Teilnehmern besucht war, darunter 2 Reichsdeutsche.

Der Konferenz vorauf ging eine Spezialausstellung des Schwachsinnigenwesens, welche in Haydns Sterbehause ihre Unterkunft gefunden
hatte. Alle bedeutenden Anstalten und Hilfsschulen des cisleithanischen
Österreichs waren vertreten. Die Ausstellung dokumentierte einen ent-
schiedenen Fortschritt auf dem Gebiete des österreichischen Schwachsinnigenwesens, wenngleich das Ganze die einzelnen Phasen der Entwicklung nicht
scharf markierte. Neben zahlreichen interessanten Photographien, Bildern
und Profilen einzelner Typen und ganzer Gruppen von Schwachsinnigen,
fanden sich namentlich viele Kinderarbeiten vor, welche recht gut ausgeführt waren. Hefte, Schülercharakteristiken u. dergl. waren weniger
zu sehen. Die ausgestellten Lehrmittel waren zumeist selbst verfertigt.
Prof. Dr. Cada-Prag hatte eine reichhaltige Literatur in czechischer Sprache
ausgestellt.

In Anwesenheit des Oberbürgermeisters Dr. Lueger-Wien, Vertretern des Ministeriums für Kultus und Unterricht, der Staats- und Landes-
behörden, des deutschen Hilfsschulverbandes und sonstiger Teilnehmer, eröffnete die Prinzessin Auersperg die Ausstellung.

Nachmittags 4 Uhr hielt sodann Taubstummenlehrer Cassimir-Würz-
burg, den ersten Vortrag »Anschauungsbilder mit beweglichen Figuren«.
Diese Bilder, welche eine Reihe kleiner Erzählungen veranschaulichen,
sind für Kinder mit Assoziationsdefekten bestimmt. Sie sollen, vermöge der beweglichen Figuren, in besonderem Maße die Aufmerksamkeit und das Interesse anormaler Schüler erregen. Die Bilder bieten nicht
nur den Höhepunkt der Erzählung, sondern letztere kann fortlaufend dargestellt werden, was sicher ein großer Vorteil für die Kinder ist.

Abends 6 Uhr eröffnete der Präsident, Dr. jur. Freiherr v. Spinette, die Konferenz. An die Begrüßungs-Ansprachen anschließend, referierte derselbe über das erste Thema »Rechtsschutz der Schwachsinnigen« in einem 1½ stündigen Vortrage. Redner betonte ganz besonders, daß eine Revision der heute geltenden Gesetze des Straf- und Zivilrechtes zum Schutze der Schwachsinnigen dringend am Platze wäre. Dieser Schutz habe sich zu erstrecken:

a) Im Strafrecht: Schwachsinnige Verbrecher sind nicht in Irrenhäusern und Gefängnissen unterzubringen, sondern in besonderen Adnexen, als Arbeits- und Rettungsanstalten, zu internieren; dieselben sind unter Leitung eines Psychiaters zu stellen. Die Haft ist von Fall zu Fall festzusetzen, eventuell lebenslänglich zu verhängen.

b) Im Zivilrecht: Für jeden Schwachsinnigen ist ein Fachkurator zu bestellen, welcher sämtliche Interessen seines Mündels zu vertreten hat. Lohn- und Dienstverträge der Schwachsinnigen sind auf eine gesetzliche Basis zu stellen. Gänzliche Befreiung vom Militärdienst ist zu erwirken. Individuen, welche eine Anstalt oder Hilfsschule besucht haben, sind zu entmündigen.

Als zweiter Referent sprach Oberlehrer Schiner-Wien, über »Die Organisation der Hilfsschule«. Die Ausführungen decken sich im allgemeinen mit den Ansichten der reichsdeutschen Hilfsschulmänner, von denen sie auch teilweise entlehnt sind, so in Bezug auf Organisation. Die Hilfsschule ist eine selbständige, öffentliche Einrichtung; der Besuch ist gesetzlich zu regeln usw. Die Hilfsschulzöglinge sollen nach ihrer Entlassung einer Arbeits- oder Fortbildungsschule, mit zielbewußter heilpädagogischer Leitung, überwiesen werden. Von dem Besuche der Hilfsschule sollen ausgeschlossen sein: Schwachsinnige höheren Grades, blinde, taubstumme, schwerhörige, epileptische und sittlich verkommene Kinder, desgleichen geistig normale Schüler, welche durch Krankheit oder sonstwie in ihrer Ausbildung zurückgeblieben sind. Die Thesen des Referenten wurden einstimmig angenommen.

Das dritte Referat erstattete Dr. Herfort-Prag, »Die Ausgestaltung der Schwachsinnigen-Institute«. Er ventilierte folgendes: Neben den Hilfsschulen müsse als zweiter, integrierender Bestandteil der Schwachsinnigenfürsorge, das Anstaltswesen bestehen, welches alle Formen des Schwachsinns zu umfassen habe; leider stehe selbiges in Österreich noch auf einer unwürdigen Stufe. Vor allem wünsche Redner im besonderen, die II. österr. Konferenz möge eine Zählung der im schulpflichtigen Alter stehenden Schwachsinnigen aller österr. Kronländer veranlassen.[1] Für die Lösung

---

[1] Ich möchte hier anschließend bemerken, daß es auch in den reichsdeutschen Ländern endlich an der Zeit sein möchte, eine umfassende statistische Erhebung der schwachsinnigen Kinder und Idioten aller Altersstufen zu veranlassen, und das von Staatswegen, wie sie bereits für die Blinden und Taubstummen besteht. Pferde, Kühe und sonstige Haustiere läßt die Staatsregierung zählen, aber die Zahl der Ärmsten seiner Menschenkinder ist ihr unbekannt. Es würde keineswegs unangebracht sein, wenn man sich die schweizerische eidgenössische Statistik als Muster dienen ließe. K.

der Frage nach der Leitung der Anstalten psychisch Abnormer schlug
Referent folgende Norm vor: Die größeren Anstalten mit Schulen, zahlreichen Werkstätten, Feld-, Land- und Gartenwirtschaft, etwa für 600 bis
1000 Zöglinge berechnet, sind nur von einem psychiatrisch gut gebildeten
Arzte zu leiten; dagegen könnten Erziehungs-Anstalten mit nur schul-
fähigen Idioten vom Pädagogen und vom Arzte dirigiert werden. Für er-
werbsfähige, nicht anstaltsbedürftige Schwachsinnige sei entschieden Familienpflege als ergänzender Bestandteil der Anstaltsfürsorge festzulegen. Die
Erhaltung und Fortführung der Anstalten falle dem Staate und den Kron-
ländern, als besonders interessierenden Faktoren zu, welche außerdem
durch Subvention zahlreiche Freiplätze zu errichten haben. Jugendliche Individuen aller Grade sind mindestens bis zum 18. Lebensjahre in Anstalten zu behalten.

Die anschließende Debatte zeitigte leider kein klares Bild, wie die
ärztliche und pädagogische Leitung in ihrer Gemeinschaft aufzufassen ist.
Die Ausführungen des Redners gipfelten darin, daß große Anstalten samt
ihren Schulen vom Arzte zu leiten seien, während eigentlich nur verwahrloste Schwachsinnige der großen Städte der Leitung der Pädagogen
zu unterstellen seien.

Eine Resolution, betr. Statistik der Schwachsinnigen aller österreichischen
Kronländer, wurde angenommen.

Als letzter Redner des ersten Verhandlungstages verbreitete sich Verfasser dieses, über das Thema: »Zur Geschichte des Schwachsinnigenwesens und der Stand der Guggenbühl-Forschung«.   Referent
schilderte einige Abschnitte aus der älteren Geschichte der Schwachsinnigenfürsorge. Dr. Itard, welcher von 1801—1807 den ersten Idioten mit Erfolg
bildete, wurde nur gestreift, dagegen fand Gotthard Guggenmoos, der
»bekannte« unbekannte Schwachsinnigen-Pädagog, eingehende Würdigung.
Guggenmoos gründete zweimal Schwachsinnigen-Institute, Hallein 1816 bis
1828 und Salzburg 1829—1835, welche beide recht befriedigende Resultate
aufwiesen. Dabei verfügte Guggenmoos über eine interessante Lehrmethode,
stellte einen beachtenswerten Lehrplan auf, erhob die Forderung, eine
Klasse Schwachsinniger solle nicht mehr als 15 Kinder zählen; als Mindest-
maß der Ausbildung eines Kindes seien 4 Jahre ins Auge zu fassen
u. dergl. mehr. Trotz behördlicher Begünstigung ging die Anstalt nach
wenigen Jahren wieder ein, da es an wirksamer moralischer Unterstützung
fehlte. Weiterhin zeichnete Verfasser ein Charakterbild des viel geschmähten,
kaum verstandenen, aber auch höchst unpraktischen Dr. Guggenbühl auf
dem Abendberge, den die Nachwelt endlich gerecht zu beurteilen hat,
wenn ihre Kritik maßgebend sein soll, denn ein Charlatan war er keineswegs.

Hieran schlossen sich noch einige Direktiven zu einer Geschichte des
Schwachsinnigenwesens aller Länder.

Nach eingehender Diskussion, wurde der Antrag Miklas-Wien betreffs Schaffung einer Geschichte einstimmig angenommen.

Am zweiten Verhandlungstage trug zunächst Dr. Imhofer-Prag über
»Ohren-, Nasen-, und Rachenkrankheiten bei Schwachsinnigen« vor.

Redner lenkte besonders die Aufmerksamkeit auf die bei Schwachsinnigen vorkommende, oft mit Gehörsstörungen verbundene Vergrößerung der Rachenmandel und stellte sich dabei auf den Standpunkt, bei minderen Graden von Schwachsinnigen, lasse sich durch ohrenärztliche, operative Behandlung dieser hemmende Faktor der geistlichen Entwicklung, ausschalten. Beim Schwachsinn niederer Grade jedoch sei ein operativer Eingriff zu unterlassen, falls nicht durch denselben eine direkte Lebensgefahr beseitigt würde.

In der Debatte ergänzte Prof. Dr. Hammerschlag-Wien die Ausführungen des Referenten dahin, daß man bei Schwachsinnigen mit operativen Manipulationen sehr vorsichtig sein müsse, da die künstlichen Eingriffe vielfach von einem negativen Resultate begleitet seien.

Einen weiteren Vortrag hielt Dr. Kronberger-Wien, »Geschichte und Methode des Unterrichts bei Schwachsinnigen«. Von Itard, Séguin, Barthold u. a. ausgehend, zeigte Dr. Krenberger die Entwicklung einer rationellen Methode des Abnormen-Unterrichts. Referent stellte den Grundsatz auf, es müsse am Anfang mit den Tätigkeiten am menschlichen Körper begonnen werden, daran habe sich die Sinnesbildung anzuschließen. Hierauf folgen kombinierte Sprech- und Singübungen. Weiter reiht sich das Bilderlesen an. Damit wären dann die Grundlagen für den eigentlichen Unterricht gegeben. Eine ganz besondere Bedeutung mißt Vortragender den gymnastischen Übungen bei, welche einen vorteilhaften Einfluß auf Leib und Seele des abnormen Kindes ausüben.

Das letzte Referat »Der Hilfsschullehrer« erstattete F. Pulzer-Graz. Die äußerst gewandten Ausführungen gründeten sich vorzugsweise auf den Vortrag des Lehrers Busch auf dem Bremer Hilfsschultage. Wie dieser fordert auch Pulzer, daß zum Hilfsschullehrer am besten der Volksschullehrer qualifiziert sei, nur müsse er die wissenschaftliche Vorbildung durch intensives Spezialstudium vertiefen. Hierzu eignen sich am besten Kurse, wie sie in der Schweiz und Deutschland üblich seien. Dabei sei auch dem Handfertigkeitsunterrichte erhöhte Aufmerksamkeit zu schenken, da die manuelle und technische Fertigkeit der Schüler als wichtiger Bildungszweck behufs späterer Erwerbsfähigkeit besonderer Beachtung wert sei. Persönliche Eigenschaften, als gute Nerven, Geduld, Unverdrossenheit, fester Charakter und schnelle Auffassungsgabe, müßten die wissenschaftliche Ausrüstung des Lehrers der Schwachen ergänzen, damit derselbe, auf charitativer Grundlage stehend, ein Wohltäter, Freund und Berater seiner Schüler sein könne. Eine Schule, welche derartige Kräfte ihr eigen nenne, werde auch Ersprießliches leisten. Damit aber auch die materielle Seite zur Geltung komme, wünscht Referent eine ausreichende Dotierung der Schwachsinnigenlehrer, damit dieselben, frei von allen Sorgen und Nöten des Alltages, sich ganz ihrer schönen Berufsarbeit widmen könnten.

Stürmischer Beifall wurde dem Referenten am Schlusse seines Vortrages zu teil. Die Diskussion wurde dadurch sehr beeinträchtigt, daß die aufgestellten Thesen nicht gedruckt vorlagen, sie gestaltete sich aber trotzdem ziemlich fruchtbar. Es wurde eine, den Ausführungen des Redners entsprechende Resolution angenommen, welche besonders die Schaffung einer Bildungsstätte für Abnormenlehrer ins Auge faßt. Da in Österreich bereits ·eine Fachprüfung für Schwachsinnigenlehrer besteht, wurde diese Frage, welche in Deutschland vielfach erörtert wurde, nicht weiter berührt.

Die III. österr. Konferenz soll 1808 in Graz abgehalten werden. Nach Schluß der Verhandlungen fand ein gemeinsames Mittagsmahl statt. Hieran schloß sich eine Exkursion nach Kierling-Gugging, woselbst die niederösterreichischen Pflege- und Beschäftigungs- (?) Anstalt in Augenschein genommen wurde.

Die II. österr. Konferenz des Schwachsinnigenwesens darf nach jeder Hinsicht als gelungen bezeichnet werden, nachdem die I. Tagung, sozusagen, im Sande verlaufen war. Ein Hemmnis der gemeinsamen Interessen der österreichischen Lehrer besteht leider darin, daß die vielsprachigen und politischen Momente eine nicht gerade fördernde Rolle spielen.

Ein gedruckter Konferenzbericht soll erscheinen.

3. Bericht über den 2. Kongress für experimentelle Psychologie in Würzburg vom 18.—21. April 1906.

Von Dr. Friedrich Schmidt in Würzburg.

Dank der umsichtigen Bemühungen vorbereitender Art seitens des Universitätsprofessors Dr. O. Külpe als des Vorstandes des Ortsausschusses nahm der Kongreß in allen seinen Teilen einen glanzvollen Verlauf. Aus den zahlreichen Referaten ist im allgemeinen zu vermerken, daß es sich einerseits um Mitteilungen der Forschungsergebnisse der jüngsten Zeit, andrerseits um Stellungnahme zu psychologischen Fragen prinzipieller Art handelte. An erster Stelle erwähnen wir das ausgezeichnete, äußerst gründlich ausgearbeitete und mit allseitigem Beifall aufgenommene Referat von Prof. Külpe-Würzburg über »Gegenwärtiger Stand der experimentellen Ästhetik«. In einem ersten Kapitel referierte er über die Methoden der experimentellen Ästhetik der Gegenwart und in einem zweiten über die Hauptergebnisse und Theorien derselben. Dort zeigte er wie mit Hilfe der Eindrucks-, Herstellungs- und Ausdrucksmethoden das aktive und passive ästhetische Verhalten in seinen Abhängigkeitsbeziehungen mit größter Feinheit charakterisiert werden kann. Einschlägige Demonstrationen hinterließen den überzeugungsvollen Einblick in ein ästhetisches Forschungsgebiet, das nur durch die experimentelle Methode erschlossen werden kann und noch am Wege stehende Zweifler wie Volkelt, Lange, Lipps u. a. aufklären wird über den Wert des experimentellen Verfahrens in der Ästhetik. Hier wurde dargetan, welche ästhetischen Probleme experimentell untersucht wurden. Wir nennen Untersuchungen über die gefälligen Wirkungen von Einzelfarben, Farbenkombinationen, Farbenintensitäten, von räumlichen und zeitlichen Anordnungen. Jene Auffassung, nach welcher rein motorische Prozesse wie etwa Augenbewegungen der Grund für ein ästhetisches Verhalten sei, ist durch Pearces Untersuchungen als abgetan zu betrachten. Im Bereiche der zeitlichen Untersuchungen wurden

.die Arbeiten von Wolton, Stadson, Mc Dougall u. a. genannt. Die ästhetische Modifikation der Komik hat u. a. Martin sehr gründlich untersucht. Auf dem Gebiete der Kunst und Musik erwähnte Külpe eine Reihe von experimentellen Untersuchungen wie jene von Max Meier u. a. Schließlich hob er hervor, daß Fechners Aussaat auf dem Gebiete der experimentellen Ästhetik reichlich aufgegangen sei und daß diese nicht etwa ästhetische Eigenschaften und Zustände in ihrer Isolierung, sondern immer in Beziehung zum Gegenständlichen zu erforschen habe.

An zweiter Stelle nennen wir das Referat von Prof. Schumann-Zürich: »Die Psychologie des Lesens.« Dieses für Lehrer sehr wichtige Referat hatte als Ausgangspunkt eine kritische Untersuchung der Vorgänge, die sich beim Lesen abspielen und die Mühsamkeit des Lesenlernens erklären lassen. An einer Reihe von Beispielen wurde dargetan, welche von den 3 Lesemethoden die psychologisch richtigste sei: die noch am meisten in der Schulpraxis vorkommende Lautiermethode, die im Lesen und Schreiben von den Elementen ausgeht, die Realmethode, welche sich zur Aufgabe macht, möglichst viele Assoziationsstiftungen zwischen dem Worte und seinem Gegenstande herbeizuführen, oder die Normalwörtermethode, welche Wortbilder als Ganzes einprägen läßt und dann analytisch verfährt. Untersuchungen haben ergeben, daß letztere Methode den Vorzug verdiene, weil das ganze Wort ebenso gute Reproduktionserfolge aufweise als die Elemente. Interessant waren die Mitteilungen der Ergebnisse, welche die tachistoskopische Methode hervorbrachte. Nach ihr erfolgt eine kurzdauernde Darbietung von Buchstaben und es wird festgestellt, wieviel solche oder auch Silben simultan auffaßbar sind und wie sich ihre assoziativen und reproduktiven Wirkungsweisen gestalten. Diese Erkenntnis ist für die Praxis wertvoll, weil sie uns aufklärt über den komplizierten Vorgang der Lesefähigkeit und eine Anzahl von Begleiterscheinungen und Nebenfragen wie über Lesepausen, Wortbilder im Bewußtsein u. a. zur Untersuchung nötigt. Schumann unterscheidet sodann einen akustischen und visuellen Lesetypus, nicht aber einen von Messmer eingeführten subjektiven und objektiven und machte darauf aufmerksam, daß neuere Untersuchungen entschieden haben über die Verschiedenartigkeit der Erkenntnis des Wortes und des Buchstabens und die Bedeutung der simultanen und successiven Auffassungsakte beim Lesen gebührend hervorhoben. Leider mußte sich der Vortragende wegen Indispositionen kurz fassen, was im Interesse der hochinteressanten Darbietungen bedauerlich erschien.

In dritter Linie betreten wir mit dem Referate von Prof. Sommer-Gießen: »Individualpsychologie und Psychiatrie« das psycho-pathologische Gebiet. Dieser äußerst temperamentvolle Gelehrte begann mit der geschichtlichen Entwicklung des Problems, dessen Anfänge mit der Entwicklung der empirischen Psychologie in die Mitte des 18. Jahrhunderts fallen. Schon damals seien Träume, Zwangsvorstellungen, Depressionszustände untersucht worden, allein man hatte keine Achtung vor individuellen Einflüssen wie Anlagen, Persönlichkeitsschwankungen u. a. Erst das bessere Wissen um gehirnanatomische und -physiologische Dinge brachte das Problem vorwärts. Zur Zeit handele es sich in der Hauptsache um 3 Fragen:

1. Wie verhalten sich die verschiedenen geistigen Funktionen im normalen und pathologischen Ablauf? Durch mehr allgemeine Vergleichungen einfacher Funktionen seien die Grenzen festzustellen.

2. Inwieweit läßt sich im Einzelfalle (pathologischer Art) der frühere Normalcharakter erkennen?

3. Inwieweit sind die individuellen Eigenschaften schon pathologisch?

Der erste Punkt wendet die Methoden der experimentellen Psychologie auf psycho-pathologische Zustände an. Es wird z. B. untersucht, wieviel Zeit ein Mensch braucht, um ein gedrucktes Wort aufzufassen und auszusprechen. Starke Streuungen bei Schwachsinnigen heben die pathologische Gruppe deutlich hervor. (Allgemeine Diagnostik.) Unter dem 2. Punkte führt Sommer eine Reihe von Krankheitsbildern vor, immer mit Hinweis auf normale Verhältnisse, beschreibt detailliert den fortschreitenden Prozeß der Gehirnparalyse, welche zwar den früheren Charakter im allgemeinen zerstört, bei speziellen Formen aber je nach Beschaffenheit der Nerven eine individuelle »Neurotektur« annehmen muß; die Psychose bei Gehirngeschwülsten und hebt die Bedeutung des Sitzes eines Geschwulstes als belangreich für den Vergleich hervor; die Gemütsverstimmungen, welche mit rein mechanischen Wirkungen wie Druck u. a. zusammenhängen, und die Idiotieformen. Unter dem 3. Punkte bespricht Sommer die Forschungsergebnisse auf dem Gebiete der Vererbungslehre, nach welcher Eigenschaften übertragen werden können, welche die Eltern nicht gehabt haben und welche latent bei ihnen waren. Diese müßten hervorgelockt werden z. B. durch Alkohol. Das Ergebnis wird wie folgt zusammengefaßt: »Nur eine medizinische Pathologie, die sich auf die Methoden der empirischen Psychologie aufbaut, kann die Frage lösen, wie sich die Pathologie zur Individualpsychologie verhält und welche Beziehungen zwischen den psychisch-normalen und den psycho-pathologischen Erscheinungen bestehen.«

Hier anschließend brachte in vierter Linie Prof. Weygandt'-Würzburg ein Referat über »Psychologische Untersuchung schwachsinniger Kinder«. Mit Recht tritt er Münsterbergs Ansicht, nach welcher das pädagogische Experiment für Kinder nichts Neues bringe, entgegen und betont die Schaffung eines normalen Vergleiches und die Berücksichtigung gegebener Modifikationen. An der Hand eines Tabellenmateriales stellt er die Ergebnisse von Reaktions- und Assoziationsversuchen an imbecillen Kindern dar. Hervorgehoben wird, daß bis jetzt mehr die intellektuelle Seite der Frage bevorzugt und die psychomotorische und affektive zurückgedrängt ist. Wichtige einschlägige Arbeiten seien die von Bourneville, Wreschner und Berley. Dann erst kommen die Untersuchungen über Merkfähigkeit. Ranschburg und Goldstein fanden, daß es mit der Merkfähigkeit bei Schwachsinnigen gut bestellt sei. Schwachsinn ist in der Jugend nicht stationär, sondern schwankend. Heller in Wien fand, daß bei Schwachsinnigen die Tastempfindungen nach längerer Zeit gestiegen sind, und Weygandt wies nach, daß die Arbeitskurve des Schwachsinnigen nicht dem Einfluß der Übung untersteht. Hinsichtlich der Ermüdung ist zu fragen, wann dieselbe anfängt pathologisch zu werden. Mittagspausen genügen nach Heller nicht. Zum Schlusse wird für dieses noch knapp und dürftig bebaute Gebiet fleißige Forschung als unerläßlich gefordert und für diesen Zweck empfohlen:

1. Kleinere Unterabteilungen für jugendlich Schwache, um genaueste Untersuchungen vornehmen zu können. (Idiotenabteilung.)

2. Errichtung von psychologischen Laboratorien am Sitze der Hilfsschulen.

(Forts. folgt.)

4. Fürsorgeerziehung.

Wir haben uns seit Jahren so oft mit der Frage einer zweckmäßigeren Erziehung ethisch Abnormer beschäftigt und eine dringliche Reform sowohl in der Beurteilung der Individuen als in ihrer Behandlung durch die Rechtspflege wie durch die sogenannte Zwangs- oder Fürsorgeerziehung als eine unabweisbare Notwendigkeit im Interesse der jugendlichen Gesetzesübertreter wie der Gesellschaft gefordert. Zwei Einladungen, die uns fast gleichzeitig zugingen, bekunden, daß diese in unser Volksleben außerordentlich tief einschneidende Frage auch als eine solche in den berufenen Kreisen erkannt worden ist.

1. Von der Zentralstelle für Jugendfürsorge in Berlin

wird zu einer Konferenz über die Wirksamkeit des preußischen Fürsorgeerziehungsgesetzes am 15. u. 16. Juni 1906, im Landeshause der Provinz Brandenburg, Berlin W. 10, Matthäikirchstraße 20. 21, eingeladen.

Es soll über folgende Punkte verhandelt werden:

Freitag, den 15. Juni, morgens 9½ Uhr: 1. »Ist eine Änderung des Fürsorgeerziehungsgesetzes und der Armengesetzgebung nötig, um der Verwahrlosung unserer Jugend wirksamer entgegentreten zu können, als es bis jetzt geschieht? Ref.: Landesrat Gerhardt, Berlin. 2. Erscheint eine Änderung des Verfahrens in Fürsorgeerziehungssachen geboten? Ref.: Amtsgerichtsrat Dr. Paul Köhne, Berlin.

Sonnabend, den 16. Juni, morgens 9½ Uhr: 3. Welche Forderungen sind an die Anstaltserziehung und welche an die Familienerziehung zu stellen? Ref.: Direktor Pastor Plaß, Zehlendorf. 4. Wie ist eine wirksame Aufsicht über die Anstaltserziehung zu erzielen? Ref.: Geh. Regierungsrat Landesrat Dr. Osius, Cassel.

Eintrittskarten zu 2 M (für sämtliche Verhandlungen), zu 1 M (Tageskarten) und zu 0,75 M (für die einzelne Verhandlung), sowie Gutscheine für den gedruckten Verhandlungsbericht nach dem Stenogramm zu 1 M sind vom 15. Mai ab durch die Geschäftsstelle Berlin, Französischer Dom am Gensdarmenmarkt, oder während der Verhandlungstage am Eingange zum Sitzungssaal zu beziehen.

Die Einladung ist unterzeichnet von:

Prof. D. Freiherr von Soden, erster Vorsitzender der Zentralstelle. Geh. Ober-Reg.-Rat Dr. Würmeling, Geh. Admiralitätsrat Dr. Felisch, stellvertretende Vorsitzende der Zentralstelle. Dr. jur. Frieda Duensing, Geschäftsführerin der Zentralstelle. Prof. D. Dr. Kahl, Geh. Justizrat. Prof. Dr. von Liszt, Geh. Justizrat. Prof. Dr. Schmoller. D. Schwartzkopff, Direktor am Ministerium der geistlichen, Unterrichts- u. Medizinal-Angelegenheiten. Geh. Ober-Reg.-Rat Dr. Krohne, vortragender Rat im Ministerium des Innern. Dr. Lisco, Dir. am Justizministerium. Geh. Finanzrat Noelle, vortragender Rat im Finanzministerium. Landesdirektor Freiherr von Manteuffel. Oberbürgermeister Kirschner. Stadtrat Dr. Münsterberg. Kommerzienrat Münsterberg, M. d. A. Kammerherr Rabe von Pappenheim, M. d. A. Landesrat Schmedding, M. d. A. Landesrat Dr. Schroeder, M. d. A. Kommerzienrat Vorster, M. d. A.

2. Ein allgemeiner Fürsorge-Erziehungs-Tag

findet vom 11. bis 14. Juni 1906 auch zu Breslau statt. Er wird einberufen von der freien Konferenz der Berufsarbeiter (Direktoren, Vorsteher, Hausväter, Lehrer, Fürsorger, Inspektoren, Oberinnen usw.) an öffentlichen und priv. Fürsorgeerziehungsanstalten, Vereinen, Kolonien usw.

Aus der reichen Tagesordnung heben wir folgendes hervor:

In der Vorversamlung am Montag, 11. Juni $^1/_2$8 Uhr abends im Restaurant von Paschke, Taschenstraße 21, erfolgt nach Feststellung der Tagesordnung und Wahl des Vorstandes ein Vortrag »Der Erziehungswert der Arbeit« von Hausvater G. Jahn, am Linerhaus bei Altenzelle (Hannover). Nach der Besprechung desselben soll Anregung zur Aussprache über beliebige Fürsorge-Erziehungs-Fragen aus der Mitte der Versammlung gegeben werden.

In der I. Hauptversammlung am Dienstag, den 12. Juni vormittags 9 Uhr im Sitzungssaal des Landhauses der Provinz Schlesien, wird Dr. med. Neißer, Direktor der Prov.-Heil- und Pflege-Anstalt zu Bunzlau, einen Vortrag halten über: »Psychiatrische Gesichtspunkte in der Beurteilung und Behandlung der Fürsorgezöglinge«. Sodann soll eine Besprechung folgen über die Frage: »Was ist gegen das Entweichen der Zöglinge zu tun?«, eingeleitet durch Inspektor Kander, Vorsteher der Prov.-Erziehungs-Anstalt zu Grottkau.

In der II. Hauptversammlung am Mittwoch, 13. Juni vormittags 9 Uhr im Landeshause, spricht Inspektor Wicher, Vorsteher der Schlesischen Prov.-Erziehungs-Anstalt zu Wohlau, über »Fürsorge-Erziehung oder Gefängnis?«.

Außerdem finden Besichtigungen verschiedenartiger schlesischer Anstalten, zum Teil mit erläuternden Vorträgen, statt.

Die Leitsätze zu den Vorträgen werden jedem Konferenzteilnehmer auf Wunsch und Mitteilung seiner Adresse vorher zugesandt werden.

Betreffs Wohnung in Breslau vermittelt Erziehungsinspektor a. D. Räther, Breslau XIII, Schillerstraße 18.

Von jedem Teilnehmer wird zur Begleichung der Druck- und Portokosten usw. ein Beitrag von 5 M erbeten. Dafür wird das stenographische
Protokoll übersandt.

Die Versammlung verliert infolge Freiheit von Satzungen keine Zeit mit
Geschäftsordnungsdebatten, noch hat sie konfessionelle oder politische
Schranken. Sie will allen Freunden und Berufsarbeitern der Fürsorge-
Erziehung aus allen Lagern den breiten Boden zum friedlichen Austausch
von praktischen und theoretischen Erfahrungen bieten.

Programme und nähere Auskunft erhalten sie durch den bisherigen
Vorsitzenden Pastor Seiffert, Direktor der Brandenb. Prov.-Erz.-Anstalt
zu Strausberg (Mark).

Da die Fürsorgeerziehung keine Frage ist, welche nur die hier
tätigen Berufsarbeiter, sondern uns alle angeht, und weil hier Aufgaben
zu lösen sind, welche außergewöhnlich tief in unser Volksleben eingreifen,
so möchten wir unsere Leser dringend bitten, beiden Konferenzen und ihren
Bestrebungen ihre volle Aufmerksamkeit zu widmen.   Trüper.

C. Literatur.

Die »Zeitschrift für die Behandlung Schwachsinniger und Epilep-
tischer« beendete 1905 ihren 25. Jahrgang. Sie wurde im Jahre 1880 von Direktor
W. Schröter-Dresden und Oberlehrer E. Reichelt-Hubertusburg begründet.
Später trat Sanitätsrat Dr. med. Wildermuth-Stuttgart in die Redaktion ein. Zur
Zeit der Begründung war die Fürsorge für die Geistesschwachen noch nicht alt.
Bestand doch die Konferenz für Idiotenpflege kaum ein Jahrzehnt. Der gewaltige
Aufschwung aber, den das Idiotenwesen bis heute genommen hat, ist nicht zum
wenigsten der »Zeitschrift für das Idiotenwesen«, wie ihr Titel bis 1885 lautete,
dem »Organ der Konferenz für Idiotenheilpflege« zu verdanken. — In der ersten,
im Oktober 1880 erschienenen Nummer veröffentlichten die beiden Herausgeber
das Programm. Die Zeitschrift stellte sich die Aufgabe, »von dem doppelten Gesichtspunkte des Arztes und des Pädagogen sich zu verbreiten über den Idiotismus
aller Grade und Formen, von der Grenze der Normalität ab (Zurückgebliebene,
Schwachsinnige —) bis zum Erlöschen des geistigen Lebens, einschließlich des
Kretinismus und der Epilepsie, soweit diese mit Idiotismus verbunden auftreten«.
Die Zeitschrift ist ihrem Programm bis heute treu geblieben. Im Laufe der 25 Jahre
sind 405 Arbeiten in ihr zum Abdruck gekommen, abgesehen von dem schätzens-
werten Material, welches unter der Rubrik »Mitteilungen« bekannt gegeben wurde
und den vielen Berichten aus Anstalten und Hilfsschulen Deutschlands und anderer
Länder. In Nummer 12 des 25. Jahrganges (Dezember 1905) sind die Titel sämt-
licher Artikel des Blattes aufgeführt und nach folgenden Gesichtspunkten geordnet:
I. Idiotismus und Geisteskrankheit. II. Kretinismus. III. Epilepsie. IV. Ätiologie.
V. Hygienisches. VI. Der Arzt in Anstalt und Schule. VII. Anstaltswesen.
VIII. Das Anstaltspersonal. IX. Gerichtliches und Gesetzliches. X. Die Militär-
pflicht der Anstalts- und Hilfsschulzöglinge. XI. Konferenzen. XII. Geschichtliches.
XIII. Hilfsschulen. XIV. Allgemein pädagogische Abhandlungen. XV. Allgemeine

Unterrichtsgrundsätze, Lehrpläne. XVI. Zur speziellen Methodik: 1. Religion. 2. Anschauungsunterricht, Naturkunde. 3. Lesen, Schreiben. 4. Rechnen. 5. Sprech- unterricht, Sprachgebrechen. 6. Turnen. 7. Handfertigkeit. 8. Kindergartentätig- keit, die Vorstufe. 9. Formenunterricht. 10. Zeichnen.

Das Verzeichnis kann von dem Herausgeber Stadtrat W. Schröter-Dresden- Strehlen, Residenzstraße 27, bezogen werden. Wie aus dem Inhaltsverzeichnis er- sichtlich, hat die »Zeitschrift« sich auch in den Dienst der Hilfsschule gestellt. Schon im ersten Jahrgange, 1880, erschienen zwei Aufsätze. Der erste von Dr. Kind: »Ist es wünschenswert, daß größere Städte eigene Klassen für schwachbefähigte (imbezille) Kinder errichten oder sind letztere den Idiotenanstalten zuzuweisen?« Der zweite von Dr. E. Falch: »Über die Berechtigung besonderer Klassen bezw. Schulen für die leichtesten Formen des Schwachsinns.« Diese Artikelserie schließt im Jahre 1905 mit den Arbeiten von Legel: »Gedanken über Ausgestaltung der Hilfsschule« und Öhler: »Die Selbständigkeit der Hilfsschulen.« Die Geschichte der Hilfsschule können wir gar nicht besser kennzeichnen, als mit den genannten Überschriften. — Auch die spezielle Methodik für Anstaltschule und für Hilfsschule ist durch aus der Praxis entstandene Arbeiten bewährter Pädagogen reichlich be- dacht und dürfte manchem Kollegen willkommenen Stoff zum Studium bieten.

Der »Zeitschrift für die Behandlung Schwachsinniger und Epileptischer« über- mitteln wir zu ihrem Jubiläum unsere herzlichsten Glückwünsche. Möge es ihren Leitern vergönnt sein, unterstützt und gefördert durch die Mitarbeit von Pädagogen, Ärzten und andern Freunden unserer Geistesschwachen, das Blatt treu seinem vor 25 Jahren aufgestellten Programm noch viele Jahre herauszugeben.

Schwelm i. Westf.   Weniger.

Dewitz, Otto von, Beiträge zur Hilfsschulfrage. Inaugural-Dissertation zur Erlangung der med. Doktorwürde. Freiburg 1905.

Die Hilfsschule macht bei den Medizinern Schule. Dagegen haben wir an sich nichts einzuwenden. Immerhin möchten wir warnen vor den Gefahren, die pädagogische Arbeit in sich schließt und womit gewöhnlich Nichtpädagogen rasch fertig werden zu können glauben. Auch der Verfasser vorliegender Schrift maßt sich trotz nicht gerade umfassender Literaturkenntnis an, Dinge zu behaupten, die ihm als Mediziner gefährlich werden. Er urteilt über die Bedingungen für die Ent- wicklung der Hilfsschule, indem er sie allein von den Fortschritten der Medizin ab- hängig macht, über das Mannheimer Schulsystem, über Coedukation, über die Schul- arztfrage und andere, ohne immer dabei zu bedenken, daß ein mindestens gleich- gewichtiges Wort der Pädagoge mitzusprechen hat. Allein auch die medizinische Seite der Arbeit entbehrt jeglicher Originalität; sie bietet größtenteils eine recht undisponierte Zusammenfassung etlicher Autoren auf diesem Gebiete. Zuletzt macht eben die Dissertation nicht den Eindruck einer in dem Maße wertvollen Arbeit, um von der gewöhnlichen Abhandlung der Fachzeitschrift zur bedeutungsvollen Prüfungs- arbeit emporgehoben werden zu können und wir glauben, daß jeder in den physio- logischen Grundlagen seiner Berufsaufgabe geschulte Hilfsschullehrer sie zu fertigen im stande ist.

Augsburg.   W. J. Ruttmann.

Druck von Hermann Beyer & Söhne (Beyer & Mann) in Langensalza.

A. Abhandlungen.

1. Das psychophysische Prinzip der Übung.

Von

Adolf Gerson.

(Schluß.)

Tritt zu dem Reiz, der einer Nervenfaser zugeführt worden ist, ein anderer gleichartiger, bevor die Nachwirkung des ersten Reizes verflogen ist, so entsteht eine Summation der Nachwirkung mit dem neuen Reize. Wird eine größere Zahl solcher Reize auf die Nervenfaser ausgeübt und zwar in dem Tempo, daß jeder Reiz in die Nachwirkung des vorhergehenden fällt, so summieren sich alle unter der Reizschwelle des Muskels verbleibenden Reizwirkungen der einzelnen Reize. Die Physiologen haben bisher angenommen, daß sich nur die Nachwirkungen der einzelnen Reize summieren, es ist aber zweifellos, daß auch die Reizwirkungen sich summieren, die der Muskelzuckung vorangehen, die wir darum kurzweg die Vorwirkungen nennen wollen und die, wie wir oben sagten, gleichfalls unter der Reizschwelle des Muskels verbleiben. Infolge Summation der unter der Reizschwelle verbleibenden Vor- und Nachwirkungen der Reize kann nun eine Muskelzuckung hervorgebracht werden, welche die durch einen einzelnen Reiz hervorgebrachte Muskelzuckung um ein Beträchtliches übertrifft. Ist also das Tempo der einzelnen Reize ein derartiges, daß die Reize in die Nachwirkung der vorangehenden Reize fallen, so ist die Gesamtwirkung der einzelnen Reize größer, als wenn die einzelnen Reizwirkungen sich nicht berühren. Durch Experimente ist nachgewiesen worden,

daß Reize, die einzeln wegen ihrer Geringfügigkeit nicht fähig waren
eine Muskelbewegung auszulösen, bei häufiger Wiederholung in
schnellem Tempo infolge der eintretenden Summation der unter der
Reizschwelle verbleibenden Reizwirkungen nun doch im stande waren,
eine Muskelzuckung hervorzubringen. Mit dieser Summation der
unter der Reizschwelle verbleibenden Vor- und Nachwirkungen ist
nun nicht zu verwechseln die Summation der Reize, die entsteht,
wenn ein Reiz sich ohne Unterbrechung an den andern anschließt;
diese bringt eine sich krampfartig steigernde Reizwirkung hervor, wie
man sie z. B. beim Tetanus beobachten kann.[1]

Ein Vergleich wird den Gegenstand viel anschaulicher machen.
Wird eine Dampfmaschine geheizt, so beginnt ihre Funktion nicht
mit dem Anzünden des Heizmaterials, sondern erst viel später mit
dem Eintritt ausreichender Dampfentwicklung. Bis dahin wird ein
Teil der Heizkraft zum Erwärmen der Kesselwände und des
Wassers verbraucht. Läßt das Feuer und läßt die Spannung des
Dampfes nach, so steht die Maschine still, und das noch vorhandene verglimmende Feuer und der noch vorhandene Dampf vergehen, ohne zur Arbeit der Maschine beigetragen zu haben. In großen
Fabriken jedoch wird bei rationellem Betriebe die Maschine ununterbrochen in Tätigkeit gehalten und der Kessel ununterbrochen geheizt.
Hierbei spart man beträchtlich an Heizkraft, so die zum Anfeuern,
zur Erwärmung des Kessels und des Wassers dienende Wärme, die
nach dem Stillstehen der Maschine verglimmende Glut des Feuers,
die verfliegende Wärme des Kessels und den noch vorhandenen Dampf.
Der lebende Organismus gehorcht aber denselben ökonomischen Gesetzen
wie die Dampfmaschine. Wird eine aus mehreren oder vielen gleichförmigen Einzelfunktionen bestehende Tätigkeit ununterbrochen in
dem Tempo ausgeführt, daß die einzelnen Nervenanreize in die Nachwirkungen der vorhergehenden Reize fallen, so kann wie beim ununterbrochenen Betriebe der Dampfmaschine eine bedeutende Kraftersparnis erzielt werden. Infolge der eintretenden Summation der
unter der Reizschwelle verbleibenden Reizwirkungen können nämlich die
späteren Nervenanreize in dem Maße abgeschwächt werden, wie die
Summation der Reizwirkungen anwächst. Der Reiz, der die einmal
begonnene Muskelbewegung in gleichmäßiger Stärke fortdauernd erhalten soll, kann also viel geringer sein als der Reiz, der die erste
Muskelkontraktion auslöste. Dafür einige Beispiele. Ich machte an
mir selbst häufig die Beobachtung, daß ich beim langsamen Schlendern

[1] Auch beim Schreib-, Klavierspiel-, Nähkrampf u. a.

viel eher ermüdete als beim schnellen Gehen. Legte ich eine Meile
in langsamem Tempo in etwa 2 Stunden zurück, so zeigten sich
häufig Spuren von Ermüdung, legte ich dagegen dieselbe Strecke in
schnellem Tempo in ca. 1 ½ Stunden zurück, so zeigte sich nicht
nur keine Ermüdung, sondern meine Muskeln schienen an Spannkraft
gewonnen zu haben, und ich empfand mich durch den Spaziergang
körperlich erfrischt. Infolge der beim schnellen Gehen größeren
Summation der Reizwirkungen muß der Kraftverbrauch beim schnellen
Gehen geringer gewesen sein als beim langsamen Gehen. Die Bedeutung der Marschmusik für die Marschübung, welche Militär und
Turner zu schätzen wissen, beruht darin, daß die Marschmusik zu
einem Marschtempo nötigt, bei dem die Kraftersparnis eine relativ
hohe ist. Die viel bestaunten enormen Marschleistungen, die flotte
Tänzer und Tänzerinnen oft während einer Tanznacht ausführen, erklären sich leicht daraus, daß der Tanz die Form des Gehens ist, bei
der die durch Summation der Reizwirkungen erfolgende Kraftersparnis
die denkbar höchste ist. Jeder kann's erproben, daß langsames
Schreiben eher ermüdet als schnelles, bei gleicher Buchstabenzahl in
beiden Fällen. Es gibt Schreiblehrer, die die Methode des langsamen
Nachzeichnens der Buchstaben, wie sie in unsern Schulen geübt wird,
verpönen und von Anfang an auf ein schnelles und fließendes
Schreiben sehen. Vielleicht läßt sich auch die Tatsache, daß man ein
Lied leichter auffaßt, wenn es in einem schnellen Tempo vorgespielt
wird, auf das Gesetz von der Kraftersparnis infolge Summation der
Reizwirkungen zurückführen. Denn was für die motorische Nervenfaser gilt, muß bei der allgemeinen Indifferenz der Nervenfaser gegenüber ihren Funktionen auch für die sensorische Nervenfaser gelten.
Auch bei Empfindungsreizen tritt die Empfindung erst eine Zeit
nach dem Reize ein, weil die Anfangswirkungen des Reizes unter der
Empfindungsschwelle verbleiben, desgleichen gehen die letzten unter
der Empfindungsschwelle verbleibenden Nachwirkungen des Reizes
verloren. Werden die Reize aber in einem Tempo ununterbrochen
wiederholt, so daß jeder neue in die Nachwirkung des vorangegangenen
fällt, so entsteht eine Summation der unter der Empfindungsschwelle
verbleibenden Vor- und Nachwirkungen der Reize, die die Intensität
der Empfindung bedeutend erhöht.

WUNDT sieht in dieser Summation der unter der Reizschwelle
verbleibenden Reizwirkungen (er selbst spricht nur von Nachwirkungen)[1]
das Elementarphänomen der Übung. Er nennt diese auf den

---

[1] WUNDT a. a. O. Bd. I. S. 69 ff.

Nerven beschränkte Übung direkte Übung zum Unterschiede von
den durch Anpassung der Organe erreichten Übungserfolgen, die er
indirekte Übungserfolge nennt, indem er voraussetzt, daß jede
die Anpassung fördernde Tätigkeit der Organe, durch einen in
der Form der direkten Übung erfolgenden Nervenprozeß vermittelt
werde. Diese Unterscheidung ist aber darum unzutreffend, weil die
Anpassung eines Organes an eine Tätigkeit auch dann erfolgen kann,
wenn die Tätigkeit nicht in gleichartige Einzelfunktionen zerlegt
werden kann, wenn sie nicht ununterbrochen ausgeführt wird und
wenn sie nicht in einem bestimmten Tempo ausgeführt wird, während
die Summation beim Nervenprozeß an die ununterbrochene, im Tempo
ausgeführte Wiederholung gleichartiger Teilfunktionen gebunden ist.
Die Armmuskeln können z. B. der Funktion des Gewichtehebens angepaßt werden, ohne daß die Übung des Gewichtehebens längere Zeit
ununterbrochen und im Tempo geübt wird, es würde genügen, wenn
nur alle Viertel- oder halbe Stunden ein einmaliges Heben erfolgte
und eine Summation der Reizwirkungen oder ein direkter Übungserfolg im Sinne Wundts brauchte gar nicht einzutreten. Man unterscheidet deshalb treffender Organ- und Nervenübung. Die Organübung kann zwar nie ohne Nerventätigkeit, aber doch ohne »Nervenübung« erfolgen; die Nervenübung dagegen führt, weil jede Nerventätigkeit mit der Tätigkeit eines Organes verknüpft ist, mittelbar stets
zur Organübung.

Nur in einem Falle könnte man es für angebracht halten, die
nervöse Übung als ausschließliche Voraussetzung einer Organanpassung
anzusehen. Es könnte nämlich bei solchen Funktionen, die ursprünglich erlernt, später aber zu mechanischen geworden sind, wie das
Gehen, Sprechen, Lesen, Schreiben beim Menschen und ein Teil der
Reflexbewegungen in der Organismenreihe, es könnte bei diesen
Funktionen der Fall sein, daß ihre Mechanisierung nur deshalb erfolgte, weil sich bei der ununterbrochenen tempomäßigen Ausführung
derselben Kraftersparnis zeigte. Wir gründen diesen Schluß 1. darauf,
daß die mechanisch ausführbaren Tätigkeiten durchweg aus gleichartigen Teilfunktionen zusammengesetzt sind, das Gehen aus gleichartigen Beinbewegungen, das Schreiben aus (wenigstens bei einem
großen Teile der Buchstaben) annähernd gleichförmigen Fingerbewegungen, und daß diese Tätigkeiten ein bestimmtes gleichbleibendes
Tempo beanspruchen, 2. darauf, daß die Mechanisierung einer Tätigkeit eine Anpassung des Gehirnteiles, die das Zentrum jener Tätigkeit
ist, an jene Tätigkeit darzustellen scheint (s. oben), 3. darauf, daß
diese Anpassung eines Gehirnteiles, falls sie eben erfolgt, nur in

Rücksicht auf Kraftersparnis nach dem für die gesamte natürliche Entwicklung geltenden Prinzip des kleinsten Kraftmaßes erfolgen kann und 4. darauf, daß diese Kraftersparnis auf dem Gebiete der nervösen Tätigkeit des Gehirns nur durch nervöse Übung, d. h. Summation einzelner geringer Reizwirkungen erfolgen kann.

Mit der Annahme, daß diese eventuelle Anpassung von Gehirnteilen an bestimmte Funktionen und der sich darauf gründende Mechanisierungsprozeß dieser Funktionen ein indirekter Übungserfolg ist, wie er ausschließlich von der von uns sogenannten nervösen Übung erzeugt werden kann, haben wir aber das Gebiet der auf Beobachtung und Experiment gegründeten Physiologie verlassen und uns der Hypothesenbildung zugewandt. Um aber das Problem der nervösen Übung erschöpfend zu behandeln, müssen wir an die Hypothese von der Mechanisierung der Funktionen infolge nervöser Übung noch eine Hypothese über die Entstehung des Rhythmusgefühls reihen. Soll nämlich irgend ein organisches Wesen eine Tätigkeit zum Zweck der Erzielung nervöser Übungserfolge ununterbrochen und tempomäßig ausführen, wie etwa der Fisch die Schwimmbewegungen oder der Vogel das Fliegen, so setzt dies voraus, daß jenes Wesen das für die Innehaltung des Tempos notwendige rhythmische Gefühl besitze. Alle Wesen, die Bewegungen im Tempo auszuführen vermögen, müssen rhythmisches Gefühl besitzen, das allerdings bei den niederen Tieren nicht wie bei dem Menschen mit der Zeitvorstellung assoziiert zu sein braucht, sondern mit den tonischen Druckempfindungen der Bewegungsorgane verknüpft sein kann. In diesem Zusammenhang mit der nervösen Übung erlangt das Organ des tonischen Sinnes, welches viele Physiologen in dem Vorhof und den Bogengängen des Ohrlabyrinths vermuten, eine große Bedeutung für die Entwicklung der rein nervösen und geistigen Funktionen. Die enge Berührung, in der das tonische Sinnesorgan mit dem Gehörsorgan steht, die Tatsache, daß auf den niedern Stufen des Tierreichs tonisches Sinnes- und Gehörsorgan ungeschieden vorkommen und daß das Gehörsorgan, wie die Entwicklungsgeschichte der Sinnesorgane lehrt, erst durch einen langen Differenzierungsprozeß aus dem allgemeinen tonischen Sinnesorgan entstanden ist, ferner die Tatsache, daß das tonische Sinnesorgan, wie es auf der einen Seite mit dem Gehörsorgan innig verbunden ist, auf der andern Seite mit den Bewegungsorganen als deren »inneres Tastorgan« zur Vermittlung der Druckempfindung von den Gelenken, Muskeln, Sehnen usw. innig verbunden ist, diese beiden Tatsachen machen es wahrscheinlich, daß das tonische Sinnesorgan in den Bogengängen des Ohrlabyrinths zugleich der Ver-

mittlung des Rhythmusgefühls dient; denn nur dann verstehen wir
es, wie die rhythmischen Bewegungen unseres Körpers sich den
rhythmischen Schallbewegungen so assoziieren konnten, daß die rhythmischen Klänge der Musik unwillkürlich rhythmische Bewegungen
oder Antriebe zu solchen hervorzurufen vermögen. Das Rhythmus-
gefühl des tonischen Sinnes ist eben das Bindeglied zwischen beiden.
Die Lehre vieler Physiologen, daß das tonische Sinnesorgan vornehmlich der Erhaltung der Gleichgewichtslage des Körpers diene, indem
es die durch die Störung des Gleichgewichts in den Bewegungsorganen entstehenden veränderten Spannungs- und Druckempfindungen
aufnehme, erfährt durch unsere Hypothese nur eine sehr entsprechende
Ausgestaltung; denn bei vielen Tieren, besonders bei den schwimmen-
den und fliegenden sind rhythmische Bewegungen die Voraussetzung
für die Erhaltung des Gleichgewichts, oder sie fördern diese. Daß
aber das Organ des Rhythmusgefühls gerade mit dem Gehörsorgan
in jene enge Verbindung geriet oder — genauer ausgedrückt —, daß
sich gerade aus dem Organ des Rhythmusgefühls ein Gehörsorgan
entwickeln konnte, muß darin begründet sein, daß vorzugsweise die
Schallbewegungen (gegenüber den Bewegungsformen mechanischer,
chemischer und photochemischer Reize) rhythmisch qualifiziert sind
und sodann darin, daß die für die höheren Wirbeltiere, insbesondere
für den Menschen hochwichtige Funktion der Lautäußerung und des
Sprechens rhythmisch erfolgt. Das tonische Sinnesorgan in den
Bogengängen des Ohrlabyrinths vermittelt also wohl in gleicher Weise
die rhythmischen Bewegungen der Bewegungsorgane, wie die rhythmische Funktion beim Sprechen und Musizieren.

Und nun verknüpfen wir diese Hypothese von der Bedeutung
des Ohrlabyrinths als eines Organs des Rhythmusgefühls mit der von
der Mechanisierung der Funktionen als einer Anpassung von Gehirnteilen an jene Funktionen auf dem Wege nervöser Übung. Diese
Mechanisierung der Funktionen, die wir von den einfachen Reflexbewegungen der niederen Tiere bis hinauf zum mechanischen Sprechen,
Lesen, Schreiben, Hämmern, Sägen usw. des Menschen als die
Grundlage der geistigen Entwicklung beobachten können, diese
Mechanisierung der Funktionen, die auf nervöse Übung des Gehirns
und deren kraftsparenden Erfolg gegründet zu sein scheint, steht im
innigsten Zusammenhang mit der Ausbildung des Rhythmusgefühls
im tonischen Sinnesorgan. Denn wie die nervöse Übung nur bei
ununterbrochener und tempomäßiger Ausführung völlig gleichartiger
Teilfunktionen erfolgt, so kann wiederum die tempomäßige Ausführung dieser Funktionen nur beim Vorhandensein eines Rhythmus-

gefühles erfolgen. Das eine ist ohne das andere eben nicht denkbar. —

Wir haben nun die Bedeutung der Übung auf dem Gebiete
körperlicher und geistiger Entwicklung der Organismen, insbesondere
des Menschen, dargestellt, und wollen zum Schluß noch einmal
auf das Gebiet der volkswirtschaftlichen Entwicklung, das wir
im Eingang dieses Aufsatzes berührten, zurückgreifen. Wir haben
dort die Übung als das individualistische Prinzip des Fortschritts der
Gesellschaft dem Kapital als dem kollektivistischen Prinzip des Fortschritts gegenübergestellt und darauf hingewiesen, daß in allen Berufen das individualistische Prinzip von dem kollektivistischen über-
wuchert worden ist. Das ist aber nur mit einer gewissen Einschränkung der Fall. Man muß auch in Hinsicht auf die Übung als
sozialen und wirtschaftlichen Faktor zwischen den beiden oben geschilderten Formen des physiologischen Übungsprozesses, nämlich
zwischen ausschließlicher Organübung und spezifisch nervöser Übung
unterscheiden. Nur insofern die Übung ausschließlich Organübung,
Übung von Auge und Ohr, Hand und Fuß ist, hat sie an sozialer
Bedeutung verloren, die Betätigung nervöser Übung ist dagegen in
allen Berufen eine reichere geworden und zwar im Gefolge einer
immer konsequenter durchgeführten Arbeitsteilung. — Das Ideal der
Arbeitsteilung ist, daß ein Arbeitsvorgang in so viel Teilfunktionen
zerlegt wird, als sich überhaupt durch Zerlegung gewinnen lassen
und daß jeder an einem Arbeitsvorgang beteiligte Arbeiter dauernd
nur eine solche Teilfunktion auszuführen hat. Jeder Arbeiter hat
dann dauernd jene gleichförmige Tätigkeit auszuüben, die wir eben
als Vorbedingung für den Eintritt des nervösen Übungsprozesses erkannten. Wird der Arbeiter nun genötigt, diese gleichförmige Tätigkeit zu beschleunigen (gewöhnlich wendet der Unternehmer oder
Fabrikant ein Stücklohn- oder Prämiensystem zu diesem Zwecke an),
so daß sie tempomäßig erfolgt, so tritt bei einem gewissen Grade der
Beschleunigung der nervöse Übungsprozeß ein. Den Eintritt desselben
kann man an den bald erfolgenden Mechanisierungserscheinungen erkennen. Der Arbeiter merkt, daß ihm die Arbeit leichter von statten
geht, daß er also Kraft spart und daß die Teilfunktionen vielfach
ohne besondere Willensantriebe und ohne darauf gerichtetes Bewußtsein ausgeübt werden. So sehen wir, daß der Fortschritt der Arbeitsteilung physiologisch gesprochen ein Fortschritt von der berufsmäßig
vollzogenen ausschließlichen Organübung zur berufsmäßigen Ausführung des nervösen Übungsprozesses ist. Allerdings darf nicht
übersehen werden, daß die nervöse Übung immer Organübung im

Gefolge hat (s. oben), da die Erregung der Nervenfaser mit der Tätigkeit ihres Endorgans untrennbar verknüpft ist; aber der Unterschied
zwischen der modernen Produktionsweise und der früheren ist eben
der, daß diese die nervöse Übung gar nicht oder doch nur unwesentlich in Anwendung brachte, während jene auf das kraftsparende
Prinzip der nervösen Übung das industrielle System der Arbeitsteilung
aufbaute. Die bei diesem System durch die nervöse Übung ver-
mittelte Kraftersparnis wird gewöhnlich zur Vergrößerung der Produktion ausgebeutet, wodurch wieder die Konsumtion günstig beeinflußt und der nationale Wohlstand erhöht wird. So sehen wir,
wie die psychophysische Übung auf allen Gebieten des Lebens die
Grundlage der fortschreitenden Entwicklung ist und wie die höchsten
Fragen und Interessen des Menschenlebens mit den physiologischen
Vorgängen im Menschenleibe durch ein inniges Band verknüpft sind.

2. Kinderstudium in der Hilfsschule.

»Der 39. Jahresbericht über die Bürgerschulen zu Altenburg
auf das Schuljahr 1905 bis 1906«, herausgegeben von Prof. Dr. KARL
JUST (Altenburg, Oskar Bonde) bringt auch einen sorgfältigen Bericht
über die dortige Hilfsschule von H. SEIFART, dem wir als Beitrag zur
Kinderkunde folgendes entnehmen:

Die Hilfsschule zählte in diesem Jahre 46 Kinder, welche auf 2 Klassen
verteilt waren:

Klasse I Herr Dietrich: 23 Schüler — 12 Knaben, 11 Mädchen,
   „   II „ Seifart: 23   „   — 12   „   11   „
                        46 Schüler — 24 Knaben, 22 Mädchen.

Schon in ihrer jetzigen Ausgestaltung trägt die Hilfsschule der Individualität ihrer Schüler Rechnung. Als besondere Unterrichtszweige sind
der Hilfsschule der Handfertigkeits- und Artikulationsunterricht eigen. In
diesem Jahre benötigten nicht weniger als 19 Schüler = 41 % eines besonderen Sprechunterrichts, davon gehörten 4 der ersten Klasse an. Auch
ein Schüler aus der 2. Knabenschule nahm an diesem Unterricht teil.
Derselbe, welcher einen gespaltenen Gaumen hatte, ist von Herrn Dr. med.
Franke mit sehr gutem Erfolg operiert worden, so daß er auch dem
Sprechunterricht erfolgreich beiwohnen konnte. Unter den 19 Kursisten
waren 4 Stotterer, 13 Stammler, 1 Polterer und 1 Knabe, welcher die
Echosprache redete. Als der zuletzt erwähnte Knabe zu Ostern 1905 in
die Hilfsschule eintrat, hatte er ein äußerst geringes Sprachverständnis.
Wenn ihm ein, wenn auch leichter und einfacher Befehl erteilt wurde, so
machte er ein ganz verdutztes Gesicht und wußte nicht, was er tun

sollte. Wenn ihm dann die gleiche Aufforderung mehrmals gesagt worden war, sprach er sie nur nach, ohne ihr nachzukommen. Er stand auf der sowohl geistig als auch sprachlich sehr niedrigen Entwicklungsstufe der Echosprache. Aber nach und nach ist er über diese Stufe hinausgekommen, so daß er, soweit es seine geringe geistige Begabung erlaubt, leichte Fragen beantwortet. Die Stammler zerfallen in 2 Gruppen. Zu der einen Abteilung gehören die Stammler, bei denen keine stilistische und grammatische Störung im Satzbau zu bemerken ist. Bei der zweiten Gruppe wird dieser Sprachfehler noch durch den hinzukommenden Agrammatismus verstärkt. Von den Stammlern konnten im Laufe des Schuljahres 4 entlassen werden. Unter diesen war einer, welcher bei seinem vor mehreren Jahren erfolgten Eintritt sowohl lautlich als auch stilistisch ganz undeutlich und unverständlich sprach. Von den Stotterern konnten während des Schuljahres 2 entlassen werden. Viel Mühe bereitete ein Schüler, bei dem das Stammeln mit hochgradigem Stottern verbunden war. Während er früher nur unter den größten Anstrengungen ein Wort herausbrachte, vermag er jetzt, nach jahrelanger Mühe und großem Fleiß, ohne die häßlichen Nebenbewegungen, wenn auch noch nicht glatt und fließend, zu reden.

Eine weitere Einrichtung, welche für die Schüler der Hilfsschule sowohl in geistiger als auch in erziehlicher Hinsicht von großem Nutzen ist, ist die Schulsparkasse. Dieselbe ist auch in diesem Jahre fleißig benutzt worden. Von den Ostern 1905 abgehenden fünf Konfirmanden hatten sich vier daran beteiligt. Sie erhielten bei ihrem Abgange 48,74 M, so daß auf einen Konfirmand durchschnittlich 12,18 M kamen. Aus der 1. Klasse haben sich 14 Schüler ziemlich regelmäßig am Sparen beteiligt und im Laufe des Jahres 1905 zusammen 127,83 M eingelegt. Aus Klasse 2 haben in derselben Zeit 16 Kinder 132,20 M gespart. Die Gesamtsumme beläuft sich also auf 260,03 M. Auf ein Kind kommen also durchschnittlich 8,66 M. Außer zu Ostern an die abgehenden Konfirmanden sind vor Weihnachten noch 49,07 M zu notwendigen Anschaffungen zurückgezahlt worden.

Die folgenden Angaben mögen den Nachweis liefern, daß ein hoher Prozentsatz der Hilfsschüler körperlich nicht genügend entwickelt ist, und daß daher vielen Schülern der Hilfsschule eine besondere körperliche Pflege sowohl von zu Hause als auch im Bedürfnisfalle von wohltätiger Hand zuteil würde. Nachdem schon ziemlich seit dem Bestehen der Hilfsschule die Größe der Schüler gemessen worden ist, sind in diesem Jahre die Messungen auch auf Brust, Kopf, Gewicht ausgedehnt worden und auch Untersuchungen über Seh- und Hörweite vorgenommen worden. Als Unterlagen zu diesen Vornahmen haben folgende Arbeiten gedient. Dr. med. Doll, Ärztliche Untersuchungen aus der Hilfsschule für schwachsinnige Kinder zu Karlsruhe. Dr. med. Schmid-Monnard, Über den Wert von Körpermaßen zur Beurteilung des Körperzustandes von Kindern. Prof. Dr. Herm. Cohn, Täfelchen zur Prüfung der Sehleistung und Sehschärfe. Für Schul-, Militär-, Schiffs-, Bahnärzte und Lehrer.

1. Gewicht.

A. Gewichtstabelle nach Quetelet in kg.

Alter	Knaben	Mädchen	Alter	Knaben	Mädchen
Jahre	kg	kg	Jahre	kg	kg
6	17,24	16,00	11	27,10	25,65
7	19,10	17,54	12	29,82	29,82
8	20,76	19,08	13	34,38	32,94
9	22,65	21,36	14	38,67	36,70
10	24,52	23,52	15	43,62	40,37

B. Gewicht der Knaben und Mädchen der hiesigen Hilfsschule.[1]

Jahre	Knaben					Mädchen					
	kg	kg	kg	kg	kg	kg	kg	kg	kg	kg	kg
8	19,48	17,91	20,22								
9	20,68	20,12	21,23			19,94	23,63				
10	24,00	24,19	23,63	23,91	23,86	23,06	24,05	24,09	26,77	24,42	22,25
11	25,2	23,63	22,79	25,76	22,79	28,71	21,31	28,71	25,48	24,83	
12	30,92	26,03	25,85	31,85		31,29	31,25	25,29	27,88		
13	29,22					31,38	34,43				
14						32,68					

Von den 21 Knaben, welche gewogen worden sind, sind also
18 = 85,7% mehr oder minder unter dem Durchschnitt. Günstiger
schneiden die Mädchen ab. Von 20 sind nur 9 = 45% unter dem
Durchschnitt. Knaben und Mädchen zusammen genommen ergeben einen
Prozentsatz von 65,35 unter dem Durchschnitt. Besser in dieser Hinsicht
sind die Ereignisse, die Dr. med. Doll an der Hilfsschule zu Karlsruhe
festgestellt hat; Knaben = 33,3%, Mädchen = 20%, Knaben und
Mädchen = 26,65%. Dr. Doll hat nun auch Schüler der Normalschule
gewogen und gefunden, daß die Hilfsschüler den Normalschülern gegenüber nicht unwesentlich zurückbleiben. Im Vergleich zu den Ferien-
kolonisten aber standen die Hilfsschüler günstiger. Diese Tatsache ist ein
Beweis dafür, daß geistige und körperliche Minderwertigkeit zwar häufig
vereint vorkommen, daß sie sich aber keineswegs gegenseitig bedingen.
Doll, S. 37.

---

[1] Die unter dem Durchschnittsgewicht stehenden Zahlen sind fett gedruckt.
Desgl. auch bei den übrigen Tabellen.

2. Länge.

A. Durchschnittliche Körpergröße nach Quetelet in cm.

Jahre	Knaben cm	Mädchen cm	Jahre	Knaben cm	Mädchen cm
6	104,6	103,1	11	132,5	130,1
7	110,4	108,7	12	137,5	135,2
8	116,2	114,2	13	142,3	140,0
9	121,8	119,6	14	146,9	144,6
10	127,3	124,9	15	151,3	148,8

B. Körpergröße der Knaben und Mädchen der hiesigen Hilfsschule in cm.

Jahre	Knaben					Mädchen					
	cm	cm	cm	cm	cm	cm	cm	cm	cm	cm	cm
8	126,3	115,5	108,5	118,0							
9	116,5	113,0	127,5			109,0	124,5	119,5			
10	120,2	124,0	124,0	123,0	135,5	123,2	145,5	129,2	130,5	125,0	128,5
11	130,2	128,0	124,5	124,5	117,5	131,5	116,5	136,2	128,1	135,0	
12	139,0	129,5	129,0	140,0		141,0	140,0	140,0	131,5		
13	149,5	131,5	135,0			141,5	144,0				
14						137,0					
15						123,5					

Auch in der Länge fällt das Ergebnis für die Knaben ungünstiger aus als für die Mädchen. Unter den 24 Knaben erreichen 17 = 70,83% den Durchschnitt nicht. Die größte Unterlänge beträgt 15 cm. Unter den Knaben sind auch einige sehr schlank und schwach gewachsen. Die größte Überlänge beträgt 10,1 cm. Bei den Mädchen bleiben von 22 nur 9 = 40,9% unter dem Durchschnitt. Die größte Unterlänge beträgt 25,3 cm, die größte Überlänge 6,1 cm. Der Prozentsatz der Knaben und Mädchen beträgt in Bezug auf die Länge 60,86%. Auch diese Zahlen sind ungünstiger als in der Karlsruher Hilfsschule: Knaben 55%, Mädchen 40%, Knaben und Mädchen 47,2%. In der hiesigen Hilfsschule erreichen also über die Hälfte die Durchschnittslänge nicht. Auch in Bezug auf die Länge hat Doll gefunden, daß die Schüler der Normalschule im Vergleich zu den Hilfsschülern günstiger gestellt sind: 23,4% : 47,2%.

3. Längenzunahme.

A. Tabelle nach Quetelet.

Jahre	Knaben cm	Mädchen cm	Jahre	Knaben cm	Mädchen cm
8	5,8	5,5	12	5,0	5,1
9	5,6	5,4	13	4,8	4,8
10	5,5	5,3	14	4,6	4,6
11	5,2	5,2	15	4,4	4,2

B. Längenzunahme der Knaben und Mädchen der hiesigen Hilfsschule.

Jahre	Knaben cm	Mädchen cm
8	4,5 7,8 5,2 4,3 4,3 4,3 5,4 3,0 3,5	4,2 4,5 6,0 11,1
9	3,5 5,0 8,7 3,5 3,9 6,0 1,8 3,0 3,5	3,0 4,5 8,0 4,7 5,0 2,0 4,2 2,6 1,9 1,6 2,5
10	3,0 7,2 3,5 3,0 4,5 6,0 4,0 3,5	4,5 3,0 5,3 3,5 3,5 6,7 4,5 3,0 3,8 6,5 5,3
11	2,5 3,5 3,5 3,0 4,0 3,0 1,8 6,2 3,5	4,0 5,0 5,0 3,5 2,0 4,5 2,7 9,5 3,5 1,9 1,5 2,5
12	2,0 5,0 3,5 3,0 5,3 3,0 3,5 2,5	5,6 3,0 6,5 4,0 5,0 4,5 4,5
13	3,5 3,5 4,0 3,0 3,0 3,7	6,5 3,5 3,0 4,0 4,5
14	3,0 3,5 3,5 3,0 3,0	5,5 3,5 3,0
15	3,5 3,0 8,0 5,0 2,7	0,7 3,6 2,5 2,7

Die durchschnittliche Wachstumszunahme wird von den Knaben in 8 Fällen überschritten. Die größte Zunahme beträgt 7,8 cm, die kleinste 1,3 cm. Die durchschnittliche jährliche Wachstumszunahme wird von den Mädchen neunmal übertroffen. Die größte Zunahme beträgt 11,1 cm, die kleinste dagegen 0,7 cm.

4. Brust.

A. Tabelle nach Steffen.

Jahre	cm	Jahre	cm
7	57,4	11	62,5
8	59,0	12	65,7
9	61,0	13	67,8
10	61,6	14	67,0

B. Brustumfänge der Knaben und Mädchen der hiesigen Hilfsschule.

Jahre	Knaben					Mädchen					
	cm	cm	cm	cm	cm	cm	cm	cm	cm	cm	cm
8	60,0	60,0	56,5	58,0		56,0	60,0	59,5			
9	60,0	57,5	64,5	61,0		62,0	62,5	58,0	61,0	65,0	66,5
10	58,0	58,5	61,0	60,0		62,5	63,5	54,0	59,5	60,0	
11	55,0	58,0	55,0	60,5	64,5	65,0	65,5	54,0	64,5		
12	60,5	58,0	60,0	67,5		63,5	66,5				
13	60,5	64,5				73,0					
14						62,5					
15											

Die obigen Zahlen geben den mittleren Brustumfang zwischen der tiefsten Ein- und der ergiebigsten Ausatmung. Die Messung ist bei ausgestreckten Armen vorgenommen worden. Die inspiratorische Erweiterung wird normal mit 3,53 cm angenommen. Bei den meisten betrug sie 3—5 cm. Es waren aber Unterschiede von 7 cm zu beobachten. Sonderbarerweise war bei 2 Knaben eine inspiratorische Erweiterung kaum zu bemerken. Unter 23 Knaben bleiben 17 = 52%, unter 22 Mädchen 12 = 54,5% hinter dem Mittel zurück. Die Zahlen für die Karlsruher Hilfsschule betragen 42,2% bez. 76,6%.

5. Kopf.

A. Tabelle nach Steffen.

Alter Jahre	Minimum cm	Durchschnitt cm	Maximum cm
5—10	46—47,5	51	52
10—12	47—48	52	53
12—15	?	52,5	53,5

B. Kopfumfänge der Knaben und Mädchen der hiesigen Hilfsschule.

Jahre	cm																						
5—10	48.0	52.0	49.8	49.9	52.9	46.2	49.9	47.9	49.7	47.3	50.2	50	50.1	49.5	51.8	53	48	50.5	49	50.1	51.2	49	49
10—12	51.5	50.0	52.0	48	52.0	53.0	52.0	51.5	50.0	50.0	50.0	52	48.0	45.0	50.0	50							
12—15	53.0	51.5	49.5	53	53.0	53.0	50.8	51.5	50.0	51.0	50.0												

Unter 46 Knaben und Mädchen bleiben 32 = 69%. Unter den Knaben von 10 bis 12 Jahren ist einer dabei, dessen Kopfumfang 2 cm unterhalb des Minimums bleibt.

6. Gesicht.

Die Prüfung wurde, wie bereits oben erwähnt, nach der von Prof. Cohn gegebenen Anleitung vorgenommen. Die Untersuchungen haben die Ansicht Prof. Ziehens bestätigt, welcher in seinem Buche »Geisteskrankheiten des Kindesalters« S. 20 schreibt: »Das Empfindungsleben des Imbezillen ist relativ noch am wenigsten geschädigt. Bei vielen Imbezillen ist die Hör- und Sehschärfe ungefähr normal.« Von sämtlichen Kindern der Hilfsschule waren 5, deren Sehleistung unterhalb 6/6 ist, und zwar 1 mit 4/6 und 4 mit 5/6 Sl. 1 Sl. war bei 4 nachzuweisen, die meisten besaßen eine Sehschärfe von 7/6 bis 16/16, zu den letzteren gehörten noch 8. Weiter als bis 20 m konnte nicht geprüft werden, da eine Entfernung von 20 m nicht vorhanden ist.

7. Gehör.

Ebenso günstig wie beim Gesicht waren die Ergebnisse des Gehörs. 35 Kinder verstanden Flüstersprache bis 15 m (so weit ist die verfügbare Entfernung). Sehr erheblich schwerhörig sind zwei Knaben, von denen der eine die Flüstersprache auf nur 1 m, der andere auf 3 m versteht. Erheblich schwerhörig sind noch zwei Knaben, die Flüstersprache auf 7 m bezw. 9 m verstehen konnten. Bei den noch fehlenden Kindern schwanken die Entfernungen zwischen 11—14 m.

Dies sind die Ergebnisse der über Gewicht, Länge, Brust, Kopf, Gesicht und Gehör vorgenommenen Untersuchungen. An Interesse werden dieselben dann noch gewinnen, wenn durch den Schularzt, der in diesem Schuljahr die Hilfsschule noch nicht besucht hat, die Ursachen der körperlichen Minderwertigkeit festgestellt werden.

Damit etwas mehr für die körperliche Pfege und auch das Richtige geschieht, hat der Verfasser sich das vom Agnes-Frauen-Verein herausgegebene Flugblatt erbeten und an die Eltern unserer Hilfsschüler verteilt. Weiter ist zu hoffen, daß ihnen mit Beginn des neuen Schuljahrs ein Schulbad zur Verfügung gestellt wird. Auf die Notwendigkeit des Badens gerade für die Schüler der Hilfsschule ist in den früheren Jahresberichten hingewiesen worden. Ebenso wären die Lehrer der Hilfsschule sehr dankbar, wenn von irgend einer Seite Mittel bereit gestellt würden, damit den schwächlichsten Schülern zum Frühstück Milch gereicht werden könnte. Mit Zustimmung des Herrn Prof. Dr. Just dürfen von Ostern ab die Konfirmandinnen der Hilfsschule am Kochunterricht teilnehmen. Diese Erlaubnis ist mit dankbarer Freude zu begrüßen, da sehr oft geistig geschwächte Kinder zu praktischer Arbeit sehr geeignet sind. Auch finden dann diese Mädchen nach ihrer Konfirmation eher eine Verwendung zu häuslicher Arbeit. Für die konfirmierten Knaben, welche Lust haben, ein Handwerk zu erlernen, wäre zu wünschen, daß den Meistern, die sich mit solchen Lehrlingen erfolgreich abgeben, eine Prämie gewährt würde, wie dies schon in einigen deutschen Staaten geschieht. Über die Aufnahme in die Hilfsschule und den Verbleib in derselben bestimmen die Leitsätze, daß beides ganz in das Belieben der Eltern gestellt ist. Es hat sich aber je länger um so mehr die Notwendigkeit herausgestellt, daß die oben erwähnten Sätze dahin abgeändert werden, daß die Eltern gezwungen werden können, ihr Kind der Hilfsschule zu überlassen. Jeder Zwang, so auch dieser, wird hart empfunden, er ist aber nur zum Segen der betreffenden Kinder. Der Verbandstag der Hilfsschulen Deutschlands hat sich darum auch in diesem Sinne für einen Schulzwang ausgesprochen.

Wie in früheren Jahren, so sind auch in diesem der Aushebungskommission die Namen und eine kurze Charakteristik derjenigen Stellungspflichtigen überreicht worden, die früher die Hilfsschule besucht haben. Wie notwendig und nützlich das ist, geht aus der Rede eines Reichstagsabgeordneten hervor, der sich über die Behandlung eines geistig geschwächten Soldaten beschwerte. Über denselben Gegenstand spricht sich Oberstabsarzt Benneke folgendermaßen aus (Allgem. Zeitschrift für Psychiatrie Bd. 56): »Die Zahl der pathologischen Schwachsinnigen, bez. derjenigen, welche Gegenstand ärztlicher Beobachtung gewesen waren, betrug in der sächsischen Armee innerhalb eines Zeitraumes von 10 Jahren etwa 100 Mann. Die ausgesprochen Schwachsinnigen wurden sofort wieder entlassen, eine andere Gruppe verriet ihre Unbrauchbarkeit nach kurzem Dienst, ein letzter versagte bei den am Ende der Rekrutenausbildung gestellten höheren Anforderungen. Die Zivilbehörden haben eine erhöhte Sorgfalt den Eintragungen diesbezüglicher Bemerkungen in die Aushebungsliste zuzuwenden, damit z. B. nicht in der Schule für Schwachsinnige unterrichtete Leute eingestellt werden.«

3. Landerziehungsheime für Unbemittelte.

Über die Landerziehungsheime ist in den letzten Jahren in der Tages-presse wie in pädagogischen und medizinischen Zeitschriften außerordent-lich viel geschrieben worden, dafür und dawider. Die Landeserziehungs-heime sind in der Sache alt; die Erziehungsanstalten der Philanthropen waren Landeserziehungsheime, die Rettungsanstalten nach dem Muster Wicherns sind Landerziehungsheime. Lietz hat aber ein besonderes Verdienst dadurch, daß er mit größter Energie die Grundsätze der Herbart-schen Pädagogik in die Erziehungsanstalten verpflanzt und den Namen »Landerziehungsheim« für derartige Erziehungsanstalten geprägt hat. Auch meine eigene Anstalt, die fast ein Jahrzehnt älter ist, als die Lietzschen Anstalten, verfolgt seit je im großen und ganzen dieselben Grundsätze für schwächlichere und problematischere Naturen.

Im Laufe des vorigen Winters hielt Herr Dr. med. Katz-Mannheim, im dortigen Verein für Kinderforschung einen Vortrag über das deutsche Landerziehungsheim. Herr Dr. Katz war so freundlich, uns den-selben zur Verfügung zu stellen. Aus den angegebenen Gründen, vor allem aber, weil Herr Lietz selbst für den Privatschullehrertag, der in der Pfingstwoche in Werningerode tagt, einen Vortrag über dies Thema gehalten hat, können wir auf die Wiedergabe des weiteren Inhaltes des Katzschen Vortrages für unsere Leser verzichten. Über das, was Lietz an neuen Gedanken in Werningerode brachte, werden wir später be-richten; denn Katz hebt nicht mit Unrecht hervor, daß die Land-erziehungsheime auch ihre Bedeutung für die Kinderforschung haben und haben sollten, wie wir ja tatsächlich auch unsere Anstalt seit je in diesen Dienst gestellt haben.

Herr Dr. Katz brachte aber in seinem Vortrage einen neuen Ge-danken, und den wollen wir unsern Lesern, vor allem aber unsern Be-hörden und unsern Kapitalisten, die hoffentlich auch einmal nach ameri-kanischem Muster für die Volkserziehung eine milde Hand auftun werden, zur Beachtung mitteilen.

Diese Ausführungen sind zugleich eine Ergänzung zu unsern bisher gebrachten Artikeln über Fürsorgeerziehung und Vor- und Fürsorge-erziehungsanstalten.

Herr Dr. Katz sagte am Schluß seines Vortrags: »Eine Frage, die vielfach aufgeworfen, aber weder in Wort noch Tat befriedigend gelöst wurde, ist die, wie die L. E. H. für die Allgemeinheit nutzbar zu machen sind. Denn das ist ja klar, daß trotz teilweise oder gänzlich erlassenen Honorars in liberalster Weise das L. E. H. als private Ver-anstaltung im wesentlichen auf den Besuch aus den gut situierten Ständen angewiesen ist. In Frankreich soll man im jüngsten Heim durch eine niedrige Bemessung des Honorars sehr viel breiteren Schichten den Besuch zu ermöglichen suchen. Die Erfahrungen werden von großem Interesse sein. In Deutschland erregt wohl das L. E. H. zur Gründung von Wald-schulen an, die in der Nähe von Berlin schwachbegabten und kränklichen Volksschülern Halbtagsaufenthalt geben. Immerhin ein recht schwacher

Aufguß. Ich dächte nun, die Gemeinden machten einmal einen Versuch mit den Waisenhäusern. Hier muß kein Kind den Eltern erst genommen werden; ein Heim tut aber vor allem diesen Kindern not. An Stelle unserer Waisenhäuser, meist nüchternen, auf das Engste und Nächste gerichtete Zuchtanstalten, verbrämt mit reichlich Frömmigkeit, möchte ich Heime auf dem Lande sehen, die eine freie und tüchtige und fröhliche Entwicklung nach jeder Richtung hin fördern. Dieser Gedanke war schon einmal zur schönsten Tat gediehen. Ich weiß nicht, wie vielen von Ihnen das Orphelinat von Cempuis dem Namen nach bekannt ist. Es erlebte 14 segensreiche Jahre unter Robin, bis dieser herrliche Mann dem Ansturme der schwärzesten Reaktion 1894 weichen mußte. Er hat sein schönes Leitwort: »Pour la vie dans la joie« zur Wahrheit gemacht für die Ärmsten der Armen, und tausendfacher Segen lohnte es ihm und dem Vaterlande. Wessen Interesse etwa daran geweckt sein sollte, den verweise ich auf das Buch seines Schülers Gabriel Giroud: »Education intégrate-Coéducation des sexes«, erschienen bei A. Hamon als neunter Band der »Bibliothèque internationale des sciences sociologiques«. Vielleicht verschafft diese Anregung auch uns einen warmherzigen Stifter, unterstützt von einer einsichtsvollen und weitblickenden Gemeinde. Welch ein Segen wäre das! Dazu einen Leiter wie Robin (ich führe Giroud an): »Ein encyklopädisches Gehirn, ein Arbeiter von erstaunlicher Handgeschicklichkeit, ein Künstler, der die erste aller Qualitäten zum Erzieher besitzt, eine tiefe Liebe zur Kindheit, dazu einen seltenen Willen und den Kämpfergeist der Verteidigung, der vor nichts den Mut sinken läßt und alle Hindernisse besiegt.« Durch ihn sollte »jedem, aus welchen Verhältnissen und aus welchem Zufalle er immer hervorging, das Recht werden, alle seine physischen und intellektuellen Fähigkeiten so vollkommen, als nur immer möglich, zu entwickeln«. Und er hat es fertig gebracht. Warum sollte uns nicht auch einmal so etwas Ähnliches blühen? Von hier aus würden sich dann allmählich die Formen finden lassen für eine Ausbreitung der L. E. H.s-Idee zu Gunsten unseres ganzen Volkes.« Trüper.

B. Mitteilungen.

1. Bericht über den 2. Kongress für experimentelle Psychologie in Würzburg vom 18.—21. April 1906.

Von Dr. Friedrich Schmidt in Würzburg.

(Forts.)

Mit dem 5. Vortrage des Lehrers an der hiesigen Stadtschule, L. Pfeiffer: »Eine Methode zur Feststellung qualitativer Arbeitstypen in der Schule« kommt die verheißungsvolle Richtung der experimentellen Pädagogik mit ihren sich immer mehr hebenden köstlichen Schätzen zum Rufe. Wer

sie bislang als eine kühl berechnende, geisttötende, lebensmatte und un-
persönliche kennen gelernt zu haben glaubte, der mußte, wie dies der
Beifall auch bekundete, unbefangen zugeben, daß denn doch ein gewaltiger
Unterschied ist zwischen der rein theoretischen Betrachtungsweise mit
ihrem Herumtappen im großen Meer der Schulmeinungen und der experimentellen Methode, die das Neuland des kindlichen Seelenlebens einwandfrei erschließt als eine Welt voll von eigentümlichen Gesetzmäßigkeiten
des Wachsens und Werdens kindlicher Intelligenz und dem für sein Amt
begeisterten Pädagogen eine bahnbrechende Entwicklung der Pädagogik
zeigt als einer selbständigen Wissenschaft mit eigenem kinderpsychologischen Forschungsgebiet, was auch schon ein Pestalozzi
vorausgesehen und geahnt hat. Was hat nun Pfeiffer getan? Er hat
ein Material von über 600 Schüleraufsätzen aus Würzburgs Volksschulen
gesammelt, nach gewissen Gesichtspunkten waren die Themata hiezu gewählt. Dann fand er, was wir auch schon konstatierten,[1] daß die Schüler-
aufsätze eine günstige Quelle für die Psychologie der individuellen
Differenzen sind. Die Aufmerksamkeit der Untersuchung war darauf
gerichtet, zu erforschen, ob sich nicht die verschiedenen Schülerbearbei-
tungen für die Einzelschüler als typisch erweisen: die Auffassungen
des Schülers zum Thema, sein inneres Verhalten dem Stoffe gegenüber
wurde bei jeder Aufsatzleistung geprüft. Es ergaben sich nun 17 verschiedene Verhaltungs- oder Bearbeitungsweisen (qualitative Arbeitstypen).
Diese sind: die beschreibende, beobachtende, erinnernde, beziehende,
schließende, reflektierende, praktisch beurteilende, ethisch beurteilende,
ästhetisch beurteilende, einfühlende und die phantasierende. Das ist
natürlich so zu verstehen, daß ein Kind einem Aufsatze vorwiegend
z. B. einen beschreibenden Charakter gegeben hat, daneben kann es auch
vereinzelt die eine oder andere oder mehrere Weisen gebraucht haben.
Von 15 Schülern waren 6 reine Typen und 9 Typenkomplexe. Die
beschreibenden, beobachtenden und erinnernden Typen wurden als assoziative und die andern als apperzeptive bezeichnet. Es wurde festgestellt,
daß die höhere intellektuelle Bildung des Schulkindes einen
größeren Fortschritt macht als seine Gemütsbildung, was auch
mit der allgemeinen Tatsache im Einklang steht, daß in unsern Volksschulen die Verstandesbildung eine bevorzugtere Stellung einnimmt als
die Gesinnungsbildung. Die Beziehungen der Typen zueinander, ihr
Verhältnis zur kindlichen Begabung, zur stilistischen Fruchtbarkeit, zu
Alter und Geschlecht werden einer späteren Arbeit vorbehalten, was er
auch in der »Umschau« No. 19 ankündigte.

Wir referieren nun über den 6. Vortrag des Geheimrates Stumpf-
Berlin: »Über Gefühlsempfindungen«. Die Hauptfrage der Darlegungen
richtete sich auf das Verhältnis, welches die sinnlichen Gefühle wie
Schmerz, Kitzel, Sexualgefühle, Annehmlichkeiten und deren Gegenteil zu
den sinnlichen Empfindungen einnehmen. Hierzu gibt es 3 Theorien:

---

[1] Experimentelle Untersuchungen über die Hausaufgaben des Schulkindes,
S. 118. Leipzig, Engelmann, 1904.

1. die Eigenschaftstheorie, nach welcher die sinnlichen Gefühle Eigenschaften der Empfindung sind;

2. das Gefühl tritt als etwas Neues zu den Empfindungen; ist struktuell mit ihnen verbunden; es ist eine neue Gattung von Bewußtseinsinhalten;

3. das sinnliche Gefühl ist selbst Empfindung neben anderen. Diese Auffassung vertritt Stumpf.

Kritisch ist zu diesen Lehrmeinungen gesagt worden:

ad 1. Diese Theorie ist durch die zündenden Argumente von Külpe abgetan, nach welchen eine Eigenschaft nicht selbst wieder Eigenschaften haben kann und dann werden graduell abgestufte Eigenschaften Null, wenn ein Merkmal Null wird; das trifft aber nicht zu für die sinnlichen Empfindungen, wenn das sinnliche Gefühl gewichen ist.

ad 2. stützt sich auf 3 Argumente: auf die verwandtschaftlichen Beziehungen der sinnlichen Gefühle mit den Gemütsbewegungen; darauf, daß die sinnlichen Gefühle subjektiv, die Empfindungen objektiv sind und auf die mangelnde Lokalisation der Gefühle. Das erste Argument ist nicht stichhaltig, weil es sich um die Verwandtschaft des Teiles zu seinem Ganzen handelt und jener zu diesem nicht homogen zu sein braucht; das zweite ist nicht allgemein gültig insofern, als die Objektivierung von Empfindungen für alle niedern Sinne gilt. Dazu kommt noch die Unzulässigkeit der Hereinziehung der Frage nach dem Unterschied zwischen Ich und Außenwelt, weil in den Elementen ein solcher Unterschied nicht liegt; das dritte Argument ist das schwächste, da auch nicht alle Empfindungen ausgedehnt und lokalisiert sind und andrerseits wiederum auch nicht allen Gefühlen Lokalisation fehlt. So ist z. B. der Schmerz sehr deutlich lokalisiert, auch die Geschmäcke und Gerüche.

ad 3. Gefühle sind Gefühlsempfindungen; diese Theorie bleibt als gültig bestehen und wird sehr eingehend gewürdigt und namentlich werden mit ihrer Hilfe die Erscheinungen der indifferenten Empfindungen, der Gefühle als Mitempfindungen u. a. erklärt. — An diesen Vortrag schloß sich eine rege Debatte, an der sich Ebbinghaus, v. Frey und noch drei andere Redner beteiligten. Im allgemeinen war hieraus ersichtlich, daß die wissenschaftlichen Lehranschauungen über die Gefühle noch lange nicht prinzipiell geeint sind.

An siebter Stelle nennen wir das Referat von Dr. Dürr-Würzburg, der die Resultate seiner recht fleißigen und äußerst gründlichen Untersuchung im psychologischen Institut daselbst in dem Titel zusammenfaßte: »Willenshandlung und Assoziation«. Er suchte eine kausale Erklärung der Willenshandlung zu geben und ging in kritisch-exakter Weise der Frage nach, ob der Verlauf der Reproduktionen auch Willenshandlung ist. Auf Grund der auf Selbstbeobachtung erfolgten Aussagen von Versuchspersonen unterscheidet Dürr dreierlei Arten von Motiven:

a) Solche Motive, welche einen Reproduktionserfolg haben;

b) solche, welche einen Produktionserfolg aufweisen und

c) jene, die einen Erfolg erzeugen im Sinne einer Verdeutlichung und in Beziehung zu Assoziationsverläufen stehen.

Nach einer anziehend klaren und kritischen Auseinandersetzung vorhandener Willenstheorien (Münsterberg, Pfänder, Störring) fand der gewissenhafte Gelehrte das Wesen der Willenshandlung in dem Wissen um die Reproduktionstendenz.

Auf eine andere Weise suchte Dr. Ach-Marburg in seinem unmittelbar darauffolgenden Referate: »Experimentelle Untersuchungen über den Willen« demselben Probleme näher zu kommen. Sein Untersuchungsmaterial bestand in dem Lernen sinnloser Reihen. Beim Reproduzieren derselben erhielt die Versuchsperson bestimmte Aufgaben etwa die zu reimen oder sinnlose Silben zu vertauschen. Die ursprünglichen Reihen wurden öfters dargeboten und es zeigte sich, daß bereits gestiftete Reproduktionstendenzen so intensiv auftraten, daß die in der Aufgabe gelegene Tendenz nicht zur Verwirklichung gelangen konnte. Diese Tatsache wurde von Ach nach verschiedenen Seiten hin erhärtet und in Verbindung gesetzt zu seiner Theorie der »Bewußtheiten«, unter welchen er eine Gattung seelischer Erlebnisse ohne jedwede Vorstellungsbasis versteht. Die große Gründlichkeit der experimentellen Untersuchungen ließen den ernsten Forscher erkennen.   (Schluß folgt.)

2. Österreichische Gesellschaft für Kinderforschung.

Sitzung vom 19. Mai 1906.

Bericht von Dr. Theodor Heller in Wien.

Die Sitzung wird um 7 Uhr abends unter dem Vorsitz des Vizepräsidenten Hofrats Prof. Escherich eröffnet. Der Vorsitzende verliest den Einlauf und erteilt sodann Herrn Dozenten Dr. A. Pilcz, Vorstand der 1. psychiatrischen Klinik, das Wort zu einem Vortrag über moralischen Schwachsinn.

Der Vortragende gibt zunächst eine psychologische Analyse der höheren, moralischen Gefühle, welche zusammengesetzter Art sind. Ihnen stehen die einfachen, sinnlichen Gefühle gegenüber, welche nach genauen Analysen bei den moral insanes in der Regel von geringer Intensität sind, so daß sich bei diesen Minderwertigen der Gefühlsdefekt schon auf der elementaren Stufe nachweisen läßt. Ein häufiger Befund ist herabgesetzte Schmerzempfindlichkeit. Der Vortragende zeigt, wie alle Eigenschaften der moral insanes aus diesen Voraussetzungen erklärt werden können und spricht in extremen Fällen den betreffenden Individuen jede Besserungsmöglichkeit ab. Hierauf erfolgte die Vorführung eines 15 jährigen Burschen, der als »magistratisches Kostkind« seine frühe Jugend verbracht hat, hierauf in eine Besserungsanstalt kam, wo er durch grobe Exzesse so störend wurde, daß er in die Irrenanstalt gebracht werden mußte.' Hier zeigte er sich allen Besserungs- und Erziehungsversuchen völlig unzugänglich, quält hilflose Mitpatienten, ist unglaublich roh, lügenhaft, schamlos. Intellektuell läßt er keinen Defekt erkennen, er ist recht pfiffig, schlagfertig und verfügt über einen cynischen Humor, wie er vielen Gewohnheitsverbrechern eigentümlich ist. Der Vortragende betont, daß der Bursche der Gesellschaft gefährlich werden könnte, wenn er die Freiheit erlangte. Unter den obwaltenden Verhältnissen ist die weitere Anhaltung in der Irrenanstalt geboten.

Diskussion.

Frl. Wilhelmine Mohr (Schriftstellerin) glaubt, daß dem Begriff moral insanity eine zu weite Ausdehnung gegeben werde. Sie fragt den Vorsitzenden, ob Fälle von moral insanity häufig vorkommen und vermutet, daß weit mehr Fälle von sittlicher Entartung auf äußere als auf innere Ursachen zurückzuführen sind. Die laienhafte Auffassung des Begriffes moral insanity habe schon viel Unheil geschaffen und es wäre daher eine scharfe Abgrenzung gegen andere nicht pathologische Formen der sittlichen Entartung wünschenswert.

Dr. Theodor Heller (Anstaltsdirektor) hebt hervor, daß die Mehrzahl der sittlich verwahrlosten Minderwertigen Imbezille sein dürften und macht auf die einschlägigen Untersuchungen von Bonhoeffer u. a. aufmerksam. Zwischen dem »intellektuellen« und dem »moralischen« Schwachsinn gebe es Übergangsstufen und es sei oft im einzelnen Falle schwer, nach kurzer Untersuchung anzugeben, wieweit der Intelligenzdefekt reiche. Der unerzogene, seinen niederen Trieben und Leidenschaften überlassene Schwachsinnige bedeute eine Gefahr für die Gesellschaft. Die Versorgung geistig minderwertiger Kinder in Schulen oder Anstalten sei eine Pflicht des Staates, der nicht abwarten dürfe, bis diese Individuen der Verwahrlosung anheimgefallen sind und die Irren- Gefangen- und Armenhäuser bevölkern. Die neue Schul- und Unterrichtsordnung hat leider in dieser Hinsicht keinen Wandel geschaffen und die erwartete obligatorische Einführung von Schulen für geistig zurückgebliebene Kinder nicht gebracht.

Dr. Ludwig Singer (Realschulprofessor) erwähnt, daß die Selbstmorde von Kindern oder jugendlichen Personen oft von sittlich minderwertigen Individuen verübt werden und bezieht sich des näheren auf einen Fall seiner Erfahrung. Viele Eltern täuschen sich absichtlich über die Minderwertigkeit ihrer Kinder, wollen zeitgerecht nichts Entsprechendes veranlassen und tragen daher selbst die Schuld an dem Untergang derartiger Existenzen.

Dr. Julius Zappert (Universitätsdozent und Kinderarzt) warnt vor der voreiligen Diagnose moral insanity und erwähnt einige Fälle seiner Erfahrung, in denen vorher brave und anständige Kinder zur Pubertätszeit ihr Betragen änderten, herumzustreifen begannen und selbst strafbare Handlungen vollbrachten, schließlich aber wieder in ein günstiges Fahrwasser gelangten und zu tüchtigen Leuten heranwuchsen. Sehr wichtig scheint ihm der Hinweis auf die bei intellektuell defekten Jugendlichen vorkommenden sittlichen Mängel; er glaubt, daß in vielen Fällen eine Besserungsfähigkeit bestünde, wenn nur die richtigen Verhältnisse ermittelt und das betreffende Kind in dieselben versetzt werden könnte. Die Diagnose moral insanity sollte eigentlich erst dann gestellt werden, wenn alle pädagogischen und medizinischen Mittel ihre Wirkung versagt haben.

Dr. Erwin Stransky (klinischer Assistent und Gerichtsarzt) bemerkt, daß man nur in extremen Fällen von moralischem Schwachsinn spreche, in denen von Anfang an die Symptone deutlich ausgeprägt erscheinen. Der intellektuelle und der moralische Schwachsinn sind trotz unleugbarer Übergänge klinisch doch als zwei besondere Krankheitsformen zu betrachten.

Hofrat Escherich hat bezüglich des demonstrierten Knaben nicht völlige Klarheit erlangt. Es ist nicht mitgeteilt worden, wo der Knabe seine ersten Lebensjahre verbracht habe und unter welchen Einflüssen er gestanden. (Zwischenruf des Universitäts-Professors Dr. Löffler [Jurist] Magistratisches Kostkind!) Die psychischen Einflüsse in den ersten Lebensjahren sind von nicht zu unterschätzender Wichtigkeit und oft für das fernere Gedeihen entscheidend. Eine Irrenanstalt ist, trotz der hohen Wertschätzung, die Hofrat Escherich dieser Institution zollt, denn doch nicht die richtige Erziehungsstätte für ein Kind. Bei keinem sittlich defekten Kind sollte der Versuch einer Heilerziehung unterlassen werden, wozu sich in vielen Fällen ausgewählte Pflegefamilien besser eignen als Anstalten.

Dozent Dr. Pilcz führt in einem Schlußwort nochmals den Unterschied zwischen moralischem und intellektuellem Schwachsinn aus. Die Aufregungszustände der Imbezillen verlieren sich gewöhnlich sehr rasch in der Anstalt, sie machen dann einen harmlosen, gutmütigen Eindruck und sind auch mit verschiedenen Arbeiten unschwer zu beschäftigen. Im Gegensatz hierzu bleiben die moralisch Defekten unruhige, höchst störende Elemente, welche in den Irrenanstalten geduldet werden müssen, solange es keine besonderen Detentionsanstalten für solche Minderwertige gibt.

Hierauf hielt Professor Max Guttmann einen Vortrag über den Jordanpark in Krakau, eine Schöpfung des Hofrates und Universitätsprofessors Dr. Heinrich Jordan, der sich armer und verlassener Kinder in väterlicher Weise annimmt und eine prachtvolle Erholungsstätte für dieselben geschaffen hat, in der auch erziehlich nach den verschiedensten Richtungen hin eingewirkt wird.

---

3. Ein 15jähriger Frauenmörder.

Von verschiedenen Seiten, und zwar aus Nord- und Süddeutschland, sind uns Zeitungsausschnitte zugegangen, die sich auf eine Gerichtsverhandlung in München beziehen. Obwohl wir natürlich nicht gern längere Mitteilungen aus Tagesblättern bringen, wollen wir doch diesmal dem Wunsche der Einsender Rechnung tragen. Der Generalanzeiger für Hamburg-Altona (vom 10. Mai 1906) berichtet:

Vor dem Landgericht München II kam heute die geradezu unglaubliche Mordtat des am 16. März 1891 geborenen Gerbermeisterssohn Georg Gotz zur Verhandlung. Gotz steht unter der schweren Beschuldigung. die 27 Jahre alte Dienstmagd Therese Brenner aus Walperskirchen, die sich von ihm in anderen Umständen befand, erdrosselt und aufgehängt zu haben, so daß der Anschein eines Selbstmordes erweckt werden sollte.

Die Niedrigkeit und Roheit der Gesinnung, die sich bei Gotz schon in so frühem Alter in einer so furchtbaren Weise äußerte, ist auf das Fehlen einer guten mütterlichen Erziehung zurückzuführen. Die Mutter starb nämlich sehr früh, und der Vater, der mit dem Geschäft vollauf zu tun hatte, konnte sich um die Kinder nicht viel kümmern. So wurde Gotz, der körperlich außergewöhnlich gut entwickelt ist, und der auch heute einen bedeutend älteren Eindruck als den eines Fünfzehnjährigen machte, immer roher und frecher. Nach dem Verlassen der Schule trat Gotz bei seinem Vater in die Lehre, bei dem die Magd Brenner in Stellung war. Zwischen dem vierzehnjährigen Burschen und der Brenner entspann sich nun in der Folge eine Liebelei, deren Folgen sich bald einstellten. Die Angst, wegen seines Verkehrs mit der Magd, von seinem Vater gezüchtigt zu werden, ließ im Gehirn des Gotz den furchtbaren Plan reifen, die Brenner beiseite zu schaffen. Zuerst dachte er Arsenik, das der Vater zur Ausübung seines Handwerks wiederholt brauchte. Diesen Plan ließ er jedoch fallen, da er das Gift sich nicht beschaffen konnte. Infolge der Lektüre eines Münchener »Bilderblattls«, das über die Erdrosselung einer alten Privatiere berichtet und diesen Bericht mit einer entsprechenden Zeichnung begleitet hatte, versuchte er sein Ziel vielmehr auf andere Weise zu erreichen. Am 16. Januar d. J., als der Vater auf einer kurzen Geschäftsreise sich befand, schlich sich der jugendliche Mörder auf den Heuboden, wo die Brenner gerade arbeitete, und warf ihr von hinten eine Schlinge um den Hals. Diese Schlinge zog er dann so fest zu, daß die Ärmste erstickte und hängte ihren Leichnam so auf, daß es aussehe, als habe sie sich selbst erhängt. Die Sektion ergab jedoch, daß dies ausgeschlossen war. Es wurden hierauf zunächst Vater und Sohn unter dem Verdachte des Mordes verhaftet. Der Vater wurde aber bald wieder frei gelassen, nachdem der junge Gotz ein umfassendes Geständnis abgelegt hatte.

Die Verhandlung gegen den jugendlichen Mörder fand nicht vor dem Schwurgericht, sondern vor der Strafkammer statt, da Gotz noch nicht 18 Jahre alt ist. Der Zuhörerraum war überfüllt. Der Angeklagte zeigte sich sehr niedergeschlagen und weinte unaufhörlich. Als Motiv seiner unseligen Tat gab er die Furcht an, von seinem Vater geprügelt und aus dem Hause gewiesen zu werden. Auch habe er es als Schande empfunden, schon so jung Vater zu werden. Weiter widerrief der Angeklagte die in der Voruntersuchung gemachte Angabe, daß er von der Brenner verführt worden sei. Vielmehr sei die Initiative von ihm ausgegangen. Bei dem Angeklagten sind nach ärztlichem Urteil ethische Defekte zweifellos vorhanden, im übrigen ist er aber geistig vollständig normal. Hierauf wurde die nur kurze Beweisaufnahme geschlossen. Der Staatsanwalt beantragte für den jugendlichen Verbrecher 12 Jahre Gefängnis, während Justizrat Bernstein für eine mildere Strafe eintrat. Das Urteil lautete auf acht Jahre Gefängnis. Der Angeklagte nahm das Urteil sehr gefaßt auf. Er erklärte, sich ihm unterwerfen zu wollen. Während der Reden des Staatsanwalts und des Verteidigers war er jedoch völlig gebrochen.

U.

4. Mitteilungen an die Mitglieder und Freunde des allgemeinen deutschen Vereins für Kinderforschung.

Durch die Berufung unseres früheren Kassenführers, Herrn Stuken-berg, an das Lehrerseminar zu Oldenburg sind trotz erfolgter Mitteilung mancherlei Unzuträglichkeiten zwischen den Mitgliedern, der Kassenführung und der Expedition unseres Organs, der Zeitschrift für Kinderforschung, aufgetreten. Damit die Kassenführung fortan für alle Zeiten an einem bestimmten Orte bleiben kann, hat unsere Verlagsfirma Hermann Beyer & Söhne (Beyer & Mann) in Langensalza sich bereit erklärt, die Kassen-führung mit Beginn des neuen Jahrganges (1. Oktober 1906) zu über-nehmen. Wir bitten darum unsere Mitglieder, alle Beiträge dorthin zu senden, sich auch bei allen Nachfragen in Kassenangelegenheiten bei etwaiger unregelmäßiger Zustellung der Zeitschrift u. dgl. mit genannter Firma in Verbindung zu setzen.

Nach den Satzungen ist der Beitrag vorher einzusenden, worauf dann die Zusendung der Zeitschrift erfolgt. Um Irrtümer zu ver-meiden wird jedoch gebeten, den eingehenden Betrag als Jahres-beitrag für die Mitgliedschaft des Vereins für Kinderforschung ausdrücklich zu bezeichnen. Sollten die Beiträge nicht abgesandt worden sein, so bitten wir, es noch nachträglich zu tun, und die Zeit-schrift wird alsdann nachgeliefert werden.

Fortan wird die Kassenverwaltung sich erlauben, falls nach Er-scheinen des ersten Heftes der Beitrag nicht eingegangen und keine Abmeldung erfolgt ist, jenen per Post-Nachnahme zu erheben.

Wir machen ferner unter Hinweis auf unsere Satzungen darauf auf-merksam, daß der Verleger von diesen 4 M Jahresbeitrag 1 M in unsere Vereinskasse fließen läßt, es sich darum im Interesse der guten Sache empfiehlt, wenn die Freunde der Kinderforschung Mitglieder des Ver-eins werden.

Endlich seien unsere Mitglieder noch darauf hingewiesen, daß vom 1. bis 4. Oktober d. J. der Kongreß für Kinderforschung, wie wir es in unserer Zeitschrift wiederholt angekündigt haben, in Berlin in den Räumen des Universitätsgebäudes tagt. Unser Verein wird in diesen Tagen dort ebenfalls seine Jahresversammlung abhalten, die mit Rücksicht auf den Kongreß sich auf Geschäftliches beschränken muß. Tag und Stunde wird später noch mitgeteilt werden.

Vorläufige Tagesordnung:

1. Berichterstattung.

2. Das Verhältnis der bisher entstandenen Lokal-Vereine zum Allgemeinen Verein und des Allgemeinen Vereines zum Kongreß.

3. Neuwahl des Vorstandes.

4. Feststellung von Zeit und Ort wie der Verhandlungs-gegenstände für die nächste Jahresversammlung.

Der Vorstand.
I. A. Trüper.

5. Kongress für Kinderforschung und Jugendfürsorge, vom 1. bis 4. Oktober 1906 zu Berlin.

In den Räumen der Königlichen Friedrich-Wilhelms-Universität
(Unter den Linden, Platz am Opernhaus).

Für den Kongreß, dessen vielumfassendes Gesamtgebiet mit dem obigen Namen nur angedeutet, nicht vollständig umschrieben ist, sind die nachfolgenden Vorträge in Aussicht genommen, wobei jedoch nach Umständen gewisse Verschiebungen und Ergänzungen vorbehalten bleiben müssen.

Um die verfügbare Zeit möglichst voll für die Verhandlungen zu verwenden, ist von den sonst üblichen mehrseitigen Begrüßungen sowie von begleitenden Festlichkeiten Abstand genommen.

Ebenso muß die im Folgenden angegebene jedesmalige Anfangszeit der Verhandlungen mit vollster Pünktlichkeit eingehalten werden.

Während der Kongreß als solcher nur für die Länder deutscher Zunge gedacht ist, wird die Teilnahme auch von Ausländern willkommen und ihre etwaige Beteiligung an den Verhandlungen unbehindert sein.

*   *   *

Vorabend: **Sonntag,** den 30. September, abends 7½ Uhr: Gesellige Zusammenkunft der Teilnehmer in den Räumen des Hôtel Impérial (»Schlaraffia«), Enckeplatz 4, Südende der Charlottenstraße. Vorläufige geschäftliche Mitteilungen.

Montag, den 1. Oktober, Vormittag 9—12 Uhr: Einführende Ansprache des Vorsitzenden des vorbereitenden Ausschusses. Wahl des Vorstandes für den Kongeß selbst.

Vorträge für den Gesamtkongreß:[1]) Prof. Dr. Baginsky (Berlin): Die Impressionabilität der Kinder unter dem Einfluß des Milieu.

Professor Dr. Meumann (Königsberg): Die wissenschaftliche Untersuchung der Begabungsunterschiede der Kinder und ihre praktische Bedeutung.

Geh. Med.-Rat Prof. Dr. Ziehen (Berlin): Die normale und pathologische Ideenassoziation des Kindes.

Museumsleiter E. Fischer: Kurze orientierende Mitteilung über die Ausstellung (s. u.).

12—1 Uhr: Bildung der Sektionen und Beginn ihrer Verhandlungen.

A. Anthropologisch-psychologische Sektion.   B. Psychologisch-pädagogische Sektion.   C. Philanthropisch-soziale Sektion.

Vorträge, in Sektion A: Dr. phil. W. Ament (Würzburg): Eine erste Blütezeit der Kinderseelenkunde um die Wende des 18. zum 19. Jahrhundert.

---

[1]) Zu unserm Bedauern hat ein Teil der freundlichst angemeldeten Vorträge wegen Verspätung und Überfüllung des Programms nicht mehr Aufnahme finden können, was wir die betreffenden Herren und Damen zu entschuldigen bitten.

Sektion C: Dr. med. Sonnenberg (Worms): Über Ferienkolonien.

Montag, Nachmittag 4 Uhr: Fortsetzung der Verhandlungen der Sektionen.

Sektion A: Dr. William Stern, Privatdozent (Breslau): Grundfragen der Psychogenesis.

Dr. med. W. Fürstenheim (Berlin): Über Reaktionszeit im Kindesalter.

Dr. med. K. L. Schaefer, Privatdozent (Berlin): Farbenbeobachtungen bei Kindern.

Sektion B: Fräulein Hanna Mecke (Cassel): Fröbelsche Pädagogik und Kinderforschung.

Dr. A. Engelsperger und Dr. O. Ziegler (München): Beiträge zur Kenntnis der physischen und psychischen Natur der sechsjährigen, in die Schule eintretenden Münchener Kinder.

A. Delitsch, Hilfsschul-Direktor (Plauen i. V.): Über die individuellen Hemmungen der Aufmerksamkeit im Schulalter.

Sektion C: F. Weigl, Lehrer und Redakteur (München): Bildungsanstalten des Staates, der Provinzen bezw. Kreise und der Kommunen für Schwachsinnige im Deutschen Reiche.

Dr. Herm. Gutzmann, Privatdozent (Berlin): Die soziale Fürsorge für sprachgestörte Kinder.

G. Riemann, Kgl. Taubstummenlehrer (Berlin): Über taubstumme Blinde. Mit Vorführung.

Dienstag, den 2. Oktober, Vormittag 9—11 Uhr: Vorträge für den Gesamtkongreß.

Geheimer Admiralitätsrat Dr. Felisch (Berlin): Die Fürsorge für die schulentlassene Jugend.

Geh. Med.-Rat Prof. Dr. Binswanger (Jena): Hysterie des Kindes.

Geh. Med.-Rat Prof. Dr. Heubner (Berlin): Das Vorkommen der Idiotie in der Praxis des Kinderarztes.

11—1 Uhr: Weitere Verhandlungen der Sektionen.

Sektion A: Dr. Uffenheimer, Privatdozent (München): Zur Mimik der Kinder.

Dr. Elsenhans, Privatdozent (Heidelberg): Die Anlagen des Kindes.

Sektion B: Dr. Friedr. Schmidt (Würzburg) Haus- und Prüfungsaufsatz. Exerimentelle Studien.

Direktor Archenhold (Sternwarte Treptow bei Berlin): Die Bedeutung des Unterrichts im Freien in Mathematik und Naturwissenschaft.

Sektion C: Lehrer Friedr. Lorentz (Weißensee bei Berlin): Die Beziehungen der Sozialhygiene zu den Problemen sozialer Erziehung.

Dr. Bernhard, Schularzt (Berlin): Über den Schlaf der Berliner Gemeindeschüler.

Dienstag, Nachmittag 4 Uhr: Fortsetzung der Verhandlungen der Sektionen.

Sektion A: Professor Dr. Ad. Dyroff (Bonn): Sprachwissenschaft und Kinderpsychologie.

Dr. Ach, Privatdozent (Marburg): Zur Psychologie der Kindersprache. (Korreferat zum Vorhergehenden.)

Außerdem: Kurzer Vortrag über Kinderlieder, Kinderreime usw. nach Kooperator F. X. Huber (Regensburg).

Sektion B: Dr. Pabst, Seminar-Direktor (Leipzig): Die psychologische und pädagogische Bedeutung des praktischen Unterrichts.

Hilfsschul-Lehrer Enderlin (Mannheim): Die Bedeutung der Handarbeit in der Erziehung pathologischer wie normaler Kinder. (Korreferat zum Vorhergehenden.)

Institutslehrer Landmann (Sophienhöhe bei Jena): Über Beeinflussungsmöglichkeit abnormer Ideenassoziation durch Erziehung und Unterricht.

Sektion C: Erziehungsdirektor Pastor Plaß (Zehlendorf bei Berlin): Über Arbeitserziehung.

Schriftsteller Damaschke (Berlin): Wohnungsnot und Kinderelend.

Mittwoch, den 3. Oktober, Vormittag 9—11 Uhr: Vorträge für den Gesamtkongreß.

Professor Dr. E. Martinak (Graz): Wesen und Aufgabe einer Schülerkunde.

Landgerichtsrat Kulemann (Bremen): Die forensische Behandlung der Jugendlichen.

Pastor Dr. Hennig, Direktor (Rauhes Haus, Hamburg): Freiwilliger Liebesdienst und staatliche Ordnung in der Arbeit der gefährdeten Jugend; ein Rückblick und Ausblick.

11—1 Uhr: Weitere Verhandlungen der Sektionen.

Sektion A: Dr. Th. Heller (Wien): Über psychosthenische Kinder.

Dr. Ed. Claparède (Genf): Über Gewichtstäuschung bei anormalen Kindern.

Sektion B: Dr. H. Schmidkunz (Halensee bei Berlin): Die oberen Stufen des Jugendalters.

W. Dix, Lehrer a. d. höh. Bürgerschule (Meißen): Über hysterische Epedemien in deutschen Schulen.

Sektion C: Hilfsschul-Lehrer Kielhorn (Braunschweig): Die geistige Minderwertigkeit vor Gericht.

Dr. v. Rhoden, Gefängnisgeistlicher (Düsseldorf-Derenburg): Jugendliche Verbrecher.

(Abänderungen in der Reihenfolge der Vorträge müssen vorbehalten werden.)

Hierauf: Schlußansprache des Vorsitzenden des Kongresses. Erledigung geschäftlicher Fragen.

*　　*　　*

NB. Für den einzelnen Vortrag wird eine Dauer von höchstens 30 Minuten angenommen, für den einzelnen Sprecher in der Debatte (soweit eine solche angezeigt ist) der Regel nach eine Zeit von nur 5 Minuten.

Mittwoch, Nachmittag: Besichtigung und Erläuterung der von Herrn E. Fischer, Vorstand des in der Gründung begriffenen »Deutschen Museums für das gesamte Erziehungs- und Unterrichtswesen« zu Berlin, ebenfalls in den Universitätsräumen veranstalteten Ausstellung (welche übrigens auch schon an den vorhergehenden Tagen zugänglich ist).

Diese Ausstellung bezieht sich auf Körperbau und Hygiene des normalen wie des kranken Schulkindes, gewerbliches und künstlerisches Schaffen des Kindes, Unterrichtsmittel, Schulbau und Schulausstattung, wissenschaftliche Werke, methodische Schriften usw.[1]

Hierzu kommt eine durch das Zusammenwirken mehrerer Kinderpsychologen veranstaltete Ausstellung von Kinderzeichnungen, mit Erläuterungen. Ebenso zur Ergänzung des Vortrags von Dr. W. Ament eine Ausstellung der Literatur der Kinderseelenkunde von 1690 bis 1882 in Erstlingsausgaben.[2]

Außerdem wird Gelegenheit zur Besichtigung mannigfacher interessanter Institute (psychologischen, medizinischen, pädagogischen Charakters) unter sachkundigster Führung und Erläuterung geboten werden, worüber zum Beginn des Kongresses bestimmte Mitteilungen gemacht werden sollen.

Unter anderem wird eine gemeinsame Fahrt nach Zehlendorf zum Besuch der Erziehungsanstalten »am Urban« veranstaltet werden.

Listen zur Eintragung für Teilnehmer werden seinerzeit offen liegen.

Mittwoch, Abend 7 Uhr, Gemeinsames Mahl im Hôtel Impérial, Enckeplatz 4 (s. oben).

Donnerstag, den 4. Oktober: Gelegenheit zu weiterer Besichtigung mehrerer der vorstehenden Institute usw. Auch wird den zu den Fachgebieten des Kongresses in Beziehung stehenden Vereinen anheimgestellt, an diesem Tage Sitzungen abzuhalten.

       *   *   *

Nähere Auskunft wird seinerzeit vom Empfangscomité in der Universität erteilt werden.

Mitgliederkarten sind ebenfalls dort zu entnehmen, werden aber auf Verlangen auch vorher zugeschickt gegen Einsendung des Betrags einschließlich des Portos an den Schatzmeister des Kongresses, Herrn Professor Dr. Moritz Schäfer, NW. 23, Klopstockstraße 24.

Der Betrag der Mitgliedskarte ist endgültig auf 5 Mark festgesetzt. Dieselbe berechtigt nicht nur zur Teilnahme an sämtlichen Verhandlungen bezw. Vorführungen, sondern es wird dafür nachträglich auch der gedruckte Bericht über die Verhandlungen (ein Band von 15—20 Bogen) geliefert.[3]

---

[1] An dieser Stelle sei der Wunsch angefügt, daß Autoren und Verleger ihre hierhergehörigen Erzeugnisse an Herrn E. Fischer, Berlin SO.-Rixdorf, Kneesbeckstr. 21—23, zur Ergänzung der Ausstellung freundlichst einsenden möchten.

[2] Alle, welche sich zufällig im Besitze alter einschlägiger Schriften befinden oder solche im Besitz einer privaten oder öffentlichen Bibliothek wissen, werden dringend um freundliche Mitteilung hiervon gebeten.

[3] Für Nichtmitglieder ist dieser Band von der Verlagsbuchhandlung Hermann Beyer & Söhne (Beyer & Mann) in Langensalza zu beziehen.

Außerdem ist die Ausgabe von Tageskarten (zu M 1,50) und event. von Halbtagskarten in Aussicht genommen.

Die Mitgliedskarte bezw. Tageskarte ist am Eingang vorzuzeigen, während ein besonderes äußeres Abzeichen für die Teilnehmer nicht verteilt wird.

Es darf erhofft werden, daß an den Verhandlungen des Kongresses nicht bloß Vertreter der Wissenschaft, berufsmäßige Jugenderzieher, Lehrer aller Arten von Schulen, Freunde sozialer Vervollkommnung, sondern auch gebildete Eltern in weitem Umfang Interesse nehmen. In diesem Sinne in ihren Kreisen weitere Anregung zu geben, werden die Empfänger gegenwärtiger Einladung ausdrücklich gebeten.

Auswärtigen Teilnehmern können auf Wunsch Wohnungen nachgewiesen werden durch den Wohnungsausschuß. Man wende sich an Herrn stud. phil. Bodo Frh. von Reitzenstein, Berlin W. 50, Augsburgerstr. 51.

Der vorbereitende Ausschuſs und Vorstand:[1]

Dr. **W. Münch,** Geh. Regierungsrat u. Prof. an der Universität Berlin W. 30. Luitpoldstr. 22, Vorsitzender.

J. **Trüper,** Direktor des Erziehungsheims auf Sophienhöhe bei Jena, stellvertretender Vorsitzender.

Dr. **W. Ament,** Privatgelehrter in Würzburg, Sanderglacisstr. 44, Schriftführer.

Dr. A. Baginsky, Professor der Kinderheilkunde und Direktor des Kaiserin Friedrich-Krankenhauses in Berlin. Pastor Dr. Hennig, Direktor des Rauhen Hauses in Horn bei Hamburg. Geh. Med.-Rat Dr. **Heubner,** Prof. der Kinderheilkunde und Direktor der Universitäts-Klinik in Berlin. Dr. **Chr. Klumker,** Dir. d. Zentr. f. priv. Fürsorge in Frankfurt a. M. Amtsgerichtsrat Dr. Köhne, Vormundschaftsrichter in Berlin. Dr. E. Meumann, Prof. der Pädagogik und Psychologie a. d. Univ. in Königsberg. Dr. Petersen, Direktor des städt. Waisenhauses in Hamburg. H. Piper, Erziehungsinspektor der Idiotenanstalt in Dalldorf. Dr. **W. Rein,** Prof. der Pädagogik und Direktor des pädagogischen Universitätsseminars in Jena. Röhl, Volksschullehrer und Vorsitzender des Ausschusses des deutschen Lehrervereins in Berlin. Dr. Sickinger, Stadtschulrat in Mannheim. Dr. Sommer, Prof. der Psychiatrie in Gießen. Vatter, Direktor der Taubstummenanstalt in Frankfurt a. M. Geh. Med.-Rat Dr. **Th. Ziehen,** Prof. der Psychiatrie und Direktor der psychiatrischen Klinik der Charité in Berlin.

Das Ortskomité:

(außer den vorgenannten Herren Baginsky. Heubner, Köhne, Münch, Piper, Röhl, Stumpf, Ziehen):

Frl. Dr. jur. Frida Duensing, Leiterin der Zentralstelle für Jugendfürsorge. Geh. Admiralitätsrat Dr. Felisch, Ehrenpräsident des freiwilligen Erziehungsbeirats für schulentlassene Waisen. E. Fischer, Museumsleiter. Arno Fuchs, Hilfsschul-Lehrer. Dr. med. W. Fürstenheim. Dr. P. v. Gižycki, Stadtschulinspektor. Dr. med. H. Gutzmann, Privatdozent an der Universität. Prof. Dr.

---

[1] Die Namen der Vorstandsmitglieder sind fett gedruckt.

Arth. Hartmann, Sanitätsrat, Städt. Schularzt. Frl. Margarete Henschke, Vorsteherin der Victoria-Fortbildungsschule für Mädchen. Direktor Dr. F. Kemsies, Herausgeber der Zeitschr. f. pädagog. Psychologie. Dr. Krohne, Geh. Ober-regierungsrat und vortragender Rat im Ministerium des Innern. E. Kull, Direktor d. städt. Blindenanstalt. Frl. Helene Lange, Herausgeberin der Monatsschrift »Die Frau«. Dr. Lowinsky, Realschul-Oberlehrer. Prof. Dr. Michaelis. Stadt-schulrat von Berlin. Geh. Reg.-Rat Moldehn, Provinzialschulrat. Dr. Neufert, Stadtschulrat v. Charlottenburg. Rektor Pagel, Generalsekretär des Zentralvereins für Jugendfürsorge. Frl. Anna Pappenheim, Seminar-Vorsteherin des Berliner Fröbel-Vereins. Päßler, Lehrer, Redakteur der Pädagogischen Zeitung. Pastor Pfeiffer, Geschäftsführer des Stadtausschusses für innere Mission. Pastor L. Plaß, Direktor der Erziehungsanstalt am Urban in Zehlendorf. H. Rippler, Redakteur der »Tägl. Rundschau«. Rektor Rob. Rißmann, Herausgeber der »Deutschen Schule«. Dr. Saltzgeber, Geschäftsführer des katholischen Charitas-Verbandes. Dr. med. K. L. Schaefer, Privatdozent a. d. Universität. Prof. Dr. M. Schaefer, Realgymnasial-Oberlehrer. Dr. Frhr. v. Soden, Universitätsprofessor und Pfarrer. Schulrat Walther, Direktor der Königl. Taubstummenanstalt. Prof. Dr. E. Well-mann, Gymnasialdirektor. Dr. Wessely, Gymnasial-Oberlehrer. Prof. Dr. Wych-gram, Direktor der Königl. Augusta-Schule und des Lehrerinnenseminars. Dr. Zelle, Realschuldirektor.

C. Literatur.

Prof. Dr. med. **Jessen,** Direktor der städt. Schulzahnklinik in Straßburg, **Motz, Th.,** Kaiserl. Kreisschulinspektor, und Regierungsassessor **Dominicus,** Beigeordnetem des Bürgermeisters der Stadt Straßburg, Die Zahnpflege in der Schule vom Standpunkte des Arztes, Schulmannes und Verwaltungsbeamten. Straßburg, Ver-lag von L. Beust. Preis ?

Es ist der Wunsch der Autoren, die kleine Schrift — 67 S. umfassend und mit Abbildungen und V Tafeln ausgestattet — in der Hand eines jeden Lehrers zu wissen, die Lehrpersonen an allen Schulen sowie Eltern, Ärzte und Behörden für die Zahnpflege im Volk zu interessieren.

Jedermann, der auf die Hebung und Erhaltung der eigenen Gesundheit durch hygienische Maßnahmen bedacht ist und dem in gleicher Weise die gesamte Volks-wohlfahrt am Herzen liegt, muß sich dem Doppelwunsche der Autoren rückhaltlos anschließen.

Die große Bedeutung der Arbeit liegt im wirkungsvollen Hindrängen zur helfenden Tat. Familie, Gemeinde und Staat müssen sich zum Handeln ver-pflichtet fühlen. Diese Wirkung wird erzeugt durch die im wahren Sinne des Wortes vorbildliche gemeinsame Arbeit des Arztes, Pädagogen und Verwaltungsbeamten. Da ziehen einmal drei Volkserzieher an einem Strange und leisten eine Arbeit, die im Gesamteffekt neben der Einsicht in die Notwendig-keit der Zahnpflege durch die Schulen und Behörden vor allem auch die Überzeugung von der Durchführbarkeit in der Schule und volkswirtschaftlichen Zweckmäßigkeit schafft. Da ist ein Tatsachenmaterial angeführt, demgegenüber faule Ausreden über Schwierigkeiten und Kostspieligkeit der Durchführung nicht aufkommen können. Der Drückebergerei bleiben keine Schlupfwinkel mehr übrig.

Für alle Volkserzieher im engsten und weitesten Sinne des Wortes gilt hier die Mahnung: Wer da weiß, Gutes zu tun, kann es auch tun und tut es trotzdem nicht, dem ist es Sünde. Eltern, Lehrer, Ärzte, Behörden, denket daran und erfüllt die gebotene Pflicht!

Aus dem Inhalt des Schriftchens sei nur folgendes hervorgehoben.

Die Caries der Zähne, durch welche körperliche und geistige Entwicklung der Kinder schwer geschädigt werden, und die damit die allgemeine Volksgesundheit herabzusetzen vermag, hat unter allen Volkskrankheiten die größte Verbreitung. Statistische Erhebungen in über 30 Städten Deutschlands haben ergeben, daß 85—99 % der Schulkinder erkrankte Gebisse und darin 28—30 % an Caries erkrankte Zähne haben. Dasselbe gilt im allgemeinen für alle Staaten Europas und auch für Amerika. Nach der einmütigen Ansicht der Tuberkuloseärzte steht nun fest, daß ein ungepflegter Mund und faulende Zähne dem Eindringen der Tuberkeln in den Organismus mächtigen Vorschub leisten, und nicht anders steht es mit Rücksicht auf die Erreger der Infektionskrankheiten.

Die Bedeutung der Zahnpflege ergibt sich daraus und noch mit besonderer Rücksicht auf die Gesundheit des Magens und auf eine normale Verdauung ganz von selbst.

Die Schule kommt nun als erster Ort in Frage, von dem aus Belehrungen ins Volk getragen werden können und an dem theoretische Einsicht am leichtesten in die Praxis übergeführt zu werden vermag. Dieser Gedanke hat in gemeinsamer Überlegung von Medizinern, Schulmännern und Verwaltungsbeamten zur Schaffung einer Schulzahnklinik in Straßburg geführt. Die Erfahrungen, die dort gesammelt wurden, sind sehr befriedigend für den allgemeinen Erziehungszweck und ebenso für die speziellen Zwecke des Arztes, der Schule und der Verwaltungsbehörde ausgefallen. Gleichgültigkeit, Nachlässigkeit und Vorurteile in der Zahnpflege sind immer mehr in Straßburg geschwunden. Die Einrichtung der Schulzahnklinik hat den Schulbetrieb weniger gestört, als es die früher bestandene größere Verbreitung der Zahnschmerzen bewirkte, und auch die Verwaltung ist in ihrer Rechnung auf die Kosten gekommen, so daß wahrscheinlich von hier aus auch noch Anregungen auf die Zahnpflege innerhalb des Krankenkassenwesens kommen werden.

Das Vorgehen der Straßburger Stadtverwaltung verdient als vorbildlich hingestellt zu werden, und es ist erfreulich, daß z. B. Darmstadt, Mülhausen i/E., Heidelberg und Essen schon dem Vorbilde gefolgt sind in der Einrichtung von Schulzahnkliniken. So muß es weiter gehen und zwar je rascher, je besser! Für die Städte kann und darf es nicht mehr heißen: Wo ein Wille ist, da ist auch ein Weg. Die Sache steht bereits so: Der Weg ist gezeigt worden. Werden sich nun auch energische Willen und opferfreudige Hände finden, ihn zu gehen? Man sollte eigentlich nichts anderes erwarten können!

Nun noch eins. Unser Schriftchen beschäftigt sich leider nicht mit der Zahnpflege für das breite Land. Hier ist sie aber ebenso wichtig als für die Städte. Der Weg der Durchführung ist hier freilich schwerer zu zeigen. Fachärzte, so viel ist klar, müssen auch hier in Tätigkeit treten, wenn etwas Wertvolles geschehen soll. Vielleicht wäre der Gedanke der Einrichtung von Kreiszahnarztstellen dabei in Erwägung zu ziehen. Um es aber auch hier mit der raschen Tat zu halten, sei allen Schulen und speziell denen auf dem Lande zunächst neben dem Schriftchen die im selben Verlag erschienene Tafel empfohlen. Sie trägt den Titel:

Gesunde und kranke Zähne (von Prof. Jessen): Wandtafel für Haus und Schule in Fünffarbendruck. Preis 10 M resp. 10,50 M. — Sie bildet die anschau-

liche Grundlage für die Belehrungen, die nach dem Schriftchen gegeben werden
müssen und gehört auch deshalb in jede Schule. Die Wandtafel gehört aber meines
Erachtens auch an Orte, die der breiten Öffentlichkeit zugänglich sind. Z. B. sollten
Gemeindebehörden sie aushängen. Die Tafel ist ausgezeichnet und redet durch ihre
Anschaulichkeit so deutlich, daß sie allein schon im stande sein wird, viele von der
Wichtigkeit der Zahnpflege zu überzeugen und zum Handeln zu treiben.

    Sophienhöhe bei Jena.   H. Landmann.

Pädagogische Zeitfragen. Sammlung von Abhandlungen aus dem Gebiete der Erziehung. Einzelhefte im Buchhandel durch J. J. Lentnersche
Hofbuchhandlung (E. Stahl jun.), München. Jahresabonnement (6 Hefte 3 M)
direkt an die Ausgabestelle (Weigl, München, Erhardtstr. 30).

    Der an einer Münchener Hilfsschule wirkende Verfasser wendet auch in seiner
Broschürensammlung seinem Spezialfach und dessen Grenzgebieten besondere Aufmerksamkeit zu. Gleich im 1. Heft behandelt der Herausgeber selbst: »Heilpädagogische Jugendfürsorge in Bayern« (8⁰. 42 S. 60 Pf.). Er zeigt sich
darin als warmer Anwalt der körperlich und geistig defekten Kinder. Seine eingehende Begründung der Notwendigkeit der Sorge für diese mit Gebrechen ver-
sehenen Kinder, sowie die scharf gezeichneten Wege der Hilfe, die weiten Blick bekunden, müssen überall Interesse finden, wo ein Herz für die Armen an Körper
oder Geist schlägt. Aber auch die eingehende genaue Statistik über die in Bayern
vorhandenen Taubstummen, Blinden, Krüppel, Schwachsinnigen und Idioten und über
ihre unterrichtlich-erziehliche Versorgung wird weit über Bayerns Grenze hinaus
Beachtung finden. Es wäre nur wünschenswert, daß Weigl-München in allen
deutschen Bundesstaaten Nachahmung fände.

    »Zur Orientierung über die Grundfragen der Schulbankkonstruk-
tion« (8⁰. 49 S. 60 Pf.) dient das 2. Heft. Das mit 4 Abbildungen und 3 Tabellen
über die Messung von 3167 Kindern an Münchener Volksschulen versehene Werkchen gibt ein klares Bild von dem heutigen regen Schaffen auf dem Gebiete der
Schulbanktechnik.

    »Jugenderziehung und Genußgifte« (8⁰. 29 S. 40 Pf.) setzt Dr. med.
J. Weigl im 3. Heft miteinander in Beziehung. Von großer Liebe zu einem
starken gesunden deutschen Volke getragen predigt der Verfasser in warmen Worten
die Enthaltsamkeit der Jugend von Alkohol, Kaffee und Nikotin. Es ist sehr erfreulich, daß dieses Heft in den 9 Monaten, die seit seinem Erscheinen verflossen
sind, in **12000** Exemplaren abgesetzt wurde. (Um der Broschüre im Volke Eingang
zu verschaffen, wurde der Preis bei direktem Bezug von der Ausgabestelle für
10—100 Exemplare à 12 Pf. und für mehr Exemplare à 10 Pf. festgesetzt.)

    Von den übrigen Heften heben wir hervor einen Beitrag von Universitäts-
professor Dr. Willmann über das Verhältnis von Logik und Psychologie zur
Pädagogik, ferner von J. Lohrer über Jugendschriften, von Qu. Kohlhepp über
Lehrerbildung und Lehrerfortbildung auf der Universität.

    Die Leser dieser Zeitschrift wird noch besonders die Ankündigung eines im
laufenden Jahrgang der Sammlung erscheinenden Heftes interessieren: es wird noch
die Frage der Sexualerziehung behandelt werden.

    München.   Herm. Schnell.

Druck von Hermann Beyer & Söhne (Beyer & Mann) in Langensalza.

A. Abhandlungen.

Über Vorsorge und Fürsorge für die intellektuell schwache und sittlich gefährdete Jugend.

Von

Dr. M. Fiebig, Schularzt in Jena.

Das Thema, welches der Titel angibt, bildete den Inhalt eines Vortrags, den ich vor dem »Landesverein für Innere Mission im Großherzogtum Sachsen« gelegentlich dessen III. Jahresversammlung, unter Vorsitz von Herrn Geh. Kirchenrat D. Spinner-Weimar, zu Weida am 17. Juni d. J. hielt. Auf den bestimmt ausgesprochenen Wunsch des Vorstandes des Vereins wird der Vortrag veröffentlicht. Er erscheint in erweiterter Form, weil sich aus einigen Bedenken, die in der Diskussion vorgebracht wurden, ergab, daß die ungenügende Erörterung einiger Punkte Mißverständnissen Raum gelassen hatte.

Der Vortrag wurde mit Rücksicht auf die Verhältnisse im Großherzogtum Sachsen gehalten; aber es ist durchaus nicht meine Meinung, daß die erörterte Frage nur für Sachsen-Weimar von Wichtigkeit ist; sie geht alle anderen Thüringer Staaten in gleicher Weise an; und wenn ich am Schlusse meiner Ausführungen dazu komme, die Errichtung einer Anstalt in der Nähe von Jena zu befürworten, welche ein Heilerziehungsheim, eine Arbeitslehrkolonie, ein heilpädagogisches Seminar und eine pädagogische Klinik in sich schließt, dann geschieht das in der Überzeugung, daß das Zustandekommen einer solchen Anstalt für sämtliche Staaten Thüringens von großer Wichtigkeit ist.

Die Zustände im Großherzogtum Sachsen und in den übrigen Thüringer Staaten sind zwar örtlich und landschaftlich beeinflußt; im

Grunde aber sind sie typisch für ganz Deutschland, ja für alle europäischen Kulturstaaten, und damit erlangen auch die in der »Zeitschrift für Kinderforschung« schon oft berührten Reformwünsche eine allgemeine Bedeutung, die nur für die einzelnen Landschaften und Staaten den dortigen Verhältnissen angepaßt sein wollen.

So lebt in mir die Hoffnung, daß die Anteilnahme sich auf die eine oder andere Weise zum Wohle von Tausenden von verstandesschwachen und dadurch sehr häufig sittlich, sozial und wirtschaftlich gefährdeten Kindern und Jugendlichen betätigen wird, wenn nur erst einmal der Schaden überall aufgedeckt und erkannt ist. Dazu vor allem soll mein Vortrag anregen.

Ausführliche Literaturverzeichnisse über den Gegenstand findet man bei:

W. Ament, Fortschritte der Kinderseelenkunde 1895—1903. Leipzig, W. Engelmann. 1,50 M.

Ed. Schulze, Inhaltsverzeichnis der ersten 10 Jahrgänge der Zeitschrift für Kinderforschung. Langensalza, Hermann Beyer & Söhne (Beyer & Mann). 0,75 M.

Bösbauer, Miklas, Schiner, Handbuch der Schwachsinnigenfürsorge. Wien, Karl Gräser & Co. 3,20 M.

Frenzel, Gerhardt, Schulze, Kalender für Lehrer und Lehrerinnen an Schulen und Anstalten für geistig Schwache. I. Jahrgang 1905—1906. Leipzig, Scheffer. 2,40 M.

Sommer, Bericht über den Kurs der medizinischen Psychologie mit Bezug auf Behandlung und Erziehung der angeboren Schwachsinnigen, abgehalten in Gießen 2.—7. April 1906. Halle a/S., Marhold. 1,20 M.

K. Singer, Soziale Fürsorge. Kap. VIII u. IX. München u. Berlin, R. Oldenbourg. 4 M.

Speziell unter den »Beiträgen zur Kinderforschung und Heilerziehung« sind mehrere erschienen, die die in diesem Vortrage erörterten Fragen von verschiedenen Seiten her beleuchtet haben. Ich nenne da:

Heft V: »Zur Frage der Erziehung unserer sittlich gefährdeten Jugend.« Von J. Trüper.
Heft VI: »Über Anstaltsfürsorge für Krüppel.« Von Dr. H. Krukenberg.
Heft VII: »Die Grundzüge der sittlichen Entwicklung und Erziehung des Kindes.« Von Dr. H. E. Piggott.
Heft VIII: »Psychopathische Minderwertigkeiten als Ursache von Gesetzesverletzungen Jugendlicher.« Von J. Trüper.
Heft IX: »Der Konfirmandenunterricht in der Hilfsschule.« Von H. Kielhorn.
Heft XII: »Strafrechtsreform und Jugendfürsorge.« Von W. Polligkeit.
Heft XVIII: »Die Abartungen des kindlichen Phantasielebens in ihrer Bedeutung für die päd. Pathologie.« Von Dr. med. J. Moses.
Heft XX: »Zur Frage der Behandlung unserer jugendlichen Missetäter.« Von J. Trüper.
Heft XXI: »Die Verwahrlosung des Kindes und das geltende Recht.« Von Dr. H. Reicher.

I.

Die Frage der Vorsorge und Fürsorge für die intellektuell schwache und sittlich gefährdete Jugend im Großherzogtum Sachsen hat meines Erachtens nicht nur darum Recht, im Landesverein für Innere Mission behandelt zu werden, weil gegen 200 Geistliche die Aufsicht über die Schulen in mehr als 300 Orten in Sachsen-Weimar haben, sondern auch darum, weil es sich dabei um ein christlich-soziales Liebeswerk und um eine Sache handelt, die Herz und Gewissen evangelischer Männer und Frauen tief berühren muß.

Lassen Sie mich zunächst die Bedürfnisfrage behandeln. — Im Anschluß an einen Vortrag von Herrn Direktor SCHOLZ-Pößneck: »Über das Mannheimer Schulsystem«, in Erfurt, am 25. April vorigen Jahres,[1]) erfolgte eine Aussprache in der von 139 Pädagogen besuchten Hauptversammlung des Vereins der Freunde Herbartischer Pädagogik in Thüringen, unter Vorsitz von Herrn Prof. REIN. Es ergab sich dabei, daß die Zahl der Repetenten in den Thüringischen Volksschulen außerordentlich groß ist, ja daß es in Thüringen, ebenso wie im übrigen Deutschland, in der Tat eine »Repetentennot« gibt. Ist doch durch eine Abgangsstatistik von 44 der größten Städte Deutschlands, die auf Anregung des Mannheimer Stadtschulrates Dr. SICKINGER zusammengestellt und im 11. Jahrgang des »Statistischen Jahrbuchs deutscher Städte« veröffentlicht wurde, bewiesen, daß nicht einmal die Hälfte der deutschen Kinder innerhalb der gesetzlichen Schulpflicht die Schule regelrecht durchmacht. SICKINGER zog in einem Vortrag, den er 1904 auf dem Internationalen Kongreß für Schulhygiene in Nürnberg hielt, das Gesamtergebnis dieser Statistik in die Sätze zusammen: »Von den gleichzeitig in die Schule eintretenden Kindern müssen innerhalb des schulpflichtigen Alters, also innerhalb 8 Jahren, nicht, wie vielfach angegeben wird, 20%, sondern durchschnittlich mehr als 50% ein- und mehrmal repetieren. Also von 100 gleichzeitig in das unterste Schuljahr eintretenden Kindern steigen in 8 Jahren nicht einmal 50 regelmäßig empor, und so tritt mehr als die Hälfte unseres Volkes mit einer verstümmelten oder unzulänglichen Bildung, ohne Gewöhnung an intensives, fleißiges und gewissenhaftes Arbeiten, ohne Vertrauen auf die eigene Kraft und ohne Arbeitswilligkeit und Arbeitsfreudigkeit ins Leben hinaus.«

Was nun speziell unser Großherzogtum anlangt, bemerkte Herr Prof. REIN in der erwähnten Versammlung, daß nach seinen früheren

---

[1]) Siehe die »Mitteilungen« des genannten Vereins. Langensalza, Hermann Beyer & Söhne (Beyer & Mann).

Erfahrungen in Eisenach der Prozentsatz der Kinder, die das Unterrichts-
ziel nicht erreichten, ein sehr großer war und daß man sich deshalb
über die kläglichen Resultate der Fortbildungsschule nicht zu wundern
brauche. Und Herr Lehrer BODENSTEIN teilte mit, daß jetzt in den
Eisenacher Schulen ein Drittel aller Kinder das Ziel des 8. Schuljahres nicht erreichen; einige werden aus der vierten, mehr aus der
dritten und etwa $1/_5$ aller Kinder aus der zweiten Klasse entlassen;
nur $2/_3$ erreichen den vollen Abschluß. Ähnliches wurde in anderen
Orten Thüringens beobachtet; so z. B. vom Rektor TROLL-Schmalkalden.
Dort blieben von 62 Incipienten 12 sitzen, also 20%, die im 8klassigen
Schulsystem das Ziel nicht erreichen können. Von 94 Konfirmanden
waren nur 48 nie sitzen geblieben; also hatten 50% das Ziel nicht
erreicht.

Um mir einen Einblick in die Ausbreitung und die Ursachen
des Sitzenbleibens der Kinder in Jena zu verschaffen, habe ich als
Schularzt der Westschule die einschlägigen Verhältnisse für das Schuljahr 1905/06 studiert. Das Ergebnis dieser Arbeit dürfte wohl all-
gemeinere Geltung haben und zwar 1. weil die Jenaer Westschule
eine Bezirksschule ist und also in ihr alle Bevölkerungsschichten
vertreten sind, auch solche, die ihre Kinder im 10. oder 11. Jahr
einer höheren Schule übergeben.[1] 2. Weil Jena eine gesunde Stadt
ist; 3. weil es eine kleinere Mittelstadt ist, in der Wohnungsnot und
die mit ihr verbundenen Schäden in größerem Umfange nicht bestehen; 4. weil die wirtschaftliche Stellung der Arbeiterschaft und
der Bürger im Durchschnitt besser ist, als in den meisten Städten
Deutschlands und ihre häuslichen Verhältnisse im Durchschnitt nicht
schlechter, und endlich 5. weil das Schulgebäude hygienisch muster-
haft, die Klassen nicht außergewöhnlich überfüllt und die Unterrichts-
ziele nach der herrschenden Meinung nicht zu hoch gespannt sind,
weil das Lehrpersonal anerkannt tüchtig und strebsam ist und der
Lehrerwechsel nicht besonders stark war; zum Teil bestand selbst
Durchführung der Klassen. — Mithin bietet die Jenaer Westschule
sehr günstige Schulverhältnisse dar. Jedenfalls kann hier keine Rede
von einem Ausnahmezustand nach dieser oder jener Richtung hin sein.

---

[1] In den 3 Jahren 1902—05 gingen in Jena jährlich durchschnittlich 21 Schüler
aus der Volksschule aufs Gymnasium (jedenfalls noch mehr auf die Realschulen)
über; aus andern höheren Lehranstalten, aus andern Vorbereitungsanstalten und aus
Privatunterricht durchschnittlich jährlich 34; da jährlich durchschnittlich 55 Schüler
ins Gymnasium eintreten und die Volksschüler alle in die Sexta, so kam bei weitem
die Mehrzahl der Sextaner aus den 5. und 4. Klassen der beiden Jenaer Volksschulen (siehe S. 16 der Statistik der Unterrichts- und Erziehungsanstalten, veröffentlicht vom Kultusdepartement des Großherzogl. Staatsministeriums, Weimar 1905).

Wie verhielt es sich nun mit dem Zurückbleiben der Schüler? Die Schülerzahl war Ende 1906 1155 Kinder, abgesehen von 5 Kindern, die der Hilfsklasse der Westschule aus dem andern Schulbezirk überwiesen waren und die ich ferner außer Betracht lasse. Es waren zurückgeblieben 277 oder 23,9%. Die Gründe des Zurückbleibens sind verschiedener Art: bei 59 Kindern waren Schulwechsel, ungenügende Ausbildung in der vorhergehenden Schule, lange Schulversäumnis durch intercurrierende Krankheit, häusliche Verwahrlosung usw. die Ursachen. Lediglich »intellektueller Schwäche« wegen waren 218 oder 18,9% der Kinder zurückgeblieben. — Man würde sich aber irren, wenn man diese Zahl als den vollen Ausdruck der intellektuellen Schwäche sämtlicher Schüler ansehen wollte. Neben den aus diesem Grunde bereits zurückgebliebenen sitzen nämlich in beinahe allen Klassen auch noch Kinder, die verstandesschwach und noch nicht zurückgeblieben sind. Ich erkundigte mich danach bei dem Lehrpersonal und hörte, daß es noch 49 solche Kinder gäbe, die deshalb zu Ostern 1906 sitzen bleiben müßten. Mithin war der Bestand der geistig Schwachen 267 oder 23,1% aller Kinder. Von den intellektuell schwachen, aber noch nicht sitzengebliebenen Kindern saßen 20 in der untersten, der VIII. Klasse, 12 in der VII., 7 in der VI., 4 in der V., 2 in der IV., 3 in der III. und 1 in der II. Klasse. Die Verstandesschwäche zeigte sich also bei den Kindern in den 2 untersten Klassen (VIII. und VII.) in viel ausgebreiteterem Maße, als bei den Kindern der Mittelstufe (VI., V., IV. Klasse) und der Oberstufe (III., II., I. Klasse), nämlich im Verhältnis von 32 : 13 : 4. Die meisten Kinder, nämlich 79,6% bleiben in den drei ersten Schuljahren sitzen; 18,4% in den zweiten drei Jahren und nur 2% in den zwei Abschlußjahren. Wenn nun in anderen Schuljahren die Versetzungsresultate dieselben sind, wie im vergangenen, d. h. wenn jährlich gegen 50 oder 4,3% der Kinder sitzen bleiben — und ich wüßte nicht, aus welchen Gründen man bei übrigens gleichbleibenden Verhältnissen anzunehmen berechtigt wäre, daß die Versetzungsresultate andere sein sollten —, dann werden von 100 gleichzeitig eintretenden Kindern in 8 Jahren 8mal 4,3 oder 34,4 sitzen bleiben. Rechnet man dazu die 18,9% der wegen intellektueller Schwäche bereits Zurückgebliebenen, dann macht das zusammen 53,3% Repetenten im 8jährigen Kursus. Sie sehen, daß wir so zu demselben Resultate kommen, zu dem Sickinger durch die auf Hunderttausende von Kindern sich beziehenden Erhebungen in 44 der größten Städte Deutschlands geführt worden ist. Das Resultat würde aber noch ungünstiger lauten, wenn wir die 59 aus anderen

Ursachen zurückgebliebenen Kinder hinzurechnen wollten. Nach
dieser Berechnung bleiben rund 58% der Kinder zurück. Diese
Zahl kommt denn auch mit der Durchschnittsstärke der VIII. und
der I. Klasse überein. In der VIII. Klasse saßen 1905/06, von der
Hilfsklasse abgesehen, 211, in der I. Klasse 73 Kinder. Also hatten
nur 34% die erste Klasse erreicht und 66% waren nicht bis zu
ihr gekommen. Jetzt im Schuljahr 1906/7 sitzen in den 8. Klassen
240, in den I. 76 Kinder; also sind nur 31,6% bis zur ersten Klasse
gelangt. Wenn wir nun annehmen, daß 10%, teils auf höhere
Schulen übergehen, teils durch Zuzug aus Schulen mit niedrigerem
Ziel zurückbleiben, teils sterben — der übrige Zuzug und Abgang hat
keinen Einfluß — so werden wir mit der Zahl: »56% Zurückbleiber«
der Wahrheit sehr nahe kommen.

Man könnte nun einwenden, daß die Bestimmung der intellektuellen
Schwäche durch die Lehrer eine zu unsichere Basis ist, um darauf
allgemeine Schlußfolgerungen zu bauen; der Lehrer kann z. B. zu
streng in seinen Anforderungen sein oder zu wenig beim Unterricht
individualisieren. Der letztere Einwand ist berechtigt, aber der Fehler
ist bei der bekannten, zum Teil unvermeidlichen Überfüllung der Klassen
nicht abzustellen. Sein Gewicht entzieht sich der Schätzung. Dem
ersten Einwand ist entgegenzuhalten, daß die Versetzung nie von dem
Urteil nur eines Lehrers abhängig gemacht wurde; immer faßten darüber
sämtliche in einer Klasse unterrichtenden Lehrer und Lehrerinnen und
selbstverständlich auch der Rektor Beschluß. Ferner galt das Prinzip,
daß zu schwache Leistung in nur einem Fache, z. B. nur im Rechnen
oder nur in der Rechtschreibung usw. kein genügender Grund für
das Sitzenlassen sei.[1]) Und endlich wurden alle Kinder auf ihre
Schwachbefähigung hin nicht nur von mir persönlich untersucht,
sondern ich nahm auch bei den meisten eine genaue Anamnese und
Familiengeschichte, oft bis zu den Großeltern und den Seitenlinien
hin auf, unterrichtete mich über ihre häuslichen und Familienverhältnisse und beobachtete die Kinder während zweier Schuljahre.
Ich stellte so bei beinahe allen nach Möglichkeit das Vorhandensein
und die Ursachen der Schwachbefähigung fest.

Dazu kommt allerdings noch ein Umstand, den ich nicht in
Rechnung ziehen konnte und zwar ein für die allgemeine Be-

---

[1]) Einer der Herren Lehrer erklärte mir: »Wenn wir in der Volksschule so
streng vorgingen, wie das an den höheren Schulen geschieht (wo ja übrigens auch
mit Wasser gekocht wird — Ref.), dann würden noch viel mehr Kinder sitzen
bleiben und würde das Resultat sehr traurig sein; allein mit Rücksicht auf die Klassen-
überfüllung müssen wir manchen versetzen, der eigentlich sitzen bleiben müßte.«

urteilung der Schwachbefähigung sehr wichtiger Umstand. Das ist die in unseren Schulen herrschende Lehrmethode, die den Bedürfnissen und Fähigkeiten des Kindes ungenügend Rechnung trägt. Dieser Umstand und die damit verbundene unhygienische Lebensweise der Kinder in der Schule trägt nach meiner Überzeugung viel zum Zurückbleiben der Anfangsschüler in der VIII., VII. und VI. Klasse bei. Ich werde hierauf noch zurückkommen,[1] will hier aber gleich bemerken, daß er wohl im allgemeinen als Ursache ungenügender schulischer Leistung anzusehen ist, namentlich bei intellektuell geschädigten Kindern, daß er aber keinen direkten und überwiegenden Einfluß ausübt auf den Grad und das Maß der intellektuellen Schwachbefähigung. Da der ungünstige Einfluß auch dieses Umstandes sich der allgemeinen Wertbestimmung entzieht und bei der jetzigen Schulorganisation nicht zu vermeiden ist, muß er hier unberücksichtigt bleiben. — Auf Grund des Gesagten darf ich nun wohl behaupten, daß meine Angaben über intellektuelle Schwachbefähigung in der Jenaer Westschule Vertrauen verdienen.

Eine objektive Bestimmung des Maßes und Grades der Schwachbefähigung mit den Untersuchungsmethoden, wie sie KRAEPELIN, SOMMER u. a. ausgebildet haben, ist in einer Schule selbstverständlich nicht möglich, aber wenn wir feststellen, wieviel intellektuell schwachbefähigte Kinder wegen ungenügender Leistung 1, 2, 3 und mehr Jahre zurückgeblieben sind, dann haben wir in diesen Zeitbestimmungen ein für die Praxis wohl genügendes Kriterium.

Ich fand nun folgendes: Im Schuljahre 1905/06 besuchten 1105 untersuchte Kinder die Normalklassen und 50 zwei Hilfsklassen. (Zwei Schüler der zweiten Hilfsklasse waren infolge unrichtiger, durch Charakterfehler der Kinder veranlaßter pädagogischer Beurteilung in die Hilfsklasse gesetzt worden und kehrten zu Ostern 1906 in die Normalklassen zurück. Sie sind von mir den Normalschülern zugezählt worden.) Von diesen 1155 Kindern waren 281 oder 24,3 %, also beinahe der vierte Teil zurückgeblieben und zwar 190 oder 16,4 % um ein Jahr; 58 oder 5 % um zwei Jahr, 15 oder 1,3 % um drei Jahr, 8 oder 0,7 % um vier Jahr, 4 oder 0,3 % um fünf Jahr und 1 oder 0,1 % um sechs Jahr. Außerdem hatten sich 5 oder 0,4 % der Kinder als schulisch nicht bildungsfähig erwiesen, d. h.

[1] Ausführlicher habe ich diese Frage am 10. April 1905 in einer Versammlung der Leipziger Schrebervereine in einem Vortrag: »Schutz unserer Jugend vor Überbürdung in Schule und Haus« behandelt. Der Vortrag ist in der Leipziger Lehrerzeitung 1905, Nr. 38—40 veröffentlicht.

sie hatten nach 2, 3, 6 und 8 jährigem Schulbesuch so gut wie noch nichts von den Anfangsgründen gelernt und eine weitere Förderung durch die Schule ist bei ihnen nach positiven ärztlichen Befunden ausgeschlossen, oder doch nur in nicht nennenswertem Maße möglich. Sämtliche zurückgebliebenen Kinder wiesen, abgesehen von den letzterwähnten 5, einen Rückstand von 409 Schuljahren auf. In die mitgeteilten Zahlen sind nun allerdings die 59 Kinder eingerechnet, die wegen intercurrierender Krankheit, Schulwechsel, häuslicher Verwahrlosung usw. zurückgeblieben waren. Diese Zahlen geben also kein reines Bild des Maßes der intellektuellen Schwachbefähigung; allein es sind dabei die 49 noch nicht sitzengebliebenen Verstandesschwachen nicht mitgerechnet, die, namentlich was die aus den 3 unteren Klassen betrifft, noch manches Jahr hängen bleiben werden. Auch von den wegen intellektueller Schwäche bereits zurückgebliebenen werden noch viele sitzen bleiben; zu Ostern 1906 z. B. betrug ihre Zahl in den Normalklassen 31, und selbstverständlich hat auch keines der Kinder in den Hilfsklassen das Ziel seines Schuljahres erreicht. Mithin dürfen wir das angegebene Maß der Schwachbefähigung eher für zu niedrig, als für zu hoch halten. Es kann also wohl kein Zweifel bestehen, daß auch in der Westschule zu Jena eine »Repetentennot« besteht.[1])

---

[1]) Der Ausdruck »Repetentennot« fand in der Diskussion Widerspruch. Er stammt nicht von mir. Ich fand ihn in den Verhandlungen des Vereins der Freunde Herbartischer Pädagogik in Thüringen, dem 1500 Thüringer Lehrer angehören. In einer Generalversammlung des Vereins wurde er nicht beanstandet. Daß er mit Recht gebraucht wird, ergibt sich meines Erachtens aus der Zahl der Zurückbleiber. Man kann die Repetentennot aber auch erkennen, wenn man eine Zusammenstellung der Kinder aus den verschiedenen Klassen dem Alter nach macht. Von 1155 Kindern saßen am Ende des Schuljahres

in den 4 achten Klassen: 211 Kinder und zwar 23 im 7., 163 im 8., 21 im 9. und 4 im 10. Lebensjahr,

in den 4 siebenten Klassen: 177 Kinder und zwar 12 im 8., 146 im 9., 17 im 10. und 2 im 11. Lebensjahr,

in den 3 sechsten Klassen: 146 Kinder und zwar 1 im 8., 20 im 9., 100 im 10., 20 im 11., 5 im 12. Lebensjahr,

in den 3 fünften Klassen: 143 Kinder und zwar 14 im 10., 96 im 11., 27 im 12., 5 im 13., 1 im 14., 1 im 15. Lebensjahr.

in den 3 vierten Klassen: 134 Kinder und zwar 4 im 11., 93 im 12., 30 im 13., 5 im 14. und 1 im 15. Lebensjahr,

in den 3 dritten Klassen: 129 Kinder und zwar 9 im 12., 76 im 13., 30 im 14., 13 im 15. und 1 im 16. Lebensjahr,

in den 2 zweiten Klassen 93 Kinder und zwar 2 im 13., 74 im 14., 17 im 15. Lebensjahr,

in den 2 ersten Klassen: 73 Kinder und zwar 12 im 14. und 61 im 15. Lebensjahr.

Man hat dieser Erscheinung durch Errichtung von zwei Hilfs-klassen, die zu Ostern 1906 um eine vermehrt wurden, abzuhelfen gesucht. Es wurde dem Urteil der einzelnen Klassenlehrer überlassen zu bestimmen, wer in die Hilfsklasse gesetzt werden sollte. Da nun nicht alle Lehrer Anhänger der jetzt bestehenden Hilfsklassen sind so kam es, daß in den Normalklassen außer 183 Kindern, die um 1 Jahr und 43, die um 2 Jahr zurückgeblieben waren, noch 4 Kinder saßen, die um 3 Jahr und eins, das um 4 Jahr zurückgeblieben war. Ich respektiere durchaus die Gründe, die die Lehrer veranlaßten, selbst die um 3 und 4 Jahre Zurückgebliebenen nicht in die Hilfsklasse übergehen zu lassen — die Hilfsklassen haben ihre großen Mängel,

In den 2 Hilfsklassen saßen durcheinander 50 Knaben und Mädchen und da-von 5 im 8., 6 im 9., 10 im 10., 5 im 11., 5 im 12., 5 im 13., 6 im 14. und 8 im 15. Lebensjahr.

In den Normalklassen werden also Kinder zusammen unterrichtet, die 3 bis 5 Jahre Altersunterschied aufweisen. Das mag in einklassigen Schulen (wenn das Ehrenstellen mit doppeltem Gehalt für hervorragende pädagogische Kräfte sind) hin-gehen, weil man der Not gehorchen muß, aber man ist sich dann doch bewußt, daß man es da mit einer verbesserungsbedürftigen Schule zu tun hat. Die erstrebenswerte Volksschule ist anerkanntermaßen die achtstufige, und wenn in einer solchen 6- und 7jährige mit 8- und 9jährigen, 7-, 8- und 9jährige mit 10- und 11jährigen, 8-, 9-, 10- und 11jährige mit 12-, 13- und 14jährigen Kindern in be-merkenswerter Zahl zusammensitzen, dann ist das ein Übelstand, weil individueller Unterricht, der ja doch möglichst angestrebt werden soll, dadurch so gut wie aus-geschlossen oder doch sehr erschwert wird. (Hierbei muß man in Betracht ziehen, daß die für die Klasse um 2, 3, 4 und mehr Jahre zu alten Kinder meist intellektuell schwach sind.) Und das ist in der Tat für Lehrer und Schüler ein Notstand, der die Freudigkeit am Lehren und Lernen vielfach hemmt und oft genug lähmt. Daß sich der Schaden in Hilfsklassen von der obenbeschriebenen Zusammensetzung häuft, ist deutlich. Mangel an Freudigkeit aber bedeutet für Schüler und Lehrer gegen-seitige Überbürdung, d. h. Schaden an Körper und Sinn.

Daß es in manchen andern Volksschulen in Deutschland nicht besser, sondern noch schlechter bestellt ist, wie in Jena, scheint eine von Dr. med. F. A. Schmidt und Hauptlehrer H. H. Lessenich zu anderem Zwecke veröffentlichte Statistik der VII stufigen Volksschule in Bonn zu beweisen. Im Mai 1902 saßen daselbst in den Volksschulen 4260 Kinder und zwar in den VII. Klassen 5- und 6jährige Kinder mit 7- und 8jährigen zusammen: in den VI. Klassen 6- und 7jährige zusammen mit 8-, 9- und 10jährigen; in den V. Klassen 7-, 8- und 9jährige zusammen mit 10-, 11- 12- und 13jährigen; in den IV. Klassen 8-, 9- und 10jährige zusammen mit 11-, 12-, 13- und 14jährigen; in den III. Klassen 9- und 10jährige zusammen mit 11-, 12- und 13jährigen; in den II. Klassen 9-, 10- und 11jährige zusammen mit 12-, 13- und 14jährigen und in den I. Klassen 10-, 11- und 12jährige zusammen mit 13- und 14jährigen. Der Altersunterschied der Kinder einer Klasse ist also in Bonn 4 bis 7 Jahre! Und diese Zusammenwürfelung ist nicht Ausnahme, sondern Regel. Das zeigt ein Blick auf die in der »Zeitschrift für Schulgesundheitspflege« 1903, Nr. 1 S. 3, L. Voß, Hamburg, veröffentlichte statistische Tabelle.

deren Gewicht ich am wenigsten verkenne —, aber jedenfalls gehören
die um 3 und 4 Jahre rückständigen Kinder nicht in Normalklassen. Wir erhalten also ein annähernd richtiges Bild der unbedingt
Fürsorge bedürftigen intellektuellen Schwäche erst dann, wenn wir
auch diese Kinder zu den Hilfsklassenkindern rechnen.[1]

Um nun bei der Beurteilung des Grades der intellektuellen
Schwäche und beim Ziehen von Schlüssen ganz vorsichtig zu Werke
zu gehen, rechne ich in Bausch und Bogen die in den Normalklassen
um 1—2 Jahre Zurückgebliebenen als normal und keines besonderen Unterrichts bedürftig. Viele von ihnen werden ja noch
ein- und mehrmal sitzen bleiben und eine genaue Statistik müßte mit
den individuellen Verhältnissen rechnen. Allein eine solche Berechnung würde zu endlosen Einwürfen Anlaß geben und muß deshalb auf bessere Zeiten verschoben werden. Ich beschränke mich
also auf die Kinder, die 3 und 4 Jahre in den Normalklassen zurückgeblieben waren und die sämtlich zu Ostern 1906 das Ziel der Klasse,
in der sie saßen, nicht erreicht hatten und auf die Kinder, die in
den Hilfsklassen saßen. Das sind zusammen 53 oder 4,5 % sämtlicher
Kinder. Alle diese sind mehr oder weniger hochgradig intellektuell
geschädigt. Diese Zahl bedarf aber noch einer genaueren Scheidung.
Um den bestehenden Einrichtungen gerecht zu werden, müssen wir
unterscheiden zwischen Kindern, die wohl intellektuell schwach, aber
schulisch unterrichtsfähig sind und solchen, die überhaupt nicht für
den Unterricht in der Volksschule, auch nicht für den in der Hilfsklasse, wie sie jetzt ist und wie sie etwa noch werden kann, in Betracht kommen. Man darf nun wohl unbedenklich behaupten, daß
diejenigen Kinder nicht für den Unterricht in der jetzigen Hilfsklasse geeignet sind, die, ärztlich nachgewiesen, an erblich bedingtem
und angeborenem oder erworbenem Schwachsinn leiden und nach dem
Urteil der Hilfsklassen-Lehrer nach zweijährigem Schulbesuch noch
mit den allerersten Anfängen des 1. Schuljahres kämpfen; das waren:

2 Knaben und 1 Mädchen; ferner dergleichen Kinder, die nach 3-,
    4- und 5jährigem Schulbesuch die Kenntnisse des 1. Schuljahres
    noch nicht erworben haben; das waren:
6 Knaben und 8 Mädchen; ferner, die nach 5-, 6- und 8jährigem
    Schulbesuch das Ziel des 2. Schuljahres noch nicht erreicht
    haben; das waren:

---

[1] Unter Hilfsklassen verstehe ich hier auch die Jenaer »Förderklassen«, da in
Jena in den »Förderklassen« auch hochgradig schwachbefähigte Kinder und solche,
die nie in einer Normalklasse dem Unterricht werden folgen können, sitzen.

6 Knaben und 4 Mädchen; ferner, die nach 7- und 8jährigem Schulbesuch das Ziel des 3. Schuljahres noch nicht erreicht haben; das waren:

1 Knabe und 5 Mädchen, und endlich solche, die trotz 2-, 3-, 6- und 8jährigen Schulbesuchs so gut wie nichts gelernt haben; das waren:

3 Knaben und 2 Mädchen. Zusammen sind das:

18 Knaben und 20 Mädchen, also 38 oder 71,7% der 53 Hilfsklassenkinder, oder 3,2% sämtlicher Kinder.

Nach der offiziellen Angabe [1]) genießen im Großherzogtum Sachsen in Volksschulen, Vorschulen, Konfessionsschulen usw. jährlich durchschnittlich rund 63 000 (genau 63 504) Kinder Elementarunterricht, während jährlich durchschnittlich rund 4000 (genau 4104) Schüler und Schülerinnen auf Gymnasien, Realgymnasien, städtischen und privaten Realschulen, Lateinschulen, privaten Knaben- und Mädchenschulen, Seminaren und höheren Mädchenschulen unterrichtet werden. — Wenn nun bei den 63 000 auf Elementarschulen unterrichteten Kindern dieselben Verhältnisse herrschen wie in der Westschule zu Jena — und was könnte zu der Annahme berechtigen, daß die Verhältnisse anderswo bessere sind? — dann können gegenwärtig 3,2% dieser Kinder, d. h. 2079 Sachsen-Weimarische Kinder in der Volksschule auch nicht annähernd genügend ausgebildet werden, während außerdem 1,2% oder rund 750 Kinder dem Unterricht in den Normalklassen nicht mit genügender Frucht folgen können und besonderen Unterricht in sogenannten Hilfsklassen genießen müssen. Diese Zahlen sind gewiß erschreckend, aber Sie werden mir zugeben, daß ich mich bei ihrer Ermittelung und Feststellung vor jeder Übertreibung zu hüten gesucht habe und daß ich nur kontrollierbare Tatsachen in Rechnung gezogen habe.

Ein Punkt von besonderem Interesse für uns evangelische Christen und für sozial denkende Männer und Frauen, sowie für den Staat, dessen Zweck es ist, seinen Bürgern den Weg zur Freiheit zu eröffnen, d. h. zu der Selbständigkeit, die das Rechte und Gute freiwillig und gern wählt und tut, ist die Frage, wie es mit der intellektuellen und sittlichen Befähigung, der Charakterbildung, unserer Konfirmanden steht, die ja nun ins Leben hinaustreten und sich auf einen Lebensberuf vorbereiten sollen, um nützliche und tüchtige Glieder der staatlichen Gemeinschaft zu werden.

1) Statistik der Unterrichts- und Erziehungsanstalten im Großherzogtum Sachsen s. S. 324 Anm.

Von den am Ende des Schuljahres anwesenden 1155 Kindern
verließen 120 als Konfirmanden die Schule. Wie schon gesagt, hatten
nur 73 Kinder die I. Klasse erreicht. Das sind 60,8% der Konfirmanden. Um 1 Jahr waren 21 Konfirmanden zurückgeblieben und
zwar 15 wegen ungenügender intellektueller Befähigung und 6
wegen Krankheit, wiederholtem Schulwechsel, ungenügendem Unterricht und Verwahrlosung. Um 2 Jahr waren wegen Verstandesschwäche zurückgeblieben: 15; um 3 Jahr: 2; um 4 Jahr: 2; um
5 Jahr: 3; um 6 Jahr: 2 und 2 hatten nach 8jährigem Schulbesuch
überhaupt noch nichts in der Schule gelernt. Wenn wir nun von
den um 1—3 Jahre zurückgebliebenen Kindern absehen, so bleiben
uns doch noch, außer den zwei nicht volksschulbildungsfähigen, zwei
Konfirmanden, die um 4, drei, die um 5 und zwei, die um 6 Jahre
zurückgeblieben waren. Das sind zusammen 9 Konfirmanden, von
denen mit Sicherheit angenommen werden kann, daß sie auch nicht
im entferntesten im stande sind, dem Konfirmandenunterricht, soweit
er die Geschichte und die Lehre der evangelischen Konfession im
Auge hat und zur Ablegung eines Bekenntnisses vorbereiten soll, zu
folgen. Nun wurden, wie ich dem Kirchen- und Schulblatt entnehme,
in den Jahren 1899—1904 jährlich durchschnittlich rund 7000 (genau
7086) Kinder konfirmiert, d. i. 10,5% sämtlicher 67010 evangelischer
Schüler und Schülerinnen. (Die Schulen wurden noch von rund
650 Schülern anderer Konfessionen besucht, die ich hier nicht in Betracht ziehe.) Von diesen 67010 Schülern gehörten 3919, d. i. 6,2%
höheren Schulen an.[1] Von letzteren werden schätzungsweise rund
400 konfirmiert. Mithin beträgt die Zahl der von den Elementarschulen jährlich abgehenden Konfirmanden 6600. — Wenn nun die
Annahme richtig ist, daß die anderen Elementarschulen dieselben
Verhältnisse zeigen, wie die Jenaer Westschule, dann werden in
unserem Großherzogtum jährlich rund 500 Kinder konfirmiert, bei
denen ein Verständnis der Kirchengeschichte, der Konfessionslehre
und des Bekenntnisses wegen ungenügender geistiger Fähigkeit ausgeschlossen ist.

Diese Tatsache ist ein Beweis dafür, daß die Kirche die Pflicht
hat, sich nicht nur, wie ein Diskussionsredner wollte, der sittlich
gefährdeten, sondern auch der intellektuell schwachen Kinder anzunehmen und sie ist eine Mahnung, die Konfirmationsfrage, soweit
sie die Schwachsinnigen betrifft, im Sinne der Fürsorgebestrebungen

---

[1] Die Kunst-, Musik- und Zeichenschulen, sowie die technischen, gewerblichen und landwirtschaftlichen Schulen sind hierbei nicht in Betracht gezogen.

in Angriff zu nehmen, wobei man meines Erachtens vor allem die Worte eines Predigers zu bedenken hat, daß die Konfirmation wohl nötig ist für die Kirche, als einer Gemeinschaft von Menschen, die durch Glauben und persönliche Erfahrung zur Überzeugung von der Wahrheit des Wortes Gottes gekommen sind, daß sie aber für die Seligkeit eines Menschen nicht nötig ist, und ferner daß die Erhaltung der Reinheit unserer Kirche von nicht überzeugten Mitgliedern und die Erhaltung des Wertes der Rechte, die die Konfirmation gewährt, uns höher stehen müssen, als Wünsche, Vorurteile und Aberglauben von unverständigen Eltern oder die vagen Meinungen von denen, die nicht durch innere Gemeinschaft mit der Kirche verbunden sind.

M. D. u. H.! Wenn es sich bei derartigen Kindern nun nur um eine unzulängliche Schulbildung und um ungenügenden Verstand handelte, dann wäre die Sache nicht so schlimm, — ein dummer Kerl, der übrigens seine Pflicht tut, kommt auch wohl durchs Leben; — aber es gilt hier mehr: es handelt sich bei sehr vielen solchen Kindern darum, daß sie ins Leben hinaustreten, ohne, wie SICKINGER sagt, an fleißiges und gewissenhaftes Arbeiten gewöhnt zu sein, ohne Vertrauen auf die eigne Kraft und ohne Arbeitswilligkeit und Arbeitsfreudigkeit. Diesen Schaden wird ja nun die Zucht und die Anregung des praktischen Lebens häufig auch noch reparieren können, aber dazu kommt leider sehr oft noch ein anderes, mit der Intelligenzschwäche häufig verbundenes Moment. Das ist die Schwäche des sittlichen Empfindens und des Willens, die oft genug Verbrechen zur Folge hat.[1]

Ich stellte im Schuljahr 1904—05 eine Untersuchung danach an und fand, daß stärker hervortretende sittliche Schwächen und Defekte sich bei 4,5% der an Verstand normalen Schüler fanden, dagegen bei nicht weniger als 16,5% der verstandesschwachen. Als Kriterium galten mir auffallende unsittliche und verbrecherische Handlungen der Kinder. Selbstverständlich kommen auch Ausnahmen vor; bei Schwäche des Verstandes kann normale, ja selbst hohe sittliche Begabung bestehen, aber das sind eben die Ausnahmen, die immer einen besonders starken und erfreuenden Eindruck machen und darum von denen, die der Sache nicht auf den Grund gehen, gern verallgemeinert werden.[2] Der Optimismus in dieser Beziehung ist leider

---

[1]) Siehe BINSWANGER, »Über den moralischen Schwachsinn«, S. 29 f. Berlin, Reuther & Reichard, 1905.

[2]) Ein leuchtendes Beispiel davon zeichnet der finnisch-schwedische Nationaldichter J. L. Runeberg in dem Gedicht »Sven Dufva«, das seines hohen sittlichen Gehaltes wegen in jeder deutschen Schule und namentlich in jeder Hilfsklasse ge-

weit verbreitet. Aber Pädagogen wie Pestalozzi, Herbart und Ziller
haben die Gefahr der Verstandesschwäche für die Sittlichkeit wohl
erkannt: »Erkenntnisse sind die Grundlagen der Sittlichkeit des
Denkens, Fühlens und Handelns.« »Nur durch Ausbildung aller Geisteskräfte und insbesondere durch Anregung der Denkfähigkeit ist ein
sittliches Verhalten des Menschen zu erzielen.« »Stumpfsinnige Kinder
können nicht tugendhaft sein.« So lauten einige ihrer Aussprüche,
deren Richtigkeit die medizinische Lehre von der Funktion des Gehirns
und die irrenärztliche Erfahrung bestätigen. Man muß dabei bedenken.
daß sich, wie der Irrenarzt Mönkemöller in einer höchst lesenswerten
Schrift[1]) ausführt, bei dem schwachsinnigen Kinde, entsprechend
der Einengung seines geistiges Horizontes, alle die Gründe verviel-
fachen, die schon bei dem normalen Kinde der Umsetzung verbrecherischer Triebe in die Tat die Wege ebnen. Die Herabsetzung der
Intelligenz hindert sie an der Erkennung der Strafbarkeit ihrer
Handlungen, und selbst, wenn es gelingt, ihnen den Sittencodex ge-
dächtnismäßig beizubringen, so bleibt das doch meist nur eine Kenntnis
ohne Erkenntnis und inneren Wert und deshalb versagt bei ihnen
das Gewissen oft gerade in dem Momente, in dem es warnen und
zurückhalten sollte. In der Schule werden diese Kinder oft verspottet,
geneckt, verhöhnt, hart angelassen, und nicht selten von Lehrern sogar
geschlagen, was gewöhnlich einer Mißhandlung gleichsteht. Sie fühlen
sich dadurch zurückgesetzt und ungerecht behandelt und werden nun
oft verschlossen, mißtrauisch und widerspenstig. Ist die Beeinflußbarkeit bei Kindern überhaupt groß, so ganz besonders bei den
verstandesschwachen. Da ihnen nun die Einsicht in das Wesen und
die Folgen ihrer Handlungen fehlt, da ihr Wille schwach ist und
infolge des krankhaft-schwachen Zustandes ihres Gehirns hemmende
Empfindungen und Vorstellungen oft ausgeschaltet werden oder gar
nicht zu stande kommen, so vermögen sie dem schlechten Beispiel
und den von außen an sie herantretenden Verlockungen nicht zu
widerstehen. Und das um so weniger, wenn sie, wie das so oft der
Fall ist, krankhaft reizbar und der Spielball ihrer Neigungen, Affekte
und Stimmungen sind. Ihr Mangel an Verstand und an Willens-
vermögen macht sie dann auch unfähig, den richtigen Ausweg ein-
zuschlagen, wenn sie in Zwiespalt mit der Sittlichkeit gekommen sind.

---

lehrt und gelernt werden sollte. Runebergs unsterbliche Gedichte sind in muster-
giltiger Weise von Wolrad Eigenbrodt in Deutsche übersetzt worden. Es besteht
davon auch eine Reklam-Ausgabe.

[1]) »Geistesstörung und Verbrechen.« Berlin, Reuther & Reichardt, 1903.

und so verfallen sie nicht selten der moralischen Schwäche und Degeneration.

Ein sehr schwer wiegendes Moment ist bei ihnen die Pubertätsentwicklung. Es ist bekannt, daß in diesem Alter auch schon das normale Kind durch vielerlei Einflüsse von dem richtigen Wege abgebracht wird. Die Muskelkraft nimmt zu, die Lebensbeziehungen werden weiter, Stimmung und Selbstgefühl werden gehoben und übermütige, oft ans strafwürdige grenzende Handlungen sind infolgedessen auch bei dem normalen Kinde nicht so selten. In den Flegeljahren wirkt auch das schlechte Beispiel verführerischer, als in jedem andern Alter: »Der Unternehmungsgeist wächst, wenn sich die Kinder in Gesellschaft gleichgesinnter Genossen wissen und ein starker Hang zum Renommieren und zur Bravour reißt die schwachen Gegenvorstellungen über den Haufen. In dieser Gemütslage werden Polizeiverordnungen übertreten und Autoritäten verhöhnt, und Beleidigungen, Roheitsakte und Zerstörung fremden Eigentums, Obstdiebstähle und leichtere Bahn- und Waldfrevel werden ohne Gewissensbisse verübt.« Aber bei den Schwachsinnigen der verschiedensten Schattierungen und Grade kommen außer diesen entsprechend schwerere Delikte zum Vorschein: Intellektuelle und sittliche Schwäche erzeugen bei ihnen Hang zum Intriguieren, Lügenhaftigkeit und Verleumdungssucht, und Diebstähle, Brandstiftungen und Tierquälereien werden von ihnen häufig genug begangen. In ganz bestimmte Bahnen lenkt der sexuelle Trieb die verbrecherische Neigung und gerade bei den Schwachsinnigen macht er sich öfter verfrüht und besonders stark bemerkbar: Verletzung der öffentlichen Sitte, Exhibition, sadistische Akte, Unzucht, Notzucht und Perversitäten sind dann seine gewöhnlichsten Äußerungen. Vergegenwärtigen Sie sich nun, wie verderblich auf den Geist solcher und ähnlich schwacher Kinder und Jugendlicher das Beispiel eines schlechten Familienlebens, das Beispiel der Unsittlichkeit im Hause, der Schmutz in Wort und Bild, verwirrende und aufreizende politische Lehren, der Alkohol und alle anderen der Menschenseele feindlichen Mächte einwirken müssen und Sie werden begreifen, in welch großer Gefahr sie fortwährend schweben und daß so viele unserer Volksgenossen sozial, sittlich und religiös Schiffbruch leiden. M. D. u. H.! Ungefähr 95 % aller Deutschen erhalten ihren Unterricht auf der Volksschule, wenigstens die Hälfte der deutschen Männer und Frauen kann sich die volle Volksschulbildung nicht zu eigen machen und ungefähr der vierte Teil bleibt auf einem, für die Anforderungen, die man an den Staatsbürger stellen muß, will man ihm Rechte anvertrauen, entschieden zu niedrigem intellektuellen

Niveau stehen. Kann es uns da Wunder nehmen, wenn das Volk, von schlechten Einflüssen des modernen Lebens überwältigt, mehr und mehr der Unsittlichkeit und dem Materialismus verfällt und daß die ungeheuren Anstrengungen, die zu seiner sittlich-religiösen Hebung gemacht werden, wie ein Schlag ins Wasser sind?

Damit Sie nicht den Eindruck bekommen, als ob ich übertreibe, wollen wir einmal, nur in den allergröbsten Zügen, ermitteln, wie es mit der sittlichen Führung unserer Jugend bestellt ist. Die beste Handhabe dazu gibt uns das jugendliche Verbrechertum. Ich habe zu dem Zwecke die Jahrgänge 1902 und 1903 der Reichs-kriminalstatistik eingesehen.

Im Jahre 1902 wurden im Deutschen Reiche 51046 Jugendliche im Alter von 12—18 Jahren kriminalgerichtlich verurteilt und zwar 14202 Knaben und 2643 Mädchen, zusammen 17845 Kinder im Alter von 12—15 Jahren und 28506 männliche und 5695 weibliche, zusammen 34201 Jugendliche im Alter von 15—18 Jahren. Im Jahre 1903 lauten die Zahlen: 50219 Verurteilte, von denen 16775 Kinder und 33444 Jugendliche waren.[1]) Im Jahre 1902 waren 3000, 1903 waren 8603 dieser Verurteilten bereits 2—5 mal vorbestraft.

Die Reichskriminalstatistik wird seit 1882 ausgearbeitet. Nach der Erklärung des statistischen Amtes hat nun die Kriminalität seit diesem Jahre fast in allen Oberlandesgerichtsbezirken zugenommen und zwar um 10% mehr als die Bevölkerungszahl. Im Oberlandes-gericht Jena betrug die Zahl der verurteilten Jugendlichen 1882: 1082; 1885: 1125; 1890: 1161; 1895: 1265; 1900: 1290; 1902: 1377 und 1903: 1409. Beiläufig sei hier bemerkt, daß aus den Untersuchungen des Breslauer Irrenarztes BONHÖFFER[2]) mit Sicherheit hervorgeht, daß die größte Neigung zum Verbrechen zwischen das 16. und 20. Jahr fällt und daß der soziale Verfall häufig zur Zeit des Eintritts der Erwerbstätigkeit beginnt.

Die Zahl der Verurteilungen von Jugendlichen zwischen 12 und 18 Jahren beträgt im ganzen Deutschen Reich etwas mehr als die Hälfte der Verurteilungen Erwachsener, nämlich 52,3%; aber in

---

[1]) ERNST HAHN (Die Strafrechtsform und die jugendlichen Verbrecher. Dresden 1904) hebt übrigens mit Recht hervor, daß die Reichskriminalstatistik die Vergehen und Verbrechen enthält, nicht aber die Handlungen gegen Landesgesetze, die Übertretungen usw. Nach HAHNS Berechnungen enthält die Reichsstatistik nur 23% der Verurteilungen. Würden alle in Rechnung gezogen, dann lautete die Zahl 200000 verurteilte Jugendliche jährlich.

[2]) »Über die Zusammensetzung des großstädtischen Bettler- und Vagabunden-tums.« Berlin 1900.

ungünstigster Weise weichen zu Ungunsten der Jugendlichen davon
fünf Oberlandesgerichtsbezirke ab und zwar an erster Stelle der
Oberlandesgerichtsbezirk Jena, danach Dresden, dann Hamburg,
dann Zweibrücken und endlich Nürnberg. Im Oberlandesgerichtsbezirk Jena war 1902 die Kriminalität am größten im Fürstentum
Reuß j. L., danach folgte Schwarzburg-Rudolstadt, dann Sachsen-
Meiningen, dann Reuß ä. L., Sachsen-Weimar, Sachsen-Koburg und
am geringsten war sie in Sachsen-Altenburg. Die Kriminalität der
Jugendlichen beträgt in unserem Oberlandesgerichtsbezirk nicht wie
im übrigen Deutschen Reiche im allgemeinen 52,3% von derjenigen
der Erwachsenen, sondern 73,2%! Das Verhältnis ist für die Jugendlichen unter 15 Jahren in unserem Bezirk verhältnismäßig günstiger
dagegen aber kommt die Kriminalität der reiferen Jugend, d. h. der
Jugendlichen zwischen 15 und 18 Jahren, der der Erwachsenen, fast
gleich. Es wurden im Oberlandesgerichtsbezirk Jena verurteilt:
Jugendliche zwischen 12 und 15 Jahren 1896: 331 und 1901: 494.
Jugendliche zwischen 15 und 18 Jahren 1896: 1065 und 1901: 864.
Personen über 18 Jahre alt 1896: 1063 und 1901: 1003.
    Allein im Großherzogtum Sachsen wurden verurteilt: im Jahre
1902: 328 Jugendliche, nämlich 260 männliche und 68 weibliche, und
1903: 306, nämlich 231 männliche und 75 weibliche.
    Die Zahl der Jugendlichen, die auf Grund des § 56 des Straf-
gesetzbuchs freigesprochen wurden, d. h. weil der Gerichtshof zu der
Überzeugung kam, daß ihnen die Einsicht in das Strafwürdige ihres
Verbrechens fehlte, war in unserem Bezirk 1902: 51, 1903: 48. —
Gewiß haben aber viele von ihnen gleich mir die Erfahrung gemacht,
daß eine große Anzahl von Verbrechen von Jugendlichen zwischen
12 und 18 Jahren im Kreise der Familie verborgen bleibt, ferner daß
viele Verbrechen wohl bekannt werden, aber nicht zur gerichtlichen
Anzeige kommen und endlich, daß auch viele Kinder unter 12 Jahren,
die aber wegen Strafunmündigkeit nicht vor Gericht gezogen werden,
Verbrechen begehen. Und so ist in Wirklichkeit die Zahl der
jugendlichen Verbrecher bei weitem größer, als die Reichsstatistik
angibt. Mir persönlich wurden im vergangenen Jahre ganz ungesucht
nicht weniger als 12 Verbrechen Jugendlicher (meist Diebstähle) bekannt, die nicht zur gerichtlichen Anzeige kamen, resp. nicht gerichtlich geahndet wurden.
    Auf die Frage nach der Art der Verbrechen unserer Jugend-
lichen antwortet die Reichsstatistik hinsichtlich der 328 jugendlichen
Verbrecher in unserem Großherzogtum im Jahre 1902, daß sich
schuldig machten der

Gewalt und Drohung gegen Beamte 5 männl. Jugendliche,
Hausfriedensbruch betrieben 6, wegen
Widernatürlicher Unzucht und Unzucht mit Gewalt wurden 5 und wegen
Ärgernis durch unzüchtige Handlungen wurde 1 Jugendl. verurteilt.
Wegen Beleidigung wurden verurteilt 1 männl. u. 2 weibl. Jugendl.,
Leichter Körperverletzung machte sich 1 Jugendlicher,
Gefährlicher Körperverletzung machten sich 22 männl. Jgdl. schuldig;
Nötigung und Bedrohung übte 1 Jugendlicher und wegen
Einfachen und schweren Diebstahls (z. T. im wiederholten Rückfall)
    wurden 151 männl. und 49 weibl. Jugendl. verurteilt; wegen
Unterschlagung 20 männl. und 5 weibl., wegen
Begünstigung 5 männl. und 1 weibl., wegen
Hehlerei, Betrug (z. T. im wiederholten Rückfall) und Urkunden-
    fälschung 27 männl. und 10 weibl., wegen
Jagdvergehen 1 männl., wegen
Sachbeschädigung 13 männl. und schließlich wegen
Brandstiftung 1 männl. und 1 weibl.

Was lehrt uns nun die Reichsstatistik in Bezug auf die Art und
die Zunahme der Verbrechen überhaupt und auf die in den einzelnen
Verwaltungsbezirken unseres Großherzogtums im besonderen?

Die Zunahme der Vergehen in den vier Quinquennien 1882 bis
1902, namentlich aber im letzten Quinquennium 1898—1902 betrifft
vor allem gefährliche Körperverletzung; an zweiter Stelle: Nötigung
und Bedrohung; an dritter: Hausfriedensbruch; dann Sachbeschädigung,
widernatürliche Unzucht, schweren Diebstahl und endlich Betrug im
wiederholten Rückfall. In viel geringerem Grade oder nicht besonders
bemerkenswert nahmen zu: Leichte Körperverletzung, Beleidigung,
Unzucht mit Gewalt, Notzucht und einfacher Diebstahl im wiederholten
Rückfalle.

Während nun die Verbrechen und Vergehen der Jugendlichen
gegen die Reichsgesetze und überhaupt in den Quinquennien 1893
bis 1897 und 1898—1902 in den Verwaltungsbezirken Dermbach
und Weimar abnahmen und im Verwaltungsbezirk Neustadt a/O.
in nur mäßigem Grade zunahmen, war die Zunahme in den Be-
zirken Apolda und Eisenach sehr erheblich. Vor allem nahmen
zu: Gefährliche Körperverletzung im Eisenacher, Weimarer,
Dermbacher und Neustädter Bezirk und danach schwerer Diebstahl und Betrug im wiederholten Rückfalle im Eisenacher und
Apoldaer Bezirk.

Nun sind ja, wie ich schon andeutete, die Ursachen der Verbrechen und ihrer Zunahme mannigfacher Art. Man kann sie aber

in ein Wort, in das Wort »Sünde« oder »Selbstsucht« oder »Egoismus« oder »Materialismus« zusammenfassen. Der Materialismus ist die Quelle der Gewinnsucht und des Mammonismus, die beide durch die Unterdrückung der wirtschaftlich Schwachen zu verbrecherischem Widerstand reizen, die die Ursachen weitgehender Verarmung mit ihrem sittlichen Elend sind, die als Bodenwucher und Bauspekulation auftreten und die dadurch die Ursache des Wohnungselends, eine der Hauptquellen von Krankheit, Unsittlichkeit, Verbrechen und Zerstörung der Familie werden. Auf Materialismus beruht, abgesehen von den berechtigten Forderungen der unteren Volksklassen, die, Gott sei Dank, im allgemeinen noch aus tüchtigen Menschen bestehen, auch die Sozialdemokratie der Lohnarbeiter, die durch Verherrlichung der schrankenlosen Freiheit, durch die Predigt des Hasses gegen andre Stände, durch Verhetzung gegen Staat und Gesetz alt und jung zuchtlos macht und verroht, die die Familie zerstört und bei ihren Anhängern Verachtung der Mitmenschen und der Gesetze befördert und sie so zum Verbrechen verführt. Ähnlich verderblich und dem Materialismus in die Hand arbeitend wirken die aus ihm entsprungenen verschiedenen »Ismen«: der trostlose Pessimismus und der kraftlose, verlogene Optimismus, der glaubenlose Spiritismus und der sogenannte Monismus, der nicht evangelische und darum ichsüchtige Liberalismus, der seine gefährlichsten Vertreter im jüdischen Freisinn hat usw. Denn sie alle helfen mit zur Verwirrung des sittlichen Urteils und so zum Verbrechen. Dem Materialismus verdankt auch die Sucht nach Macht ihr Entstehen, die, noch stärker als im Mammonismus, im Ultramontanismus ihren Schlupfwinkel findet und die durch ihn die Entwicklung von Millionen unserer Volksgenossen zur freien, d. h. zur sittlich selbständigen, nur Gott, doch ihm in allem verantwortlichen Persönlichkeit verhindert und so im Grunde genommen eines der stärksten Hemmnisse für die Ausbreitung des Gottesreiches und dadurch eine der mächtigsten Ursachen für die Ausbreitung des Materialismus und seiner Folgen ist. Stärker als die Sucht nach Macht ist vielleicht nur noch die damit eng verwandte menschliche Grundsünde, der Hochmut, jener Erzeuger des Standesdünkels und der gegenseitigen Verfremdung, der Überhebung (namentlich beim kleinen Beamtentum), der Eitelkeit und der Lieblosigkeit; er treibt ungezählte Scharen in die Reihen der Feinde des Gesetzes. Diese Mächte der Finsternis rufen nun ihre Genossen im Herzen des Menschen wach. So sucht die Gewinnsucht als Genossen die gemeine Sinnlichkeit und reicht ihr den Schmutz in Wort und Bild als

Nahrung dar, mit der sie das Herz der Jugend verunreinigt und
zu Unsittlichkeit und Verbrechen geneigt macht. Sie nimmt sich in
Verbindung mit der Eitelkeit auch den Luxus zum Genossen, der
Neid und Mißgunst weckt, Ehrsucht und Sinnenlust erregt und so zu
Vergehen an fremdem Eigentum, zur Prostitution mit ihren Folgen
und zu andern Verbrechen verleitet. Den mächtigsten Genossen hat
die Gewinnsucht aber in dem liebsten Kinde des Materialismus, in
der Genußsucht. Eine von deren gefährlichsten Ausgeburten, zu
deren Belebung aber auch alle die andern teuflischen Mächte direkt
und indirekt beitragen, ist der Alkoholismus, das Resultat unserer
Trinksitten. Für die Zahl und die im Deutschen Reiche beobachtete
Zunahme der Roheitsdelikte und anderer Verbrechen gegen
die Person kommt der Alkoholgenuß hauptsächlich in Betracht.
Nachweislich hat sich mit der Zunahme des Alkoholverbrauchs die
Zahl dieser Verbrechen seit 1882 bemerkenswert vermehrt. Der
Königsberger Nervenarzt Dr. HOPPE hat das in einer vor kurzem er-
schienenen Studie [1] nachgewiesen. »Es findet«, sagt er, »eine steigende
Verrohung der deutschen Jugend infolge unserer Trinksitten statt.« —
Bei der Wichtigkeit der Sache sei es mir gestattet, das Gesagte an
einem Beispiel zu erläutern, das uns um so näher angeht, weil es
den Zuwachs der geistigen Elite unseres Volkes, die studierende
Jugend, betrifft.

Prof. ASCHAFFENBURG in Halle hat nach HOPPE eine den Beruf
berücksichtigende Zusammenstellung aus der deutschen Kriminal-
statistik für 1893 und 1899 gemacht. Diese zeigt nun eine verhältnismäßig starke Beteiligung der Studenten, besonders an Personen-
delikten. Nach Anführung der beweisenden Zahlen heißt es: [2] »Trotz
der unvergleichlich günstigen Stellung, der sich die Studenten während
ihrer Studienjahre zu erfreuen haben und die auch in der außerordentlich geringen Teilnahme an Eigentumsvergehen zum Ausdruck
kommt, sowie trotz der im allgemeinen sehr guten Erziehung, die sie
genossen haben, und trotz ihrer Bildung nähert sich ihre Kriminalität
bedenklich der allgemeinen Kriminalität, besonders wenn man erwägt,
daß die Eigentumsdelikte, die sonst beinahe die Hälfte aller Delikte
bilden, bei ihnen so gut wie ganz fortfallen. Diese Differenz wird
aber beinahe ausgeglichen durch die Delikte, wo der ‚jugendliche
Übermut‘, wie sich der Verfasser der Reichsstatistik beschönigend·
ausdrückt, die Grenzen überschreitet, oder richtiger gesagt, wo der

---

[1] »Alkohol und Kriminalität.« Wiesbaden, Bergmann & Sohn, 1906.
[2] l. c. S. 117.

Trinkcomment die Hauptrolle spielt. Obgleich, wie Aschaffenburg betont, Beleidigungen der Studenten nicht oft zum gerichtlichen Austrag kommen, übertreffen diese hierin nicht nur die strafmündige Bevölkerung im allgemeinen, sondern auch die Kriminalität der Männer von 21—25 Jahren überhaupt. Auch bei Hausfriedensbruch und einfacher Körperverletzung erreichen die Studenten beinahe die allgemeine Kriminalität, obgleich auch diese Delikte, als Antragsdelikte, vielfach durch gütige Regelung aus der Welt geschafft werden. In Bezug auf gefährliche Körperverletzungen bleiben sie zwar zurück, aber immerhin ist die Zahl auch bei diesen Delikten erschreckend groß. Da weder ungenügende Erziehung noch Verrohung diese Ausschreitungen verursacht haben können, bleibt nur der Trinkexzeß als Erklärung übrig. Die Art der Vergehungen unterscheidet sich in nichts von den Roheiten der weniger gut erzogenen Arbeiterbevölkerung; man kann wohl sagen, daß ohne den Alkohol die Verurteilungen von Studenten, wie sich das doch gehören würde, zu den größten Seltenheiten zu rechnen wären. Das studentische Leben zeigt mithin den Typus einer künstlichen Kriminalität, die nur den bestehenden Trinksitten oder Unsitten ihren Ursprung verdankt.«

M. D. u. H.! Es ist der den besser gestellten Familien unseres Volkes entstammende Stand der zukünftigen Richter und Anwälte, Ärzte, Lehrer und Geistlichen, von dem hier gezeigt wird, daß seine Kriminalität infolge des Alkoholgenusses so hoch ist und es sind junge Menschen mit hoher Verstandesentwicklung, die durch den Alkohol zu verbrecherischen Taten getrieben werden. Was soll man nun erwarten, wenn dieses Gift auf das weniger widerstandsfähige Gehirn der Jugendlichen zwischen 12 und 18 Jahren aus weniger günstig gestellten Ständen und nun gar auf das der Verstandesschwachen einwirkt! Bei diesen ist der Alkohol geradezu deletär für Intelligenz und Sittlichkeit.[1] (Schluß folgt.)

---

[1] Nach dem Referat über einen Vortrag von Prof. Ziehen-Berlin am 2. II. 06 »Über krankhafte psychische Konstitutionen im Kindesalter« (Zeitschr. f. Schulgesundheitspflege 1906, S. 330) finden sich unter den Vagabunden nur 20 % geistig normale, dagegen 80 % geisteskranke Individuen und unter den letzteren eine sehr große Zahl, bei denen sich eine krankhafte psychische Konstitution schon im Kindesalter nachweisen läßt.

B. Mitteilungen.

1. Bericht über den 2. Kongress für experimentelle Psychologie in Würzburg vom 18.—21. April 1906.

Von Dr. Friedrich Schmidt in Würzburg.

(Schluß.)

Das 9. und 10. Referat beschäftigte sich mit der Psychologie des Denkens. Wir erwähnen wiederum eine fleißige Arbeit des Würzburger Instituts: »Experimentelle Analyse komplizierter Denkprozesse« von Dr. Bühler-Würzburg. Seine Untersuchung erstreckte sich in der Hauptsache auf die Reaktionen zweier Versuchspersonen, welche eine große Übung in der Selbstbeobachtung hatten. An diese wurden Fragen gestellt, die in ihnen einen komplizierten Denkprozeß veranlaßten. Die Ergebnisse liefen darauf hinaus, daß es ein Denken ohne sprachliche Formulierung gibt; das Wesen der Denkelemente erkannte er in dem Wissen um etwas, wozu er schon die Möglichkeit des Verständnisses zählt. Diese Untersuchungen führten an die Grenze der experimentellen Psychologie und der introspektiven, weshalb ähnliche Erkenntnisse auch aus dieser schon gewonnen wurden. Bühlers Ausführungen waren hochinteressant.

Prof. Messer-Gießen behandelt das Problem in seinem Vortrage: »Experimentell-psychologische Untersuchungen über das Denken« nicht in dem Umfange wie Dr. Bühler. Messer verglich miteinander Assoziationen und Urteilserlebnisse. Dabei fand er zwei Eigenschaften, welche bei einer zu lösenden Aufgabe das Hinzufügen eines Urteilserlebnisses im Gegensatz zu der nur auf assoziativem Wege erfolgten Erledigung der Aufgabe wirksam sind:

a) das Wissen um die Gültigkeit der Aufgabe;
b) das Eingreifen in den Vorstellungsverlauf.

Das psychologische Institut in Leipzig war mit 3 Referaten vertreten:

11. Prof. Wirth-Leipzig sprach »Über die Aufmerksamkeitsverteilung in verschiedenen Sinnesgebieten«. Auf dem Gebiete der Optik, Akustik und des Tastsinnes wurden diese Untersuchungen mit Zuhilfenahme eines Trichterperimeters mit einem Brennpunktstachistokop (Optik), eines Tachistophons in Verbindung mit Röhren welche die Stärke des Tones den die Versuchsperson mittels einer Schlauchleitung wahrgenommen hat, nach Belieben zu variieren erlaubten (Akustik) und eines Tachistotyp (Tastsinn) angestellt. Innerhalb eines bestimmten Sinnesgebietes wurde die Aufmerksamkeit durch einen Eindruck konzentriert und dann die Unterschiedsschwelle für solche Eindrücke ermittelt, welche sich in verschiedener Entfernung von dem Blickpunkte der Aufmerksamkeit befanden. Das gewonnene Zahlenmaterial wies nach, daß in allen 3 Sinnesgebieten eine Abnahme der Leistung der Aufmerksamkeit in dem Grade zu verzeichnen ist, je entfernter die Dinge zu dem Blickpunkte stehen. Die technischen

Hilfsmittel sind nach Anordnungen Wirths zusammengestellt und von ihm interessant beschrieben worden.

12. Dr. Specht-Tübingen, der seine Arbeit daselbst begann und in Leipzig zum Abschluß brachte, referierte über »Die Divergenz von Unterschiedsschwelle und Reizschwelle unter Alkohol«. Referent untersuchte mittels des Wundschen Fallphonometers nach der Methode der Minimaländerung das Verhalten der Unterschiedsschwelle für Tonempfindungen und jenes der Reizschwelle von Versuchspersonen mit Alkoholwirkung. Er fand, daß ein Reiz in diesem Zustande mit gesteigerter Schärfe aufgefaßt, die Reizvergleichung aber herabgesetzt wird. Die Begründung hierfür liege in der außerordentlichen Einengung des Bewußtseins unter Alkohol. Diese Untersuchungen fanden den Beifall des Auditoriums.

13. Als 3. Arbeit ist die von Dr. Linke-Naumburg über »Neue stroboskopische Versuche« zu nennen. Diese wurden an dem Wunderkreisel (Kinderspielzeug) vorgenommen und hierbei gezeigt, wie das Verhältnis des physiologischen Faktors, erkennbar in den Nachbildern, zum psychologischen,' der als Assoziation sich Geltung verschafft, hinsichtlich beider Wirkungsweisen sich charakterisiert.

14. Im psychologischen Institut demonstrierte Prof. Marbe-Frankfurt in der ihm eigentümlich klaren Weise eine Versuchseinrichtung für kurzdauernde optische Reize und

15. Prof. Ebbinghaus-Halle zeigte einen Fallapparat, der kurze Zeiten (bis zu einer bestimmten Zeitkürze) genau mißt und den komplizierteren Kontrollhammer ersetzt.

16. Ein sehr interessantes Referat erstattete Prof. Krueger-Buenos Aires: »Beziehungen der Phonetik zur Psychologie«. Er behandelte das Gebiet der Fragestellungen und ihrer Lösungsversuche in enger Fühlung an die technischen Hilfsmittel. Zu den bisher angewandten stomatoskopischen Methoden, welche die Sprache rein phonetisch nahmen, müssen sich artikulatorische und akustische Methoden ergänzend gesellen, welche rein psychologische Fragen zu beantworten hätten wie z. B. jene nach der Änderung der Klangfarbe und a. m. Schließlich referierte er über seine eigenen Versuche, welche die Erforschung der Abhängigkeit der Tonhöhe von psychischen Bedingungen mittels des Kehltonschreibers zum Gegenstande hatten.

17. Prof. Witasek-Graz referierte sehr eingehend über seine gründliche Forscherarbeit, die er »Methodisches zur Gedächtnismessung« betitelte. Zu bewundern war bei ihm die Zähigkeit bei den Analysen seiner Probleme, die so mannigfaltig und abstrakt sich gestalteten. Zunächst besprach er die Methoden der Hilfen und des »Ersparnis- und Treffverfahren« und wies die Unzulänglichkeit desselben nach. In dem von ihm vorgeschlagenen Kombinationsverfahren, welches den Hilfen in jedem Falle einen besonderen Zahlkoeffizienten zuweist, erblickt Witasek die Grundlage seiner methodischen Messung. An der Hand eines Schemas zeigte er wie diese Koeffizienten zu ermitteln seien in den einzelnen Fällen. (0 Fall, Fehlfall, normaler Fall der Stellverschiebung u. a. m.) Seinen Ausführungen wurde großer Widerspruch zuteil. Dr. Dürr hielt dieses Verfahren für

zu kompliziert. Prof. Ebbinghaus verlangt nur einen mittleren Grad
des Verhaltens beim Lernen, Prof. Cohn und Dr. Wreschner erhoben
auch Bedenken.   Prof. Wirth schlug eine Methode der selbständigen
Reproduktion vor.

18. Dr. Schultze-Würzburg referierte »Über Wirkungsakzente«. Ihm
war es darum zu tun, eine Einteilung der Bewußtseinsinhalte auf Grund
verschiedener Eindrücke von Anschauungsobjekten unter verschiedenen Bedingungen zu gewinnen, eine gewiß sehr fruchtbare Untersuchung.

19. Prof. Asher-Bern gab ein Referat: »Über das Gesetz der spezifischen Sinnesenergien«. Berichte über die Ergebnisse der Nervenphysio-
logie in äußerst sachverständlich-gründlicher Weise und hält des Gesetzes
Gültigkeit dadurch erwiesen. Der Entwicklungsgedanke sei kein Widerspruch, wenn wir die Empfindungsqualitäten nicht als letzte Elemente
auffassen, sondern eine etwa sprungweise sich bildende Entwicklung
annehmen.

20. Le Docteur Ovide Decroly, Médecin Directeur de l'Institut
d'Enseignement spécial in Brüssel gab Mitteilungen über anthropometrische
und psychologische Untersuchungsmethoden bei Kindern, welche er (bei
medizinischen, psychologischen und pädagogischen Untersuchungen) an-
wandte.   Er fußte auf Binet und Henry.   Für Pädagogen waren
namentlich die Mitteilungen über den Wert der Messungen bei Kindern
interessant.

21. Das psychologische Institut in Göttingen war durch die Arbeit
des Dr. Rupp »Über die Lokalisation von Tastreizen« vertreten. Präzise
Fragestellungen, gewissenhafte methodologische Ausführungen, große Vorsicht im Ziehen der Schlüsse zeichneten diesen Gelehrten aus, der sich
über den Einfluß einer außergewöhnlichen Lage der Tastorgane, das
Verhältnis des Auffassungsaktes eines Tastreizes zu dem seiner Lokalisation, die Verschiedenheit der Reaktionszeiten auf Tastreize bei normaler
und anormaler Lage, die Unterschiede einer taktilen und visuellen Betonung der gereizten Stelle sehr gründlich verbreitete.

22. Dr. Veraguth-Zürich sprach: »Über den galvanischen psychophysischen Reflex« und fand allseitigen Beifall.

23. Dr. Lipmann-Berlin: »Über die Wirkung von Suggestivfragen«.

24. Prof. Jerusalem-Wien erzählte aus eigenen Erlebnissen über
»Erinnern und Vergessen«.

25. Dr. Detlefsen-Wismar: »Farbenwerte und Farbenmasse« (mit
Demonstrationen).

26. Dr. Hughes-Soden: »Zur Lehre von den einzelnen Affekten«.

27. Dr. v. Aster-München sprach über räumliche Tiefenwahr-
nehmung.

28. Dr. Kobilecki-Krakau referierte über das Thema: »Das psychologische Experiment ohne Selbstbeobachtung«. Er griff die heute gültige
Methode der Psychologie mit den Argumenten des Empiriokritizismus an
ohne positiven Erfolg.

Bei Verabfassung dieses Berichtes dienten als Quelle unsere eigenen
Aufzeichnungen; wo uns diese in Anbetracht der Menge der Referate im

Stich ließen, benutzten wir im Interesse der Vollständigkeit den Bericht von O. K. über »Der 2. Kongreß für experimentelle Psychologie in Würzburg« in der »Beilage zur Allgemeinen Zeitung« (No. 97, S. 174 und ff.) Der nächste Kongreß findet in Frankfurt am Main in zwei Jahren statt. Den Vorsitz des Lokalausschusses wird Herr Prof. Dr. Marbe dortselbst übernehmen.

2. Lehrkurs für Lehrer von sprachgebrechlichen Kindern in Heidelberg.

Von M. Enderlin, Mannheim.

Vom 22. März bis 7. April d. J. wurde in Heidelberg ein Lehrkurs für Lehrer von sprachgebrechlichen Kindern abgehalten, der von der badischen Oberschulbehörde veranstaltet wurde. Zu diesem Kurse waren 20 Lehrer einberufen, die an Taubstummenanstalten und Hilfsschulen tätig sind oder an solchen noch verwendet werden sollen. Herr Oberschulrat Dr. Waag eröffnete und schloß den Kurs. Er teilte in seiner Eröffnungsrede mit, daß die Abhaltung eines derartigen Kurses von der badischen Oberschulbehörde schon seit einigen Jahren ins Auge gefaßt worden sei, daß aber speziell das Zustandekommen des diesjährigen Kurses zurückgeführt werden müsse auf die dankenswerte Anregung des Herrn Stadtschulrats Dr. Sickinger in Mannheim, der in einer Zuschrift darauf hingewiesen habe, daß die große Zahl von sprachgebrechlichen Kindern in den städtischen Schulen eine Anzahl Lehrer erfordere, die zur Heilung und sachverständigen Beseitigung von Sprachmängeln befähigt seien.

Der Kurs unterstand der Leitung des Direktors der Heidelberger Ohrenklinik, des Herrn Professors Dr. Kümmel. Die Vorträge fanden zum Teil in der Ohrenklinik, zum Teil in der Psychiatrischen Klinik und zum Teil in der Taubstummenanstalt in Heidelberg statt.

An Vorträgen waren vorgesehen:

1. Über Bau und Verrichtung der Hör- und Sprechwerkzeuge, über Pathologie der Hör- und Sprechwerkzeuge und über Sprachstörungen, zusammen 16 Stunden von Herrn Prof. Dr. Kümmel.

2. Phonetik, zusammen 16 Stunden von Herrn Prof. Dr. Sütterlin.

3. Psychopathologie, insbesondere Bau und Funktion des Zentralnervensystems, Erscheinungsformen der Idiotie, der Imbezillität, der Epilepsie, der Hysterie, des Kretinismus, Heilpädagogik usw., zusammen 8 Stunden von Herrn Privatdozent Dr. Wilmanns. (Nachträglich wurden noch 5 Stunden eingeschoben.)

Dazu kamen:

4. Praktische Vorführungen an der Taubstummenanstalt unter Leitung des Herrn Taubstummenlehrers Holler, der in einigen Vorträgen zugleich auch einen Überblick über die Geschichte, das Wesen und die Methode des Taubstummenunterrichts gab, zusammen 32 Stunden (5 Stunden wurden davon nachträglich für die Vorträge über Psychopathologie verwendet).

Außerdem wurden vier Vormittage verwendet für den

5. Besuch sämtlicher Hilfsklassen, einiger Förderklassen, sowie der Sprachheilkurse in Mannheim. In letzteren fanden Vorträge über Sprachstörungen von Herrn Hauptlehrer Tritschler und praktische Vorführungen von den Herren Hauptlehrern Tritschler und Kienzle statt.

Diese Anordnung der Vorträge und praktischen Vorführungen kann in Hinsicht auf den beabsichtigten Zweck des Kurses im allgemeinen als eine glückliche bezeichnet werden. Jedoch wäre für die Zukunft zu wünschen, daß in später abzuhaltenden Kursen dem Psychiater (bezw. dem Heilpädagogen) für sein Gebiet ein etwas breiterer Raum zur Verfügung gestellt würde. Dagegen könnten die praktischen Vorführungen an der Taubstummenanstalt unbeschadet der Gründlichkeit sehr wohl in einigem eingeschränkt werden. Zwar hat Herr Dr. Wilmanns in außerordentlich dankenswerter Weise bereits diesmal schon 5 weitere Stunden eingeschoben. Trotzdem konnte jedoch der Stoff nur in den gröbsten Umrissen vorgeführt werden.

Auch die für die Vorlesungen des Herrn Prof. Dr. Kümmel vorgesehene Zeit war etwas zu kurz bemessen, was für die Zukunft ebenfalls berücksichtigt werden mag. Das sind Ausstellungen und Wünsche, die sich im Verlaufe des Kurses nicht nur den Teilnehmern, sondern auch den beteiligten Dozenten aufgedrängt haben, durch die jedoch der gute Eindruck, den der Kurs bei sämtlichen Teilnehmern hinterließ, in keiner Weise beeinträchtigt werden soll. Denn als ein erster Versuch muß der diesjährige Kurs trotzdem als recht gut gelungen betrachtet werden.

Es ist ein großes Verdienst der badischen Oberschulbehörde, daß sie derartige Kurse ins Leben rief. Möge ihr zielbewußtes Vorgehen auf diesem Gebiete auch anderwärts bald Nachahmung finden. Es ist aber auch ein Verdienst des Herrn Stadtschulrats Dr. Sickinger in Mannheim, daß er durch seine Anregung das Zustandekommen des Kurses beschleunigt und auch auf diesem Gebiete einen weit ausschauenden Blick bewiesen hat.

Wie Herr Oberschulrat Dr. Waag in seiner Schlußansprache mitteilte, sollen künftighin auch noch besondere Kurse für Lehrer an Hilfsschulen eingerichtet werden. Als eine notwendige Konsequenz der Errichtung von Hilfsschulen, zu der von seiten der badischen Oberschulbehörde vor einigen Jahren bereits aufgefordert wurde, ist diese Absicht auf das wärmste zu begrüßen. Diese Kurse, mit denen man auch bereits in der Schweiz beachtenswerte Erfolge erzielt hat, mögen sodann den Übergang bilden zu einer weitergehenden intensiven fachlichen Ausbildung der Lehrer an Hilfsschulen, resp. zu einer Regelung derselben, wie sie für die gedeihliche Weiterentwicklung der Hilfschulerziehung unerläßlich ist.

Zum Schlusse erübrigt noch, den Mitwirkenden am Kurse, insbesondere den verehrten Herren Dozenten, die mit Herrn Prof. Dr. Kümmel an der Spitze unermüdlich waren in der Beantwortung von Fragen, im Herbeischaffen und Demonstrieren von Präparaten usw. auch an dieser Stelle den wärmsten Dank sämtlicher Teilnehmer zum Ausdruck zu bringen.

3. Ein Wort der Abwehr gegen Herrn Prof. Gheorgov in Sofia, betreffend den Kongreß für Kinderforschung und Jugendfürsorge.

Von J. Trüper.

Aufmerksame Leser ahnen vielleicht, wieviel Mühe und Opfer an Zeit und Geld wir es uns haben kosten lassen, um den am 1.—4. Oktober in Berlin stattfindenden Kongreß unter Dach und Fach zu bringen, wieviel widerstrebende und widerstreitende Ansichten es auszugleichen gab, wieviel Mißtrauen und Überempfindlichkeit es zu überwinden galt, und wie man es doch schließlich manchen nicht recht machen konnte und nicht recht gemacht hat. Selbstverständlich kann uns das nicht bestimmen, an einer Sache, von der wir uns einen segensreichen Einfluß für unser Volksleben versprechen, irgendwie irre zu werden.

Unter andern hat ein Bulgare, Herr Professor Gheorgov in Sofia, ein in französischer Sprache abgefaßtes hektographiertes Schreiben unter dem 15. Januar an uns, und soviel wir erfahren haben, an viele andere Personen, die zum Kongreßplan in Beziehung stehen, geschickt und außerdem einen längeren Artikel in deutscher Sprache in der »Experimentellen Pädagogik« Heft 1 u. 2 d. J. veröffentlicht. Wenn ich auf beides eingehe, so geschieht es lediglich, um den dadurch in der Öffentlichkeit verbreiteten falschen Darlegungen entgegenzutreten.

In dem Rundschreiben heißt es: »Der Kongreß wird ausschließlich ein Kongreß für Deutsche sein, an dem nur Vertreter Deutschlands, Österreichs und der deutschen Schweiz teilnehmen können.« Aus allem, was wir über die Frage veröffentlicht haben, geht demgegenüber hervor, daß jeder, auch Herr Professor Gheorgov, an dem Kongresse teilnehmen kann, nur daß die Verhandlungssprache die deutsche sein solle, und daß wir uns dementsprechend mit unsern direkten Einladungen anstandshalber nur an die Deutschredenden im Reiche, Österreich und der Schweiz wenden können. Willkommen ist aber jeder andere Volksgenosse, und wenn er sich an der Debatte beteiligen will und nicht deutsch sprechen kann, so wird ihm gewiß auch gestattet sein, in irgend einer andern Sprache zu reden, und es wird sich sicher ein Dolmetscher seiner Sprache finden, selbst der Bulgarischen, sofern er sich nicht auf Deutsch zu verständigen vermag. Das wußte Herr Gheorgov.

Die Frage des internationalen Kongresses ist bei uns reiflich überlegt worden. Ich selbst hatte den internationalen Charakter vorgeschlagen, habe mich aber davon überzeugen lassen müssen, daß es weit besser sei, uns auf die deutsche Sprache zu beschränken. Das werden wir freilich nicht tun, daß wir einen Kongreß international nennen und ihn dann doch sprachlich national abhalten, wie es mit dem internationalen Kongresse in Lüttich geschehen ist.

Herr Professor Gheorgov meint ferner: »Es ist bei der Lösung der Frage einerseits zu einseitig vorgegangen worden, andrerseits ist auch das Arbeitsfeld des Kongresses zu weit gesteckt worden.« Er nimmt nun vor

allem daran Anstoß, daß wir uns nicht auf eine reichsdeutsche Organisation beschränkt haben, sondern daß eine deutschsprachliche Organisation entstand. »Dieser Beschluß bringt mehr Verwirrung in die Lösung
der Frage hinein und ist eigentlich für die wenn auch wenigen daran beteiligten Ausländer doch etwas verletzend.« Er könne uns von dem
Vorwurfe nicht befreien, daß wir uns »in einer so wichtigen Sache aus
nebensächlichen Gründen auf einen in Anbetracht der Ziele, wegen deren
der Kongreß zusammenberufen wird, zu engen Standpunkt gestellt haben«.
(Experimentelle Pädagogik, III. 1/2. S. 93.)

Wir haben Schwierigkeiten genug gehabt, zunächst die verschiedenen
Bestrebungen innerhalb der Deutschredenden zu einigen, und wir haben
durchaus die Frage offen gelassen, nach dem Gelingen dieses Kongresses
uns mit den Vertretern anderer Länder abermals in Verbindung zu setzen,
um später einen Kongreß international zu gestalten. Herr Gheorgov
wollte in Verbindung mit Professor Binet-Paris einen internationalen
Kongreß begründen. Wir hinderten und hindern ihn doch nicht daran;
wir würden uns im Gegenteil freuen, wenn es ihm gelänge. Daß wir
ihm aber die Kongreßidee sozusagen vor der Nase weggeschnappt haben,
konnten wir nicht ahnen. Herr Gheorgov war uns völlig unbekannt,
erst recht waren es seine Gedanken, die er Binet ja noch erst mitteilen
wollte. Im übrigen aber habe ich die Kongreßidee bereits 1904 in Nürnberg mit Freunden der Bestrebung erörtert.

Daß Herr Gheorgov uns wiederum zürnt, weil wir alles, was Deutsch
reden und verstehen kann, zur Teilnahme an unserm Kongresse mit ein-
laden, anstatt uns auf Reichsdeutsche zu beschränken, begreifen wir
gerade von seinem Standpunkte aus nicht. Wir wollten mit den uns
möglichen Mitteln soviel als möglich erstreben. Da der Kongreß kein
politischer Kongreß ist, sondern ein wissenschaftlicher, so kennen
wir einfach in diesem Punkte keine politische Grenze. Pflege der
Wissenschaft und Erziehung ist bei uns nicht Sache des Reiches, sondern
der Einzelstaaten; darüber hinaus aber ist die gemeinsame Sprache
deren Träger. Herrn Professor Gheorgov dürfte vielleicht auch bekannt
sein, daß die deutschen Universitäten der Einzelstaaten des Reichs wie die
in der Schweiz und in Österreich und vordem auch die in Dorpat seit je eine
besondere Gelehrten- und Geistesgemeinschaft bilden; die Sprachgemein-
schaft ist naturgemäß eine innigere als das Internationale der Wissenschaft
und sie ist eine natürlichere als die Gemeinschaft, welche politische
Grenzpfähle einengen.

Und wenn Herr Professor Gheorgov endlich meint, daß wir die
praktischen Fragen hätten ausschließen und uns lediglich auf die wissenschaftlichen hätten beschränken sollen, so möchte ich dem gegenüber betonen, daß die Mehrzahl aller, die an dem Kongresse interessiert sind,
die Wissenschaft nicht allein um der Wissenschaft willen treiben, sondern
daß sie der Überzeugung sind, die Wissenschaft habe sich in den Dienst
des öffentlichen Wohles, der Humanität, zu stellen. Uns kommen daher
auch aus den Bedürfnissen des öffentlichen Lebens heraus und im Dienste
dieser Bedürfnisse die lebhaftesten Antriebe für wissenschaftliche Forschung.

An Gelehrtentum ist kein Mangel, wohl aber an lebhaften Beziehungen der gelehrten Forschung zu den tiefgehenden Bedürfnissen des Volkes, ja, daran krankt vielfach unser Volksleben wie unsere Wissenschaft. Hier findet unser Kongreß seine wichtigste Aufgabe.

> Das Leben muß die Erde sein,
> Darein die Weisheit Wurzel schlägt;
> Und pflanzt ihr hier den Kern nicht ein,
> Wächst auch kein Baum, der Früchte trägt.

4. Eine neue Vereinigung für Kinderkunde

hat sich in Frankfurt a/M. gebildet. Über Aufgabe und Organisation dieser Vereingung für Kinderkunde im Frankfurter Lehrerverein wurden in ihrer ersten Sitzung folgende Leitsätze angenommen: I. Aufgabe. Die theoretische Aufgabe der Vereinigung für Kinderkunde besteht im wesentlichen in der aufmerksamen Verfolgung und Pflege der wissenschaftlichen Bestrebungen unserer Zeit, die auf ein tieferes Verständnis des Kindes, seiner Natur und seiner Entwicklung, abzielen. Den Hauptgegenstand bildet das normale Schulkind, doch wird auch die pädagogische Pathologie berücksichtigt. Praktische Aufgaben sind: Übermittlung des Interesses für das Kind und für die Wissenschaft vom Kinde an weitere Kreise. (Vorträge in Vereinen, besonders im Frankfurter LehrerVerein, Vertretung des kinderkundlichen Standpunktes bei Diskussionen pädagogischer Fragen.) Unterstützung aller Bestrebungen, die die Unterrichts- und Erziehungspraxis mit den gesicherten Resultaten der Kinderforschung in Einklang zu bringen suchen. II. Organisation. 1. Die Vereinigung für Kinderkunde ist eine Sektion des Frankfurter Lehrer-Vereins, durch ihn materiell unterhalten. Ein Mitgliedsbeitrag wird daher von Mitgliedern dieses Vereins nicht erhoben. Jedes Mitglied des Frankfurter Lehrer-Vereins ist berechtigt, an den Sitzungen der Sektion teilzunehmen. 2. Dem aus 3 Personen bestehenden Vorstande (Vors., d. Stellvertr., Schriftf.) liegt ob, nach Maßgabe des aufgestellten Arbeitsplanes die Arbeit der Sektion im einzelnen zu leiten, Sitzungen anzuberaumen, Bücher anzuschaffen usw. 3. Die Vereinigung für Kinderkunde wird korporatives Mitglied des Vereins für Kinderforschung und des Kongresses für Kinderforschung und Jugendfürsorge.

Frankfurt a. M. Ad. Lüllwitz.

5. Frau v. Zander.

In Breslau ist soeben ein aufsehenerregender Prozeß zu Ende gegangen. Es handelte sich in der Hauptsache um einen Major a. D. v. Zander und dessen Frau. Die beiden Eheleute waren des fortgesetzten Betrugs, sowie des Meineids angeklagt. Auf die Einzelheiten des Prozesses soll hier nicht eingegangen werden; wir erwähnen nur die gerichtlich

festgestellte unsinnige Verschwendungssucht der Frau v. Zander, sowie
ihre überaus starke Neigung zu Tabak und Alkohol. Der Sachverständige
Professor Lesser bezeichnete den geistigen Gesundheitszustand der Frau
v. Zander als einen der schwierigsten Fälle, die ihm je vorgekommen
seien. Sie stammt aus vornehmer Familie und ist in mancher Beziehung
das, was man eine hochgebildete Dame zu nennen pflegt. Vor längerer
Zeit hat sie unter ihrem Mädchennamen ein Band Gedichte herausgegeben
und beherrscht mehrere fremde Sprachen, doch ist ihre Intelligenz auf
verschiedenen Gebieten ganz verschieden. »Im Rechnen z. B. kann sie
selbst beim besten Willen nicht einmal den mäßigsten Ansprüchen genügen. Auf die Frage, wieviel 3 $\times$ 8 sei, antwortete sie: 20. Sie
konnte nur mit Hilfe ihrer Finger ausrechnen, in welchem Jahre sie
35 Jahre alt geworden sei. Die Subtraktion: 67—29 erklärte sie für
unmöglich und konnte sie erst nach langer Arbeit mit Hilfe von Papier
zu stande bringen. Von den preußischen Provinzen kannte sie nur fünf.
Von militärischen Dingen hatte sie trotz 16jähriger Ehe mit einem preußischen Offizier nicht die geringste Ahnung. Auch nach ihrer Abstammung
ist die Angeklagte in hohem Grade psychisch belastet. Die Familie weist
in verschiedenen Generationen eine sehr erhebliche Anzahl von Geisteskranken auf.« Aus der Schulzeit der Frau v. Zander erfahren wir nichts.
Wie mag sich die wohl gestaltet haben?							U.

6. Alkoholismus und Blindheit.

Nach Dr. Hippel, Professor der Augenheilkunde in Heidelberg gab
es im Jahre 1899 in ganz Deutschland 39799 Blinde auf beiden Augen.
Davon war bei 16% = 6633 Blinden, die Blindheit angeboren, bei
20% = 7559 Blinden, war die Blindheit Folge einer Ophthalmie (Augen-
krankheit der Neugeborenen). An der im Lebenslauf erworbenen Blindheit
trägt der Alkoholismus bei 40% = 15118 Blinden die Schuld. Die
weitaus höchsten Prozentsätze liefert mithin der Alkohol. Es ist also
ähnlich wie bei Schwachsinn bezw. Idiotie, wo nach den verschiedensten
statistischen Berechnungen der Alkohol ebenfalls das Konto mit 40%
bis 60% belastet. Diese Zahlen lassen deutlich erkennen, wie energisch
der Alkohol als Menschenfeind bekämpft werden muß.

Neu-Erkerode (Braunschweig).							Kirmsse.

C. Literatur.

Pongratz, G., Allgemeine Statistik über die Taubstummen Bayerns.
Zugleich eine Studie über das Auftreten der Taubstummheit in
Bayern im 19. Jahrhundert. München, Max Kellerer, 1906. 4°. 144 S.
Preis 6 M.

Das bayrische Kultusministerium, das sich im März dieses Jahres durch Erlaß
einer Vorschrift, die für schwachbefähigte Kinder an Orten mit Hilfsschulen den

zwangsweisen Besuch dieser Sonderschulen anordnete, um die Förderung der heilpädagogischen Fürsorge großes Verdienst erwarb, hat einen neuen Beweis für das
Interesse an den defekten Kindern geliefert. Anfangs Mai erschien im Auftrag
des Kultusministeriums das vorliegende Buch. Dieses gründlich gearbeitete, übersichtlich geordnete, mit außerordentlichem Zahlenreichtum belegte statistische Werk
wird sicher bei allen an der Erziehung abnormer Kinder arbeitenden Männern weit
über Bayerns Grenze hinaus Beachtung finden; stellt es doch gleichzeitig eine
gründliche Studie über die Ursache und Verteilung der Taubstummheit, sowie über
die Vergesellschaftung derselben mit anderen Gebrechen dar. Allgemein dürften
auch die Darlegungen über Bildung der jugendlichen und Versorgung der schulentlassenen Taubstummen Interesse finden. Einiges aus dem reichen Material sei
versucht hier anzudeuten.

Es wurden in Bayern gezählt 5281 Taubstumme, so daß auf 100000 Einwohner etwa 86—87 Taubstumme treffen. Daß diese Zahlen (in keinem allzu
großen Spielraum) auch für andere Länder zutreffen, zeigt eine Zählung von 1900
im übrigen Deutschland, wobei auf 100000 Einwohner folgende Taubstummen-
quoten trafen: Preußen 91, Sachsen 57, Württemberg 102, Baden 114, Hessen 80,
Sachsen-Weimar 83 usw. Für das ganze Reich ergab sich eine Durchschnittsquote
von 86,5 pro 100000.

Interessant ist nun die Verteilung auf Stadt und Land. In den unmittelbaren
Städten Bayerns treffen nur 37, in den Landbezirken indes 100 auf 100000. In
München wurden im Jahre 1871 noch 59 auf 100 gezählt, nun nur mehr 24.
Diese für die Städte günstige Erscheinung ist entschieden auf die dort fort-
geschrittenen sanitären und sozialen Verhältnisse zurückzuführen.

Diese Konstatierung ist begreiflich im Zusammenhalt mit der Tatsache, daß
der größere Prozentsatz der Taubstummen das Übel erst erworben hat. Die
Meningitis cerebro-spinalis (Genickstarre) spielt dabei die Hauptrolle. Ein schlagender
Beweis hierfür ist die Tatsache, daß die Jahre 1865, 1866 und 1871, die in der
medizinischen Literatur als besonders starke Meningitisjahre bekannt sind, auch
einen auffallend hohen Prozentsatz von Taubstummen aufweisen. Von den übrigen
Krankheiten, die in ihrer Folge oft Taubstummheit aufweisen, sind besonders zu
nennen: Typhus, Scharlach, Masern, Diphtherie, Keuchhusten, Syphilis.

Die erwähnte Vergesellschaftung mit anderen Defekten sei hier durch die
bezüglichen Schlußergebniszahlen der Statistik angedeutet: Blindheit findet sich
10 mal so häufig als bei Vollsinnigen, Irrsinn 4½ mal und Schwachsinn 86 mal so
oft als bei normal hörenden Menschen.

Für die Bildung der jugendlichen Taubstummen sorgen in Bayern 16 Taubstummenschulen, die 761 Schüler durch 75 Lehrkräfte unterrichten lassen. Wie
weit für die Bildung schon gesorgt ist, zeigt der Umstand, daß von den 1886 bis
1891 geborenen Taubstummen nur mehr 110 ohne Schulbildung blieben. Nicht geringen Anteil an diesem günstigen Ergebnis der heutigen Taubstummenbildung in
Bayern haben die auf caritativem Boden erwachsenen Taubstummenanstalten, speziell
die Gründungen des geistlichen Rates Johann Wagner, seinerzeit Regens des
bischöfl. Klerikalseminars in Dillingen. Er hat gemeinsam mit den Franziskanerinnen
des III. Ordens, besonders ihrer tatkräftigen Oberin Udalrika Baustel, die Taubstummenschulen Hohenwart für Mädchen in Oberbayern, Zell für Kinder aus
Mittelfranken und Oberpfalz, Dillingen für Mädchen aus Schwaben gegründet.
Pongratz gibt für den weiteren Ausbau treffliche knapp gehaltene »prinzipielle
Richtpunkte«, aus denen wir hier hervorheben: achtjährige Schuldauer (gegen-

über der in Bayern geltenden siebenjährigen Werktagsschulpflicht); eigene Lehrkraft für jede Klasse, in sogenannten »Hörklassen« höchstens 2 Klassen für eine
Lehrkraft; Frequenz von höchstens 10 in der Artikulationsklasse und nicht mehr
als 12 Schülern in den übrigen Klassen; Aufnahme der Kinder mit vollendetem
siebenten Lebensjahr. Augenscheinlich bildungsunfähige Taubstumme (Idioten)
sollen nicht in die Anstalten aufgenommen werden; Schüler, die nach 2 Jahren
das Ziel der I. Klasse nicht erreichten, sollen in der Regel entlassen werden; die
Anstaltsleitung soll in beiden Fällen Unterbringung in einer geeigneten Anstalt anregen. Für die partiell-hörenden Kinder sind überall »Hörklassen« einzurichten,
für einen Unterricht, der Aug und Ohr (die noch vorhandenen Gehörreste) gleichzeitig in Anspruch nimmt.

Auch für die schulentlassenen Taubstummen ist gut gesorgt. Es bestehen
20 Versorgungsanstalten, in denen 491 Taubstumme untergebracht sind. Außerdem ist ein großer Teil der Kinder (60%) zu selbständigem Erwerb des Lebens-
unterhaltes gekommen. Diese Untersuchungen verdienen besonderes Interesse; sie
legen eingehend klar, daß die bisher vielfach empfohlene Verwendung der Taubstummen in land- und hauswirtschaftlichen Berufsarten diesen auf die Dauer nicht
von Vorteil ist, daß vielmehr die Tätigkeit in gewerblichen Berufsarten als das
beste und sicherste Mittel zur dauernden Versorgung empfohlen werden kann. Besonders günstige Ergebnisse haben die Erhebungen über die taubstummen Buch-
drucker, Schriftsetzer, Schreiner, Schmiede, Spengler, Maurer und Schneider ergeben.

Es interessieren schließlich wohl noch einige Zahlen über das Taubstummenbildungswesen in Bayern. Das rentierende Vermögen der bayrischen Taubstummenanstalten hat eine Höhe von 1 632 678 M; die Gebäude und Einrichtungen repräsentieren einen Wert von 3 146 770 M. Verteilt man die pro 1904/5
sich ergebenden Ausgaben für die Schulbildung der Taubstummen auf die Zahl der
Schulbesucher in diesem Schuljahr, so entfällt auf jeden einzelnen die Summe von
rund **570 M.**

Wir fügen hier noch an, was der Verfasser der Statistik am Schlusse sagt:
»Das bayrische Taubstummenbildungswesen kann sich rühmen, bei allen Behörden
und bei allen Schichten der Bevölkerung das größte Vertrauen zu genießen und es
darf voll Zuversicht der Zukunft entgegensehen; seine Einrichtungen .... legen
Zeugnis ab von dem großen Interesse der Staatsregierung und der Volksvertretung
und dem hochherzigen Wohltätigkeitssinn der gesamten Bevölkerung für die Taub-
stummenbildungssache.«

München.   Franz Weigl.

Claparède, E., Psychologie de l'enfant et Pédagogie expérimentale.
    Aperçu des problèmes et des méthodes de la nouvelle pédagogie.
    Genève, H. Kündig, 1905. kl. 8⁰. 77 S.

In dem anspruchslosen Büchlein hat der Verfasser eine Anzahl Artikel vereinigt, die zuerst im Signal de Genève veröffentlicht wurden. Nach einem ganz
kurzen geschichtlichen Abriß verbreitet er sich im zweiten und dritten Kapitel über
die Aufgaben und Methoden der Kinderpsychologie und spricht dann im vierten
und fünften Kapitel von der geistigen Ermüdung und vom Gedächtnis. Der Verfasser ist sich der Dürftigkeit seiner Ausführungen wohl bewußt; doch sind sie
lesenswert und für den Anfänger einigermaßen orientierend.   U.

Druck von Hermann Beyer & Söhne (Beyer & Mann) in Langensalza.

A. Abhandlungen.

Über Vorsorge und Fürsorge für die intellektuell schwache und sittlich gefährdete Jugend.

Von

Dr. **M. Fiebig,** Schularzt in Jena.

(Schluß)

Vielleicht gibt es unter uns einige Optimisten, die die ganze Frage des Schwachsinns und der mit ihm verbundenen Gefahren nicht so erheblich finden, wie ich sie hier vorstelle.[1] Gestatten Sie mir deshalb, daß ich, zur Illustration des Gesagten, Ihnen einige Fälle aus der Wirklichkeit des täglichen Lebens mitteile, Fälle, wie sie mir als Schularzt in sehr großer Zahl vorkommen. Ich wähle die Lebensgeschichte einiger der diesjährigen Konfirmanden. Die jüngeren Generationen liefern ein ebenso reichliches Beweismaterial, doch ihre Betrachtung würde uns hier zu weit führen. Da ist z. B.:

1. **Klara X.** Uneheliches Kind, von Mutters Seite her erblich syphilitisch belastet. Eine Lehrerin entwarf 1904, ein Lehrer 1905 auf Grund von gewissen, von mir gestellten Fragen von ihr folgendes Bild: Krankhaft erregt, äußerst schwatzhaft, gern andere verklatschend, auch bei eigener grober Schuld. Lügnerisch, ist sich aber vielleicht nicht immer der Lüge bewußt; sie hat z. B. dem Lehrer mit dem größten Ernste erzählt, daß sie ein kleines Schwesterchen bekommen habe und hinterher entpuppte sich die ganze Geschichte als ein Märchen. Bei den Mitschülern möchte sie immer die unbedeutendsten Fehler zu den größten Verbrechen stempeln; sie hat aber auch für andere Interesse, hilft ihnen z. B. Ordnung machen usw. Dem Unterricht vermag sie nicht zu folgen. Sie gibt bei den leichtesten Fragen Antworten, die man bei einem normalen Kinde nicht voraussetzen würde. Ihre Zerfahrenheit geht soweit, daß sie mitten im Unterricht vollkommen

---

[1] Diesen Standpunkt nahm ein Diskussionsredner ein.

fremde Dinge zur Sprache bringt und dadurch oft den Unterricht in unangenehmster Weise unterbricht. (Der Lehrer irrt sich hier, — das Mädchen war weniger zer-fahren; sie dachte vielmehr deshalb an andere Dinge, weil sie für die ihr schon jahrelang in gleicher Weise gelehrten Schulwissenschaften nicht das geringste Interesse hatte.) Obwohl sie im 8. Schuljahr ist, sagt der Lehrer weiter, genügen ihre schulischen Leistungen den Anforderungen der untersten Klasse nicht. Beim Lesen kennt sie manchmal die Buchstaben nicht und ist unfähig, diese zusammen-zuziehen. Sehr schwaches Gedächtnis. Die Antworten sind im Rechnen schnell und meist falsch, in andern Fächern nach langer Überlegung stockend leise, meist falsch. Handarbeit: befriedigend.

2. **Anna Y.** Uneheliches Kind. Während die Mutter mit ihr schwanger war, litt sie an Veitstanz und eine Zeitlang an Psychose; danach an bleibender Nervenschwäche. Als Säugling und in den ersten Lebensjahren hatte Anna in starkem Grade englische Krankheit und jetzt noch zeigt sich der damals ent-standene rachitische Wasserkopf an ihrem abnormal großen Schädelumfang. Diese Affektion ist oft Ursache von Störungen des Nervenlebens bei erblich belasteten Kindern. Im 4. Lebensjahr hatte sie 2 Tage lang Krämpfe nach einer Fleisch-vergiftung. Sie ist zeitweise infolge von Wucherungen im Nasenrachenraum schwer-hörig. Sie wohnt $^3/_4$ Stunden Wegs von der Schule entfernt und muß diesen Weg täglich 4mal in die Schule machen. Ihre Großeltern, bei denen sie wohnt und die sie ohne genügende Zucht aufziehen, haben eine Soldatenkantine. Sie trinkt da oft Flaschenbier. Im 8. Schuljahr ist sie menstruiert und körperlich üppig entwickelt. Sie hat einen frechen Gesichtsausdruck. Sie sitzt in der Hilfsklasse und hat sich die Kenntnisse des 3. Schuljahres noch nicht fest erworben. Der Lehrer urteilt über sie: »Heiter, vorlaut, sehr schwatzhaft, unaufmerksam und lügnerisch. Sie er-geht sich, um etwas zu schwätzen, in den gewagtesten Phantasien. Von Fleiß ist leider nicht zu reden, ihre Trägheit sucht sie immer mit findigen Ausreden zu ver-tuschen und zu beschönigen. Während des Unterrichts ist sie mit ihren Gedanken überall und nirgends. Gegen den Lehrer benimmt sie sich unangenehm schmeichle-risch; den Uneingeweihten weiß sie in wohlgesetzten, angenehmen Worten für sich einzunehmen. Ihre Mitschülerinnen verklatscht sie gern, um sie dann womöglich recht hart bestraft zu sehen.«

Ich füge dem hinzu, daß das Mädchen einen 8jährigen Schüler aus der Hilfs-klasse zu sexuellem Umgang zu verführen suchte und auch auf dessen Geschwister in diesem Sinne Einfluß ausübte. Sie mußte deshalb von der Schule entfernt werden. Dieses erblich belastete, durch Rachitis und häusliche Verwahrlosung geschädigte, der Einwirkung des Alkohols und, da sie jetzt die Soldaten in der Kantine und auf dem Schießplatz bedient, der Verführung jetzt schon bloßgestellte, sinnliche und intellektuell und sittlich so minderwertige Mädchen ist selbstverständ-lich in größter Gefahr, der Prostitution anheimzufallen. Es ist eine wohlkonstatierte Tatsache, daß der größere Teil der öffentlichen Dirnen gleich diesem Mädchen an-geboren intellektuell schwachbefähigt ist.

3. **Marta Z.** ist von Vaters Seite her tuberkulös, von Mutters Seite her durch leichten Schwachsinn belastet. Sie stammt aus recht guten wirtschaftlichen Ver-hältnissen. Bis zu ihrem 12. Jahre litt sie an zahlreichen Krankheiten: Rachitis, Skrophulose, schweren Lungen- und Brustkrankheiten, Gelenkrheumatismus, Typhus usw. In den beiden letzten Schuljahren zeigte sie die Basedowsche Krankheit, Wuche-rungen im Nasenrachenraum, habituellen Kopfschmerz, Kurzsichtigkeit mit Schielen, Schwerhörigkeit bei eitriger Mittelohrentzündung und öfter profuse Menstruation.

Sie ist intellektuell und seit einem Jahre, nach Eintritt der Pubertät, auch sittlich schwach. Bis zum 7. Schuljahr war sie folgsam, gutmütig, bescheiden. Im 8. Schuljahr urteilt der Lehrer über sie: »Unruhig und schwatzhaft, ungehorsam, streitsüchtig, klatschsüchtig und kindisch. Sie stört den Unterricht fast ununterbrochen. Alle Ermahnungen und Strafen sind bis jetzt fruchtlos geblieben. Sie zeigt nicht die geringste Aufmerksamkeit. Ihr Fleiß ist sehr gering. Die sehr geringe Beanlagung, das mangelnde Interesse und das schwache Gedächtnis bewirken, daß Marta nur äußerst selten Fragen und diese dann meist in gleichgültigem und schläfrigem Ton beantwortet. Ihre Antworten sind vielfach unrichtig. Die Kenntnisse der Schülerin umfassen den Lehrstoff der ersten zwei Schuljahre.« — Nun, daß das Mädchen dem Unterricht, dem sie nun 8 Jahre ohne Frucht beiwohnt — sie hat auch jahrelang »Privatstunde« (!) gehabt — bei ihrer Verstandesschwäche kein Interesse entgegenbringt, ist ja kein Wunder. Dazu müßte sie ein Riese an Energie und Gehorsam sein. Aber es ist auch kein Wunder, daß nun dieses Mädchen, wie ich hinzufügen will, in ihrem 14. Lebensjahr frech, sexuell affiziert und·Männern gegenüber herausfordernd wird. Das ist zum Teil auch eine Folge des Umganges mit den beiden vorhergenannten Mädchen und mit einem anderen jüngeren, sittlich noch tiefer stehenden, das auch in der Hilfsklasse sitzt. Nach den Untersuchungen von Dr. Lipmann-Berlin, deren Ergebnis er im April d. J. auf dem Kongreß für experimentelle Psychologie in Würzburg mitteilte, sind Mädchen im allgemeinen weniger suggestibel als Knaben, aber gerade bei Mädchen im 14. Lebensjahr wirkt die Suggestion besonders stark. Und nun gar bei solchen Schwachsinnigen wie Marta Z. eins ist!

4. Paul W. Durch Schwachsinn von Vaters Seite her und durch Psychose und Nervenkrankheit von Mutters Seite her belastet; leidet an Nervenschwäche, ungenügender häuslicher Zucht, trinkt oft Bier. Er hat einen abnorm kleinen Schädel, hört und sieht schlecht. Er hatte nicht das geringste Interesse für die Arbeit in der Schule, hat ein sehr schlechtes Gedächtnis und versagt bei den allerleichtesten Fragen. Er ist unflätig in seinen Ausdrücken. Nach 8 jährigem Unterricht hat er sich die Kenntnisse des 2. Schuljahres noch nicht erworben. Er arbeitet jetzt Juni 1906 in einer Zollstockfabrik, wo er am Maschinenhobel wöchentlich 9 M verdient; von früh 6 bis abends 7 Uhr mit $^1/_2$ Stunde Frühstücks-, $1^1/_2$ Stunde Mittags- und $^1/_2$ Stunde Vesperpause. Seit er in der Fabrik ist, hat er jeden Tag Nasenbluten und hustet viel. Er sieht sehr elend aus und ißt sehr wenig, schläft schlecht und ist ruhelos, »aber«, sagte mir die Mutter, »er will sich nicht werfen lassen«.

5. Max V. Vater Alkoholiker, Mutter das uneheliche Kind eines Säufers, leidet an Nervenschwäche und ist alkoholintolerant. Der Knabe wurde mit Zeichen von Syphilis geboren. Bis zum 4. Jahr litt er schwer an englischer Krankheit, hatte fünfmal Lungenentzündung, mit $1^1/_2$ Jahr Masern, mit 2 Jahren Keuchhusten, öfter Augenentzündungen und Mittelohreiterung, von klein auf bis zum 13. Jahr oft Migräne mit Erbrechen. Als er mit 6 Jahren in die Schule kam, war er sehr schwach. Der ungeduldige Lehrer prügelte ihn oft, weil er nicht lernen konnte. Eines Tages blieb er vor Schwäche auf der Straße liegen; die Polizei nahm sich seiner an und die Spuren von Mißhandlungen wurden an seinem Körper entdeckt. Seit jener Schulzeit ist Max viel nervöser als früher. Jetzt hat er eine sehr schwache rachitisch-skrophulöse Konstitution, gewisse Zeichen von ererbter Syphilis, ist blutarm, hat Herzschwäche, ist kurzsichtig und schwerhörig. Er ist furchtsam, schreckhaft, hat Zuckungen um Mund und Augen, zittert bei Bedrohungen am ganzen Leibe. Er ist im allgemeinen gutmütig, aber sehr spielig, und öfter unverträglich und auf-

geregt, namentlich wenn er von anderen Kindern geneckt wird, was oft geschieht.
Wenn er seinen Willen nicht bekommt, kann er vor Wut stundenlang heulen. Er
bekommt zuweilen Bier zu trinken, das regt ihn aber, wie die Mutter sagt, sehr auf.
Im 8. Schuljahre hatte er noch nicht die Kenntnis des vierten.

6. **Franz T.** Er ist das 9. Kind von 13. Die Eltern sind ordentliche Leute,
ihr Haushalt und Familienleben dementsprechend. Der Vater ist Zimmermann. Die
vor Franz geborenen 8 Kinder litten in den ersten Lebensjahren alle an leichteren
Erscheinungen von englischer Krankheit, z. B. etwas krumme Beine. Sie haben in
der Schule alle gut gelernt und sind alle im Leben gut zurechtgekommen. Nach
Franz wurden Zwillinge geboren. Beide Kinder starben im 1. Lebensjahr an englischer Krankheit und Krämpfen. Nach den Zwillingen wieder ein Kind, das 5 Tage
alt, an Kinnbackenkrampf starb. Darauf hatte die Mutter 3 Jahre lang Ruhe und
gebar in den 3 folgenden Jahren 2 Kinder, die noch leben. Sie leiden in leichterem
Grade an englischer Krankheit sie kommen in der Schule leidlich mit.

Franz wurde mit starker Kopfrachitis, mit weitklaffenden Schädelnähten, geboren. Von Klein auf war er »quäksig« und »knirrig«; erst mit 4 Jahren lernte er
die ersten Worte sprechen. Die Mutter erzählte mir, als der Knabe im 13. Lebensjahre stand: er sei heiter und im Hause arbeitsam, besorge Aufträge richtig, wenn
ihm ein Zettel mitgegeben würde; er sorge gut für seine jüngeren Geschwister und
seine Kaninchen; spiele gern mit anderen Kindern. »Aber in der Schule kann er
nichts lernen.« Der Lehrer der Hilfsklasse urteilte im Juni 1904 über ihn: »Franz
ist äußerst schwach befähigt, sein geistiges Niveau ist dem Blödsinn nahe« usw. Es
sei genug, wenn ich hier bemerke, daß der Knabe sich als absolut nicht-schulbildungs-
fähig erwiesen hat. Mit Eintritt der Pubertät, im Frühjahr 1905, änderte sich sein
Charakter. Er wurde roh und auffallend ungehorsam, trieb sich noch mehr als
früher auf der Straße herum; wenn er in die Schule gehen sollte, kam er oft wochen-
lang bis an die Schultür, war aber durch keine Macht zu bewegen, in die Schule
hineinzugehen. Eines Tages führte er einen Hund, der ihm auf der Straße nach-
gelaufen war, in ein ihm fremdes, am Schulweg gelegenes Haus, zum Kaninchenstall
und hetzte ihn auf die Kaninchen. Er wurde von hier vertrieben, ging in das gegenüberliegende Haus eines Lehrers, öffnete die Hoftür und hetzte den Hund auf die
Hühner, von denen der Hund drei erbiß. Der Lehrer beantragte Unterbringung des
Knaben in eine Versorgungsanstalt. Ich schloß mich unter ausführlicher Motivierung
dem Antrag an. Dieser war bereits früher gestellt worden. Er fand auch diesmal
keine Berücksichtigung.

Franz leidet an angeborenem Schwachsinn infolge von angeborener Kopfrachitis, die ihrerseits Teilerscheinung einer Entwicklungsanomalie ist, welche ihr
Entstehen einer minderwertigen Anlage der Bindesubstanzen infolge von Produktions-
erschöpfung der Mutter, der Rassenmischung, der Vermischung von zu ungleich-
altrigen, durch Krankheit geschwächten oder überarbeiteten Individuen und in
letzter Linie dem Alkoholismus bei den Ascendenten verdankt, worunter selbstständ-
lich durchaus nicht nur das Säufertum zu verstehen ist, sondern auch der durch
Generationen fortgesetzte sog. mäßige, d. h. der gebräuchlich-übermäßige Alkoholgenuß. [1]

Von einer erfolgreichen erziehlichen Einwirkung der bis jetzt angewandten
Mittel ist keine Rede, und so besteht Gefahr, daß der schwachsinnige Knabe
über kurz oder lang eine verbrecherische Tat verübt. Er wurde zu Ostern 1906

[1] Den wissenschaftlichen Beweis für die Richtigkeit dieser Auffassung von
Ursache und Wesen der Rachitis werde ich an anderem Orte zu erbringen suchen.

auf dringendes Bitten der Mutter konfirmiert. Diese sagte mir: »ich habe mit der Konfirmation das meine getan, nun mag Gott das Seine tun.« Das ist der römisch-katholische Standpunkt, den noch so viele unserer Kirchenmitglieder haben, dem wir aber in der evangelischen Kirche keinesfalls Berechtigung zugestehen dürfen.

Franz arbeitet jetzt in einer Ziegelei, von früh 6 bis abends 6 Uhr, mit 3 Eß-pausen. Er reicht Ziegel an, aber der Ziegelmeister ist mit ihm oft nicht zufrieden, weil er öfter müde ist und ausruht. Er erhält 6 M Wochenlohn. Als ich ihn am 15. Mai besuchte, sah der Knabe abgemagert, blaß und elend aus. Die Arbeit ist für ihn selbstverständlich viel zu anstrengend und die Überbürdung kann leicht ein-mal zu einer pathologischen Willenstat führen. Selbstverständlich ist auch der Um-gang mit den Ziegeleiarbeitern nicht der für einen solchen Knaben geeignete, nament-lich nicht, wenn die unausbleibliche Verführung zum Alkoholgenuß hinzukommt. Da kann es eine plötzlich eintretende bleibende Gehirnkrankheit geben. Exempla docent.

7. Willy S. Vater ist Bierkutscher, Sonntags Kellner. Potator. Eine Schwester des Vaters starb an einer Psychose. Die Mutter leidet viel an Migräne und hatte während der Schwangerschaft viel unter ihres Mannes Eifersucht, eine häufige Erscheinung bei Alkoholikern, zu leiden. Eine Schwester der Mutter starb an Krämpfen. Von Willys 6 Geschwistern wurde 1 Bruder totgeboren, 1 Bruder hatte in starkem Grade englische Krankheit und Gehirnentzündung mit Lähmungen und ist sittlich sehr schwach. Auch Willy hatte in den ersten Lebensjahren hoch-gradig englische Krankheit und seine Sprache entwickelte sich sehr langsam. Erst im 5. Lebensjahre sprach er verständlich. Er blieb auch lange Zeit im Wachstum zurück, hatte bis zum 6. Jahr Masern, Scharlach, öfter Mandelentzündungen und bis vor 1 Jahr oft starkes Nasenbluten. Im 7. Jahr fiel er auf den Kopf, war längere Zeit bewußtlos und lag 3 Wochen fest zu Bett. Nach dieser Gehirnerschütterung kam er im Lernen und im allgemeinen Gesundheitszustand sehr zurück und er be-kam — eine bei gehirnschwachen Personen häufige Erscheinung nach Gehirn-erschütterung — Hang zum Vagabondieren; er trieb sich, ohne Nahrung zu sich zu nehmen, von früh bis tief in die Nacht hinein umher. Oft mußten ihn die Eltern suchen lassen. Diese Erscheinung trat namentlich im Frühjahr und im Herbst auf. Nach der Gehirnerschütterung stellte sich auch Bettnässen ein, sehr unruhiger Schlaf, Träumen von Schreckgestalten, und nächtliches Aufschrecken. Prof. Ziehen dia-gnostizierte nach Aussage der Mutter, »eine schwere Gehirnkrankheit« und warnte vor Faulenzerei. Deshalb verschaffte die Mutter dem Knaben in den letzten Jahren eine Aufwartung, durch die er, nach 4—5 Schulstunden vormittags, von nachmittags 2 Uhr bis abends 8 Uhr beschäftigt war. Also Überbürdung. Vater und Mutter können sich so gut wie nicht um den Knaben kümmern, weil sie auf Arbeit müssen. Willy trinkt manchmal Bier. Der Lehrer urteilte über den Knaben, als er im 14. Lebensjahr stand, wie folgt: »Willy S. ist geistig sehr und moralisch noch mehr minderwertig. In der Fertigkeit des Rechnens, Lesens und der Orthographie steht er am tiefsten in seiner Klasse. Dabei ist er vorlaut und frech. Körperlich ist er ungeschickt, im Schwimmen und Turnen kann er nichts. Am 29. November beging er an einem 10jährigen Jungen ein Verbrechen, das ihn mit § 176 des Str.-G.-B. in Kollision brachte. Er erhielt vom Richter einen Verweis. Ein Versuch, ihn in Fürsorgeerziehung zu bringen, hatte keinen Erfolg.

Willy S. ist also erblich durch Geisteskrankheit behaftet und war von klein auf geistig schwach, wie die Entwicklung seiner Sprache zeigt; dazu kam der schwächende Einfluß der Rachitis und anderer Krankheiten und vor allem die Gehirnerschütterung, eines der schwersten Momente für psychische Alteration bei gehirnschwachen Per-sonen. Sie führte denn auch zu einer dem Irrenarzt wohlbekannten Störung der

Gehirntätigkeit, bei der krankhafter Wandertrieb eine hervorstechende Erscheinung ist.[1]) Es kam dazu die Verwahrlosung, die Pubertät und der Alkoholgenuß — und der Verbrecher auf dem Gebiete der sexuellen Perversität war fertig.

Der Knabe kam zu Ostern bei einem Bäcker in die Lehre, betrug sich flegelhaft, erhielt eine unbedeutende körperliche Züchtigung und kehrte nach einwöchiger Lehrzeit nicht wieder zu seinem Meister zurück. Er bummelte danach einige Zeit herum und fand dann bei einem Buchhändler Beschäftigung als Bücherausträger. Weil er sich aber dabei viel auf der Straße umhertrieb und in Verdacht kam, in einer Weinhandlung gestohlen zu haben, wurde er am 12. Mai vom Buchhändler entlassen. Jetzt arbeitet er in einer Glashütte.

8. Karl Qu. Mutters Vater wurde nach einem Kopftrauma Quartalssäufer, eine auf Epilepsie beruhende Erscheinung. Mutters Mutter ist Säuferin, ihre drei Brüder sind Säufer. Von den 2 Brüdern des Vaters ist einer schwachsinnig, seine Schwester ist herzleidend. Die Mütter der Eltern sind Geschwisterkinder. Karls Vater leidet an Herzfehler und ist Säufer. Karls Mutter hatte, als sie mit ihm schwanger war, eine Psychose. Sie schreibt Karls geistige Schwäche diesem Umstande zu. Drei Brüder und drei Schwestern Karls sind angeblich nicht erheblich krank, eine Schwester ist herzleidend, ein nach Karl geborener Knabe starb, $1^1/_2$ Jahr alt, an Krämpfen. Schon als er $^1/_2$ Jahr alt war, hatte Karl Erregungszustände. Er war oft wie wild, haute um sich und riß wütend der Mutter das Tuch vom Kopf. Er lief mit einem Jahr, lernte aber erst mit 3 Jahren die ersten Worte sprechen und lernte es nie ordentlich. Er hatte immer und hat auch jetzt noch einen auffallend kleinen Kopf. »Er ist gutmütig«, sagt die Mutter, »aber an manchen Tagen ist mit ihm gar nichts anzufangen; dann klagt er über Kopfschmerz, sein Gesicht ist rot. er ist widerspenstig, hat einen finsteren Blick, wehrt sich heftig, wenn er deshalb gestraft wird. Er ist zu solchen Zeiten sehr träge und müde, ist wie im Traume und hat zu gar nichts Lust und Trieb.« Derartige Zustände sind epileptischer Art und die Patienten begehen darin oft allerlei Handlungen, auch verbrecherische, für die man sie nicht verantwortlich machen kann. »Am liebsten verrichtet er schwere Arbeit, aber er ist danach oft furchtbar herunter. (Das ist auch eine bei Epileptikern öfter zu beobachtende Erscheinung.) »Er hilft einem Brauknecht wöchentlich 3mal beim Transport von Bierfässern; der kann ihn gut gebrauchen. Er kriegt manchmal Bier zu trinken, aber das regt ihn immer furchtbar auf. Als er einmal bei einer Taufe ein kleines Glas Wein getrunken hatte, wurde er ganz außer sich und zerschlug mehrere Gläser und Gefäße.« »Er ist gegen seine Geschwister freigebig, ist aber auch sehr sparsam, er vernascht nie Geld.« »Manchmal lügt er, aber man kann ihm die Lüge gleich ansehen und auf Befragen gesteht er sie ein.«

»Zur Schule«, erklärte mir der Vater, »hat er gar keine Lust, die ist ihm ein Ekel. Er langweilt sich da und geht nicht gern hinein, weil er gern etwas anderes lernen möchte — immer dasselbe! — und weil ihn die anderen Kinder necken. Er ist aber nicht dumm! Er stellt oft Fragen, die ganz gescheit sind, z. B. woher die Sonne und die Sterne kommen und warum es im Winter kalt ist; woher Schnee und Regen kommen und andere solche Fragen. Er gräbt die Beete im Garten gut

---

[1]) Unter den 150000 Stromern, die unser Vaterland fortwährend durchkreuzen, gibt es auch sehr zahlreiche Schwachsinnige und viele, die an krankhaftem Wandertrieb leiden. Siehe dazu E. Schultze »Über krankhaften Wandertrieb.« Allg. Zeitschr. f. Psychiatr. 1903. Pick »Über einige bedeutsame Psychoneurosen des Kindesalters«, S. 4. Halle a. S., Carl Marhold, 1904.

und geschickt um, pflanzt gut und pflegt die Pflanzen; er beobachtet gern ihr Wachstum. Wenn ihm etwas richtig gezeigt wird, merkt er sich's mitunter ganz gut; aber aus sich selbst tut er wenig. Wenn er arbeitet, strengt er sich gleich übermäßig an, kommt schnell in Schweiß und wird dann schnell müde.«

Weiterhin konstatierte ich folgendes: Der Knabe kam 5 Jahr und 9 Monate alt in Naumburg auf die Schule — viel zu früh natürlich, selbst für ein geistig normales Kind. Nach 6 und 7½ jährigem Schulbesuch entwarfen zwei Lehrer von ihm folgendes Bild: »Karl Qu. ist äußerst schwachbefähigt, er steht an der Grenze des Blödsinns, ist träge und faul. Seine ständige Rede, wenn er kaum zur Schule ist, lautet: »Will beime gehn«. Er schwänzt sehr viel, da Vater und Mutter frühzeitig auf Arbeit gehen und ihn nicht beaufsichtigen können. Weil er einmal wegen unerlaubten Fehlens 3 Minuten nachsitzen mußte, schwänzte er 8 Tage. Er liest (NB. nach 6- und ebenso nach 7 jährig. Schulbesuch!) einen kleinen Teil der Normalwörter, beherrscht sie aber unsicher oder gar nicht. Rechnen: Reihe 1—10 und rückwärts geht. Aufgaben mit + und — 1 löst er auch, aber + und — 2 sind für ihn schon schwer und sind unsicher gelernt. Wenn er ja einmal Lust hat, aufzupassen, wird er leicht spielerisch.« Ich stellte mit dem Jungen ein kurzes Examen an und das ergab, daß Karl viele Straßen in Jena gut kennt, beim Namen und in ihrem Verlauf. Frage: Spielst du gern — Nee! — Was machst du denn am liebsten? — Arbeiten, Fässer kullern, Graben, Ausmisten, Scheuern. Wie alt bist du denn? — Keine Antwort. 1 + 1 ist?: 2; 2 + 1 ist?: 4; 3 + 1 ist?: 6; 2 × 2 ist?: 3. Er kennt die Uhr nicht, kennt aber das ihm vorgelegte Geld. Was ist das? E Pfengk. — Was ist das? — E Grosch'n. — Wieviel Pfennige sind 1 Groschen? — Zähne. — Was ist das? — E Fünfer. — Wieviel Pfennige sind 1 Fünfer? — Fimfe. — Was ist das? — E Futzcher. — Wieviel Groschen kriegst du für einen Fünfziger? — Fimfe. — Wenn ich von dir einen Kolben Mais für 2 Pfennige kaufe und gebe dir einen Fünfer, wieviel gibst du mir dann heraus? — Drei Fenche. — Ein Kolben Mais kostet 2 Pfennige, wenn ich nun 2 Kolben haben will, wieviel muß ich dann bezahlen? — Acht Fenche. — Nach einigem Besinnen: nee, fier Fenche!

Im 14. Lebensjahre lautet das Urteil eines andern Lehrers über ihn: »Unruhig, schwatzhaft, übermütig, fast frech. Der Anschauung und dem Zeichnen widmet er etwas größere Aufmerksamkeit, als den übrigen Fächern. Ganz besonders großes Interesse zeigt er für landwirtschaftliche Arbeiten und für die in dieses Gebiet fallenden Naturvorgänge, da er oft zu Hause Gelegenheit hat, Gartenarbeiten zu verrichten. Die turnerischen Übungen führt er straff und rhythmisch aus.«

Der erblich neuropathisch schwerbehaftete Knabe leidet an angeborener intellektueller Schwäche und ist Epileptiker. Mein wiederholter Vorschlag, ihn in Fürsorgeerziehung zu geben, blieb unberücksichtigt. Jetzt ist er bei seinen Eltern zu Hause, weil sie nicht wissen, was sie mit ihm anfangen sollen. Er hilft der Mutter in der Wirtschaft.

Meine Damen und Herren! Ich könnte, wie schon gesagt, sehr zahlreiche derartige Fälle aus meiner bis jetzt erst zweijährigen Praxis als Schularzt beibringen. Aber aus den wenigen, Ihnen vorgetragenen Lebens- und Krankheitsgeschichten werden Sie schon ersehen haben, daß ich den Zustand der Schwachbefähigten und die Gefahr, in der sie schweben, nicht übertrieben vorgestellt habe. Wenn nun die Verhältnisse an andern Orten ähnlich sind, wie in Jena, dann gibt es gegenwärtig in unserem Großherzogtum gegen 2000 am Verstande und darunter mehrere Hundert sittlich in bedenklichem Grade geschädigte Schulkinder; und unter den Jugendlichen zwischen 15 und 18 Jahren befindet sich dann auch noch eine entsprechend große Anzahl solcher Schwachsinnigen.

II.

Aber wenn die Zahl dieser Bemitleidenswerten auch nur halb, ja nur ein Viertel so groß oder noch kleiner wäre, als nach den Verhältnissen in der Jenaer Westschule angenommen werden muß,[1] dann hätten wir doch auch noch die Pflicht, nach einer genügenden Antwort auf die Frage zu suchen:

›**Was können und müssen wir für diese Kinder und Jugendlichen tun?**‹

Man meint vielleicht, daß ja schon in Rettungshäusern, Hilfsklassen usw. alles Mögliche für sie geschieht!? Lassen Sie uns deshalb einen Blick auf die bestehenden Fürsorgeeinrichtungen werfen und prüfen, ob diese dem Bedürfnis entsprechen.

Unsere älteste Anstalt ist das FALKsche Institut in Weimar, das als Fortsetzung eines von JOHANNES FALK aus eigenen Mitteln im Jahre 1819 unternommenen Liebeswerkes am 3. Februar 1829 in Weimar von Staatswegen gegründet wurde. Es ist das eine Anstalt für sittlich verwahrloste und verwilderte und solche Knaben und Mädchen, die von ihren Eltern verlassen worden sind, oder deren Eltern als Verbrecher oder Landstreicher in Straf- und Arbeitsanstalten untergebracht sind. Der Bestand der Zöglinge war in den letzten 3 Jahren 20, die im Alter von 7—12 Jahren standen. Es werden da nur Kinder unter 12 Jahren bis zur Höchstzahl von

---

[1] In Leipzig wurden im Winter 1905/06 nach einer mündlichen Mitteilung des Herrn Lehrers KÜHN. der von der Stadt zum Studium der Hilfsschulverhältnisse nach Leipzig geschickt worden war, in einer Hilfsschule 240 Kinder und in 6 Hilfsklassen in drei städtischen Schulen ca. 120 Kinder unterrichtet. Die S. 7 erwähnte Städtestatistik gibt an, daß in Leipzig von 6784 Konfirmanden 1701 = 25,1 % zurückgeblieben waren, nämlich 1130 um 1 Jahr, 441 um 2 Jahre, 125 um 3, 2 um 4 und 3 um 5 Jahre. Leipzig hat ca. 70000 Volksschulkinder. Eine annähernde Berechnung ergibt, daß davon rund 1700 = 2,4 % um 3 und mehr Jahre in der Schule zurückgeblieben sind, d. h. in Hilfsklassen gehören oder nur in Hilfsschulen bildungsfähig sind. Für Dresden ist die Zahl 2,55 %. — Wenn in Jena die Zahl $^1/_2$ % höher ist, dann liegt das meines Erachtens nicht an den schlechteren, gesundheitlichen und schulischen Verhältnissen, sondern an der sorgfältigeren Erforschung der Tatsachen. Gewöhnlich wird angenommen, daß die Zahl der Kinder, die in Hilfsschulen oder Hilfsklassen erzogen werden müssen, 1 % beträgt. Danach wäre ihre Zahl in unserem Großherzogtum ca. 600; — auch diese Zahl würde schon besondere Maßnahmen rechtfertigen.

20 aufgenommen und sie werden bis zur Schulentlassung behalten. Von Herrn Geheimen Kirchenrat Dr. SPINNER hörte ich, daß die Anstalt in diesem Jahre baulich erweitert werden soll und daß darauf gehalten wird, daß sie ihrer Tradition, hauptsächlich prophylaktisch zu wirken, treu bleibt; daß also weniger völlig Verwahrloste, als vielmehr der Gefahr der Verwahrlosung entgegentreibende Elemente darin aufgenommen werden.

Zweitens haben wir das vom Verein für Rettung verwahrloster und sittlich gefährdeter Kinder im Großherzogtum Sachsen 1881 begründete und mit Staatshilfe errichtete Rettungshaus in Tiefenort. In den letzten drei Jahren wurden da jährlich durchschnittlich 53 Knaben und 9 Mädchen, also 62 Kinder erzogen. Als ich im Januar d. J. die Anstalt besichtigte, war der Bestand 56 Zöglinge. Es ist aber Platz für 70 Kinder.

Erziehung und Unterricht leiten und erteilen in beiden genannten Anstalten je ein seminaristisch gebildeter Lehrer, zugleich Hausvater. In Tiefenort außerdem ein Helfer.

Drittens besteht in Neustadt a. O. die Rinsch-Stiftung, eine Erziehungsanstalt für elternlose und gefährdete Kinder. Der Leiter, Herr Superintendent KÜDEL, hatte die Güte mir mitzuteilen, daß bis voriges Jahr immer gegen 12 Kinder in der Anstalt verpflegt wurden. Zur Zeit sind nur 1 Knabe und 3 Mädchen im Alter von 5—13 Jahren in Verpflegung. Nur eines der Kinder, 1 Mädchen von 13 Jahren, ist sittlich gefährdet, die 3 andern sind elternlos. Die Aufnahme eines 10jährigen Knaben mit Neigung zum Stehlen steht bevor.

Viertens finden seit dem Jahre 1886 Kinder von Weimarischen Staatsangehörigen unter Genehmigung des Großherzoglichen Staatsministeriums Aufnahme in die Herzoglich-Sächsische Idiotenanstalt »Martinshaus« in Roda-S.-A. Wie mir Herr Dr. SCHÄFER, der Chef der Anstalt, mitteilte, soll das Martinshaus den Zweck haben, bildungsfähigen schwachsinnigen Kindern im Alter von 6—16 Jahren körperliche Wartung und Pflege, Erziehung, Unterricht und entsprechende Beschäftigung zu gewähren, um die Zöglinge für ihr späteres Fortkommen erwerbsfähig zu machen. »Gerade aus Sachsen-Weimar aber«, so schrieb mir der Genannte, »bekommen wir viele Kinder, die nur pflegebedürftig sind und bei denen von einer Bildungsfähigkeit nicht gesprochen werden kann.« Die Anstalt hat für 100 Kinder Platz, die Höchstzahl der Verpflegten war aber im Jahre 1904, dem letzten Berichtsjahr, nur 73; es hätten also wenigstens noch 25 Kinder in der Anstalt Fürsorgeerziehung genießen können. Nach einer autoritativen Mitteilung betrugen die teils vom Weimarischen

Staat, teils vom Landarmenverband, von Ortsarmenverbänden und Privatverpflichteten aufgebrachten Kosten für 35 in Roda verpflegte Kinder im Jahre 1904 rund 13300 M (genau 13302,76).

Es ist hier auch die durch den Landesverein für Innere Mission in Apolda zu errichtende Heil-, Erziehungs- und Pflegeanstalt für Sieche, Blöde und Epileptische zu erwähnen. In der Abteilung für Epileptiker könnten wohl auch einige epileptische und schwachsinnige Kinder Aufnahme finden; allein ihre Zahl wird immer nur sehr gering sein können, da der Andrang der verblödeten Fallsüchtigen jedenfalls stark sein wird. Außerdem ist wohl zu erwägen, ob man richtig handelt, erziehungsfähige Kinder mit verblödeten zusammenzubringen. Jedenfalls wird die Aufgabe des Siechen- und Blödenheims in erziehlicher und finanzieller Hinsicht durch die Aufnahme erziehungsfähiger Kinder ungemein erschwert werden.

Aus dem Gesagten ergibt sich nun, daß in unserem Großherzogtum ungefähr 120 schwachbefähigte und sittlich gefährdete wie sittlich verwahrloste Kinder von 6—14 Jahren ohne Scheidung und zu einem kleinem Teil selbst zusammen mit elternlosen, aber sonst normalen Kindern in Anstaltspflege sind. Bemerkenswert ist dabei noch, daß die Kinder meist erst dann den Anstalten zugeführt werden, wenn sie sich durch antisoziale Handlungen in ihrer Umgebung unmöglich gemacht haben.

Der Verein zur Rettung sittlich gefährdeter und verwahrloster Kinder im Großherzogtum Sachsen trägt Sorge, daß ein Teil dieser Kinder nach der Konfirmation bei Handwerkern, Landwirten usw. untergebracht wird und er beaufsichtigt sie; dies ist nach dem letzten Jahresbericht des Landesvereins für Innere Mission der Fall in Allstedt, in Apolda, Vieselbach, Vacha und Tiefenort. Ein Teil dieser Jugendlichen verunglückt trotzdem im Getriebe des Lebens immer und immer wieder.

Außerdem bestehen nun noch eine Reihe von lokalen Vereinen, die sich der verwahrlosten und sittlich gefährdeten Kinder annehmen. So z. B. der Verein für hilfsbedürftige Kinder in Jena. Er hat augenblicklich 30 Pfleglinge, meist Waisen, von denen aber keiner, wie mir der Leiter, Herr Archidiakonus Dr. AUFFAHRT, mitteilte, sittlich gefährdet oder verwahrlost ist. Ferner: ein Verein zur Rettung sittlich gefährdeter Kinder in Apolda. Er sorgt, wie mir der Vorsitzende, Herr Superintendent RAUCH mitteilte, für Unterbringung von Kindern im FALKschen Institut und, wie gesagt, für Unterbringung der Konfirmierten bei Meistern usw. Außerdem besteht in Apolda ein sogenannter Fechtverein, der 3—4 nicht gerade sittlich verwahrloste, aber doch wegen der Unmöglichkeit ordentlicher häuslicher Beaufsichtigung gefährdete Kinder bei Familien in der Stadt untergebracht hat.

Ferner dürfen wir nicht vergessen, daß die Charitas zur Bewahrung der gefährdeten Kinder und Jugendlichen auch in Kinderheimen, Kinderhorten und Kinderbewahranstalten, in Jünglings- und Jungfrauenvereinen usw. tätig ist und vor allem möchte ich auch die Ihnen ja wohl allen bekannte so außerordentlich praktische Fürsorgetätigkeit von Herrn und Frau Pfarrer Cäsar in Wiesenthal nicht unerwähnt lassen, durch die zweifellos viel guter Same ausgestreut und viel Übel verhütet wird; die aber, weil sie soviel Hingabe und körperliche Tüchtigkeit, soviel persönliches Opfer erfordert, nicht jedermanns Sache ist.

Wenn wir diese ganze Liebestätigkeit überblicken, müssen wir gewiß von Herzen dankbar dafür sein; es wird viel geleistet, aber genügen kann das, was getan wird, offenbar nicht, wenn wir an die große Zahl der intellektuell Schwachbefähigten und der jugendlichen Verbrecher in unserem Großherzogtum denken. Diese Erkenntnis hat denn auch in den letzten Jahren schon mehrfachen Ausdruck gefunden. So z. B. hielt Herr Prof. Rein im Jahre 1900 in der »Staatswissenschaftlichen Gesellschaft zu Jena« einen Vortrag über »Jugendliches Verbrechertum und seine Bekämpfung«.[1] Herr Lehrer Hagen-Altenburg sprach über denselben Gegenstand auf der Thüringer Lehrerversammlung in Gera im Jahre 1900, und auf der X. Hauptversammlung des Vereins der Freunde Herbartischer Pädagogik in Thüringen,[2] die 1901 in Erfurt abgehalten wurde, faßte man, nach Referaten von Herrn Rektor Kohlstock-Zella St. Blasien und von Herrn Pfarrer Kohlschmidt-Ichtershausen, eine Resolution, in der zum Ausdruck kam: 1. Die Notwendigkeit der Verschiebung des Strafmündigkeitsalters vom 12. auf das 14. Lebensjahr und 2. die Notwendigkeit der Erweiterung bezw. Vermehrung der Anstalten für Zwangszöglinge und besonders auch für Schulentlassene. Diese Resolution wurde bei den Regierungen Thüringens eingereicht und von unserer Großherzoglichen Regierung mit Dank entgegengenommen. Herr Pfarrer Kohlschmidt berichtete auch auf der erwähnten Versammlung, daß die Thüringer Staaten schon die Absicht hätten, die Fürsorgeerziehungsanstalten zu vermehren. Diese Absicht scheint sich denn auch, was unser Großherzogtum angeht, in der für dieses Jahr

---

[1] Veröffentlicht in der »Zeitschrift für Sozialwissenschaft«. III. Band, 1. Heft.
[2] Siehe dessen »Mitteilungen« No. 19. Langensalza, Hermann Beyer & Söhne (Beyer & Mann).

vorgenommenen Ausbreitung des Falk schen Instituts zu dokumentieren.
Herr Direktor Trüper-Sophienhöhe-Jena, hielt am 19. September 1902
in Elberfeld auf der IX. Konferenz der Anstalten und Schulen für
Schwachsinnige einen Vortrag über: die Anfänge der abnormen Erscheinungen im kindlichen Seelenleben,[1]) in dem er auf ernsteres
Studium und ernstere Fürsorge für die Schwachsinnigen drang
und derselbe Pädagoge sprach am 12. Oktober 1903 auf der 5. Versammlung des Vereins für Kinderforschung über »Psychopathische
Minderwertigkeiten als Ursache der Gesetzesverletzungen Jugend-
licher«.[2]) Dieser Vortrag erweckte in der Tagespresse und in den
Fachkreisen der Juristen und Pädagogen reges Interesse. Trüper
machte darin auch positive Vorschläge und erörterte u. a. auch den
Gedanken eines heilpädagogischen Seminars. Derselbe Gedanke wurde
ihm von einem Regierungsvertreter, Herrn Geh. Oberschulrat
Dr. Schmidt-Meiningen ausgesprochen, als dieser, zusammen mit Herrn
Geh. Staatsrat Schaller (Minister des Innern) und Herrn Geh. Med.-
Rat Prof. Dr. Leubuscher aus Meiningen eine Informationsreise in
Heilerziehungsangelegenheiten, auch nach der Trüperschen Anstalt,
gemacht hatte. Ferner ist noch zu berichten, daß Herr Pfarrer
Franke-Dothen im vorigen Jahre auf der Jahresversammlung des
Landesvereins für Innere Mission[3]) in Vacha die Frage des Ausbaues
unserer Gesetzgebung über Zwangserziehung behandelte. Die im
Landesverein befindliche Kommission für Jugendfürsorge soll nun
einen Entwurf zu einem Gesetz mit Kommentar ausarbeiten und
diesen dem Minister des Innern und der Justiz unterbreiten. Und
schließlich erwähne ich noch, daß Herr Geheimrat Prof. Dr. Binswanger
am 16. Februar vorigen Jahres in einer Sitzung der Staatswissenschaftlichen Gesellschaft in Jena[4]) die Vorsorge für die kriminellen
Minderjährigen besprach und in 7 Thesen die Forderungen formulierte,
die an eine gerechte und erziehende Strafrechtspflege gestellt werden
müssen. Besonders seien Änderungen der §§ 51 und 56 nötig.
Namentlich auch forderte Herr Prof. Binswanger, ähnlich wie Prof.
Kahl-Berlin in seinem Gutachten für den Juristentag, weiteren Ausbau der Fürsorgeerziehung nicht nur für die sittlich Verwahrlosten,
sondern auch für die sittlich gefährdeten Kinder.[5])

---

[1]) Erschienen bei Oscar Bonde, Altenburg 1902.
· [2]) Erschienen bei Hermann Beyer & Söhne (Beyer & Mann) in Langensalza.
[3]) Siehe dessen 2· Jahresbericht. Weimar, Hofbuchdruckerei, 1906.
[4]) Nach der Jenaischen Zeitung.
[5]) Die Thesen lauten: 1. Heraufsetzung des bedingt strafmündigen Alters auf
14 Jahre. 2. Der § 56 ist im Sinne des schweizerischen Entwurfs zu ergänzen:

Gewiß sind noch manche andere, mir nicht bekannt gewordene Bestrebungen auf diesem Gebiet zu verzeichnen; aus dem Mitgeteilten werden Sie aber wohl schon zur Genüge ersehen, daß die Vorsorge und eine Ausbreitung der Fürsorge für die Jugendlichen als dringendes Bedürfnis gefühlt wird, und nicht nur für die sittlich gefährdete und verbrecherische Jugend, sondern auch für die intellektuell schwachbefähigte, aus deren Reihen sich ja die jugendlichen Verbrecher so häufig rekrutieren. Darum ist es aufs freudigste zu begrüßen, daß das Interesse für die Verstandesschwachen in neuester Zeit endlich einen praktischen Ausdruck gefunden hat und zwar in der Errichtung von Hilfsklassen, die in den Organismus der Volksschule eingegliedert sind. Augenblicklich haben wir meines Wissens in Weimar, Eisenach, Jena und Apolda solche Hilfsklassen. Daß ihre Vermehrung und noch ausgebreitetere Maßregeln nach der Überzeugung der Pädagogen nötig sind, beweist der Umstand, daß der Verein der Freunde Herbartischer Pädagogik im Jahre 1905[1])

Bei Angeschuldigten zwischen 15 und 18 Jahren muß die notwendige sittliche und geistige Reife erlangt sein, um sie für ihre Handlungen strafrechtlich verantwortlich zu machen. 3. Jeder Bestrafung soll eine erziehungs- und vormundschaftsamtliche Behandlung des Falles vorausgehen; die straffälligen, bedingt strafmündigen Personen sollen von dieser Behörde beurteilt und je nach dem Befunde dem Strafrichter oder der Zwangserziehung überwiesen werden. 4. Der Strafvollzug hat bei den Jugendlichen in besonderen Anstalten zu geschehen, in welchen der Zweck der Erziehung und Besserung der Sträflinge in erster Linie steht. Alle kurzen Freiheitsstrafen, Haft und Gefängnis sind als zwecklos zu verwerfen. 5. Die einzige verläßliche, vorbeugende Maßregel gegen die auffällige Vermehrung krimineller Minderjähriger ist die Fürsorge, nicht nur für die sittlich verwahrlosten, sondern auch für die sittlich gefährdeten Kinder durch den weiteren Ausbau der Fürsorgeerziehung. Es gilt dies nicht nur für die materiell, sondern auch für die moralisch verlassenen Minderjährigen. 6. Die Strafverfolgung eines in Zwangserziehung befindlichen kriminellen Jugendlichen ist nur nach Einholung eines Gutachtens der Anstaltsleitung und mit ihrer Einwilligung zulässig. Die Zwangserziehung kann unter gleichen Voraussetzungen bei verurteilten Jugendlichen durch die Strafhaft ersetzt werden. 7. Handelt es sich um sittlich gefährdete oder verwahrloste Kinder, bei welchen Erziehungsversuche sowohl in intellektueller als moralischer Beziehung außergewöhnlichen Schwierigkeiten begegnen, so hat die Anstaltsleitung eine fachärztliche Untersuchung und Beobachtung dieses Insassen in die Wege zu leiten. In gleicher Weise muß schon in der Voruntersuchung, falls es sich um die strafrechtliche Beurteilung eines unbedingt strafmündigen Jugendlichen handelt, ein sachverständiger Arzt hinzugezogen werden, sobald das Vorhandensein einer krankhaften geistigen Minderwertigkeit einerseits durch die Art der Strafhandlungen, andrerseits durch den Entwicklungsgang und das Verhalten des Angeschuldigten wahrscheinlich gemacht wird.

[1]) Siehe die »Mitteilungen« No. 24. Langensalza, Hermann Beyer & Söhne (Beyer & Mann).

bei den Thüringer Regierungen eine Resolution einreichte, in der die Ausbreitung des Hilfsschulwesens warm befürwortet wurde.

Wenn in dieser Resolution von dem Hilfsschulwesen gesprochen wird, dann ist damit allerdings mehr gemeint, als nur Hilfsklassen im Rahmen der Volksschule. Es sind damit auch Hilfsschulen gemeint. Eine Hilfsschule ist ein eigenartiger, nach heilpädagogischen Grundsätzen eingerichteter und geleiteter Organismus; die Hilfsklasse dagegen wird von solchen Personen geleitet, die auch in der normalen Pädagogik Verwendung finden, d. h. von seminaristisch gebildeten Lehrern, die etwa durch Kurse und autodidaktisch mehr oder weniger von der Erziehungsweise schwachbefähigter Kinder gelernt haben; und sie arbeitet mit schulischen Lehrmitteln, d. h. mit fabrizierten Anschauungsmitteln; im besten Falle mit Belehrung der Kinder auf Spaziergängen oder im Schulgarten; hauptsächlich aber im Schulzimmer, mit Sitzunterricht und nach der üblichen Unterrichtmethode. Die Hilfsklassen sind auch gewöhnlich überfüllt. Augenblicklich sitzen in 3 solchen Klassen in Jena 30, 34 und 19 Kinder vom verschiedensten Alter und von verschiedenster Befähigung, und zwar Kinder mit den verschiedensten Arten der geistigen Schwachbefähigung. Von einer genügenden individuellen Behandlung kann dabei wohl nicht die Rede sein, der Unterricht muß mehr oder weniger mechanisch bleiben. Das liegt eben im ganzen Charakter der Volksschule und ist deshalb in ihr unvermeidlich. An demselben Mangel leiden hinsichtlich des Unterrichts die Rettungshäuser. In der Hauptsache sind auch ihre schulischen Einrichtungen mehr aufs Lernen als auf naturgemäße geistige Entwicklung und Erziehung zugeschnitten. Und das ist überhaupt, vor allem aber beim Unterricht der Schwachsinnigen, ein prinzipieller Fehler.

M. D. u. H.! Ich habe mit dieser Bemerkung ein pädagogischmedizinisches Grenzgebiet betreten, ein Gebiet auf dem der Pädagoge und der Arzt zusammen urteilen und arbeiten müssen, wenn etwas Ersprießliches für die Kinder erreicht werden soll. Mit andern Worten: Die intellektuelle Schwachbefähigung, ihre Erkenntnis und ihre Behandlung gehören ebenso sehr in den Wirkungskreis des Arztes, wie in den des Pädagogen. Halten Sie mich nun, nachdem ich mich als Schularzt mit der Untersuchung und Beobachtung Schwachbefähigter vielfach beschäftigt und mich nach Kräften aus der einschlägigen Literatur unterrichtet habe, nicht für unbescheiden, wenn ich als Arzt mir erlaube, einiges über den erziehlichen Unterricht zu sagen, dessen solche Kinder bedürfen.

Um Mißverständnisse zu vermeiden, schicke ich aber zunächst

folgendes voraus: Die Rettungshäuser sind ohne Zweifel unerläßlich nötig. Sie sind bei kundiger Leitung überall da an ihrem Platze, wo es sich um Erziehung und Unterricht sittlich Verwahrloster oder um Bewahrung moralisch-anästhetischer Kinder handelt, von Individuen, deren Denkfähigkeit oft nur in geringem Maße geschädigt ist. Beide Gruppen müssen allerdings getrennt gehalten werden. Auch die jetzigen Hilfsklassen sind unentbehrlich; sie werden bei entsprechenden Lehrplänen und richtiger Methode da viel Gutes stiften, wo es sich um Kinder mit leichteren Graden der intellektuellen Schwachbefähigung und nicht besonders hervortretende sittliche Schädigung handelt. Allein für vier Gruppen von Kindern eignet sich weder das Rettungshaus noch die Hilfsklasse. Das sind 1. die irrsinnigen Kinder, die selbstverständlich in die Irrenanstalt gehören; 2. die Kinder, die infolge von irreparablen Gehirnaffektionen überhaupt nicht bildungsfähig sind. Sie gehören in die Blödenanstalt; 3. die Epileptiker, die noch nicht verblödet und also erziehbar sind; sie gehören in eine Anstalt für Epileptiker; und 4. die größte Gruppe, die Kinder nämlich, die wohl nicht mit den schulischen Mitteln bildungsfähig, aber doch bildungsfähig sind, jene außerordentlich große Zahl von Kindern, die an erblich bedingter oder angeborener oder durch Entwicklungsanomalien oder intercurrierende Krankheit, Trauma usw. verursachter erheblicher Schwäche des Gehirns und damit der Intelligenz und oft auch des Willens und des sittlichen Empfindens leiden, oder deren Sittlichkeit dadurch doch gefährdet ist. Viele solcher Kinder werden jetzt in die Rettungshäuser gesteckt und das ist nicht richtig. Sie gehören nicht dahin.

Daß es zahlreiche Kinder dieser letzten Gruppe in den Volksschulen gibt, geht aus meinen Mitteilungen zur Genüge hervor. Erinnern Sie sich als eines Beispiels nur des zuletzt mitgeteilten Falles Karl Q. Der Lehrer sagt von ihm, er stehe an der Grenze des Blödsinns, denn schulisches Kopfrechnen mit + und — 2 bringt er nach 8 jährigem Schulbesuch noch nicht fertig. Aber doch — mit Geld hat er im praktischen Leben ziemlich gut umgehen lernen. Lesen und Schreiben hat er in der Schule so gut wie nicht gelernt und wird das wenige, die Frucht 8 jähriger Arbeit, höchstwahrscheinlich bald wieder vergessen haben; aber er gräbt und pflanzt gern, er beobachtet Naturvorgänge und körperliche Arbeit ist sein Vergnügen. Die Schule ist ihm ein Ekel, aber doch ist er wißbegierig; er geht nicht gern in die Schule, »weil er etwas anderes wissen möchte als ihm da gelehrt wird«, wie mir der Vater mit richtigem Gefühl erklärte. »Wenn ihm dann nur etwas richtig gezeigt wird, merkt er sich mitunter etwas ganz gut‹, und Fragen wie die: ›woher Schnee, Regen, Wind, Sterne usw. kommen‹, interessieren ihn. Er hat selbstverständlich nie Sprüche und Gesangbuchlieder lernen können; aber daß er religiös belehrbar ist, geht schon aus seinen Fragen nach Naturvorgängen und -Erscheinungen hervor, und daß er religiös beeinflußbar ist, zeigt sich darin, daß er sich schämte, wenn er auf einer Lüge ertappt wurde und daß er die Lüge dann eingestand. Wenigstens vor 2 Jahren war das noch so. Vor 2 Jahren waren auch noch keine Klagen über seinen Charakter laut geworden, er wird als gutmütig bezeichnet, nur in den Tagen der epileptischen Erregungszustände ist er schwer zu behandeln. Er wird deswegen von den unverständigen Eltern geschlagen. Das trägt dann in Verbindung mit dem geisttötenden Aufenthalt in der Schule auch mit zur Verderbnis seines Charakters bei. Der Eintritt der Pubertät wirkt nun weiter nachteilig; der Knabe wird jetzt als unordentlich, lügnerisch und frech geschildert. Und wer weiß, wohin ihn die sexuellen Einflüsse, die Umwelt, seine ungenügenden geistigen Fähigkeiten, seine Epilepsie, der Mangel an Erziehung und Führung usw. noch bringen werden! Die Schule hat an diesem Kinde nicht nur ohne Resultat gearbeitet, sondern hat ihm die Kinderjahre durch fruchtlose Lernquälerei vergällen helfen, hat die Entwicklung und Kräftigung seines Sinnes gehemmt und ihn so zweifellos geschädigt. Das ist ein Beispiel für viele.

Diese Kinder sind nun aber für die gutbefähigten in der Normalklasse und für einander in der Hilfsklasse durch ihr schlechtes Beispiel und dadurch, daß sie viel kostbare Zeit wegnehmen, ein starkes Hemmnis; für den Lehrer sind sie ein Kreuz, und für sie selbst ist die Schule eine Quelle von Herzeleid, Enttäuschung und geistiger und körperlicher Schädigung. Nie können derartig Kinder, wie noch viele des Wesens des Schwachsinns unkundige Pädagogen meinen, in Normalklassen oder Hilfsklassen durch die befähigteren sittlich und intellektuell ›emporgerissen‹ werden. Nur das Umgekehrte ist der Fall. Der Beweis aber, daß sich diese auf physiologischer Basis beruhende Erkenntnis mehr und mehr Bahn bricht, liegt in der überall im deutschen Vaterland zunehmenden Einrichtung von Hilfsklassen und Hilfsschulen.

Woran liegt es nun, daß unsere Volksschule und ihre Hilfsklassen die intellektuell schwerer geschädigten Kinder nicht, oder nicht in nennenswertem Maße fördern kann? Die Antwort hat uns schon der Vater des letztgenannten Knaben gegeben und es ist dieselbe Antwort, die unsere größten Pädagogen und

Heilpädagogen gegeben haben und die auch die medizinische Wissenschaft[1]) hat. Es kommt daher, weil diese Kinder in der Schule Dinge lernen müssen, für die sie kein Interesse haben, und ferner daher, weil ihr funktionsschwaches Gehirn nicht im stande ist, die schulischen Unterrichtsstoffe in genügender Weise aufzunehmen und zu verarbeiten.

M. D. u. H.! Wenn ich bis jetzt solche Kinder als intellektuell-schwach bezeichnete, die nicht im stande sind, sich die mechanischen Fertigkeiten des Rechnens, des Lesens, der Rechtschreibung usw. in der Schule anzueignen und wenn ich diese Kinder als schulisch nicht bildungsfähig bezeichnete, dann sollte damit nicht gesagt sein, daß das Maß der intellektuellen Fähigkeit überhaupt nach den schulischen Leistungen abzumessen ist und daß bei solchen Schwachbefähigten überhaupt keine Bildungsfähigkeit vorhanden ist. Aus vielen, die jetzt intellektuell verkümmern, wären noch recht brauchbare Menschen zu machen und viele würden nicht sittlich verwildern und verkommen, wenn sie durch einen erziehlichen Unterricht gebildet würden, der ihren geistigen Bedürfnissen und ihrer Befähigung angemessen ist.

Bildungsfähigkeit ist da vorhanden, wo Interesse, oder, um mit Herbart zu reden, geistige Belebtheit, innere Aktivität besteht. Diese ist der Anfang der Intelligenz, der Denkfähigkeit. Sie schließt die Wertschätzung, den Willen und den Betätigungstrieb in sich und wo die vorhanden sind, und geübt werden, da findet Bildung statt. Nun ist es aber doch deutlich, daß der Unterricht für Kinder, namentlich aber der erziehliche Unterricht der verstandesschwachen nicht da einsetzen darf, wo das Kind naturgemäß kein oder nur ein erzwungenes Interesse hat, d. h. nicht bei Unterrichtsstoffen, für die das Kind keine Wertschätzung hat, die es nicht innerlich erfassen und verwerten kann. Dahin gehören Schreiben, Rechnen, Rechtschreibung, Lesen, lauter Übungen, die schon höherentwickelte Zentren voraussetzen, als sie das 6jährige Kind und zumal das gehirnschwache Kind hat. Das Eintrichtern von nichtinteressierendem Wissensstoff

---

[1]) Siehe z. B. MOELI: »Die Imbecillität« in »Die deutsche Klinik am Eingange des 20. Jahrh.« Wien u. Berlin, Urban & Schwarzenberg. 1903. VI. 2. — PICK, Über einige bedeutsame Psycho-Neurosen des Kindesalters. Halle a/S., Carl Marhold, 1904. — BERKHAHN, Über den angeborenen und früherworbenen Schwachsinn. Braunschweig, Vieweg & Sohn, 1904. — STADELMANN. Schulen für nervenkranke Kinder. Berlin, Reuther & Reichard, 1903. — Ders., Schwachbeanlagte Kinder. Ihre Förderung und Behandlung. München, Otto Gmelin, 1904. — WEYGANDT, Leicht abnorme Kinder. Halle a/S., Carl Marhold, 1905.

überbürdet das Gehirn, hemmt die Entfaltung der geistigen Fähigkeiten und schädigt dadurch den Sinn und die körperliche Gesundheit. Das ist eine Hauptursache, weshalb so außerordentlich viele Kinder in der VIII., VII. und VI. Klasse sitzen bleiben. Daß die Kinder in den ersten Schuljahren durch den schulischen Sitzunterricht auch körperlich erheblich geschädigt werden, ist eine durch hervorragende Ärzte unwiderleglich bewiesene Tatsache.

Für die natürliche Entwicklung des Verstandes des schwach befähigten Kindes ist zunächst nicht Rechnen und Schreiben usw. nötig, sondern methodische Übung der Sinnesorgane in freier Natur, denn richtige sinnliche Wahrnehmungen sind zur Bildung richtiger Begriffe nötig. Sie bilden die Grundlage aller Beobachtungen und wecken die Fähigkeit der Unterscheidung und der vergleichenden Abschätzung. Das Elternhaus und die Schule tun dafür so gut wie nichts und destoweniger, je schwächer intellektuell befähigt ein Kind ist, das namentlich auch bei der so häufigen Schwäche seiner Sinnesorgane gerade dieser Erziehung so dringend bedarf.

Jedes Kind, auch das sehr schwach befähigte, hat nun aber einen Interessenkreis, mag er auch noch so eng sein. Diesen muß der Erzieher zu erforschen wissen und nur an ihm muß er mit pädagogischer Weisheit die Denkkraft und die Phantasie des Kindes wecken und üben, ihn muß er unter Berücksichtigung der Fassungskraft und der geistigen Assimilationsfähigkeit des Kindes zu einem lebendigen, einem organisierend wirkenden Gliede des Unterrichts zu gestalten wissen. Das Kind muß also als Kind erzogen werden, d. h. zunächst für seine eigenen physischen und psychischen Bedürfnisse, nicht für die erwachsener Menschen. Auch beim schwachbefähigten Kinde wächst mit zunehmendem Alter der Interessenkreis infolge von Entwicklung von Gehirn und Körper und unter dem Einflusse der Umwelt. Und nun erst, wenn das Kind ihrer wirklich bedarf, ist es Zeit, die mechanischen Fertigkeiten des Lesens, Schreibens usw. einzuüben. Die Erkennung des Interessenkreises des Kindes und die Entwicklung seiner Fähigkeiten wird auch eine Anweisung geben, wozu das Kind von Gott berufen, was sein natürlicher Beruf ist, den jeder Mensch hat und in dem er seine Lebensaufgabe mit Freudigkeit und Aussicht auf Erfolg erfüllen kann.

Die Wahrnehmung der Umwelt, wie sie die Übung und Erziehung der Sinnesorgane erfordert, ist mehr passiver, rezeptiver oder sensorischer Art; das Kind nimmt Eindrücke auf und verarbeitet diese in seinem Innern zu Vorstellungen und Begriffen. Die psychische Arbeit wird aber aktiver oder motorischer Art, wenn Spiel und

Arbeit in den Mittelpunkt des Interesses und der Erziehung gerückt und vom Kind geübt werden. Beide Arbeitsarten der Psyche verlangen Berücksichtigung; denn nur durch beide wird Verstand und Sittlichkeit, »der Sinn«, genügend gebildet.[1]) Jede kindliche Psyche verlangt zunächst Handlung; auch an einer Geschichte interessiert das Kind am meisten die Handlung, alle bloße Überlegung und Theorie findet es minder wert. Darum müssen von geistig Schwachen vor allem am Arbeitsunterricht und gewissermaßen aus ihm herauswachsend die theoretischen Kenntnisse und die schulischen Fertigkeiten nach Möglichkeit gewonnen und entwickelt werden. Namentlich in der persönlichen Anstrengung liegt das Erkennen, die innere Selbstbildung, die Bildung zur Persönlichkeit eingeschlossen. Da sind zwei Worte von tiefster und weitgehendster heilpädagogischer Bedeutung: »Im Schweiße deines Angesichts d. h. arbeitend und leidend, sollst du dein Brot essen«, — Brot in der vollen d. h. auch der geistigen Bedeutung des Wortes — (1. Mos. 3, 19) — und ferner: »So jemand will Gottes Willen tun, der wird erkennen.« (Ev. Joh. 7, 17.)

An die Naturbetrachtung und an die Arbeit hat meines Erachtens auch der Religionsunterricht der Schwachsinnigen anzuknüpfen, denn nur, wo Verstand und Erkenntnis in gottgewollter Weise gefördert werden, kann Bildung des Gemüts und sittliches Wollen erwachsen. Bei der Erziehung und dem Unterricht dieser Kinder muß nun aber außer der Hebung ihrer herabgesetzten Empfindungs- und Denkfähigkeit im allgemeinen noch folgendes besonders berücksichtigt werden: Ihr Interesse ist nach Maß und Grad außerordentlich verschieden und oft bei ein und demselben Individuum infolge von Zuständen von Gehirnschwäche, die Stunden oder Tage, ja öfter Wochen, Monate und Jahre lang anhalten können, außerordentlich schwankend und wechselnd. Dabei haben die geringsten störenden Einflüsse physischer oder psychischer Art nicht selten unverhältnismäßig starke Wirkungen. Darum muß von solchen Kindern alles Hemmende durch psychische und physische Schonung und durch eine hygienisch wohl geordnete Lebensweise ferngehalten werden. Ihre so verschiedene und oft wechselnde Befähigung erfordert ferner individuell sorgfältig abgemessene Belastung und Übung bei entsprechender Pflege, Nahrung und Kleidung. Denn wenn die Anforderungen an die Leistungsfähigkeit des Kindes

---

[1]) Diese Frage habe ich in dem in der Anmerkung auf S. 327 erwähnten Vortrag behandelt.

24*

zu gering sind, dann ist ihre Wirkung erschlaffend, bei Überbürdung
dagegen geht die psychische Funktion in Negativismus über und hat
dann Unwillen oder verbrecherische Handlungen zur Folge. Interesselosigkeit und physische und psychische Überbürdung sind ja im allgemeinen bei Kindern die Ursachen der Pathologie des Willens, vor
allem aber bei Schwachsinnigen. Das lehrt die ärztliche Wissenschaft und die tägliche Erfahrung; zum Teil sind die Ihnen mitgeteilten Beispiele hierfür sprechende Belege.[1]

Nach dem Gesagten ist es nun wohl deutlich, daß zum Erzieher
und Unterweiser schwachbefähigter Kinder nur der Lehrer taugt,
der eine gründliche heilpädagogische Ausbildung genossen hat.
Diese kann auf dem Seminar. das nur auf erziehlichen Unterricht
normalbefähigter Kinder abzielt, nicht gewährt werden. Und darum ist
der nur seminaristisch gebildete Lehrer nicht im stande, Kindern,
die in höherem Grade schwachbefähigt sind, mit Frucht Unterricht
zu geben. Auch in der Hilfsklasse nicht, zumal wenn diese von 20,
30 und mehr Kindern besucht wird, so daß individueller erziehlicher
Unterricht nicht möglich ist, und auch schon darum nicht, weil ihm
die nötigen Lehrmittel fehlen und weil die Hilfsklassenkinder
nach der Schule doch immer und immer wieder in ein Milieu
kommen, das die Erfolge des Unterrichts in Frage stellt oder zerstört·

Mithin ergibt sich, daß für solche Kinder nur ein Ort als der
geeignete angesehen werden kann und das ist die nach heilpädagogischen Grundsätzen eingerichtete und geleitete geschlossene
Hilfsschule, das Erziehungsheim für Schwachsinnige, das
Heilerziehungsheim.

Die Vorsorge und Fürsorge darf sich nun aber nicht auf Kinder
von 6—14 Jahren beschränken; denn auch von der schulentlassenen
Jugend sind ja viele wegen intellektueller Schwäche und sittlicher Halt-
losigkeit noch nicht im stande, ihren Platz im sozialen Leben einzunehmen. Allerdings muß die Entlassung und die weitere Erziehung
solcher Kinder und Jugendlichen in geeigneten Familien das Ziel
sein, das die Heilerziehung anstrebt, da die Anstalt die freie Lehre
nicht ersetzen kann; allein die Jugendlichen müssen, wenn sie in die
freie Lehre eintreten, gewisse Kenntnisse und eine gewisse sittliche
Selbständigkeit mitbringen, da sie sonst durch die Anforderungen der
Lehre und des Lebens zu stark beschwert werden und nur gar zu
leicht Schiffbruch leiden. Nur wenige Meister haben ja die rechte

---

[1] Siehe als Beispiel den von Prof. BINSWANGER mitgeteilten Fall auf S. 27—29
der Broschüre: »Über den moralischen Schwachsinn.« Berlin, Reuther & Reichard.
1905.

Liebe und das rechte Verständnis für derartige Kinder. Deshalb bedürfen wir für die jugendlichen Schwachbefähigten noch einer Arbeitslehrkolonie[1]), die in demselben Geiste und Sinne wie das Erziehungsheim geleitet wird und mit diesem verbunden sein kann.

Wie derartige Anstalten nach dem Kollektiv- und Familiensystem zugleich einzurichten sind, lehren treffliche Beispiele, so z. B. die Waldschule für schwachsinnige Kinder in Charlottenburg, die Handarbeitskolonie für schwachbefähigte Knaben in Gräbschen bei Breslau, das Erziehungshaus »Am Urban« in Zehlendorf, die staatliche Musteranstalt in Altendorf-Chemnitz u. a. m. Die Erzieher müssen also seminaristisch und heilpädagogisch gebildete Lehrer und Lehrerinnen und tüchtige Handwerker, Gärtner, Landwirte usw. sein. Ihr Unterricht muß anknüpfen an Körperhygiene und Naturvorgänge, an Spiel und Geselligkeit, an Kindergarten und Tierpflege, an Geflügel- und Bienenzucht, an Garten- und Feldarbeit und Viehzucht, an Blumen - und Gemüsezucht, an Handfertigkeiten, Modellieren, Schnitzen, Zeichnen und Photographieren, an Blumenbinderei, Mattenund Korbflechterei, an Druckerei und Bandweberei, an Glaserei, Seilerei, Buchbinderei, Schuhmacherei, Schneiderei und Bürstenbinderei, an Weißnähen, Koch- und Haushaltungsschule und Bureauarbeiten usw. Die Auswahl der Lehrfächer richtet sich natürlich nach dem Vorhandensein von geeigneten Lehrkräften.

Welches praktische Ziel können wir nun in dieser Angelegenheit verfolgen?

Das Richtige wäre ja, daß jede größere Stadt und jeder Gemeindeverband ein Erziehungsheim und eine Arbeitslehrkolonie für Schwachsinnige hätte. Doch daran ist vorläufig nicht zu denken, weil noch in weitesten Kreisen die Einsicht in die Notwendigkeit dieser Maßregel fehlt und weil für solche Einrichtungen kein Geld da ist, solange nicht die bodenreformerischen und die alkoholgegnerischen Bestrebungen breites Feld gewonnen haben, und endlich, weil es uns auch noch am Besten fehlt, am heilpädagogisch vorgebildeten Erziehungs- und Lehrpersonal. Aber vorbereiten können und müssen wir derartige Vor- und Fürsorgeanstalten. Und der praktische Weg dazu ist meines Erachtens die Errichtung eines zentralen »Heilerziehungsheims und einer Arbeitslehrkolonie für das Großherzogtum Sachsen«. Selbstverständlich könnte hier nur eine beschränkte Zahl Schwachsiniger aufgenommen werden. Diese Anstalt

---

[1]) Siehe Klumker und Polligkeit, »Die Arbeitslehrkolonie«. Dresden, O. V. Böhmert, 1906.

müßte dann aber auch als heilpädagogisches Seminar und als
pädagogische Klinik dienen, und die hier ausgebildeten Lehrer würde
man dann über das Land verbreiten können, um Hilfsschulen im
Sinne unserer Anstalt einzurichten und zu leiten, oder zunächst
wenigstens den Unterricht in Hilfsklassen zu erteilen. M. D. u. H.!
Der Staat detachiert jedes Jahr zahlreiche Militärärzte zu ihrer Ausbildung in Spezialfächern an Kliniken; mindestens ebenso nötig ist
es aber, daß befähigte Lehrer an eine pädagogische Klinik und
an ein heilpädagogisches Seminar detachiert werden. Jedenfalls
aber würde eine solche Anstalt nicht nur von Lehrern und Ärzten
aus Sachsen-Weimar, sondern auch von zahlreichen anderen Pädagogen
und Ärzten aus ganz Thüringen, ja aus ganz Deutschland und auch
aus dem Auslande besucht werden, denn das Bedürfnis nach
einer solchen Einrichtung wird jetzt überall dringend
empfunden. Diese würde dadurch vielseitigste Unterstützung erfahren und unserem Lande zu nicht geringem Ruhme und Vorteil ge-
reichen. Schon aus dem Grunde, weil die Anstalt zugleich ein heilpädagogisches Seminar und pädagogische Klinik werden
müßte, könnte ihr Platz nur in der Nähe von Jena sein. Denn nur,
wo so hervorragende pädagogische, heilpädagogische und ärztliche
Kräfte versammelt sind wie in Jena — ich erinnere Sie an die
Namen von Binswanger, Rein, Strohmayer und Trüper — und wo
den Besuchern auch in anderen Hinsichten soviel geboten wird wie
da, ist meines Erachtens der Bestand einer Anstalt für das Studium
und die Behandlung der Schwachbefähigung gesichert.

Sehr verehrte Anwesende! In der Annahme, daß Sie mir in der
Hauptsache zustimmen, möchte ich nun die Frage stellen:

Welche Schritte können zur Erreichung des vor-
gesteckten Zieles getan werden?

Zunächst, meine ich, ist erforderlich, daß im ganzen Lande
die Einsicht verbreitet wird, daß für die Schwachsinnigen ausgebreitetere und intensivere Fürsorge unbedingt nötig ist. Dies
könnte u. a. dadurch geschehen, daß der Landesverein für Innere
Mission die Direktionen der Anstalten in Weimar, Tiefenort, Roda und
Neustadt a. O. veranlaßt, regelmäßig, etwa vierteljährlich, den Stadt-
und Landbehörden im Großherzogtum eine Angabe über die Zahl der
freien Plätze zugehen zu lassen, oder daß diese Angaben regelmäßig
in Tageszeitungen veröffentlicht werden. Ferner muß das Publikum
mit den Bedingungen, unter denen Aufnahme in die betreffende Anstalt erfolgen kann, mehr bekannt gemacht und von Zeit zu Zeit
daran erinnert werden. Daß noch so viele Plätze in den Anstalten

in Tiefenort, Roda und Neustadt a. O. frei sind, beweist bei der großen Zahl der Fürsorgsbedürftigen jedenfalls, daß die Interessen der Schwachsinnigen nicht in genügendem Maße gewahrt werden. Und so dürften solche öffentliche Bekanntmachungen eine Mahnung und ein Ansporn für manche Eltern und Behörden sein, mehr für sie zu tun. Dann müßte die Kommission für Jugendfürsorge im Landesverein für Innere Mission, unter Mitwirkung von sozialgesinnten Männern und Frauen, sorgen, daß die Lebensgeschichte der von der Volksschule oder aus Rettungsanstalten entlassenen schwachbefähigten und sittlich gefährdeten Jugend wenigstens bis zum 20. Jahre genau verfolgt würde. Die Resultate dieser Nachforschungen müßten in passender Weise aber ohne alle Schönfärberei am geeigneten Orte publiziert werden. Nichts dürfte mehr geeignet sein, die Gewissen zu schärfen, den sozialen Sinn zu wecken und die Börsen zu öffnen als die Bekanntgabe solcher traurigen Lebensgeschichten. — Ferner muß eine möglichst gründliche Erforschung der Ausbreitung und des Grades der Schwachbefähigung bei den Kindern der Volksschulen und des Maßes der Fürsorge in den verschiedenen Orten des Landes stattfinden. Dazu bedürfen wir der Hilfe der Regierung. Es wäre dazu etwa ein Schreiben an die Regierung zu richten, in dem auf die Ausbreitung des Schwachsinns und des jugendlichen Verbrechertums gewiesen und ersucht wird, durch die verschiedenen Leiter von Schulen und durch Behörden gewisse Fragen zur Ermittelung der Tatsachen beantworten zu lassen.

Ferner müßte der Landesverein zu veranlassen suchen, daß sich die jetzt für die gefährdete Jugend hier und da zerstreut arbeitenden Vereine und Kräfte zusammenschließen zu einem »Erziehungs- und Fürsorgeverein im Großherzogtum Sachsen«.

M. D. u. H.! Das Großherzogtum Hessen ist uns und ganz Deutschland in dieser Hinsicht mit einem leuchtenden Beispiel vorangegangen. In Hessen arbeiten Ärzte und Pädagogen, Juristen und Geistliche und viele andere Personen, die sich für die gefährdete Jugend interessieren, zusammen in einer »Vereinigung für gerichtliche Psychiatrie und Psychologie«, die über das ganze Land verbreitet ist. Nur so können auch wir ohne Zeit-, Kraft- und Geldverlust und mit der Aussicht auf durchgreifenden Erfolg vorwärts kommen. Wenn die verschiedenen Fürsorge-Vereine und Einrichtungen, die bereits im Landesverein für Innere Mission bestehen: der Verein zur Rettung verwahrloster und sittlich gefährdeter Kinder, das Falksche Institut, das Rettungshaus zu Tiefenort, die Erziehungsanstalt für elternlose und gefährdete Kinder in Neustadt a. O., die Vereine für hilfsbedürf-

tige Kinder in Jena und Apolda und alle sonstigen Mitglieder des
Landesvereins für Innere Mission, die an der schwachbefähigten und
gefährdeten Jugend arbeiten, zu einem Erziehungs- und Fürsorgeverein zusammenträten, dann hätte man einen Grundstock, dem sich
gewiß gern viele jetzt noch außerhalb des Landesvereins stehende
Kräfte aus allen Ständen angliedern würden. — Die Aufgabe des
Vereins hätte zunächst darin zu bestehen, daß er Vorträge in den
verschiedenen Ortschaften halten läßt und aufklärende Artikel in die
Tagespresse bringt, damit erst einmal das größere Publikum für die
Sache interessiert wird. Die Errichtung einer Zentralbibliothek würde
zur Erleichterung des Studiums des Schwachsinns und der Fürsorgebestrebungen dienen. An möglichst vielen Orten müßten Mitglieder
des Vereins, Männer und Frauen, zusammentreten, die das Schicksal
der Schwachsinnigen überwachen, den Jugendlichen bei der Wahl
eines Berufes zur Seite stehen, für geeignete Lehrherren sorgen, ihnen
Beistand in Notlagen und Gefahren gewähren, bei der Aushebung
über sie berichten,[1] die Berufsvormundschaft zu fördern suchen[2]
und ebenso die Reform ihrer strafrechtlichen Behandlung[3]. Schließlich müßte ein Aufruf zur Gründung eines Heilerziehungsheims und
einer Arbeitslehrkolonie mit heilpädagogischem Seminar und pädagogischer Klinik verteilt werden und müßten die Mitglieder die
Sammlung von regelmäßigen Beiträgen eifrig betreiben.[4]

M. D. u. H.! Ich zweifle nicht, daß wir so eine Ausbreitung
der Vorsorge und Fürsorge für die schwachbefähigte und sittlich
gefährdete Jugend in wenigen Jahren erreichen würden und daß
Gott unser Streben segnen würde, denn es ist ja Sein Werk, das
wir treiben, wenn wir jenen Tausenden von Unglücklichen, Verachteten,
Verspotteten und Versinkenden zu helfen suchen, die Anspruch
haben auf unsere fürsorgende Liebe.

[1] Die Petitionskommission des Reichstags hat dem Plenum gewisse bezügliche
Thesen vorgeschlagen (siehe »Reich« vom 27. Juni 1906 Abendausgabe) und die
»Wochenschrift für soziale Medizin« 1906, No. 25, S. 312.

[2] Siehe »Die Berufsvormundschaft in Deutschland« von Dr. KLUMKER, Zeitschrift f. Sozialwissenschaft, IX. Bd., 3. Heft, 1906. Berlin, Georg Reimer. Sonderabdruck.

[3] Siehe hierzu TRÜPER, »Zur Frage der Behandlung unserer jugendlichen Missetäter.« Langensalza, Hermann Beyer & Söhne (Beyer & Mann), 1906. Mit zahlreichen Literaturangaben. — DANNEMANN, FALD, BALSER, BEST und KLUMKER, Vorträge
über »Die Zwangs-(Fürsorge-)Erziehung«. Halle, Carl Marhold, 1906.

[4] Vorbildlich für alle hier in Betracht kommende Tätigkeit ist die des »Er-
ziehungs- und Fürsorgevereins für geistig zurückgebliebene Kinder« in Berlin. Vorsitzender: Herr Stadtschulinspektor Dr. P. VON GIZYCKI, Berlin C. 54, Rosenthaler-
straße 67.

B. Mitteilungen.

1. Psychopathisch Minderwertige und Militärdienstpflicht.

Von Wm. Carrié, Hamburg.

Sowohl in der pädagogischen Fachpresse, als auch in Tageszeitungen, in Lehrer- und Ärzteversammlungen, zuletzt auf dem Verbandstage deutscher Hilfsschulen in Bremen, ist wiederholt und mit größtem Nachdruck die Forderung erhoben worden, daß psychopathisch Belastete zum Heeresdienst nicht herangezogen werden dürfen. Die Gründe, welche von namhaften Medizinern und Pädagogen für die Durchführung dieser Maßnahme ins Feld geführt wurden, dürften den Lesern der »Kinderfehler« hinreichend bekannt sein; auch ist deren Notwendigkeit von den in Betracht kommenden Faktoren niemals ernstlich bestritten worden, am wenigsten von den Militärbehörden. Erst zu Anfang dieses Jahres wurde von dem Vertreter des Kriegsministers im Reichstage die Erklärung abgegeben, daß an die Sanitätsoffiziere die Weisung ergangen sei, dafür Sorge zu tragen, daß geistig Minderwertige nicht zum Militärdienst herangezogen würden. Aber von dieser Verfügung kann man sich irgendwelchen Erfolg nicht versprechen. Auch dem erfahrensten und tüchtigsten Arzte wird es bei der Auswahl der Gestellungspflichtigen nicht möglich sein, in der kurzen Zeit, die ihm für die Untersuchung der ihm bis dahin völlig unbekannten Leute zu Gebote steht, bestimmte Angaben über die psychische Beschaffenheit derselben zu machen; auch beim besten Willen wird er nach wie vor sich darauf beschränken müssen, seinem Urteil über die Dienstfähigkeit das Ergebnis der körperlichen Untersuchung zu Grunde zu legen. Eine sichere Diagnose über den Geisteszustand des zu Untersuchenden in so kurz bemessener Zeit aufzustellen, ist unmöglich; dazu würde selbst der erfahrenste Psychiater nicht im stande sein. Wieviel Zeit und scharfe Beobachtung gehören nicht dazu, wenn heutzutage gerichtsseitig ein Urteil Sachverständiger über die psychische Beschaffenheit eines Angeklagten eingefordert wird, und wie sehr widersprechen sich dann noch oft die Ansichten derselben! Das ist oft der sicherste Beweis dafür, wie schwer eine derartige Untersuchung ist, die erst dann zu einem auch nur einigermaßen sichern Ergebnis führen kann, wenn sie sich auf eine längere Beobachtung stützt. Durch den Arzt allein wird also die Einstellung geistig Minderwertiger nicht vermieden werden können, und wir brauchen uns deshalb nicht zu wundern, daß trotz aller Erlasse die Klagen über »Soldatenmißhandlungen« nicht verstummen wollen, die nach den durch Parlamentsreden und Zeitungsberichte veröffentlichten Tatsachen zum großen Teil an mit psychopathischen Minderwertigkeiten behafteten Soldaten verübt worden sind. Schon aus dem Grunde, daß diese auch in militär-technischer Hinsicht einen gefährlichen Ballast für die Armee bilden, sollte ihre Einstellung ins Heer vermieden werden. Bei Unglücksfällen (beim Schießen, Exerzieren usw.) hat sich oft herausgestellt, daß nicht schlechter Wille oder strafbare Nachlässigkeit, sondern nur horrender Unverstand Ursache der Gefährdung des eigenen und des Lebens anderer war. Sicherlich würde auch die Qualität der Armen wesentlich verbessert werden, wenn an die geistige Befähigung ebenso hohe Anforderungen gestellt werden, wie an die körperliche Tüchtigkeit, denn die moderne Kriegsführung, die ein verwegenes Draufgehen als bestes Mittel zur Niederwerfung des Feindes nicht mehr gelten lassen will, stellt an die Intelligenz auch des gemeinen Soldaten heutzutage hohe Anforderungen. In der Redensart, der preußische Schulmeister habe die Schlachten von 1866 geschlagen, liegt gewiß etwas Übertreibung, aber ein gutes Körnchen Wahrheit steckt doch darin; denn die Intelligenz der Mannschaften ist in den Kriegen der Neuzeit kein zu unterschätzender Faktor, wie uns das Beispiel der Japaner gelehrt hat. Die Heeresverwaltung wird daher gewiß dankbar sein, wenn man ihr eine sichere Handhabe bietet, wie die Einstellung geistig minderwertiger Mannschaft vermieden werden kann. Das wird am zweckmäßigsten in der Weise durchgeführt werden können, daß Schul- und Militärbehörden Hand in Hand arbeiten.

Diese Erwägungen veranlaßten den Verfasser dieses Artikels, Ende vorigen Jahres beim Generalkommando des 9. Armeekorps in Altona dahin vorstellig zu werden, ehemalige »Hilfsschüler« vom Militärdienst zu befreien. Der kommandierende General ließ ihm sofort seinen Dank für die gegebene Anregung aussprechen und setzte sich umgehend mit der hamburgischen Oberschulbehörde in Verbindung, was zu einem erfreulichen Resultate geführt hat; denn vor kurzem erhielten die Lehrkräfte an den hamburgischen Hilfsschulen folgendes Schreiben: »Von der 3. Sektion der Oberschulbehörde ist in gegebener Veranlassung beschlossen worden, den hiesigen Militär-Ersatzkommissionen sowohl im dienstlichen Interesse wie in dem der Rekruten alljährlich Abschriften der bei der Entlassung der Schüler aus den Hilfsschulen für Schwachbefähigte ausgestellten Abgangszeugnisse, sowie die über diese Schüler vorhandenen Gesundheitsbogen bekannt zu geben, damit von den Ersatzkommissionen seinerzeit entsprechende Eintragungen in die Rekrutierungsstammrolle bezw. weitere Ermittlungen veranlaßt werden können.« Zweifelsohne sind zwischen dem Generalkommando und den andern Schulbehörden im Bereiche des 9. Armeekorps ebenfalls Verhandlungen in dieser Angelegenheit angeknüpft, jedoch ist das Resultat derselben zur Zeit noch nicht bekannt. Bestimmt zu erwarten und zu hoffen ist aber, daß man auch dort überall recht bald dem Beispiele Hamburgs folgen wird. In den Besprechungen in der pädagogischen und in der Tagespresse über obigen Beschluß der hamburgischen Oberschulbehörde sind prinzipielle Bedenken gegen die Ausführung desselben nicht erhoben worden; nur wurde von einigen Seiten darauf hingewiesen, daß auf dem Lande und in kleinen Städten, wo wegen der erfreulicher Weise nur geringen Zahl geistig anormaler Schüler besondere »Hilfsklassen für Schwachbefähigte« nicht eingerichtet werden können, den Ersatzkommissionen daselbst auch kein Verzeichnis solcher Schüler ein-

gereicht werden könne. Dieser Einwand ist nicht stichhaltig. Die Hauptsache bleibt doch, daß die Militärbehörden Kenntnis von der Geistes-
beschaffenheit der Auszuhebenden erlangen, gleichgültig, ob die letzteren nun
eine sogenannte »Hilfsschule« besucht haben oder nicht, und es ist nicht
einzusehen, warum die Schulbehörden in kleinen Orten eventuell unter
Hinzuziehung des Schularztes nicht in der Lage sein sollten, die Namen
derjenigen Schüler festzustellen, welche in geistiger Beziehung Defekte
aufzuweisen haben.   Allerdings könnten diese Mitteilungen der Schul-
verwaltungen an die Militärbehörden für diejenigen jungen Leute zwecklos
werden, welche später vor dem Aushebungstermin ihren Wohnsitz in einen
andern Gestellungsbezirk verlegen.   Aber auch in diesem Falle ließe sich
ein Ausweg finden; denn von diesen müßte dann bei der Anmeldung zur
Stammrolle außer dem Geburtsschein auch die Vorlegung ihres Schul-
entlassungszeugnisses gefordert werden, und die Ersatzkommission würde
dann auf diese Weise einen Einblick in die geistige Befähigung des Gestellungspflichtigen erhalten können.

Die ganze Materie läßt sich in folgende fünf Punkte kurz zusammenfassen:

1. Im Interesse der Rekruten, des Offizier- und Unteroffizierkorps,
der Tüchtigkeit und Schlagfertigkeit der Armee ist es dringend notwendig,
daß bei der Auswahl des Heeresersatzes an die geistige Befähigung
ebenso bestimmte Anforderungen gestellt werden wie an die körperliche
Tüchtigkeit.

2. Um die Einstellung geistig minderwertiger Rekruten zu verhüten,
ist es notwendig, daß Schul- und Militärbehörden Hand in Hand arbeiten.
Dies geschieht dadurch,

3. daß in Orten mit »Hilfsschulen« alljährlich seitens der Schulbehörden den Ersatzkommissionen ein Namensverzeichnis der aus diesen
Schulen zur Entlassung gelangten Schüler bekannt gegeben wird.

4. Auf dem Lande und in kleinen Städten, wo besondere Klassen
für schwachbefähigte Kinder nicht eingerichtet werden können, wird der
Militärbehörde ebenfalls nach der jedesmaligen Schulentlassung ein Verzeichnis derjenigen Schüler eingereicht, die das Bildungsziel der Volksschule nicht erreicht haben bezw. als geistig minderwertig bezeichnet
werden müssen.

5. Junge Leute, welche in der Zeit nach ihrer Schulentlassung bis
zum Aushebungstermin in einen andern Aushebungsbezirk verziehen, haben
bei der Meldung zur Stammrolle außer dem Geburtsschein auch ihr Schul-
entlassungszeugnis vorzulegen.

Diese Vorschläge sind vom Verfasser mit einer eingehenden Begründung durch dankenswerte Vermittlung des Reichstagsabgeordneten
Dr. Semler der Petitionskommission des Reichstags überwiesen worden,
die in ihrer Sitzung vom 14. März d. Js. den erfreulichen Beschluß hat,
zu beantragen, diese Petition, betreffend die Freihaltung der Armee von
geistig minderwertigen Rekruten, dem Reichskanzler zur Erwägung zu
überweisen.   Von den Regierungskommissaren wurde bei Beratung dieser
Eingabe die Erklärung abgegeben, daß das Kriegsministerium bereits vor

einiger Zeit mit den Ministern des Innern und der geistlichen usw. Angelegenheiten in Verbindung getreten sei, um Maßnahmen im Sinne der
Petition zu treffen. Diese Erörterungen scheinen jetzt zum vorläufigen
Abschluß gekommen zu sein; denn im Ministerialblatt für Medizinal-
angelegenheiten vom 15. Mai d. Js. ist ein hierauf bezüglicher Erlaß des
Kultusministers und des Ministers des Innern an die Oberpräsidenten veröffentlicht. Dieser Erlaß bestimmt, daß dem Zivilvorsitzenden der zuständigen Ersatzkommission vertrauliche Mitteilung davon zu machen ist,
wenn eine Person, über deren Eintritt in das Heer noch nicht entschieden
ist, aus einer Anstalt für Geisteskranke, Idioten oder Schwachsinnige entlassen worden ist. Da nun das Plenum des Reichstages auf Antrag der
Petitionskommission sich noch weiter mit dieser Angelegenheit, besonders
auch mit den Vorschlägen, die in den beiden letzten Punkten der oben
erwähnten Petition enthalten sind, beschäftigen wird, so steht zu hoffen,
daß die in Frage stehende Angelegenheit voraussichtlich in nicht allzu-
ferner Zeit in allseitig befriedigender Weise ihre Erledigung finden wird.

2. Über Personalbogen.

Von Chr. Ufer.

Wiederholt ist an uns die Frage gerichtet worden, wie man wohl
die Personalbogen für Schüler am besten und zugleich am einfachsten
gestalten könne. Darauf ist zunächst zu erwidern, daß sich die Sache
nicht unter allen Umständen einfach machen läßt. Für Anstalten, die
ausschließlich oder vorwiegend mit schwer erziehbaren Kindern zu tun
haben, empfiehlt sich die Benutzung des schon früher in dieser Zeitschrift
angezeigten, ziemlich umfänglichen Personalienbuches von Trüper (Verlag
von Hermann Beyer & Söhne [Beyer & Mann] in Langensalza). Für gewöhnliche Schulverhältnisse dürfte das nachstehende Formular ausreichen,
das ich für die von mir geleitete Anstalt entworfen habe.

Das Formular hat die Gestalt eines einseitig bedruckten und gefalteten
Foliobogens, von dem die erste Außenseite für den Namen des Kindes
bestimmt ist. Das Formular reicht, von Ausnahmefällen abgesehen, für
die ganze Schulzeit aus. Die Bogen werden für die einzelnen Klassen
lose in eine verschließbare Mappe gelegt und können somit nach Bedürfnis
herausgenommen werden.

Die Eintragungen besorgt der Klassenvorstand, der verpflichtet ist,
die erforderlichen Erkundigungen einzuziehen und etwaige Mitteilungen
der einzelnen Lehrer entgegenzunehmen. Geht ein Kind zu einer andern
Anstalt über, so wird, je nach Sachlage, der betreffende Bogen sofort an
die betreffende Anstalt gesandt, oder er bleibt bei den Schulakten, bis er
etwa verlangt wird.

Vielleicht sagt die Auswahl und Verteilung der Fragepunkte nicht
jedem zu; indessen dürfte das Formular brauchbar sein, wenn nur der
Lehrer in den Dingen, die hier in Betracht kommen, einigermaßen Be-
scheid weiß. Es kommt ja schließlich weniger darauf an, wo gewisse

Südstädtische Mittelschule für Mädchen in Elberfeld.

Name des Kindes _____   Name, Stand u. Wohnung des Vaters: _____

Ort u. Zeit der Geburt _____

Aufnahme. Früher besuchte Schulen. Häusliche Verhältnisse. Körperliche, geistige und sittliche Entwicklung bis zum Eintritt in die Schule. Überstandene Krankheiten.	Körperliche Beschaffenheit (Anomalien); Gesundheitsverhältnisse. Die Sinne.	Aufmerksamkeit. Besondere Anlagen. Einseitige Begabung, Gefühls- und Willensleben. Krankhafte seelische Erscheinungen.	Unterrichtliche Fortschritte.	Erziehliche Fortschritte.	Besondere Maßnahmen und deren Erfolg.	Abgang. Bemerkungen.

B. Mitteilungen.

Angaben stehen, als daß sie überhaupt eine Stelle finden. Eine umfassendere und genauere Aufzählung und Gruppierung wichtiger Fragepunkte findet man in dem soeben erwähnten Trüperschen Personalienbuche, das zur Mitbenutzung empfohlen sei.

3. Verbrechernachwuchs in Berlin.

Zu diesem Kapitel berichten soeben die Tagesblätter:

Drei jugendliche Einbrecherbanden haben sich seit Eintritt der Ferien gebildet, um die freie Zeit zur Begehung von Verbrechen zu benutzen. Die Mitglieder der Banden bestehen aus Schülern im Alter von 10 bis 14 Jahren. Mit großem Raffinement verübte eine derselben bei dem Möbelhändler Hildebrandt in der Kopfstraße 33 einen Einbruchsdiebstahl. Die hoffnungsvollen Bürschchen schlichen sich in den Keller und drangen, nachdem sie mehrere hindernde Eisenstäbe beseitigt, durch eine Falltür in den Laden. Da sie dort kein bares Geld fanden, statteten sie der Wohnung des Möbelhändlers einen Besuch ab. Im Schlafzimmer holten die jugendlichen Diebe aus der Westentasche des H. den Schlüssel zum Vertikow heraus und raubten aus dem letzteren ein Portemonnaie sowie zwei Sparbüchsen. Den Einbrechern fielen etwa 60 M zur Beute. Als Täter ermittelte die Kriminalpolizei den dreizehnjährigen Schüler Max Lindner, den vierzehnjährigen Schüler Willi Beyer aus der Wanzlickstraße und den zwölfjährigen Schüler G. aus der Weisestraße. Anführer der Bande war B. gewesen. Bei der Festnahme der Bürschchen war das gestohlene Geld bereits verjubelt. — Eine Einbrecherbande von fünf Schülern hatte sich das Cigarrengeschäft von Scheitzlich, Stallschreiberstraße 38/39, als Arbeitsfeld ausgesucht. Eines der Bürschchen zwängte sich durch das enge Kellerfenster hindurch und drang dann in den Laden hinauf. Dort raubte er soviel Cigarren und Cigaretten als er tragen konnte, ging damit nach dem Keller zurück und reichte die Beute den auf der Straße Schmiere stehenden Komplizen zu. Der jugendliche Einbrecher begab sich dann noch einige Male in den Keller zurück und traf dann immer wieder mit frischer Beute beladen am Kellerfenster ein. Auch die Tageskasse, in der sich noch ein Vorrat Briefmarken befand, wurde ausgeplündert. — Nach Art ergrauter Verbrecher arbeitete eine jugendliche Einbrecherbande, die in Friedenau aufgetreten ist. Die Burschen erbrachen in der Büsingstraße eine Baubude, erbeuteten dort jedoch nur minderwertige Gegenstände. Aus Rache über diesen Mißerfolg schlugen die Einbrecher, Schüler im Alter von 10 bis 14 Jahren, alles kurz und klein und verunreinigten die Baubude. — Die Anlagen zu einem schweren Verbrecher stecken in einem vierzehnjährigen Bürschchen, dem in der Annenstraße 21 ein dreister Raubanfall geglückt ist. Bei der dort wohnhaften Produktenhändlerin Isendahl erschien der Knabe mit einem Sack voll Lumpen auf dem Rücken, um diese angeblich bei der Händlerin zu verkaufen. Als Frau J. die Geldtasche hervorholte, um zu zahlen, riß ihr der Knabe dieselbe blitzschnell aus der Hand und entfloh schleunigst. Als sich die Bestohlene von ihrer Überraschung erholt hatte, war der jugendliche Räuber bereits spurlos verschwunden. — Auch eine jugendliche Räuberin ist in der Person der zwölfjährigen Martha Sch. in Rixdorf ermittelt worden. Die jugendliche Diebin beobachtete, wie ein elfjähriges Mädchen, das Einkäufe besorgte, das Portemonnaie in dem im Arme getragenen offenen Korb legte, sprach es an und veranlaßte die Kleine, vor einem Schaufenster stehen zu bleiben. Hier benutzte dann die Sch. die Gelegenheit, der neuen Freundin das Portemonnaie aus dem Korbe zu rauben und die Flucht zu ergreifen. Der Diebstahl war jedoch von der Bestohlenen sofort bemerkt worden, die die Verfolgung der Räuberin aufnahm. Die letztere flüchtete nach dem elterlichen Hause in der Berlinerstraße und versteckte sich dort. Die Eltern des Kindes, durchaus achtbare Leute, wurden von dem Vorfall benachrichtigt und fanden nach längerem Suchen ihre Tochter in einem Stalle versteckt, wo diese auch das Portemonnaie verborgen hatte. Die Art der Ausführung des Diebstahls läßt darauf schließen, daß das Mädchen ohne Wissen der Eltern öfter derartige Räubereien verübt hat.   U.

C. Literatur.

1. **Meltzer,** Dr. med. **G.,** Anstaltsbezirksarzt in Großhennersdorf in Sachsen. Die staatliche Schwachsinnigenfürsorge im Königreich Sachsen. Heft XV der Sammlung »Zur Pädagogik der Gegenwart«. Dresden, Bleyl & Kämmerer. (Inh. Otto Schambach.) 0,60 M.

2. **Pietzsch, A.,** Die Erziehung der sittlich gefährdeten·Kinder in der kgl. sächs. Erziehungsanstalt zu Bräunsdorf. Heft XX der Sammlung von Abhandlungen und Vorträgen: Zur Pädagogik der Gegenwart. Ebenda. 28 S. 0.50 M.

Das Königreich Sachsen ist derjenige Staat, der für das Schulwesen nach allen Seiten hin seit langem am besten gesorgt hat. Er ist derjenige Staat, der sich der Fürsorge von allem, was schwachsinnig und abnorm heißt, am ersten und besten angenommen hat. In Sachsen entstanden zuerst die besonderen Schulen und Klassen für Schwachsinnige. Hier hatten wir zuerst staatliche Taubstummenanstalten und hier entstanden auch zuerst die staatlichen Anstalten für Schwachsinnige, Epileptische und ethisch Entartete.

Die vorliegende Arbeit von Meltzer zeigt uns, welche Schwachsinnigenfürsorge staatlicherseits in Sachsen getroffen worden ist. Sie führt uns aber zugleich ein in die verständnisvolle Arbeit in den sächsischen Anstalten, so daß wir das kleine Schriftchen nach vielen Seiten hin der Beachtung unserer Leser bestens empfehlen möchten.

Pietzsch dagegen unterrichtet uns über eine bestimmte Anstalt, über die für sittlich gefährdete Kinder in Bräunsdorf. Unsere älteren Leser werden sich erinnern, wie in dem Berichte von Hagen über deutsche Anstalten für Verwahrloste so wenig Gutes gesagt werden konnte, wie er überall vergebens nach dem Verständnis für das Pathologische der jugendlichen Missetaten und für das Individuelle gesucht habe. Hagen wollte von uns nach Bräunsdorf reisen, wurde aber auf dem

Wege dorthin telegraphisch nach Norwegen zurückgerufen. Nach den Darstellungen
von Pietzsch würde Hagen jedenfalls über Bräunsdorf und die sächsischen
Anstalten wesentlich günstiger geurteilt haben. Überhaupt muß hier noch einmal mit
Nachdruck hervorgehoben werden, was auch die Meltzersche Schrift dartut, daß
die ganzen Erziehungsfragen im Königreich Sachsen in vieler Beziehung weit mehr
gefördert sind, als in den meisten übrigen Staaten. Und das kommt einfach daher,
daß für das Königreich Sachsen staatliche Erziehung nicht bedeutet, daß der Staat,
d. h. die juristischen Verwaltungsbeamten, bloß die Bevormundung über Schulen
und Lehrerstand führen und das Schulwesen durch Dekrete schematisieren und dann
die Fürsorge, die doch eigentlich das Wesentliche der Schulherrschaft ausmachen
sollte, Gemeinden, Privatpersonen und der öffentlichen Wohltätigkeit überlassen.
Das Königreich Sachsen ist vielmehr bahnbrechend vorangegangen und hat schon ein
halbes Jahrhundert hindurch auf gesetzgeberischen Wegen nicht bloß bekundet, daß
der Staat auch für die geistig wie sittlich Verkommenen und Gefährdeten in hinreichender Weise zu sorgen hat, sondern daß der Stand der Arbeiter an der Erziehung
der Jugend überhaupt seiner besonderen Berufsbildung, seiner besonderen Standes-
ehre und einer gewissen Autonomie bedarf. An der Universität Leipzig konnte
man darum schon lange auch Pädagogik studieren, der Pädagoge konnte dort ein
besonderes Examen machen und promovieren, auch seminaristisch gebildete Lehrer
mit guten Zeugnissen wurden dort nicht bloß aus Gnaden zum Hören von Vorlesungen zugelassen, sondern sie hatten das Recht, immatrikuliert und geprüft zu
werden. Diese Achtung vor der Pädagogik als Wissenschaft hat viel Segen für die
öffentliche Erziehung des Landes gebracht. Wenn die Pädagogik dort auch noch
nicht voll ebenbürtig neben Medizin, Jurisprudenz usw. steht, so hat sie doch ihre
Stellung in der Reihe der Wissenschaften, während sie in den übrigen deutschen
Staaten in der Regel nur als etwas Subalternes betrachtet wird. Diese staatliche
Fürsorge ist auch wohl der Anlaß, daß gegenüber gewissen mecklenburgischen, bayerischen und preußischen Psychiatern, welche erklären, daß Anstalten für Abnorme,
die nicht von Psychiatern geleitet werden, nicht der Erfahrung der Wissenschaft
und der Humanität entsprechen und daß der Lehrer und Erzieher an solchen
Anstalten eine Stelle wie die des Masseurs bekleiden müsse, Dr. Meltzer auf dem
Psychiatertage in Dresden eine Auffassung in dieser widerwärtigen Streitfrage vertreten konnte, die sich ganz und gar mit der unsrigen deckt. Die Achtung, die der
Staat in seiner Gesetzgebung vor der Erziehungsarbeit und der Erziehungswissenschaft bekundet hat, hat hier auch der Arzt ausgesprochen, natürlich zum Verdrusse
etlicher herrschsüchtiger Standesgenossen.

Wir aber freuen uns, daß beide Schriften bekunden, wie segensreich das einmütige von gegenseitiger Achtung getragene Zusammenwirken der Geistlichen, der
Lehrer und der Ärzte in der Erziehung der abnormen Kinder in den sächsischen
Anstalten ist. Hoffen wir, daß auch in den übrigen deutschen Staaten diese Frage
in gleichem Sinne voranschreite!   Tr.

Druck von Hermann Beyer & Söhne (Beyer & Mann) in Langensalza.